2002年9月12日至13日，中共中央、国务院在北京召开全国再就业工作会议。中共中央总书记、国家主席江泽民在会上作重要讲话。江泽民指出，扩大就业，促进就业，关系改革发展稳定的大局，关系人民生活水平的提高，关系国家的长治久安，不仅是重大的经济问题，也是重大的政治问题。千方百计解决好群众的就业问题，就是为人民办实事，就是贯彻“三个代表”要求的重大实践。中共中央政治局常委、国务院总理朱镕基主持会议，并在闭幕会上讲话。中共中央政治局常委、国家副主席胡锦涛主持闭幕会。中共中央政治局常委李瑞环、尉健行、李岚清出席会议。中共中央政治局委员、国务院副总理吴邦国在会上作工作报告。

2002年8月12日，劳动保障部副部长李其炎赴湖南省进行调研期间考察社会保险经办机构。

2002年8月19日，劳动保障部副部长王东进考察辽宁省鞍山市医疗保险基金管理中心。

2002 年 3 月 27 日，劳动保障部副部长步正发在青岛市劳动和社会保障局调研。

2002 年 4 月 12 日，劳动保障部副部长张小建在天津市调研再就业工作。

2002年11月5日，劳动保障部副部长刘永富在广西南宁市就企业退休人员社会化管理服务工作进行调研。

2002年10月22日，中纪委驻劳动保障部纪检组组长崔会烈到福建省劳动保障厅检查效能监察工作。

2002年9月14日，在全国再就业工作会议之后，全国劳动保障厅局长会议在北京召开。会议主要任务是：深入学习中央领导同志重要讲话和《中共中央国务院关于进一步做好下岗失业人员再就业工作的通知》精神，进一步统一思想，提高认识，明确任务，坚决贯彻落实全国再就业工作会议提出的各项任务，全面做好今年的各项劳动保障工作，以优异成绩迎接党的十六大。

2002年12月25日至26日，劳动保障部在广东省南海市召开全国劳动保障工作会议。

2002 年 3 月 2 日，劳动保障部召开《领导干部社会保障知识读本》《新时期劳动和社会保障重要文献选编》出版发行座谈会暨劳动保障学习宣传活动组委会全体会议。

2002 年 11 月 26 日，劳动保障部部长张左己与来北京进行国事访问的芬兰总统哈洛宁进行会谈，并共同出席国际劳工组织全球化社会影响世界委员会中国对话会，发表演讲。

2002年10月30日至31日，劳动保障部在辽宁省沈阳市召开全国劳动保障系统信息化工作会议，研究部署加快全国劳动保障信息系统建设，全面启动“金保工程”。劳动保障部副部长李其炎出席会议并讲话。

2002年2月28日至3月1日，劳动保障部在广东省中山市召开全国医疗保险工作座谈会，劳动保障部副部长王东进出席会议并讲话。

2002年5月28日至31日，全国劳动保障依法行政工作座谈会在湖北省宜昌市召开，劳动保障部副部长步正发出席会议并讲话。

2002年7月30日至31日，劳动保障部在北京召开贯彻全国职教会精神推进职业培训工作会议，劳动保障部副部长张小建出席会议并讲话。

2002年11月4日，全国企业退休人员社会化管理服务工作现场会在广西壮族自治区南宁市召开，劳动保障部副部长刘永富出席会议并讲话。

2002年5月30日，劳动保障部召开宣传中心、国际交流服务中心成立大会。劳动保障部部长张左己，副部长李其炎、王东进、张小建、刘永富出席会议。

2002 年 6 月 6 日，中国社会保险学会在北京成立。

2002 年 7 月 16 日，全国首届劳动和社会保障知识电视大奖赛总决赛在京举行。劳动保障部部长张左己，副部长李其炎、王东进、步正发、张小建、刘永富，纪检组组长崔会烈和人民日报社、财政部、广电总局、中华全国总工会及天津环球磁卡集团公司的领导和嘉宾出席并为获奖选手颁奖。

# 中国劳动和社会保障年鉴

# CHINA LABOUR AND SOCIAL SECURITY YEARBOOK

2003

中国劳动社会保障出版社

# 编 辑 说 明

一、《中国劳动和社会保障年鉴（2003）》是关于劳动和社会保障工作的专业性史料工具书。全书通过翔实的资料和系统的阐述，介绍了2002年我国劳动和社会保障事业的发展概况，反映了劳动和社会保障工作改革与发展的成就、经验和今后需要继续研究解决的问题。它是党政机关领导干部、各部门工作人员、劳动和社会保障系统干部、工会工作者、企业领导及劳资干部，以及劳动和社会保障科学理论工作者有价值的参考用书和工具书。

二、本年鉴的内容共分6个部分，即劳动和社会保障工作概览、劳动和社会保障重要文献、全国劳动和社会保障工作、地方劳动和社会保障工作、劳动和社会保障大事记、劳动和社会保障统计资料。其中重要文献部分，特别刊登了我国首部关于劳动保障的白皮书——《中国的劳动和社会保障状况》白皮书。

三、本年鉴中，全国劳动和社会保障工作分为：就业和再就业、职业培训、劳动关系、企业工资收入分配与劳动标准、养老保险、失业保险、医疗保险、工伤保险、生育保险、农村养老保险、社会保险基金管理与监督、法制建设、规划统计与信息系统建设、科学研究、新闻宣传与出版、国际交流与合作、学会与协会。

《中国劳动和社会保障年鉴（2003）》的编辑出版是在全国劳动保障系统的共同努力下完成的，在此，向参加编辑出版工作的同志表示衷心的感谢。

《中国劳动和社会保障年鉴》编辑部

2003年9月

# 目　　录

## 劳动和社会保障工作概览



## 劳动和社会保障重要文献

### 一、党和国家领导人关于劳动和社会保障工作的重要讲话



### 二、劳动和社会保障部领导讲话和文章

## 三、《中国的劳动和社会保障状况》白皮书



## 四、重要文件

## 全国劳动和社会保障工作



## 地方劳动和社会保障工作

## 劳动和社会保障大事记



## 劳动和社会保障统计资料

## 三、职业培训与技能鉴定



## 四、劳动关系



## 五、劳动保障监察



## 六、社会保障

# 劳动和社会保障
# 工作概览

# 2002年劳动和社会保障工作概览

2002年是我们党和国家政治生活中具有特殊重要意义的一年。举世瞩目的党的十六大胜利召开，提出了全面建设小康社会，开创中国特色社会主义事业新局面的奋斗目标，从全面贯彻落实“三个代表”重要思想的政治高度和国家长治久安的战略高度，把完善社会保障体系和促进就业作为全面建设小康社会的重要内容，并对进一步深化分配制度改革、健全社会保障体系和扩大就业提出了明确要求，为今后一段时期劳动保障工作指明了方向。各级劳动保障部门以“三个代表”重要思想为指导，坚决贯彻落实中央的各项决策和部署，劳动保障工作整体情况进展较好，在巩固两个确保、促进就业和再就业、完善社会保障体系、维护劳动关系和谐稳定等方面都取得了积极进展，为维护改革发展稳定大局做出了贡献。

**就业与再就业** 党中央国务院高度重视下岗失业人员再就业工作，召开全国再就业工作会议，并下发《中共中央国务院关于进一步做好下岗失业人员再就业工作的通知》（中发〔2002〕12号），确立了有中国特色积极就业政策的框架。劳动保障部会同中宣部、国家计委、国家经贸委等12个部门和单位，研究制定了8个配套文件，进一步明确和细化了各项扶持政策的操作办法。劳动力市场信息网络初步建成，90个城市实现了市区内实时联网，并实现按季度发布职业供求分析报告。劳动力市场秩序逐步规范。年末全国各类职业介绍机构26 158所，全年介绍成功1 354万人次，比上年增加125万人次，增长10.2%。其中劳动保障部门办职业介绍机构18 010所，全年介绍成功978万人次。

国有企业下岗职工基本生活保障工作成果继续得到巩固。到年底，国有企业（含国有联营企业、国有独资公司）下岗职工410万人，比上年底减少105万人，绝大多数进中心的下岗职工能按时足额领到基本生活费并代缴社会保险费。全年共有120万国有企业下岗职工实现再就业，再就业率为26%。

2002年底，全国城乡就业人员73 740万人，比上年末增加715万人。其中第一产业36 870万人，占50.0%；第二产业15 780万人，占21.4%；第三产业21 090万人，占28.6%。城镇就业人员24 780万人，比上年末增加840万人。其中城镇单位就业人员10 985万人，比上年末减少181万人；城镇私营和个体就业人员4 267万人，比上年末增加609万人。在城镇单位就业人员中，在岗职工10 558万人，比上年末减少234万人。年末全国城镇登记失业率为4.0%。

**职业培训** 围绕贯彻落实全国职业教育工作会议和全国再就业工作会议精神，进一步加强了职业培训工作。2002年底，全国技工学校3 075所，在校学生153万人，比上年增加18万人，增长13.3%；面向社会开展培训和再培训208万人次，比上年增长27.6%。就业训练中心3 465所，社会培训机构17 350所，全年开展培训1 071万人次，比上年增长32.7%。技校和培训机构培训的人员中，518万失业人员和下岗职工参加了再就业培训，31万人参加了创业培训，110万城镇未能继续升学的初高中毕业生参加了劳动预备制培训。年末全国职业技能鉴定机构8 517个，职业技能鉴定考评人员近18万人。全年662万人参加了职业技能鉴定，其中556万人获得职业资格证书，职业技能鉴定平均通过率为84%。

**劳动关系**　围绕劳动保障中心工作，以妥善处理下岗职工劳动关系为重点，继续全面推行劳动合同制度，加强劳动合同管理，积极推进集体协商与集体合同制度，促进劳动关系三方协调机制建设，保持了劳动关系的和谐稳定。一是积极稳妥地处理国有企业改革中的劳动关系问题，努力促进下岗职工平稳出中心。2002年，全国出中心下岗职工为191.4万人，其中解除劳动关系人数为90.2万人，占出中心人数的47.1%，比2001年上升了1个百分点。二是不断完善劳动合同和集体合同制度，进一步加强劳动合同管理。截至2002年底，全国城镇各类企业劳动合同签订率达到95%以上，上海市抽样调查的企业中劳动合同签订率达到100%，北京市私营企业、乡镇企业劳动合同签订率也达到90%以上。全国已签订集体合同所覆盖的企业达到63.5万户，涉及职工8 000万人。北京、上海、山东、天津、河北等省市人大或政府制定或重新修订了地方劳动合同法规或规章。三是劳动关系三方协调机制建设取得重大进展。2002年底，全国30个省（自治区、直辖市）建立了省一级三方协商机构，标志着我国劳动关系协调工作进入了一个新的发展阶段，协调劳动关系的三项主要制度框架基本形成。四是劳动争议处理工作的力度进一步加大。2002年全国各级劳动争议仲裁委员会共立案受理劳动争议案件184 116件，涉及劳动者608 396人，到年底共审理结案178 744件（其中上年结转12 472件），结案率为91%。各级劳动争议仲裁委员会还以非立案方式调解处理劳动争议案件77 342件。

**企业工资分配**　按照建立与现代企业制度相适应的收入分配制度的目标，以建立激励与约束相结合的收入分配机制为中心，突出推进国有企业经营者收入分配制度改革和改善对垄断行业工资收入分配调控两个重点，抓好企业内部分配制度改革、宏观调控体系建设、完善政策法规三个环节，企业工资收入分配制度改革积极推进。2002年，共有2.3万家企业进行了以岗位工资为主的内部分配制度改革，3万多家企业建立了工资集体协商制度，29个省、自治区和直辖市建立了工资指导线制度，118个大中城市发布了劳动力市场工资指导价位，18个大中城市发布了行业人工成本。职工工资水平进一步提高。全年城镇单位在岗职工年平均工资12 422元，比上年增长14.3%，扣除价格因素，实际增长15.5%。其中国有单位12 869元，城镇集体单位7 667元，其他单位13 212元。

**养老保险**　在确保企业离退休人员养老金按时足额发放的同时，提高基本养老金水平、依法扩大养老保险覆盖面、完善基本养老保险政策、进一步做好行业移交后续工作、实现养老保险的社会化管理服务等项工作取得较大进展。到2002年底，全国参加基本养老保险的人数达14 737万人，其中：在职职工人数11 129万人，比上年增加327万人，增长3%；离退休人员3 608万人，比上年增加227万人，增长6.7%。全年基本养老保险基金总收入3 171亿元，基金收缴率为94.9%，基金支出2 843亿元，基金历年累计结余1 608亿元。全国参保职工的月人均缴费工资为802元，参保的离退休人员月人均养老金648元。企业离退休人员养老金基本实现社会化发放，社会化管理率达到43.5%。

**失业保险**　各级劳动保障部门认真贯彻全国再就业工作会议精神，进一步落实《失业保险条例》及相关规定，在保障基本生活、促进再就业方面发挥了重要作用。到2002年底，全国参加失业保险人数共10 181.6万人，比上年底减少173万人。全国失业保险基金收入215.6亿元，比上年增收28.3亿元，增幅为15.1%。其中，征收失业保险费202.4亿元，比上年增加24.3亿元，增幅为13.7%。

全年共支出失业保险基金186.6亿元，比上年增加30亿元，增幅为19.2%。其中，失业保险金支出116.8亿元,医疗补助费支出8亿元,职业培训和职业介绍补贴支出18.8亿元,农民合同制工人生活补助支出1.9亿元,向国有企业再就业服务中心调剂资金34.5亿元,其他支出6.4亿元。全年共向657万名失业人员提供了不同时间的失业保险金和其他失业保险待遇,比上年增加188.5万人,增幅为40.2%。

**医疗保险** 围绕改进管理服务水平、完善多层次医疗保障体系、研究解决困难群体的医疗保障和稳步扩大基本医疗保险覆盖面等重点问题，医疗保险制度的建设取得新突破。截至2002年底，基本医疗保险制度已推进到全国绝大多数城市，参保人数达到9 401.2万人，比上年增加了2 115.3万人。2002年全国基本医疗保险基金总收入（含清欠和利息收入）为607.8亿元，比上年增收224.2亿元，基金总支出为409.4亿元，当年结余197.7亿元，累计结余450.7亿元。定点医疗机构管理工作有所加强，结算办法日趋完善，基本医疗保险用药管理工作进一步加强，医疗保险管理服务水平和质量进一步提升。

**工伤保险** 各地以加大工伤保险扩面工作、完善工伤保险政策措施、加强依法行政为重点，推进了工伤保险工作。2002年末全国参加工伤保险的职工4 406万人，比上年末增加60万人。全年工伤保险基金收入32.0亿元，支出19.9亿元，年末基金滚存结余81.1亿元。

**生育保险** 认真贯彻落实《中国妇女发展纲要（2001—2010年)》，加快生育保险制度建设步伐，不断理顺生育保险管理体制，生育保险取得进展。2002年末全国参加生育保险职工3 488万人，比上年末增加33万人。全年生育保险基金收入21.8亿元，支出12.8亿元，年末基金滚存结余29.7亿元。当年共有47.36万人享受生育保险待遇。

**农村养老保险** 继续理顺体制，稳定队伍，管好基金，搞好调研，做好整顿规范工作。同时，为在有条件的地区积极稳妥地推进农村养老保险制度建设做好政策研究工作。截至2002年底，全国有31个省（自治区、直辖市）1 955个县级单位开展了农村养老保险工作，参保农民达5 481万人，积累保险基金233万元。

**社会保险基金监管** 按照明确监管目标、健全监管法规、改进监管方式、强化监管手段、建立监管体系的思路，积极开展基金监管各项工作，取得了新的进展。一是会同财政部等6部门下发了《关于加强社会保障基金监督管理工作的通知》（劳社部发〔2002〕12号)，明确了劳动保障部门对税务征收、银行发放和财政专户管理的监督职责，为逐步实现社保基金管理全程监管提供了政策依据。二是以辽宁为突破口，探索对个人账户基金实行协议存款和购买国债的保值增值途径。三是起草《社会保障基金现场监督规则》和《社会保障基金非现场监督指导意见》，进一步规范基金监督检查的程序和行为。截至2002年底，全国已有11个省市制定《社会保险基金行政监督办法实施细则》，15个省制定监督举报工作程序，初步建立起社会保障基金监管制度框架。四是开展中央补助资金和养老保险基金管理使用、社会保险基金银行开户、全国企业年金经办情况的专项检查，规范管理行为，并分门别类研究了尚未回收挤占挪用基金的处理办法。五是推动基础建设，提高管理水平，28个省（自治区、直辖市）已设立监督电话，初步建立基金监督举报网络。

**劳动保障法制建设** 劳动保障立法取得新突破。2002年10月，国务院重新制定公布了《禁止使用童工规定》，为保障未成年人的合法权益提供了强有力的法律保障。劳动保障部、公安部、国家工商行政管理局发布《境外就业中介管理规定》，进一步规范了境外就业中介行为。完成了《工伤保险条例》草案的修改和《劳动保障监察条例》草案的起草报送工作。各地出台了工资支付、监察执法、社会保险费征缴等地方性法规、规章14件。

劳动保障监察执法取得明显成效。2002年3月，会同9个单位组成国务院调查组，对河北省高碑店市农民工苯中毒事件进行了调查处理，要求全国各地开展专项整治活动，杜绝类似事件的发生。在强化劳动保障年检、巡视监察和群众举报专查，开展养老保险扩面征缴、规范劳动力市场秩序等经常性检查的同时，针对一个时期出现的突出问题，重点开展了农民工权益保护、女职工权益保护、贯彻实施《禁止使用童工规定》情况、农民工工资支付等专项检查活动。全年各级劳动保障监察机构共主动检查用人单位 98.4 万户（次），查处群众举报案件 12 万件，年检用人单位 102 万户，审查用人单位制定的劳动规章 63.7 万件。督促用人单位补缴社会保险费 35.8 亿元，补发被克扣、无故拖欠的工资等 14.2 亿元，补签劳动合同 730.9 万份。取缔非法职业中介机构6 085户，切实维护了劳动者的合法权益。

劳动保障行政执法监督工作不断加强。对劳动保障部行政审批项目进行了全面清理，部里 61 个行政审批项目中，公布废止了 12 项。各级劳动保障行政机关共接到行政复议申请1 889件，比上年增长 53.6%。其中，劳动保障部直接处理 61 件。到年底，全国共有劳动保障监察机构3 196个，配备劳动保障监察员3.7 万名。

2002 年劳动保障工作具有以下几个方面的特点：

1．坚持不懈地巩固两个确保，国有企业下岗职工基本生活费和企业离退休人员基本养老金按时足额发放工作取得了新的成绩。两个确保是“三个代表”的具体体现，也是保障困难群众基本生活、正确处理改革发展稳定关系的重要内容。2002 年，劳动保障系统认真贯彻中央关于解决困难群众工作和生活问题的部署，多次下发通知，以两个确保为工作重点，继续坚持已经形成的工作机制和工作方法，对重点地区和重点行业进行重点监控，对保发放实行按月调度，对个别地区出现的拖欠问题，坚持做到发现一起，查处一起。《中共中央国务院关于进一步做好下岗失业人员再就业工作的通知》（中发〔2002〕12 号）明确提出，对企业新裁减人员和出中心的下岗职工，要按规定及时提供失业保险，符合条件的，纳入城市居民最低生活保障。对协议期满暂时无法解除劳动关系的下岗职工，各级政府和企业要继续运用现有各类资金渠道筹措的资金保障其基本生活。从 2002 年起，对中央财政补助两个确保转移支付资金实行年初一次下达计划、资金按季拨付的新机制，有力地支持了地方工作，两个确保进一步巩固。2002 年末国有企业下岗职工 410 万人，比上年末减少 105 万人，进中心的下岗职工基本能够按时足额领到基本生活费，并由中心代缴社会保险费。全年共筹集基本生活保障资金 178.6 亿元，其中财政 116.5 亿元、企业 30.8 亿元、社会 31.3 亿元。2002 年末，全国参加基本养老保险的企业离退休人员达到3 333万人，比上年增加 168 万人，全年发放企业基本养老金2 404亿元，比上年增加 341 亿元，基本做到了按时足额发放，并基本实现社会化发放，年末企业离退休人员社会化发放率为 99.4%。2002 年中央财政补助两个确保的资金达到 548 亿元。

2．突出下岗失业人员再就业工作，确立了积极的就业政策框架。2002 年 9 月，党中央、国务院召开全国再就业工作会议，对就业和再就业工作作出全面部署，会后下发了《中共中央国务院关于进一步做好下岗失业人员再就业工作的通知》，劳动保障部和有关部门下发了 8 个配套文件，形成了有中国特色的积极的就业政策体系。这一框架主要包括五项内容，一是以提高经济增长对就业的拉动能力为取向的宏观经济政策，鼓励扩大就业容量、创造就业岗位。二是以重点促进下岗失业人员再就业为取向的扶持政策，解决困难群体就业。三是以实现劳动力与就业需求合理匹配为取向的劳动力市场政策，通过强化就业服务和职业培训帮助劳动者了解需求信息、提高就业能力，缓解结构性失业问题。四是以减少失业为取向的宏观调控政策，严格规范企业减员，建立失业预警制度，减轻社会失业压力。五是以既能有效地保障下岗失业人员基本生活，又能积极促进再就业为取向的社会保障政策。这五个方面的基本内容相互匹配,相互支撑,相互促进,构成了一个比较完整的体系。积极的就业政策体现了我国这些年就业领域的基本经验,应该得到长期坚持,并在实践中不断完善。

3．认真做好完善社会保障体系的试点工作,辽宁试点工作取得明显成效。从 2001 年 7 月 1 日起,试点工作开始启动,至 2002 年末已取得重要进展。一是下岗职工基本生活保障向失业保险并轨任务基本完成。2002 年末,全省企业再就业服务中心由 2000 年的4 801个减少到 371 个,并轨人数累计达到 124 万人,其中近 50%人员实现再就业。二是基本养老保险个人账户基本做实,调整了计发办法。参保职工个人缴费比例达到 8%,至 2002 年末已做实个人账户基金 48 亿元,24 万企业新退休人员按新办法计发基本养老金,新老办法实现平稳过渡。三是城市居民最低生活保障基本做到应保尽保。全省享受低保人数由 2000 年末的 72 万人增加到 2002 年末的 150 万人,两年共支付最低生活保障金 15 亿元,部分困难集体企业未参加基本养老保险统筹的退休人员开始按低保标准领取生活费。四是城镇职工基本医疗保险改革步伐加快。全省参加医疗保险人数由 2000 年末的 105 万人增加到 2002 年末的 617 万人,覆盖范围由 12%提高到 72%。五是社会保障资金的筹集和管理得到加强。试点两年,全省共筹集社会保障资金 383 亿元,社会保险费征缴收入、地方财政补助和企业自筹资金逐年增加。六是社会保障管理服务社会化水平明显提高。2002 年末,在全部实现基本养老金社会化发放的基础上,全省纳入社会化管理的企业退休人员达到 213 万,占全部退休人员的 80%。辽宁省社会保障试点工作取得了明显成效,在做实养老保险个人账户和推动下岗职工生活保障向失业保险并轨等方面实现了预期目标,为在全国逐步推广提供了宝贵经验。

4．集中精力抓好重点问题的调查研究和督促检查，赢得了工作的主动。针对越来越严峻的就业形势，劳动保障部党组在一季度形势分析会上提出要对就业和再就业工作进行充分调研，为时机成熟时召开再就业会议做好准备。从 3 月份起，在随同国务院领导同志进行调研、座谈的同时，与有关部门一道，兵分 18 路，开展了近年来最大规模的调研，并进行了 10 城市抽样调查，掌握了大量基础数据特别是各地的新鲜经验和做法。由于准备比较充分，在中央确定召开再就业工作会议以后，较早地拿出了一套政策框架，在之后各个阶段的工作中赢得主动。针对企业退休人员养老金水平偏低，与机关事业单位水平相差过大的问题，在调研的基础上及时提出建议，在机关事业单位养老金水平未作调整的情况下，先行调整了企业退休人员待遇，不仅部分地解决了企业退休人员本身的问题，同时也较好地解决了企业复员退伍转业军人待遇问题，社会反应良好。针对部分困难行业和企业无力参加医疗保险问题，在深入调研的基础上，提出了允许这些行业和企业采取不建立个人医疗账户、只建立统筹基金的办法启动医疗保险的政策，有效地扩大了基本医疗保险保障范围，实践证明是符合实际的。针对“中国制造”谁来制造的问题，在调研的基础上充分反映技工培养的严峻形势，使职业培训、职业资格证书制度特别是技工培养问题在全国职业教育工作会议上得到高度重视和充分反映，取得了良好效果。

与此同时，在全国范围内组织开展了民工有序流动、清理整顿劳动力市场及职业资格规范、农民工权益保护、女职工权益保护、贯彻实施《禁止使用童工规定》、农民工工资支付情况等专项检查或自查工作，推动了各项政策措施的落实。坚持两手抓、两手都要硬的方针，在全系统深入学习邓小平理论，学习“三个代表”重要思想和党的十六大精神，积极倡导“四讲五树立”的优良作风，大力推进“三抓一加强”，干部队伍的精神面貌发生了深刻的变化，造就了一支特别能吃苦、特别能战斗、特别能忍耐的干部队伍，为劳动保障事业的发展奠定了坚实的组织基础。

# 劳动和社会保障重要文献

# 一、党和国家领导人关于劳动和社会保障工作的重要讲话

# 在中共中央、国务院召开的全国再就业工作会议上的讲话

江泽民

（2002年9月12日）

中共中央、国务院今天在京召开全国再就业工作会议。中共中央总书记、国家主席江泽民在会上作了重要讲话。江泽民指出，扩大就业，促进再就业，关系改革发展稳定的大局，关系人民生活水平的提高，关系国家的长治久安，不仅是重大的经济问题，也是重大的政治问题。千方百计解决好群众的就业问题，就是为人民办实事，就是贯彻“三个代表”要求的重大实践。各级党委和政府一定要充分认识就业和再就业工作的极端重要性，把就业和再就业工作，始终作为关系改革发展稳定的大事，务必抓紧抓实抓好。

江泽民强调，国有企业下岗失业人员，为国家建设做出过贡献，理应得到国家和社会的关心和帮助。解决好他们的再就业问题，是整个就业工作的重中之重，是各级党委和政府以及全社会义不容辞的责任。各级党委和政府一定要下更大的决心，花更大的力气，采取更加有力的措施，切实做好再就业工作。

中共中央政治局常委、国务院总理朱镕基主持会议。中共中央政治局常委李瑞环、胡锦涛、尉健行、李岚清出席了会议。

江泽民说，就业是民生之本。就业工作历来受到党和政府的高度重视。总的来看，我们在就业和再就业工作方面，取得了显著成绩。就业规模不断扩大，就业结构调整取得进展。市场导向的就业机制初步形成，就业方式发生深刻变化。“两个确保”得到较好落实，社会保障体系建设取得重大进展。这些成绩，是在我国劳动力供求矛盾十分突出的情况下取得的，也是在世界经济起伏变化的情况下取得的，确实来之不易，是全党和全国上下共同努力的结果。

江泽民指出，当前及今后一个较长时期内，我国就业形势仍十分严峻。我国就业方面的主要矛盾，是劳动者充分就业的需求与劳动力总量过大、素质不相适应之间的矛盾。这将是一个长期存在的问题。当前主要表现在劳动力供求总量矛盾和就业结构性矛盾同时并存，城镇就业压力加大和农村富余劳动力向非农领域转移速度加快同时出现，新成长劳动力就业和失业人员再就业问题相互交织。焦点集中在下岗失业人员再就业上，而且这个问题已经成为一个带有全局性影响的重大经济和社会问题。

江泽民说，各级领导干部在开展工作时，一定要注意分清轻重缓急，善于集中力量搞好当务之急。做好下岗失业人员的再就业工作，就是当前党和国家工作一项重大而紧迫的当务之急。对此全党同志必须有足够的认识，加紧

工作，并有针对性地采取一些政策措施。

江泽民指出，一是要结合本地区经济社会发展的需要和下岗失业人员的特点，有组织地开发一批适合下岗失业人员从事的就业岗位。要千方百计帮助下岗失业人员获得一份工作。社区就业潜力很大，应该把充分开发社区服务业的就业岗位作为一个重点。二是要有针对性地开展面向下岗失业人员的职业介绍和职业指导。解决就业困难群众的再就业问题，必须提供更有针对性的就业服务，进一步把工作做细做实。三是要充分重视职业培训在促进再就业工作中的重要作用。要提高再就业培训的针对性、实用性和有效性。适应就业市场的需求和变化，帮助下岗职工通过培训掌握再就业的技能和本领，形成以培训促进创业、以创业促进就业的良性机制。四是要积极开展再就业援助。政府的资金和政策要集中用于帮助最困难的群众实现再就业，政府开发的公益性就业岗位主要应用来安排他们，并采取提供就业援助、社会保险补贴和岗位补贴等更加优惠的扶持政策。对下岗失业人员的职业介绍和再就业培训等服务都要免费。下岗失业人员自谋职业、服务型企业批量招收下岗失业人员、国有企业通过主辅分离分流安置富余职工等，都应在税费政策上给予支持。五是要继续巩固“两个确保”，搞好“三条保障线”的衔接，切实做到应保尽保。各级政府和企业要继续运用现有各类渠道筹措资金，加大对生活困难的下岗失业人员的扶持力度，确保他们的基本生活。

江泽民说，做好再就业工作，同做好整个就业工作是紧密联系的。我们党和政府在解决十几亿人口吃饭、几亿劳动力就业这个大问题上，进行了长期富有成效的探索，积累了丰富的经验。要结合新的情况，总结实践经验，借鉴国外的有益措施，逐步走出一条既能够充分促进就业，又能保证经济持续快速健康发展的路子。从长远来看，我们要逐步加快培育和发展劳动力市场，完善就业服务体系，建立以劳动者自主就业为主导；以市场调节就业为基础；以政府促进就业为动力的就业机制。

江泽民指出，做好当前及今后一个时期的就业和再就业工作，要正确处理好以下五个方面的关系。

第一，要正确处理发展经济和扩大就业的关系，通过发展经济促进就业，通过扩大就业推动经济发展，实现发展经济与扩大就业的良性互动。发展是硬道理。通过发展经济来扩大就业，是解决就业问题的根本途径。在研究经济和社会发展规划时，要把就业问题作为重要内容统筹考虑。既通过促进经济发展来扩大就业，又通过扩大就业来促进经济发展。

第二，要正确处理经济结构调整和扩大就业的关系，使经济结构调整和劳动力结构调整协调推进。在提高产业科技含量的同时要重视发展劳动密集型产业，在增强国有经济竞争力的同时要加快发展多种所有制经济，在培育一批大型企业集团的同时要大力发展中小企业，充分发挥各种产业和企业在吸纳劳动力就业方面的作用。第三产业的就业增长弹性大，应作为扩大就业的主攻方向。要在提高经营管理水平和切实保护生态环境的条件下，积极发展旅游业，扩大就业。一些以资源开采为主的城市和地区，要按照市场的需求，结合本地的优势，有步骤地发展接续产业，进行整体性调整，重振经济。

第三，要正确处理深化改革和扩大就业的关系，坚持减员增效和促进再就业相结合、职工下岗分流和社会承受能力相适应的原则。要全面理解和正确贯彻“鼓励兼并、规范破产、下岗分流、减员增效、实施再就业工程”的方针，统筹考虑减员增效和促进再就业。企业职工下岗分流，要充分考虑财政、企业、职工和社会保障的承受能力，量力而行。国有企业要积极挖掘内部潜力，发展多种经营，改制分流，多渠道安置富余人员。

第四，要正确处理城乡经济协调发展和扩大就业的关系，把引导农村富余劳动力转移和解决“三农”问题紧紧联系起来。在重点做好城镇下岗失业人员再就业工作的同时，要统筹兼顾城镇新增劳动力和农村富余劳动力的就业工作。要为农村劳动力开辟更多的生产门路和就业门路。

对农民进城务工要公平对待、合理引导、完善管理、搞好服务，组织和引导农村富余劳动力有序流动，维护农民工的合法权益，促进农村富余劳动力向非农产业转移。

第五，要正确处理完善社会保障体系和扩大就业的关系，通过实行“两个确保”解决保障基本生活的当务之急，通过促进再就业解决下岗失业人员的根本出路，通过完善社会保障体系为深化改革和扩大就业提供保障。

江泽民说，要精打细算，节省一切可以节省的资金，首先保证多用一些在就业和社会保障上。要调整和优化财政支出结构，增加财政对就业的投入。我国是世界上劳动人口最多的国家，就业任务繁重，财政再困难，也要拿出钱来支持就业。

江泽民指出，各级党委和政府都要清醒地认识就业和再就业工作的长期性、艰巨性和复杂性，坚决落实中央的方针政策，既要立足当前，明确工作重点，采取有效措施，集中人力、财力和物力，打好攻坚战，又要着眼长远，把就业和再就业工作作为一项长期的战略任务，制定中长期的规划和政策，打好持久战。要加强统筹协调，发挥各方面的积极性，形成全社会共同参与、齐抓共管的局面。要定期分析情况，研究对策，及时解决突出问题，做到工作责任到位，政策落实到位，资金投入到位，措施保证到位。各级领导要满腔热情地为下岗失业人员排忧解难，确保再就业各项政策措施落实到他们身上。

江泽民最后强调指出，强有力的思想政治工作，历来是我们党的重要政治优势。越是深化改革，越是遇到困难，思想政治工作越要加强。要通过细致的思想政治工作，引导职工群众支持企业改革，自觉维护稳定。

朱镕基在主持会议时说，江泽民同志的重要讲话从党和国家工作全局的战略高度，全面分析了我国当前面临的就业形势，深刻指出了做好再就业工作对于促进经济发展、保持社会稳定的极端重要性，明确了在新的历史条件下进一步做好就业和再就业工作的指导思想和方针政策，并对各地、各部门落实会议精神提出了明确要求。讲话高屋建瓴，内容丰富，对我们认清形势，把握大局，进一步做好就业和再就业工作，全面推进改革开放和社会主义现代化建设的伟大事业，具有十分重要的指导意义。我们一定要认真学习，深刻领会，全面落实。要以邓小平理论和“三个代表”重要思想为指导，分析就业和再就业工作面临的形势，明确新时期做好就业和再就业工作的指导思想、目标任务和政策措施，进一步完善社会保障体系，全面推动就业和再就业工作。

中共中央政治局委员、国务院副总理吴邦国在会上作了工作报告。

出席会议的中央领导同志还有丁关根、田纪云、李长春、李铁映、吴官正、张万年、罗干、姜春云、贾庆林、钱其琛、黄菊、温家宝、曾庆红、吴仪、司马义·艾买提、王忠禹等。各省、自治区、直辖市和计划单列市、新疆生产建设兵团主要负责同志，中央和国家机关有关部门主要负责同志，解放军有关单位、武警部队和有关大型国有企业的负责同志等出席了会议。

（据新华社）

# 在中共中央、国务院召开的全国再就业工作会议闭幕会上的讲话

朱镕基

（2002年9月13日）

中共中央政治局常委、国务院总理朱镕基今天下午在全国再就业工作会议上讲话指出，进一步做好下岗失业人员再就业工作，是党中央、国务院从当前改革发展稳定大局出发做出的重要决策。各地区、各部门一定要按照江泽民总书记重要讲话精神，提高认识，统一思想，明确任务，以对国家和人民极端负责的态度，采取更加有力的措施，切实加大工作力度，千方百计促进就业和再就业；同时，继续加强社会保障体系建设。

中共中央政治局常委、国家副主席胡锦涛主持会议，中共中央政治局常委尉健行、李岚清出席了会议。

朱镕基在讲话中，首先进一步强调了做好就业和再就业工作的重大意义。他说，扩大就业，促进下岗失业人员再就业，是我们当前一项紧迫的重要任务，是贯彻“三个代表”要求的具体体现，关系人民群众的根本利益和国家的长治久安。这次会议，对新形势下促进下岗失业人员再就业，采取更加有力的政策措施，做出全面的工作部署，充分说明党中央、国务院对进一步做好就业和再就业工作的高度重视。

朱镕基指出，在建立社会主义市场经济体制、深化国有企业改革中，党中央、国务院一贯非常重视再就业工作，相继制定了一系列政策措施。特别是1997年以来，贯彻执行“鼓励兼并、规范破产、下岗分流、减员增效和实施再就业工程”方针，逐步建立国有企业下岗职工基本生活保障制度、失业保险制度、城市居民最低生活保障制度“三条保障线”和养老、医疗保险制度，不仅有力地推进了国有企业改革和结构调整，而且保证了绝大多数下岗职工的基本生活，并使大部分下岗职工通过多种途径实现了再就业。实践充分证明，中央确定的方针和政策措施是完全正确的，必须继续全面贯彻执行。如果没有及时采取这些方针政策，这些年我国改革开放和现代化建设就不可能取得这么大的成就，也就不会有今天这样好的政治经济形势。要认真总结经验，完善政策措施，正确处理深化改革、调整结构和扩大就业的关系，既要坚持改革方向，又要过细地做好工作，在推进改革和结构调整中，积极促进再就业，努力保持社会稳定。

朱镕基说，对于我们这样一个有近13亿人口的国家来说，妥善解决就业问题，既是一项紧迫的工作，也是一项长期的战略任务。在目前改革攻坚、结构调整加快时期，再就业矛盾突出，需要采取一些特殊的政策措施。同时必须看到，劳动力供过于求，将是我国整个现

代化建设进程中长期存在的客观现象。对此，我们一定要有充分的估计和准备，必须做出持久的艰苦努力。

朱镕基指出，当前和今后一个时期，促进再就业需要把握好以下几个问题。一是必须明确再就业的重点方向。我国经济增长进入新阶段，正处在经济体制和经济增长方式根本性转变时期，增加劳动就业主要应是服务业、中小企业、集体经济和个体私营经济。这些方面具有发展的广阔空间和吸纳就业的巨大潜力。同时，要大力发展非全日制、非固定单位、临时工、小时工等灵活多样的就业方式。二是必须坚持正确的就业方针。要继续贯彻执行“劳动者自主就业、市场调节就业、政府促进就业”的方针。在发展社会主义市场经济条件下，必须充分发挥市场机制在就业和再就业中的基础性作用，坚持主要通过市场调节劳动力供求，引导劳动者自主就业。同时，必须高度重视政府在促进就业和再就业中的重要作用。主要是：科学制定就业规划，引导和调节劳动力供求；实施积极的就业政策，对特殊困难对象给予就业援助；健全劳动力市场体系，依法维护劳动力市场秩序；提供就业服务和完善社会保障。要十分注意把市场调节就业和政府促进就业很好地结合起来，这是解决中国就业和再就业问题的正确选择。三是必须全面贯彻各项政策措施。为了进一步做好再就业工作，中央这次出台了一些新的政策措施，各地一定要认真贯彻执行。要准确地理解和把握中央的方针政策，严格按照规定的政策界限和工作部署，积极而又稳妥地开展工作，并在实践探索中及时总结经验。四是必须继续加强再就业服务。要高度重视职业教育和再就业培训，进一步增强培训的针对性、实用性和有效性。加快就业服务信息化建设，健全劳动力市场信息网及其公开发布系统，改进服务方式，提高服务效率，为下岗失业人员求职、创业提供及时、便捷、周到的服务。深入整顿和规范劳动力市场秩序，加强对各类职业中介行为的监管，严厉打击各类非法职业中介和各类欺诈行为。

朱镕基说，要继续加强社会保障体系建设。首先还是全面落实“两个确保”和城市“低保”。这几年，从中央到地方都加强了这方面的工作，取得了很大进展。从目前反映的情况看，一些地方和单位还存在“死角”。要针对存在的问题，区别不同情况，明确政策措施，加大工作力度，妥善加以解决。对协议期满暂时还难以出中心的下岗职工，要继续运用现有各种渠道筹措的资金保障他们的基本生活；对企业新裁减人员和出中心的下岗职工，要按规定及时提供失业保险，符合条件的纳入城市“低保”范围；对解除劳动关系的下岗职工，要按照规定认真做好各项社会保险的接续工作。困难企业中在岗职工因拖欠工资而生活困难，符合城市“低保”条件的，要纳入“低保”范围，这方面要抓紧制定具体实施办法。切实做好城市“低保”工作，仍然是当前社会保障体系建设的一个重点。关键是要合理确定当地“低保”标准和应保对象的补助水平。标准太高，国家负担不起，也容易形成养懒汉机制，不利于促进就业；标准太低，又难以保障困难群众的基本生活。“低保”补助金要按应保对象的实际收入状况准确核定，不能随意搞七折八扣，补差过少；也要防止瞒报收入、补差过多的现象。各地区、各城市都要由领导干部带头，深入企业、社区和困难居民家庭，进行认真调查研究，及时发现和解决各种问题。二是妥善帮助解决生活困难较大的群众的实际问题。中央最近决定，对目前收入水平较低和生活困难较大的一些人员，分别由中央财政和地方财政采取措施，提高他们的收入水平和给予生活补助。各地方、各部门一定要按中央的决策办事，真正把党和政府对生活困难较大群众的关心落到实处。三是继续做好完善城镇社会保障体系试点工作。一年多来，辽宁全省和其他省、自治区部分试点城市按照建立完善的社会保障体系的要求，积极推进试点工作，取得了明显进展，还要坚定不移和扎扎实实地把试点各项工作做好，为在全国完善城镇社会保障体系进一步积累和探索完整的经验。

朱镕基强调，进一步做好再就业和社会保障工作，关键是加强领导，狠抓落实。要明确责任，加强检查，多方配合，形成合力，及时发现新情况，解决新问题。要认真总结和大力宣传推广工作做得好的地方、行业、企业、社区的经验，推动全国再就业和社会保障工作更加扎实有效地进行。

胡锦涛在主持会议时指出，党中央、国务院召开的全国再就业工作会议，是一次很重要的会议。江泽民总书记在会上发表的重要讲话，从全局和战略的高度，深刻阐明了扩大就业和促进再就业的极端重要性，明确提出了推进这项工作的指导思想、方针政策和基本要求，为我们做好新形势下的就业和再就业工作指明了方向。朱镕基总理的重要讲话，进一步强调了做好下岗失业人员再就业工作的重大意义，着重阐述了促进再就业需要把握好的几个问题，并对继续加强社会保障工作提出了明确的要求。吴邦国同志的工作报告，也对再就业工作作了具体部署。这次会议对于全面推进就业和再就业工作，具有十分重要的指导作用。

胡锦涛要求各地区、各部门认真传达学习会议精神，特别是要深入学习领会江泽民总书记和朱镕基总理的重要讲话精神，准确理解和把握中央的方针政策，切实把思想和行动统一到中央的决策和部署上来。他特别强调，中央关于做好就业和再就业工作的大政方针已经明确，现在关键是要抓好贯彻落实。各地区、各部门一定要切实增强工作责任感和紧迫感，把中央精神与自身实际紧密结合起来，把立足当前与着眼长远紧密结合起来，尽快研究制定具体的工作方案和实施办法，进一步细化目标任务，完善政策措施，健全工作机制，强化督促检查，真正把扩大就业和促进再就业的各项工作落到实处。让我们紧密团结在以江泽民同志为核心的党中央周围，以邓小平理论和“三个代表”重要思想为指导，开拓创新，扎实工作，以优异成绩迎接党的十六大胜利召开。

出席今天会议的中央领导同志还有丁关根、李长春、吴邦国、吴官正、张万年、罗干、贾庆林、钱其琛、黄菊、温家宝、曾庆红、吴仪、司马义·艾买提、王忠禹等。

各省、自治区、直辖市和计划单列市、新疆生产建设兵团主要负责同志，中央和国家机关有关部门主要负责同志，解放军有关单位、武警部队和有关大型国有企业的负责同志等出席了会议。

（据新华社）

# 加强职业教育和培训 提高职工队伍素质和企业竞争力

## ——在全国职业教育工作会议上的讲话

吴邦国

（2002年7月29日）

### 一、充分认识做好职业教育和培训工作的重要性、紧迫性

职业教育和培训是提高劳动者技能的重要手段，对于改善我国职工队伍素质的状况，增强企业竞争力，具有十分重要的作用。党中央、国务院高度重视这项工作，各地区、各有关部门和广大企业紧紧围绕我国现代化建设事业的需要，开展多种形式的职业培训，取得了显著成绩。我国每年在各类培训机构接受培训的人数超过1亿人次。1994年以来，全国有3 500万劳动者取得了不同等级的职业资格证书，为现代化建设培养了一大批高素质劳动者和技能骨干。1998年以来，各地共培训下岗职工1 800多万人，有力地促进了下岗职工再就业。

但是也必须看到，我国职业教育和培训还不适应新形势的要求。我国职工队伍的整体素质还比较低，高级技工严重缺乏。全国仅数控机床的操作工就短缺60万人。杭州汽轮机厂需要260名数控技工，参加十多场招聘会，月薪提到6 000元，还招不到合适人选。我国高级技工占技工总数的比例只有3.5%，与发达国家40%的比例相差甚远。一线工人技术水平低，是导致我国企业产品质量不高，安全事故频发的重要原因。据质监总局反映，目前我国产品的市场抽查合格率平均只有70%，不良产品造成的损失每年近2 000亿元。在近几年企业发生的各种事故中，有一半以上是由于责任意识不强、岗位技能不高造成的。面对经济全球化加速发展、市场竞争日趋激烈的新形势，加强职业教育和培训，大力提高职工队伍素质，增强企业竞争力，是摆在我们面前的一项极为重要的战略任务。

（一）加强职业教育和培训是加快产业结构调整的迫切需要

产业结构调整必然涉及到就业结构的调整，结构优化和产业升级最终都要依靠职工队伍素质的提高。发展高技术产业和新兴产业，需要大量高素质的技术工人。用高新技术和先进适用技术改造传统产业，需要职工提高技术水平和掌握新的技能。用信息化带动工业化，提高整个国民经济的现代化水平，更需要加快培养掌握计算机技术和机电一体化复合技能的现代技工。当前，随着科学技术的突飞猛进，全球范围的产业结构调整正在加速进行，国际

产业分工正在“重新洗牌”，发达国家的一些制造业加快向外部转移。许多发达国家和跨国公司看好中国市场，也看到我们劳动力成本低廉并具有一定素质的优势，将部分制造业进一步向我国转移，这是我们的极好机遇。但我们也要看到，目前转移过来的大都是来料加工和装配等工序，加工深度不高，真正技术含量高的并不多。我们承接的基本上是国际分工中的劳动密集部分，虽然这对我们扩大就业也是重要的，但增值有限，效益较低。我国制造业虽已名列世界第四，但总体规模仅相当于美国的1/5、日本的1/4。我们要适应国内外产业结构调整的要求，实现我国产业结构的优化和升级，在全球产业结构调整中占据有利地位，形成和发展我们的比较优势，必须大力加强职业教育和培训，迅速提高劳动者的综合素质，学习新知识，掌握新技能，实现劳动力资源的优化配置。

（二）加强职业教育和培训是提高企业竞争力的迫切需要

加入世贸组织，意味着我国在更大范围和更深程度上参与国际竞争与合作，在给我国企业带来新机遇的同时，也带来了更加严峻的挑战。与国外企业特别是国际著名跨国公司相比，我国企业的差距很大。就职工队伍而言，一是人多，二是素质不高。我国的人均劳动生产率仅为日本的1/26，美国的1/25，德国的1/20，单位产品劳动力成本还高于韩国、匈牙利、墨西哥等国家。我们一些企业的设备并不落后，有的生产线甚至比国际著名公司还要先进，但是生产出来的产品就是不能与人家竞争。用同样的配件，我们组装的手表却达不到瑞士产品的质量。我们组装的汽车与原装车也还是有差距。现在有的企业已经不是“巧妇难为无米之炊”，而是“有米”难寻“巧妇”。再好的技术发明也要靠生产线制造成产品，再先进的机器设备也要靠人来操作。我们需要高科技人才，更缺不了能工巧匠。我国产业工人队伍素质偏低，特别是技术工人短缺，已经成为企业发展的一个瓶颈。据调查，武汉、太原、沈阳、重庆等产业工人集中的城市，企业都不同程度地存在技工“断层”现象。广州对80家企业的专项调查表明，真正受过正规职业教育和培训的技术工人只有27.7%。上海的技师队伍中，35岁以下的只占10%。这种状况如不改变，我国的企业怎么能与国际一流企业竞争。我们必须大力加强职业教育和培训，造就一支高素质的职工队伍，加快培养一大批技术娴熟、手艺高超的一线操作人员，才能生产出一流的产品，提供高质量的服务，才能在日益激烈的国际竞争中争得主动。

（三）加强职业教育和培训是促进就业和再就业的迫切需要

目前我国就业形势严峻，特别是下岗失业人员再就业压力很大，已经成为影响企业和社会稳定的重要因素。现在就业难，既有总量的问题，也有结构问题。一方面是有人没事干，另一方面又是有事没人干。下岗失业人员再就业难，既有观念问题，也有素质问题。不是没有岗位，往往是因为一些下岗失业人员个人素质低，不能满足用人单位的要求，难以实现再就业。据劳动保障部对济南、兰州、湘潭等10个城市1万名下岗职工的抽样调查，初中以下文化程度的占40.3%，初级工及没有技术等级的人员占49.5%，而且普遍技能单一，这是他们难以走上新的工作岗位的重要原因。近年来，我国经过培训的下岗职工再就业率超过了60%。国内外的经验充分证明，职业教育和培训是促进就业和再就业的有效手段。

## 二、进一步明确新形势下职业教育和培训的任务

当前和今后一个时期，是提高我国职工队伍素质和企业竞争力的关键时期。面对新的形势和我国职工队伍现状，我们要采取有力措施，大力加强职业教育和培训，努力使我国职工队伍的整体素质有明显的提高。

（一）下大力气抓好新增劳动力的培训

在我国各类企业中，大批新增劳动力未经任何职业教育和培训就上岗操作，这是当前的

一个突出问题和较为普遍的现象。我国每年有数百万初中毕业生和普通高中毕业生没有升学机会，他们中的相当一部分人未经培训就走上了工作岗位。据不完全统计，这些人员数量已经占到新增劳动力总数的30%。大量农村劳动力转移，从事二三产业，也大都未经过任何职业教育和培训。这使得相当多的劳动者就业后无法适应岗位的需要，也是产品、服务质量上不去和生产安全事故频繁发生的重要原因。江泽民总书记在第三次全国教育工作会议上的讲话中指出："对于不能进入高等教育行列进行学习的城乡学生和其他群众，应通过开办各级各类职业技术学校，广泛吸收他们学习和掌握一门或几门生产技术与管理、服务方面的技能。"我们要落实江总书记这一指示，把新增劳动力的培养，作为职业教育和培训的一个重点，加大工作力度，大力开展就业前培训，积极推进劳动预备制度，坚持先培训后就业，保证新增劳动力的基本素质。英国、德国、法国、日本等市场经济发达国家，都规定劳动者就业前必须接受一定期限的职业培训。这一做法，对劳动者而言，可以进一步提高他们的职业技能，适应工作岗位的要求，降低失业风险。对社会而言，也可以调节劳动力供求关系，减缓就业压力。

（二）切实加强特殊行业和工种的培训

那些技术复杂、要求高，操作规程严格，直接关系到产品的质量和消费者健康以及安全生产的行业和工种，必须对从业人员进行严格培训，掌握必要的知识和技能。实行就业准入控制，推行职业资格证书制度，是我国采取的一项旨在全面提高劳动者素质的重要措施。在这些行业和工种中，需要设立一定的"门槛"，严格规定没有相应的职业资格证书不能上岗。这对于保证产品质量，保障人民生命财产安全至关重要。如河南洛阳商厦"12·25"特大火灾，就是因为电焊工无证上岗，违规作业引起的。上海炼油厂吊机倾覆造成五死十伤事故，也是由于操作人员缺乏必要的技术技能。我们要加强政策引导，逐步实施关键工种和岗位的就业资格准入制度，提高劳动者接受职业教育和培训的积极性。上海宝钢集团、中原油田、乐凯集团等企业，探索和推行职业资格证书制度，将职业技能鉴定与企业生产实际有机地结合起来，既调动了职工学习技术业务的积极性和自觉性，提高了职工队伍的整体素质，又改善了企业管理。吉林省四平市第一建筑集团公司实行全员持证上岗后，工程质量明显提高，优良率由1999年的25%提高到现在的89%，事故发生率由3‰下降到0.15‰。我们要认真总结推广这些企业的经验，加强职业资格培训和岗位适应性培训，保证从业人员的基本素质，提高企业的劳动管理水平和效率。

（三）高度重视技术工人特别是高级技工的培训

我国劳动力技能结构重心偏低，技术工人说起来数量不少，但初级工占了60%。随着科技进步和产业结构优化升级，低技能的就业岗位比重正在减少，高技能、复合技术性的就业岗位比重不断增加。据测算，今后几年，我国企业对技术工人的需求将增长25%，其中技师、高级技师的需求量将翻一番。在企业生产实践中，技术工人的作用不可低估。我国的火箭技术是世界一流的，但20世纪90年代几次发射失败，主要原因不是设计问题，而是制造问题。发动机的焊接点承受不了上天后的高压，一位36岁的技师运用自己的技能，解决了这个难题，才保证卫星成功上天。我国正负电子对撞机的研制成功是世界级尖端技术的突破，其谱仪线圈为世界最大线圈之一，在许多科研单位无法制作的情况下，也是由工人技师大胆创新，在短时间内将其制作成功的。目前，我国许多企业技术工人特别是高级技工断层断档，青黄不接，后继乏人，前景堪忧。技工特别是高级技工的培养，需要很长时间，需要长期的经验积累和刻苦钻研。我们要采取有效措施，提高他们的地位，改善他们的待遇，通过学校培养、岗位培训、师傅带徒弟等多种形式，尽可能快、尽可能多地培养大批技术精湛、技能高超的技师、高级技师和复合型技术工人。

(四) 进一步加强下岗失业人员的再就业培训

这几年，我们通过“鼓励兼并、规范破产、下岗分流、减员增效和实施再就业工程”，到2001年底，全国国有企业下岗职工累计达到2 550万人，在实行“两个确保”、建立“三条保障线”的基础上，成功地实现了1 680万下岗职工再就业就是了不起的成绩。但是，我国现在包括关闭破产企业而失业的职工在内还有1 150多万国有企业下岗失业人员，随着企业改革和结构调整的深入进行，今后不可避免仍有不少职工下岗。解决好下岗失业人员的基本生活保障和再就业问题，不仅是一个经济问题，也是一个重大的政治问题。大量有劳动能力和就业愿望的下岗失业人员就不了业，依靠领取低水平的基本生活费和失业救济金，熬几年可以，长期苦熬是熬不下去的，他们无事可做，也会引发企业和社会的不稳定。解决这个问题，根本出路是实现再就业，关键是提高他们的再就业能力。许多国家的经验证明，解决失业问题特别是结构性失业问题，最有效的手段就是大力加强职业培训。如美国的劳工部前几年专门制定了失业工人培训计划，使70%的培训对象找到了新的工作。我国的实践也充分证明，组织下岗失业人员参加再就业培训，可以提高他们的职业技能和市场就业的意识，对促进他们再就业有很大帮助。新疆银兔职业培训学校，积极承担下岗失业人员再就业培训任务，瞄准劳动力市场需求开设专业，努力提高培训质量，这几年使参加培训的上万名人员基本上实现了就业和再就业。我们要认真借鉴国外“订单式培训”“个性化培训”和各地的许多成功做法，紧密结合劳动力市场和用工单位的需求，组织开展多层次、多形式的再就业培训，使下岗失业人员掌握新的技能，千方百计促进他们实现再就业。

(五) 积极开展创业培训

随着社会主义市场经济的发展，我国的就业结构和就业方式发生了重大变化，自主就业、自谋职业、灵活就业等已经成为劳动力就业的重要方式。传统的就业渠道和领域吸纳劳动就业的容量有限，有的还向社会释放富余人员，同时又有许多新的领域和行业需要开拓，需要大力发展。鼓励劳动者特别是下岗失业人员自主创业，开辟新的天地，在实现自主就业的同时，创造新的就业岗位，带动其他人员就业，是我们解决就业和再就业问题的一个重要渠道。当前，有不少人准备从事个体经营或创办小企业，但苦于缺乏自主创业的知识和经验。现在自主创业取得成功的还只是少数，有的就是办了，也是困难重重，亟须通过创业培训，教给他们做“小老板”应掌握的基本知识和本领，提供市场信息，分析市场需求，制定创业计划，扶持他们开业并进行后续指导，提高创业成功率。近年来，劳动保障部在全国30多个城市组织了创业培训试点，取得了较好效果。经过培训实现创业的下岗职工不但为自己找到了一条就业出路，也带动了一批下岗失业人员实现了再就业，收到了就业倍增效益。陕西省先后在宝鸡等6城市进行创业培训试点，截至2001年底，有1.2万人参加了创业培训，其中有6 000多人成功地实现自主创业，新增就业岗位2.4万多个。这些充分说明，自主创业，社会很有需要，发展空间很大，搞好这方面的培训大有可为。

## 三、切实加强对职业教育和培训工作的组织领导

紧紧围绕提高职工队伍素质和企业竞争力，加强职业教育和培训，要求迫切，任务繁重。我们要按照即将下发的《国务院关于大力推进职业教育改革与发展的决定》和朱镕基同志、李岚清同志讲话精神，扎扎实实地抓好职业教育和培训工作。

(一) 坚持市场导向，突出培训的针对性和实用性

职业教育和培训是开发人力资源、提高一线劳动者素质最有效的途径。各级各类职业技术学校和职业培训机构，要坚持正确的方向，

面向市场，面向企业，面向劳动者，为调整产业结构、扩大劳动就业、提高企业竞争力和满足劳动者终生学习的需要服务。

一是要根据劳动力市场需求调整和把握培训方向。要经常进行劳动力市场供求情况调查，主动与经济管理部门加强沟通，密切关注国家宏观经济政策导向，对来自各方面的劳动力市场信息，进行深入分析，预测劳动力市场需求变化趋势，及时调整培训内容和重点，增强培训的针对性和实用性。《沈阳日报》上刊登过一篇反映当地劳动力供求关系的报道，其中供不应求的职业有：中级以上车工需要657人，求职的只有182人；数控机床操作工需要124人，求职的36人；中级以上铣工需要351人，求职的121人；铆工需要94人，求职的35人。供大于求的职业有：机动车驾驶员求职的3 482人，只需要389人；初级财会人员求职的3 308人，需要397人；理货员求职的2 256人，需要379人。这一情况充分说明，当前劳动力市场上供求结构严重不平衡，必须增强职业教育和培训的针对性和实用性。劳动保障部在全国100个劳动力市场建设试点中，普遍开展了劳动力市场供求信息分析工作，按季进行发布，这是职业培训调整和确定专业方向的重要依据。要认真总结经验，进一步把这项工作做好。

二是要根据企业生产经营的实际需要设置课程。职业培训特别是企业办的职业培训要紧紧跟踪和反映企业技术进步的要求，密切结合企业生产、经营、管理和服务第一线的实际情况，及时调整教学重点，不断更新教学内容，突出职工动手操作技能的培养。温州市许多职业学校开设鞋类设计与制造、眼镜配制、服装加工等专业，学生没毕业就被企业“订购”一空。这说明，职业培训与企业实际需要结合得越紧密，就越受企业欢迎。要不断改善培训手段和教学方法，把最先进的技术和方法、最好的设备运用到职业培训中去，加快培养能够运用高新技术和先进设备的技术工人。

三是要注重培训质量，开展“一站式”服务。职业培训机构要积极为参加培训的学员提供职业指导和就业岗位信息，与用人单位建立合作伙伴关系，实行“订单式”定向培训。职业培训机构要向多功能、综合性方向发展，为受训者提供集职业培训、技能鉴定、职业介绍、就业服务为一体的“一站式”服务。职业培训不可能一次培训定终身，不能一劳永逸，要逐步创造条件，使劳动者在职业生涯中接受终身教育和培训，不断提高他们适应职业变化的能力。

（二）发挥各方面积极性，实现培训资源的优化配置和有效利用

职业培训具有广泛的社会性，必须用改革的思路，发挥各方面的积极性，广泛动员社会力量参与职业培训。各类培训机构要改变重复建设、规模小、效率低的状况，按照优化结构、合理配置、突出特色、服务就业的原则，打破条块分割，优化配置和有效利用培训资源。要充分利用现代科学技术手段，有条件的可以开展远程职业培训，提高培训质量和规模效益。

企业是生产经营的主体，也是职业教育和培训的主要服务对象和直接受益者。目前，企业拥有的职业学校和职业培训机构，是重要的培训资源，要把它们用好，充分发挥应有的作用，加强对职工特别是一线职工的教育和培训。各类企业特别是大中型企业要依法承担职业培训的责任和义务。鼓励企业与职业学校实行多种形式的联合办学，加强校企合作，充分利用社会各类教育培训资源，向培训机构“定购”培训成果。企业举办的职业学校和培训机构，要积极面向社会开展教育和培训。

（三）加强对职业培训的组织领导和协调配合，增加必要的投入

职业教育和培训工作，涉及面广，实用性强，是一项复杂的社会系统工程，需要各地区、各部门、广大企业和社会各个方面共同努力。我们要从现代化建设全局的高度，充分认识搞好职业教育和培训的重要性，认真贯彻落实《劳动法》和《职业教育法》，切实加强职

业教育和培训工作。各地要制定职业培训发展规划，并将其纳入本地区经济社会发展规划。各级领导要积极支持职业培训工作，定期听取汇报，及时帮助解决职业教育和培训工作中遇到的困难和问题。各级政府和财政部门要按照中央的统一要求，切实落实再就业培训经费。企业要落实职工培训经费，培训机构要积极筹集培训经费，加大对培训场地和设备等基础建设的投入。要加强政府职能部门之间的协调配合，明确和落实各自的职责。各级劳动保障部门要主动为各类培训机构提供劳动力市场需求信息，指导企业建立培训、考核与使用、待遇相结合的激励机制，继续办好技工学校等教育培训机构，大力开展劳动预备制培训、再就业培训和职业资格培训。劳动保障部即将实施《加强职业培训提高就业能力计划》，这是贯彻全国职业教育工作会议的实际行动，一定要抓好落实，取得实效。各级经贸部门要指导企业把职工教育和培训与企业改革发展密切结合起来，促进职工队伍素质和企业竞争力的提高。各有关部门、群众团体和新闻媒体，都要密切配合，积极支持职业教育和培训工作。

# 以“三个代表”重要思想为指导 切实做好下岗失业人员再就业工作

## ——在全国再就业工作会议上的报告

吴邦国

（2002年9月12日）

这次全国再就业工作会议，是十六大之前党中央、国务院召开的一次十分重要的会议。会议的主要任务是，以邓小平理论和江泽民同志“三个代表”重要思想为指导，分析就业和再就业工作面临的形势，讨论和研究贯彻《中共中央、国务院关于进一步做好下岗失业人员再就业工作的通知》，总结交流经验，明确新时期促进再就业工作的指导思想、目标任务和政策措施，进一步巩固“两个确保”和完善社会保障体系，动员全党和全社会的力量，切实做好下岗失业人员再就业工作。

党中央、国务院高度重视社会保障和再就业工作。江总书记发表了重要讲话，深刻阐明了做好就业和再就业工作的重大意义，明确了目标任务和指导方针，为我们做好工作，指明了方向。朱镕基总理明天还要作重要讲话。对江总书记和朱镕基总理的重要讲话，我们一定要认真学习，深刻领会，坚决贯彻。下面我讲五个问题。

### 一、充分肯定社会保障和再就业工作取得的成绩

江总书记多次明确指出，就业是民生之本。我国有近13亿人口，就业问题比任何一个国家都复杂，扩大就业的任务比任何一个国家都繁重。党中央、国务院一贯高度重视下岗失业人员基本生活保障和再就业工作，确定了“鼓励兼并、规范破产、下岗分流、减员增效、实施再就业工程”的方针，建立了国有企业下岗职工基本生活保障、失业保险、城市居民最低生活保障“三条保障线”和养老、医疗保险制度。自1998年5月党中央、国务院召开国有企业下岗职工基本生活保障和再就业工作会议以来，各地区、各部门做了大量工作，取得了重大进展。

#### （一）基本做到“两个确保”和“应保尽保”

一是国有企业下岗职工基本生活得到保障。1998年到2001年，全国国有企业下岗职工累计2 550万人，绝大多数先后进入再就业服务中心，按时领到基本生活费。4年来，按照“三三制”原则，全国共筹集专项资金847亿元，其中中央财政补助434亿元。二是企业离退休人员绝大多数按时足额领到基本养老金。1998年到2001年，企业离退休人员增加438万人，到2001年底达3 100万人。4年共发

放养老金7 100多亿元，其中中央财政补助地方养老保险861亿元。1999年以来还3次提高企业离退休人员基本养老金水平。三是城市“低保”投入和保障人数逐年增加。1998年到2001年，城市居民最低生活保障人数由184万人增加到1 170万人。4年共发放最低生活保障金115.5亿元，其中中央财政补助35亿元。今年进一步加大了城市“低保”投入力度，其中中央财政补助增加到46亿元，到2002年6月底，领取城市居民最低生活保障费人数达到1 931万人，基本实现“应保尽保”。

（二）社会保障体系逐步完善

这些年来，社会保障的体系框架基本建立，政策法规逐步健全，覆盖范围不断扩大，保障能力有所增强。到2001年底，全国参加基本养老保险的人员达1.4亿人，比1998年增加2 100多万人，养老金社会化发放比例由1998年的35%提高到2001年的98%；参加失业保险的职工达1.04亿人，增加2 400多万人；参加基本医疗保险的人员达7 630万人。在辽宁省进行的养老保险个人账户做实和下岗职工基本生活保障向失业保险并轨试点工作进展顺利。经过几年努力，一个保障制度规范化、资金渠道多元化、管理服务社会化、独立于企业事业单位之外的具有中国特色的社会保障体系正在逐步形成。

（三）再就业工作取得较大进展

这些年在做好“两个确保”和最低生活保障工作的基础上，各地区、各部门结合本地区、本部门实际，加强对再就业工作的领导，制定扶持政策，组织职业培训，改善就业服务，开展就业援助，有力地促进了再就业工作。在2 550万国有企业下岗职工中，先后有1 680多万人实现了再就业。劳动者自主就业、市场调节就业、政府促进就业的就业机制初步形成。

尽管当前社会保障和再就业工作还存在不少问题，如还有部分困难企业职工没有纳入“三条保障线”的范围，下岗职工的再就业率逐年下降，下岗职工与失业保险的并轨工作还在试点等等。但是，几年来的实践充分证明，党中央、国务院关于“两个确保”“三条保障线”和实施“再就业工程”的重大决策是完全正确的，各地区、各部门贯彻执行中央方针和工作部署的态度是坚决的，工作是得力的，社会各方面对此给予了充分理解和支持，广大国有企业下岗职工识大体、顾大局，以自己的实际行动为国有企业改革发展和我国现代化建设事业做出了新的贡献。这一切，有力地保证了国有企业改革脱困三年目标基本实现，促进了经济结构调整，为维护改革发展稳定大局发挥了重要作用，功不可没，意义深远。

## 二、明确目标，突出重点，高度重视国有企业下岗失业人员再就业工作

人口多是我国的基本国情，劳动力供大于求的矛盾将长期存在。解决就业问题是长期而艰巨的任务。实施积极的就业政策，扩大就业，是我们党和政府工作的重要目标。解决就业问题的根本出路在于发展经济。近年来，我们实行积极的财政政策和稳健的货币政策，扩大内需，保持国民经济的持续快速健康发展，这在相当程度上缓解了就业压力。但我们应清醒地看到，当前和今后相当长的一段时间我国就业形势是十分严峻的。“十五”期间，我国城镇每年新增劳动力近1 000万人；农村有1.5亿富余劳动力需要寻找新的就业岗位；国有企业下岗失业人员已达1 150万人，今后不可避免地还会增加。我们正面临城镇新增劳动力就业、农民进城打工和下岗失业人员再就业“三碰头”的局面。这是一方面的情况。另一方面，随着我国经济增长方式的转变，产业结构的优化升级，经济增长对就业的拉动正在下降。据国家统计局统计测算，在20世纪80年代，GDP每增长一个百分点可增加240万个就业岗位，到90年代，GDP每增长一个百分点只能增加70万个就业岗位。从以上分析，我们可以清楚看出，我国当前和今后一个时期，劳动力供需矛盾十分尖锐，结构性失业问题相当突出，就业将是我们面临的重大经济和社会

问题。

城镇新增劳动力的就业问题，农村劳动力的转移，城镇下岗失业人员的再就业都需要妥善解决。但从近几年的实践中我们已深切感受到，当前最为突出、最为紧迫的是国有企业下岗失业人员的再就业问题。因为城镇新增劳动力年龄还小，还可以再学习。农村富余劳动力说到底还有一块承包地，而国有企业下岗失业人员是当前下岗失业人员中最为困难，也最为特殊的一个群体。中央确定，当前和今后一个时期，要在进一步巩固"两个确保"和逐步完善社会保障体系的基础上，重点做好有劳动能力和就业愿望的下岗失业人员再就业工作。这里讲的下岗失业人员是指以下四方面人：一是国有企业下岗职工，二是国有企业失业人员，三是国有企业关闭破产需要安置的人员，四是享受最低生活保障并且失业一年以上的其他城镇失业人员，这些人员就是当前整个就业工作的重点。我们之所以要明确这一重点，主要是基于以下几点考虑。

第一，这部分人很困难，迫切需要帮助。

下岗失业人员的困难突出表现在两个方面。一是生活难。他们上有老，下有小，家庭负担重，仅靠领取基本生活保障费、失业保险金或"低保"补差维持生活，一两年、两三年还可以维持，时间长了，日子是很艰难的，若碰上看病就医、子女上学就更难了。这部分人已经成为城镇最为困难的群体。据劳动保障部最近对济南等10个城市国有企业下岗职工的抽样调查，这些人90%以上集中在亏损或停产企业，50.7%的人下岗时间达3年以上，75.2%的家庭月人均收入在300元以下。二是再就业难。这几年下岗失业人员再就业率呈逐年大幅下降之势。1998年为50%，2001年为30%，今年上半年仅为9.1%。下岗失业人员普遍年龄大、文化程度低、技能单一，就业的竞争能力弱。据抽样调查，下岗失业人员平均年龄为40岁，初中以下文化程度的占40.3%，初级工及没有技术等级的占49.5%。从各地大量的实践分析，对这部分人若不采取积极的扶持政策，是很难再就业的。而他们的长期失业又会进一步加剧生活困难，何况他们中的大多数还没有与原企业解除劳动关系。下岗职工过去曾为国有企业发展做出过贡献，下岗本身也是贡献。政府和社会理应对这部分最为困难的群体给予更多的关心和帮助。

第二，重点解决国有企业下岗失业人员再就业问题，关系改革发展稳定大局。

这几年，国有企业改革脱困取得很大成绩，2000年较1997年国有企业利润三年翻了两番，达历史最高水平，2001年在世界500强利润下降54%的情况下，仍维持在2000年的高水平，这是很不容易的。但是国有企业改革的路还很长，当前和今后一个时期，国有企业改革仍是整个经济体制改革的中心环节，仍处于攻坚阶段。除现有的1 150多万国有企业下岗失业人员以外，随着国有企业改革的深入和企业技术进步，不可避免地还会精简企业富余人员。如何妥善安置企业下岗分流人员，使他们尽快实现再就业，这是巩固国有企业改革脱困成果，进一步深化国有企业改革必须解决的问题，也是在国有企业改革中碰到的最突出的矛盾和难点。同时也要看到，我们正处于经济结构调整的关键时期。经济结构调整必然会涉及到就业结构的调整。辽宁经济这几年之所以走出困境，与100万职工从第二产业转移到第三产业是分不开的。当前我国就业工作中出现的问题，也从一个侧面反映了经济结构调整工作的艰巨性。没有就业结构的调整，经济结构很难调整。因此，当前碰到的问题，是企业改革中的问题，是经济结构调整中的问题，是前进和发展中的问题。这些问题解决了，我们又会跨上一个新台阶。这就是为什么将下岗失业人员作为当前就业工作重点的原因之一。尽快使他们中有劳动能力和就业愿望的人实现再就业，不仅可缓解当前就业压力，而且关系到巩固国有企业三年改革脱困成果、进一步深化国有企业改革和经济结构调整的全局。

稳定是改革、发展的前提，没有稳定也就谈不上改革，谈不上发展。而当前，下岗失业人员的问题已经成为企业和社会稳定中的突出问题。几年来，我们花了很大精力建立了“三条保障线”，基本实现了“两个确保”和“应保尽保”，这对实现企业和社会的稳定起了关键性的作用。但是我们也应该看到，如果有劳动能力和就业愿望的下岗失业人员不能实现再就业，长期无事可做，缺乏社会归属感和安全感，产生心态不平衡，这本身就是社会不稳定的因素。正因为如此，在做好“两个确保”工作的前提下，积极帮助下岗失业人员实现再就业，使其安居乐业，是当前和今后一段时间实现企业和社会稳定必须解决的紧迫问题。

第三，这也是完善社会保障体系的内在要求。

就完善社会保障体系而言，社会保障是建立在有劳动能力的人逐步实现就业基础上的。社保基金主要来源于用人单位和职工的缴费。如果没有劳动能力的人“吃”社保，有劳动能力的人也“吃”社保，“食之者众、生之者寡”，社保基金将入不敷出，长此以往，也是支撑不住的。现在，国有企业下岗职工基本生活费平均每人每年支出4 480元，失业保险金平均每人每年支出3 500元。如果他们实现再就业，不仅可以减少这方面的支出，而且作为参保人员，还会按照规定缴纳社会保险费，增加社保基金收入。所以说，大力促进有劳动能力和就业愿望的下岗失业人员再就业，既可以使他们的生活得到根本保障，也有利于增加社保基金收入，减少社保基金支出，使社会保障体系逐步完善。

这里要指出的是，将下岗失业人员作为当前解决就业问题的重点，不是不重视城镇新增劳动力就业和农民进城打工的问题，而是从改革发展稳定大局出发，解决当前最为突出的矛盾和问题。要清醒地看到，不解决好下岗失业人员再就业问题，改革调整深入不下去，企业和社会难以稳定，社保基金也难以支撑。正因为如此，江总书记曾明确指出，搞好国有企业下岗职工的基本生活保障和再就业工作，不仅是重大的经济问题，而且是重大的政治问题；不仅是现实的紧迫问题，也是长远的战略问题。我们必须将认识统一到江总书记讲话和中央的精神上来，以“三个代表”重要思想为指导，提高对做好国有企业下岗失业人员再就业工作重要性、紧迫性的认识，高度重视，加强领导，以更加积极的态度，更加务实的作风，做更加扎实的工作，使有劳动能力和就业愿望的下岗失业人员尽快实现再就业。

**三、坚定信心，挖掘潜力，千方百计扩大再就业门路**

前面已经讲到，我国的就业问题是经济发展和结构调整中的问题，是前进中的问题，发展中的问题，这与一些国家经济衰退中出现的严重失业问题有本质的不同。在看到我国就业形势严峻的同时，我们要充分认识到做好工作的有利条件。我国经济正处于高速成长阶段，本世纪头一二十年，又迎来了大有作为的战略机遇期。经济持续快速健康发展为我们解决就业问题提供了巨大的就业空间。我们更要看到，就是在当前，就业的潜力还很大。关键是看我们的工作做得如何，关键在于坚定信心，挖掘潜力，千方百计扩大再就业门路。

解决就业问题，首要的是开发就业岗位。当前，就业潜力在哪里？从大量调查研究和各地的实践经验来看，开辟再就业门路，主要在以下几个方面。

（一）发展第三产业尤其是传统服务业，增加再就业岗位

据统计，1991 年到 2001 年，我国第一产业从业人员减少了2 585万人，第二产业净增2 269万人，第三产业净增7 850万人。解决我国就业和再就业问题，主要潜力在第三产业尤其是传统服务业。2001 年，我国第三产业从业人员占全部从业人员的比重为 27.7%，而发达国家，如美国为 74.5%，法国为 74%，英国为 72.8%，日本为 63.1%，德国为 62.6%。即使是发展中国家，如印度、马来西亚等国家也已达到 50%左右。我国当前面临的就业问题，突出地反映了就业结构中的问

题。只要我们大力发展第三产业，抓住就业结构调整这个环节，是完全可以缓解当前就业矛盾的。我国第三产业的就业潜力大得很。据国家统计局统计测算，20世纪90年代，我国第二产业增加值每增长一个百分点平均增加就业岗位17万个，而第三产业增加值每增长一个百分点平均增加就业岗位达85万个。从1998年到2001年，黑龙江省180多万实现再就业的下岗失业人员中，有一半是在第三产业实现就业的；辽宁省实现再就业的下岗失业人员近150万，其中在第三产业就业的达到70%以上。此外，根据国际经验，人均GDP达到1 000美元是第三产业加速发展的转折点。我国去年人均GDP已超过900美元，大中城市和部分发达地区早已超过1 000美元。第三产业的高速发展将创造大量就业岗位。第三产业尤其是商贸、餐饮、服务业等传统服务业和旅游业等新兴服务业，将是解决下岗失业人员就业问题的主要渠道。

这里需要强调的是，要高度重视发展社区服务业。我们之所以要高度重视社区服务业，一是社区有大量的就业岗位。我在四川省调查时，南充市的材料表明，社区内每2.5户就可以提供一个就业岗位。成都市芳草街道人口有7万，去年在社区就安排4 000人就业。目前，社区便民利民服务，如托幼托老、家庭病房、代购物品、修理维护，以及小餐饮、小商店、报亭、电话亭等，虽有一定的发展，但与家务劳动社会化的要求还有很大差距。此外，随着企事业单位后勤服务社会化，物业管理、保洁保绿、商品快递等工作大量增加，将为社区就业提供大量岗位。在加强社区建设中，社区管理、治安等公益性工作都要有人去做。这些都是社区就业的潜力。目前，不少地方将开发社区服务业作为工作的重点，都取得很好效果，既解决了下岗失业人员的就业问题，也方便了群众，活跃了社区的物质文化生活，使社区充满生机和活力。二是社区的就业岗位适合下岗失业人员。家政服务、钟点工、保洁保绿、治安管理等社区就业岗位，对技能的要求比较单一，下岗失业人员经过短期培训就可以上岗。下岗失业人员生活在社区，相互熟悉，适应社区各种灵活就业方式，自己方便，别人放心。据全国10城市抽样调查，在实现再就业的下岗失业人员中，有50%集中在社区服务业，其中从事家政服务和为驻社区单位服务的占28%，开小商店占14%，开小餐饮占9%。去年11月，我到沈阳市调研，铁西区兴工九委在社区就安置了604名下岗失业人员。

（二）发展非公有制经济和劳动密集型企业，拓宽再就业门路

这些年，随着经济结构和所有制结构调整的深化，我国的就业结构已经发生很大变化，原来大量安排新增劳动力的国有企业，不仅不能吸纳更多的人就业，而且富余职工还要下岗分流。同样，集体企业也在减人。国有企业和集体企业的这一趋势还在继续。相反，随着私营个体等非公有制经济的发展，私营个体等非公有制经济目前已经成为增加就业的主要渠道。据国家统计局统计，与1991年相比，在城镇从业人员中，国有集体单位净减5 361万人，而城镇私营个体等其他单位从业人员净增1.18亿人。私营个体等非公有制经济，多集中于第三产业、中小企业和劳动密集型企业，而这些企业恰恰是就业容量最大的。在发达国家，90%的人是在中小企业就业的，我国也有75%的人在中小企业就业。这些年我国新增的就业岗位，中小企业占80%以上。非公有制企业、中小企业、劳动密集型企业的发展，不仅活跃了经济，满足了社会需求，更为重要的是在解决就业问题上发挥了不可替代的作用。重庆市这些年为解决城市就业问题，每年重点扶植50～60家再就业重点企业，60%是非公有制企业，几乎全是劳动密集型企业。我参观过他们扶植的一家私营超市，70%的职工是下岗失业人员。鼓励私营个体等非公有制企业、劳动密集型企业的发展，鼓励他们吸收下岗失业人员就业，是我们拓宽就业渠道的重要方面。当然这里需要强调的是，发展中小企业和非公有制经济，必须符合国家产业政策和结构

调整的方向，不能搞重复建设。特别要坚决防止那些破坏资源、污染环境、不符合安全生产条件、扰乱市场经济秩序的小厂小矿死灰复燃。

（三）支持有条件的国有大中型企业，通过主辅分离，辅业转制，分流安置富余人员

在深化国有企业改革中如何确保企业稳定。大家共同的看法，一是要坚定不移地深化国有企业改革，包括进一步分流企业富余人员。不改革，企业就没有出路。二是有偿解除劳动关系要慎重，要积极探索其他分流富余人员的路子。在这方面，这些年来，像宝钢、武钢、一汽、铁道等一大批企业都进行了有益探索。总的一条，就是有条件的企业不能简单将富余人员推向社会，而是通过主辅分离，辅业转制，分流安置企业富余人员。武钢按照“总体设计、分步实施、平稳过渡、逐步到位”的方针，在全集团实施主辅分离，分流安置富余人员。经过几年努力，钢铁主业达到近5年来的最高水平。武钢的改革分三步进行，第一步，实行承包经营，把占职工总数60%的辅业单位分离出来，组建4个大公司和12个小公司，实行包上交利润递增或亏损递减，包生产经营任务，包固定资产的保值增值；工资总额与经济效益挂钩；对亏损企业进行递减工资补贴。第二步，委托授权经营，明晰责权利关系，独立经营。到1998年底，绝大部分分离单位扭亏为盈。第三步，实行公司制改造，实现产权多元化，使它们成为独立的法人实体和市场竞争主体，自主经营、自负盈亏、自我发展。武钢的做法，在深化企业改革中，比较好地解决了企业富余人员的分流安置问题，没有把他们推向社会，职工容易接受，改革进行得比较平稳。

以上谈到的是扩大就业门路的三个方面。这里需要强调的是下岗失业人员择业观念问题。现在北京、上海等大城市都有几百万农民进城务工，说明不是没有就业机会，问题在于一些下岗失业人员择业观念没有转变，不愿干脏活、累活和“伺候人”的活。要做好再就业工作，首先要加强对下岗失业人员择业观念的教育，要摒弃把工作分为高低贵贱的陈旧观念，摒弃只有端“铁饭碗”才算就业的传统观念；树立自食其力、劳动光荣的观念，树立临时就业、阶段性就业、弹性就业等灵活就业都是就业的观念。观念一变天地宽。只要观念转过来，就业岗位有的是。这里还要强调的是，用人单位也有一个转变用工观念的问题。招工不能有性别、年龄等方面的歧视，下岗失业人员只要符合基本条件，就应录用。

总之，促进下岗失业人员再就业，有潜力，有门路。只要我们瞄准新的就业增长点，加大政策支持力度，切实改善就业服务，工作真正做到家，就能够创造出更多的就业岗位，完全有能力解决有劳动能力和就业愿望的下岗失业人员的再就业问题，起码可以大大缓解当前的就业压力，关键在于工作。对此我们要有信心。

## 四、完善政策，强化服务，大力促进下岗失业人员再就业

市场在配置劳动力资源中应发挥基础性作用。对于下岗失业人员的再就业，也必须坚持市场导向的就业机制，引导他们通过劳动力市场自主择业、自主创业，实现再就业。对下岗失业人员的就业，政府是包不下来的，也不应该包下来。但是，由于我国劳动力市场在目前及今后一个时期仍将处于买方市场，对缺乏市场就业竞争力的下岗失业人员来说，仅靠市场机制自发调节，是难以实现再就业的，必须加大政策支持的力度。为此，国务院有关部门在总结各地经验和借鉴国外成功做法的基础上，研究制定了《通知》。对《通知》中的具体政策，我就不再重复，这里主要强调三点：

（一）关于制定政策的出发点

一是鼓励和支持下岗失业人员自谋职业。自谋职业和自主创业是下岗失业人员再就业的重要方式。据统计，现在已经实现再就业的下岗失业人员中，有30%是自谋职业，做个小买卖，开个小餐馆、理发店等等，一个人就业

就可养活一家人。为鼓励下岗失业人员自谋职业，1998年以来，国务院有关部门曾陆续发过几个文件，对促进下岗失业人员再就业起到了积极推动作用，但总体上看，政策支持的力度不够大，落实得不好。根据抽样调查，下岗失业人员中享受过政策优惠的比例不足20%，如享受过减免税的只占18.4%，享受过小额贷款的只占7.6%。特别是对各种行政性收费，下岗失业人员反映强烈。有一对夫妇下岗后开了一家酱肉店，开店仅办理正式的证照就有10多种，一年下来共交各种税费8 000元左右，其中各种行政性收费约5 600元，是税收的2.5倍还多。他们反映，我们是“一元元地挣钱，一沓沓地交费”。

为解决这些问题，《通知》中扩大了鼓励自谋职业的从业范围，制定了更为优惠的税收减免政策，重申了免收各项收费的规定，明确了小额贷款担保办法和贴息资金渠道。过去自谋职业的减免税费政策，仅限于社区居民服务业中的家庭清洁卫生、初级卫生保健、养老服务等8项。这次扩大到除国家限制行业外的所有行业，除免征营业税、城市维护建设税、教育费附加和所得税外，明确免收管理类、登记类和证照类所有各项收费。过去小额贷款政策不好操作，《通知》明确提出，由各省区市和地级以上城市建立担保基金，银行发放贷款，对微利项目，中央财政据实贴息。另外，《通知》还要求统筹解决好下岗失业人员自谋职业和自主创业的经营场所等问题。

二是鼓励服务型企业吸纳下岗失业人员。鼓励企业吸纳下岗失业人员，原来有关部门的文件规定了税收优惠政策，但是，政策“门槛”过高、范围过窄，企业招用下岗失业人员的积极性不高。《通知》在总结经验的基础上，为激发业主招收下岗失业人员的积极性，在原政策的基础上降低了“门槛”，扩大了范围，加大了力度。原规定企业吸纳下岗失业人员的比例达到60%才能享受税收优惠政策，现降为30%；对吸纳下岗失业人员不足30%的企业，增加了按吸纳下岗失业人员的比例减征企业所得税的规定；享受优惠政策的范围从仅限于劳动服务企业和社区居民服务业，扩大到服务型企业；扩大了减免税收的种类，对新办服务型企业，除免征所得税外，还免征营业税、城市维护建设税和教育费附加。《通知》还增加了社会保险补贴政策，这是在借鉴国内外经验的基础上提出来的一项新政策。规定各类服务型企业新招用国有企业下岗失业人员，并签订3年以上劳动合同的，由再就业资金按招用人数补贴3年的应由企业缴纳的养老和失业保险费。这项政策实际上是现行国有企业下岗职工基本生活保障制度中代缴社会保险费政策的延续。这样做，有利于企业降低用工成本，调动企业吸纳下岗失业人员的积极性，有利于解除他们的后顾之忧，有利于改善社保基金的收支状况。

三是鼓励有条件的国有大中型企业主辅分离安置富余人员。《通知》明确了国有大中型企业通过主辅分离，辅业转制，分流安置本企业富余人员减免企业所得税的政策。这是一项新政策，有利于企业自我消化富余人员，有利于减轻社会就业压力，有利于盘活企业闲置辅业资产，有利于企业深化改革、增强竞争力。

四是对“4050”人员实行特殊的就业援助。下岗失业人员中女40岁以上、男50岁以上的，是就业难度最大的一个群体，需要对他们实行更加优惠的促进再就业政策。国外通行的做法是对就业特困人员实行岗位补贴政策。如日本对雇佣45岁以上的人员，政府给予一定的工资补贴；英国、德国、法国、韩国、西班牙等国家，都根据本国就业特困人员的情况，实行岗位或工资补贴。这些年，大连、青岛等一些地方对此也进行了有益探索，基本做法是对“4050”人员从事公益性岗位工作的，政府给予一定的工资补贴。在借鉴国际上通行做法和总结地方实践经验的基础上，《通知》要求各地把有劳动能力和就业愿望的“4050”人员作为再就业援助的对象。政策主要有两条：第一条是，凡政府投资开发的公益性岗位要优先安排“4050”人员。第二条是，各地可根据实际对从事公益性岗位工作的“4050”人员，提供适当的岗位补贴，补贴的标准由当地政府确定，资金由地方财政解决。

这里要指出的是，这次中央提出的促进再就业的政策，体现了市场就业的方向，体现了党和政府对下岗失业人员的支持与关爱。既不是大包大揽，更不是撒手不管。

（二）关于强化再就业服务问题

促进下岗失业人员再就业，除政策支持外，还必须强化再就业服务。这里，主要有两方面的工作。

一是加强培训。通过再就业培训，提高下岗失业人员再就业技能，是实现再就业的重要基础和有效手段，对促进下岗失业人员再就业意义重大。前不久，我在全国职业教育会上专门讲了这个问题。一要进一步加大职业教育和培训的力度，把再就业培训作为职业教育和技能培训的重要内容。二要增强再就业培训的针对性。培训机构要主动加强与就业服务机构和用人单位的联系，根据就业需求的变化，组织开展多层次、多形式的技能培训，实行“订单式”定向培训，增强培训的实用性和有效性。三要积极搞好创业培训，开展创业咨询，提供开业指导，提高创业能力，带动更多的下岗失业人员再就业。

二是改善服务。好的政策还要有良好的服务才能更好地落实。搞好再就业服务对促进下岗失业人员再就业将起到不可替代的作用。各地区、各有关部门要把完善公共就业服务制度，为下岗失业人员提供热情周到的服务，作为加强劳动力市场建设的重要内容。要在求职登记、职业指导、职业介绍、培训申请、鉴定申报、档案管理、社保接续等方面，方便下岗失业人员，对他们实行“一站式”服务，只要下岗失业人员进入一个职业介绍机构，就能够得到全程服务。要简化下岗失业人员自谋职业的相关手续，并为他们办理手续提供便利，有关部门可采取在一个场所联合办公的形式，对他们实行“一条龙”服务。同时，要加强劳动力市场信息网络建设，及时准确地采集发布劳动力供求信息并进行分析预测，向下岗失业人员提供及时、便捷的就业信息服务。

这里需要指出的是，下岗失业人员的再就业培训和职业介绍一律免费，所需经费由地方财政负担，中央财政对困难地区给予适当补助。

（三）关于加强社区建设问题

加强社区工作，是城镇基层组织建设的重要内容，是方便城镇居民生活的需要，也是搞好社会保障和再就业工作必须解决的问题。“两个确保”“应保尽保”、促进再就业，大量工作在社区。没有社区的积极性，社会保障和再就业工作就失去了基础。近年来，一些地方在加强社区建设中做了大量工作，取得了很好的效果。如杭州市去年开始，着手建立劳动保障工作街道管理站和社区服务室，每个街道核定5名事业编制，每个社区配备1名专职人员，经费由市区财政各解决50%，场地由街道负责提供，目前已基本形成了市、区、街道、社区4级工作网络，下岗失业人员不出社区就可以得到相应的就业和社会保障服务。但是，从总体上看，全国的社区工作还很薄弱，社区就业和社会保障工作更薄弱，“无机构、无编制、无职能、无经费”问题相当突出。这种状况必须尽快改变。各地要把社区就业和社会保障工作体系建设，作为促进再就业的重要基础工作来抓。《通知》明确提出，在街道和工作任务重的乡镇，要设立或确定负责劳动保障事务的机构，街道劳动保障工作机构要在社区聘用专门的服务人员，切实保证所需经费。建立健全街道、社区就业和社会保障服务平台，承担起下岗职工、失业人员、企业退休人员的社会化管理和服务工作，使就业和社会保障服务建立在街道、社区工作的基础上。只有这样，才能将促进下岗失业人员再就业的各项工作落到实处。

**五、明确责任，狠抓落实，切实加强对再就业工作的领导**

现在，下岗失业人员再就业工作已引起社

会各方面的广泛关注，中央的大政方针已经明确，关键是要加强领导，明确责任，狠抓落实。这里，我提几点要求：

（一）各级党委、政府要把再就业工作作为一件大事来抓

江总书记要求党政领导干部特别是高级领导干部，要讲政治、抓大事，要善于从全局高度思考和处理问题。做好再就业工作关系到下岗失业人员的切身利益，关系到改革发展稳定的大局，是我国当前社会政治经济生活中的一件大事。抓好这项工作，就是讲政治、抓大事。各级党委、政府必须从实践“三个代表”重要思想的高度，从关心群众疾苦、密切党与人民群众血肉联系的高度，从维护稳定、促进改革和加快发展的高度，把再就业工作作为一项严肃的政治任务，高度重视，认真负责，切实抓紧抓好。

搞好再就业工作主要在地方。各级党委、政府作为促进下岗失业人员再就业工作的责任主体，要对本地区下岗失业人员再就业工作负总责。要建立再就业工作一把手负责制，各级党政一把手要亲自抓，一级抓一级，层层抓落实。要明确目标，统筹部署，落实责任，把工作任务细化、量化。要建立健全目标考核体系，把控制失业率和增加就业岗位作为宏观调控的重要指标，把净增就业岗位、落实再就业政策、强化再就业服务、加大再就业投入和帮助困难群体就业，作为具体工作目标和政绩考核的重要内容。对一些重大问题，各级主要领导要亲自调查研究，及时拿出解决问题的有效措施和办法。只要党政主要领导真正重视，亲抓实干，这项工作一定能够做好。

近几年，各地在工作中创造出不少好的做法和经验，这次会议将总结交流一些经验，各地区和有关部门要注意学习借鉴。做好新形势下再就业工作，还是一个新的课题，各地情况也有所不同，有许多新情况新问题需要研究解决。希望各地区、各部门在现有工作的基础上，根据中央确定的大政方针，结合实际，大胆探索，勇于实践，力争在解决重点、难点问题上有所突破，创造出更多更好的经验。

（二）抓好政策和资金双落实

为确保《通知》的贯彻落实，国务院决定制定相应的配套文件，对再就业资金使用管理、小额贷款、国有企业主辅分离、有关税收减免政策等，作出具体规定。各部门在研究制定配套文件过程中，态度要积极，政策不能后退，不能模糊，不能扯皮，要便于操作。这也是对各个部门是否真正重视再就业工作的一次检验。

确保资金及时足额到位，是落实政策的关键。促进再就业的主要政策措施，都是需要资金支持的。要搞好下岗失业人员再就业工作，不花点钱不行，这个钱是应该花的。中央财政对再就业工作支持力度，应该说是相当大的，在今年财政收支形势比较严峻的情况下，尽了很大的努力。一是调整中央财政支出结构。对中西部地区和老工业基地，中央财政在原国有企业下岗职工基本生活保障专项转移支付资金项下增加再就业补助资金，支持地方促进再就业工作。二是中央财政增加的再就业补贴资金，主要用于补助社会保险补贴的部分资金、职业介绍和再就业培训的部分资金、小额贷款贴息的全部资金等三项资金。三是中央财政原来安排用于国有企业下岗职工基本生活保障的资金，规模不减少，在确保国有企业下岗职工基本生活的前提下，地方可根据实际情况调整使用方向，安排一部分用于促进再就业。

在这里我还要强调一下地方各级财政落实再就业资金的问题。一是地方各级财政也要切实调整支出结构，优先安排再就业资金。二是社会保险补贴、职业介绍和再就业培训补贴、劳动力市场建设资金、小额贷款担保基金以及“4050”人员岗位补贴等促进再就业资金，都是直接花在群众身上的钱，一定要足额列入预算。中央和地方财政安排的资金，一定要不折不扣地用在再就业工作上，绝不能挤占挪用。

（三）落实部门责任，动员全社会力量共同做好再就业工作

劳动保障、计划、经贸、财政、银行、税

务、工商、城建等部门，与再就业工作关系最为密切，工作的好坏，直接影响再就业工作的成败。各部门要切实履行职责，牢固树立群众观念，带着深厚的感情去工作，像关心自己家人那样去关心和帮助下岗失业人员，多尽一份心，多出一份力，认真研究应该为下岗失业人员再就业做些什么，真正把促进再就业的政策措施落到实处，把党和政府的关心和温暖送到每个下岗失业人员身上。劳动保障部门作为再就业工作的主管部门，这几年做了大量工作，取得了很大成绩。做好再就业工作，是历史赋予劳动保障部门的光荣使命。各级劳动保障部门要有高度的责任感和荣誉感，切实负起责任，对再就业工作中遇到的困难和问题，要及时调查研究，组织协调解决。

做好下岗失业人员再就业工作，涉及方方面面，必须动员全社会的力量，形成各方面共同参与、齐抓共管的工作格局。近几年，各级工会、妇联等组织为下岗失业人员送温暖、送岗位，围绕再就业问题进行调查研究，总结经验，反映问题，提出建议，做了很多工作。今后，要继续充分发挥各级工会、共青团、妇联等群众组织和各民主党派、工商联的作用，帮助和引导下岗失业人员实现再就业。

（四）切实加强对再就业工作的督促检查

加强督促检查是使各项政策措施落到实处的重要保证。各地区、各部门要建立健全再就业工作督促检查机制，把日常督促检查和不定期的抽查结合起来，以检查促整改。各部门要建立自上而下的定期检查制度，开展专项检查，公布举报电话，发现问题及时处理。重点要检查税费减免政策的落实情况。

劳动保障部门要加强劳动保障监察工作，大力整顿劳动力市场秩序。要坚决取缔非法职业介绍机构，严厉打击非法职业介绍行为。要加强企业用工监察，及时纠正不签订劳动合同、滥用试用期、随意压低工资和延长劳动时间、拒缴社会保险费，以及歧视性招用工等违规违法行为，切实保障劳动者合法权益，为下岗失业人员创造公平、安全的再就业环境。

新闻媒体要通过开辟专栏等各种形式，广泛宣传再就业的方针政策，介绍再就业先进经验，推广再就业典型，积极引导下岗失业人员转变观念，增强信心。要充分发挥新闻媒体的舆论监督作用，对再就业政策和劳动权益不落实等方面的典型事件进行曝光和批评，为促进下岗失业人员再就业营造良好的舆论氛围。从一些地方的经验看，向下岗失业人员发放“明白卡”，把政策原原本本地交给群众，可以增强下岗失业人员维护自身权益的意识，发挥群众监督的作用，是个好办法，值得推广。

2003年上半年，国务院将组织开展再就业工作大检查，检查各地区、各部门贯彻落实《中共中央国务院关于进一步做好下岗失业人员再就业工作的通知》的情况。

（五）加强思想政治工作，充分发挥各级党组织的政治核心作用

促进下岗失业人员再就业是一项十分具体细致的工作。每个下岗失业人员的情况都有所不同，遇到的困难也不一样，必须充分发挥各级党组织尤其是基层党组织的政治核心作用，发挥党员的先锋模范作用，做好深入细致的思想政治工作。这也是我们党的一大优势。实践证明，基层党组织作用发挥得好不好，思想政治工作做得细不细，结果大不一样。在企业实施改制重组、关闭破产、分流富余人员和促进再就业工作过程中，必须始终加强党的建设，党的组织不能散，党的工作不能停。要关心职工群众的疾苦，倾听职工群众的呼声，密切与职工群众的联系。企业管理体制和组织结构发生变动的，要尽快明确党组织隶属关系，及时转移党员组织关系，不允许出现“有党员无组织、有组织无上级”的现象。有关党组织要按照《党章》规定，及时明确和落实下岗失业人员中党员的组织关系，使他们能够正常参加组织生活，所在党组织要认真负起责任，切实加强对他们的教育和管理，组织他们认真学习党的方针政策，关心、教育、引导他们，帮助他们解决再就业中的困难。每个党员都要进一步增强政治意识、大局意识、改革意识和党员意

识，协助党组织做好非党员群众的思想工作，以实际行动起带头作用，带领下岗失业人员转变观念，自强自立，克服困难，实现再就业。

最后，我再强调一下社会保障工作，主要是两个问题。一是要继续做好“两个确保”和城市居民最低生活保障工作。这是做好再就业工作的基础。要按照“三个不变”的要求，落实资金，确保下岗职工的基本生活费和企业离退休人员养老金按时足额发放，绝不能再发生新的拖欠，对符合“低保”条件的要做到“应保尽保”。完善社会保障体系的省级试点目前只在辽宁进行，其他地方要从实际出发，在确保稳定的前提下，因地制宜、分类指导、分别处理，积极探索下岗职工出中心向失业保险并轨的办法和途径。对协议期满暂时无法解除劳动关系的下岗职工，各级政府和企业要继续运用现有各类资金渠道筹措的资金，保障其基本生活。

二是要想方设法解决停产、半停产企业困难职工的基本生活保障问题。当前，少数企业由于各种原因生产经营难以为继，职工基本生活难以得到有效保障，生活十分困难，已成为影响企业和社会稳定的一个突出问题。各地区、各部门对此一定要高度重视，结合实际，积极采取有效措施，千方百计保障这部分职工的基本生活。最起码的一条，对符合条件的困难职工，应当纳入城市居民最低生活保障。对其中的中央所属企业，要按照隶属关系切实负起责任，中央财政原有的“三三制”资金要按时足额拨付，并根据需要适当增加，以确保困难职工的基本生活，确保企业和社会的稳定。

再过两个月，具有重要历史意义的党的十六大就要召开，我们要以再就业工作的优异成绩迎接十六大的胜利召开。让我们紧密团结在以江泽民同志为核心的党中央周围，以邓小平理论和“三个代表”重要思想为指导，认真贯彻落实这次会议的精神，加强领导，转变作风，解放思想，真抓实干，形成全党全社会共同关心再就业工作的良好氛围，努力开创再就业工作的新局面。

# 二、劳动和社会保障部领导讲话和文章

# 在全国劳动和社会保障厅局长会议上的讲话

劳动和社会保障部部长　张左己

（2002年9月14日）

在全国再就业工作会议之后，我们接着召开全国劳动保障厅局长会议，主要任务就是深入学习中央领导同志重要讲话和《中共中央国务院关于进一步做好下岗失业人员再就业工作的通知》精神，进一步统一思想，提高认识，明确任务，坚决贯彻落实再就业会议提出的各项任务，全面做好今年的各项劳动保障工作，以优异成绩迎接党的十六大。

## 一、深刻领会全国再就业工作会议精神

这次再就业会议，是党中央、国务院在党的十六大之前召开的一次十分重要的会议，是继1998年国有企业下岗职工基本生活保障和再就业工作会议之后又一次对劳动保障作出重大部署的重要会议。上午，我们传达了江泽民总书记的重要讲话、朱镕基总理在会议闭幕时的重要讲话、胡锦涛同志对贯彻会议精神的部署和吴邦国副总理的工作报告。中央领导同志的重要讲话，高屋建瓴，内涵丰富，深入分析了当前的就业形势，深刻阐述了就业和再就业工作在改革发展稳定大局中的重要地位和作用，明确了工作的指导思想、目标任务、政策措施和基本要求。同时，对继续落实两个确保和加强社会保障体系建设提出了新的任务和要求。会议的召开，对于在进一步巩固两个确保和完善社会保障体系的基础上，全面推进就业和再就业工作，保持改革发展稳定的大好局面，将产生重大的作用和深远的影响。我们要深入学习，深刻领会，认真贯彻落实。我体会，全面领会全国再就业工作会议精神，应当重点从三个方面加以理解和把握：

### （一）充分认识就业和再就业工作的极端重要性，把就业和再就业工作始终作为关系改革发展稳定的大事，建立促进就业的责任体系，抓住就业方面的主要矛盾，集中力量做好下岗失业人员再就业工作

江总书记在讲话中从实践“三个代表”要求，维护改革发展稳定大局，实现国家长治久安的政治高度和战略高度，深刻阐述了就业和再就业工作的极端重要性。他指出，就业是民生之本。扩大就业，促进再就业，关系改革发展稳定的大局，关系人民生活水平的提高，关系国家的长治久安，不仅是重大的经济问题，也是重大的政治问题。千方百计解决好群众的就业问题，就是为人民办实事，就是贯彻“三个代表”要求的重大实践，各级党委和政府一定要把就业和再就业工作，始终作为关系改革发展稳定的大事，务必抓紧抓实抓好。

江总书记在讲话中全面总结了建国以来特别是改革开放20多年来就业工作的基本经验，

对当前及今后一个时期的就业形势进行了深刻分析，精辟地阐述了就业方面的主要矛盾这一重大的理论和实践问题。他指出：我国就业方面的主要矛盾，是劳动者充分就业的需求与劳动力总量过大、素质不相适应之间的矛盾。这将是一个长期存在的问题。当前，主要表现在劳动力供求总量矛盾和就业结构性矛盾同时并存，城镇就业压力加大和农村富余劳动力向非农领域转移速度加快同时出现，新成长劳动力就业和失业人员再就业问题相互交织。焦点集中在下岗失业人员再就业上，而且这个问题已经成为一个带有全局性影响的重大经济和社会问题。这一重要论述，深刻揭示了就业方面的主要矛盾、矛盾的三个基本特征和矛盾的焦点，科学地回答了社会主义初级阶段就业方面最具有本质性的基本问题，是对有中国特色社会主义理论的丰富和贡献。准确地把握住这一主要矛盾，我们就能准确地认识和判断就业形势的变化，就能始终把握工作的主动权。

江总书记强调，集中力量做好下岗失业人员再就业工作，是整个就业工作的重中之重。他指出，各级领导干部在开展工作时，一定要分清轻重缓急，善于集中力量搞好当务之急。做好下岗失业人员的再就业工作，就是当前党和国家工作中一项重大而紧迫的当务之急。各级党委和政府一定要下更大的决心，花更大的力气，采取更加有力的措施，切实做好再就业工作。同时，他还强调，各级党委和政府要清醒地认识就业和再就业工作的长期性、艰巨性和复杂性，既要立足当前，明确工作重点，采取有效措施，集中人力、财力和物力，打好攻坚战，又要着眼长远，把就业和再就业工作作为一项长期的战略任务，制定中长期的规划和政策，打好持久战。

为保证就业和再就业任务的落实，江总书记在讲话中强调，各级党委和政府要加强统筹协调，发挥各方面的积极性，形成全社会共同参与、齐抓共管的局面。要定期分析情况、研究对策，及时解决突出问题，做到工作责任到位，政策落实到位，资金投入到位，措施保证到位。这一精神在中央《通知》中得到充分体现。《通知》明确要求，各级党委、政府对本地区就业工作负主要责任。要把控制失业率和增加就业岗位作为宏观调控的重要指标，纳入国民经济和社会发展计划。把净增就业岗位、落实再就业政策、加大再就业资金投入和解决困难群体就业作为具体工作目标，层层分解，督促落实，并作为政绩考核的重要内容。

（二）坚持通过发展和改革的办法促进就业和再就业，正确处理发展经济、经济结构调整、深化改革、城乡经济协调发展、完善社会保障体系和扩大就业的关系，逐步走出一条既能够充分促进就业、又能够保证经济持续快速健康发展的路子

江总书记指出，做好当前及今后一个时期的就业和再就业工作，要正确处理好五个方面的关系。

第一，正确处理发展经济和扩大就业的关系，通过发展经济扩大就业，通过扩大就业推动经济发展，实现发展经济与扩大就业的良性互动。通过发展经济来扩大就业，是解决就业问题的根本途径。在研究经济和社会发展规划时，要把就业问题作为重要内容统筹考虑。既通过经济发展来扩大就业，又通过扩大就业来促进经济发展。

第二，正确处理经济结构调整和扩大就业的关系，使经济结构调整和劳动力结构调整协调推进。在提高产业科技含量的同时要重视发展劳动密集型产业，在增强国有经济竞争力的同时要加快发展多种所有制经济，在培育一批大型企业集团的同时要大力发展中小企业，充分发挥各种产业和企业在吸纳劳动力就业方面的作用。第三产业的就业增长弹性大，特别是旅游业和社区服务业有很大的就业潜力，应作为扩大就业的主攻方向。以资源开采为主的城市和地区，资源已经枯竭的，要有步骤地发展接续产业，进行整体性调整。要努力开拓国际劳务市场，有组织地开展劳务输出，带动就业增长。

第三，正确处理深化改革和扩大就业的关

系，坚持减员增效和促进就业相结合、职工下岗分流和社会承受能力相适应的原则。要全面理解和正确贯彻“鼓励兼并、规范破产、下岗分流、减员增效、实施再就业工程”的方针，统筹考虑减员增效和促进再就业。企业职工下岗分流，要充分考虑财政、企业、职工和社会的承受能力，量力而行。国有企业要积极挖掘内部潜力，发展多种经营，改制分流，多渠道分流安置富余人员，能不推向社会的尽量不推向社会，更不能简单地向社会一推了之。实行企业关闭，要切实做好职工的安置工作。

第四，正确处理城乡经济协调发展和扩大就业的关系，把引导农村富余劳动力转移和解决“三农”问题紧紧联系起来。江总书记强调，在重点做好城镇下岗失业人员再就业工作的同时，要统筹兼顾城镇新增劳动力和农村富余劳动力的就业工作。要为农村劳动力开辟更多的生产门路和就业门路。对农民进城务工要公平对待、合理引导、完善管理、搞好服务，组织和引导农村富余劳动力有序流动，维护农民工的合法权益，促进农村富余劳动力向非农产业转移。

第五，正确处理完善社会保障体系和扩大就业的关系，通过实行两个确保解决保障基本生活的当务之急，通过促进再就业解决下岗失业人员的根本出路，通过完善社会保障体系为深化改革和扩大就业提供保障。就业工作和社会保障，要整体部署、协调推进。要进一步完善社会保障体系，建立和完善下岗职工基本生活保障制度、失业保险和城市居民最低生活保障制度“三条社会保障线”，同时要建立和健全养老保险和医疗保险，并逐步走上法制化的轨道，为深化改革、促进发展和保持稳定提供重要保证。

江总书记关于正确处理五个关系的论述，是对党在不同时期处理就业问题基本经验的高度概括和总结。这一理论创新同关于就业主要矛盾的论述是一个有机的整体，科学地回答了如何在错综复杂的经济环境中，顺应大势，因势利导，趋利避害，解决就业问题的正确方针，标志着我们对就业问题的规律性认识达到了一个新的高度，是有中国特色社会主义理论关于就业问题的最新理论成果，是指导我们工作的强大思想武器。正确把握和处理好这五个方面的关系，就一定能够走出一条既能够充分促进就业、又能够保持经济持续快速健康发展的路子来。

（三）做好当前下岗失业人员再就业工作的主要任务

江总书记强调，在全面做好扩大就业各项工作的同时，要针对再就业工作存在的一些亟待解决的问题，有针对性地采取一些措施。一是要结合本地区经济社会发展的需要和下岗失业人员的特点，有组织地开发一批适合下岗失业人员从事的就业岗位。他特别强调了社区服务业和旅游业。二是要有针对性地开展面向下岗失业人员的职业介绍和职业培训。如“一对一”帮扶、“一条龙”服务、开设下岗失业人员服务的专门窗口等。三是要充分重视职业培训在促进再就业中的重要作用，形成以培训促进创业、以创业促进就业的良性机制。四是对年龄偏大、技能偏低、竞争能力较弱的下岗失业人员，要积极开展再就业援助，政府的资金和政策要集中用于帮助最困难的群众实现再就业，政府开发的公益性就业岗位主要应用来安排他们，并采取提供就业援助、社会保险补贴和岗位补贴等更加优惠的扶持政策。

朱镕基总理在讲话中强调，当前及今后一个时期，促进再就业必须把握好四个方面的问题：一是必须明确再就业的重点方向。增加劳动就业主要不是在工业领域，不在大企业，而主要在服务业，在中小企业，在非国有企业。还要大力发展非全日制、非固定单位、临时工、小时工等灵活多样的就业形式。二是必须坚持正确的就业方针。要继续贯彻执行“劳动者自主就业、市场调节就业、政府促进就业”的方针，充分发挥市场机制在劳动力资源配置中的基础性作用。同时，明确了政府在促进就业和再就业中四个方面的基本职责：科学制定就业规划，引导和调节劳动力供求关系；实施积极的就业政策，对特殊困难对象给予就业援助；健全劳动力市场体系，依法维护劳动力市场秩序；提供就业服务和完善社会保障体系。三是必须全面贯彻中央促进再就业的各项政策措施。四是必须继续加强再就业服务。吴邦国副总理在讲话中围绕鼓励和支持下岗失业人员自谋职业、鼓励服务型企业吸纳下岗失业人员、鼓励有条件的国有大中型企业主辅分离安置富余人员和对“4050”人员实行特殊的就业援助这四个再就业工作的着力点，从开发再就业岗位、加大政策扶持力度、抓好工作落实等方面作了全面部署。

各级劳动保障部门要深入学习领会中央领导同志重要讲话精神，认清形势，把握大局，不折不扣地贯彻落实，切实将会议提出的各项任务和要求落实到位。

## 二、准确把握促进再就业的主要政策

即将下发的《中共中央国务院关于进一步做好下岗失业人员再就业工作的通知》，在全面总结我国长期以来就业和再就业工作经验的基础上，针对新时期就业的新形势和新特点，围绕着解决下岗失业人员的再就业问题，研究制定了一整套促进就业和再就业的政策措施，确立了有中国特色的积极就业政策的基本框架。如何归纳、提炼这一政策框架的基本内容，需要理论和实践工作者共同研究。我通过初步学习，将其概括为五大支柱、六个领域、十项政策。

五大支柱是积极就业政策的五个基本方面，分别体现在《通知》第二至第六部分。第一支柱是以提高经济增长对就业的拉动能力为取向的宏观经济政策，政策的出发点主要是通过保持较高经济增长速度、调整产业结构、所有制结构、企业结构等，扩大就业总量、创造就业岗位。第二支柱是以重点促进下岗失业人员再就业为取向的扶持政策，出发点主要是运用优惠政策杠杆将所创造的岗位，优先用于吸纳下岗失业人员再就业。第三支柱是以实现劳动力与就业需求合理匹配为取向的劳动力市场政策，出发点主要是通过强化就业服务和职业培训帮助劳动者了解需求信息、提高就业能力，缓解结构性失业问题。第四支柱是以减少失业为取向的宏观调控政策，出发点主要是通过严格规范企业减员、建立失业预警制度等措施，减轻社会失业压力。第五支柱是以既能有效地保障下岗失业人员基本生活，又能积极促进再就业为取向的社会保障政策，出发点主要是通过完善社会保障体系消除下岗失业人员的后顾之忧，为促进劳动力合理流动提供保障。这五大支柱可以简要归纳为“经济拉动、政策扶持、市场服务、政府调控、社会保障”。这五大支柱在层次上依次递进、各有侧重，在内容上相互配套、缺一不可，在功能上相互支撑、相互促进，构成了积极就业政策的基础架构。

六个领域指的是《通知》明确的开发就业岗位的六个方向。一是调整企业结构，发展有市场需求的中小企业，继续发展劳动就业服务企业；二是调整产业结构，大力发展第三产业，尤其要积极开发社区服务业和旅游业的就业岗位，还要积极发展商贸、餐饮等传统服务业；三是调整所有制结构，鼓励发展就业容量大的集体、个体、私营、外商投资、股份合作等多种所有制经济；四是充分发挥劳动力资源优势，积极发展具有比较优势和市场需求的劳动密集型产业和企业；五是适应企业用工需求和就业方式的变化，鼓励下岗失业人员通过非全日制、非固定单位、临时性、季节性、弹性工作等灵活多样的方式实现就业，并通过发展劳务派遣、就业基地等组织形式为他们灵活就业提供服务和帮助；六是面向国内国外两个市场，对内鼓励跨地区劳务协作，对外实施“走出去”战略，发展对外劳务输出，努力开拓国际劳务市场。这六个领域可以简要归纳为“中小企业、第三产业、多种经济、劳动密集、灵活就业、劳务输出”。这是适应国有经济战略调整和经济结构调整的总体部署，适应就业格局和从业方式的变化趋势，适应面向国内国外两个市场、两种资源，充分发挥劳动力资源优势的战略思路提出来的，回答了扩大就业的出路在哪里，就业和再就业工作主战场在哪里的问题。

十项政策是解决就业问题的扶持手段和保证措施。这些政策包括：

（一）税费减免政策

主要集中在鼓励下岗失业人员自谋职业、鼓励服务型企业吸纳下岗失业人员、鼓励国有大中型企业通过主辅分离和辅业转制分流安置企业富余人员这三个方面。在鼓励下岗失业人员自谋职业方面，过去的税费减免政策扶持对象仅限于下岗职工，《通知》将其扩大到下岗失业人员，并且将适用范围由过去仅限于从事社区居民服务业的8个项目扩大到除国家限制行业以外的所有行业，免税税种包括营业税、城市维护建设税、教育费附加和所得税，在免费范围上则明确规定免收管理类、登记类和证照类的所有各项收费。在鼓励服务型企业吸纳下岗失业人员方面，针对过去“门槛”过高、绝大多数企业享受不到的问题，《通知》将企业享受减征企业所得税所需吸纳下岗失业人员比例的起始标准由60%降到了30%，同时扩大了适用范围，除国家限制的行业外，各类服务型企业达到规定条件的，都按一定比例减征所得税。其中对新办服务型企业达到规定条件的，3年内免征营业税、城市维护建设税、教育费附加和企业所得税。在鼓励国有大中型企业分流安置富余人员方面，《通知》规定，通过主辅分离和辅业转制分流安置本企业富余人员兴办的经济实体，符合规定条件的，3年内免征企业所得税。

（二）小额贷款政策

提供小额贷款，以帮助自谋职业和自主创业的下岗失业人员解决创业起步阶段面临的资金困难，是促进再就业的有效途径。《通知》针对担保不落实这个症结，对建立担保基金作出了明确规定，同时规定了贴息政策。《通知》规定，各省、自治区、直辖市和地级以上城市要建立下岗失业人员贷款担保基金，所需资金主要由同级财政筹集，担保机构由当地政府确定。对从事微利项目的，中央财政据实贴息。同时还要求，各国有商业银行、股份制商业银行、城市商业银行和有条件的城市信用社，都要开办此项贷款业务，并且要简化手续，提供开户和结算便利。与以前的政策相比，这次的小额贷款政策明确了贷款的程序、额度、期限特别是担保和贴息等具体内容，有较强的操作性。

（三）社保补贴政策

通过提供社会保险补贴促进再就业，是借鉴为在中心下岗职工代缴社会保险费的思路，并借鉴国外一些成功做法而制定的一项扶持政策。《通知》对此作出了两方面的规定：一是对各类服务型企业新增岗位新招用国有企业下岗失业人员，并与其签订3年以上劳动合同的，用再就业资金按招用人数提供为期3年的社会保险补贴；二是在社区开发的公益性岗位安排原属国有企业大龄就业困难对象的，从再就业资金中给予社会保险补贴。这项政策对企业来说，有利于降低用人成本，充分发挥吸纳就业的潜力；对个人来说，解决了他们最关心的社保接续问题，消除了再就业的后顾之忧；对政府来说，不仅有利于扩大就业，而且补贴资金直接转入社保机构，可以充实社保基金。

（四）就业援助政策

下岗失业人员中“4050”人员就业特别困难，仅靠市场是难以解决的，应当给予特殊扶持，实行更加优惠的政策。在总结各地实施再就业援助行动经验的基础上，《通知》规定，各级政府要把有劳动能力和就业愿望的男50周岁以上、女40周岁以上就业困难的下岗失业人员作为再就业援助的主要对象，提供即时岗位援助等多种帮助。一是由政府投资开发的公益性岗位要优先安排大龄就业困难对象。二是对社区公益性岗位安排原属国有企业大龄就业困难对象就业的，从再就业资金中给予社会保险补贴。三是各地可根据实际提供适当比例的岗位补贴。岗位援助、社保补贴、岗位补贴三项措施同时并举，为解决大龄就业困难对象再就业问题提供了切实的保证。

（五）主辅分离政策

在鼓励国有大中型企业分流安置富余人员方面，过去虽然一直倡导，但没有实实在在的政策扶持。这次《通知》对此作出了具体规定，对国有大中型企业通过主辅分离和辅业转制分流安置本企业富余人员兴办的经济实体，符合四个条件的，3年内免征企业所得税：一是利用原国有企业的非主业资产、闲置资产或关闭破产企业的有效资产；二是独立核算、产权清晰并逐步实现产权主体多元化；三是吸纳本企业富余人员达到30%以上；四是与安置的职工变更或签订新的劳动合同。这项政策的实行，不仅有利于调动国有企业安置富余人员的积极性，减轻社会就业压力，也有利于企业盘活闲置土地和资产，精干主体，增强竞争力。

（六）就业服务政策

目前，就业服务体系不健全，免费服务不落实，仍然是再就业工作中的突出问题。《通知》规定，各级政府要建立公共就业服务制度，对城镇登记失业人员和国有企业下岗职工，提供免费职业介绍和再就业培训，所需经费主要由地方财政承担，中央财政对困难地区给予适当补助。这项政策为落实免费职介和免费培训提供了保证。《通知》还规定，公共就业服务机构要实行求职登记、职业指导、职业介绍、培训申请、鉴定申报、档案管理、社会保险关系接续“一站式”就业服务，对下岗失业人员自谋职业提供“一条龙”服务，并对加快就业服务信息化建设、推行和规范职业资格证书制度、开展创业培训、规范劳动力市场秩序、加强劳动保障监察执法等提出了明确要求。

（七）财政投入政策

增加财政投入促进就业，是市场经济国家的普遍做法。为保证各项再就业扶持政策和工作要求的落实，《通知》对财政增加再就业的投入作出了三个方面的规定：一是规定增设“再就业补助”预算科目，并要求各级政府都要调整财政支出结构，加大再就业资金投入，将促进再就业资金列入财政预算。中央财政增加的再就业补助资金，主要用于补助小额贷款贴息的全部资金、社会保险补贴的部分资金、职业介绍和再就业培训补贴的部分资金。地方财政主要负担社会保险补贴的部分资金、岗位补贴、职业介绍和再就业培训补贴的部分资金、社区劳动保障工作补贴、劳动力市场信息网建设资金和小额贷款担保基金。二是各级财政原来安排用于国有企业下岗职工基本生活保障的资金规模不减，在确保下岗职工基本生活的前提下，根据当地工作需要，安排一部分用于促进再就业。三是对中西部地区和老工业基地，中央财政在原国有企业下岗职工基本生活保障专项转移支付资金项下，增加再就业补助资金，支持地方促进再就业工作。

（八）社会保障政策

保障下岗失业人员的基本生活，接续好社会保险关系，消除下岗失业人员再就业的后顾之忧，是促进再就业的重要保证。《通知》对此作出了四个方面的规定：一是进一步明确了下岗失业人员的基本生活保障办法。对企业新裁减人员和出中心的下岗职工，要按规定及时提供失业保险，符合条件的纳入低保。对协议期满暂时无法解除劳动关系的下岗职工，各级政府和企业要继续运用现有各类资金渠道筹措的资金保障其基本生活。二是规定了社保关系接续办法。下岗失业人员离开企业时，其过去的社会保险缴费年限和个人账户继续保留，企业和个人欠缴的社会保险费要一次性补缴。符合规定条件的可以办理“协保”。继续参加养老保险并按规定缴费的，其前后缴费年限合并计算；未继续参加养老保险中断缴费的，达到退休年龄后按实际的缴费年限计发待遇。三是规定了再就业后的参保办法。下岗失业人员由企业招用再就业的，由新的用人单位和职工个人按规定继续缴纳社会保险费；自谋职业和灵活就业的，可以按照个体工商户参保办法参加养老保险；对尚未纳入基本医疗保险范围的下岗失业人员，实施社会医疗救助。四是要求对下岗失业人员以非全日制、临时性、弹性工作等灵活形式就业的，要适应其特点，抓紧制定劳动关系形式、工资支付方式和社会保险等方面的配套办法，保障他们的合法权益，并要求社会保险经办机构开设个人缴费窗口，方便下岗失业人员继续参保缴费。

（九）企业裁员政策

为保障职工合法权益，防止国有企业大规模集中裁员，减轻失业压力，《通知》作出了三个方面的规定：一是实施政策性关闭破产的企业，其职工安置方案必须经职工代表大会讨论通过，并报当地政府有关机构审核批准。凡职工安置方案和社会保障办法不明确、资金不到位的，不得进入关闭破产程序。二是正常生产经营企业裁减人员，其减员方案要经企业职工代表大会讨论，凡不能依法支付经济补偿金并妥善解决职工债务的，不得裁减人员。三是国有大型企业一次性减员超过一定数量和比例的，要事前向当地人民政府报告。这三条规定，部分是对过去规定的重申和强化，更多的是新规定、新要求，是对减员增效和促进再就业相结合、下岗分流和社会承受能力相适应原则的具体化。

（十）社区平台政策

随着企业分离办社会职能步伐的加快和就业形式日益多样化，大量的劳动保障事务从企业内部分离出来，需要依托街道和社区来完成。目前，劳动保障部门的“腿”大都还停留在县、市一级，尚未在社区扎根，远远不能适应新形势需要。为解决这一问题，《通知》明确规定，城乡基层组织要担负起做好下岗失业人员再就业和企事业单位退休人员管理服务的责任。街道和工作任务重的乡镇，可设立或确定负责劳动保障事务的机构。同时强调要充分发挥社区在就业和社会保险方面的服务功能，街道劳动保障工作机构要在社区聘用专门的服务人员，并提供工作经费，建立统一的社会保障和劳动就业工作体系。劳动保障工作机构向基层延伸，建立社区劳动保障工作平台，是一项重要政策，有利于全面推动开发社区就业岗位、对下岗失业人员提供服务、开展企业退休人员社会化管理服务等各项工作，在社区建立一个集各项劳动保障管理服务工作为一体的管理服务网络。

十项政策所体现的出发点，就是就业增长点在哪里，政策就支持到哪里，就业服务就跟到哪里，工作网络就延伸到哪里。十项政策含金量高，扶持力大，相辅相成，只要准确地把握，综合运用，就一定能有效地发挥其应有的作用。

## 三、切实抓紧抓好全国再就业工作会议精神的贯彻落实

贯彻落实再就业会议精神，将会议提出的各项要求真正落到实处，将中央《通知》确定的各项政策措施转化为促进再就业实实在在的效果，是当前劳动保障系统头等重要的任务。前一阶段，许多地方都对再就业工作进行了摸底调查，做了很多前期准备工作，可谓蓄势待发。今年后三个多月是打基础、抓落实的关键阶段，各地要借再就业工作会议的强劲东风，立即行动起来，狠抓思想落实、责任落实、政策落实、资金落实和组织落实，务求取得实效。

（一）迅速学习传达会议精神，统一思想认识

这是全面贯彻落实再就业会议精神的重要前提。要尽快将会议精神传达到劳动保障系统的全体干部职工，为大家所领会、所掌握，将思想认识统一到中央领导同志重要讲话精神上来，统一到中央决定的促进下岗失业人员再就业的各项政策和工作要求上来，进一步增强做好就业和再就业工作的使命感、责任感和紧迫感，振奋精神，鼓舞斗志，以奋发有为、昂扬向上的精神状态投入工作。

（二）层层落实工作目标，强化责任体系，健全工作机制

这是全面贯彻落实再就业会议精神的重要保证。会议要求，要切实落实部门责任，并特别强调劳动保障部门作为再就业工作的主管部门，做好再就业工作是历史赋予劳动保障部门

的光荣使命，要求我们要有高度的责任感和荣誉感，切实负起统筹规划、组织协调、督促落实等责任。落实这一要求，要着眼于积极向党委政府提出建议、主动搞好与有关部门的协调配合、扎扎实实地做好各项劳动保障工作三个方面。一是要积极向党委政府提出决策、计划和组织推动的建议，制定再就业工作实施方案，明确分工，统一部署，整体推进。建议的提出必须建立在调查研究、摸清底数的基础之上。为此，要认真搞好摸底调查，重点摸清本地区下岗失业人员，特别是《通知》规定的4类下岗失业人员的数量、技能素质、家庭收入、就业愿望，以及本地区社区就业、服务业等方面的岗位潜力，为党委、政府提供决策依据。部里决定，将于四季度在全国范围内组织开展城镇劳动力就业和社会保障状况抽样调查。这是我部迄今为止进行的规模最大的一次调查工作，各地要认真搞好配合，确保调查的质量和效果。二是加强与有关部门的工作协调和配合，巩固业已形成的良好工作机制。要主动协调计划、经贸、财政、工商、税务、银行、城建等职能部门，同时要加强同工会、妇联、共青团等各个方面的联系，充分发挥各部门和社会各方面的积极性。要在党委政府统一领导下，建立起经常性的沟通和监督检查工作机制，密切配合，共同抓好落实。三是要切实履行好劳动保障部门自身所承担的职责任务，精心组织，狠抓落实。各级劳动保障部门要立即着手制定详细的工作计划和时间进度表，落实到具体的单位和人员。要以开发就业岗位、落实优惠政策、强化就业服务、完善工作手段、解决好困难群体再就业为重点，层层建立目标责任制，建立目标考核与责任追究制度。我们常讲要善于抓住机遇而不可错过机遇，当前贯彻落实再就业会议精神就是一次不可多得的大好机遇，只要我们乘势而上，就不仅能够在再就业工作中取得成效，而且一定能极大地促进劳动和社会保障各项工作的开展。

（三）抓紧出台配套文件，完善细化政策措施

这是全面贯彻落实再就业会议精神的重要环节。根据工作安排，国务院已协调有关部门起草了1个综合性文件和6个配套政策，准备与中央文件配套下发。综合性文件指的是我部会同中编办、国家计委、国家经贸委、财政部、国家税务总局、国家工商总局、建设部、全国总工会等9个部门联合制定的《关于贯彻〈中共中央国务院关于进一步做好下岗失业人员再就业工作的通知〉若干问题的意见》。6个配套政策是：由财政部会同我部制定的《再就业资金管理办法》；由财政部、国家税务总局会同我部制定的《关于促进下岗失业人员再就业有关税收政策的通知》；由国家税务总局会同经贸委和我部制定的《关于下岗失业人员再就业有关税收政策具体实施意见的通知》；由中国人民银行会同财政部和我部制定的《关于下岗失业人员小额担保贷款的实施意见》；由国家经贸委会同国家税务总局、财政部和我部制定的《关于鼓励国有企业主辅分离分流安置富余人员的实施办法》；由财政部、国家计委联合制定的《关于促进下岗失业人员再就业有关收费减免政策的通知》。各地劳动保障部门要按照中央要求，在党委政府的统一领导下，从本地区实际出发，抓紧协调有关部门，研究制定具体办法和实施细则。

（四）落实财政补贴项目，确保财政资金及时足额到位

这是全面贯彻落实再就业会议精神的重要条件。各级劳动保障部门要加强与财政部门的协调配合，按照再就业扶持政策所涉及的下岗失业人员数量、补贴项目与标准等因素，实事求是地测算所需资金规模，提出切实可行的预算安排建议。要建立合理有效使用和严格管理再就业资金的制度，充分发挥资金投入在扶持再就业中的作用，特别是要加强对资金使用情况的监管，防止资金的滥用和流失。中央财政资金将与地方财政投入和再就业工作实绩挂钩，不实行“补缺口”的机制。优惠证是下岗失业人员享受优惠政策的凭证，各地一定要加强管理，严格按规定条件和程序发放。

（五）尽快建立社区劳动保障工作平台，完善基层劳动保障管理服务体系

这是全面贯彻落实再就业会议精神的重要依托。在街道普遍建立劳动保障工作机构并向社区延伸，不仅关系到就业和再就业工作，而且关系到社会保障管理服务社会化和其他各项工作，关系到劳动保障系统在社区工作中的地位、职能。各地要抓住落实再就业工作会议精神的有利时机，抓紧推动这项工作尽快取得成效。一是尽快建立机构。要积极主动地协调编制、财政等部门解决好机构建设中的职能、人员编制和办公经费等问题，力争年底前在大多数城市普遍建立街道劳动保障工作机构，在社区配备工作人员，做到职能、编制、人员、经费四落实。二是在高起点起步。从一开始就要坚持高标准、严要求，在机构的名称、职责、任务、隶属关系等方面要力求统一、规范，避免走弯路。职能要健全，全面承担起开发社区就业岗位、面向下岗失业人员开展就业服务、面向企业退休人员开展社会化管理服务以及其他方面劳动保障管理服务的职能，不能单打一。三是加强管理。街道和社区工作机构将成为劳动保障部门直接面对百姓的基层窗口，关乎劳动保障事业的根基和形象。各地一定要把好用人关，并切实加强对他们的培训，提高干部队伍的政治素质、业务素质和服务质量。

按照会议要求，明年上半年国务院将开展再就业工作大检查。我们相信，只要不折不扣地贯彻落实全国再就业工作会议的部署和要求，就一定能够打开再就业工作的新局面，向党中央、国务院交一份满意的答卷。

## 四、全面完成今年的各项劳动保障工作任务

关于今年后几个月的各项工作，前不久部里下发了《关于当前劳动保障工作形势分析和下半年工作安排的意见》，明确了各项工作的任务和要求，各地要继续全面贯彻。这里，我再强调几个问题：

（一）坚持不懈地巩固两个确保

巩固两个确保是完善社会保障体系的基础，也是搞好再就业工作的基础。在这次全国再就业工作会议上，中央领导同志在讲话中都反复强调了这一点。我们要按照中央要求，继续把两个确保工作放在重要位置抓紧抓好，绝不能有丝毫的放松，更不允许发生新的拖欠。要认真查找“死角”，加大工作力度，妥善加以解决。对协议期满暂时还难以出中心的下岗职工，要继续运用现有各种渠道筹措的资金保障他们的基本生活。对企业新裁减人员和出中心的下岗职工，要按规定及时提供失业保险，符合条件的纳入城市“低保”。要继续做好辽宁省完善社会保障体系的试点工作，坚持整体推进，逐项落实，及时进行总结和评估，为全国完善社会保障体系提供经验。

（二）扎扎实实地搞好社会保障大检查

国务院部署的全国社会保障大检查，是进一步督促和推动各级政府全面贯彻落实党中央国务院关于两个确保政策的一项重要举措，是对四年多来社会保障体系建设工作成果的一次大检验。各级劳动保障部门要高度重视，把大检查作为进一步推动劳动保障工作的契机，按照国务院要求和各阶段的工作部署，查实情，查不足，切忌流于形式、走过场。要把这次社会保障大检查与落实政策、宣传政策和改进工作结合起来，坚持边检查边整改，既要及时总结近年来社会保障体系建设的成绩和经验，又要针对存在的问题提出切实可行的整改方案，进一步改进工作，真正把中央确定的两个确保和各项社会保障政策落到实处。

（三）周密细致地做好企业退休人员待遇调整工作

这次调待，中央明确要求向退休早、基本养老金水平低的老干部、老工人和军队转业到企业的退休人员倾斜。这充分体现了党中央、国务院对广大企业退休人员特别是养老金待遇较低人员的亲切关怀。这次调待工作搞好了，对维护企业和社会稳定是个有力的促进。同时要看到，由于这次调整人员类型多，各地情况又很复杂，差异较大，操作起来具有一定的难

度。各地要切实加强领导，不折不扣地贯彻落实这次调待的有关政策，根据当地的承受能力确定调待水平，认真进行测算，精心制订方案，积极筹措资金，抓紧组织实施，力争在10月底前落实到位。

（四）加快推进信息系统建设和社会化管理服务工作

搞好社会保险管理信息系统（“金保工程”）建设，是促进劳动保障事业发展的一项最重大的基础工程。目前，国家信息化领导小组已将社会保险管理信息系统建设确定为全国重点建设工程，我们要抓紧开展工作，特别要注意统一数据标准，统一应用软件。各地劳动保障部门要积极争取当地政府的支持，加强同有关部门的协调，千方百计筹集资金，尽快建立本地的社会保险管理信息系统，为建立全国统一的社会保险管理信息系统打好基础。

管理服务社会化是完善社会保障体系的一个重要目标，各地要抓住劳动保障机构向社区延伸的有利时机，加快推进企业退休人员社会化管理服务工作。100个管理服务社会化重点联系城市要发挥示范作用，其他地区都要积极行动起来，务求取得明显进展，实现部里提出的年底前1 000万企业退休人员实行社会化管理服务的目标。

（五）切实做好新闻宣传和评优表彰工作

今年以来，在各地的密切配合和积极支持下，围绕着再就业和社会保障体系建设，中央各大新闻媒体作了大量宣传报道，声势较大，产生了较好的社会影响。下一步，劳动保障宣传任务更重，要大题大作，进一步加大力度。中宣部已将再就业宣传作为迎接十六大召开的一个宣传重点。为配合再就业会议精神的贯彻落实，我部和中宣部还将联合下发《关于进一步加强就业和再就业工作宣传的通知》，各地劳动保障部门要积极主动地配合宣传部门搞好工作，大力宣传中央关于再就业工作的方针政策，宣传各地组织落实的措施和经验，宣传下岗失业人员自强自立、自主创业的先进典型。

四年多来，劳动保障战线的广大干部职工呕心沥血，奋力拼搏，埋头苦干，付出了艰辛努力，涌现出许多感人事迹。部党组决定，今年要在全国劳动保障系统再次开展评优表彰活动，对近年来劳动保障系统中做出突出贡献的集体和个人给予记“集体一等功”和“个人一等功”的奖励。通过评优表彰活动，在劳动保障系统形成以先进为榜样、学习先进、争当先进、昂扬向上的精神风貌，形成真抓实干、勇于拼搏、甘于奉献的良好氛围，进一步促进劳动保障部门的作风建设和队伍建设。

让我们在以江泽民同志为核心的党中央领导下，全面贯彻“三个代表”要求，讲大局、讲团结、讲稳定，与时俱进，开拓进取，更好地完成就业和各项劳动保障工作，以优异成绩迎接党的十六大胜利召开。

# 我国就业和社会保障改革的历史性成就

## ——在中宣部等五部门组织的报告会上的报告

张左己

（2002年9月27日）

党的十三届四中全会以来的13年间，以江泽民同志为核心的党的第三代中央领导集体高度重视就业和社会保障工作，对就业和社会保障制度改革作出了一系列重大决策，是改革力度最大、进展最快的时期，是市场导向就业机制和有中国特色的社会保障体系框架基本确立的时期。在这个时期，就业和社会保障经历了新旧体制的重大变革，发生了一系列深刻的历史性变化。主要表现在以下六个方面：

**一、就业规模不断扩大，再就业工作取得较大进展**

（一）就业规模不断扩大

1990年至2001年，我国从业人员规模从6.5亿人扩大到7.3亿人，增加8 300万人，其中城镇新增6 900万人，农村新增1 400万人。失业率得到有效控制，多数年份都保持在3%左右。去年以来，就业压力有所加大，但经过努力，城镇登记失业率仍控制在3.6%，低于4%的计划控制目标。在劳动力供求矛盾十分突出，同时又面临世界经济起伏变化的复杂情况下，我国成功地保持了就业局势的基本稳定，对于维护改革发展稳定的大局发挥了积极作用。

（二）就业结构进一步改善

从产业之间的就业结构看，第三产业已经成为扩大就业的主渠道。这一时期，适应新时期产业结构调整的发展方向，中央明确提出把发展第三产业作为扩大就业的主要领域，并制定了加快发展第三产业的一系列政策措施。20世纪90年代，第三产业从业人员所占比重稳步增长，由1990年的18.5%提高到2001年的27.7%，增加8 200万人。与此同时，第一产业从业人员共减少了2 400万人，第一产业从业人员所占比例由1990年的60%下降到50%，这是一个具有标志性意义的变化，表明我国三次产业之间的就业结构进一步优化。

从所有制之间的就业结构看，多种所有制经济的发展正在成为扩大就业的主要领域。1990年至2001年，城镇个体私营经济组织的就业人员总量增加了近3 000万人，占城镇新增就业的1/3以上。特别是“九五”期间，国有单位从业人员减少3 200万人、集体单位减少1 600万人，而城镇从业人员净增4 000多万人，一个很重要的原因就是个体私营经济从业人员和自谋职业人数迅速增加。2001年私营个体从业人员为3 600万人，是1990年的6倍，占全部从业人员的比例由1990年的4%提高到2001年的15%。这是坚持和完善以公有制为主体、多种所有制经济共同发展的基本经济制度所取得的重要成果。

从城乡之间的就业结构看，乡村从业人员所占比例由1990年的73.7%下降到2001年的67.2%，减少6.5个百分点，表明我国的城镇化进程在不断加快。

从性别比例看，妇女就业规模不断扩大，2001年底，女性从业人员占从业人员总数的45.6%，在农业劳动者中，女性劳动力占半数以上，创造的产值占50%～60%。妇女已成为社会和经济发展的重要力量，在社会主义现代化建设中做出了巨大贡献。

与此同时，我国的残疾人就业也取得了较快进展，1991年以来，国家连续制定和实施了3个中国残疾人事业五年计划。截至2000年底，全国城镇残疾人就业率已达到80%，农村残疾人就业率达到84%，残疾人就业状况进一步改善。

（三）再就业工作取得较大进展

为解决过去多年积累的国有企业富余人员问题，从1993年起，在上海、沈阳、青岛、成都等30个城市开展了“再就业工程”试点。取得初步经验后，1995年起开始在全国普遍推行。1997年1月，国务院召开全国国有企业职工再就业工作会议，提出了“鼓励兼并、规范破产、下岗分流、减员增效、实施再就业工程”的方针，将实施再就业工程与推进国有企业改革有机地结合在一起。1998年5月，党中央、国务院召开国有企业下岗职工基本生活保障和再就业工作会议，对全面推进再就业工作作出了新的重大部署，制定了一系列政策措施。按照中央的部署和要求，各地、各部门不断加大再就业工作力度，主要采取了五个方面的措施：一是把扩大内需与扩大就业结合起来，通过实施积极的财政政策、稳健的货币政策，加大基础设施建设投资力度，提高低收入居民收入等措施，保持较高的经济增长速度，保持经济增长对就业的拉动能力，扩大就业规模，开辟就业门路。二是对下岗职工自谋职业的，在工商登记、税费减免、资金信贷、场地安排等方面给予优惠和扶持，对劳动就业服务企业吸纳下岗失业人员就业给予所得税减免。三是加强就业服务，在公共职业介绍机构开展“一三一”服务，即至少为下岗职工免费提供一次职业指导、三次职业信息、一次职业培训。四是加强再就业培训，提高下岗职工的再就业能力。在1998年至2000年实施“三年千万再就业培训计划”的基础上，2001年开始实施第二个“三年千万再就业培训计划”。五是从2001年起在各地组织实施“再就业援助行动”，对就业困难人员提供公益性就业岗位、一对一职业指导、免费再就业培训等多种形式的帮扶。1998年至2002年上半年，全国累计有国有企业下岗职工2 600多万人，其中1 700多万人通过多种渠道和方式实现再就业。大批劳动力从第二产业转到了第三产业，从国有企业转向非公有制经济领域，国有企业从业人员从7 100万减少到5 000万，国有企业富余人员问题得到明显缓解。实践充分证明，中央关于国有企业改革的方针政策是完全正确的，必须继续全面贯彻执行。

**二、市场导向就业机制初步形成，市场机制在劳动力资源配置中的基础性作用得到越来越充分的发挥**

（一）市场导向就业机制初步形成

1993年党的十四届三中全会通过《中共中央关于建立社会主义市场经济体制若干问题的决定》，首次明确提出劳动力市场概念，强调要“改革劳动制度，逐步形成劳动力市场”，并且将其作为与金融市场、房地产市场、技术市场和信息市场并列的重点培育的要素市场，提出把开发利用和合理配置人力资源作为发展劳动力市场的出发点。劳动力市场概念的提出，是我国劳动就业领域在实践和理论上的重大突破，有力地推动了劳动力市场的培育发展，推进了市场导向的就业机制的形成。随着就业制度改革、企业用工制度改革的不断推进，企业自主用工、劳动者自主择业的制度逐步建立和完善，企业作为需求主体、劳动者作为供给主体的劳动力市场供求主体地位逐步确立。1999年党的十五届四中全会明确提出建立市场导向就业机制这一改革目标之后，随着各项改革的整体推进，特别是社会保障制度、住房制度、户籍制度等项改革的加快，劳动力市场发育的客观环境得到明显改善，劳动者自主就业、市场调节就业、政府促进就业的新机制初步形成。目前，不仅新成长的劳动力主要通过市场实现就业，大批下岗失业人员、大中专毕业生和越来越多的复员退伍军人也逐步通过市场实现再就业。这表明，市场机制已经开始在劳动力资源配置中发挥基础性作用。

（二）就业渠道日趋多元化

20世纪90年代以来，我国的社会职业构成发生了重大变化，在一些传统就业岗位逐步消失的同时，新的职业群体开始形成，出现了民营科技企业的创业人员和技术人员、受聘于外资企业的管理技术人员、个体户、私营企业主、自由职业人员等社会阶层。目前，我国的职业群体多达1 838个，许多新的职业还在不断形成壮大。各个不同职业群体的劳动者，已打破了过去那种一次就业定终身的状况，许多人在不同所有制、不同行业、不同地域之间流动频繁，人们的职业、身份经常变动。同时，就业形式日趋灵活多样，非全日制、临时性、季节性、钟点工、弹性工作等各种就业形式迅速兴起，成为扩大就业的重要渠道，也满足了企业和居民家庭多样化的生产和生活服务需求。据统计，目前我国通过各种形式灵活就业的人员已经多达5 000万人。这些都表明，人们的就业观念已经发生了积极的变化，自主择业、自主创业、终身学习、不断提高自身就业能力等新的就业观念逐步深入人心。

（三）公共就业服务体系基本形成

2001年底，全国共有各类职业介绍机构2.6万个，其中公共职业介绍机构1.8万个，占70%。1998年至2001年四年间，累计为7 200万人次提供了就业服务，成功介绍3 900万人次实现了就业或再就业。目前，我国已初步建立了公共就业服务体系，向社会提供包括职业介绍、职业指导、就业训练、劳动力供求信息发布、社区就业岗位开发服务等内容的公益性就业服务。劳动力市场科学化、规范化、现代化的“三化”建设取得较快进展。在全国100个试点城市中，职业介绍机构基本实现了网络化管理，可以及时快捷地向社会发布职业供求信息，并从去年起开始发布全国大中城市劳动力供求信息和工资指导价位信息，对于促进劳动力资源合理配置和职业培训事业的发展起到了引导作用。

（四）职业培训工作不断加强

目前，我国已初步形成从就业前培训、在职培训，到再就业培训的职业培训网络，为劳动者不断提高就业能力、工作能力创造了条件。先培训后就业、先培训后上岗的制度基本得以确立。职业资格证书制度在20世纪90年代初开始建立并得到迅速发展，为技术工人铺设了一条从初级技工到技师、高级技师的成才通道。到目前为止，全国累计有3 500万人次通过参加职业技能鉴定取得了职业资格证书。技术工人也是人才的观念逐步深入人心，一大批技术工人在不同岗位上为经济建设做出了巨大贡献，受到了全社会的尊重。最近下发的《国务院关于大力推进职业教育改革与发展的决定》，进一步明确了职业教育的改革发展方向和主要措施，将对推动职业教育培训事业发展产生积极作用。

**三、农村劳动力向非农产业转移速度加快，进城务工农民的管理服务制度逐步健全**

解决农民的就业问题，是解决“三农”问题的重要一环。1989年以来，党中央、国务院采取了一系列政策措施，积极推动农村劳动力向非农产业转移，组织引导农村劳动力合理有序流动，取得了显著成效。

（一）农村劳动力合理有序流动的机制初步形成

工业化过程中的农村劳动力转移是一个世界性难题。我们在实现2亿多农村富余劳动力向非农领域转移的同时，成功地避免了一些发展中国家存在的“城市病”，初步探索到一条适合我国国情的城镇化道路。到目前为止，乡镇企业从业人员已达1.3亿人，进入城市就业的农村劳动力在8 000万人以上。13年来，对农村富余劳动力的转移和就业，从离土不离乡，进厂不进城，到打开城门、允许农民自理口粮进城；从自发的无序流动，到通过信息引导和劳务协作，组织引导民工有序流动；从农民工管理机制不完善、不健全，到对农民工进城就业实行“公平对待、合理引导、完善管理、搞好服务”的方针。这一过程，顺应了时代要求，顺应了社会经济发展的客观趋势，为将来城乡统筹就业奠定了基础。

（二）对农村劳动力流动就业的管理服务制度逐步规范

20世纪90年代以来，我们对农民进城就业变“堵”为“疏”，加强引导和服务，取得了比较好的效果。在就业管理方面，建立了凭证管理制度、劳务协作制度、就业服务制度、重点监控制度等有效的管理服务制度，充分发挥政府在信息导向、管理服务方面的职能作用。在社会保险方面，广东、福建、北京等劳务输入地区已经将社会保险的覆盖范围向农民工延伸，制定了相应的政策法规，积极开展了农民工工伤、医疗、养老等社会保险工作。在保障农民工的合法权益方面，进一步加强了对农民工的劳动合同、工资支付、劳动条件等方面的管理和监督检查。目前，农民工的劳动保障管理和服务工作正在逐步规范。

（三）农民外出务工收入成为农民增收的重要渠道

据测算，目前全国进城务工农村劳动者每年寄回家的劳务款在4 000亿～6 000亿元。在四川、湖南、甘肃等劳务输出大省以及其他中西部经济欠发达省份，许多市县每年外出务工人员寄回的劳务款已超过地方财政收入，有的甚至是地方财政收入的几倍。各地还通过吸引有所成就的进城经商人员返乡创业，带动了当地经济发展和就业的增长。

为进一步做好新时期的就业和再就业工作，2002年9月12日至13日，中共中央、国务院召开全国再就业工作会议，系统总结了改革开放以来就业和再就业的成功经验，全面部署了当前和今后一个时期的就业和再就业工作。会上，江泽民总书记发表重要讲话，朱镕基总理在会议闭幕时作重要讲话，胡锦涛同志对贯彻会议精神作了部署，吴邦国副总理作了工作报告。这次会议在深入分析当前就业和再就业形势的基础上，深刻阐明了再就业工作在改革发展稳定大局中的重要地位和作用，明确了工作的指导思想、目标任务和政策措施，为今后做好再就业工作指明了方向。这是党中央、国务院在党的十六大之前召开的一次十分重要的会议。江总书记的重要讲话，从实践“三个代表”要求，维护改革发展稳定大局，实现国家长治久安的政治高度和战略高度，深刻阐述了就业和再就业工作的极端重要性。要求各级党委和政府要清醒地认识就业和再就业工作的长期性、艰巨性和复杂性，既要立足当前，明确工作重点，采取有效措施，集中人力、财力和物力，打好攻坚战，又要着眼长远，把就业和再就业工作作为一项长期的战略任务，制定中长期的规划和政策，打好持久战。

江总书记在讲话中指出：我国就业方面的主要矛盾，是劳动者充分就业的需求与劳动力总量过大、素质不相适应之间的矛盾。这将是一个长期存在的问题。当前，主要表现在劳动力供求总量矛盾和就业结构性矛盾同时并存，城镇就业压力加大和农村富余劳动力向非农领域转移速度加快同时出现，新成长劳动力就业和失业人员再就业问题相互交织。焦点集中在下岗失业人员再就业上，而且这个问题已经成为一个带有全局性影响的重大经济和社会问题。江总书记强调，集中力量做好下岗失业人员再就业工作，是整个就业工作的重中之重。各级领导干部在开展工作时，一定要分清轻重缓急，善于集中力量搞好当务之急。做好下岗失业人员的再就业工作，就是当前党和国家工作中一项重大而紧迫的当务之急。

江总书记指出，做好当前及今后一个时期

的就业和再就业工作，要正确处理五个方面的关系：第一，要正确处理发展经济和扩大就业的关系，通过发展经济扩大就业，通过扩大就业推动经济发展，实现发展经济与扩大就业的良性互动。第二，要正确处理经济结构调整和扩大就业的关系，使经济结构调整和劳动力结构调整协调推进。第三，要正确处理深化改革和扩大就业的关系，坚持减员增效和促进就业相结合、职工下岗分流和社会承受能力相适应的原则。第四，要正确处理城乡经济协调发展和扩大就业的关系，把引导农村富余劳动力转移和解决“三农”问题紧紧联系起来。第五，要正确处理完善社会保障体系和扩大就业的关系，通过实行两个确保解决保障基本生活的当务之急，通过促进再就业解决下岗失业人员的根本出路，通过完善社会保障体系为深化改革和扩大就业提供保障。

江总书记关于就业主要矛盾和正确处理五个关系的重要论述，深刻揭示了就业方面的主要矛盾、矛盾的基本特征和矛盾的焦点，科学地回答了社会主义初级阶段就业方面最具有本质性的基本问题，科学地提出了解决就业问题的正确方针，是对党在不同时期处理就业问题基本经验的高度概括和总结，标志着对就业工作规律性的认识达到了一个新的高度，是有中国特色社会主义理论关于就业问题的理论创新，是做好新时期就业和再就业工作的强大思想武器。准确把握就业方面的主要矛盾，正确处理好五个方面的关系，全面贯彻落实党中央、国务院的决策和部署，就一定能够走出一条既能够充分促进就业、又能够保持经济持续快速健康发展的路子来。

## 四、两个确保不断巩固，三条社会保障线制度逐步完善

1998 年 5 月，党中央、国务院召开国有企业下岗职工基本生活保障和再就业工作会议，作出了实行两个确保、建立三条保障线的重大决策。经过几年的努力，两个确保和建立三条社会保障线的工作取得了明显成效。

### （一）两个确保不断得到巩固

1998 年以来，各地按照中央的部署，把两个确保（即确保国有企业下岗职工基本生活，确保企业离退休人员基本养老金按时足额发放）放在十分重要的位置，作为“头等大事”“第一位的工作”，实行一把手负责制，层层抓落实。一方面通过建立企业再就业服务中心、组织下岗职工进中心、通过“三三制”筹集资金等措施，实现了绝大多数下岗职工进入再就业服务中心并保障基本生活的目标；另一方面，通过加强征缴、动用基金积累、财政支持等多种渠道筹集资金，千方百计保证企业离退休人员基本养老金按时足额发放。1998 年至 2002 年 6 月底，全国累计有国有企业下岗职工2 600多万人，90%以上进入再就业服务中心，进中心的下岗职工基本都能按时领到生活费，并由中心代缴社会保险费。1998 年到 2002 年 6 月，领取基本养老金的企业离退休人数从2 700多万人增加到3 200多万人，每年平均增加 150 万人，共发放基本养老金8 296 亿元，基本做到了按时足额发放，并补发历史拖欠 215 亿元。为落实两个确保，1998 年至 2001 年，中央财政对老工业基地和中西部地区的两个确保资金给予了总额达1 300亿元的专项补助。实践证明，两个确保是实践“三个代表”要求的重大举措，受到广大职工群众的衷心拥护，有力地维护了社会稳定，促进了国有企业改革和经济结构调整目标的实现。

### （二）三条社会保障线逐步完善

建立下岗职工基本生活保障、失业保险和城市居民最低生活保障制度三条社会保障线，是有中国特色社会保障体系的重要内容。

第一条保障线即国有企业下岗职工基本生活保障制度，其对象是下岗职工，基本功能是保生活、接保险、促就业。

第二条保障线即失业保险制度，其对象是失业人员，基本功能是向失业人员提供救济，化解失业风险，并积极促进其再就业。20 世纪 90 年代以来，失业保险改革步伐不断加快，覆盖范围已经扩大到城镇所有企业和事业单位

及其职工，基金的筹集、管理制度进一步规范。2001年底，全国参加失业保险人数1.04亿人，比1989年底增加近3 900万人，领取失业保险金的人数由1998年底的58万人增加到2001年底的312万人，四年累计提供失业保险待遇270多亿元，并向再就业服务中心调剂150亿元，在保障失业人员基本生活的同时，有力地支持了国有企业下岗职工基本生活保障和再就业工作的开展。

第三条保障线即城市居民最低生活保障制度，其对象是城市中所有家庭收入低于一定收入的居民，基本功能是向低收入居民提供最基本的生活保障，这是由民政部门负责发放的最后一条保障线。1999年，国务院发布《城市居民最低生活保障条例》，标志着城市居民最低生活保障制度建立。目前，全国所有城市和县级人民政府所在地的镇全部建立了城市居民最低生活保障制度。

三条保障线的建立，有效地保障了下岗失业人员和低收入居民的基本生活，发挥了社会稳定安全网的功能，为促进发展、深化改革、保持稳定起到了积极作用。

## 五、社会保险制度改革力度进一步加大，社会保障体系框架基本形成

党的十三届四中全会以来的13年，是我国社会保险事业发展最快最好的时期，社会保险制度逐步健全和完善，与社会主义市场经济体制相适应的社会保险制度基本确立。

### （一）养老保险制度改革取得重大进展

20世纪90年代以来，适应建立社会主义市场经济体制的改革进程，养老保险制度改革主要取得了五个方面的进展：

一是实现了从“企业保险”向社会统筹的过渡，并确立了三方负担机制。90年代初期开始，适应转换企业经营机制的要求，开始在部分地区和行业进行了国有企业职工退休费用社会统筹试点，并在总结试点经验的基础上，建立了由国家、企业、个人三方共同负担养老保险费的新机制，改变了过去长期实行的“企业保险”格局，对均衡企业负担，促进企业公平竞争起到了积极作用。

二是建立了社会统筹和个人账户相结合的新型的企业职工基本养老保险制度。这一制度的建立，找到了一种适应中国国情的独特的养老保险模式。个人账户制度的实行，不仅调动了职工个人缴费并关注企业缴费情况的积极性，同时也由于部分积累机制的建立，为应对人口老龄化提供了条件。

三是理顺了管理体制。1998年，国务院决定将铁道、电力、邮电、石油等11个行业养老保险统筹移交地方，实行属地化管理，理顺了社会保险管理体制，增强了省级统筹功能，对确保养老金发放也起到了积极的作用。

四是积极推进社会化管理服务工作。到2001年底，全国参加基本养老保险的人员达到1.4亿人，是1990年参保人员的2倍多。为减轻企业社会事务负担，从体制上确保基本养老金按时足额发放，各地积极推行社会保障的社会化管理，养老保险金由社会服务机构发放。企业离退休人员基本养老金社会化发放率由1996年的12%提高到2002年6月底的99.3%，不仅保证按时足额发放，也方便了离退休人员就近、便捷地领取养老金。企业退休人员社会化管理服务工作正在稳步推进，目前已有700多万退休人员实现了社区管理，预计年底将超过1 000万人。

五是建立了基本养老金调整机制，企业离退休人员养老金水平不断提高。企业离退休人员月均养老金水平已从1990年的129元提高到2001年的579元。今年，中央决定进一步提高企业退休人员养老金水平，并向退休早、养老金水平较低的部分人员倾斜。养老金水平的不断提高，使广大离退休人员分享到社会经济发展的成果，提高了他们的生活水平。

### （二）医疗保险制度改革全面启动

1994年，国务院决定在江苏镇江和江西九江两个城市进行医疗保险制度改革试点，之后又逐步将试点城市扩大到40多个。在总结各地经验的基础之上，1998年，国务院颁布

了《关于建立城镇职工基本医疗保险制度的决定》，开始在全国范围内进行医疗保险制度改革，建立覆盖城镇所有单位及其职工的基本医疗保险制度。改革的总体思路是“基本保障、广泛覆盖、双方负担、统账结合、多层保障、三改并举”，中央统一原则，地方分散决策。经过努力，到2002年8月底，覆盖人数达到8 200万人，取得了重要的阶段性成果。

一是从制度上有效保障了参保职工的基本医疗，满足了不同人群的不同医疗需求。统筹地区参保职工的医疗费用都能按规定及时支付和结算，解决了过去公费、劳保医疗制度下长期存在的拖欠职工医疗费的问题，解除了职工的后顾之忧，受到广大职工的欢迎，尚未参保的职工强烈要求尽快参保。

二是进一步规范了医疗服务，一些不合理的医疗费用初步得到控制。医疗机构竞争意识明显增强，许多医院以医保改革为动力，加强内部改革和管理服务，推出医保职工特色服务，公开诊疗和药品费用，实行病人选医院选医生等，患者反映良好，医疗费用有所下降。据统计，1990年至1998年，卫生系统综合医院平均每一门诊人次医疗费用和平均每一住院者医疗费用的年增长速度分别为25.9%和23.7%。实行城镇职工基本医疗保险制度以后，2000年分别降低为8.6%和6.7%，与同期的财政收入及职工工资增长水平接近。

与此同时，工伤、生育保险改革也在稳步推进。截至2001年底，参加工伤保险职工达到4 300万人，参加生育保险的职工达3 500多万人。

（三）完善城镇社会保障体系试点取得初步成效

2000年，党的十五届五中全会提出了建立独立于企业事业单位之外、资金来源多元化、保障制度规范化、管理服务社会化的社会保障体系的总体目标。根据这一目标，国务院制定了完善城镇社会保障体系的试点方案，并选择在辽宁全省进行以做实基本养老保险个人账户和推进下岗职工基本生活保障向失业保险并轨为主要内容的试点。试点工作从2001年7月开始，目前已取得重要进展。两个确保进一步落实，城市“低保”基本做到应保尽保，做实了在职职工的养老保险个人账户，70多万国有企业下岗职工平稳地解除了与企业的劳动合同，实现了由基本生活保障向失业保险和“低保”并轨，一大批下岗失业人员实现了再就业，为在全国完善社会保障体系积累了经验。

## 六、职工工资增长较快，生活质量明显提高

提高职工工资收入，保障劳动者权益，是切实提高人民群众生活水平的重要内容。党的十三届四中全会以来，随着经济的快速发展和体制改革的逐步深化，我国城镇职工工资收入增长较快。2001年，城镇职工平均工资达到10 870元，是1990年的5倍多。从1990年到2001年，职工工资年均增长率达到15.9%，扣除物价因素，实际年均增长8.1%，是建国以来城镇职工工资收入增长速度最快的时期之一。经过提高三条保障线标准，加强三条保障线的衔接，调整养老金待遇水平并重点向养老金水平低的人员倾斜，城镇低收入居民的收入状况逐步改善。

在深化企业工资分配制度改革，加强收入分配宏观调控方面，进行了新的探索。适应建立现代企业制度的要求，提出了“市场机制调节、企业自主分配、职工民主参与、国家监控指导”的企业工资收入分配制度的改革思路，并朝着这一目标逐步推进。改变了过去长期实行的高度集中的管理模式，企业分配自主权进一步落实，以岗位工资为主、能增能减的内部工资分配制度逐步形成。建立了最低工资保障制度、工资指导线制度和劳动力市场工资指导价位制度，推进了企业工资收入分配宏观调控体系的建设，促进了政府职能的转变。对实行按劳分配和按生产要素分配相结合的收入分配方式进行了积极探索，开展了工资集体协商制度、经营者年薪制和股权激励试点，取得了初

步经验。

党的十三届四中全会以来，江泽民总书记对坚持和完善按劳分配为主体、多种分配方式并存的分配制度问题作出了一系列重要论述，提出必须坚持按劳分配为主体、多种分配方式并存的原则，体现效率优先、兼顾公平，把国家、企业、个人三者的利益结合起来。提出要深化对劳动和劳动价值理论的认识，坚持实行按劳分配和按生产要素分配相结合的制度，允许和鼓励资本、技术等要素参与收益分配，加快建立有利于留住人才和人尽其才的收入分配机制，从制度上保证各类人才得到与他们的劳动和贡献相适应的报酬。提出要保护合法收入，调节过高收入，取缔非法收入，防止收入分配上的过分悬殊。提出要正确处理一次分配和二次分配的关系，在经济发展的基础上普遍提高居民收入水平，逐步形成一个高收入人群和低收入人群占少数、中等收入人群占大多数的“两头小、中间大”的分配格局。江总书记的这些重要论述，丰富了马克思主义收入分配理论，具有重大的理论意义和实践意义，为不断深化收入分配制度改革指明了方向。

20世纪90年代中期，随着经济快速增长和社会发展，我国还先后两次缩短了法定工作时间，从原先的每周工作6天、48小时调整到每周工作44小时，再调整到五天工作制，每周工作40小时；法定节假日也由7天增加到10天，每年形成三个黄金周。职工每年的累计休息时间由原来的59天增加到114天。休假制度的改革，体现了党和政府对人民群众的关心，顺应了人民群众日益增长的物质文化生活需要，丰富了健康积极的生活方式，不仅比较充分地保证了劳动者的休息休假权益，提高了职工群众的生活质量，而且促进了旅游业和服务业的发展。

劳动保障法制建设不断加强，《劳动法》及相关法规相继颁布实施，劳动保障监察制度逐步建立健全，执法力度不断加大。劳动关系的建立和调整逐步纳入法制化轨道，劳动合同制度、集体合同制度逐步建立和完善，劳动关系的三方协调机制初步形成，劳动争议处理制度进一步完善，对维护劳动者权益，促进劳动关系的和谐稳定发挥了积极作用。

全面做好就业和社会保障工作，我们面临的任务还很艰巨，还有大量的工作要做。我们坚信，只要我们紧密团结在以江泽民同志为核心的党中央周围，全面贯彻“三个代表”要求，与时俱进，开拓创新，就一定能够不断克服前进道路中的各种问题和困难，不断开创就业和社会保障工作的新局面，为全面推进改革开放和社会主义现代化建设的伟大事业做出新的贡献。

# 抓住机遇　明确任务
# 开创街道和社区劳动保障工作新局面

## ——在全国街道社区劳动保障工作座谈会上的讲话

张左己

（2002年12月13日）

召开这次座谈会的主要任务，是深入贯彻党的十六大精神，按照中央再就业工作会议的要求，动员部署全面加强街道和社区劳动保障工作，尽快取得实效。

### 一、统一思想，充分认识加强街道社区劳动保障工作的重要性和紧迫性

街道和社区是城市的细胞，是居民生存的起点和终老的归宿。可谓休养生息之地，活动劳作之所。人们生于斯，长于斯。不论你有多大的抱负，不论你有多高的成就，不论你走多长的旅程，最后都要回归社区。街道和社区建设得到党和国家领导人的高度重视。他们关心社区的发展，视察社区的建设，指导社区的工作，甚至把社区的负责人叫做“小巷总理”。在全面建设小康社会的伟大进程中，街道社区又迎来了新的使命，即要承担起做好下岗失业人员再就业和企事业单位退休人员管理、服务工作的责任，充分发挥社区在就业和社会保障方面的服务功能。在街道社区建立劳动保障工作平台，就是为完成这个新的使命所进行的一个伟大工程。

（一）加强街道和社区劳动保障工作，是做好就业和再就业工作的当务之急

街道和社区是组织开发社区就业岗位的主体。加强街道社区劳动保障工作，是改善创业环境、增加就业岗位的需要。随着我国经济的快速发展和城市功能的扩展，随着人民群众的物质和文化需求日益增长，随着机关企事业单位后勤保障社会化进程的加快，随着社区公共物业管理和家政服务的兴起，在人们生活的社区中蕴藏着大量的就业机会。据有关专家测算，我国仅居民服务业就能提供1 500万个就业岗位，适合大龄就业困难人员的社区保洁、保绿、托老等公益性岗位，大多在街道社区。在100个社区就业重点联系城市中，新增社区就业岗位占新增岗位总量的1/3，大多安排的是下岗失业人员。可见，社区就业已成为下岗失业人员再就业新的增长点。部里已经决定，明年安排新增就业岗位950万个，其中实现再就业400万个，失业率控制在4.5%左右。按社区就业对新就业具有1/3贡献率估计，社区至少要提供300万个就业岗位，任务十分繁重。我们只有加强街道和社区的就业工作，才能把潜在的就业机会转化为现实的就业岗位，促进下岗失业人员再就业。

街道和社区是实施就业服务的依托。街道和社区连结千家万户，能够直接了解居民下岗失业的状况和就业需求。依托街道和社区开展服务，就能够使下岗失业人员在家门口及时了解到各种培训和就业信息，而且还能根据居民的需求有针对性地组织就业服务项目，开展“一对一”的职业指导，对就业困难群体实施有效的就业援助。

街道和社区是落实再就业扶持政策的重要环节。中央制定的积极的就业政策，相当全面，相当具体，不仅力度大，含金量也高。在中央文件下发之后，紧接着又制定了一系列配套措施（目前，有关部委制定的8个配套文件已全部得到国务院领导批准）。这种对工作推动落实的格局、阵势也是前所未有的。大政方针和具体措施都已确定，关键就是落实。到底是落实还是落空，到底是有效还是无效，到底是大有成效还是小有成效，一个最基础也是最重要环节就在街道社区。把政策落实到位，首先需要街道和社区开展一系列扎实细致的基础工作，如对再就业政策的宣传和解释，对享受政策对象的调查摸底，对《再就业优惠证》的审核发放等等。街道和社区的工作做扎实了，再就业扶持政策才能真正落实到每一位下岗失业人员身上。

加强街道社区劳动保障工作本身也是在创造就业岗位。下岗失业人员中有不少人是产业工人，有的还担任过企业的班组长、车间主任，甚至厂长，他们有热情、有责任心、有组织能力，对下岗失业人员有感情，很适合在社区从事劳动保障工作。全国有近10万个社区，如果能够从下岗失业人员中聘请合格人员担任工作，既加强了劳动保障工作，又为再就业开辟了新的途径。

（二）加强街道和社区劳动保障工作，是社会保障管理服务社会化的迫切需要

街道和社区是实现退休人员社会化管理的载体。目前，我国企业退休人员已达3 400多万，形成一个庞大的社会群体。按照退休人员管理服务社会化的要求，这个庞大的群体或迟或早都要离开企业走进社区。部里已经决定明年加大养老保险社会化管理步伐，将有2 600万企业退休人员脱离企业，进入社区管理，社会化管理程度提高到80%。要达到这个目标，除了其他工作外，一个主要的条件就是把街道和社区工作平台建立起来。如果街道没有机构，社区没有人员，社会化管理就无从谈起，这也正是目前一些地方这项工作进展缓慢的症结之一。你想实现社会化，退休职工想回社区，你没地方接，没人管，也是枉然。如果真的出现企业不管，社区不接，退休人员不能有组织有秩序地回归社区，而成为散兵游勇，涌进社区，闯进社区，那将会造成怎样的混乱和麻烦！这不是耸人听闻，决不能掉以轻心。所以，只有尽快成立起街道就业和社会保障机构，配备足够人员，只有充分依靠街道和社区开展工作，才能真正把这支退休大军管理起来，组织起来，实现退休人员老有所养，病有所医，困有所助，贫有所济，才能真正使退休人员通过社区多样性的功能发挥余热，成为繁荣社区文化，促进社区建设，维护社区稳定的重要力量。

街道和社区是发展初级卫生保健和基本医疗保险的依托。随着我国城市卫生工作重点的转移，社区医疗服务得到了长足的发展，越来越多符合条件的社区医疗机构被纳入医疗保险的定点范围。这不仅方便职工群众就医，小病不出社区，老病不出社区，而且可以合理有效地利用医疗卫生资源，推动医疗卫生体制和医疗保险制度改革，实现以较低的费用提供较优质的医疗服务。

街道和社区还是为灵活就业人员提供社会保障服务的窗口。随着越来越多的人员从事灵活就业，需要建立面对个人服务的社会保障参与机制。加强街道和社区工作，既可以为他们提供社会保障政策和信息服务，还可以帮助他们参加或接续社会保险。

（三）加强街道和社区劳动保障工作，是劳动保障部门转换职能的必然要求

当前，随着社会主义市场经济体制的建立

和改革步伐的加快，劳动保障工作正面临更加深刻的变革：从只管国有企业职工，转变为负责全体劳动者的劳动保障事务；从只管正规方式的就业，转变为包括各种灵活就业方式的大就业；从单纯的行政管理，转变为寓管理于服务之中；从依托企业组织管理，转变为依托街道和社区进行社会化管理。要适应这些变化，劳动保障工作必须与时俱进，把根扎到街道、社区，把工作重心沉到基层。只有这样，我们落实各项工作才有抓手，才能一喊到底，一抓到底，一杆子插到底。只有这样，我们才能了解到劳动者、下岗失业人员和退休人员的各种信息，掌握他们的就业、收入、保障的状况，知晓他们的生存或者困难的实情，做到心中有数，管理到人。只有这样，我们的工作才能更加贴近服务对象，真正满足老百姓对劳动保障各项服务的需要。这是市场经济和社会发展对劳动保障工作提出的客观要求，是劳动保障事业进一步发展的必由之路。

总之，我们应当把加强街道和社区劳动保障工作，作为劳动保障部门实践“三个代表”重要思想的具体体现和工作基础，统一思想，提高认识，以更加积极的态度和务实的作风，花大力气做好。请同志们回去后抓紧向政府汇报，希望各级政府，把街道社区劳动保障工作平台建设作为社区建设的重要组成部分、社区工作重要内容之一来抓，成为各级政府落实劳动保障工作任务的阵地。

**二、明确目标，抓紧建设街道和社区劳动保障工作平台**

加强街道和社区劳动保障工作，当前的关键环节，就是要按照《中共中央国务院关于进一步做好下岗失业人员再就业工作的通知》（中发〔2002〕12号，以下简称12号文件）的要求，在街道和工作任务重的乡镇建立劳动保障工作机构，在社区聘用专门的服务人员，并提供工作经费，使城乡基层组织承担起做好下岗失业人员再就业和企事业单位退休人员管理、服务工作的责任。

近几年，一些地方结合就业和退休人员社会化管理工作，对街道和社区劳动保障工作平台建设进行了积极探索。在100个重点联系城市中，已有40个城市在所有街道建立了劳动保障机构；616万退休人员实现了社会化管理。特别是全国再就业工作会议后，各地加快了街道社区劳动保障工作平台建设的步伐。北京、上海和大连、杭州、宁波、青岛等东部沿海较发达的城市，都已建成了较为健全的街道劳动保障工作机构和社区工作平台。一些中西部地区和老工业基地也在克服困难，积极推动。如湖南省，全省所辖城市中已有96%的街道建立了劳动保障机构，年底前将达到100%。天津市两年前就抓这项工作，今年年底市区街道和城区社区平台全部建成。实践证明，凡是建立了街道和社区工作平台的地方，劳动保障工作局面就有新的改观，无论是就业还是社会保险工作，都能够一杆子插到底，并卓有成效。

但是，从全国总体来看，基层劳动保障工作平台建设还刚刚起步，发展得极不平衡。有的城市至今没有行动；有的城市虽然开始规划，但还没有落到实处；有的虽然建立了机构，但制度不规范，工作不到位；有的机构虽然开始工作，但职能单一，尚未发挥劳动保障整体功能。这种状况远远不能满足当前就业和社会保障工作的需要，达不到12号文件的要求。

为尽快改变这种状况，部里决定，从现在起，利用半年时间，下决心将街道和社区劳动保障工作平台建设抓出成效。

总的要求是，到2003年6月底，所有城市的街道都建立起职责明确、管理规范、运行良好的劳动保障工作机构，在社区聘用专门的工作人员，构筑街道和社区基层服务网络和工作平台，使人民群众得到及时便捷的劳动保障服务。

在具体的实施步骤上，各大、中城市，特别是社区就业和退休人员社会化管理服务重点联系城市要率先突破，在2003年3月底前完成。其他城市在2003年6月底前完成。

街道和社区工作平台的建设，是劳动保障工作一项重要的基础工程，建设中必须做到“六个到位”。

一是机构到位。要根据中央12号文件的要求，在街道和工作任务重的乡镇设立或确定负责劳动保障事务的机构。要明确这一机构在就业服务和社会保险服务方面的主要职责。要按照11个部门联合制定的综合配套文件《关于贯彻落实中共中央国务院关于进一步做好下岗失业人员再就业工作的通知若干问题的意见》（劳社部发〔2002〕20号，以下简称20号文件）的要求，统一街道劳动保障工作机构的名称。街道建立的机构统一称为“街道劳动保障事务所”，在社区建立的工作平台统一称为“社区劳动保障工作站”。待条件成熟时，还要统一街道劳动保障机构的标识。

二是人员到位。要根据街道（乡镇）管理服务对象的情况和工作量，合理确定人员编制方案。要把好用人关，面向社会、公开招聘具备能力并热心为大家服务的人员，特别是吸收下岗失业人员来承担工作。加强对基层劳动保障工作人员的业务培训和工作指导，完善基础管理，建立工作目标责任制，树立好的工作作风，提高工作效率。

三是经费到位。要根据中央12号文件和11个部委20号文件的要求，尽快落实由财政安排的街道劳动保障机构的人员和工作经费，落实社区劳动和社会保障工作经费，并纳入当地政府财政预算，使经费来源有切实保证。

四是场地到位。街道劳动保障机构是劳动保障系统对外服务的窗口，要具备方便人民群众的专门的服务场所。要将街道服务场所建设列入市、区发展规划，统筹解决；要因地制宜，创造条件，逐步完善服务设施。

五是制度到位。要建立健全工作制度，使各项管理服务从起步之时就有章可循。要统一就业服务流程，使失业登记、求职登记、职业指导、职业介绍、失业保险金申领发放、职业培训、鉴定申请、岗位开发、就业援助等工作有机结合。要统一退休人员社会化服务流程，规范管理办法。要实行多窗口衔接、“一站式”服务和首问负责制等办法。要主动接受群众监督，将工作和服务制度上墙公示，增加工作的透明度，树立良好形象。

六是工作到位。当前，要围绕中心工作，按照边建设边工作的原则，做好下岗失业人员和退休人员基本情况的调查统计，《再就业优惠证》的审核发放，各项就业服务的组织实施，对困难群体的就业援助，社区就业岗位的开发，退休人员的社会化管理和服务等工作。在干中完善，在干中发展，使管理和服务工作真正到位。

搞好街道和社区劳动保障平台建设工作，涉及方方面面。因此在这一平台的建设和运行过程中，要处理好上下左右的关系。为此，需要搞好“三个衔接”：

一是要搞好与区县劳动保障工作的衔接。街道劳动保障工作机构建立后，负责在基层开展就业和社会保险服务工作，并承担区县劳动保障部门委托交办的其他事务性、服务性工作，在业务上受区县劳动保障部门的指导。区县要与街道合理划分工作职责，充分发挥街道和社区平台的作用。

二是要搞好与街道和社区其他便民利民业务的衔接，并与企业保持联系。要将街道劳动保障工作纳入街道办事处行政管理工作体系，统筹安排，理顺劳动保障工作与街道低保工作、老龄服务、居民服务等工作的关系，形成顺畅的工作机制。依托街道搞好下岗职工基本生活保障、失业保险、城市居民最低生活保障“三条保障线”的有机衔接。要把社区劳动保障工作纳入到居民委员会整体工作之中，与社区计生、民政、治保等工作结合起来。街道劳动保障机构还要与企业单位保持密切的联系，共同解决好下岗失业人员、退休人员转移中的实际问题。

三是要做好劳动保障各项工作的衔接，并尽快实现计算机联网。劳动就业和社会保险是一个整体，在建设平台时，要总体部署和布局，统筹设计和安排。要防止出现就业服务和社会保险“各顾各”“单打一”的现象，以便整合资源，协调配合，发挥整体功能。同时，在加快实施“金保工程”的建设中，有条件的城市，可率先将计算机网络连接到街道，实现信息联网，更快更好地为群众服务。

我们提出街道和社区平台建设的“六个到位、三个衔接”，既是指导工作的原则，也是检验成效的标准。所有新建的街道和社区劳动保障工作平台，要按照上述要求，一步到位；在此之前已经建立的街道和社区劳动保障工作平台，要按照上述要求，尽快规范。任务较重的乡镇的工作平台建设，也要按上述要求认真落实。

**三、加强指导，督促落实，推动工作取得实效**

加强街道和社区劳动保障工作，是事关劳动保障事业发展全局的一件大事，各级劳动保障部门特别是省级劳动保障部门主要负责同志，一定要将此作为当前一项重点工作，采取切实有力的措施抓紧做好。

一是要加强组织领导。全国再就业工作会议后，各级党委政府对劳动保障工作高度重视，列入重要议事日程。各地一定要抓住机遇，争取党委、政府领导的支持，抓紧制定工作方案，明确工作要求，层层落实责任，务必抓出成效。加强街道和社区劳动保障工作平台建设，关键在城市，各地要加强对城市工作的规划指导，督促各城市按照部里的要求，加大工作力度，如期完成工作任务。部里将从现在起到明年6月底，按月对各地街道和社区平台建设进展情况进行调度，并将此列为明年全国再就业政策落实情况大检查的一项重要内容。

二是积极争取有关部门的支持和配合。加强街道和社区劳动保障工作平台建设，离不开编制部门和财政部门的支持。要主动向编制部门提供基层劳动保障工作情况，提出街道机构人员编制方案，商同级编制部门确定。抓紧研究制定街道和社区工作经费方案，商财政部门落实。在进行这项建设的过程中，中编办、财政部给予了大力支持。中编办领导非常重视，不仅与我们一起起草会签文件，并且表示要通过多种形式共同推动落实。如落实中出现问题，各地可及时向上反映。

三是要不断总结新经验，研究新问题，并提出解决办法。今天我们特意选择了4个中西部地区的城市介绍开展街道和社区劳动保障工作的经验。这4个城市经济不是很发达，但它们在街道和社区平台建设中达到的标准、制度的规范、工作落实的程度，与经济较发达地区相比，可以说毫不逊色。它们的实践经验证明，建设街道和社区平台，首先要解决好思想认识问题。只要领导重视，下定决心，按中央的要求去抓好落实，就能够在短期内取得实效。各地要及时总结不同类型城市的工作经验，有针对性地解决工作中出现的新问题。要结合本地实际，创造性地开展工作，形成百花争艳、整体推进工作之势。明年，部里将评选一批街道和社区劳动保障工作平台的先进集体和先进个人予以表彰，通过评优表彰，推出一批老百姓欢迎的基层服务窗口，树立起基层劳动保障工作的新形象。

加强街道和社区劳动保障工作平台建设，搞好基层劳动保障工作，是保证中央各项劳动保障政策真正落实到位，使亿万人民群众直接获得优质服务的重要举措，是我们落实“三个代表”重要思想的实际行动。让我们立即动员起来，以高度的责任感和紧迫感，全力以赴做好这项工作，为贯彻落实十六大精神，圆满完成劳动保障工作各项任务而努力奋斗！

# 深入学习贯彻党的十六大精神<br>努力开创劳动保障工作新局面

## ——在全国劳动和社会保障工作会议上的报告

张左己

（2002年12月25日）

### 一、今年的工作情况和五年的简要回顾

即将过去的一年，是我们党和国家政治生活中具有特殊重要意义的一年。举世瞩目的党的十六大胜利召开，提出了全面建设小康社会，开创中国特色社会主义事业新局面的奋斗目标。这一年，也是劳动保障工作极不平凡的一年。党中央、国务院召开了全国再就业工作会议，出台了积极的就业政策，对劳动保障工作作出了新的部署。一年来，各地积极贯彻落实中央的决策和部署，再就业工作成效初步显现，四季度实现再就业50多万人，高于前三季度水平，年末城镇登记失业率为4%左右，低于4.5%的计划控制目标。两个确保继续巩固，进中心下岗职工基本按时领到生活费，企业离退休人员养老金基本做到按时足额发放。养老保险参保人数超过11 000万人，增加220万人，养老保险费征缴收入预计达2 110亿元，增收250多亿元，创历史新高。退休人员养老金调整工作如期完成，人均增加39.5元。退休人员社会化管理服务工作取得较快进展，实行社会化管理人数达到1 100万人。失业保险基金收入预计达210亿元，比上年增加20多亿元，在领取失业保险金人数大幅度增长的情况下，做到了及时提供失业保险待遇。医疗保险参保人数将达到9 000万人，增加近1 400万人，基础管理得到加强，医疗费用支出得到有效控制。对企业工资收入分配改革作了深入调研，在劳动和劳动价值理论研究方面进行了初步探索。国务院重新修订和颁布了《禁止使用童工规定》，开展禁止使用童工和农民工工资发放情况专项检查，维护职工权益和维护企业稳定工作力度进一步加大。组织开展了全国社会保障政策落实情况大检查。劳动保障信息化建设、职业培训、科学研究和宣传出版等工作都有新进展。

今年劳动保障各项工作的新进展，是在过去五年工作的基础上取得的。五年来，党中央、国务院高度重视劳动保障工作，立足当前，着眼长远，审时度势，作出了一系列重大决策，突破了一大批难点重点问题，是劳动保障制度改革力度最大、进展最快的时期，是市场导向的就业机制初步形成、中国特色社会保障体系基本确立的时期，劳动保障领域发生了一系列深刻的历史性变化。

（一）实施和巩固两个确保，切实保障了

国有企业下岗职工基本生活和企业离退休人员养老金按时足额发放，对深化改革、促进发展和维护稳定发挥了重要作用。1998 年 5 月，党中央、国务院召开国有企业下岗职工基本生活保障和再就业工作会议，作出两个确保重大决策，在当地党委政府领导下，各级劳动保障部门与有关部门密切配合，协同作战，千方百计筹资金，千辛万苦保发放，不断巩固两个确保工作成果，落实情况一年比一年好。五年来，全国累计有国有企业下岗职工近2 700万人，进中心的下岗职工基本都能按时领到生活费，并由中心代缴社会保险费。企业离退休人数从2 700多万人增加到3 300多万人，年均增加 150 万人，共发放基本养老金9 200多亿元，基本做到了按时足额发放，并补发历史拖欠 216 亿元。企业离退休人员养老金待遇经过 3 次调整，从 1997 年的月均 415 元提高到 2002 年的月均 625 元，增长 50%。1998 年以来，中央财政对老工业基地和中西部地区给予了总额达1 840多亿元的专项补助用于两个确保，地方财政对社会保障的投入也明显加大。失业保险在及时为失业人员提供失业保险待遇和促进再就业的同时，为再就业中心调剂资金 169 亿元。实践证明，两个确保是贯彻落实“三个代表”重要思想的重大举措，受到广大职工群众的衷心拥护。

（二）实行养老保险属地化管理，行业养老保险下放地方，实行省级统筹，解决了过去长期存在的条块分割矛盾，均衡了企业负担，并有力地支持了重点行业扭亏和企业脱困。1998 年，国务院从建立统一的养老保险体系的需要出发，作出将煤炭、铁道、邮电等 11 个行业养老保险统筹移交地方的决策。按照先移交、后调整的原则，我们与财政部门一道，会同各行业和各地夜以继日地进行移交工作，按期完成了下放，之后各地又用两年时间逐步解决了遗留问题。此举解决了多年来养老保险管理条块分割、标准不一、负担畸轻畸重的问题；大幅度降低了一些行业过高的养老保险费率，基金缺口全部由中央财政补助，减轻了企业负担；增强了省级统筹能力，确保了养老金发放，并全额补发了历史拖欠，落实了中央提出的不让地方吃亏，不增加企业负担，不降低离退休人员待遇的精神。

（三）改差额缴拨为全额缴拨，大力推进社会化发放和社会化管理服务，堵塞了过去由企业发放产生拖欠的体制漏洞，为确保发放提供了制度保证，也减轻了企业社会事务负担。我国的养老保险过去长期处于“企业保险”的格局，企业社会事务负担沉重，而且也难以保证养老金按时足额发放。1998 年以来，我们改差额缴拨为全额缴拨，实行社会化发放，真正做到了把缺口留在上面、留在明处，为保发放提供了制度保证。养老金当期拖欠逐年减少，从 1998 年的月均拖欠 6 亿多元减少到 2001 年的月均拖欠2 000万元，今年除部分农垦企业外，基本没有发生新的拖欠。社会化发放比例由 1998 年初的 35% 上升到目前的 99%，其中 15 个省份达到 100%。在此基础上，各地进一步推动社会化管理服务工作，到今年 9 月底，纳入社会化管理的企业退休人员达到 35%。社会化发放的实现和社会化管理服务的推进，朝着建立独立于企业事业单位之外，管理服务社会化的社会保障体系方向迈出了重要一步。

（四）实行“三改并举”，全面推进医疗保险改革，解决了传统公费医疗和劳保医疗单位负担重、拖欠医疗费严重的问题，取得重要的阶段性成果。本届政府将医疗保险改革作为五大改革之一，1998 年以来，制定出台了新的医疗保险制度改革方案，同步推进基本医疗保险制度、医疗卫生体制和药品流通体制改革，并针对不同人群的医疗需求，制定了公务员医疗补助办法和大额医疗费用补助办法，部分企业建立了补充医疗保险，一些地方还建立了医疗救助制度，在城镇职工中逐步形成了以基本医疗保险制度为核心的多层次医疗保障体系。参保职工基本医疗需求得到保障，医疗费用增长过快的势头得到初步遏制。同时，中央财政拿出 10 亿元，补发了各地 1999 年底以前拖欠的离休人员医疗费，北京、上海等地还采取措施，已经解决或正在解决历史拖欠的职工医疗费问题。

（五）确立“一外三化”目标，选择辽宁进行试点，在矛盾最突出、困难最集中的老工业基地取得突破，为完善社会保障体系积累了经验。按照党的十五届五中全会提出的建立独立于企业事业单位之外、资金来源多元化、保障制度规范化、管理服务社会化的社会保障体系建设目标，国务院制定了试点方案，决定在辽宁省开展以做实个人账户和推进并轨为主要内容的试点。通过试点，不仅初步解决了辽宁这个为国家做出过重大贡献的老工业基地的问题，也为完善社会保障体系积累了经验。

（六）实施再就业工程，大力促进下岗失业人员再就业，基本完成了计划经济向市场经济转轨过程中劳动力结构的大调整，有力地促进了国有经济的战略性调整。富余人员问题一直是困扰国有企业改革和经济结构调整的一个突出问题。1998 年以来，我们贯彻落实“鼓励兼并、规范破产、下岗分流、减员增效和实施再就业工程”方针，将再就业工程与深化国有企业改革和经济结构调整有机结合，取得重大进展。五年来，全国累计有1 800万下岗职工通过各种渠道实现了再就业，国有企业从业人员从7 100万减少到5 000万，大批职工从国有企业转向非公有制经济领域，从二产转向三产，平稳化解了计划经济体制时期遗留的企业富余人员这一历史难题，促进了经济结构的调整。与此同时，大中城市劳动力市场科学化、规范化、现代化建设取得重大进展，公共就业服务制度初步建立，市场导向的就业机制基本形成。

（七）完善职工安置政策，切实做好资源枯竭矿山关闭破产企业职工安置和社会保障工作，劣势企业退出市场的通道初步建立。资源枯竭矿山关闭破产企业职工安置，是推进结构调整的难点所在。针对这一问题，中央在深入调研基础上，及时出台了 11 号文件，对资源枯竭矿山关闭破产企业职工安置和社会保障工作作出了一系列具体、实在的政策规定。这套政策不仅有效地解决了资源枯竭矿山关闭破产企业的职工安置问题，更重要的是为劣势企业退出市场建立了一条重要通道。

（八）制定积极的就业政策，就业和再就业工作得到各级党委政府高度重视，从战略方针和具体措施上作出全面部署，为做好新时期的就业和再就业工作奠定了坚实基础。在十六大之前，党中央、国务院召开了全国再就业工作会议，总结各地的成功经验和做法，制定了以“五大支柱、六个领域、十项政策”为主要内容的有中国特色的积极就业政策。促进就业成为国家的一项长期战略和政策，增加就业成为宏观调控的重要目标，实现比较充分的就业成为全面建设小康社会的重要内容，意义重大，影响深远。今年国务院还召开了全国职业教育工作会议，把加快技工培养作为应对入世挑战，充分发挥人力资源优势，将中国建成“世界工厂”的重要战略措施，为职业培训事业的大发展提供了良好机遇。

（九）建立三方协调机制，劳动关系调整和维护企业稳定工作不断加强，企业收入分配制度改革稳步推进。适应新时期劳动关系调整工作的新形势，普遍建立了劳动关系三方协调机制，为维护劳动关系双方的权益，促进劳动关系的和谐稳定发挥了积极作用。劳动合同管理、劳动保障监察和劳动争议处理工作不断加强，及时妥善处理群体性事件，维护企业和社会稳定的工作力度不断加大。按照党的十五届四中全会要求，在企业收入分配改革方面进行了有益探索，初步形成了以工资指导线、劳动力市场工资指导价位和人工成本预测预警制度为主要内容的企业工资收入分配宏观调控体系，开展了工资集体协商制度、经营者年薪制试点，对企业工资分配问题进行了深入研究，形成了初步的思路和政策框架，为择机推进工资分配制度改革做了政策储备。职工工资收入逐步提高，全国在职职工月平均工资从 1997 年的 539 元提高到 2001 年的 906 元，增长 68%。

（十）加强基金监管，基本杜绝了新的挤占挪用，清理回收挤占挪用基金工作取得明显成效，较好地保证了社会保险基金的安全完整。针对前些年社会保险基金被挤占挪用的问题，本届政府将加强基金监管作为一件大事来抓。自上而下成立了社会保险基金监督机构，严格执行收支两条线管理规定，完善基金管理制度，严厉查处挤占挪用基金的案件，下大力气清理回收被挤占挪用的基金。本届政府以来，基本没有发生大的挤占挪用问题，同时清理回收被挤占挪用的基金 163 亿元，逐步解决了历史遗留问题。

## 二、劳动和社会保障工作的基本经验

五年来，劳动保障事业发展波澜壮阔，风雨兼程。劳动保障工作应对挑战，克服困难，不断研究新情况、解决新问题，一步步地向前推进，成绩来之不易，经验值得总结。

（一）始终坚持不折不扣地贯彻中央的重大决策，围绕经济建设这个中心，坚持改革方向不动摇，这是实现劳动保障事业沿着正确方向健康发展的根本保证。五年来，我们自觉地做到了一切围绕大局，一切服务于大局，不折不扣地贯彻执行中央的决策和部署。为落实两个确保，全系统紧急动员，迎难而上，实施“789 攻坚战”，艰苦鏖战三个月，基本扭转了工作起步时面临的严重局面。实施行业下放，涉及利益关系调整，操作复杂，任务繁重，各地政府及劳动保障部门顾全大局，遵守纪律，经过周密安排，轮番对账，在短短一个月内按时完成了移交。几年来，面对不断暴露的各种深层次矛盾和一系列新问题、新挑战，我们坚决贯彻中央决策不动摇，坚持改革方向不动摇，比较好地解决了许多过去早就想解决，但因难度太大而未实施的重大问题，实现了一系列改革上的重大突破。

（二）始终坚持把维护稳定摆在突出位置，正确处理改革发展稳定的关系，合理把握改革的节奏与力度，这是在维护社会稳定前提下推进劳动保障各项改革的重要方针。我们始终把切实保障困难群众基本生活作为处理改革发展稳定关系的结合点，把落实两个确保摆在首位，抓落实、扫死角，加强“三条保障线”衔接，使绝大多数下岗失业人员的基本生活得到了切实保障，并积极帮助一大批就业困难人员实现了再就业。在政策的制定和推进进度上，充分考虑各方面特别是困难群众的承受能力，合理把握推进各项改革的节奏和力度。在具体安排上，加大维护企业稳定工作力度，在开展经常性工作的同时，每逢“两节”“两会”等重要时期，都分析排查化解不稳定因素，及时化解矛盾。正因为做到了这一切，才稳住了局面，赢得了工作主动权，才能在稳定的前提下推进各项改革，进而通过改革发展更有力地促进社会稳定。

（三）始终坚持一切从实际出发，充分考虑不同地区的不同情况，因地制宜，分类指导，这是指导劳动保障工作在发展不平衡的背景下实现协调发展的重要方法。从发展的不平衡性这一现实出发，我们比较自觉地遵循了因地制宜、分类指导的工作方针。在并轨问题上，不失时机地提出了“双轨、转轨、并轨”三步走的战略，同时又不搞统一时间表，不搞齐步走，而是提倡南腔北调、东西有别。东部地区先走一步，率先实现了并轨，起到典型示范作用，西部地区则在解决并轨过程中的突出问题特别是两类人员生活保障问题方面进行了积极探索。在出中心问题上，充分考虑到各地实际情况和具体做法的差别，充分尊重各地意见，不搞一刀切、一个模式，分散决策，分类指导，分别处理，既维护了协议期满出中心的原则，又给地方和企业发挥主动性、创造性留出了空间，实现了工作的平稳推进。

（四）始终坚持积极主动地争取各级党委政府高度重视和各有关部门的大力支持，相互协调，相互配合，这是顺利推进劳动保障各项改革的重要条件。劳动保障工作离不开党委政府的重视和领导，离不开有关部门的支持和配合。正是因为成为党委政府“第一位的工作”“一把手工程”，得到财政、经贸、工会等有关部门的密切配合，两个确保才在难度很大的情况下打开了局面，巩固了成果。贯彻中央12号文件，也正是因为有党中央、国务院高度重视，加上有财政部、国家计委、经贸委等12个部门大力支持，8个配套政策才得以迅速出台。从中我们体会到，只有充分调动一切积极因素，形成全党重视，全社会关心支持劳动保障事业的工作态势，我们的工作才能更顺利地往前推进。

（五）始终坚持大兴调查研究之风，尊重实践，尊重创造，不断研究新情况、解决新问题，这是劳动保障工作与时俱进，实现理论创新、政策创新和实践创新的重要途径。五年来，针对工作中面临的各种突出问题，各级劳动保障部门深入实际，作了大量调查研究，为科学决策提供了依据。从制定完善社会保障体系试点方案，到研究制定再就业政策，都充分借鉴了各地的实践经验，充分吸收了各方面的意见和建议。1998年以来，部里形成了季度形势分析会的制度，每次形势分析会之前，部领导都率领有关司局的同志，深入基层进行调研，广泛听取意见，然后在形势分析会上加以交流、总结、分析、提炼，进而形成指导全局工作的政策和措施。我们体会到，只有尊重实践，尊重创造，不断总结实践中的新经验、新做法，才能实现劳动保障工作的理论创新和政策创新，进而不断推动实践创新。

（六）始终坚持两手抓、两手都要硬的方针，毫不放松地加强劳动保障干部队伍建设，毫不放松地加强劳动保障系统行风建设，这是劳动保障工作能够经受考验、夺取胜利的力量源泉。艰苦的工作，严峻的挑战，锻炼了干部，锻炼了队伍，提高了干部队伍的整体素质。五年来，全系统的同志深入学习邓小平理论，学习“三个代表”重要思想，积极倡导“四讲五树立”的优良作风，大力推进“三抓一加强”，组织编辑和推动全系统认真学习《新时期劳动和社会保障重要文献选编》《领导干部社会保障知识读本》，干部队伍的政治和业务素质明显提高，精神面貌发生了深刻的变化，造就了一支特别能吃苦、特别能战斗、特别能忍耐的干部队伍，展现出当代劳动保障人的新形象、新风貌，先后两次表彰的先进集体和先进个人，成为我们这支队伍的典型代表。

### 三、明年劳动保障工作的主要任务

明年是全面贯彻落实党的十六大精神，全面建设小康社会，开创中国特色社会主义事业新局面的重要一年，劳动保障工作面临着十分繁重的任务。必须看到，我们面前还有不少困难和问题。主要表现在：失业人员增多，就业和再就业压力持续加大，劳动者充分就业的需求与劳动力总量过大、素质不相适应这一就业方面的主要矛盾仍很突出；两个确保基础还比较脆弱，社会保险基金支撑能力不强，社会保险覆盖范围不全，社会化管理服务水平还比较低，管理手段和信息化建设严重滞后；收入分配关系尚未理顺，劳动工资制度改革尚未破题。

前不久召开的中央经济工作会议，将就业和社会保障工作摆在十分重要的位置。按照中央经济工作会议的部署，明年劳动保障工作的主要任务是：以“三个代表”重要思想为指导，全面贯彻落实党的十六大精神，按照中央经济工作会议和全国再就业工作会议的部署，继续巩固两个确保，加大就业和再就业工作力度，进一步完善社会保障体系，切实维护劳动者合法权益，协调推进劳动保障事业的发展。明年的工作脉络可以概括为：一个主题、三大任务、两项工程。

一个主题：就是以深入学习贯彻党的十六大精神为主题，自觉以“三个代表”重要思想统领劳动保障工作全局。

党的十六大确立了全面建设小康社会的奋斗目标，将扩大就业、理顺收入分配关系、完善社会保障体系，作为全面建设小康社会的主要目标和深化经济体制改革的重要内容，提出了明确的方向、目标和战略措施，是重大的理论创新和政策创新，是指导新时期劳动保障工作的强大思想武器。深入学习贯彻落实党的十六大精神，是当前劳动保障系统的首要任务。要围绕主题，把握实质，联系实际，认真学习、深刻领会、全面贯彻十六大精神，增强贯彻落实“三个代表”重要思想的坚定性和自觉性，紧紧围绕十六大提出的全面建设小康社会的总目标，在建立比较健全的社会保障体系、实现比较充分的社会就业方面上一个新台阶。

三大任务：就是要集中力量抓好促进下岗失业人员再就业、完善社会保障体系、维护劳动者权益三个方面的重点工作，以新思路、新举措求得新进展、新突破。

第一，全力以赴贯彻落实全国再就业工作会议精神，千方百计扩大就业，务求取得实效。就业和再就业工作，大政方针已定，关键是抓落实、见实效。首要环节是抓好政策落实，将中央和地方已经制定出台的各项再就业政策落到实处，切实防止在执行中打折扣。明年下半年将开展全国再就业政策落实情况大检查。其次要切实抓好资金落实。明年地方人大会议召开时间比往年提前，各地都要早做工作，积极争取将再就业资金列入地方财政预算，同时要加强资金管理，规范运作。部里在做好中央财政促进就业再就业资金预算的同时，将及时统计各地的预算资金规模，加大督促落实力度。再次是要按既定部署和要求做好开发岗位、就业服务、再就业培训等项工作，切实发挥作用。中央经济工作会议提出，明年新增就业800万人，我们的奋斗目标是保八争九，力争实现950万人左右，其中再就业400万人，城镇登记失业率控制在4.5%左右。

第二，巩固两个确保，加快社会保障制度改革，不断完善社会保障体系。两个确保依然是基础和前提，要继续扭住不放松。在此基础上，企业退休人员社会化管理要有新局面，扩面征缴要有新成效，医疗保险覆盖范围要有新突破，形成养老、失业、医疗三大险种协调推进的新格局。养老保险制度改革的主攻方向是推进社会化管理和走出一条可持续发展的路子。以建立社区平台为契机，基本实现社会化管理的目标，达到80%以上。认真落实对下岗失业人员社会保险的接续服务，制定适合于灵活多样就业方式的社会保险政策。研究农垦和未参保集体企业退休人员养老保险问题。推进养老保险县级统筹向地市级统筹过渡。医疗保险制度改革的重点是扩大范围、完善制度、强化管理。医疗保险覆盖人数突破1亿人。加大解决困难企业职工参加医疗保险问题的工作力度，抓紧建立社会医疗救助制度，探索解决低收入居民的基本医疗保险问题。失业保险要保持住基金增长的势头，遏制参保人数下降的趋势，承担起并轨过程中越来越重要的保障功能。要准备抓住《工伤保险条例》出台的有利契机，加大推动落实力度，力争明年工伤保险有一个大的发展。

第三，加大劳动保障监察执法力度，协调规范劳动关系，切实维护劳动者的合法权益。切实维护好劳动者在劳动和社会保障方面的合法权益，是贯彻落实“三个代表”重要思想，实践执政为民的具体体现，是劳动保障部门义不容辞的重要职责。劳动保障部门要站在全局的高度、站在维护劳动者利益的高度、站在维护市场经济秩序的高度，高举维权的旗帜，加大维权的力度。要努力创造条件，逐步将劳动争议、群体上访等纳入法制化轨道。在维护劳动者就业、保障、分配权益的基础上，注意做好以下几项工作：切实将保障困难群众基本生活的政策落到实处；遏制发生新的工资拖欠，加强对拖欠工资企业的监督检查，元旦前夕要集中力量组织好农民工工资支付情况专项检查，严厉打击拖欠和克扣农民工工资的行为；全面贯彻《禁止使用童工规定》，依法严厉打击使用童工行为；切实加强劳动力市场秩序整顿，规范企业用工行为，严厉打击非法职介；按照劳动、资本、技术和管理等生产要素按贡献参与分配的原则，研究深化企业收入分配制度改革的方案，做好政策储备和基础工作。

两项工程：一项是街道社区劳动保障工作平台建设，一项是金保工程建设。这是做好再就业工作、推进社会化管理的当务之急，是完善社会保障体系的迫切需要，也是实现新时期劳动保障事业新发展的重要基础，非抓不可，非抓好不可。对这两项重大基础工程，部里都专门召开会议作了部署，提出了明确的工作目标、政策措施、实施步骤和工作要求，各地要按照既定部署，结合本地实际，作出具体安排，抓住机遇，加大力度，推动落实。

# 做好新时期就业和再就业工作的强大思想武器

## ——学习江泽民同志关于就业和再就业工作的重要论述

张左己

江泽民同志历来高度重视就业工作，针对不同时期就业和再就业的形势和特点，作出了一系列重要论述。特别是今年9月12日在全国再就业工作会议上的重要讲话，从党和国家工作全局的战略高度，全面分析了我国当前面临的就业形势，深刻指出了做好再就业工作对于全面贯彻“三个代表”要求，维护改革发展大局的极端重要性，明确了在新的历史条件下进一步做好就业和再就业工作的指导思想和方针政策，是做好新时期就业和再就业工作的强大思想武器。

### 充分认识就业问题的极端重要性，增强做好就业和再就业工作的责任感和紧迫感

江泽民同志指出，就业是民生之本。这一重要论断，对就业问题的极端重要性作出了高度凝练、深入浅出的科学概括。就业问题是一个世界性的难题。当今世界，无论是发达国家，还是发展中国家，普遍面临失业问题，都很重视就业问题。许多国家都把失业率作为反映国家经济运行状况的“晴雨表”，将增加就业作为与促进经济增长、抑制通货膨胀、实现国际收支平衡并列的宏观调控指标之一。我国有近13亿人口，就业问题比任何一个国家都复杂，扩大就业的任务比任何一个国家都繁重。江泽民同志多次指出，“扩大就业，促进再就业，关系改革发展稳定的大局，关系人民生活水平的提高，关系国家的长治久安，不仅是重大的经济问题，也是重大的政治问题”。“千方百计解决好群众的就业问题，就是为人民办实事，就是贯彻‘三个代表’要求的重大实践”。我们一定要充分认识就业和再就业工作的极端重要性，从维护改革发展稳定大局，实现国家长治久安的高度，将就业和再就业工作作为长期的战略任务和重大的政治任务，作为全面贯彻“三个代表”要求的重要措施，增强工作的责任感和紧迫感，增强工作的自觉性和主动性，坚持不懈地抓紧抓好。

### 准确把握就业的主要矛盾，增强做好就业和再就业工作的自觉性和主动性

江泽民同志在讲话中深刻分析了当前的就业形势，精辟阐述了就业面临的主要矛盾，指出：“我国就业方面的主要矛盾，是劳动者充分就业的需求与劳动力总量过大、素质不相适应之间的矛盾。这将是一个长期存在的问题。当前，主要表现在劳动力供求总量矛盾和就业结构性矛盾同时并存，城镇就业压力加大和农

村富余劳动力向非农领域转移速度加快同时出现，新成长劳动力就业和失业人员再就业问题相互交织。焦点集中在下岗失业人员再就业上，而且这个问题已经成为一个带有全局性影响的重大经济和社会问题。”这一重要论述，深刻揭示了就业方面的主要矛盾、矛盾的基本特征和矛盾的焦点，科学地回答了社会主义初级阶段就业方面最具有本质性的基本问题，是对有中国特色社会主义理论的丰富和贡献，为我们正确把握就业形势和制定就业政策提供了科学的理论依据。

我们要科学地运用江泽民同志关于就业矛盾问题的理论和方法，全面准确地分析就业形势，既充分认识再就业工作的紧迫性，又清醒地认识其长期性、艰巨性和复杂性；既要立足当前，明确工作重点，围绕重点解决下岗失业人员再就业问题，实行积极的就业政策，采取切实有效的措施，集中人力、财力和物力，打好攻坚战，又要着眼长远，把就业和再就业工作作为一项长期的战略任务，制定中长期的规划和政策，不断适应就业形势的变化，与时俱进地做好工作，始终把握住工作的主动权，打好持久战。

### 正确处理就业方面的五大关系，围绕党和国家工作的大局，统筹做好就业和再就业工作

江泽民同志指出，做好当前及今后一个时期的就业和再就业工作，必须正确处理扩大就业与发展经济、经济结构调整、深化改革、城乡经济协调发展和完善社会保障体系的关系，逐步走出一条既能够充分促进就业、又能够保证经济持续快速健康发展的路子。这一重要论述，是对我国就业工作基本经验的科学总结，提出了如何在错综复杂的经济环境中，顺应大势，因势利导，趋利避害，解决就业问题的正确方针，标志着对就业工作规律性的认识达到了一个新高度，是有中国特色社会主义理论关于就业问题的理论创新。

全面贯彻落实江泽民同志的这一重要指示精神，必须做到五个坚持：一是坚持以经济建设为中心，确保就业局势的长期基本稳定。发展是硬道理。发展经济是解决就业问题的根本途径。解决新时期的就业和再就业问题，必须坚持通过发展和改革的办法促进就业，“正确处理发展经济和扩大就业的关系，通过发展经济扩大就业，通过扩大就业推动经济发展，实现发展经济与扩大就业的良性互动”。二是坚持三个同时，不断增强经济增长对就业的拉动能力。扩大就业，既要保持必要的经济增长速度，又要不断调整经济结构。要使既定的经济增长速度拉动更多的就业，必须“正确处理经济结构调整和扩大就业的关系，使经济结构调整和劳动力结构调整协调推进”。在提高产业科技含量的同时要重视发展劳动密集型产业；在增强国有经济竞争力的同时要加快发展多种所有制经济；在培育一批大型企业集团的同时要大力发展中小企业。三是坚持统筹规划，使深化改革与扩大就业协调推进。1998 年以来，按照中央的决策和部署，“鼓励兼并、规范破产、下岗分流、减员增效、实施再就业工程”和建立“三条保障线”工作取得重大进展，对深化企业改革和推进结构调整发挥了积极作用。当前，国有企业改革仍处于攻坚阶段，必须继续全面贯彻执行中央确定的方针，“正确处理深化改革和扩大就业的关系，坚持减员增效和促进再就业相结合、职工下岗分流和社会承受能力相适应的原则”。四是坚持城乡统筹就业方针，促进“三农”问题的解决。在重点做好再就业工作的同时，要继续统筹兼顾城镇新增劳动力和农村富余劳动力的就业工作，“正确处理城乡经济协调发展和扩大就业的关系，把引导农村富余劳动力转移和解决‘三农’问题紧紧联系起来”。既要通过发展农村经济为农村劳动力开辟更多的生产门路和就业门路，又要对农民进城务工公平对待、合理引导、完善管理、搞好服务，促进农村富余劳动力向非农产业转移。五是坚持巩固两个确保，为扩大就业提供保障。“要正确处理完善社会保障体系和扩大就业的关系，通过实行‘两个确保’解决保障基本生活的当务之急，通过促

进再就业解决下岗失业人员的根本出路，通过完善社会保障体系为深化改革和扩大就业提供保障。”坚持不懈地继续巩固两个确保，搞好“三条保障线”的衔接，切实做到应保尽保。进一步完善社会保障体系，健全和完善养老保险、医疗保险和失业保险制度，并逐步走上法制化轨道。

## 善于集中力量搞好当务之急，重点做好下岗失业人员再就业工作

江泽民同志指出，“各级领导干部在开展工作时，一定要分清轻重缓急，善于集中力量搞好当务之急。做好下岗失业人员的再就业工作，就是当前党和国家工作中一项重大而紧迫的当务之急”。我们要认真贯彻江泽民总书记的重要讲话精神，全面落实全国再就业工作会议的部署和要求，同有关部门和社会各方面一道，下更大的决心，花更大的力气，采取更加有力的措施，切实做好再就业工作。

第一，多渠道开辟就业门路。主要面向六个领域：一是调整产业结构，大力发展第三产业，尤其要积极开发社区服务业、旅游业以及商贸、餐饮等传统服务业的就业岗位；二是调整所有制结构，鼓励发展就业容量大的个体、私营、外商投资、股份合作等多种所有制经济；三是调整企业结构，发展有市场需求的中小企业；四是充分发挥劳动力资源优势，积极发展具有比较优势和市场需求的劳动密集型产业和企业；五是适应企业用工需求和就业方式变化，鼓励下岗失业人员通过非全日制、临时性、季节性、弹性工作等灵活多样的方式实现就业；六是面向国内国外两个市场，对内鼓励跨地区劳务协作，对外实施“走出去”战略，努力开拓国际劳务市场。

第二，完善和落实促进再就业的扶持政策。主要着力于四个方面：一是通过实行税费减免和小额贷款政策，支持下岗失业人员自谋职业。二是通过实行社会保险补贴和税收减免政策，鼓励服务型企业吸纳下岗失业人员。三是通过实行再就业援助，帮助就业困难对象再就业，对从事社区公益性岗位工作的，实行社会保险补贴和岗位补贴政策。四是通过实行免征所得税政策，鼓励国有大中型企业通过主辅分离和辅业改制分流安置富余人员。

第三，改进就业服务，加强再就业培训。进一步健全公共就业服务制度，实行“一站式”就业服务，落实免费职业介绍和免费再就业培训。加快劳动力市场信息化建设，为下岗失业人员及时准确地提供就业信息。对下岗失业人员自谋职业和自主创业开展“一条龙”服务。对就业困难对象，积极推广即时服务、上门服务、一对一服务等成功经验。大力加强再就业培训，开展“订单式”培训和创业培训，形成以培训促进创业、以创业促进就业的良性机制。

第四，加强对就业的宏观调控。要把控制失业率和增加就业岗位作为国家和各地区宏观调控的重要指标，纳入国民经济和社会发展计划。建立失业预警机制，定期开展城镇劳动力抽样调查，在下岗失业总量接近或超过警戒线时，及时采取措施缓解矛盾，控制失业率。同时，要规范企业裁员行为，加大关闭破产企业的职工安置工作力度。

进一步做好就业和再就业工作，关乎全局，意义重大。我们要紧密团结在以江泽民同志为核心的党中央周围，以邓小平理论和“三个代表”重要思想为指导，全面贯彻全国再就业工作会议提出的各项任务和要求，切实做到工作责任到位，政策落实到位，资金投入到位，措施保证到位，努力开创就业和再就业工作的新局面。

# 与时俱进 开拓创新<br>努力把劳动保障规划财务工作<br>提高到一个新水平

## ——在全国劳动保障规划财务工作座谈会上的讲话

劳动和社会保障部副部长 李其炎

（2002年6月26日）

这次全国劳动保障规划财务工作座谈会是部里决定召开的。会议的主要任务是贯彻党的十五届六中全会和九届人大五次会议精神，按照部党组对今年劳动保障工作的总体安排，总结近几年的规划财务工作，分析形势，听取意见和建议，研究部署当前和今后一个时期的任务。

### 一、总结经验，明确方向，坚定工作信心

近几年来，全国劳动保障系统在党中央、国务院和各级党委政府的正确领导下，自觉服从改革、发展、稳定的大局，紧紧围绕两个确保这一中心任务，大力推进规划财务工作，取得了明显成绩。

（一）圆满完成了编制劳动保障事业发展“十五”计划纲要的任务，明确了“十五”期间劳动保障事业发展的目标任务和政策措施

《国民经济和社会发展第十个五年计划纲要》是在我国现代化建设第一步战略目标已经实现，我国全面进入建设小康社会，加快推进社会主义现代化建设的新背景下编制和实施的。按照国家“十五”计划纲要的总体要求，我们编制了《劳动和社会保障事业发展第十个五年计划纲要》。各地按照部里“十五”计划纲要精神，结合各地实际，制定了本地区劳动和社会保障事业发展第十个五年计划纲要，系统地总结了“九五”成就，分析了“十五”形势，阐明了“十五”期间劳动保障事业发展的指导思想、主要目标、政策和支撑保障措施。为实施好“十五”规划，各地还结合劳动保障年度工作目标要求，组织编制了劳动保障事业年度发展计划，为各项业务工作的开展提供了指导。

在编制“十五”计划的过程中，劳动保障系统的同志们，以高度负责的精神和饱满的工作热情，全身心投入工作，深入调查研究，广泛听取意见，对每一个指标、每一个政策措施反复论证，倾注了大量心血，付出了辛勤劳动，圆满完成了计划的编制任务。两年来，计划纲要实施顺利。一些地方在实施过程中，注重抓规划的导向性和可操作性，取得了不少好的经验，如河北省把“十五”计划的实施与年

度计划和中心工作目标紧密结合，加强了预测预警工作，促进了劳动保障事业的健康发展。

（二）加强和改进统计工作，支持了劳动保障中心工作的开展

几年来，按照党中央、国务院要求，劳动保障系统的同志们，不畏困难，日夜鏖战，千方百计确保下岗职工基本生活、确保离退休人员养老金按时足额发放，不断完善社会保障体系，大力促进就业和再就业，为改革、发展、稳定的大局做出了贡献。统计工作在巩固“两个确保”中功不可没。我们对两个确保形势的正确判断靠的是统计，对各地资金状况的测算靠的是统计，对各地工作进展的调度靠的是统计，发现死角、查找漏洞靠的也是统计。部党组对统计工作历来十分重视，把统计工作作为基础建设、作风建设的一项重要任务，几乎是逢会必讲统计，部署工作必抓统计。各级劳动保障部门也想了不少办法，采取了不少措施。经过全系统的努力，统计的制度建设、统计的时效性、统计的手段和方法都有了明显改进。我们围绕两个确保连续 4 年开展了 10 城市国有企业下岗职工和离退休人员问卷调查，企业人工成本抽样调查以及劳动力市场工资价位抽样调查等，取得了大量的第一手数据，有力地支持了决策。统计分析工作也有了很大进展，以统计为基础的形势分析会在不少地方已实现经常化、制度化。一些地方还提交了高质量的统计分析报告。北京、湖南、广东等省市，十分重视统计工作，加强了统计分析，健全了制度，强化了管理。现代信息手段在统计工作中也得到越来越广泛的应用，不少地方的统计数据已实现网上传输和网站发布，全国已有 78 个地市在网上向部里直报劳动力市场综合月报，统计的时效性、准确性有了明显提高，有力地支持了劳动保障中心工作开展。

（三）多方筹措经费，加强财务管理，支持劳动保障事业发展

近几年来，为了巩固两个确保，从中央到地方普遍加大了财政投入。据统计，从 1998 到 2001 年四年间，全国用于两个确保的资金近8 000亿元，其中，中央财政就花了近1 300亿元。适应劳动保障各项事业全面推进的要求，劳动保障财务工作得到了巩固和发展。

一是社会保险基金财务会计制度得到了进一步落实。适应社会保险基金管理工作的需要，劳动保障部和财政部在认真调查研究、广泛征求意见的基础上，下发了《社会保险基金财务制度》和《社会保险基金会计制度》。两项制度的建立，为加强社会保险基金的管理打下了很好的基础。两部还联合开展了两项制度执行情况的检查，组织了培训，推动了制度的落实。黑龙江、湖北、贵州等省市还结合本地实际，制定了实施办法，加强了社会保险基金财务管理。

二是大部分省份实现了劳动保障财务工作归口管理，加强了部门预算工作。适应实行部门预算要求和劳动保障事业发展需要，部里提出了实行财务统一归口管理的要求。两年来，多数地方领导重视，决心大，措施坚决，将各项分散管理的资金纳入了统一管理。到目前，已有 19 个省市实行了财务统一归口管理。各地实践证明，统一归口管理扩大了资金规模，加强了资金管理，方便了资金调度与调剂，劳动保障预算的编制更科学合理，和业务工作结合得也更加紧密。

财务工作的改进和加强有力地保障了劳动保障中心工作的开展，推动了劳动保障各项事业发展。在劳动力市场信息网络建设方面，全国 100 家劳动力市场“三化”建设试点任务基本完成，现代化手段的运用使就业服务的效率大大提高，信息传递速度大大加快，在就业和再就业工作中发挥了重要作用。社会保险信息网络的建设也有了明显进展，已有 60 多个地市使用部里统一软件成功实施了涉及养老、医疗或五保合一的信息系统。

科技、国有资产管理、世界银行项目管理工作也有了一定进展。科技项目管理围绕中心工作支持科研的开展和深化，取得了一批高质量的科研成果。世界银行项目管理工作进一步加强，为劳动保障各项业务工作的开展提供了

支持。

总结近年来的工作，虽然还有不少问题需要解决，但成绩应当充分肯定。在这里，我代表部党组向辛勤工作在规划财务工作岗位上的同志们表示诚挚的问候，对大家所付出的心血和做出的贡献表示衷心的感谢。

回顾近几年的规划财务工作，我看有这么几条经验值得认真总结：

一是以大局为重，紧紧围绕劳动保障中心工作开展工作。规划财务工作是综合性的，涉及方方面面，但绝不是胡子眉毛一把抓，更不能拣了芝麻丢了西瓜，必须从大局出发找位置，从服务中心工作找切入点，围绕中心工作发挥规划财务各项工作的整体功能。规划只有围绕中心工作安排，才有正确的大目标，才能体现导向性；统计只有围绕中心工作运行，才能参与大决策；财务工作只有为中心工作服务，服务效果才能得到认可，好钢才能用到刀刃上。

二是抓住机遇，与时俱进。作为机构改革后新组建的机构，规划财务工作位置如何摆，怎么发挥作用是全系统共同面临的问题。因此，只有抓住机遇发展，才能打开局面，摆上位置。比如，规划工作导向性不强、执行不力的问题在不少地方都不同程度地存在，但一些地方抓住了“十五”规划编制和实施这个机遇，虚功实做，地位和作用就出来了。统计工作更是如此，我们适应两个确保的需要，改革了指标体系，改进了统计方法，地位就上去了，作用也得到了充分发挥。再如财务工作，我们抓住推行部门预算、各级财政调整财政支出结构支持社会保障的机遇，推动了财务工作归口管理，密切了和财政部门的联系，争取的资金规模扩大了，财务工作也加强了。

三是坚持以服务为本位。相对于劳动保障各项业务工作来讲，规划财务各项工作都是服务性的，这就要求我们要树立服务为本的思想，服务大局，服务决策，服务业务工作。近几年来，我们正是坚持了这一条，在服务中找位置，求发展，才维护了大局，保障了中心工作的开展，也形成了我们自己的特色。

**二、认清形势，胸怀全局，把握好规划财务工作定位**

21世纪伊始，我国进入了全面建设小康社会，加快社会主义现代化建设的新阶段。中国成功加入WTO，我们将长期面临国际市场风云变幻的考验。经济结构调整力度加大，经济体制改革深化，城镇化进程加快，都对劳动保障工作提出了新要求，我们必须冷静分析，沉着应对，掌握主动，把劳动保障各项事业推向新的水平。今年以来，部党组根据劳动保障工作面临的新形势，认真研究了当前和今后一个时期劳动保障工作新任务，要求各级劳动保障部门继续巩固两个确保，完善社会保障体系，全力维护企业和社会的稳定，推进企业收入分配制度改革，把再就业工作摆上更加突出的位置。从事规划财务工作的同志要根据劳动保障工作的新任务和规划财务工作自身发展的要求，明确职责，把握定位，身体力行做好各项工作。

（一）全力维护企业和社会稳定

当前，我国政治经济形势是好的。但是，也应该清醒地看到，在改革发展的进程中，也存在不少困难和矛盾，特别是企业和社会稳定方面出现了一些新情况、新问题。今年以来，一些地方先后发生了规模较大的群体性聚集、上访事件，给当地社会稳定和企业正常生产经营秩序造成极大影响。在一些地方发生的群体性聚集、上访事件中，有许多企业在岗职工、离退休人员、有偿解除劳动关系人员、下岗失业人员参与。党中央、国务院领导对此高度重视，多次作出重要批示，要求有关方面尽快妥善处理。中央还专门召开了会议，中办、国办专门下发了通知，明确要求各地区、各部门要切实做好两个确保工作，抓好三条保障线的衔接，千方百计创造就业机会，认真贯彻落实下岗职工再就业各项优惠扶持政策，妥善处理好劳动关系。部党组坚决贯彻执行党中央、国务院的部署，组织力量对不稳定因素进行了排查，研究制定了改进措施，对劳动保障系统提出了进一步要求。各级劳动保障部门要充分认识做好劳动保障工作对维护社会稳定的重要意义，保持高度的政治敏锐性，增强使命感和责任感，把思想统一到中央精神上来，全力做好维护企业和社会稳定工作。当前，首要任务是巩固两个确保，决不能发生新的拖欠，特别是要重视做好资源枯竭矿山关闭破产和军工企业改革脱困工作，研究解决协议期满出中心而又没有解除劳动关系下岗职工以及并轨后新的减员既未进中心也未解除劳动关系的人员的社会保障和再就业问题，使困难职工一定得到基本的生活保障。要加大集体劳动争议案件的处理力度，积极引导当事人通过劳动争议仲裁渠道解决问题。要加强劳动监察工作，加大执法检查力度，坚决打击非法用工、非法中介和使用童工、拖欠工资、任意延长工时等违法违规行为，切实维护劳动者合法权益。做好稳定工作，要有系统的观点。不仅要察苗头、及早动手，出现一起，平息一起，还要把各种不稳定因素联系起来分析，要加强政策的衔接，防止按下葫芦起了瓢。从事规划财务工作的同志要配合有关业务部门认真搞好稳定工作的预警和预案，在统计和财务工作方面加大支持力度，为维护企业和社会稳定做出我们应有的贡献。

（二）把就业和再就业工作摆上更加突出的位置

党中央、国务院对再就业工作一直高度重视，江总书记、李鹏委员长、朱镕基总理多次作出重要指示。国务院决定，今年召开全国再就业工作会议。为筹备好会议，国务院领导多次听取我部工作汇报。吴邦国副总理多次对再就业问题进行专题调研，要求力争经过3至5年的不懈努力，从总体上基本解决国有企业下岗职工再就业问题。规划财务工作要适应这一新的要求，紧紧围绕再就业这项中心工作，加强就业、失业的预测预警和统计分析，千方百计争取资金，为再就业工作献计献策，做出积极贡献。

（三）认真分析、沉着应对加入世贸组织后对劳动保障工作的挑战

加入世贸组织是我国改革开放进程中具有历史意义的一件大事，标志着我国对外开放进入一个新的阶段。在今年初举办的省部级主要领导干部“国际形势与WTO”专题研讨班上，江泽民总书记、朱镕基总理等中央领导同志发表了重要讲话，部党组及时进行了传达学习，就劳动保障工作如何应对入世后的挑战专题进行了研究，随后在系统内举办了加入世贸组织与劳动保障工作专题研讨班。

任何事物都有利有弊，加入世贸组织同样如此，从总体上讲，利大于弊，但入世后给我们带来的一些新情况、新问题，应该引起足够的重视。比如，加入世贸组织，经济结构调整的力度进一步加大，一些规模小、成本高、技术水平落后的企业将被淘汰出局，一些优势企业为增强竞争力还会主动裁减一部分人员，结构性失业将十分突出，失业人员可能大量增加。尤其是一些扭亏无望和资源枯竭濒临破产的企业，通过重组、关闭、破产等途径退出市场，职工安置和社会保障任务更加繁重。农业也将受到较大冲击，导致农村剩余劳动力的增加，进而出现农村劳动力向城镇的大规模转移。再比如，加入WTO还会对我国政府管理体制和管理方式提出挑战，减少行政审批后如何实施宏观调控和指导、如何建立中央和地方的社会保障责任体制、社会保险费征缴体制要不要统一等，都需要研究解决。此外，我们还面临人才方面的挑战，这就要求我们加快国有企业收入分配制度改革，建立留住人才、人尽其才的收入分配机制，从制度上保障各类人才得到与他们的劳动贡献相适应的报酬。这些方面都是劳动保障工作面临的新问题。总之，加入WTO对劳动保障工作影响是长远性的、总体性的，尽管有些问题一时还看不清楚，但必须认真分析研究。从事规划财务工作的同志在这个问题上责无旁贷，我们要有战略眼光，要充分发挥综合部门的优势，对有关问题进行预测和分析，为决策提供参考。

（四）认真分析新形势对规划财务工作提

出的新要求

劳动保障规划财务工作外承计划、财政、统计等部门，内接劳动保障各项业务。国家经济社会发展战略的变化，计划体制、财政体制、统计制度、投资体制、科技管理体制的改革不断对规划财务工作提出新任务和新要求，我们必须认真学习研究，并落实到劳动保障各项工作中去。

首先，要认真领会国民经济和社会发展战略方针提出的新要求。对于实现经济增长方式的转变、实施西部大开发、加快城镇化这些重大发展战略，我们要适应变化，及时对劳动保障工作决策提出意见和建议，并将之纳入到劳动保障事业的总体规划中去。从计划体制改革看，随着我国社会主义市场经济体制目标的确立，计划工作的内容、手段、方法在不断调整和完善，这就要求我们适时转变工作思路，突出劳动保障规划的核心内容，增强规划的指导性、前瞻性和可操作性，改进计划编制方法，提高实施效果。

其次，要认真领会统计制度改革提出的新要求。近年来，我国的统计制度随着国民经济和社会的发展不断改革完善。温家宝副总理在去年底国家统计局报送的汇报材料上作了三点重要批示，一是面对复杂多变的国际形势，要加强对宏观经济形势和重大经济问题的研究，及时提供准确的统计数据和分析资料，以增强宏观调控的预见性、科学性和有效性；二是适应我国加入世贸组织的形势，要加快统计改革，建立既符合中国国情，又符合国际惯例的统计制度、体系和方法，包括统计信息披露方式；三是要认真贯彻十五届六中全会精神，坚决反对弄虚作假和虚报浮夸，努力提高统计数据质量。这三点指示为做好今后的统计工作明确了方向和目标。劳动保障统计工作是国民经济和社会发展统计体系中的重要组成部分，我们要围绕国家统计体制改革的总体要求和劳动保障中心工作，改进完善统计工作，使之更好地为劳动保障工作服务。

第三，要认真领会财政体制改革提出的新要求。近年来，我国财政体制改革不断深化，财政体制改革的大方向是建立与社会主义市场经济发展相适应的公共财政框架。公共财政体制下的财政支出将主要满足于社会公共需要。建立公共财政体制涉及的方面很多，包括部门预算改革、国库集中收付制度改革、“收支两条线”改革、政府采购制度改革、税费改革等。劳动保障各项支出多属于政府公共支出范围，建立公共财政体制为我们争取财政支持创造了非常好的机遇。我们要抓住这个机遇，努力提高劳动保障工作在财政政策中的地位，争取各级财政支出用于劳动保障事业的份额有较大的增长。另一方面，我们也要适应财政体制改革的要求，不断改进和完善劳动保障财务工作。

## 三、理清思路，真抓实干，做好规划财务各项工作

按照劳动保障工作的总体部署，根据当前劳动保障工作面临的新形势，当前和今后一个时期规划财务工作的指导思想是：以“三个代表”重要思想为指导，认真贯彻落实全国劳动保障工作会议精神，紧紧围绕巩固两个确保和扩大就业等劳动保障中心工作，着力发挥好劳动保障规划财务工作的服务决策、综合协调和保障支撑作用，做实规划、强化统计、理顺财务，形成以规划为导向、以统计为基础、以财务为保障的一体化工作机制，推动劳动保障事业健康发展。

（一）着眼大局，全面提高规划财务工作的服务决策与综合协调水平

在2000年的西宁会上，我曾提出规划财务工作要发挥好三个部的作用，即规划工作的“参谋部”作用、统计工作的“信息部”作用、财务工作的“后勤部”作用。这三个部的作用，只是对我们规划财务工作基本职能的形象描述，但要真正把三个部的作用发挥好，并不是一件容易的事。比如说规划工作，光是编好规划、每年印发一组计划指标是远远不够的，真正的参谋作用应体现在对事业发展的前瞻性

研究、对重要工作的跟踪监测和对问题的应对措施上。也就是说，要对劳动保障当前和今后一个时期的主要工作以及可能出现的问题做到事前有预案、事中有跟踪、事后有分析，真正为决策工作起到参谋助手作用；又如统计工作，如果我们仅仅完成了统计调查和数据资料汇总，只能说是起到了信息库的作用，只有对统计数据进行加工分析，为决策提供了依据，在统计工作中形成了我们对形势独到的观点和意见，才能说统计工作是真正发挥了“信息部”作用；再如财务工作，如果我们只是立足于守住现有的资金，或者只是盯着财政部门要小钱，而不是着眼于整个事业的发展，去加大劳动保障工作对财政政策的影响，提高地位，劳动保障财力的“蛋糕”就做不大，保障作用就不能充分发挥出来。

做实三个“部”的职能，要在三个方面下功夫：

一是在提高服务劳动保障工作决策能力上下功夫。规划财务工作掌握着规划、统计、财务三样武器，我们在参与决策方面有很大的发言权，关键在于我们要努力提高服务分析决策的能力，掌握要领。这就要求我们熟悉劳动保障业务，熟悉财政、计划等方面业务，把握好劳动保障工作的内在联系。要加强对劳动保障重大现实问题和前瞻性问题的调查研究，学会运用统计、财务等手段分析研究劳动保障工作的形势和任务，打开思路、拓宽视野，提高参与决策的能力。

二是要在提高综合协调能力上下功夫。劳动保障规划财务的综合协调既体现在内部，也体现在外部。对内，我们要把国民经济社会发展战略，计划、财政体制改革的要求及时转化到劳动保障工作的战略规划和政策中来，和有关业务部门协调好规划的编制、统计口径的确定。至于预算的编制、资金平衡等靠的更是协调功夫；对外，我们也要和计划、财政等部门加强协调，把劳动保障工作的重大问题及时纳入到国民经济社会发展战略和计划、财政等宏观经济政策中去，通过协调上项目、通过协调争资金、通过协调要政策。所以说，综合协调是我们规划财务工作的立业之本。

三是要在推动形成规划、统计、财务工作的整体运作机制上下功夫。规划、统计、财务工作密不可分，没有准确的统计就不能正确分析形势，也不会有科学的预测，没有科学的预测，规划就没有导向性可言。没有统计、财务工作的支持，规划也就成了一纸空文。我们一定要围绕劳动保障中心工作，在几方面形成合力，有力地推动劳动保障事业健康发展。

（二）虚功实做，努力提高规划的前瞻性和导向性

随着我国社会主义市场经济体制的建立，传统的劳动保障指令性计划已经退出了历史舞台。如何适应市场经济的需要做好规划工作，已成为劳动保障战线的同志共同面临的问题。应该说，我们的规划工作总体上是好的，但也要看到这项工作中存在的一些问题。比如，把规划的编制单纯地作为劳动保障各项工作的拼盘，科学论证不够，规划的导向作用、调节作用发挥得不够充分，导致规划与实际工作有不同程度的脱节现象；还有，规划下达后，缺乏监控，有流于形式的倾向。这些问题都迫切需要研究解决。小平同志曾经讲过，资本主义也有计划、社会主义也有市场，计划和市场都是手段。我们不能因为搞市场经济就把计划这个重要手段不要了。经过近几年的改革发展，劳动保障各项工作开始步入稳定、健康发展的轨道，各种问题更加充分地暴露出来，各项工作的规律也更加易于认识和把握，这就为我们做好劳动保障规划工作创造了条件。对于做好规划工作，我想讲三点。首先，要把规划工作作为一个过程来看待，作为一项系统工作安排好。规划事先要合理编制、事中要科学评估、事后要认真总结，要运用各项政策措施保证规划目标的实现。其次，要把规划的编制作为对劳动保障重大问题充分研究论证的过程，预测分析的过程，参与决策的过程。这就要做大量的调查研究和科学论证。规划的目标要起到鼓舞劳动保障战线斗志、明确奋斗方向、凝聚劳

动保障各项工作合力的作用。再次，要把规划工作纳入制度化轨道。要经常开展分析预测和评估监测，逐步使分析预测评估工作制度化。当前，要认真研究开展“十五”规划实施的评估，把握规划执行情况。要加强年度计划的制订和实施工作，年度计划要集中围绕劳动保障中心工作编制，体现劳动保障事业发展的内在要求，做到指标精、内容实、可操作性强。这次会上专门就规划工作发了个征求意见稿，请大家认真讨论，提出意见。

（三）求真务实，提高统计数据的时效性和准确性

部党组十分重视统计工作，2000 年部党组就提出了劳动保障工作抓落实、抓管理、抓调研，加强干部队伍建设的“三抓一加强”要求，并把统计数据要准确作为“抓管理”的重要内容。去年底，在机关工作总结时，左己同志代表部党组提出了 2002 年部机关基础管理工作要重点解决好统计数据的及时性和准确性问题。前不久，部里又专门制定了基础统计数据会审办法。按照部党组的要求，抓好统计工作要成为当前和今后一个时期劳动保障工作的重点之一。这项工作我主要强调三点：

首先，要在“统”字上着眼，把数据真正统起来。部里这次制定的统计会审办法就是要解决这个问题。这个办法主要明确了三条，一是规划财务司牵头负责，统一把关，对上对外的数字统一由规划财务司审核确定；二是审定劳动保障工作的统计指标体系，把统计指标根据其重要性分为核心指标和主要指标两类，重点围绕核心指标开展会审；三是建立统计数字会审机制，部里有关单位组成统计会审工作组，每季度对劳动保障统计数字进行审核验证，确定口径，并在此基础上形成分析报告。这套办法刚刚建立，还要在执行过程中完善，但实施以后至少可以解决数字打架、多头对外和时效性差的问题。各地也要按照这个办法，尽快把统计会审制度建立起来。

其次，要把抽样调查常规化、制度化。过去，我们的统计工作主要围绕国有企业，依靠行业主管部门。随着多种所有制形式的发展，国有企业就业比重逐年下降，原来的统计报表已难以反映实际工作全貌。另一方面，机构改革后，行业管理部门大大精简，统计渠道也不畅通了。解决这个问题，除了改进和完善统计报表制度外，必须抓好抽样调查。这几年，部里每年都选择 10 个城市搞抽样调查，对于弥补正常统计报表的不足，服务决策起了很好的作用。对于各省市的统计工作，我看可以提出这样一个要求，每个省、自治区、直辖市每年都要搞一次规模较大的抽样调查，每半年要搞一次统计分析，有条件的地方可以搞的更多一些、面更大一些。现在全社会都很关心就业，比如失业率问题，光靠登记已不能完全反映真实的失业状况，要在抽样调查上想办法，和统计部门合作，探索调查失业率的措施和办法。

再次，适应劳动保障事业发展的需要，建立多种统计信息渠道。从今后看，社区正在成为劳动保障工作的重要依托。就业岗位开发靠社区、就业服务工作靠社区、社会保险经办靠社区、离退休人员社会化管理靠社区，同样，统计信息的来源也要靠社区。我们要适应劳动保障工作向社区延伸的有利时机，在推动社区劳动保障功能和队伍建设的同时，在社区建立统计观察点，培育社区劳动保障的统计和信息功能。随着劳动力市场和社会保险信息网络的建立，信息网络正在成为统计数据的重要来源，网络生成的数据既准确，时效性又强，可以在很大程度上弥补现行统计报表的不足。各级劳动保障部门的同志要在统计工作现代化建设上下力气，努力改进统计方法，拓宽统计渠道。

（四）理顺关系，完善制度，全面推进财务工作归口管理

近几年来，在各级财政部门的大力支持下，劳动保障事业经费预算额度有了不小增长。但也应当看到，面对各项劳动保障事业全面发展的要求，资金问题仍然是我们发展的瓶颈。争取资金支持除了用足用好政策，加强和财政部门的协调外，科学合理地编制预算十分

重要。编制好预算，首先要求搞财务工作的同志全面了解劳动保障工作的业务，要把预算的编制作为对劳动保障各项工作从财务的角度认真分析研究的过程。随着财政体制改革的深化和财务制度的完善，预算编制的过程越来越长，预算的内容越来越细，我们要立足于劳动保障事业不断发展的需要，把预算做细、做实，为争取财政部门的支持创造条件。其次，编制预算要突出劳动保障中心工作。除了要继续协调各级财政把两个确保资金足额列入财政预算外，还要争取两项资金。一是促进再就业资金。全国再就业工作会议召开后，贯彻会议精神，落实再就业政策都需要资金支持，比如再就业培训资金、劳动力市场建设资金、开展社区就业服务工作的资金、对大龄下岗职工再就业的工资性补贴资金等。各地要认真研究，及早和财政部门协调，争取把所需资金落实到明年的财政预算中。二是社会保险信息网络建设资金。建立全国社会保险信息网络是劳动保障系统的“一号工程”。经过我们和财政部门协调，两部在前不久形成了一个纪要，双方都认为，目前建立全国统一的社会保险信息网络的时机已经成熟。我们将争取和有关部门尽快做好立项工作。社会保险信息系统建设是一项大工程，建立全国统一的社会保险信息系统，各地的网络建设是基础也是前提，不能等，要上下联动。各地要积极和财政部门协调，对本地网络建设资金搞好测算，列入当地财政预算。还需要强调一点，就是信息网络建设一定要加强统一规划，减少浪费。

财务统一归口管理工作已经取得了一定进展，但离部里的要求还有一定距离。各地劳动保障部门的同志要统一认识，特别是一把手要下决心，争取在年底前在省级劳动保障部门全部实现财务统一归口管理。

近几年来，各级劳动保障部门的“家底”都发生了很大变化，资产数量增加很快、结构变化很快、办公环境和办公条件有了较大改善和提高。这就要求我们的资产管理工作要尽快跟上来。对于这项工作，需要强调两点，一是要摸清“家底”。要全面掌握各单位现有资产的数量、构成、使用等情况，做到心中有数；二是要推行和建立政府采购制度，加强监督检查。推行政府采购制度有利于提高资金的使用效益，增强采购活动的透明度，是从源头上、机制上预防和治理腐败的有效措施。我们要转变观念，扩大政府采购范围，建立与国际惯例接轨、符合市场经济规范和公共财政框架要求的政府采购制度。

（五）统筹兼顾，努力做好科技、世行项目管理等项工作

劳动保障科技工作今后的重点要围绕部中心工作，在立足于多渠道争取科研经费支持的前提下，突出对劳动保障重大现实和理论问题的研究，尤其是对劳动保障事业持续、健康发展会产生重要影响的问题的前瞻性研究。此外，还要注重科研成果的宣传推广，使科研成果源于中心工作、服务于中心工作。

世界银行项目，这些年来争取到了不少资金，目前累计已近5 300万美元，对于支持我国的劳动力市场建设和社会保障制度改革发挥了重要作用。关于世行项目下一步的工作，一是要管好现有项目、用好项目资金。二是要加强项目成果的宣传、推广工作，让更多的地方共享项目成果。

## 四、转变作风，夯实基础，推动规划财务工作再上台阶

今年是转变作风年，随着劳动保障制度改革的进一步深入，各项工作任务越来越重，面对党中央、国务院对我们越来越高的要求和广大人民群众的殷切期待，以怎样的精神面貌和工作作风出现，是决定我们能否做好工作的关键。对于规划财务工作来说，作风建设更为重要。我们要转变工作作风，增强服务意识，努力实现作风建设与业务工作的双促进。

（一）加强学习

随着劳动保障事业的不断发展，规划财务工作的任务日益繁重，对人的素质要求也越来越高，对此，我们要有紧迫感和责任感。5月

31日，江总书记在中央党校发表了重要讲话，讲话从落实“三个代表”要求出发，从加强民主政治、文化建设、党建、群众工作等方面提出了新时期我们党的工作目标和任务，对做好我们今后的工作有深远的指导意义。我们一定要认真学习并将讲话精神落实到工作中去。从事规划财务工作的同志还要特别加强劳动保障业务学习。我们是为劳动保障业务工作服务的，和业务工作脱节是规划财务工作的第一大忌。目前，部里组织编写出版了《新时期劳动和社会保障重要文献选编》和《领导干部社会保障知识读本》两本书。劳动保障系统正在开展两本书的学习宣传活动，从事规划财务工作的同志要带头学好。除了认真学习劳动保障业务外，我们还要加强与我们自身工作相关的综合业务知识的学习。如财政、计划、统计等业务知识的学习，只有熟练掌握了这些方面的知识，成为里外全通的行家，我们才能在服务决策、综合协调中得心应手，游刃有余，才能真正把劳动保障规划财务工作做精、做实、做好，“三个部”的作用也才能真正发挥出来。

（二）加强对劳动保障工作的综合性问题和前瞻性问题的调查研究

部机关对处以上干部的调研工作有一个要求，就是每年至少要提交两份有较高质量的调研报告。随着劳动保障工作的全面展开，各项工作要求越来越高，越来越细，加强综合协调，研究综合性前瞻性问题就愈加显得必要。比如，如何处理好就业和社会保障的关系，如何搞好各项社会保险的统筹规划和合理衔接，如何适应现代信息手段在劳动保障工作应用中对劳动保障工作提出的新要求，建立科学合理的劳动保障业务工作的流程等，这些问题光从劳动保障工作的一项具体业务出发是找不到答案的。作为综合部门，我们应当发挥我们的优势，和有关部门一道认真研究分析，提出意见和建议。

（三）加强制度建设

规划财务部门管钱、管物、管数字，替领导当家把关，也在部门廉政建设上负有重要责任，件件都是基础性工作。基础不牢，地动山摇。如果没有健全的规章和完善的制度做保证，工作就很容易出纰漏，而且会直接影响劳动保障部门的形象。我们必须加强制度建设，打牢基础。制度建设要常抓不懈，不仅要规章健全，还要严格按制度办事，特别是要加强财经纪律，提高依法理财的自觉性，造就一支纪律严明的劳动保障财务工作队伍。

（四）加强干部队伍建设，提高综合素质

做好规划财务工作，既要通晓劳动保障业务，又要掌握财务制度、规划与统计方法，这是仅就“文”的一面讲的。我们还需要“武”的一面，要学会和外部门的协调，争取资金、争上项目，要得来钱，当得起家。分析形势，参与决策，站得要高，看得要远；审核数据，理财算账，我们要精工细做，一丝不苟。规划财务工作需要多面手，需要复合型人才。这对各级规划财务干部是一个考验。各级规划财务部门的同志一方面要努力提高自身素质，另一方面也要争取领导支持。今天在座的有不少劳动保障厅局的负责同志，做领导工作的，要把好用人关，对规划财务工作队伍要高标准、严要求。此外，我们还要理解他们，他们的工作经常处在各种矛盾的中心，容易落得内外两头受气。我们要理解他们的难处，要支持他们的工作，加强领导。

（五）加强基层建设，推动规划财务工作走向深入

规划财务工作做得好不好，很重要的一个因素是基层工作落不落实。特别是市一级的基层工作抓好了，规划财务工作才能说是真正有了坚实的基础。一些地方的劳动保障部门很有远见，在机构改革中编制少、经费不足的情况下，想办法在地市级劳动保障部门设立了规划财务处（科），促进了基层工作的开展，值得充分肯定。黑龙江在促进地市规划财务机构建设方面工作积极主动，成效明显，全省上下基本形成了一个完整的工作体系。这次会上给大家提供了一个关于建立劳动保障规划财务工作定点联系城市的征求意见稿，请大家充分发表

意见。为什么要建立定点联系城市，一个重要目的就是要做实规划财务基层工作。部里初步考虑在全国确定一批定点联系城市，通过会同定点联系城市所在省市劳动保障厅局对定点联系城市进行工作指导，向定点联系城市提供有关工作信息，不定期组织工作交流，帮助定点联系城市开展抽样调查和统计分析，开展预测预警，培训业务工作人员等方式，共同把劳动保障规划财务工作推向一个新水平。

做好规划财务工作事关劳动保障事业发展全局，让我们以“三个代表”重要思想为指导，团结协作、务实创新，以优异的成绩迎接党的十六大召开。

# 加快建设“金保工程”全面提高劳动保障工作信息化水平

## ——在全国劳动保障信息化工作会议上的讲话

李其炎

（2002年10月30日）

### 一、肯定成绩，正视差距，增强加快劳动保障信息化建设的紧迫感

党中央、国务院领导十分重视信息化工作，多次就这一问题作出重要指示。江泽民总书记指出，要抓住信息网络化发展带来的机遇，加快发展我国的信息技术和网络技术，并在经济、社会、科技、国防、教育和文化、法律等方面积极加以应用，努力在全球信息网络化的发展中占据主动地位。江总书记这一重要论述为我们作好劳动保障信息化工作指明了方向。对劳动保障工作信息化问题，党中央、国务院领导也多次做出重要指示，2000年朱镕基总理在视察辽宁时指出，要“运用电子技术手段，建立统一的、覆盖全国的社会保障技术支持系统，实行现代化管理。各地社会保障资金的缴纳、记录、核算、支付、查询服务等，都要纳入计算机管理系统，并逐步实现全国联网”。今年7月召开的国家信息化领导小组第二次会议，对“十五”期间我国电子政务建设进行了系统规划，明确了这一时期电子政务建设的目标任务与重点领域。镕基同志、锦涛同志和岚清同志在会上作了重要讲话，强调了电子政务建设对于加强政府监管，提高政府工作效率的重大意义。这次会议把社会保障信息系统建设列为“十五”期间重点建设和完善的12个电子政务业务系统，标志着劳动保障信息化建设正式进入了我国电子政务建设的大盘子。

对劳动力市场和就业服务信息化问题，镕基总理早在1998年2月视察天津时就提出，“实施再就业工程要进一步科学化、规范化、现代化，要尽快实现各省、市、区以至全国联网，要把所有的就业岗位通过现代信息渠道，迅速提供到每一位下岗职工面前”。今年9月12日召开的全国再就业工作会议，从实践“三个代表”重要思想的高度，从维护改革发展稳定大局和实现国家长治久安的政治高度，明确了进一步做好就业和再就业工作的重要性和紧迫性，以及工作的指导思想、目标任务、政策措施和基本要求。镕基总理在大会总结时进一步提出了就业服务信息化的要求，指出要“加强就业服务信息化建设，健全劳动力市场信息网及其公开发布系统，改进服务方式，提高服务效率，为下岗失业人员求职、创业提供及时、便捷、周到的服务”。

学习体会党中央、国务院领导对于劳动保障信息化工作的指示和要求，我们深切地认识到，党中央、国务院领导对于劳动保障信息化工作的论述已经不仅是原则要求，而且是系统阐述，对劳动保障信息化工作的目标、方向、主要业务领域、指导思想和任务措施都讲得十分清楚明确。深入理解党中央、国务院领导的指示，劳动保障信息化建设主要包括社会保险和劳动力市场两大领域，信息化建设要贯穿劳动保障业务工作的主要方面和主要环节，信息化建设的最终目标是在统一规划下实现全国联网。显然，劳动保障信息化建设已经同两个确保、就业和再就业工作一样，成为党中央、国务院交给我们的一项十分重要的任务。我们必须树立高度的使命感和强烈的责任感，狠抓落实，力争经过2～3年的努力，实现劳动保障信息化建设大跨越。

按照党中央、国务院的要求，劳动保障部始终把信息化建设作为一项重要工作来抓。1998年劳动保障部成立伊始，部党组就提出将劳动保障信息化建设作为劳动保障系统的“一号工程”。之后，制定了劳动和社会保险管理信息系统建设规划，明确了劳动保障信息化建设“统一领导、统一规划、统一标准，分步实施、分级负担、分级管理、网络互联、信息共享”的基本原则，重点部署了社会保险和劳动力市场两方面的信息化建设工作。各地围绕劳动保障中心工作，千方百计推动信息化建设，工作取得了较大进展。回过头来总结，这5年的进展主要有三个方面。

第一，信息系统建设粗具规模。在社会保险信息系统建设方面，全国90%以上的地级城市社会保险经办机构业务前台使用了计算机，部分城市在医疗保险信息化方面已经实现了经办机构与定点医院、定点药店的实时联网。辽宁省在建立和完善社会保障体系建设过程中，十分重视信息化建设工作，把信息化建设作为试点工作的一项重要内容，成立专门机构，明确工作目标，加强了信息化建设的组织协调。目前，全省14个城市中已有5个城市与省社保局连通了省内广域网。

在劳动力市场信息系统建设方面，自1999年部里确定100个城市开展劳动力市场“三化”建设试点以来，全国劳动力市场“三化”建设工作以点带面，整体推进，在网络建设、服务功能、市场管理等方面取得了长足进展。目前，全国大部分城市已基本建立了劳动力市场信息系统，有91个城市实现了城区劳动力市场信息联网；有17个省份建立了省级劳动力市场信息网监测中心。

在政府网站建设方面，劳动保障部和各级劳动保障部门先后开设了110多个政府网站（其中部、省厅级网站20多个），初步实现了网上信息发布。

第二，信息系统统一程度明显提高。近几年来，部里陆续组织制定了《劳动和社会保险管理信息系统信息结构通则》《社会保险管理信息系统指标体系——业务部分》《劳动力市场职业分类与代码》和《社会保障（个人）卡规范》等技术标准。在广泛征求有关部门及地方经办机构意见的基础上，组织开发了“劳动力市场信息系统（劳动99）”和“社会保险核心平台”两个大型应用软件，并在全国范围内推广使用。各地按照统一的技术标准制定了信息化规划，不少地方使用了统一软件。近90个地级以上城市使用了基于核心平台开发的统一软件，有159个城市使用了“劳动99”软件。软件的统一，带动了数据标准和业务流程的统一，为实现信息共享、网络互联，进而建立全国统一的信息系统打下了基础。

第三，网上传输信息量大大增加。全国地级以上城市普遍实现了常规统计报表计算机处理，部省间统计数据实现了网上传输。目前，全国已有12个省份实现了从所辖各市到省网上定时传递社会保险信息，有89个城市通过信息网络向部劳动力市场监测中心上报了劳动力供求信息。

现代信息技术的运用，大大改进了各级劳动保障部门的工作方法，提高了监管能力和工作效率，增强了统计数据的时效性，增强了各级劳动保障部门对社会的服务意识和服务能力，拉近了政府与民众的距离。劳动力市场信息发布，对于引导劳动者求职和用人单位招工，增强培训的针对性和适用性，以及引导企业确定岗位工资水平发挥了积极作用。医疗保险经办机构通过与定点医院、定点药店联网，实现了对医疗保险基金支出情况的实时监控，加强了医疗保险基金监管。政府网站的建设在为社会提供劳动保障政策法规宣传、查询和咨询方面，发挥了积极作用，提高了政府行政的透明度和服务水平，方便了社会。

5 年来，我们紧紧抓住劳动保障事业蒸蒸日上的有利时机，围绕两个确保、就业和再就业等劳动保障中心工作抓信息化建设，形成了业务工作与信息化建设相互促进的好局面。

在看到成绩的同时，更要清楚地看到我们的不足，看到我们与党中央、国务院要求的差距，看到劳动保障信息化建设与劳动保障事业发展要求的差距。随着劳动保障事业的快速发展，劳动保障工作的信息量正以前所未有的速度急剧膨胀，以养老保险为例，目前，参加养老保险的在职职工和离退休人员已达 1.4 亿人，为 20 世纪 90 年代初期的两倍之多，同期基金支出增长近 20 倍之多，面对如此庞大的资金流和信息流，仅靠手工操作和低水平的计算机管理已经难以为继。无论是社会保险关系接续和待遇的跨地区支付还是养老金社会化发放，以及社会保险关系的全过程管理，如果没有一个庞大的信息系统支撑，这些工作根本无法完成。就以这次养老金调整待遇为例，全国涉及3 000多万退休人员，如果靠手工操作，光是算账，没有几个月的时间就下不来。西安市建了集中式数据库，所有退休人员情况都在里头，三天时间就把调待数目落实到了每个退休人员的账上，这种速度以前想都不敢想。再以基金监管为例，2001 年，全国共查出冒领养老金金额1 753万元，以掌握的冒领案例推算，我们年养老保险基金损失可能达数十亿元，已经严重地影响到基金安全。如果我们有一个全国统一的信息网络，在职的和退休的人员都进入数据库就能有效地解决这一问题。

总之，信息化建设对于劳动保障事业发展的影响已经不仅仅是某一方面，某项具体工作，而是影响着劳动保障工作的全局。面对扑面而来的信息化浪潮，劳动保障系统的同志们要树立这样一种观念——信息化是劳动保障事业发展的必由之路。在高速发展的信息化时代，抓住了劳动保障信息化工作，我们就占据了新时期劳动保障工作的制高点，我们就抓住了跨越式发展的历史机遇，就能赢得全局的主动性。全系统的同志必须在这样一个重大的战略问题上统一认识，树立高度的紧迫感和责任感，共同推进劳动保障信息化建设工作。

**二、以“金保工程”为旗帜，全面提高劳动保障工作信息化水平**

（一）“金保工程”总体构想

为了落实中办 17 号文件精神，结合国家“十五”期间信息化工作规划，部里组织有关专家对劳动保障信息化建设的目标和任务进行了认真研究，在总结近几年信息化建设经验的基础上，提出了建设“金保工程”的初步方案。“金保工程”综合了劳动保障各项信息化工作任务，是在统一规划前提下劳动保障各项业务信息化工作的总称。概括地讲，“金保工程”是利用先进的信息技术，以部—省—市三级网络为依托，支持劳动和社会保障业务经办、公共服务、基金监管和宏观决策等核心应用，覆盖全国的统一的劳动保障电子政务工程。

如果对“金保工程”作一个框架式的描述，从业务上，根据劳动保障业务特点和对信息化的要求，“金保工程”包括社会保险和劳动力市场两大主要系统；在技术上，根据劳动保障行政管理的基本架构，由市、省、中央三层数据管理组成；在作用上，根据劳动保障工作的需要，系统具备业务经办、公共服务、基金监管、决策支持四大功能。

关于两大系统，社会保险信息系统主要为各项社会保险业务经办、管理和服务提供支持；劳动力市场信息系统主要为劳动力资源管理、公共就业服务、职业培训和工资价位确定以及劳动合同管理等提供技术支持。

三层结构主要是从数据分布和管理方面讲的，包括了市级数据管理中心、省级数据（监测）中心和中央数据（监测）中心。由于市一级是社会保险业务经办的主要层面，也是劳动力供求活动的主要层面，因此，市一级数据库构成“金保工程”的基础。市级信息化建设的主要任务是建成标准统一的覆盖劳动保障业务的集中式资源数据库。资源数据库包括当地参保单位、参保人员的基本信息和基金信息，包括一定时期劳动力市场供求基本信息。市域网终端延伸到全部业务经办窗口、街道、社区和定点医院、定点药店等相关服务机构。省级数据（监测）中心要建立省级资源数据库和省内异地交换数据库，实现与所辖各市的联网和各类业务数据的网上传输，支持省内异地信息交换和业务办理。中央数据（监测）中心和省数据（监测）中心功能大体相似，主要是建立全国数据（监测）中心，建立中央级统计数据库和覆盖全国的异地交换数据库，实现与各省数据（监测）中心的联网，为宏观决策和跨省异地信息交换及业务办理提供支持。

关于四大功能。从业务经办讲，社会保险的参保登记、基数核定、缴费记录、待遇发放都可以在网上实现，求职登记、招聘等活动也可以在网上完成。从公共服务方面讲，参保单位和个人对参保情况、个人账户情况的查询和有关劳动保障政策、法规的查询都可以在网上完成。从基金监管方面讲，由于缴费和待遇发放都在网上完成，并且“金保工程”与财政、银行实现了信息共享，这就可以对社会保险资金实行全程实时监控。从决策支持方面讲，“金保工程”支持了统计信息的网上传输和上级数据中心对下级数据中心的网上数据采集，数据可即时生成，在此基础上，就可以构筑起一个科学的决策支持系统。

“金保工程”建成后，我们就可以实现劳动保障业务的全程信息化管理。通过这张巨大的网，从中央到省、市可以垂直沟通信息，劳动者不论在何时何地都可方便地查询各地的劳动力市场供求信息，查询劳动保障政策和养老保险、医疗保险基金个人账户情况。从参保登记到待遇发放，从招工录用到解除终止劳动合同，从登记失业到接受就业服务和政策享受，都可以实现“一卡通关（一站式服务）”。繁琐的统计报表处理、巨额的资金结算、复杂的劳动力市场供求分析在这张“大网”中都会变得简便易行。

“金保工程”的提出，标志着劳动保障信息化进入了一个新时期。在劳动保障全系统的共同努力下，劳动保障的信息化建设已经有了一个不错的基础。但相对于信息化建设的长远目标，只能说我们基本结束了劳动保障信息化的起步阶段。在起步阶段，我们主要是用计算机代替手工操作，或者是建立一张功能不很完善的“小网”。再往前发展，零敲碎打、单兵突进就不行了，必须着眼于建一张统一的“大网”，这就要总体规划、协调行动，统一到一个共同的旗帜下。这是我们提出“金保工程”的一个基本考虑。同时，党中央、国务院已经把社会保障信息化建设列入“十五”期间首批建设的12项重点电子政务工程，劳动保障信息化建设已经有了一个明确的定位。从这个意义上讲，各地的信息化建设都是这个大工程的子项目，这也要求我们全系统统一认识、统一步调，共同建设。我们就要动员劳动保障全系统的力量，集中劳动保障全系统的智慧，群策群力建好这项大工程。

（二）“十五”期间“金保工程”建设的主要任务

建设“金保工程”这样一个浩大的工程，必须分步实施。“十五”期间，“金保工程”建设的主要目标是，地级以上城市全部建立统一的覆盖各项业务的集中式资源数据库，实现城区内广域网实时连接，在街道一级普遍建立劳动保障信息发布站（或查询终端）；实现劳动保障主要业务的全过程计算机管理，大部分业务应用系统能够使用统一软件；初步建立硬件设备配置标准、网络接口标准和数据传递方式统一的全国养老保险信息系统。这几项任务中，当前十分紧迫的一项要求是养老保险要先行一步，实现全国联网。

提出全国联网、养老先行的目标主要是基于以下考虑。

首先，养老保险工作需要建立全国性的资金监控系统。养老保险年度基金流量近2 500亿，占整个社会保险年度基金流量的80%以上。各级财政对社会保险的补助也主要用于养老保险，仅中央财政用于各地养老保险资金补助就近400亿，这就要求我们建立全国性的资金监控体系。其次，养老金异地发放数量大，目前，全国跨地区发放养老金人数有230多万人，每月发放金额达13.6亿元。对跨地区离退休人员发放养老金和提供服务，必须建立全国性的服务管理系统。除了以上两方面，我们也要看到建立养老保险全国网的有利条件，养老保险信息化建设起步较早，已经具备了一定基础，养老保险统筹层次的提高，也为统一业务创造了条件。因此，全国联网，养老先行是信息化建设的必然。

按照养老保险全国联网的要求，部里制定了一个工作进度表，总的考虑是条件好的省份要先行。联网分三步走，第一步，到2003年底，北京、天津、上海、辽宁、河北、河南、山东、陕西、湖北、湖南、浙江、江西12个省份要率先完成省级数据（监测）中心建设，实现省内联网和部省互联。12个省份与部里联网后，全国网的雏形就可基本形成。第二步，到2004年底，绝大多数省份都要建立省级数据（监测）中心，并实现养老保险全国联网。第三步，到2005年底，进一步完善全国社会保险信息网，增强网络功能，增加网上应用，实现各类业务统计数据的网上采集。

养老保险全国联网，对养老保险信息化建设提出了更高的要求，当前，养老保险信息化建设的重点，一是要尽快统一养老保险业务流程，各地都要按照部里制订的标准统一规范，这项工作要在明年上半年全部到位。二是要将各项养老保险数据全部纳入计算机管理。县级以上养老保险业务经办机构要在今年底实现计算机管理，按照规范化要求，向上级养老保险经办机构实现定时网上报送数据或报盘。要把个人账户的建账工作作为养老保险信息化的一项突出任务抓紧抓好。力争在明年底前全部实现个人账户计算机管理。三是要尽快建立养老保险异地发放人员数据库，实现跨省、跨市发放养老金人员的有关情况全部入库管理。四是要加快城市一级资源数据库的建设，加快数据标准的统一，在实现全国联网之前，先在省内实现联网。各省要尽快给各城市下达联网任务，以联网为抓手，推进数据标准、业务流程和软件的统一，推进数据库建设。

医疗保险涉及多个部门和环节，业务流程复杂，基金监管任务重，要充分考虑这方面的要求，高起点规划医疗保险信息化建设，从制度建立开始就要实现网络化管理。当前重点抓好三个方面的工作：一是要将医疗保险个人账户的收支管理纳入计算机管理；二是实现医疗保险经办机构同定点医院、定点药店的医疗费用网上直接结算；三是进一步完善医疗服务项目管理和医疗费用审核计算机管理，逐步实现对医疗服务行为和医疗费用收支情况的全程监控。

工伤、生育保险的信息化建设也要加快步伐，重点抓好业务流程、标准的规范化建设，将参保单位和参保个人的主要信息纳入计算机进行管理。

劳动力市场信息网建设，重点在城市一级。要统筹考虑就业服务、职业培训和失业保险等方面的需要，按照《中共中央国务院关于进一步做好下岗失业人员再就业工作的通知》（中发〔2002〕12号）文件提出的“加快就业服务信息化建设，健全劳动力市场信息网及其公开发布系统，提供及时、便捷的就业信息服务”的要求，在地级以上城市全部建立集中式就业服务和失业保险资源数据库，公共职业介绍机构和失业保险经办机构前台服务要力争全部纳入信息系统管理，实现城区内实时联网和信息共享，将网络延伸到街道、社区，以及就业服务机构、培训机构和失业保险经办机构；进一步完善和扩展信息系统功能，满足职业介绍、培训、失业保险等业务工作需要，实现对下岗、失业人员的动态管理；积极建立就业服务专门网站，发布就业信息，开展网上求职招聘服务。省一级劳动力市场信息网监测中心也要加快建立和完善，抓好数据的上报和整理，定期公布全省劳动力供求信息。

（三）“金保工程”建设的基本原则

建设“金保工程”，必须要明确几条大原则，在大原则下统一步调，这里我着重强调三条。

一是加强总体规划，在统一和规范上下功夫。劳动保障工作的信息化，不仅是信息技术在劳动保障领域的推广应用，也不仅是简单地将现有的职能和业务流程电子化或网络化，而是劳动保障工作的重大创新，是一次深刻变革。我们必须学会用现代信息技术观念和意识来把握这场变革，用超前的眼光把握劳动保障业务工作内在的联系，在此基础上搞好综合规划，引导劳动保障信息化的健康发展。各地要高度重视信息化建设的统筹规划，既要着眼于劳动保障业务的联系与资源整合，也要着眼于劳动保障工作的长远目标，通过规划从整体上把握劳动保障工作信息化的大方向。

统一是信息化的前提和基础，没有统一的信息化建设就是浪费财力和物力。邦国副总理今年视察贵州时指出，“采用国家推广的统一的标准化软件，是一种非常好的做法。这样可以在今后实行全国联网，统一管理时，少走弯路，避免重复建设，造成浪费”。中办17号文件对电子政务建设的指导原则讲了四条，其中三条讲的是统一，要统一规划，统一标准，整合资源。这种统一不仅体现在规划上，还要体现在流程上，体现在标准上，体现在软件使用上。目前，部里已在广泛征求意见的基础上，制定了《劳动力市场管理和服务工作主要业务流程规范》和《基本养老保险业务经办操作规程》，其他业务管理流程也在陆续制定中。各地在硬件配置、数据库建设、网络连接、信息交换等方面，必须遵循统一的标准。在应用软件方面，要继续做好统一软件的完善和升级工作，以适应劳动保障事业发展的需要。各地要统一使用部里开发的软件，即使本地开发，也要以此为基础。各地新建系统和系统升级时，必须使用部里统一开发的业务管理应用软件；已建系统未使用统一软件的，要按照统一的标准和规定的要求进行转换。在社会保障卡方面，确需发行社会保障卡的地区必须严格遵守统一的标准和管理要求。

二是要与相关部门搞好衔接，实现信息共享。劳动保障信息化建设是电子政务建设的重要组成部分，与其他方面信息系统有着密切的联系。中办17号文件提出的“十五”期间电子政务建设的一项重要任务就是建设和整合统一的电子政务网络。劳动保障业务工作与其他部门的业务有着十分密切的联系。比如，社会保障的三条保障线在业务上要相互衔接，实行社会保险费税务征收的地方还要求社会保险经办机构与地税部门搞好衔接。这就要求我们在网络建设中要综合考虑横向关系，留出空间和接口。

三是注意信息安全。锦涛同志在国家信息化领导小组第二次会议上强调，“信息安全是个大问题。必须把安全问题放到至关重要的位置上，认真加以考虑和解决”。由于劳动保障信息数据有着高度的敏感性，关乎国家安全和社会稳定，安全性和保密性要求都非常高，因此，在进行信息化建设时，必须加强安全意识。部里最近专门就信息系统安全管理工作下发了通知，并准备制定一系列的信息安全技术标准。各地必须认真落实通知要求，并要根据实际情况制定相应的安全管理规章制度，采取有效措施，增强信息系统的安全性和信息的保密性，防止信息的损毁和失密。各地的信息系统安全技术方案和安全管理规章制度必须经过充分论证，并要报部里备案。

## 三、全面落实“金保工程”建设任务

建设“金保工程”任务重、时间紧迫，各地要高度重视，采取有效措施，力争在较短的时间里取得突破。

（一）加强信息化建设的领导

为了全面推进劳动保障信息化建设，部里已成立了信息化工作领导小组，负责对信息化建设工作的指导和协调。各地也要从劳动保障事业发展的需要出发，加强对信息化建设的领导，“一把手”必须亲自抓。要建立健全领导小组，专门负责信息化建设的组织、协调，吸收各业务单位和有关部门的人参加，集思广益，形成领导有力、分工明确、运转协调的工作机制。各地还要指定联络员，及时与部里沟通信息。

劳动保障信息化建设时间跨度大、投入的人力物力巨大。为了加快建设进度，各地要根据“金保工程”建设的总体规划，将目标、任务细化、量化，责任到人。要加强督促检查，加强工作调度，集中优势兵力，打好这一硬仗。此外，各地在信息化建设中，还要互相配合，协同作战，既要注意总结自己的经验，也要向先进地区学习，少走弯路。

（二）落实建设资金

根据中办17号文件精神，中央安排的资金用于中央电子政务系统建设，地方电子政务系统建设资金和运行费用由地方政府负担。因此，各地在建网资金上，还是要本着多方筹资的原则，八仙过海，各显其能。要充分利用中办17号文件将社会保障信息系统建设列入电子政务建设重点工程的机会，抓紧向地方计划、财政部门申请建设和运行资金，列入预算。同时，还要加强与银行的协调，争取更大的资金投入。劳动力市场信息系统建设要抓住落实全国再就业会议精神的时机，积极争取各级财政支持。在资金使用方面，各级劳动保障部门内部要搞好统一规划，在各项社会保险之间、社会保险信息系统与劳动力市场信息系统之间，要努力做到硬件、网络共用，技术力量共用，场地统筹安排，防止重复建设，浪费资源。各地在建设过程中，还要注意做好已建系统的资源与功能整合，充分发挥已有设备的效能。

（三）加强与有关部门的协调，建立良好的工作机制

劳动保障信息化建设涉及到方方面面，需要与计委、财政、公安、卫生、民政、银行、电信、邮政、税务、统计等多个部门打交道，这就要求我们加强与相关部门的协调，建立起良好的工作机制，积极争取各方面的理解和支持，共同促进劳动保障信息化建设。

（四）加强人员队伍建设

建设全国劳动保障信息系统是一项复杂的系统工程，为了保证工程建设的效率和质量，必须要有一支过硬的队伍。目前，根据各地信息化建设情况以及劳动保障系统人员状况，加强人员队伍建设显得十分重要和迫切。当前要特别注意做好三个方面的工作：一是加强领导干部信息技术专业知识的培训，增强从全局上把握信息化建设的能力。二是在劳动保障系统内培养一支专门的信息技术队伍，要能参加信息系统的设计、建设以及胜任信息系统建成后的技术维护工作。要培养一大批熟悉劳动保障业务、了解信息技术的业务骨干和管理队伍。三是学会借外力，加强与技术单位的合作，在劳动保障系统外吸引一支相对稳定的专业技术队伍，弥补我们技术人员的不足。

# 在全国劳动和社会保障工作会议上的总结讲话

李其炎

（2002 年 12 月 26 日）

## 一、关于这次会议

这次全国劳动保障工作会议，以“三个代表”重要思想为指导，深入学习贯彻党的十六大精神，在总结五年来工作进展和基本经验的基础上，按照中央经济工作会议的部署，对明年的劳动保障工作进行了研究布置，是一次十分重要的会议。大家认为，左己同志的报告既全面概括，论述精辟，又重点突出，简明扼要。报告重点回顾了十个方面的成绩，涵盖了劳动保障工作的主要业务领域，突出了重点难点，真实地再现了劳动保障系统五年来的奋斗历程。这些都是我们一起摸爬滚打、共同走过来的，听起来倍感亲切、十分欣慰。报告总结了“六个坚持”的基本经验，既是对过去五年来劳动保障工作基本经验的总结，也是今后必须长期遵循的指导方针。大家认为，只有坚定不移地继续做到“六个坚持”，劳动保障工作才能不断克服前进道路上的各种艰难险阻，沿着正确的方向不断取得新进展，开创新局面。“一三二”的工作思路，充分体现了党的十六大和中央经济工作会议对劳动保障工作的新精神、新要求，明确了明年劳动保障工作的主要任务和奋斗目标，富有劳动保障事业的理论创新、政策创新和实践创新。

讨论中，大家对目前劳动保障工作中存在的困难和问题充分发表了意见，提出了很多很好的对策建议，有些可以直接吸收到明年的工作要点中去，有的可以进一步研究。在实地考察中，大家对南海市的开拓进取精神和现代化的市政建设留下了深刻印象，特别是电子政务建设和乡镇劳动保障管理工作，展现了两大工程的发展前景，增强了大家做好劳动保障工作的信心。同志们说，这次会议内容丰富，形式活泼，取得了圆满成功。

## 二、突出重点，整体部署，协调推进

“一三二”的工作思路，本身是一个互相促进、良性互动的有机整体。一个主题是核心、是主线。我们一定要通过深入学习贯彻十六大精神，统一劳动保障系统的思想和行动，用十六大精神统领劳动保障工作全局。三大任务，是落实党的十六大精神和中央经济工作会议部署的重点，都事关改革发展稳定全局，关系到小康社会的建设，任务艰巨，意义十分重大。部党组按照中央的部署和要求，综合考虑各方面需要与可能，提出了完成这些任务的具体目标和要求，虽然难度不小，但经过努力是完全可以实现的，同志们在讨论中也表达了这个信心。实现这些目标，我们的就业和再就业工作、社会保障制度改革就能够大大地向前推进一步，为改革发展稳定做出重要贡献。两项工程至关重要，既是当务之急，也是劳动保障事业长远发展的基础，各地务必高度重视，切实抓紧抓好。

在抓好重点工作的同时，要注意统筹兼顾，整体推进其他各项劳动保障工作。落实“一三二”工作任务，本身就需要其他各项工作及时跟进，整体联动，对中心工作发挥更大的作用。做好其他各项工作，也是整体推进劳动保障事业协调发展的需要。职业培训要大事大做，要贯彻落实全国职教会精神，以再就业培训和高级技能人才培训为切入点，实现职业培训的振兴和发展。继续搞好关闭破产企业的职工安置工作，严格审核安置方案，落实职工安置和社会保障政策。积极推进企业年金制度建设，建立健全年金管理办法，规范管理运作行为。加强基金监管，完善基金监管制度，继续做好回收挤占挪用基金工作。推进平等协商和集体合同制度建设，巩固和完善劳动关系三方协调机制，充分发挥三方机制在协调劳动关系和维护社会稳定方面的作用。完善劳动保障统计制度，认真组织好全国城镇劳动力就业和社会保障状况抽样调查、十城市下岗失业人员抽样调查等工作。搞好劳动保障行政审批制度改革，制定保留项目的监督制约措施和取消项目的后续监管措施。围绕劳动保障中心工作，统筹策划，精心组织，进一步提高劳动保障新闻宣传工作质量和效率。切实搞好信访工作，及时妥善处理群体性事件，维护企业和社会稳定。认真筹备精心组织中国就业论坛，积极开展双边多边合作，拓展国际合作新领域。

我们还要着眼长远，积极研究影响劳动保障工作的全局性、战略性问题和重点难点问题。按照十六大报告的要求，积极研究工资分配制度改革的政策措施，为调整规范分配关系、完善收入分配制度，做好政策储备和基础工作。在有条件的地区，积极探索农村养老保险制度建设，研究制定适合进城就业农民、失去土地农民和小城镇农转非人员的养老保险办法。要认真总结辽宁试点经验，研究解决完善城镇社会保障体系的体制建设和重要政策性问题。要研究和解决社会保险费征收体制中的新情况新问题，规范和加强社会保险费征缴工作。随着就业方式的变化，要研究和解决灵活就业人员的劳动关系管理和参加社会保险问题。这些问题的解决，对于推进劳动保障事业的持续健康发展具有十分重要的意义。

**三、切实做好“两节”“两会”期间的社会稳定工作**

中央政治局常委会专门研究了困难群众的生产和生活问题，两办下发了通知，对做好近期的社会稳定工作提出了明确要求。按照中央精神，部里下发了紧急通知，对做好“两节”“两会”期间的劳动保障工作进行了部署。各地要以解决困难群众的生产和生活问题为重点，以维护社会稳定为中心，千方百计解决好劳动保障领域可能影响社会稳定的问题，保一方平安。

一是要切实做好“两节”“两会”期间的两个确保，将基本生活保障金和养老保险金发到下岗职工和离退休人员手上。今年中央财政支持两个确保的专项转移支付已经下达，各地要加强资金调度，将中央和地方财政的补助资金及时拨付到位。各地要精心组织，不等不靠，确保发放。

二是要加大执法监察力度，维护职工权益。把纠正和处理两个确保不落实和企业恶意拖欠、克扣职工工资的行为作为监察执法的重点。外来民工多的省市要将春节期间保民工工资发放作为近期的一项重点工作，组织开展拖欠农民工工资的专项监察。

三是借鉴近几年的成功做法和经验，与有关部门通力合作，通过劳动力供求信息发布、定向劳务输出、组织劳务派遣、劳动力市场秩序整顿规范、农村劳动力流动就业重点监控等多种手段，切实做好今年春运期间组织民工有序流动工作。

四是做好“两节”期间的走访慰问工作。

各地都要组成工作组，检查两个确保的落实情况，慰问企业下岗失业人员和离退休人员，及时发现矛盾和问题，把中央确定的保障困难群众基本生活的政策落到实处。

这次会议十分重要，请大家回去后尽快向党委政府汇报。各地要抓紧传达会议精神，组织干部职工认真学习会议文件，统一思想，明确任务，认真总结今年工作，周密筹划明年工作，把会议精神落到实处。明年，地方政府将换届，省市主要领导和劳动保障工作的分管领导可能会有一些变动，我们要积极主动汇报，争取党委政府更多的支持。在地方政府换届中，一些地方劳动保障厅局的主要负责同志要离开现在的工作岗位，希望这些同志向新来的同志做好传帮带工作。

做好明年劳动保障各项工作，形势紧迫，任务繁重，我们要在以胡锦涛同志为总书记的党中央领导下，以“三个代表”重要思想为指导，全面贯彻落实党的十六大精神，抓落实，抓管理，抓调研，切实加强干部队伍建设，同心同德，艰苦奋斗，全面完成明年的工作任务，实现劳动保障事业新发展。

# 努力实践“三个代表”重要思想
# 全面提高医疗保险管理服务水平

## ——在全国医疗保险工作座谈会上的讲话

劳动和社会保障部副部长　王东进

（2002 年 2 月 28 日）

经部党组同意，我们在广东中山召开这次全国医疗保险工作座谈会，主要任务是以“三个代表”重要思想为指导，贯彻落实党的十五届六中全会、中央经济工作会议和全国劳动保障工作会议精神，总结 2001 年医疗、工伤、生育保险工作，交流各地改革经验，分析当前改革形势，动员部署 2002 年工作。

### 一、2001 年医疗保险制度改革取得突破性进展

去年，在党中央、国务院的正确领导下，根据部党组的总体部署，按照“稳步扩面、狠抓管理、健全系统、完善政策”的工作思路，通过系统上下团结协作、开拓进取、奋力拼搏，医疗保险制度改革取得突破性进展。同时，工伤、生育保险工作也稳步推进。

（一）医疗保险启动扩面任务基本完成

截至 2001 年底，全国已有 339 个地级以上统筹地区和1 435个单独统筹县（市）实施城镇职工基本医疗保险制度，分别占全国地市县总数的 97%和 81%；参保人数达到7 630万人，较 2000 年新增3 330万人。其中：除江西、贵州、云南、西藏外，其余省份所有统筹地区全部启动了基本医疗保险，上海、内蒙、陕西、四川、兵团、湖南、河南、云南、福建、青海、新疆、浙江等 12 个省区市的覆盖人数突破应参保人数的 50%，广东、黑龙江、河北、甘肃、吉林、山东、辽宁、海南、湖北等 14 个省区市超额完成了年初确定的任务指标。

（二）医疗保险制度新机制开始发挥作用

随着医疗保险启动面和覆盖面的迅速扩大，医疗保险新机制的作用开始发挥：一是基本医疗保障基金有了稳定的来源，改变了原公费、劳保医疗制度下经常发生的拖欠职工医疗费和不同单位职工医疗待遇苦乐不均的现象。二是医疗费用分担机制有效遏制了不合理的医疗费用增长。三是政事分开、统一高效的管理机制，保证了新制度的顺利实施和稳健运行。

（三）医疗保险管理系统初步建立

我们从改革的第一步起，就坚持不懈地按照社会化管理服务的要求，从职能、机构、人员、工作入手，抓管理系统建设。到目前为止，全国绝大多数地区已经在各个管理层基本建立了统一的医疗保险管理系统。除极少数地区外，各项医疗保障管理职能基本划转到位，实现了医疗保险的统一管理，各项管理制度基

本完备。除少数市县外，多数地区建立了省、市、县三级医疗保险行政管理机构和经办机构，全国有了一支7万多人的干部队伍。70%以上的统筹地区建立了比较先进的医疗保险计算机网络，为实施医疗保险管理提供了技术保证。

在全面推进医疗保险制度改革的同时，工伤、生育保险工作也取得了积极进展，参保职工人数分别达到4 209万和3 300万。我部起草的《工伤保险条例（草案）》，已上报国务院法制办，目前正在征求各部委和省市意见，与之相关的十个配套政策也已着手研究。《职工非因工伤残或疾病丧失劳动能力程度鉴定标准》已经通过专家评审。

回顾改革历程，成就是显著的，也是来之不易的，各地同志都为此付出了艰辛的劳动。我们在去年一年中，将医疗保险制度改革推进到全国绝大多数城市，参保人数由4 300万扩大到7 600多万，形成了改革不可逆转的大趋势。特别是去年青岛、海南会议以后，各地面对种种困难，坚决贯彻会议精神，采取有力措施，攻难克艰，苦战80天，实现2个直辖市、7个省会城市、11个地级城市的启动实施，扩面近2 000万人，完成全年近一半的任务。这样的推进力度、扩面速度，是前所未有的，但是我们做到了，并且保证了新制度的平稳运行。

从已经启动实施城市的情况看，医疗保险制度运行平稳，基金收支平衡。据统计，2001年，医疗保险基金收入353.6亿元，支出224.1亿元，结余129.5亿元，其中：统筹基金结余63.4亿元，个人账户结余66.1亿元。医疗费拖欠现象没有了，参保职工的基本医疗需求得到了切实保障。上海、山东等一些城市在实施医疗保险制度后，参保职工就医心理和医疗行为发生了变化，出现“小病自购药，大病上医院；在二三级医院看病，到药店购药；大医院手术，小医院康复；家中存药减少，大型设备检查下降”等趋势，过去公费、劳保医疗制度下的不合理医疗消费行为得到遏制，这种变化有利于卫生资源的合理利用，有利于控制医疗费用的过快增长，有利于实现社会医疗保险的公平性。李岚清副总理在上月18日听取“三项改革”工作汇报时，再次对医疗保险制度改革给予充分肯定，认为去年改革推进到这个程度，实在不容易，能够保证基金平衡更不容易，证明新机制发挥了作用，还表扬我们的经办机构“都比较规范、比较现代化”。这说明我们去年一年的工作，给中央交了一份满意的答卷，给人民交了一份满意的答卷。这是各级党委政府坚强领导，各有关部门大力支持，全系统同志奋力拼搏、扎实工作、埋头苦干的结果。在这里我要特别感谢我们这支干部队伍。这其中有来自原公费劳保医疗管理战线的老兵，有来自体改、劳动、卫生等部门的专家，还有新加入的年轻人，大家以对党和人民的忠诚，以对医疗保险事业的热爱，以推进改革的坚定决心和信心，不畏艰难，刻苦钻研，团结奋战，开拓进取，为推进医疗保险制度改革的不断深入和新制度的稳健运行，付出了艰辛的努力。在此，我代表部党组向在座各位，并通过你们向全系统同志表示崇高的敬意和诚挚的谢意！

几年来，医疗保险制度改革之所以能够比较顺利地推进，平稳运行，日益得到社会各方面的普遍认同，在改革、发展、稳定中发挥着越来越重要的作用，最基本也是最重要的经验有五条：

一是坚持正确的指导思想，将“三个代表”贯彻落实到医疗保险制度改革具体实践中。江总书记关于“三个代表”的重要思想，有着广泛而深刻的丰富内涵，就其核心和本质而言，是代表最广大人民群众的根本利益，而我们从事的医疗保险事业恰恰是关乎人民健康、关乎千家万户的切身利益，搞好医疗保险制度改革，就是实践和体现“三个代表”要求的一个重要方面和重要标志。北京、上海、河北、黑龙江、陕西等许多省区市，不管有多少困难，有多大阻力，情况多么复杂，始终坚定不移地推进改革，究其根源，就是指导思想正确，能够始终把最广大参保职工的利益放在首位，想职工之所想，急职工之所急。福建、山东等地在医疗服务管理中敢于管理、善于管理，也是准确把握这一指导思想的具体表现。实践证明，只要我们坚持“三个代表”正确思想，一切工作从维护职工的根本利益和长远利益出发，改革就会得到绝大多数职工的欢迎，就会不断推进、深化。

二是坚持中央制定原则、地方分散决策，因地制宜地推进医疗保险制度改革。这是医疗保险制度改革的一个显著特点，也是确保这项改革得以平稳推进的基本经验。实践证明，只有坚持原则，才能保证改革的正确方向；只有因地制宜，才能使改革的各项措施符合当地实际，才能使改革的力度与各地经济发展速度、干部群众承受程度相适应。所以，在统筹层次上，宜市则市，宜县则县；在筹资比例上，充分考虑当地财政和企业的承受能力，有多少钱办多少事；在制度模式上，允许困难地区和企业可以先建统筹基金，解决职工大病保障问题；在特定行业企业属地化参保上，采取相对集中异地参保、委托管理等灵活、过渡措施，等等。正是由于坚持了这一方针，才使得这项复杂的改革具有广泛的适应性和旺盛的生命力，在全国各地迅速推进，平稳运行。

三是采取了重点突破、分类指导的工作方法。为了努力完成年度扩面任务，年初我们就确定了抓京、津、沪、渝、穗、汉等大城市启动和抓中央行业属地参保两个工作重点，并在郑州召开会议进行部署；年中分别在广州和西宁召开未启动和已启动城市座谈会，指导、帮助各地解决改革中出现的问题；根据国务院领导的指示精神，青岛会后，抓住机遇，举办第二期全国医疗保险制度改革市长研讨班，与中央企业工委和中央金融工委一起下发了《关于中央直属企事业单位按照属地管理原则参加统筹地区基本医疗保险有关问题的通知》（劳社函〔2001〕163号）。各省则在郑州会后，通过签订协议或任务书等形式，将目标任务层层分解到各个统筹地区，落实目标责任制；年中加强分类指导，许多地方实行省、市、县三级督察，并采取各种形式定期公布扩面进展以及单位参保情况。

四是不断发现新情况，解决新问题，调整完善政策和管理措施。医疗保险制度改革和任何一项改革一样，是一个不断认识、不断总结、不断完善的过程，各项政策制定不可能一步到位，一劳永逸，需要有一个调整完善的过程。各地从实际出发，在处理个人账户与统筹基金支付范围上，在解决慢性病、老年病患者费用负担上，在规范简化医疗费用结算办法上，在强化对定点医疗机构管理上，坚持大稳定、小调整，坚持原则性与灵活性相结合，取得了较好的效果。

五是坚持“四位一体”，做到体制、机制、机构、人员四到位，为改革的推进提供了坚强的组织保证。这几年我们反复强调要理顺管理体制，建立专门机构，充实管理经办人员，尤其是十分重视人员素质的提高。在我看来，这四者当中，人是关键。搞好医疗保险制度改革的关键在人，在于人的敬业精神、拼搏精神和奉献精神。有了这样的人、这样的精神，就能够得到领导的重视、部门的支持，就能够克服各种困难，就能够打开工作局面，就能够创造无愧于人民的业绩。时势造英雄，在改革的大潮中，我们已经初步形成了一支过硬的队伍，涌现出了一批能征善战的优秀分子和先进集体。从各地进展情况看，改革进展快、完成任务比较好、改革有成效、工作出经验的地区，既有经济较发达的地区，有工作基础较好的地区，也有改革起步较晚的地区。它们都有一个共同的特点：主管领导得力、坚强，精神状态好，办法多，队伍整体素质高。还是那句老话，事在人为，“世上无难事，只要肯登攀”。可以毫不夸张地说，在我们这支队伍里，已经初步形成了一种良性互动的工作机制，不少地方已经呈现了“不用扬鞭自奋蹄”的工作局面，初步树立了“忠诚为民、维权楷模”的良好形象。这既是我们的宝贵经验，更是我们宝贵的财富，希望大家要倍加珍惜，让它成为继续激励我们搞好医疗保险制度改革的巨大力量。

在肯定成绩的同时，我们也要清醒地认识到，医疗保险制度改革中还存在着一些亟待解决的矛盾和问题。主要是：各地改革进展很不平衡，一部分人反映个人医疗费用负担过重，就医手续过于繁杂，解决困难人群医疗保障的措施还不完善，建立健全多层次医疗保障体系的任务十分艰巨，医疗保险管理特别是基础管理亟须进一步规范和加强。

## 二、把握大局，抓住重点，扎实做好2002年工作

今年医疗保险制度改革工作的指导思想和工作任务是：努力实践“三个代表”的重要思想，坚持“三改并举”的方针，按照“围绕一个大局，抓住两个重点，实现三个突破”的工作思路，着力解决困难群体医疗保障问题，强化和完善医疗保险基础管理，稳步扩大医疗保险覆盖面，实现所有统筹地区都实施启动并且覆盖人数达到50%以上、全国基本医疗保险参保人数达到8 500万以上的工作目标，同时，乘势推进工伤、生育保险工作。

“一个大局”，就是改革发展稳定的大局。2002年将召开党的十六大，这是我国政治生活中的一件大事。江总书记在去年中央经济工作会议上提出，今年各项工作都必须致力于维护政治上的安定团结和社会稳定的大局，宏观政策要保持必要的稳定性和连续性，各项改革必须稳步推进。这个精神落实到医疗保险工作上，就是要以医疗保险制度改革的稳步推进和稳健运行来促进社会稳定。

“两个重点”，就是抓住影响稳步推进和稳健运行的突出矛盾和薄弱环节，着力解决困难群体医疗保障问题，强化和完善医疗保险基础管理。

“三个突破”，就是要围绕今年的工作重点，在规范和强化基础管理上下功夫，在完善多层次医疗保障体系上做文章，在改善管理服务上上水平，全面提高医疗保险运行质量和管理服务水平。

实现上述工作目标，要努力做好以下四个方面工作。

### （一）规范和强化基础管理，全面提高管理服务水平

规范和强化医疗保险基础管理，是我们这项事业发展的永恒主题。对当前来说，更关系到今年改革能否继续深入、新制度能否稳健运行，从而能否奠定医疗保险事业长远健康发展的基础。在前年荆州会上，我曾经提出过医疗保险制度改革三步走的设想。经过三年改革，我们已经建立了较为完备的政策体系，新制度已经推进到绝大多数城市并覆盖近半数应参保职工，已经顺利走过了前两步。现在的关键是走好第三步，即加强医疗保险管理，确保稳健运行。走好这第三步的关键，在于把握好以下三点：

第一，充分认识医疗保险管理的重要性。

一个好的制度和政策，必须通过有效的管理手段才能保证其贯彻落实和组织实施。当前，随着改革的不断推进，一些矛盾和问题逐步暴露，其中反映最突出的是个人医疗费用负担过重、就医及费用结算手续繁杂等。这些矛盾和问题产生的原因是多方面的，有政策不完善的因素，有外部条件影响的因素。从各地反映的情况看，主要还是由于管理制度不健全，管理措施不到位，管理手段落后，管理程序过于复杂等原因，给参保职工带来了不便，增加了负担，影响了制度的稳健运行和健康发展。因此，各地一定要充分认识规范和强化医疗保险管理的重要性和紧迫性，将此作为今年工作的头等大事来抓，大题大作。

第二，全面掌握医疗保险管理的基本要求。

管理是一门科学。管理要实现的最终目的，一是改进质量，二是提高效率。具体到医疗保险管理上，这两个目标可以用一句话来概述，即通过加强管理，提高有限的医疗保险基金的使用效率，确保参保职工获得较为优质的医疗服务。要实现这两个目标，必须了解医疗

保险管理的特殊性和规律性，从而树立医疗保险管理的基本理念，掌握医疗保险管理的基本要求。这也就是我们在通常工作中所要求的，一要摸透脾性，二要建立理念，三要掌握要领，四要确立目标。没有这四条，讲强化管理、完善管理就无从入手。

医疗保险管理的特殊性来源于医疗服务的特殊性。我认为主要是三条：

一是医疗服务的信息不对称性。医疗服务行业具有很强的专业性，自古求医问药，基本上是医生说了算，行外人士很难用医学标准，对诊治方法是否科学合理、医疗质量是否物有所值做出判断，这是医疗保险管理的难点所在。

二是医疗服务主体的垄断性。我国的医疗服务市场以公办医疗机构为主，缺乏竞争机制。而且患者只能在一两家挂钩医院看病。这种相对垄断导致效率低、服务差、成本高。

三是医疗服务经济补偿的间接性，即所谓的“第三方付费”。“第三方付费”的好处是，可以代表全体患者的利益，用经济的杠杆、专业化的管理来规范医疗服务行为。但如果所有医疗费用都通过第三方支付，必然产生原公费医疗的弊端：看病的不花钱，花钱的不看病，患者可能会和医疗服务提供者联手对付医疗保险管理机构，结果花了大钱看不好病，浪费严重，医疗保险基金在客观上存在着较大的透支风险。

针对医疗保险管理的特殊性，许多国家都采取了一些行之有效的办法，有些办法已经成为医疗保险管理的基本经验。归纳起来主要有四个方面：一靠行业自律，包括建立医学评价体系，并在医疗保险日常管理中落实运用；二靠分担机制下的医患制约；三是通过第三方付费，建立独立于医疗服务利益集团之外的、代表患者利益的集团，来实施经济制约和专业管理；四靠竞争，通过竞争来实现公平与效率。借鉴这些经验，学习国外管理的通行做法，结合我国实际，我国医疗保险管理需要树立如下基本理念：

一是基本保障理念。这是社会主义初级阶段医疗保险制度改革的本质要求，也是贯彻“三个代表”重要思想的基本标志，是我们完善政策、强化管理的基本出发点。有了这个理念，就可以坚定我们推进改革的决心，强化我们进行管理的权威，增强我们做好服务的责任，提高我们不断完善政策、解决问题的勇气。

二是基金平衡理念。医疗保险和其他保险一样，都有一个基金运作问题，即如何把保险基金征缴好、管理好、运用好的问题。一个最简单明了的道理就是，没有钱办不成事，基本保障是改革的目的，基金平衡是实现基本保障目标的根本前提和物质基础。因此，保证基金收支平衡，是实现制度目标的根本手段，维护制度稳定的基本前提。保证基金平衡，不仅是保障职工基本医疗的需要，也是促进医药卫生事业发展的需要。当然，基金平衡是一个动态的过程：在筹资环节要按照“以支定筹”的原则，充分考虑支付需求与缴费能力以及资金到位率之间的平衡；在支付环节要按照“以收定支”的原则，控制基金支出，保证基金收支平衡，略有结余；在这两个环节之间，要按照“成本—效益”原则，实现效益最大化。在具体工作中，一定要正确处理好控制基金与保障服务的辩证关系，为确保平衡，所有的医疗保险基金都必须真正用于符合政策规定的、合理的医疗服务，不能私自挪用和支付过度的医疗服务。

三是社会化管理服务理念。社会保险的一个重要特征是社会化，亦即管理服务的社会化。其基本要求包括：管理要独立于管理对象之外，不能既提供医疗服务又行使管理职能；服务要到位，不能只揽权不做事，不能管一块丢一块，像个人账户完全放任不管，就不符合社会化管理服务的要求；管理服务要有效率，办法要简便易行，规范要清晰、透明，既不能让人看不明白，也不能增加被管理者的负担。

四是靠机制管理理念。由于医疗服务的专业性，利益调整的多向性，管理客体（医疗服务）的复杂性等，医疗保险管理必须通过合理的制度设计、科学的方式、有效的制约手段，来形成内在的运行机制和作用机制。

五是维护公平理念。社会保险是政府实现社会公平目标的重要手段。在实际中，如何维护医疗保险的公平，会受到各种利益主体的影响，如患者希望得到更高的待遇，医院希望得到更多的收入。我们要维护医疗保险的公平性，首先要保证制度的公平，要让按规定参加医疗保险的单位和职工尽可能参加医疗保险，在基本医疗保险制度范围内，实行统一的政策和标准；其次，在基金支付上，要以患者为中心，钱要花在合理的医疗服务上，不能拿参保职工的钱满足不合理的利益要求；最后，要以绝大多数职工的利益为根本出发点，按照基本保障的制度规定支付医疗费用，不能为了满足少数患者过高的医疗需求，影响绝大多数参保职工的基本医疗保障需求。

六是促进竞争理念。竞争，是实现公平与效率的法宝。要解决当前由于医疗服务垄断所造成的高成本、低效率状况，必须打破垄断，促进竞争，从而达到规范服务、降低成本、提高质量与效率的目的，最终实现“三改并举”的总目标。这既符合医疗保险管理要求，也有利于医药卫生事业的发展。

有了上述基本理念，还应有管理的基本目标，今年在规范和强化完善医疗保险基础管理方面，我想提出以下四个方面的基本目标，使医疗保险管理基础更为扎实，系统更为健全，措施更到位，效率更明显。

一是管理机构要基本建立健全。主要标志是所有省市和统筹地区（县、市）机构、职能、编制、人员要基本到位，不能再搞临时机构，不能在管理职能上再统一块丢一块。编制的确定和内设机构要基本满足管理的需要，人员的专业结构要基本合理，业务素质要有质的提高。

二是管理制度要基本完备完善。包括内部管理制度、财务会计制度、医疗服务管理制度、业务操作规范、预测预警制度、监督审计制度，以及不同人员的医疗保障管理制度等。

三是管理运行系统要基本满足管理要求。这个系统要实现运行有序，简捷实用，监控到位。统计指标体系要科学、准确、反馈及时。系统运行要连接到位，顺畅有序，实现全程监控。要不断完善管理手段和管理方式，简化手续和规范业务管理流程，纠正管理“错位”，填补管理“缺位”，保证管理“到位”，实现“以法（办法、方法、制度、协议）管理，靠机制管理”。

四是管理质量评估指标体系要尽快建立健全。管理没有监督，管理的措施就不能得到有效的落实。同样，管理没有质量评估指标，管理效果就难以考核。建立管理质量评估指标体系，既是针对管理对象的，也是对我们管理者自己的要求。没有这一条，管理双方都没有压力，完成今年强化基础管理的任务也就没有考核依据。所以，从今年开始各地要尽快着手建立医疗保险管理质量评估指标体系。指标设置并非多多益善，而要确实反映管理的要求和效果。我考虑主要内容应包括三个方面：反映基金管理方面要求的，包括基金到位率，基金收支平衡，费用结算等；反映医疗保障待遇方面的，包括职工就医的方便程度，治疗效果，医疗服务质量情况，费用增长控制情况，不同人群的个人医疗费用负担情况等；反映改革与管理的社会评价方面的，包括职工及社会各界对就医服务、费用负担、医疗保险服务等的满意状况。对这些管理质量评估体系的具体指标与项目，全国不可能作统一规定，需要各地特别是统筹地区从各地实际出发提出明确、具体的指标体系，省（自治区、直辖市）要负责指导并督促检查，好的做法和经验可在一定范围内推广。

第三，重点解决医疗保险管理中的突出问题。

从一些地方反映出来的情况看，当前需要着力解决的医疗保险管理薄弱环节和突出问题，主要有以下四个方面：一是“空”，就是有政策没措施，使政策成为一纸空文。国家及省的《基本医疗保险药品目录》颁布后，一些统筹地区并不认真执行。医疗机构受利益驱动，不按《目录》规定备药、用药。二是“粗”，制定办法满足于作原则性规定，不根据具体情况进一步细化。比如在定点医疗机构管理协议上，没有服务质量的具体规定和与之对应考核的结算办法。三是“断”，有先进的网络系统，却与医院的管理系统连接不上，形不成全程监控。出现新情况，措施跟不上，造成工作上的“断档”。四是“软”，就是措施不硬，执行不力，态度不坚决，或者是不敢管理，这在对医疗服务的违规处理和定点退出机制建设等方面尤为突出。我说的这些都是在调研中发现的情况，并非“空穴来风”，有的还不是个别现象，希望各地根据本地存在的薄弱环节，突出重点，切实提高医疗保险制度的运行质量和管理服务水平。就全国而言，今年要重点解决以下六个突出问题：

一是要完善细化定点医疗机构管理。定点医疗机构，是实施医疗服务的主体，是贯彻“三二一”（即基本医疗保险药品、诊疗项目、医疗服务设施标准三个目录，定点医疗机构、定点零售药店两个定点和医疗费用结算一个办法）医疗服务管理要求的中心环节。定点医疗机构服务好坏，费用支出合理与否，各项管理措施是否落实到位，关系到职工医疗保障权益的实现，关系到医疗保险基金使用效率，关系到医疗保险制度改革目标和“三改并举”总目标的实现。因此，在这里，我们医疗保险管理部门的同志，要牢固树立两个观念：一要将定点医疗机构特别是定点医院的管理，置于医疗服务管理的核心部位、中心环节来抓，不能有丝毫的放松；二要将“三二一”的医疗服务管理措施整合到定点医疗机构管理中，作为定点管理的一个完整的系统，而不能相互割裂。定点医疗机构的管理应主要抓好以下几个方面：

从促进充分竞争的要求出发，逐步扩大定点医疗机构范围。特别是要将更多的符合条件的单位内部医疗机构和社区医疗机构纳入定点范围。扩大参保职工的选择范围，方便参保职工就医。符合条件的要敞开大门，不能搞垄断；不符合条件的不能滥竽充数，不能牺牲参保职工的利益搞照顾；违背医疗保险管理规定和协议条款的，要严肃处理，直至取消定点资格。

要从规范医疗服务行为入手，将“三二一”医疗服务管理措施细化到定点医疗机构管理协议中去。要在协议条款中明确医疗保险支付范围和费用支付标准。严格执行《国家基本医疗保险药品目录》，对纳入定点的医院机构，都要确定“三率”，即基本医疗保险药品备药率、医疗服务中的基本医疗保险用药使用率和个人自费药负担率。定点零售药店要严格按照国家药品管理法和医疗保险管理规定，贮备、管理和出售医疗保险药品，对违规的，一经发现，除对此费用不得由医疗保险基金支付外，还要进行相应处罚。要规范各项检查，严格执行大型仪器检查和医疗服务的收费标准。要细化医疗服务质量标准，建立相应的医疗服务质量指标，保证合理施治，合理用药，有效制止不规范的医疗服务行为，防止医疗费用浪费。要逐步改进和完善医疗保险费用结算办法，在严格审核的基础上，对符合规定的医疗费用要及时足额给付，不得无故拖延和拒付，以致影响医疗机构的正常运营和医疗保险经办机构的信誉。最近，内参刊登上海市缓付部分医院医疗费的问题，引起了国务院领导的关注，希望各地都要高度重视这类问题的发生。

二是要完善医疗保险管理规范，简化手续，搞好服务。医疗保险管理是一项复杂的系统工程，要搞好这项管理，一要规范，二要简便。不规范，我们就会陷于混乱；不简便，就会增加医院、医生、患者的麻烦。现在有些地方在一个统筹地区内由于采取分片分块单独管理和结算，一家医疗机构挂了好几块牌子，建几个系统，开几个窗口，分几个区域结算，给医疗机构增加了很多麻烦。今年要在服务上上水平，首先要在管理规范、简便易行、方便就医、方便结算上下功夫。这里我想请一些搞得好的地方，像上海、大连等，探索一套比较规范、简便的医疗保险管理流程和具体操作办法，部里组织专家论证后，制成光盘向全国推荐。

三是要充分利用计算机网络技术，建立健全医疗保险管理监测预警系统。这是一项非常重要的基础性工作。要充分利用计算机系统的作用，将医疗保险管理的基本要求和管理措施，通过建立相关指标和程序，嵌入医疗服务的过程中，生成管理信息，为管理者及时提供管理监控信息，为决策者提供政策调整依据。这方面我们有很多工作要做，也大有文章可做。搞好了，可以使我们的管理工作上一个大台阶，真正做到省时、省力、简捷、透明。

四是切实加强医疗保险个人账户管理。我常听到有些同志把个人账户宣传解释为个人账户是个人所有，因此不需要管，也管不好。一些地方也出现了把个人账户当“零花钱”，不仅可以不受限制地买各种商品，还可以提现。这种认识和现象必须纠正。个人账户首先是医疗保险基金的组成部分，没有这个组成部分，统账结合的制度就不复存在了，职工的基本医疗需求就得不到充分保障。因此，对个人账户的管理，一要严格规定其支付范围，就是支付规定的医疗费用；二要将其收支情况纳入医疗保险经办机构的统计系统，不能只管建账，不问去向。具体管理的方式可以由各地探索。

五是妥善解决省直单位单独管理的有关问题。在改革的起步阶段，为减轻省会城市医改的压力，便于改革启动，根据一些地方的要求，作为一种过渡措施，允许省直机关事业单位在统一执行省会城市基本医疗保险制度、政策和标准的前提下，实行医疗保险单独管理。运行一段时间以来，总的情况是好的，但也存在一些突出问题。有的省直单位没有执行省会城市的统一方案，在基本医疗保险范围内待遇高于省会城市，对省会城市的医疗保险制度实施产生了一定的冲击；有的省直单位与省会城市各自建管理系统，各自定定点医疗机构，增加了管理成本，更给医疗机构就医管理和费用结算等增加难度；还有一些单独管理的省直医疗保险机构管理松懈，在维持较高的筹资比例条件下，有时还发生了基金超支。这些问题希望引起这些省区的同志高度重视，该纠正的要尽快纠正，该完善办法的要尽快完善办法，切实加强管理，同时，要与省会城市的改革和管理搞好衔接。省直管理机构要在提高管理水平，简化管理手续，规范医疗服务，控制费用支出等方面发挥好的作用。另外，我们希望有条件的要尽快完成过渡，交由省会城市统一管理，这是社会保险属地化的基本要求，也是发展的必然趋势。

六是完善有关人员的医疗保障管理办法。主要是离休干部和二等乙级以上革命伤残军人的医疗管理办法。前年中央下了很大决心，由中央拿钱解决离休干部“两费”历年拖欠，并要求将离休干部医疗保障管理职能划归劳动保障部门，从2000年起建立离休干部医疗保障机制。现在政策已经明确，但多数统筹地区还没有拿出具体的管理办法，有的地方甚至还没有将离休人员的医疗保障纳入劳动保障部门管理，一些地方拖欠离休人员医疗费的问题又在发生。希望各地按照中央有关文件精神，尽快制定管理办法。比较稳定的有保障的办法，就是建立离休人员医疗费统筹机制，由医疗保险经办机构统一管理支付，对规定范围的医疗费用实报实销。二等乙级以上革命伤残军人的医疗保障管理办法也可以按此设计。

*（二）以解决困难群体医疗保障问题为重点，加快建立多层次医疗保障体系*

困难群众的生产、生活问题历来是党和政府关心的重点。江总书记在党的十五届六中全会上的讲话中，把解决困难群体生活保障问题摆在了治本之策的位置。春节前，中央政治局常委会专门听取有关部门关于困难群众就业和生活保障方面的汇报，中央办公厅和国务院办公厅下发了《关于进一步安排好困难群众生产和生活的通知》，我部也下发了《通知》。为贯彻政治局常委会和两办通知精神，我们要按照江总书记的指示，深怀爱民之心，恪守为民之责，善谋富民之策，多办利民之事，把解决好困难群体的医疗保障问题，作为今年工作的重点，作为实践“三个代表”重要思想的重要内容。

从各方面的反映和调研的情况看，现阶段医疗保障困难群体主要有三类：一是已经参保，基本医疗需求得到了保障，但部分门诊特殊病患者和医疗费用超过封顶线的住院大病患者，相对个人支付能力而言，负担较重；二是属于参保范围，但由于无力缴费而未参保的国有困难企业，职工发生大病重病的，单位无力支付费用；三是按规定享受最低生活保障的居民生病后难以承受医疗费用负担。

上述三类困难群体的医疗保障问题，是我们当前亟须解决的重点和难点。各地必须从讲政治的高度出发，在这方面要有所作为，有所突破。至于解决到什么程度，通过什么方式解决，以及具体的实施步骤，则必须从当地实际出发，考虑经济发展水平和管理能力。

对参加医疗保险后个人负担过重的，如果确实存在某些政策不合理的问题，应及时作个别调整，但不能动摇整个制度结构和政策框架；如因政策规定的补充保障措施没有到位，而不能有效减轻基本医疗保险支付之外个人费用负担的，要尽快落实公务员医疗补助、大额医疗费用补助、企业补充医疗保险等措施；对由于医疗服务监管不力，医疗机构为谋取不当利益而通过不规范医疗服务转嫁医疗费用，造成个人负担过重的，要强化和完善管理措施。许多职工反映个人负担重的原因，不是对分担机制和分担比例有意见，而是认为医药费贵，医疗服务不规范，花了“冤枉钱”。对此要有切实可行的措施。

对因经济困难目前还没有纳入医疗保险范围的职工，各地劳动保障部门要与政府有关部门共同研究解决他们参保的办法，从制度上解决这部分困难群体的基本医疗保障问题。一是要从基金平衡的角度，综合考虑吸收困难企业参保的空间。医疗保险基金能够承受，这部分单位又能缴纳基本医疗保险费，应尽可能吸收参保。同时，要通盘考虑基金的平衡能力，不能因困难群体，特别是退休职工比例较大的困难企业参保，对基金造成过大的冲击。各地要从国有企业改革和社会稳定的大局出发，多渠道筹资解决困难企业参保问题。有部分缴费能力的，可以考虑适当降低费率，先建统筹基金。对确无缴费能力又无别的筹资渠道的，也可以通过社会医疗救助办法解决其医疗保障问题。

对低保人员，各地要加快建立社会医疗救助制度，为他们提供最基本的医疗保障。社会医疗救助制度资金渠道、救助方式可以多样化。具体讲：在筹资渠道上，可以采取政府支持、社会捐助、单位出资等多种方法；在救助方式上，可以采取直接支付最基本医疗费用的方式，也可采取提供最基本医疗服务的方式。

与此同时，各地要通盘考虑加快建立多层次医疗保障体系步伐，从制度上解决困难群体的医疗保障问题。在建立基本医疗保险制度的同时，许多地方根据实际情况，针对不同人群，有重点地相继研究制定了一系列的相关配套政策，逐步形成了以基本医疗保险制度为主体，以公务员医疗补助、大额医疗费用补助、企业补充医疗保险为补充，以社会医疗救助为“保底线”的多层次医疗保障体系主体框架。但从全国范围看，还存在一些问题：一是没有用足政策。2/3 的地市没有出台公务员医疗补助，1/3 的地市没有出台大额医疗费用补助。二是没有用实政策。一些市县出台了文件但没有贯彻实施，职工没有得到实惠。三是没有用好政策。一些地方先实施大额医疗费用补助，后进行公务员补助，改革时对政策又宣传不够，解释不清，让企业职工误解公务员多补了一块。四是没有用对政策。不少地方将公务员医疗补助的一部分经费打入个人账户，这不但扭曲了公务员补助的本意，削弱了基金的互助共济作用，而且还冲击了基本医疗保险制度。

今年各地要在现有政策的基础上，继续抓多层次保障体系的政策落实，完善各项保障的政策措施，规范各类补充保障的运行管理方式，使之在制度上衔接互补，在政策管理上相互配套，形成良性互动的格局。

（三）继续稳步扩大医疗保险覆盖面

扩大医疗保险覆盖面，仍然是当前一项重要的改革任务。没有一定的覆盖面，社会医疗保险互助共济的制度优势就难以发挥。今年扩面工作总的思路是：重点突破，条块联动，整体推进。“重点突破”对象是：未启动城市，包括县级统筹地区；未参保单位和人群，包括困难企业和非国有经济单位；覆盖面低于50%的市县，重点是省会城市等大中城市。“条块联动”就是不能再搞市直启动，区县不动；不能只是机关事业单位参保，企业不参保；不能只覆盖国有单位，不覆盖非国有单位。

一是继续抓直辖市、省会城市等大城市扩面工作。目前，从全国的情况看，省会城市应参保人数接近全国应参保人数的20%，实际参保的只有省会城市应参保人数的36%，低于全国平均参保率46%的水平。太原、济南、哈尔滨等参保率连20%都不到，重庆的参保率还不到10%。这一方面说明直辖市、省会城市等大城市扩面任务仍然很重，另一方面也说明扩面的余地很大。直辖市、省会城市的改革影响全局，必须始终作为重中之重的工作来抓。去年直辖市、省会城市参保率没有达到50%的，今年必须实现50%的参保率。已经达到50%的，要从当地改革发展稳定的大局出发，按照整体推进的要求，在困难企业、非国有单位参保问题上有所突破，覆盖面也要有一定的增长率，不能固步自封，停滞不前。

二是继续落实中央直属单位属地参保。去年，我部与两工委《关于中央直属企事业单位按照属地管理原则参加统筹地区基本医疗保险有关问题的通知》下发后，各地做了大量的工作，中央单位落实属地参保有了突破性的进展，有30%的职工参加了统筹地区的医疗保险，但《通知》规定的任务没有完成，还有70%的职工没有属地参保。今年各地从年初开始就要抓紧落实，要一个行业一个行业地突破。即使不能实现全部参保的要求，也应该力争参保率达到80%以上。同时，各级劳动保障部门要帮助中央直属单位重点解决好医疗保险管理、就医管理和企业补充医疗保险等问题。

解决好参保后的医疗保险管理问题，对一般中央单位，应严格按照社会化管理服务的要求，在起步时就纳入当地医疗保险管理系统，统一政策、统一筹资、统一管理、统一待遇。对少数跨地区、生产流动性较大的企业，可以按照“统一政策、统一待遇、基金统筹、委托管理”的方式管理。关于统筹调剂，由各地与中央直属单位协商。这里要特别强调信息共享的问题。委托管理不是封闭运行，委托管理单位的医疗保险基金收支要纳入统筹地区的医疗保险经办机构信息系统，基金收入情况、个人账户建立情况、费用结算及基金使用情况等信息要全部进入医疗保险经办机构信息网络。经办机构与委托管理机构要实行计算机联网。委托管理不能放手不管。

解决好职工方便就医和中央单位所属医疗机构的定点问题。符合条件的医疗机构应尽量纳入当地医疗保险定点医疗机构范围。该单位职工可以在定点的单位医疗机构就医，也可以选择社会定点医疗机构就医。同时，要在政策、办法及管理上帮助建立企业补充医疗保险制度，以满足不同行业企业不同层次的医疗需求。

三是注意抓县级统筹地区启动扩面。目前尚有近20%的县级统筹地区没有启动，启动县（市）的覆盖面也普遍较小。我看了许多省区市县级统筹地区的应参保人数，绝大多数在10万人左右，许多县参保人数只有一两万人。启动面太窄，基金抗风险能力就弱。所以，在县级统筹单位，除了要求全部启动实施外，还有个参保率要求。从基金共济和安全看，越是应参保人数少的地区，越是要通过扩大覆盖面来提高共济能力和基金安全性。对于困难企业比较集中或者经济不发达的县（市），可以适当降低费率，先从建立统筹基金起步，解决职工大病医疗保障问题。

四是逐步将非国有经济单位职工纳入医疗保险范围。随着国企改革和多种经济成分快速发展，非国有经济单位已经成为就业的重要渠道。为维护非国有经济单位职工基本医疗保障权益，各地应在深入调研的基础上，制定切实可行的办法，尽量将这部分单位和职工覆盖进来。

（四）统筹谋划，全面推进工伤、生育保险工作

这几年各地在推进医疗保险改革的同时，在工伤、生育保险工作方面也下了很大力气，做了不少基础性工作。今年，要在大力推进医疗保险制度改革的同时，统筹谋划好工伤、生育保险工作，使“三项保险”整体协调发展。

工伤保险制度是社会保险的“鼻祖”，是全世界推进面最广的险种。但在我国尽管按照原劳动部1996年的266号文件已经试行五六年，但目前只覆盖4 000多万人，与这项保险的国际地位和实际需要极不相称。最近一两年来尽管全国安全生产形势有所好转，但问题仍然比较严峻。各地工伤事故不断，群体上访事件和争议案件呈上升趋势。充分认识工伤保险工作的重要性，加快推进工伤保险工作，直接关系到工伤职工的基本生活和治疗康复，关系到安全生产，关系到社会的稳定和经济的健康发展。

去年以来，随着社会保障体系试点启动和医疗保险制度改革迅速推进，社会各界对工伤保险工作重要性的认识越来越清楚，中央对这项工作也越来越重视。去年将《工伤保险条例》纳入立法计划，今年内有望出台。

《工伤保险条例》的出台，是劳动保障工作的一件大事，是全面推进工伤保险工作的极好机遇。各级劳动保障部门的同志，要认清形势，理清思路，抓住机遇，把工伤保险工作推上一个新台阶。总的要求是：“加快立法，完善政策，规范管理，积极推进”。一是各级劳动保障部门要把工伤保险工作列入重要工作日程来研究。要把工伤保险工作的重要性向领导和有关部门讲清楚，取得他们的支持，配合部里共同做好工伤保险立法工作。二是要加强调查研究，摸清底数，找准问题，结合实际，完善政策。各省要对近几年来开展工伤保险工作的情况进行一次调查和总结，针对存在的问题，在《条例》出台以后，根据各地实际，年内把授权各省制定的配套政策制定出来，形成工伤保险的政策体系。三是要规范管理。各省从现在起就要选择两到三个工伤保险做得比较好的地区进行重点联系，针对管理工作中存在的薄弱环节，对管理的组织、程序、数据等基础工作进行规范，从落实《条例》的一开始就抓住基础管理这个牛鼻子，把工伤保险管理工作搞好。四是总揽全局，积极推进。工伤保险管理工作牵涉部门多，社会化服务要求高。这就要求我们要对工伤保险的工作有一个总的思路和计划，在工作中要搞好协调，和有关部门同心协力，在政府领导下，共同推进这一工作。在此基础上，围绕《条例》的出台，各地要着重做好以下几个方面的工作：

一是采取多种形式，花大力气做好《条例》的宣传工作。可以通过电视、广播、报纸等各种新闻媒体，举办政策解答、知识讲座；还可以通过举办《条例》宣传周、宣传日，举办知识竞赛等灵活多样的方式，使《条例》内容家喻户晓，让每一位职工都了解自己的权益。

二是加强协调，理顺关系。目前，已颁布实施的《职业病防治法》的贯彻落实是一项重要的工作，各级劳动保障部门应配合《职业病防治法》的贯彻落实，多方协调财政、卫生、安全生产、工会等有关部门，本着同一个目的共同做好《条例》的实施工作。

三是尽快制定配套文件，完善工伤保险政策体系。《条例》颁布后，一方面各项配套文件要迅速出台，使政策体系具有可操作性。另一方面各地方要结合自己的实际情况及时制定各省的实施意见或办法，落实《条例》的内容。目前，《条例》的各项配套文件正在起草，各地的办法也要开始酝酿。

四是加强基础工作，为条例的实施做好各

方面的准备。我们现在的工伤保险基础还很薄弱，具体表现在工伤保险队伍人才严重缺乏，编制不够，人手太少。各地要在地方机构改革中充分考虑这项工作的重要性、复杂性，建立健全机构队伍。劳动保障部门要广揽人才，尤其是要注意吸纳医学、法律等专业人才，使工伤保险工作有人抓、有人管并能抓好管好。要克服等《条例》出台再抓基础工作的想法，在《条例》出台之前，就下力气做好数据收集、费率测算工作，社会化程序管理和干部队伍建设工作，为《条例》出台后的贯彻实施做好各方面的充分准备。

去年国务院下发了《中国妇女发展纲要（2001—2010年）》（以下简称《纲要》），全国人大通过了《人口与计划生育法》，都明确提出了推进生育保险工作的要求。《纲要》确定生育保险发展目标是"城镇职工生育保险覆盖面达到90%"。为了全面贯彻《纲要》提出的目标要求，劳动和社会保障部制定了落实《纲要》的实施方案，提出了具体要求。各地要按照《人口与计划生育法》和《中国妇女发展纲要（2001—2010年）》的要求，把推进生育保险工作摆上位置，找准路子，确定目标，积极推进。

一是要尽快完善政策。一些地方反映，劳动保障部成立后，还没有一个全国统一的生育保险制度规定，工作没法开展。应该说生育保险工作有全国统一的文件，即原劳动部1994年下发的504号文件。其基本政策是可行的，各地可以根据当地实际进一步细化完善。还没有开展生育保险工作的地区，要尽快出台政策，尽快组织实施。

二是随同医疗保险制度改革同步推进，积极扩大覆盖面。在推进方式上，可以考虑所有参加医疗保险的单位，同步参加生育保险，按照生育保险政策规定缴费，享受待遇。在生育保险医疗服务管理上，可以考虑与医疗保险的医疗服务管理相衔接，按生育保险的规定支付费用。在已经开展生育保险工作的地区，要提高社会化管理服务水平，保证生育职工的合理待遇。

## 三、全面提高干部队伍素质，努力开创医疗、工伤、生育保险工作新局面

今年是我国实施第三步发展战略目标的第一年，党的十六大的召开，将对我国政治经济生活产生重大而深远的影响。为了实现新世纪宏伟战略目标，中央要求将今年作为"调查研究年"和"转变作风年"，按照"八个坚持八个反对"的要求，转变干部队伍作风，提高干部队伍素质。根据中央的要求，我部提出了"三抓一加强"的工作重点。切实贯彻落实中央和部里在干部队伍建设方面的要求，对完成今年医疗、工伤和生育保险各项工作任务，有着十分重要的意义。

### （一）解放思想，统一认识，用"三个代表"思想和中央精神指导今年各项工作

今年的工作目标已经明确，但客观分析，要完成今年的工作任务，有现实的困难，也有压力。医疗服务管理是世界性难题，困难企业参保和困难群体医疗保障也是亟待解决的难点。我们要深刻理解"三个代表"的重要思想，学习领会中央坚决推进社会保障体系建设的精神，用中央精神统一思想认识，消除松劲念头，克服畏难情绪，坚定完成今年工作任务的信心和决心，在推进改革中寻找解决问题的办法，在攻克难题中趟出解决难题的路子。系统上下还需要继续解放思想，保持良好的精神状态，昂扬的斗志，再接再厉，在去年工作成绩的基础上，努力推进医疗、工伤、生育保险工作再上新台阶。

### （二）深入调研，求真务实，切实转变工作作风

干部队伍的作风好坏，关系到事业的成败。医疗保险制度改革历程充分证明了这一点。前面我讲了各地工作进展的背后主要是人的因素，说到底又是人的作风。现在医疗保险制度改革推进到这么大的范围，进入到一个全面实施的新阶段，新情况新问题层出不穷。这几年，我的体会是，推进医疗保险的矛盾和困

难在基层，而解决问题的智慧、力量和办法也在基层。因此，我们要用好的作风搞医保，用作风好的人搞医保。这就要求我们的工作要更深入，作风要更扎实，思想要更坚定，思路要更清晰。要求我们切实对照“八个坚持八个反对”的要求，转变工作作风，改进工作方式。当前，各地在推进改革中，都遇到了困难人群医疗保障、个人负担过重、医疗服务管理规范问题等许多亟待研究解决的矛盾和问题，要大兴调查研究之风，深入基层，深入群众，倾听群众意见，真正从职工的利益，从基层工作的实际需要去想问题、想办法，对长远性、普遍性问题，要提出有分量、有价值又切实可行的意见建议。要十分重视人民群众来信来访工作，对反映上来的问题不能视而不见、无动于衷，要及时分析处理，取信于民。要切实加强职业道德和行风建设，努力把各级医疗保险经办机构办成文明服务的窗口，办成实践“三个代表”重要思想的前沿阵地。对涉及老百姓切身利益、各方面都比较关注的敏感问题如药品目录调整等工作，要实行政务公开，公开有关政策规定，公开办事程序，公开办理结果，公开投诉渠道，扩大参保职工的知情权、参与权、监督权，方便有关单位办事，接受社会监督。要教育我们的干部树立正确的人生观、价值观，增强廉洁自律意识，过好权力关和金钱关，筑牢思想道德防线，自觉做到自重、自励、自省、自警。从事行政管理的同志们，不能认为文件都出台了就无事可做，不要说还有很多新问题目前还没有解决的对策，就是已经出台的文件，也还要在实践中不断完善，所以转变作风，加强调查研究同样十分重要。

（三）强化培训，与时俱进，全面提高医疗保险干部队伍素质

医疗保险是一项全新的事业，医疗保险管理又具有很强的专业性。有人说我们搞医疗保险是“外行管内行”，我们有些同志也觉得底气不足。这种说法是片面的，甚至是错误的。就医疗保险管理来说，是新的管理科学，综合性科学，既不是一般意义上的医学，一般意义上的保险学，也不是一般意义上的管理学。在中国搞这项事业，没有现成的经验和老师，都要靠我们自己通过学习、交流、培训，更主要的是靠工作实践，去总结经验。这就要求我们加强学习，强化培训，不断提高自身政治素质和业务素质，与时俱进。培训要有针对性，既要讲政策，更要讲管理，要从解决实际问题入手，学习具体的操作办法。培训的方式方法也可以灵活多样，可以是综合性培训，也可以是专业培训，如财会、计算机管理等；可以在国内举办，也可以创造一些机会到国外进行。部里在这方面将一如既往地为各地干部学习培训创造更多机会。各地也要逐级组织培训，争取年内把在岗人员都轮训一遍。同时，还要开展多种形式的座谈会、专题研讨会等，加强各地之间的学习交流。希望通过多渠道、多层次、多形式的培训研讨活动，全面提高干部队伍素质和管理服务水平。

（四）加强宣传，搞好协调，营造良好的改革氛围

医疗保险政策与管理是一个开放的系统，对内，我们横向有行政管理、业务经办，纵向由省到市、县三级管理。对外，我们要与卫生、医药、物价、财政、用人单位、参保职工等各个方面打交道，单枪匹马什么工作也做不好。现在的社会需要的是合作，合作靠什么，一要宣传，二要协调，医疗、工伤、生育保险工作都是如此。讲宣传，不能一哄而起，“一阵风”“雨过地皮湿”，而要入情入理，入耳入脑。讲协调，应积极主动，想方设法把问题解决好，不能消极被动，碰到钉子就灰心，缺少坚忍不拔的精神。在内部，我们要发扬团队精神，不管是行政管理、业务经办还是理论研究，都要树立“一盘棋”的思想，为了一个共同的目标，团结协作，形成合力。对外要始终按照“三个代表”的重要思想，围绕“三举并改”的总目标，搞好互相间的协调配合。对社会各界，要充分发挥舆论宣传的导向作用，充分利用各种宣传手段，围绕今年的工作重点，将政策宣传、典型宣传结合起来。在方式方法

上，要灵活多样、通俗易懂、喜闻乐见。去年国务院在青岛开会实地考察医疗保险，一进大厅有专人引导，进去以后，有电脑触摸式自动咨询，也有专设的政策咨询台和宣传材料发送，后面就是各种柜台式服务窗口，工作人员边提供业务服务，同时也作宣传解释工作，看了以后印象很深。最近上海市专门搞了电话咨询系统，镇江市开设了医疗保险网站，效果都非常好，影响也很大，值得各地学习借鉴。在工作尺度的把握上，不要搞新闻炒作，不能做花样文章，要把宣传当成日常工作来干，贯穿于医疗保险改革的始终，使全社会各方面能最大限度理解、关心和支持医疗、工伤、生育保险改革。

每年春天我们都要开一个医疗保险座谈会，实际上也是一个工作会。春华秋实。希望同志们在新的一年里，努力实践“三个代表”重要思想，全面提高医疗保险管理服务水平，以医疗、工伤、生育保险的优异成绩迎接党的十六大的胜利召开。

# 与时俱进　开拓创新<br>进一步深化完善医疗保险制度改革

## ——在全国医疗保险专题座谈会上的讲话

王东进

（2002年7月12日）

这次医疗保险专题座谈会，主要任务是贯彻落实国务院领导同志及部主要领导近期关于医疗保险工作的指示精神，总结上半年工作，分析当前形势，研究解决存在的突出矛盾和问题，用江总书记“5·31”讲话精神和“三个代表”的重要思想，总揽全局，与时俱进，开拓创新，扎实工作，进一步深化医疗保险制度改革，确保完成全年工作任务。两天来，大家围绕会议确定的主题，进行了广泛深入的讨论和研究。作为专题座谈会，这次会议讨论的都是当前各地在改革中普遍遇到的突出矛盾和难点问题，而且是一些不能回避的矛盾和必须解决的难题。因此，就必要性而言，这次会议不同于一般的研讨会，而是具有很强的现实性、针对性和指导性，简言之，就是要针对当前面临的突出矛盾和问题，拿出切实可行的措施和解决办法；就重要性而言，这次会议可以说是“不是工作会的工作会”，不仅是“坐而论道”，更重要的是“起而行道”。这次会议提交讨论的文件，所涉及的都是当前各地普遍存在、突出反映、亟须解决的重点难点问题。这些问题解决不好，不仅影响今年工作任务的完成，而且会错过时机，影响整个改革的进程；解决得好，则会推动整个医疗保险制度改革沿着健康的轨道向纵深发展。会上大家对所列议题已经进行了充分深入地讨论，具体解决的办法还需要进一步研究。为了确保完成今年工作任务和医疗保险制度改革稳健运行，就当前医疗保险制度改革中存在的一些突出问题，我谈几点意见。

### 一、要十分珍惜医疗保险制度改革来之不易的良好局面

自1998年开始城镇职工基本医疗保险制度改革以来，在党中央和国务院的正确领导及部党组的周密部署、有关部门的积极配合下，在各级劳动保障部门同志的共同努力下，医疗保险制度改革取得了突破性进展。今年全国劳动保障工作会议和中山会议以后，各级劳动保障部门根据会议要求，结合当地实际，抓住重点，周密部署，狠抓落实，医疗保险制度改革继续深化并健康运行。从这次会议反映的情况和今年4～5月份我部组织的联合调研情况看，当前医疗保险制度改革的形势总的是好的。以实践检验改革的政策，以社会反映检验改革的成效，应该说三年来的改革已经取得了可喜的

成就，新的医疗保障制度在保障职工基本医疗、促进国有企业改革和医药卫生事业发展以及维护社会稳定等方面都发挥了重要的作用。从这项事业的复杂性、艰巨性以及我们的亲身经历和感受看，开创这样一个局面来之不易，我们必须十分珍惜当前的大好形势。

（一）医疗保险扩面推进速度稳中有进

截至 2002 年 5 月底，全国 342 个地级以上城市已经启动医疗保险制度改革，较去年新增 5 个，实施面达到 98%。实际缴费参保人数7 828万人，占全国应参保人数的 47%，其中：统账结合的人数6 868.8万，单建统筹的人数 610.6 万。总缴费参保人数比 2001 年底增加 542 万，增幅为 7%，其中：增额最大的是江苏，增加了 79.14 万；增幅最大的是贵州，为 130%。增幅超过 20% 的省份还有宁夏（54%）、天津（25%）、江西（24%）、福建（22%）、云南（21%）、辽宁（20%）六个省市。

（二）医疗保险制度新机制的作用日益增强

一是稳定的筹资机制保证了医疗保险制度社会共济目标的实现，既保障了所有参保职工的基本医疗需求，又解决了过去长期存在的拖欠职工医疗费和医院医疗费的问题。从各地情况看，尽管职工对某些政策和管理或多或少还有一些意见，但普遍反映现在看病不再有顾虑，这是很大的社会进步；尽管医院对严格的医疗保险费用结算管理等办法还有一些看法，但普遍感到有医保基金支撑，不再担心提供医疗服务没人给钱，在许多城市，医疗保险基金已经成为维持医疗机构正常运行并不断发展的主要资金来源。二是医疗保险的费用分担机制增强了参保职工的费用意识和自我保障意识，促进了患者的理性消费，遏制了医疗费用的浪费，也在一定程度上促进了卫生资源的合理利用。越来越多的参保职工开始关心医保政策、药品价格、医疗服务价格和医生医德医风建设，在就医选择上，一改过去一生病就去大医院、一去医院就多开药、开贵药的就医行为，学会了精打细算。选择在社区定点医疗机构就医、持处方在定点药店购药的参保职工人数越来越多。三是多层次医疗保障机制，发挥了多种保障功能的作用，保证了新旧制度的平稳过渡。在基本医疗保险的基础上，各种补充性保障措施分解了基本医疗保险基金风险、均衡了个人负担、满足了多层次医疗需求。许多职工反映，基本医疗保险是参保职工的“阳光基金”；公务员医疗补助、职工大额医疗费用补助等补充保障措施，是大病患者的“定心丸”。四是医疗保险服务管理机制不仅保证了医疗保险制度目标的实现，也促进了医疗机构的改革和发展。各地围绕中山会议提出的工作重点，完善管理措施，增强管理手段，强化管理监督，使医疗保险管理服务水平和质量上了一个新台阶。大部分城市实现了医疗费用由医疗保险经办机构与定点医疗机构之间的直接结算，在医疗保险日常管理中实现了就医信息与结算数据的实时传输监控和网上结算。福建泉州、南平、龙岩等地还实现了市、县、乡（镇）三级联网运行管理。南京、西安等地在医疗保险信息系统中建成“三个目录”和疾病诊断的基础数据库，为医疗保险的高效运行提供了有力的技术支撑。此外，各地还建立了医疗保险费用定期分析制度以及大额费用会审制度。特别是许多城市已经形成比较健全的医疗保险服务管理监督体系，树立了医疗保险管理的权威，发挥了新型医保监管机制的作用，促进了医疗机构、药店的竞争和内部改革，开始形成“三改并举”的良好态势。医疗机构竞争意识普遍增强，一些不规范的医疗服务行为和不合理的医疗费用初步得到控制，有些药品价格有所下降，患者反映医疗机构服务态度有所好转。据统计，1990—1998 年，卫生系统综合医院平均每一门诊人次医疗费用和平均每一住院者医疗费用的年增长速度分别为 25.9% 和 23.7%，远远超过同期国民经济和财政收入增长速度。实行城镇职工基本医疗保险制度以后，1999 年分别降低为 14.8% 和 11.3%，2000 年进一步下降为 8.6% 和 6.7%。

（三）医疗保险制度改革得到社会各界的普遍关注和认同

从今年“两会”反映和这次10省区调研情况看，尽管职工、用人单位、医疗机构等对改革的具体措施和办法有着不同的看法，有着各种各样的意见和建议，但对推进这项改革及其所取得的成效是普遍认同的。从10省区职工问卷调查看，71%的参保职工对医疗保险制度改革比较满意，不满意的占29%。其中：企事业单位人员的满意度高于机关干部；退休人员高于在职人员；住院病人高于门诊病人。企业职工，特别是困难企业职工反映，参保后不仅实现了病有所医，而且不再担心医疗费报销问题，从内心感到了党和政府的关怀。湖北省荆门市一位退休人员参保后，激动地说：“我们在企业干了一辈子，现在我们老了，党和政府没有忘记我们，我们的奉献值得。”许多尚未参保的职工强烈渴望参保。这说明改革得到了最广大职工特别是企业职工的支持。实行医改后，医疗机构虽然普遍感到有压力，但从长远也看到了推进医保改革的必要性，因此许多医院已经将医保改革作为促进其内部改革和发展的动力。各级财政部门也积极支持医改，福建等一些地方的财政局长认为，医改不仅有利于保障职工的基本医疗需求，而且有利于控制医疗费用的不合理增长，从而减轻财政和企业的负担。从全国来看，实施医改时间越早的城市，参保职工对医改的满意度越高。这说明在坚持中央确定改革原则和方向的前提下，改革越深入，各项措施越落实，改革成效就越明显，观念转变也越到位，社会满意度也越高。

在肯定成绩的同时，我们也应该清醒地看到，就整个医疗保障体系建设而言，现在我们所做的工作只是一个开局，目前所取得的成绩只是一些阶段性成果。从当前工作看，还存在一些突出的矛盾和问题亟须解决，如困难群体的医疗保障问题还没有切实可行的解决办法；部分人群个人负担偏重的问题需要正确对待和妥善解决；个人账户基金管理存在着一些明显的漏洞；医疗保险的医疗服务管理仍然是当前制度运行管理中的薄弱环节等等。这些都需要我们按照江总书记“5·31”重要讲话的精神，与时俱进，开拓创新，不断研究新情况，提出新办法，不断完善各项政策和管理措施，在深化中完善，在完善中深化。

## 二、深入研究和切实解决当前改革中的重点难点问题

（一）积极探索不同社会群体特别是困难群体医疗保障的有效途径

当前，国有企业改革正处在攻坚克难阶段，随着改组转制力度的加大，在一段时间内，下岗分流职工会相对比较集中，这种情况在经济欠发达地区和老工业基地尤为突出。因为缺乏缴费能力和其他资金来源，不少单位的职工及退休人员难以纳入医疗保险，基本医疗需求得不到保障。这是在医疗保险制度改革过程中，我们面临的一个十分突出而又迫切需要解决的问题。

许多地方结合当地实际，区别不同人群，探索了一些解决措施和办法，解决了部分困难群体的医疗保障问题，但解决的面还比较窄，办法还不尽规范和完善。归纳起来主要有以下几种做法：一是对有部分缴费能力的困难企业，采取先建统筹基金、解决大病保障的做法。个别地方还视企业困难的不同情况，采取了更加灵活的措施，实行协商缴费甚至是“一厂一策”。二是对破产关闭企业退休人员采取一次性缴费参保的办法。缴费标准有的是以当地职工平均工资为基数，按当地用人单位基本医疗保险缴费率，一次性计算10年；有的是按上年退休人员实际医疗费计算10年或乘以平均余命。广州等地则积极寻求政府或有关部门的帮助，由财政拨出专项基金，将近13万名原破产关闭企业退休人员纳入基本医疗保险范围。三是对改制企业中退休人员比例较大的企业另行筹集一定数额的医疗保险费。如福州规定，改制企业职工和破产企业退休人员作为第一批人员率先参保，改制企业职工按全市上

年职工平均工资的60%为缴费基数，破产企业退休人员按本市上年度在岗职工平均工资为基数，一次性由企业缴纳10年的医疗保险费，缴费困难的，由财政垫付。

这些措施和办法对解决困难企业职工参保问题发挥了积极的作用，一些好的经验值得认真总结。同时，有些做法还需要研究。如有些地方一次性缴费2 000多元钱保终身，还有些地方迫于各方面的压力，将无任何缴费能力的企业也纳入进来，这等于是拿基本医疗保险基金搞救济，必然造成基金风险，搞不好会冲垮整个基本医疗保险制度。因此，在解决困难群体医疗保障问题上，既要积极主动，大胆创新，又要遵循社会保险的基本规律和基本原则，注意把握好政策尺度。

一是要坚持权利与义务相对应的原则。作为政府职能部门，我们有责任、有义务关心和帮助困难企业职工解决基本医疗保障问题，这是推进国有企业改革形势发展的需要，是维护职工基本权益和社会稳定大局的需要，也是在医疗保险领域实践“三个代表”重要思想对我们的基本要求。但同时，不能违背医疗保险权利与义务相对应的原则，享受医疗保险待遇必须履行相应的缴费义务，这是社会医疗保险的性质所决定的，只有这样才能体现公平，才能维持基本医疗保险制度的正常运转。按照权利与义务相对应的原则，解决困难企业职工医疗保障问题，既不能因为这部分单位没有缴费能力就一推了之，也不能不讲条件、不计后果盲目纳入。

二是区别困难企业的不同情况，探索多种医疗保障方式。困难企业的情况比较复杂，各地的情况差异也很大，解决困难企业职工等有关人员的医疗保障，没有钱解决不了问题，搞“一刀切、一个标准、一个模式”也不利于问题的解决。对有部分缴费能力的，要根据缴费水平确定合理的给付待遇，但不管采取哪种方式，都应与统账结合的基本医疗保险制度相对应，以便于制度转换和管理衔接；对确无缴费能力又无别的资金来源的特困企业职工和其他特困群体，只能通过探索建立社会医疗救助的方式来解决他们最基本的医疗需求。

三是要着眼于整体提高保障能力，拓宽参保扩面渠道，探索多种经济成分、多种就业方式下的灵活就业人员的医疗保障方式。随着国有企业改革的深化和社会主义市场经济体制的建立和发展，所有制结构、经济结构和就业格局都发生了很大的变化：一是国有经济单位就业人员比例减少，其他经济成分的从业人员越来越多；二是就业方式更加灵活，但人员分散，情况复杂，管理难度增大。为适应这一变化，我们要积极探索非国有经济单位，特别是灵活就业人员的参保方式。这既是提高整体医疗保障能力的需要，也是保障各类从业人员基本权益的需要，既是建立完善的医疗保障体系的任务，也是当前解决不同社会群体特别是困难群体医疗保障问题的一条有效途径。当然，在探索个体从业人员、劳务工（小时工）等各类人员参保时，不仅要研究适合其特点的保障方式，更要重视其人员分散、情况复杂的特点，研究相应的管理办法。如一些地方在缴费年限、代办保险服务、鼓励持续参保等方面做了一些探索，收到了一定的效果。总的原则有两条：一是保障方式、保障水平和保障管理等一定要适应就业方式、经济结构的变化，服从服务于它而不是相反。二是在坚持制度框架一致的前提下，可对灵活就业人员实行灵活保障。过去的就业和医疗保障制度具有“一单三高”的特点，即就业形式单一，医疗保障制度基数高、费率高、待遇高，这把很多企业、职工排除在制度之外。在灵活就业和多种保障方式上，上海等地进行了一些有益的探索，做到了“三可”，即“可选择、可转换、可衔接”。一些同志怕这种探索会乱套，会与规范化相悖。我认为，规范化不等于一样化，多样化不等于就不能规范化。只要我们坚持权利与义务相对等、低进低出、量入为出、基金收支平衡等基本原则，就能处理好灵活就业和灵活保障之间的关系。

（二）正确分析和妥善解决医疗费用个人

负担问题

实行医疗保险制度改革以来，个人负担问题一直争议较多，反响较大。改革涉及利益调整必然有反应，我们对这一问题要有清醒的认识。现在因为这个问题反应较大，有些同志思想上出现了迷茫，甚至动摇了改革的信心。有些地方出现了盲目调整政策的情况等等。这是很值得我们警觉的。我认为，对个人负担重的反映一要认真对待，不能置若罔闻，听而不闻，要坚持用改革的思想看问题，不能人云亦云；二要冷静思考，正确分析；三要区别情况，采取针对性措施。

按照国发〔1998〕44号文件提出的改革方案，个人总体医疗费用负担水平应控制在20%左右，这个比例既能发挥费用分担机制和费用制约机制的作用，也是在当前收入水平下个人所能够承受的。前不久部里组织的医疗保险联合调研反映，2001年10城市个人自付医疗费用占整个医疗费用的比例为19%，这说明总体个人负担水平是适当的，但是具体到每个参保职工，这种负担就会有轻有重。对那些负担确实较重的人员，我们应高度重视，区别情况，采取措施：一是对长期慢性病门诊费用负担重的，可根据统筹基金的支付能力，由统筹基金支付部分门诊费用。在这方面，山东威海实行的“病种备案，金额结算”办法值得借鉴。二是对发生高额医疗费用的患者，要通过尽快出台和完善公务员医疗补助、职工大额医疗费用补助、企业补充医疗保险等方式给予补助。三是对由于医疗服务行为不规范，违规开大处方等造成个人医疗负担“虚高”的，要通过整顿、监管和规范等手段将不合理的费用降下来。

（三）加强和完善医疗保险基金管理

医疗保险基金是整个制度运行的物质基础。如果基金收不上，管不好，用不当，出现“入不敷出”的情况，那一切都无从谈起。因此，加强和完善基金管理，既是世界难题，也是永恒主题，怎么强调也不过分。为了管好用好医疗保险基金，我们对基金管理的各个环节都做了明确的规定。从各地实际执行情况看，总体来说是好的，全国绝大多数地方实现了基金收支平衡，但也存在一些问题，如：一些地方只管统筹基金，不管个人账户；一些地方出于对统筹基金结余认识上的偏差，或盲目调整政策，或放松医疗费用支出管理。

在个人账户管理问题上，这几年来，总有一种声音，强调个人账户是个人的钱，应该完全由个人管理，经办机构既管不好，管不了，也没有必要去管。受这种认识支配，一些地方在制度上就没有制定个人账户的管理办法，一开始搞的就是储蓄卡，在系统设计中没有个人账户的运行数据统计和监管程序，对个人账户的支付范围也不作具体规定。更多的地方是有制度没有管理，特别是对个人账户支付环节的管理措施很弱。很多地方将个人账户委托给银行代管，对个人账户的使用情况掌握不住，数据不准。

所以，有必要重申和强调统一对医疗保险个人账户的思想认识。基本医疗保险基金由社会统筹基金和个人账户基金两部分组成。个人账户如果可以随便花，那我们何苦费力建账户呢？还不如干脆发现金，或只搞大病统筹。这个道理已经反复讲过，希望大家高度重视个人账户的作用和功能，切实加强对包括个人账户在内的医疗保险基金的管理。

在具体的管理措施上要明确几条：一是要明确个人账户的管理责任在医疗保险经办机构。在经办机构直接管理条件不具备时，可以委托管理，但要加强监管，不能放任自流。凡是建了个人账户的，都要按照医疗保险基金管理的规定，对个人账户基金实行收支两条线管理，不得将个人账户基金全部划入个人账户支出户，由参保人员随意支取甚至提取现金。北京市要加快医疗保险信息系统建设的步伐，尽快把当前的个人账户活期储蓄改为规范的个人账户管理。二是要明确个人账户的支付范围。个人账户不是在哪个医疗机构或药店消费都行，在定点单位也不是想买什么就买什么，只能用于符合基本医疗保险药品目录、诊疗项目和医疗服务设施标准范围内的医疗服务消费。各地要切实采取有效措施，既要管好个人账户的使用者，更要管好提供个人账户医疗服务的定点医疗机构和药店，一经发现个人套取个人账户资金或医院和药店存在违规行为的，必须作出处罚。三是要将个人账户的使用情况纳入计算机系统和信息统计，进行实时监控。四是在考察评估参保人员医疗保障水平和个人负担水平时，要将个人账户的支付情况考虑进去，这样才比较客观、公正、科学、合理。

在统筹基金管理上，目前一些地方存在着盲目乐观的认识。原因是基金普遍有结余，而且有的地方结余率还比较高。受这种认识的影响，一些地方或是放松对医疗费用支出的监控，或是放宽起付线等支付政策，甚至用统筹基金支付基本医疗保险范围之外的项目。这些问题应当引起我们的高度重视。

如何看待目前一些城市统筹基金结余较多的问题，我看部里前不久组织的 10 省市调研对此分析得比较客观。2001 年全国医疗保险统筹基金平均结余率为 28.8%。这个数看上去比较高，但有一定的特殊性，不是一个常量，更不是一个规律性的参数，原因有五：一是改革前部分职工突击看病拿药，启动初期医疗消费暂时降低；二是一些地区注入一次性启动基金，造成当期收入增大；三是一些地方目前纳入的参保单位大多数经济效益较好，参保人员年龄较低，不能反映该统筹地区将所有职工纳入后的平均医疗消费水平；四是启动时间短，有的为一年，有的只有半年或三五个月，许多矛盾和问题尚未暴露出来；五是缴费与结算之间存在时间差。因此，这种结余主要是一种阶段性现象，存在一定的假性成分。我曾经多次说过，现在仍然坚持这个观点，就是不经过两三年的实际运行，不能对基金结余妄下结论。因此，在当前医疗保险基金管理中，必须把握四个原则：一是在改革起步阶段，对统筹基金的较高结余，不能盲目乐观，甚至轻易调整基本政策；二是要在坚持权利和义务相对等的原则下，加大扩面力度，不能嫌贫爱富；三是始终不能因为基金有结余就放松医疗费用支出管理；四是要完善医疗费用支出和医疗保险基金支出统计，建立医疗保险基金预警监测系统。这里要特别强调医疗费用支出的全口径统计和分项目统计。现在很多地方参保职工的总医疗费用不清，项目支出不全，导致制度评估、管理监控和政策调整缺乏数据支撑。数据不全，信息就不准，判断就会失误。各地要按照部里要求，规范统计指标，以管理信息化推动决策科学化，提高社会化服务管理水平。

（四）着力强化医疗服务定点管理

近两年，特别是今年上半年，各地按照部里的要求，下大力气完善和强化医疗保险服务定点管理，取得了一定的成效：一是医院机构越来越重视医疗保险管理措施，并逐步将其融入医院日常管理之中；二是在医药费总量增长得到控制的前提下，部分住院费用、门诊次均费用标准逐步趋向合理；三是门诊与住院的医疗服务就医量在大小医院之间、医院与药店之间开始分流；四是医疗机构的竞争意识与服务意识逐步提高。而且越是管理到位的城市，变化越明显，影响越深刻。这些变化本身就是改革的成效。同时，我们也要看到，随着改革的深化，医疗保险管理与医疗机构利益驱动之间的深层次矛盾会在各个层面暴露出来，管理的难度和管理的复杂性只会增加不会减少。从目前各地普遍存在的医疗机构不规范医疗服务行为和不合理医疗费用支出情况看，有医疗机构自身存在的问题，也有我们在“定、管、督”三个环节上管理不到位的问题，主要是定点不充分，措施不具体，监督不到位。所以，当前完善和强化医疗服务管理，还是要围绕“定、管、督”三个环节，按照“三二一”管理措施的要求下功夫。

一是在定点准入环节，要改变目前总量偏少、结构上大医院多的“一头沉”现象，要从促进充分竞争、完善医疗服务功能体系、降低医疗服务成本、方便职工就医选择的角度，把符合条件的社区医疗服务机构、民营医疗机构和企事业单位医疗机构纳入定点范围；要按照医疗保险管理的特定要求，细化定点的准入条件，延伸定点的对象，将定点管理落实到科室和医生，这也是基层的一大创造。此外，不同统筹地区在同一城市定点的，要逐步实现统一定点、同一网络运行。

二是在服务管理环节，要改变重结算轻协议、重规定轻指标、重费用支出管理轻服务项目管理的现象，根据医疗保险目标管理的要求，细化各项医疗服务和费用定额指标，明确费用结算依据和考核办法，将各项管理指标和措施细化到定点管理协议中，以协议为依据，规范医疗服务行为，规范经办管理行为。要加强动态管理，建立医疗保险管理部门与医疗服务机构、参保患者间的协商联系制度和信息反馈制度，形成协商共管、良性互动的“双赢”管理运行机制。

三是在监督环节，要改变有措施不监督，一定了之，查出事情不处罚，一说了之等现象。首先要使医疗服务督查制度化，明确责任，规范程序，落实到人，形成制度才能使我们自身认真履行职责。任何督查工作的第一督查对象是督查者自身，打铁先要自身硬。其次要完善督查手段和方式，充分利用信息管理网络进行动态监控，建立通畅的参保患者投诉反馈系统，发挥社会监督的作用，做到宁愿听骂声，不可听哭声。第三要按协议规定对医疗机构的违规行为及时作出处罚，经办机构可以依据协议对违规医疗机构追究违约责任，或者终止协议；劳动保障行政部门可以视情况给予告诫、警告、停止，直至取消定点资格。

（五）切实规范医疗保险用药管理

《国家基本医疗保险药品目录》下发至今已整整两年时间，到目前为止，全国已经有27个省（区、市）完成乙类目录调整并发布了目录。目录颁布以后，各地严格执行用药管理的各项政策。医疗保险用药政策的落实，既保证了临床用药的需要，保障了职工的用药权益，又有利于规范用药行为和控制医疗费用的不合理增长。

之所以取得这样的效果，是与药品目录制定的科学性和用药管理的严肃性分不开的。在制定药品目录时，无论是部里还是绝大多数省区市劳动保障厅局，都严格按照七部委联合发布的《城镇职工基本医疗保险用药范围暂行管理办法》（劳社部发〔1999〕15号）的有关规定，坚持“公平、公开、公正”的评审原则，尊重科学，坚持专家评审，确保药品目录的科学性、合理性和权威性。与1994—1996年发布的公费医疗报销范围比较，西药和中成药分别增长15.9%和8.1%。各方面反映现行目录既提高了用药水平又照顾了过去各地用药习惯和用药水平的差异。

同时必须指出，在医疗保险目录管理和使用上还存在一些值得高度重视和需要切实加以解决的问题。一是不按规定时间和程序制定药品目录。到现在为止，北京、天津、上海三个直辖市还没有完成乙类药品目录的调整。上海、新疆建设兵团未经部里审批，变相或擅自发布了目录。二是个别地方在发布目录时，违反用药管理办法的规定，在甲类目录中增加药品品种和剂型；一些地方未按部里的审核意见，在乙类目录中增加品种和剂型（所涉及的省份还不在少数）。三是该报批的尚未报批，或只报通知，不报目录。四是还有一些统筹地区至今没有执行药品目录，仍用原来的公费医疗目录，个别地方甚至还搞商品名目录。五是对定点医疗机构使用目录药品缺乏必要的管理手段和措施，医疗机构备药率低，职工用不到目录内的药品，造成自费药增多，个人负担加重。

这些问题催人警醒。我们反复强调医疗保险用药管理的重要性，制定目录工作的严肃性，加强用药管理的艰巨性，但个别地方的同志，甚至主管这项工作的领导同志还是没有引起足够的重视。最近一段时间，我们集中查了几个地方的用药目录，暴露出不少问题。问题虽然发生在少数地方，但影响和危害的严重性不可低估，必须引起我们的高度重视。对药品目录管理工作中存在的问题，部党组非常重视，专门进行了研究。为严肃纪律、规范药品目录管理，部里已经以明传电报的形式发出通知，要求各地对药品目录管理工作进行一次全面检查。这里强调几点：

第一，用药管理是控制医疗费用、保证职工基本医疗权益的关键环节和重要手段。在整个医疗费用支出中，药品费用占 50%以上，是医疗费用增长的主要因素。擅自扩大用药目录，或者乱开多开药特别是自费药，既增加个人负担，又埋下了医疗保险基金透支出险的祸根。如果不严格医疗保险用药管理，就发挥不了药品目录的功能和作用，就等于我们没有抓住关键，丢掉了重要的管理手段。

第二，制定和执行药品目录是一项严肃、严谨、科学的工作，必须从讲政治、顾大局、守纪律的高度来对待。制定和执行药品目录，涉及到各个方面的利益，全社会都在关注，稍有不慎，就会引起各方面的反映。如果在药品目录制定的工作上出了问题，影响的不止是医疗保险管理的一个方面，也不止是一两个省份的同志，而是整个医疗保险队伍形象和整个医疗保险工作。各地要从贯彻“三个代表”重要思想、维护中央政令畅通和确保医疗保险制度稳健运行的高度重视这项工作，组织专门的班子，切实加强对这项工作的领导，决不允许对国家作出的统一规范自作主张，各行其是。

第三，要认真开展自查自纠。要按照劳社部发〔1999〕15号文件要求，对照国家药品目录和部里对各省调整乙类目录的审批意见，逐一对药品目录的制定、发布和执行情况进行检查。不按规定发布目录的，要重新按规定制定和发布目录。要严格按部里审批意见调整乙类目录的品种和剂型，决不允许在甲类目录中增加药品和剂型。三个直辖市的目录要按照全国统一的政策和部里的规定抓紧制定和报批，有情况要及时和部里沟通，不能自行其是。各省（区、市）劳动保障厅局对统筹地区执行药品目录情况要有监督检查措施，必须要求各个统筹地区按规定执行药品目录。自查工作要按部里要求，在7月底前结束并将自查情况向部里汇报。对各地自查自纠情况，部里要检查。对真正有问题认真自查自纠的，可以从轻处理，对有问题不查不报不纠的，要给予严厉通报批评，并追究有关人员责任。

**三、切实加强干部队伍建设，推动医疗保险制度改革向纵深发展，确保全面完成今年任务**

今年是我们党和国家历史上有着非常重要意义的一年，党的十六大即将召开。在这一重要的历史时刻，江总书记发表了“5·31”重要讲话。江总书记指出，贯彻“三个代表”要求，关键在坚持与时俱进，核心在保持党的先进性，本质在坚持执政为民。坚持解放思想、实事求是的思想路线，弘扬与时俱进的开拓精神，是党在长期执政条件下保持先进性和创造力的决定性因素。在讲到经济建设和经济体制改革时，他指出在新世纪新阶段，发展要有新思路，改革要有新突破，开放要有新局面。劳动保障工作关系改革开放和稳定大局，医疗保险制度改革又是劳动保障工作的一项重点工作，也是关系全局的重要环节，是维护广大人民群众根本利益，实践“三个代表”的重要方面。因此，学习和贯彻好江总书记“5·31”讲话，是当前全国劳动保障系统同志的一项重要任务。要通过认真学习江总书记“5·31”讲话精神，按照“三个代表”的要求，全面提高干部队伍素质，切实转变工作作风，扎实工作，与时俱进，开拓创新，不断把医疗保险制度改革推向纵深，全面完成今年的各项任务。

在劳动保障系统中，医疗保险干部队伍还比较新。经过几年的磨练，大多数同志工作作风较好，整体素质较高，讲大局、讲团结、讲奉献，懂规矩，守纪律，经受住了锻炼和考验。同时，我们也清醒地看到，在医疗保险制度改革取得初步成绩的今天，少数同志滋长了自满情绪，有的同志面对新的复杂局面，产生了松劲的情绪。一些同志还没有真正认识到，在新的阶段推进扩面的艰巨性、业务管理的复杂性、事业发展的长期性以及与此相应的全面提高干部队伍素质的紧迫性。从当前看，要全面实现年初提出的在完善上做文章，在管理上下功夫，在服务上上水平，完成今年8 500万的扩面任务，特别是在医疗服务管理上做到措施到位、监管有力、富有成效，还有许多艰苦细致的工作要做。这些都要靠一支政治坚强、业务精通、作风过硬、纪律严明的队伍。这个问题可以说是逢会必讲，这里我再强调三点：

一是要振奋精神，继续发扬真抓实干、敢啃硬骨头的工作作风，进一步加大工作力度。对医疗保险扩面和管理等各项工作不能有一丝一毫的松劲。稍有懈怠，不仅完不成今年的工作任务，目前已经取得的良好开局也难以维持下去。人凭精神虎凭威，人是要有一点精神的，不进则退，不能小进则满，不能松懈，要做到“三坚”，即坚定不移、坚忍不拔、坚持不懈。

二是要与时俱进，开拓创新，善于用新思路解决新问题。面对新形势，改革要有新进展，在思想观念和工作方法上就要与时俱进。启动阶段抓政策与运行阶段抓管理，情况变了，中心工作和工作重点就要调整，思路和方法也要调整，要有新抓手。过去我们抓政策和队伍，把制度建了起来；抓城市启动和机关事业等单位整体参保，把覆盖面搞了上去。现在抓管理是面对面的过程管理，既要有新的管理理念、新的管理方法，又要有新的管理手段、新的管理经验。管理是门大学问，三分政策七分管理，现在重点是这“七分”的事了，要看我们的真功夫了！现在抓解决困难群体参保，是矛盾和难点所在，因袭传统的手段和政策恐怕不行，光靠热情也不行，特殊情况需要有特别措施。这些都是硬功夫。因此，从总体上看，改革从启动转入运行阶段，工作的主要着力点不是在面上，而是在点上。主要手段不是单纯靠出新政策，而是探索新办法，细化完善措施。

三是要加强学习和培训，着眼于整体提高干部队伍政治业务素质和组织管理能力。要按照中央党风建设和干部队伍建设的总的要求，按照部党组提出的“三抓一加强”的部署，适应当前医疗保险制度改革工作新形势新任务的需要，重点加强思想建设、组织建设、作风建设和业务学习。要以学习和贯彻江总书记“5·31”讲话精神为重点，结合干部建设现状和医疗保险制度改革实践，开展政治学习和业务学习，加强培训和调查研究，针对干部队伍建设和医疗保险工作中存在的突出问题，明确改进措施，将干部管理和业务工作纳入制度化、规范化管理轨道，真正做到用制度管人，按程序办事。对干部德才的新要求，一是靠得住，二是有本事。在政治素质方面，要有政治意识、大局意识、责任意识。在思想作风方面，要求真务实、真抓实干、诚实守信、清正廉洁、执政为民。在业务素质方面，要熟悉医疗保险有关政策和知识，重点是要强调组织管理能力，不能只会“坐而论道”，不懂组织协调，谁不懂医疗保险管理谁就会逐步被淘汰。这里特别要强调的是，运行管理中许多环节都涉及经办机构，因此要特别重视提高经办机构的管理服务能力和水平。我们要将医疗保险干部队伍建成一支是非分明、功过分明、赏罚分明，既感情深厚又纪律严明的队伍，不能一团和气，没有原则，没有纪律，这样的队伍是不会有战斗力的，在社会上是不会有地位的，也是长久不了的。

医疗保险制度改革已经进入了一个新的阶段。在前进的道路上面临着新的形势、任务、重点和难点，这就对我们的干部队伍建设和我们的工作提出了新的更高的要求。江总书记讲，“只要实践在发展，只要社会在进步，解放思想、实事求是，与时俱进、开拓创新就永无止境”。我们要发扬敢于拼搏、勇于创新的工作作风，始终保持共产党人的蓬勃朝气、昂扬锐气、浩然正气，讲大局、讲团结、讲稳定，树立全局意识，着眼长远建设，扎实做好当前工作，确保完成今年各项任务，以优异成绩迎接党的十六大召开。

# 在全国劳动保障依法行政工作座谈会上的讲话

劳动和社会保障部副部长　步正发

（2002年5月29日）

这次全国劳动保障依法行政工作座谈会的主要任务是：以江总书记“三个代表”重要思想为指导，贯彻落实党的六中全会、中央经济工作会议以及前不久中央召开的以做好企业和社会稳定工作为主要内容的省区市有关负责同志会议等重要会议精神，结合劳动保障工作的新形势，总结交流前一段工作，研究当前依法行政的重点问题，部署下一步工作任务。

## 一、依法行政工作的基本情况

去年以来，按照党中央、国务院的统一部署，劳动保障战线经过坚持不懈的努力，“两个确保”得到进一步巩固，完善社会保障体系试点取得初步成效，医疗保险制度改革稳步推进，下岗职工出中心进展平稳，劳动保障各项工作取得新成绩。在此过程中，全体法制和监察工作人员团结奋斗、扎实工作，稳步推进劳动保障依法行政，在维护改革发展稳定大局、促进劳动保障中心工作方面，发挥了重要作用。

一是立法工作取得新进展。我们完成了《社会保险法（草案）》和《工伤保险条例（草案）》送审稿的起草，并于去年8月报送国务院，社会保险立法迈出了重要的一步。同时，按照完善社会保障体系试点、清理整顿劳动力市场等重点工作的要求，制定发布了《社会保险基金行政监督办法》《社会保险基金监督举报工作管理办法》《社会保险行政争议处理办法》《外商投资职业中介机构设立管理暂行办法》等部颁规章。各地劳动保障部门发扬开拓创新精神，在地方劳动保障立法方面做了大量工作。如：上海市出台了《城镇生育保险办法》《劳动合同条例》，湖南省出台了《湖南省实施〈社会保险费征缴暂行条例〉办法》《湖南省实施〈失业保险条例〉办法》。北京、河北、河南、浙江、山东、安徽、湖北、四川、宁夏、西藏等地，先后制定了劳动力市场、劳动保障监察、失业保险、医疗保险等地方法规、规章。地方劳动保障立法的稳步推进，有力地促进了当地各项劳动保障工作，同时也为国家立法积累了经验。

二是监察执法工作成效明显。去年以来，各级劳动保障部门坚持常规检查和综合治理并重，在维护劳动者合法权益、促进社会稳定方面做出了重要贡献。首先，会同经贸、公安、工商、工会、妇联等单位，先后对劳动保障法律和《禁止使用童工规定》实施情况，组织开展了两次专项检查。各地按照劳动保障部的统一要求，开展了劳动合同、社会保险扩面征缴、劳动力市场清理整顿等执法检查活动。其次，结合新修订的《工会法》的贯彻实施，建立了与工会、妇联的协调配合机制，规范了劳动保障法律监督员制度。第三，各地在机构改革中从实际出发，积极争取有关方面的支持，建立监察执法机构，配备专门人员，充实加强了监察力量。例如，四川、浙江、湖南、西藏等地，新成立了劳动保障监察总队或大队。目前，全国共有22个省区市设立了专门监察处室，19个省区市组建了监察总队或大队，专门机构组建率达到83%，执法队伍建设在巩固中有了新的发展。

据统计，去年全国劳动保障监察机构共主动检查用人单位95.5万户，受理群众举报案件9.6万件，立案查处各种违法案件19.6万件，督促13.5万户用人单位补缴社会保险费35.8亿元，督促用人单位与705.7万名劳动者补签劳动合同，为劳动者追回被克扣或无故拖欠的工资等待遇9.2亿元，清理非法职业中介机构6 513家。北京市开展社会保险费征缴执法大检查，追缴社会保险费10.5亿元；黑龙江省开展"为农民工追讨打工钱维权活动"，追回欠薪544万元；湖北省宜昌市去年春节前接到一些农民工的集体投诉后，迅速介入、采取措施，为这些农民工追回了打工血汗钱，被当地群众誉为"劳动者权益保护卫士"。

三是行政执法监督工作稳步推进。经过各方面的共同努力，劳动保障行政执法监督制度建设取得了较大进展，初步建立了以行政执法责任制为核心，以履行法定行政执法职责为主要内容，以分级监督管理为主要方式的行政执法监督体系。制定发布了《社会保险行政争议处理办法》，为处理社会保险行政争议提供了法律依据。2001年，全国劳动保障部门共处理行政复议案件1 230件，比上年增加377件。其中，由劳动保障部处理的占4.1%，省级劳动保障部门处理的31.2%，地市级处理的56.7%，区县级处理的7.9%。同期，还处理行政应诉案件864件。各级法制工作机构克服时间紧、任务重、人手少等困难，妥善处理了这些争议案件，维护了行政管理相对人的合法权益。

按照国务院的统一部署，我们还开展了行政审批制度改革工作，对劳动保障行政审批项目进行全面彻底清理，坚决精简和调整了不适应市场经济发展需要的行政审批事项。我部共清理行政审批项目61项，清理结果已于2001年底报国务院。各地劳动保障部门的清理工作也取得了进展，公布取消了一批行政审批项目。例如，湖北省对行政审批项目进行清理，取消、转移和下放项目16个，减幅达31%。

四是"四五"普法工作顺利启动。根据《中共中央、国务院关于转发〈中央宣传部、司法部关于在公民中开展法制宣传教育第四个五年规划〉的通知》精神，制定发布了《劳动保障法制宣传教育第四个五年规划》，成立了部"四五"普法领导小组，建立了普法工作联席会议制度。各地按照劳动保障部和地方法制工作部门的要求，制定规划，明确任务，健全机构，培训骨干，使劳动保障"四五"普法工作有了一个良好的开端。去年5月，各地组织开展了劳动保障法规政策咨询活动，组织工作人员走上街头、深入企业，进行宣传，面对面回答群众提出的问题，取得了较好的社会效果。

依法行政工作取得的新进展，是部党组和各地党委、政府认真贯彻中央各项决策的结果，是劳动保障系统全体工作人员在有关部门大力支持下辛勤工作、奋力拼搏的结果。在此，我代表劳动保障部，向给予劳动保障工作大力支持的各级领导和社会各界，向劳动保障系统的全体同志，表示衷心的感谢！这次会议印发了9个单位的书面交流材料，反映了它们在依法行政方面进行的积极探索和取得的宝贵经验，请大家结合各自实际，认真学习借鉴。总结去年以来依法行政工作取得的成绩，大家普遍感受较深的主要有以下几点：

一是围绕中心工作推进依法行政。各级劳动保障部门坚持以经济建设为中心，全面推进劳动保障依法行政。我们紧紧围绕经济和社会发展中出现的新情况、新问题，制定了一系列劳动保障法规、规章，开展了专项执法检查活动，及时处理了行政复议和行政应诉案件，对“两个确保”工作提供了强有力的支持和保障。邦国副总理对两个确保工作给予了充分肯定，指出这几年国有企业改革脱困、兼并破产、减员增效、结构调整的力度相当大，总体上能够保持企业和社会的稳定，其中重要的一条经验，就是我们高度重视并基本实现了两个确保。全体法制和监察工作人员在巩固“两个确保”方面，同样付出了心血、做出了贡献。

二是突出重点打开工作局面。去年，我们在突击性任务和难点问题比较多的情况下，统筹兼顾、突出重点，采取切实可行的措施，较好地完成了各项任务。针对一个时期少数地区非法使用童工比较突出的问题，我们采取个案查处、综合治理和完善法规“三步走”的策略，通过个案处理重点打击，通过全面检查排除隐患，通过完善法规标本兼治。各地在这方面也有很多好的做法。例如，青岛市劳动保障监察机构针对社会保险欠费突出的问题，将欠费企业分类，突出重点、多管齐下，重点清理“钉子户”，使清欠工作取得了较好的效果。

三是积极探索建立新的工作机制。去年之所以取得这样的成绩，与我们坚持创造性地开展工作是分不开的。在打击非法使用童工工作中，进行了多部门协调配合、建立联席会议制度，形成了齐抓共管、综合治理的执法机制；在促进建立完善社会保障体系方面，建立了社会保险行政争议处理机制。各地在实际工作中也进行了积极的探索，例如，上海市充分发挥社区保安队的作用，加大了对各种违法行为的监控力度，缓解了当前监察执法力量不足的矛盾。

四是坚持两手抓、两手都要硬。去年，我们认真学习江总书记“七一”重要讲话和六中全会精神，按照部党组“抓落实、抓管理、抓调研和加强干部队伍建设”的要求，在推进各项业务工作的同时，深入开展行风建设和精神文明建设活动，会同团中央表彰了一批“青少年维权岗”先进典型，树立了劳动保障监察的维权品牌。各地也坚持“两手抓、两手都要硬”，不断提高新形势下思想政治工作和精神文明建设的针对性和有效性。例如，厦门市不断完善服务承诺、效能考评等制度，从自身实际出发，大力加强思想政治工作，增强执法人员的责任感，提高服务的质量和效率。

## 二、依法行政工作面临的新形势和新任务

今年是我们党和国家发展史上非常重要的一年。世界政治多极化和经济全球化在曲折中发展，综合国力竞争日趋激烈。我国国民经济继续保持较快增长，但在改革发展过程中，我们正面临不少新的情况和问题。今年我们党将召开具有重大历史意义的十六大，改革发展稳定的任务十分艰巨。

目前，劳动保障工作在取得成绩的同时，依然面临十分严峻的挑战：一是就业和再就业压力继续加大。当前及今后一个时期，随着经济结构调整和企业关闭破产的力度进一步加大，劳动力供大于求的矛盾更加尖锐，结构调整中的下岗职工，新增劳动力和大批农村剩余劳动力三部分人员汇集一起，构成了巨大的就业压力。结构性失业严重，下岗职工、长期失业人员等困难群体再就业问题日趋突出。促进就业和再就业的环境还不够宽松，不少措施还落不到实处，就业服务体系建设还有待进一步加强。二是社会保障体系还不尽完善。养老保险和失业保险参保人数有所下降，基金支付压力增大；基本医疗保险制度改革中，部分职工个人缴费负担过重，困难企业及其职工参加医疗保险缺乏资金来源；适应灵活就业人员参加的社会保险政策亟待完善，建立企业补充保险、完善多层次社会保障体系、积极探索完善农村社会保障制度的工作任务更加迫切。三是职工权益保障任务艰巨。随着多种所有制经济的迅速发展，劳动关系呈现多元化、复杂化，一些企业用工不规范，拖欠、克扣农民工工资的现象在有些地区普遍存在，侵害劳动者合法权益的问题比较突出。违反安全生产、职业卫生规定致使农民工患病甚至死亡的事件屡有发

生。工资收入分配程度不等地存在着秩序混乱情况，制约了工资分配制度的激励作用，影响了劳动者素质的提高和劳动力在市场中的竞争能力。同时，我国加入世贸组织后，劳动保障工作的管理体制和管理方式，也面临新的挑战。

劳动保障工作面临的新形势、新任务，对依法行政工作提出了更高的要求：一是需要我们加强立法，及时将各地在改革中实施的行之有效的经验和做法上升到法律法规，并通过法律法规的实施，维护和推动改革的深化。这些年，劳动保障部和各地在就业和社会保障工作中都创造了许多好的做法和经验。对于这些做法和经验，在中央立法和地方立法中，都应加以高度重视。二是需要我们加强执法，认真履行法定职责。维护好劳动者的合法权益，是劳动保障部门的神圣职责。当前出现的各种侵犯劳动者合法权益的现象，反映了劳动保障法律法规并没有真正全面贯彻落实。因此，各级劳动保障监察机构必须加大执法力度，认真查处各种违法行为，切实维护劳动保障法律法规的严肃性。三是对行政执法监督和普法工作提出了新要求。在行政执法监督方面，要适应入世后的要求，强化按照国际规则办事的意识，进一步加快行政审批制度改革；在普法方面，全面落实“四五”普法规划，为劳动保障工作的顺利开展营造更好的法律氛围。

（一）稳步推进立法工作，争取有所突破

一是全力以赴做好法律法规的起草修改工作。今年主要立法任务是《社会保险法》《劳动合同法》和《工伤保险条例》《禁止使用童工规定》《劳动保障监督检查条例》《就业准入条例》“两法四条例”草案的起草修改工作。我们将配合国务院法制办做好已报送草案的修改，争取在年内出台《工伤保险条例》和《禁止使用童工规定》，并尽快将《社会保险法》和《劳动合同法》草案报请全国人大审议。同时，按照国务院领导的有关指示，积极配合国务院法制办做好《劳动保障监督检查条例》的进一步修改工作，争取早日颁布实施，实现立法工作的新突破。

二是围绕当前劳动保障工作急需解决的实际问题推进部颁规章制定和地方劳动保障立法工作。今年，部里确定了12项部颁规章立法计划，涉及社会保险、劳动关系调整、培训就业、劳动保障监察等方面内容。在立法计划实施过程中，还将根据实际工作需要，进行动态调整、补充。在规章起草制定过程中，要充分听取各有关方面的意见，尤其是汲取地方劳动保障立法的成功经验，进一步发挥地方的作用，提高部颁规章制定的质量和效率。各地也要在国家法制统一的前提下，结合当地实际，积极稳妥地推进地方劳动保障立法。

三是强化管理，把立法工作纳入有序化管理的轨道。要认真贯彻《立法法》及国务院新修订颁布的《行政法规制定程序条例》和《规章制定程序条例》，规范立法程序，明确各有关方面的职责，把好法律审核关，做到协调到位、规范到位。还要按照世贸组织透明度原则的要求，及时做好有关劳动保障法规、规章的公布、翻译和法律信息服务工作。

（二）加大监察执法力度，维护改革发展稳定大局

一是围绕劳动保障重点工作，坚持常规检查和专项治理相结合。今年各地要在做好日常巡视监察、举报专查和劳动保障年检工作的同时，重点抓好专项执法检查工作。开展劳动力市场清理整顿和规范企业用工行为执法检查，重点查处未与再就业职工签订劳动合同的问题，打击非法职业中介，为下岗职工和失业人员再就业创造良好的环境。深入开展职工权益保护大检查，重点检查拖欠农民工工资、非法使用童工及拒不参加社会保险和缴费的问题。国务院近期将下发《关于制止和解决拖欠农民工工资的通知》，进一步加大查处力度，完善监控措施。各地要把解决拖欠和克扣农民工工资的问题，作为一项重要的执法工作抓紧抓好。7~8月份，我们将会同公安、工商、教育、全总、妇联等有关方面，围绕制衣、玩具、饮食等重点行业，非国有企业、个体工商

户、家庭作坊等重点对象，辍学率较高的贫困地区、城乡结合部等重点区域，进行《禁止使用童工规定》实施情况的专项执法检查。根据国家的统一部署，积极配合有关部门，开展安全生产、有毒场所劳动保护以及妇女权益保护的检查，切实维护广大职工的合法权益。

二是切实抓好监察制度建设。要修订《处理举报违反劳动保障法规行为规定》和有关法律文书，重点规范劳动保障年检制度，增强执法内容的透明度和执法程序的规范性。还要加强与工会、妇联等有关方面的协调配合，完善劳动保障监察机构专门检查、有关机构和组织协助的劳动保障监察工作体制。同时，要全面推行执法责任制和目标考核制，明确工作职责，把工作任务分解到人，落到实处。

三是进一步搞好监察机构队伍建设。第一，要根据我国加入世贸组织后政府职能转变的要求，适应当前监察执法工作的形势，健全省级和地（市）级专门监察机构，建立县（区）监察机构，有条件的沿海地区、省会城市、中心城市要争取向街道、乡镇延伸。第二，要增配专职监察员，在劳动保障部门内有关机构人员中聘请兼职监察员，在工会、共青团、妇联等群众组织中聘请劳动保障法律监督员，进一步增强监察执法力量。第三，要积极争取当地政府和有关部门，在经费、办公条件方面给予支持，保障监察执法工作的顺利开展。第四，要从贯彻“三个代表”重要思想的高度，严格执法、文明执法，切实维护职工群众合法权益，以实际行动争创“三优”文明窗口单位，树立劳动保障部门的良好形象。

（三）加强行政执法监督，全面推进依法行政

一是建立和完善行政执法监督制度。要建立健全法规和规范性文件的抄送和备案制度。各地要按照《法规规章备案条例》的规定，切实做好地方法规、规章备案工作，并将出台的有关法规、规章及时抄送劳动保障部。同时，要继续完善规范性文件的法律审核制度。各级劳动保障法制工作机构要以认真负责的态度，对本级劳动保障部门起草的文件的合法性进行审查把关，保证不同等级法律规定之间的协调一致，从源头上保证执法依据的合法有效。

二是充实力量，提高行政争议处理工作的效率和质量。首先，各地要根据当前行政复议和社会保险行政争议案件大幅度上升的情况，结合当地实际，建立健全省、地（市）法制工作机构，在县（区）指定人员负责行政复议工作。其次，要加强法制工作人员培训，提高法律素质和办案水平，及时有效地处理行政复议案件。第三，开展典型案例研讨，探索行政复议和行政应诉工作规律，提高办案效率。

三是按照国务院的统一部署，继续做好劳动保障行政审批制度改革和法规清理工作。要结合转变政府职能，减少行政审批，严格审批程序，强化监督措施，实行责任追究制，从源头上保证各项工作高效运转，保证工作人员廉洁从政。对清理中取消的行政审批项目，要按照市场经济运行规律，加强事后监督，维护正常的劳动力市场秩序。同时，继续抓紧清理与世贸规则不相一致的法律、法规、规章等文件。

（四）继续扎实有效地实施“四五”普法规划

今年是“四五”普法全面开展的第一年。各地要根据劳动保障系统“四五”普法规划和今年普法工作要点，抓住组织开展全国社会保障知识宣传活动的契机，不断增强普法宣传的广度和深度，务求取得扎实成效。

在具体工作中要抓好三方面内容：一是在普法内容上，要把社会保险、职工权益维护和再就业方面的法规政策作为重点普法内容，列入今年的干部普法考核。二是采取灵活多样的形式，提高法制宣传的效果和质量。要大力推广“以案说法、以案学法、以案普法”的做法，采取印发小册子、专题报道、网络宣传等贴近大众的形式，向全社会广泛宣传，发挥典型案例的引导、警示和教育作用。今年二三季度要集中一段时间，开展维护职工合法权益的法制宣传活动，坚持正确的舆论导向，重点宣

传劳动保障部门在查处违法案件方面采取的措施和取得的成效。三是完善普法工作机制，切实做到机构、人员、经费“三落实”，为劳动保障“四五”普法工作的全面开展奠定基础。

## 三、做好今年工作的几点要求

今年劳动保障依法行政工作的目标、任务已经明确。各地要按照部里的统一部署，紧紧围绕劳动保障中心工作，强化管理、转变作风、狠抓落实。下面，我再提三点要求：

一要始终坚持服从改革发展稳定的大局，不断提高依法行政的水平。要把劳动保障依法行政工作放到经济和社会发展的大环境中去思考，紧紧围绕经济和社会发展对劳动保障工作提出的新要求，对出现的新的实际问题认真研究、作出回答。要克服就业务抓业务的局限，拓宽视野，从全局高度推进劳动保障法制建设。还要从我国加入世贸组织后对依法行政提出的要求出发，坚持法制统一、非歧视和透明度原则，切实转变行政管理职能，提高依法行政水平，保障法律法规的统一、公正、合理实施。

二要在具体工作中坚持突出重点、分类指导的工作方法。突出重点，就是要提高政治敏感性，对影响改革发展稳定大局的一些突出问题，从依法行政工作角度积极探索解决办法。比如，当前下岗职工、失业人员在实现再就业，特别是多渠道灵活就业方面存在的政策和法律问题，完善社会保障制度问题，劳动者合法权益保护问题等等，都需要我们从立法和监察执法方面予以重点解决。分类指导，就是要根据我国各地区经济发展不平衡的情况，从实际出发，大胆探索和实践，出现什么问题就研究解决什么问题，在实践中不断完善，提高工作的针对性和有效性。同时要及时总结推广各地在实际工作中创造的新鲜经验，发挥典型示范作用。

三要转变作风，提高素质。中央提出把今年作为转变作风年、调查研究年。要把坚持解放思想、实事求是的思想路线和思想作风放在首位，按照“三个代表”重要思想的要求，提高我们研究、解决依法行政中出现的实际问题的能力。要深入基层、深入企业、深入广大职工群众，获得准确的第一手资料，创造性地开展工作。要以对人民群众的深厚感情和高度负责的精神，扎扎实实帮助职工群众特别是弱势群体解决有关劳动和社会保障方面的实际困难，切实改进服务态度，提高服务质量，杜绝行政不作为现象。要加强法制和监察队伍思想政治和业务建设，加大干部的教育培训和监督管理力度，提高职业道德水准和业务工作能力，建立一支政治强、业务精、纪律严的法制和监察工作队伍。

劳动保障工作在促进经济和社会发展中起着非常重要的作用，担负着光荣而艰巨的任务。依法行政是做好劳动保障工作的根本措施。让我们在以江泽民同志为核心的党中央领导下，高举邓小平理论伟大旗帜，按照“三个代表”重要思想的要求，贯彻“依法治国”基本方略，再接再厉，团结奋斗，扎实工作，以优异成绩迎接党的十六大召开。

# 在全国劳动保障系统人事教育处长会议上的讲话

步正发

（2002年8月14日）

这次全国劳动保障系统人事教育处长会议，是经部党组批准召开的。会议共有两项议题，一是学习贯彻《党政领导干部选拔任用工作条例》，传达学习胡锦涛、曾庆红等领导同志的有关讲话精神。二是部署全国劳动保障系统评选表彰工作。

## 一、关于《党政领导干部选拔任用工作条例》的学习贯彻问题

最近，中央颁布了《党政领导干部选拔任用工作条例》（以下简称《干部任用条例》）。中共中央和中央组织部就深入学习贯彻《干部任用条例》专门下发了通知。劳动保障部党组结合劳动保障实际对学习贯彻《干部任用条例》提出了要求。今天参加会议的同志都是省、市、自治区劳动保障厅（局）的人事教育处长，在地方党委和厅（局）党组领导下，具体做干部工作。下面，我就这个问题提几点要求。

### （一）充分认识颁布《干部任用条例》的重要意义

《干部任用条例》是在1995年《党政领导干部选拔任用暂行条例》的基础上修订的，体现了“三个代表”的重要思想，贯彻了中央对干部选拔任用工作的新要求，吸收了干部人事制度改革的新成果，是我们党关于党政领导干部选拔任用工作必须遵循的基本规章，也是从源头上预防和治理用人上不正之风的有力武器。学习贯彻好《干部任用条例》，对于建立健全科学的干部选拔任用机制和监督管理机制，推进干部工作的科学化、民主化、制度化，保证党的基本路线的贯彻执行，对于加强劳动保障系统干部队伍建设和领导班子建设，提高干部队伍的整体素质和管理水平，进一步促进劳动保障事业的发展，具有十分重要的意义。各地一定要把《干部任用条例》的学习贯彻当做一件大事来抓，切实做到学习好、贯彻好、落实好。

### （二）认真抓好《干部任用条例》的学习

各地要根据当地党委及有关部门的安排，认真学习《干部任用条例》，主要领导要亲自抓，带头学。我们将在会上传达学习胡锦涛同志在全国学习贯彻《干部任用条例》电视电话会议上的讲话、曾庆红同志在组织人事部门领导干部学习《干部任用条例》培训班上的讲话精神，大家一定要认真学习，深刻领会。要在坚持学习《干部任用条例》为主的基础上，通过阅读中组部印制的《〈党政领导干部选拔任用工作条例〉学习指导手册》《〈党政领导干部选拔任用工作条例〉学习辅导》和《〈党政领导

干部选拔任用工作条例〉学习问答》等辅导材料，进一步加深对《干部任用条例》的理解，全面掌握、深刻领会《干部任用条例》的深刻内涵，真正做到领导同志熟悉、人事干部精通、广大干部了解《干部任用条例》，进一步增强贯彻执行《干部任用条例》的自觉性。

（三）进一步做好《干部任用条例》的贯彻落实工作

《干部任用条例》集中反映了我们党干部工作制度建设的重要成果，是干部选拔任用工作的总纲，具有很强的针对性和指导性。在干部推荐、考察和使用中，要严格执行《干部任用条例》，坚持把《干部任用条例》规定的基本条件作为衡量干部的基本尺度，真正做到坚持原则不动摇，执行标准不走样，履行程序不变通，遵守纪律不放松。人事干部要增强政治观念、组织观念、法纪观念，公道正派，身体力行，严格按《干部任用条例》规定的程序办事，带头遵守《干部任用条例》规定的十条纪律等各项纪律规定，对违反干部选拔任用原则的行为，要敢于抵制，及时纠正。

学习贯彻《干部任用条例》是一项现实而紧迫的工作，又是一项长期而艰巨的任务，必须持之以恒，坚持不懈地抓下去。要结合《干部任用条例》的学习，认真总结在干部选拔任用过程中的经验和不足，找出差距，提出具体整改意见。要通过采取各种有力措施，把《干部任用条例》的学习贯彻不断引向深入。

## 二、关于全国劳动保障系统评选表彰问题

（一）充分认识搞好这次评选表彰的重要意义

近几年来，在党中央、国务院的正确领导下，劳动保障事业迅速发展，“两个确保”等劳动保障工作取得明显成效，精神文明建设和行风建设取得丰硕成果，涌现出一大批先进集体和优秀个人。对劳动保障系统做出突出贡献的单位和个人进行表彰，对于深入贯彻落实“三个代表”重要思想，推动全国劳动保障系统两个文明建设，发挥先进典型的示范带头作用，进一步调动劳动保障系统广大干部职工的积极性，促进劳动保障事业的改革发展，维护社会稳定，具有十分重要的意义。

劳动保障部党组对这次评选表彰高度重视。为加强对评选表彰的领导，部里成立了由各有关单位主要负责同志参加的全国劳动保障系统评选表彰工作领导小组。各地劳动保障部门一定要充分认识开展这次评选表彰的重要意义，高度重视，切实将表彰工作抓紧抓好。

（二）评选范围

本次评选表彰采取由我部记功的方式进行。记功的名称(“集体一等功”和“个人一等功”)、评比条件、范围、奖励方式包括奖牌和证书基本与上次表彰相同，与2000年的表彰保持连续性。

本着评选表彰要突出面向基层的指导思想，自下而上地搞好推荐工作，真正将业绩显著、事迹感人的基层先进单位和个人推选出来。

一等功集体的评选范围为省级劳动保障厅（局）的直属单位（包括副厅级单位）和计划单列市、副省级省会城市、市级、县级劳动保障局及其直属单位。省级劳动保障厅（局）一般不参加评选表彰。

一等功个人的评选范围为省级、市级、县级劳动保障部门的公务员、事业单位的工作人员。厅局级干部一般不参加评选表彰。

2000年底已获得人事部和劳动保障部联合表彰的先进集体和先进工作者，劳动保障部表彰的一等功集体和一等功个人，一般不列入本次评选表彰范围。

部属单位及工作人员，不参加本次评选表彰。

（三）评选条件

1．一等功集体的条件。一是领导班子认真贯彻“三个代表”要求，坚持两手抓、两手都要硬，与时俱进，开拓进取，勤政廉洁，充分发挥模范带头作用，精神文明建设和行风建设取得明显成效。二是切实按照全国和本地劳动保障工作部署及要求，结合实际创造性地开

展工作，成绩突出，在本地区同级劳动保障部门处于领先地位，受到群众好评。三是干部职工团结协作，好学上进，有良好的精神状态和强烈的敬业精神。

2. 一等功个人的条件。认真学习邓小平理论和江泽民同志“三个代表”重要思想，坚持党的基本路线，在政治上、思想上、行动上与党中央保持一致，遵守国家的法律法规，有良好的职业道德，并具备下列条件之一：一是爱岗敬业，积极进取，无私奉献，出色完成本职工作任务，表现突出。二是在劳动保障改革与发展中勇于创新，积极为解决重点、难点和热点问题出主意想办法，为推进本地区工作做出突出贡献。三是在精神文明建设、党风廉政建设、思想政治工作等方面成绩显著。

（四）名额分配办法

本次表彰，拟评选一等功集体104个，一等功个人263名。

一等功集体的名额分配原则主要考虑劳动保障工作和劳动保障职工人数。有计划单列市的省份增加1个名额。

一等功个人名额分配主要考虑各省、自治区、直辖市地市级行政区域数（以民政部2001年12月31日公布的数字为准），每两个地市级行政区域分配1个名额；每个省级劳动保障厅局各分配1个名额；劳动保障部门干部职工人数较多的省份适当增加名额。

本次表彰名额参照上次名额分配的办法，一次性下达，不留机动。

（五）表彰办法

全国劳动保障系统记功表彰，将结合总结近两年多来两个确保和再就业工作以及其他劳动保障工作、部署明年工作任务一并进行。表彰会议与厅局长会议一起召开，届时请一等功集体代表和一等功个人代表到京参加会议。奖励形式为：宣布表彰决定，给一等功集体颁发奖牌和证书，给一等功个人颁发奖章、证书和奖金。

（六）关于“三优文明窗口”评比表彰问题

部党组决定，这次表彰与“三优文明窗口”评比表彰结合进行，今年不再单独进行“三优文明窗口”表彰活动。因此，我们在评选条件中，明确提出“认真贯彻‘三个代表’要求，坚持两手抓、两手都要硬”，“精神文明建设和行风建设取得明显成效”，“有良好的职业道德”、“爱岗敬业”等条件，请大家在具体工作中予以把握。

（七）几点要求

本次评选表彰的总体安排是，8月中旬开会部署，10月底以前各地上报材料。今年年底或明年年初召开表彰大会。下面我就如何做好评审工作提几点要求。

1. 加强组织领导。各级劳动保障部门要切实重视评选表彰工作，作为今年下半年的一项重要任务来抓，成立相应的评选表彰领导机构，加强组织领导。制定好本省、自治区、直辖市的表彰方案，认真予以组织实施。

2. 坚持条件。各地在评选推荐中，要严格按照评选条件要求，以政治表现、工作业绩、贡献大小为依据，坚持高标准，确保工作质量和人选的先进性。

3. 坚持群众路线。推荐工作要面向群众，充分发扬民主，广泛听取群众意见，采取自下而上的办法逐级推荐。

4. 严格审核审批。对推荐人选要严格审核，层层把关。劳动保障基层单位要对拟推荐人选进行审核，省级劳动保障部门要对拟推荐人选进行审核并予以公示，对经公示有异议的人选，应认真调查，确属不具有先进性的及时调整。全国劳动保障系统评选表彰工作领导小组对各地上报的人选经征求部属有关单位意见后，提请部党组审定。为给评审留有余地，各地可上报1～2个后备单位和个人。

5. 按要求呈报推荐材料。各地要对推荐材料认真审核，严格把关。推荐材料要实事求是，事迹要客观准确，格式要符合规范。

学习贯彻《干部任用条例》和开展全国劳动保障系统记功表彰活动，事关劳动保障系统干部队伍建设和劳动保障事业的发展。我们一定要以高度的政治责任感，扎扎实实做好各项工作，为优秀人才的脱颖而出、健康成长、施展才干，为创造学先进、创先进的良好环境和氛围做出新的贡献。

# 深刻理解全国职教会精神 做好提高“三个能力”的工作

## ——在贯彻全国职教会精神推进职业培训工作会议结束时的讲话

劳动和社会保障部副部长　张小建

（2002 年 7 月 31 日）

### 一、关于更深刻地理解全国职教会的精神

这次全国职教会前，中央科教领导小组专题研究职业教育的改革与发展。会议过程中，总理与会议代表座谈并讲话，两位副总理参加会议并作重要讲话，规格是空前的，体现了国务院领导对职业教育的高度重视。中央领导为什么如此重视职业教育，从几位领导的讲话中我们可以深切感受到，他们是从整个国家经济改革发展和社会进步大局的高度来考虑必须加强这一工作的。如果我们仅仅就职业教育论职业教育，就职业培训具体问题研究具体问题，就会理解不深不透，认识就会跟不上。

对职业教育工作重要性、迫切性的认识，大家的认识可以归纳为“三个力”，一是现实的生产力，二是企业的竞争力，三是劳动者的就业能力。就“三个力”的本身，我们要加深认识；就“三个力”的关系，我们更要很好把握。劳动者素质的提高，是实现企业竞争力提高的基础，是发展现实生产力的动力。将我国经济发展转移到依靠科技进步和劳动者素质提高的轨道上来，是我国现代经济发展的重要指针。但实际在执行中，存在着一长一短的问题，比如无论舆论导向还是政策措施，都对高级科技人才和高级管理人才给予了极大的关注，而对广大劳动者素质的提高没有真正引起足够的重视，没有得到真正落实。加入 WTO 后，提高企业核心竞争力，也往往注重企业技术创新能力的提高，强调企业的现代化管理水平，而忽略了先进科技成果转化为产品过程中技术工人的重要作用。我们讲应对严峻的就业与再就业的挑战，往往首先考虑的是创造就业岗位，制定就业扶持政策，而提高劳动者就业能力在解决就业中的能动性和创造性，却往往放在次要位置。这次国务院领导对职业教育的改革和发展如此重视，正是体现了我国经济变革和社会发展的一种必然要求。如果我们增强这种从全局考虑问题的意识，从经济和社会发展的全局来把握提高劳动者素质的重要性和必要性，来考虑进一步加强职业学校教育和职业培训的问题，就可以使我们对本职工作的认识得到升华，就会大大增强责任感和紧迫感。

## 二、关于认识职教会对劳动保障部门的要求

这次职教会对职业教育改革发展提出的要求是系统的、全新的。作为职业教育的一个方面军和重要的职能部门，我们劳动保障部门的同志要按照会议要求，对照检查自己的工作，进一步明确任务和要求。我感到最重要的有三个方面：

一是高度重视通过加强职业培训促进就业工作。镕基总理要求，职业教育要适应就业再就业的要求，要特别突出为做好再就业工作加强职业培训。岚清副总理要求职业教育要为就业服务，职业学校和培训机构要全面承担国家再就业培训任务。邦国副总理从加强职业教育和培训，促进就业和再就业出发，明确提出了新形势下抓好新增劳动力的培训、加强下岗失业人员的再就业培训、积极开展创业培训等要求。这些工作要求过去是由我们处长、厅长、司长、部长讲的，现在由国家的总理、副总理亲自提出，分量之重，要求之高，力度之大，大大超越了以往。这里面有对劳动保障部门近年来所做工作的肯定，更主要的是对我们工作的新要求，需要我们以实际行动来回答。

二是全面关注技工培养工作。技工的重要性、解决技工短缺特别是高级技工短缺问题，是这次会议代表和领导同志关注的焦点问题之一。镕基总理讲，现在提高企业效益和产品质量的最关键问题是缺少技师人才。邦国副总理指出，我国产业工人素质偏低，特别是技术工人短缺，已经成为企业发展的一个瓶颈。邦国副总理还具体指出，全国数控机床操作工短缺60万人。中央领导是从我国要真正成为世界工厂，打响“中国制造”角度，对加快培养技术工人特别是高素质技工提出明确要求的。我们说社会需求是职业培训的生命线和动力源，中央领导从关于国富民强，从“功在当前、惠及长远”的角度提出要求，其忧国忧民之心，其高瞻远瞩之洞察力，其中所包含的重大战略意义，我们都应当深刻理解，以此来认识搞好技工学校和技工在职培训的意义。我们倍感责任分外重，我们搞好工作的信心和决心也由此大大增强。

三是大力推进职业资格证书制度和就业准入制度。会议强调，完善职业资格证书制度和大力推进就业准入制度，是推动职业教育发展的重要措施。国务院领导还提出了素质门槛的要求。强调没有这个门槛，企业和经济的发展要受影响，教育和培训也发展不起来。要求劳动保障部门要切实抓紧做好这两项制度的推行工作，加强对职业资格证书制度的统一管理，加大技术技能工种实行就业准入的力度。我们要按照中央领导的要求，明确方向，坚定不移地将此作为国家强化职业教育的有力杠杆和关键政策。我们自身工作已涉及国家大的决策和国家大政方针，国务院领导直接督战督办，更不能有丝毫放松。

过去，我们从事职业培训工作的同志，总有一种二线作战的感觉，总觉得培训工作处在后方，冲锋陷阵轮不到我们。如果说这种思想状态在过去还能找到些许理由的话，那么这次职教会上中央领导提出的要求，可以说把我们的职业培训工作推上了前线。总之，我们要从这些要求中把握机遇，获取动力，进一步明确方向，调整思路，全力抓好落实，务求实效。

## 三、关于提高三个能力的工作

落实“能力计划”，我们提出了提高劳动者就业能力、工作能力和职业转换能力三个目标。这是提高我国劳动者素质的基础，也是在新的形势下，发展职业培训的出发点和落脚点。

三个能力互有侧重，互相联系，针对劳动者职业生涯的不同情况提出了终身学习的目标框架。就业能力主要针对新生劳动力。我们的劳动预备制和技工学校培训，主要的目标就是要提高劳动者的就业能力，使接受培训的人员能较快较好地实现就业。这里包括技术职业从业者的才能和小企业开业者的创业能力。工作能力主要针对在职职工。要通过结合新知识、

新技术、新工艺、新方法以及新设备、新材料的应用，推动企业开展在职培训，以适应企业的发展和职工在岗位上发展提高的需要。这也是稳定就业，减少失业的重要措施。职业转换能力主要针对下岗失业人员。这是结构调整对劳动者的基本要求。以前的纺织能手，现在可能要去做家政，搞商贸；以前在国有企业的，现在要去干个体。一方面需要转变观念，另一方面需要学习掌握转换工作技能。有了这两条，才能去选择新的岗位。这里也包括农村劳动力从种植养殖业向制造业、服务业转移的技能及适应力。

明确提高三个能力的工作，同时，回过头来看我们所做的培训、鉴定等工作，就可以摆脱就事论事的局限性，而是时时处处研究和考虑是否能做到有利于三种能力的提高，以此为最高标准，以此为全国统一的行动指南。

从这次会议的过程中，我们也可以看到，我们之所以能够达到今天这个效果，关键就是我们在这方面做了一些工作，这些工作与新的形势的要求是相符的，与市场的需求是一致的，并且确实取得了一些实效。但是，我们绝不能满足现状。左己部长说，我们要充分利用这次会议的机遇，把职业培训工作推上一个新的台阶，要打一个翻身仗。要实现职业培训的转机、振兴、突破、扩展。为此，我们必须打开视野，站得更高一点，看得更远一些，开拓职业培训新的空间，寻求职业培训新的增长点，提升我们的工作，发展我们的事业。因为只有发展才是硬道理。

会议代表和领导都对“能力计划”做了充分的肯定。刚才，刘康同志就落实问题已经做了布置，我就不多说了。总之，我们必须要有新思路，要用大手笔，要实现大作为。

**四、关于做好两个协调**

第一是内部协调。做好职业培训工作，不仅是培训部门的责任，也是劳动部门各项工作的共同任务。要综合运用劳动保障的各项政策予以支持和策应。一是必须加强培训与就业的结合，要用就业和再就业的政策来支持和促进职业培训的发展。劳动力市场供求信息分析的面要进一步拓宽，使之成为指导培训专业设置的重要手段；要在职业培训中加强就业服务工作，帮助接受培训的毕业、结业生实现就业；要落实再就业培训经费，切实形成购买培训成果机制。二是要加强培训与鉴定工作的结合，要充分发挥资格证书对职业教育培训的引导作用，用市场需求去指导学校的专业设置，用标准去引导学校的教学，用鉴定去检验培训的质量，用证书去引导学生的就业。三是监察部门要加大执法力度，用准入控制去把好企业的用人关口，保护培训的积极性，提升资格证书的作用。四是工资部门也要加大支持力度。引导企业建立培训、考核与使用相结合并与待遇相联系的激励机制，定期发布劳动力市场工资指导价位。

第二是外部协调。要加强与教育、工商和有关行业部门的协调，共同做好职业教育与培训工作。要主动与教育部门建立经常性的协商机制，互相沟通信息，为学校的改革与发展打造一个良好的外部环境和政策环境。要利用市场信息、技能鉴定和就业服务等手段，主动与各类职业学校建立业务联系，主动提供服务。要加强与工商部门的合作，加强对个体和私营企业从业人员的管理。要按照条块结合的原则，发挥行业部门和企业在发展职业培训中的作用。做好协调工作，关键是主动性，不能坐等人家上门，而是主动建立联系，提供服务。

这次全国职业教育工作会议为职业培训事业的发展提供了极好的机遇，我们一定要不辜负中央领导同志的期望，不辜负党和人民的重托，统一认识，明确方向，坚定信心，乘势而上，振奋精神，真抓实干，使职业培训工作上一个更大的台阶。

# 认识到位　政策到位　工作到位

## ——在全国再就业政策培训班上的讲话

张小建

（2002年11月2日）

### 一、切实掌握全国再就业工作会议的精神实质

全国再就业工作会议是党中央、国务院在十六大之前召开的一次十分重要的会议。会议全面分析了我国当前面临的就业形势，深刻阐述了就业和再就业工作在改革发展稳定大局中的重要地位和作用，明确了做好再就业工作的指导思想、目标任务和工作要求，确立了积极的就业政策的基本框架，在我国就业工作的历程上具有里程碑的意义。对我们按十六大的要求，大踏步地向市场经济迈进的过程中，做好就业和再就业工作具有重要的指导作用。当前，一定要切实掌握全国再就业工作会议的精神实质，从以下几个方面再归纳一下：

第一，要掌握就业的一个主要矛盾，包括三个特征，一个焦点；第二，要掌握扩大就业中应处理好的五个关系；第三，要掌握就业的两个宏观调控指标和五个具体工作目标；第四，要掌握就业工作指导中的三个要素；第五，要掌握积极的就业政策的五大支柱、六个领域和十项政策措施。

中国就业的主要矛盾是江总书记在这次会议上明确提出来的一个科学论断。我国就业的主要矛盾是劳动者充分就业的需求与劳动力总量过大、素质不相适应的矛盾。这将是一个长期存在的问题。这个矛盾在现阶段具有三个特征，总量矛盾和结构矛盾同时并存，城镇和农村就业问题同时出现，新生劳动力就业和下岗失业人员再就业相互交织。焦点集中在下岗失业人员的再就业问题上。这些论断十分科学地概括了我们现在面临的就业的形势和挑战。

扩大就业必须正确处理好五大关系，包括发展经济与扩大就业，结构调整与扩大就业，深化改革与扩大就业，城乡经济协调发展与扩大就业，完善社会保障体系与扩大就业这五个关系。掌握了这五大关系，我们就业工作者就能够在思想上明确就业工作的主线，在各种具体矛盾和具体事务中把握住工作的主导，把工作一步步向前推进。

我这里还想强调一点，就是在就业工作指导上的三个要素，《通知》里有三句话，实际上是我们所有就业政策的基本出发点。第一，支持劳动者自谋职业和自主创业。我们这次出台积极的就业政策，首先是要激活劳动者的动力，推动他们更多地去自谋职业和自主创业。我们在瑞典和德国考察时了解到，它们过去几十年实行的是积极的劳动力市场政策，相对于只发救济、不搞就业消极的劳动力市场政策，这是一种进步。政府不仅发救济，还要促进就

业。现在又有新的调整和改变，改变什么呢？要激活劳动力市场的动力，最主要的就是激活劳动者本身的动力。有了积极的劳动力市场政策，靠谁来干，无论政府的政策也好，创造的环境也好，还是要靠劳动者自己的积极性、创造性。所以，首先一条就是支持劳动者自谋职业和自主创业。把我们提出的“劳动者自主就业、市场调节就业、政府促进就业”这一方针具体化，就是用一系列的政策支持劳动者自谋职业，自主创业。第二，鼓励企业更多吸纳就业。我刚从香港回来。香港过去不愁就业问题，因为不断创造新的小企业，不断产生新的就业机会，不断吸纳就业。现在有问题了，老的企业跨了，新的小企业又没人办，新的就业机会产生不出来，所以，它的就业急剧萎缩。我们这次制定政策的一个重点，就是鼓励企业更多地吸纳就业。我们也可以理解，给服务型企业的免税和社保补贴的政策，实际上都是针对更多地吸纳就业出台的。还有，鼓励国有大中型企业通过主辅分离，分流安置富余人员，实际上与多吸纳就业是一致的，一方面，减少向社会的排放，另一方面，通过内部挖掘潜力，又创造一些新的岗位来分流安置，这也是一种吸纳。一种是新办的企业新增的岗位吸纳，一种是老企业新创造的岗位吸纳，再一个就是原来的国有大中型企业减少向社会排放，通过主辅分离来吸纳。第三，也是我们这次出台政策的重点，就是帮助困难群体就业。以上是我们做好就业工作、指导好就业工作的三个要素。我们抓政策落实，我们搞督促检查，最后，都要看看在这三方面是不是真正取得实效了。

强化各级政府就业工作的目标责任，是全国再就业工作会议的主题。尽管过去我们劳动和社会保障部门搞就业工作的同志天天喊、月月叫，但是否能够真正重视，要打个问号。这次提出把扩大就业和控制失业作为宏观调控的两个指标，还有五项考核政府的指标。首先是净增就业岗位。你讲增加了许多就业岗位，但同时，又丧失了许多就业岗位，增减相抵，支大于收，实际是扩大了失业，没扩大就业。所以，我们吸取上海和一些地方的经验，坚决把净增就业岗位列入指标，可以有增有减，但增减相抵，净增才是真正的增加。考核还是要看净增就业岗位，这有利于引导各级政府在开发新岗位上下功夫。同时，还要看再就业政策是不是真正落实了；再就业资金是不是年年有所增加；再就业服务是不是加强了；在帮助困难群体就业上，是不是真正切实地解决了一些问题。这次会议提出的五项硬指标，作为考核地方政府的一个要求，这是国务院对地方政府是否真正加强对就业工作组织领导的考核。对劳动保障部门来讲，当地政府把就业工作能够列入主要目标责任和重要日程，对我们做好就业工作是最重要的保证。所以，两项宏观调控目标、五项具体指标是需要我们配合政府一一去落实的。只要党政出马，就业工作肯定能够展开一个新局面。

有记者问我，五项指标背后的含义是什么？可以这样讲，如果你作为市长，可能搞出几个形象工程，也可能搞了很多经济项目，但如果你那个地方的失业问题解决不好，完成不了就业工作的指标，这个市长照样不合格。这就是一个硬指标，也可以说是一票否决。我们在德国、在瑞典、在香港看到，政府是把就业，把人的生存发展和经济发展放在同等重要的地位。追求经济发展，搞很多建设项目是为什么？说到底还是为了使人民生活得更好。因此，解决失业、扩大就业已成为这些国家和地区发展的首选目标，在一定程度上，经济的发展也要与其统筹考虑，同步决策。这是个理念的变化。当然它们也有从发展到发达这一阶段。我们从经济落后到经济发达，必须要有个经济飞速发展的阶段，在这个阶段里，经济建设要步步抓紧，同时，针对我国的国情，就业工作丝毫不能放松，经济发展保持高速增长，20 年、30 年，最终的目标是让大家充分就业，让人民安居乐业。这个目标讲起来是很清楚的，但往往在实际操作中，一干就不一样了。有钱投项目，有钱搞形象工程，失业率高一点也没关系，这种观念必须改变。今后，在整个领导层面的观念上都会有很大的改变，我们也要适应这一变化，乘势而上。

张左己部长在劳动保障厅局长会议上提出了五大支柱、六个领域、十项措施。五大支柱：经济拉动，政策扶持，市场服务，政府调控，社会保障。六个领域：我们针对再就业的指向，针对解决现在的焦点问题，发展中小企业、第三产业、多种经济、劳动密集、灵活就业、劳务输出这六大领域。十项政策措施：包括税费减免，小额贷款，社保补贴，就业援助，主辅分离，就业服务，财政投入，社会保障，规范裁员，还有社区的平台。这里既有政策又有措施。五大支柱、六个领域、十项政策措施组成了新时期积极的就业政策的整个框架。

归纳以上要点，全国再就业工作会议精神可以编成一个手机号码：13153255610。“131”：一个主要矛盾，三个特征，一个焦点；“5325”：处理好五个关系，掌握好指导就业工作的三个要素，两项宏观指标和五项政府的责任目标；“5610”：五大支柱，六个领域，十项政策措施。我想这个号码应当是一拨全国都通的，从部一级、省一级，一直到基层社区平台的同志都能很好掌握。

## 二、正确有效地贯彻落实再就业政策

我想从五个方面讲讲这个问题。

*（一）要准确把握，用好用足*

要做到这一点，一定要精学细研，抓住实质。

当前全国劳动保障系统，特别是从事就业工作的同志，一个重要工作就是要认真学习会议精神，学习中央通知精神，学习本省会议和本省政策的精神，准确把握各项政策的实质。开展大学习活动，使每个就业工作者，每个劳动保障工作者，能够准确把握各项政策的实质，以便于工作中能够更好地贯彻落实。

我们组织这次培训班，是全系统学习活动的第一步。下一步，希望各地回去以后，也要组织相应的培训班，面对社区和街道，面对县一级举办培训班。我们从事就业工作的同志，对中央精神的理解程度，对扶持政策的把握程度，会对本地再就业政策的贯彻落实和工作的开展产生直接的影响。你理解差一点，贯彻落实就差一点；你理解歪了，贯彻落实就歪了。因此，我们提出要精学。但实际上，这次培训班只能做到点到为止，把主要的方面、主要的内容向大家介绍，使大家了解为什么这样定，定的是什么，执行中要注意些什么，怎么去贯彻等等，把我们想到的都跟大家和盘托出。但实际上各个地方的情况有很大的不同，碰到实际问题，还是要学好中央文件的精神，结合本地实际解决。研究政策应该把握好这么几条：

一是了解制定政策的背景。为什么这么制定，税费减免为什么给服务型企业，不给工业企业。社保补贴政策为什么定给那些人，不给别的人。要把背景了解清楚。

二是要看政策导引的方向。服务业是扩大就业的主要方向。总理讲话里讲了两条，扩大就业的主要方面不在工业，而在服务业，不在国有企业，而在其他多种所有制企业。我们抓住服务业，包括旅游业、商贸业、餐饮业、社会服务业，特别是社区服务，看得准的我们就大力发展。政策的重点就放在扩大就业的增长点上。导引的方向就是使更多的人从事服务业，把工业劳动力转移过来，把国有企业下岗职工转移出来。

三是要掌握操作的程序。总结我们四年前开始的进中心的工作，有经验也有教训。现在这些政策全部把握在劳动保障部门手中，一个再就业优惠证能享受各项扶持政策，对一个人员的管理要与他的再就业、他的培训、他的失业保险、他的社会保险全部相联系，这些工作都把握在劳动保障部门手里。因此，要把操作的程序搞清楚。

四是贯彻政策的工作要求。比如落实免税政策，要求劳动保障部门从哪几个环节去做工作，必须一一搞清。

最后一个就是风险防范。这几年大家非常

辛苦，搞下岗职工基本生活保障做了很多的工作。但是我们的制度上、管理上确实还存在一些问题，有漏洞让人钻。我们这次就是要聪明一点，你想套取政策和资金，我还要想办法查出来。必须排除我们在政策执行中的干扰因素，才能保证政策畅通无阻。所以，我们要把防止政策风险作为一个重要的要求。

（二）要用好用足，发挥效力

制定政策最主要的是为了扩大就业。最后检验的结果，还是看这些政策在扩大就业上起没起作用。所以，我们要在用好用足这些政策上下功夫。

一是要充分发挥我们自己的工作能动性，做好工作，推动落实，为政策的通行铺平道路。二是要发挥企业和劳动者的积极性，帮助政策对象更多地了解政策，以便他们使用好政策。三是要在政府的领导下，帮助策划一个监督检查、推动落实的机制。我们这次抓政策落实，专门提出监察部门要出面。昨天我看到两个中央督查室关于全国各地再就业进展情况的报告，中央督查室把这项工作作为目前督查工作的一个重点。这是一个很好的条件。我们落实政策中，要把这样一套机制建立起来，并在用好用足上下功夫，使其最大限度地发挥促进就业的作用。哪个地方这方面工作做得好，哪个地方就业就能打开局面。在这方面，第一个要培训街道工作人员。我们这项工作抓手在街道、在基层。所以，我们希望能够把政策接力棒传到街道、社区工作人员身上，让他们能够在操作第一线掌握好政策，使政策切实落实到下岗失业人员身上，产生效果。第二个对企业，要采取多种形式向它们通报。可以办班，可以开通报会。我考察了很多企业，不少企业管理者反映不知道就业政策。有些地方的劳动保障部门做得很好。他们经常和企业开联系会、通报会。如果这个地方的就业增长点在私营企业，就把百家私营企业家都请来，跟他们讲，希望他们多吸收下岗失业人员，不仅有名，而且有利，可以享受补贴，享受税收的减免。有的地方劳动保障部门专门到新建的大型商厦、连锁店讲政策，鼓励企业多吸纳人员。企业吸纳是我们政策的一个重要部分，我们首先要把政策宣传到位。同时，也要让企业知道，在享受这个政策时，必须做到什么，该订合同的要订合同。告诉他们，在过去贯彻政策中，我们发现有的企业存在着这样那样的问题，点出来，希望以后不要这样，我们也有防范措施。事都说在前头，以后的事都好办了。

（三）要结合实际，积极开拓

一方面，按照中央政策的方向，按照中央政策的原则和要求，结合本地实际，细化、实化操作。要细，细到拿到手里就能干，谁都知道怎么干；要实，就是政策不是口号，在基层、县、市搞好操作。

另一方面，应该着眼实际，积极开拓。中央定的大方向、大原则不能违背，但你那个地方究竟面临什么问题，要解决什么问题，解决这些问题在具体操作上怎么办，恐怕中央政策也规定不到。要鼓励大家积极开拓。我们现在所有的政策都是近几年大家积极开拓出来的，是总结大家实践经验的结果。每项政策都有上海的影子，青岛的影子，大连的影子，各个城市的影子都有，北京呀、天津呀，不少省的工作里都有这些影子，都是现有政策、新的政策的基础。下一步，在贯彻这个政策的过程中，碰到新的问题，还希望大家开拓创新，你开拓了，我们在你的经验基础上，完善政策，针对新的问题再进一步推进。

（四）要稳妥操作，防范风险

我要强调的是中央确定的再就业政策范围相当广泛，内容非常丰富，特别是含金量很高，要拿出钱，要免税。如果实行好了，对促进就业的作用肯定很大；但是如果操作不慎，把握不好，管理不到位，可能适得其反。

在制定政策过程中，吵就吵这个。我们说这个政策制定下来，能够扩大就业；有关部门就说，制定这样的政策可能出现道德风险。后来大家一起商量，既然我们搞明白了，又要促进就业，又知道有道德风险，能不能搞一个双刃剑，既促进就业，又防止道德风险。所以，在具体执行中，大家要很好地看看，怎么执行得更好。要研究风险，制定预案。风险可能来自三个方面。第一，不能很好地执行政策，导致政策不落实，导致群众对我们党和政府的不信任。这是最大的风险。第二，政策在落实过程中，到了基层，到了企业，到了个人，或者是不了解政策，或者是曲解政策，或者是存心钻政策空子。政策在执行过程中有漏洞，被骗取资金，骗取税收，倒卖优惠证，这类事情必须事先有所防范。执行这样一个政策，要防止为了个人或者企业得利出现的干扰。第三，这次我们的政策确定了一些政策对象，确定的是这些对象，不是那些对象，那么那些对象就有可能攀比。如果我们的工作做不好的话，攀比这件事，就可以引起上街、上马路。为什么给他们政策，不给我们政策，我们也是怎么着怎么着。那你就得说服呀。这次政策解决什么问题呀，你过去享受没享受政策，这里头有很多的问题。如果把什么样的人都包括进来，那么你的资金承受能力、你的税收减免等能不能控制得住。朱总理在这方面几次强调要防范风险，我们也很担心，政策好不容易拿下来了，贯彻得不好，出现副作用，最后导致政策被否定、被取消，非常担心这件事。但是说到底，也没有什么好怕的，只要我们头脑里有根弦，认识到这三方面存在风险，我们事先有所考虑，有所措施，出了事也不怕。

在具体工作中，我们希望能够做好准备，严把三关。要深入细致地做好各项准备工作。一是要做好基础准备。比如，街道社区的劳动保障组织要赶快建立起来，摸清人员情况，建立一整套信息库体系，做到管理科学，情况清楚。二是做好配套政策的准备。中央的几个配套政策出台以后，各地抓紧做好这些配套政策的准备工作，配套政策中要把防范风险的措施考虑得比较周到。三是具体工作中，要两手抓，一手抓推进就业，一手抓防范一些问题。工作中要严把三关。一是审核发证关。这是劳动部门的事。应该做到该领的一个不能少，不该领的一个不能多。二是扶持政策认定审批关。现在所有扶持政策的把口都在这儿，这个人符合不符合政策条件，劳动部门说了算，符合的，税务部门开绿灯，贷款部门开绿灯。所以要严格把关。要制定严谨规范的工作程序和相应的工作制度，搞好和有关部门的配合机制，使我们认定审批既严谨又便利。我们希望在这方面，一些地方能创造一套很好的办法，你创造出来，我们马上推广。我们相信，劳动保障部门在这方面肯定能够创造出新的经验。三是把好社会监督和后续跟踪检查关。再严密的政策，再好的管理也需要后续的监督、检查和管理。

*（五）要分步实施，先易后难*

在工作中肯定要碰到一些复杂的问题，怎么办？可以分成几个层次，比较容易的，大家都认可的，比如，长期下岗失业的，就业困难的，我们首先纳入；服务型企业中老企业一下子看不清楚，新办的企业先纳入；个体经营者很多人都来了，参加创业培训的先纳入。这都拿得准呀。后面的人别着急呀，你要是这样做了，我们也会逐步纳入。但是先纳入的是社会最同情的，是一眼能看得准的。总之，有这样一个步骤有利于我们的工作，不要胡子眉毛一把抓。比如，小额贷款这个问题，老是拿不准，是不是部分地方先行试点，积累经验后，明年再推广实施。一些地方已经搞的，基础比较好，先试点，确保政策实施过程中，尽可能减少问题的发生，减少到最小程度。

## 三、积极开展劳动力市场建设推进试点，加快街道社区劳动保障工作平台建设

劳动力市场的“三化”建设试点，现在要进行第二期，叫做推进试点。第一期试点，一批城市已经达到了目标，还有一批城市没有达到，还有一定的差距。现在要求推进试点，包括三个方面。第一，试点本身要扩展，原来有的城市没有列入国家试点名单，但人家也干得非常好，要把它们包括进来。第二，完成第一期试点任务的，再上一个新的台阶。第三，还没有完成一期试点任务的，加快完成应完成的

任务，尽快走上第二台阶。

这几年，经过大家的努力，劳动力市场"三化"建设确确实实有一个非常大的进展。到每个地方我都非常高兴。不仅是看到一个大楼，一套现代化的设施，而是终于使劳动者有这么像样的地方求职就业，这是劳动者之家，是为劳动者就业服务的桥梁和通道，也是劳动保障部门的窗口，我们工作的实力，我们对外服务的形象，都可以在这里展示出来。十年前，到国外看他们使用计算机传递信息，职业指导员一对一指导，我们十分羡慕。现在我们自己的许多城市都做到了，水平也不低，如果拿出去，也是国际水平的。我觉得这就是我们试点的结果。事实证明，对这件事，我们看准了，抓实了，三五年肯定能见成效。

现在有必要再强调一下，我们这次"三化"推进试点的重点，主要放在促进就业的成效上，就业服务的真正强化是与就业的效果相联系的。这一点特别重要。劳动力市场最根本的是运转信息，城市的岗位信息究竟拿到多少，这些岗位信息能不能直接传递给下岗失业人员，我们服务的质量和服务的水平能不能满足劳动者和企业的需要，这是我们下一步"三化"试点强调的一个重点。所以，我们去考核，主要不看大楼、大厅，主要看服务的质量、水平、效率，看企业和劳动者的满意程度，我觉得这是我们下一步考核的一个重点。我们有决心、有信心把劳动力市场的窗口建设成为服务优质的、劳动者和企业都满意的窗口。

这次开完全国再就业工作会议，各级政府都拨钱搞劳动力市场信息网，有钱了以后搞什么能够最有效地促进就业，在这方面要下大功夫，这对我们也是一个考验。我们去了很多地方，工作人员后台的工作条件比前台的工作条件还要差，但是劳动者一看，这些人是真的为我们干事的，他和你就心贴心了。这个道理大家都懂，我就不说了。所以，搞好劳动力市场"三化"建设，关键要把促进就业的效果作为衡量的最主要标准。同时，还要求点面结合，整体推进。要突破一些难点，特别是要整顿劳动力市场的秩序，建立就业服务和失业保险、职业培训、工资指导价位有机衔接的机制。

今天，给大家发了一张纸，是特意翻译过来的。瑞典的就业服务已经细到这种程度，它的服务流程与劳动者就业过程一一对应，分14天、100天、300天三个阶段。劳动力市场首先是一个服务平台，是让有能力的劳动者自助服务，有计算机，有信息库，有岗位空缺，有职业培训的消息，由自己按需要查找，可以直接与雇主接洽。14天后，可找职业指导员帮助一下。如果100天再找不到工作，就说明他凭自己的能力解决不了问题了，这时候相应的服务就跟进了。把100天至300天作为重点帮助阶段，一对一的服务，各种项目服务都上来了。同时，对求职者也提出要求，你原来要求从事的职业找不到工作，要考虑别的职业，你要求离家近的区域找不到工作，要考虑其他地区，在新的起点上为你提供相应指导和服务。到了300天再解决不了的，说明一般的就业服务对这个人已经不行了，就业援助便开始实施了。300天内80%的人都能就业，需要援助的人群只占20%，这是公共服务的重点。我们看到，很多人高兴而来，找工作、查信息、学知识，政府帮助的是就业最困难者。像这样一种比较科学的、按照求职规律、按照失业人群找工作的规律来制定就业服务的流程，体现了"以人为本"，把劳动者的自主就业和政府的帮助真正结合起来。我想下一步在就业工作中引入市场机制，流程不可忽视，表面看是一个技术方法问题，实际上体现了市场机制的作用。

关于加快社区劳动保障工作平台的建设，刻不容缓，势在必行。如果没有社区工作平台的建设，促进就业的优惠政策很难落实到位，搞市场就业的社会化管理也会寸步难行。这次中央编办和我们一块下发文件，在街道要建立机构，在社区配备人员。左已部长提出，全国最好能统一标牌，一次全部都建成。希望大家充分认识这项工作的重要性和必要性，在当地政府领导下，获得当地编委支持，共同做好这项工作。刚才常德、吉林、攀枝花、天津四个城市介绍经验，其中常德和攀枝花是后来居上。今天市长们都来了，非常感谢你们，你们重视社区平台建设，就是重视就业。这项工作要见真功夫，各地要制定一个工作目标，到年底或者春节前这几个月，80%、90%或100%的社区平台都要建立起来，这是我们实施就业政策的最根本保障。社区平台要和劳动力市场“三化”建设联系起来，计算机的网络要通到社区里去。这项工作总结起来就是四句话：刻不容缓、势在必行、抓紧抓好、速见成效。前两句解决认识问题，后两句解决操作问题。我们不要求几个月所有的政策都落实了，那要一步一步来，但第一步，社区平台建设一定要抓紧，几个月内要见效。

落实全国再就业会议的部署和安排，解决就业这个世纪难题，我们面临最好的机遇，我们也面临最大的挑战，希望我们大家能够团结一心，共同拼搏，靠我们共同的努力圆满完成党中央、国务院交给我们的任务。

# 研究新情况　解决新问题<br>全面完成今年的养老保险工作任务

## ——在全国养老保险工作座谈会上的讲话

劳动和社会保障部副部长　刘永富

（2002年8月21日）

这次全国养老保险工作座谈会的主要任务是，部署今年企业退休人员基本养老金调整工作，总结上半年工作情况，分析形势，交流经验，安排下半年任务，进一步推动养老保险工作的开展。

### 一、充分肯定养老保险工作取得的新成绩

党的十五大以来，养老保险工作进入了一个新的历史时期，改革步伐不断加快，工作力度不断加大。各级劳动保障部门认真贯彻落实党中央、国务院的方针政策，在党委、政府的领导及有关部门的支持下，紧紧围绕“两个确保”和完善社会保障体系，克服困难，狠抓落实，养老保险的改革与发展取得显著成效：企业离退休人员养老金基本做到按时足额发放，养老金社会化发放全面实现，发放情况一年比一年好，较好地保障了离退休人员的生活；与社会主义市场经济体制相适应的城镇企业职工养老保险制度框架基本建立，统一了基本养老保险制度，原行业统筹移交地方管理，在辽宁进行完善体系的试点，各项政策不断完善；扩面征缴工作取得突破性进展，参保人数突破亿人大关，基金征缴收入每年增加150多亿元，覆盖范围不断扩大，保障能力得到增强；各级财政调整支出结构，增加对社会保障的投入，中央财政1998年以来补助地方1 200多亿元，建立全国社保基金，多渠道筹资的新机制初步形成；基金收支实行两条线管理，财政补助专款专用，管理工作得到加强，基本没有发生新的挤占挪用，而且清理回收了1998年以前被挤占挪用基金。养老保险工作认真落实中央的决策和部署，为完善社会保障体系，为改革发展稳定的大局做出了积极贡献，得到党中央、国务院以及地方各级党委、政府的充分肯定，受到广大人民群众和社会各方面的普遍欢迎。

今年上半年，各级劳动保障部门认真贯彻中央政治局常委会关于进一步安排好困难群众生产和生活的要求，按照中央维护企业和社会稳定会议的部署，全面落实全国劳动保障工作会议确定的任务，以维护稳定为主题，以确保发放为主线，努力解决突出问题，主动排查隐患，巩固了发放成果，落实了中央补助，确定了调待方案，较好地完成了任务。

（一）确保养老金发放继续得到巩固

今年以来，各地继续把确保企业离退休人员基本养老金按时足额发放作为中心任务，摆

在重要位置，通过强化基金征缴，加强基金调剂，清理企业欠费，用好财政补助资金等措施，基本实现了养老金按时足额发放的目标。到6月底，全国应发基本养老金1 151亿元，实发1 150亿元，同期补发历史拖欠8 124万元；养老金社会化发放人数达3 241万人，比上年底增加119万人，社会化发放率达到99%，达到100%的地区由去年底的10个增加到14个。中央财政补助实现计划一次下达，资金按季拨付；各地也积极调整财政支出结构，加大了对养老保险基金的支持力度。

（二）调整企业退休人员养老金工作圆满完成

对2001年企业退休人员养老金调整工作，各地高度重视，按照劳动保障部和财政部的部署，认真组织实施，到今年4月底基本完成。调整幅度基本控制在2000年当地企业在岗职工月平均工资增长率的60%，月人均增加40元左右。在调整中，各地根据退休人员参加工作时间、缴费年限、养老金水平等情况，向退休早、收入低的人员倾斜，使部分人员养老金水平偏低的矛盾有所缓解。总体上看，这次调整工作进展平稳，效果很好。

（三）完善城镇社会保障体系试点工作进展顺利

辽宁省委、省政府加强对试点工作的领导，劳动保障部门会同有关部门做了大量艰苦细致的工作，付出了辛勤的劳动，试点实施一年来，在养老保险方面取得了明显成绩。一是个人缴费由5%一步提高到8%，个人账户基金完全由个人缴费形成并基本做实，而且全部集中到省社会保险经办机构管理，实现了社会统筹基金与个人账户基金分开管理，达到了积累部分资金的目的。二是新退休人员全部实行新的基本养老金计发办法，过渡比较平稳。三是基本建成了社会保障信息系统，社区建设和退休人员社会化管理服务也有较大进展，养老保险基础工作得到加强。

（四）基金征缴收入有较大增长

今年以来，部里通过采取下达征缴计划，召开征缴座谈会等措施，加强了对征缴工作的指导。各地普遍开展养老保险费征缴专项稽核，查堵缴费人数、缴费基数方面的漏洞。月人均缴费工资基数达到752元，同比增加81元，仅此一项，就增收100亿元。继续积极开展清欠工作，在新闻媒体上对欠费大户进行曝光，发挥舆论监督作用，清理欠费70亿元。通过努力，上半年基金征缴收入达991亿元，同比增收140亿元，为历史最好水平。

（五）社会化管理服务工作稳步推进

在基本实现养老金社会化发放后，为推进企业退休人员社会化管理服务工作，部里今年初在全国确定了100个重点联系城市，对其中的32个直接进行指导。各地也从实际出发，积极探索企业退休人员实行社会化管理服务的途径。目前，街道、社区设立退管机构3 619个，专职、兼职人员7 358人。到6月底，全国有793万名企业退休人员纳入社会化管理服务，占退休人员总数的24.9%，比上年底增加125万人。

（六）信息系统建设有新的进展

各地普遍重视信息系统建设，增加资金投入，加快工作进度。目前，全国地级以上城市已基本建立养老保险信息系统，参保登记、申报缴费、个人账户管理、社会化发放等业务，已全部实现计算机管理。90%的直辖市和省会城市、60%的地级城市建立了局域网，15%的城市建立了连通区县的广域网。部分地区利用养老保险信息系统，开展了电话查询等服务工作。

## 二、认真分析养老保险工作面临的新形势

我们所取得的成绩是显著的，但也应该认识到，这还只是阶段性的。在一定时期内，确保发放和完善体系的任务仍将是艰巨的，而且随着工作的进展和改革的深化，还将出现一些新情况新问题需要研究解决。

（一）确保发放的压力仍然很大

今年上半年，尽管基本做到了养老金的按时足额发放，但很艰难，保发放工作还有一些

不到位的地方。除农垦企业外，在个别县市发生了对拖欠隐瞒不报的问题，虽然得到了及时纠正，但说明确保发放工作稍有松懈就会出现问题。从征缴工作情况看，总体上征缴收入增加较多，但各地不平衡，上半年20个省市当期收支有缺口。从财政补助情况看，今年中央补助计划已经确定，上半年的资金已拨付到位，但地方财政调整支出结构的力度不够，特别是有的省级财政补助很少。总体上看，基金的承受能力不强，加上今年两次调待，人均月增加70多元，下半年保发放的压力增大。需要各地加大资金筹集力度，征缴收入应继续有一个较大幅度的增长，地方财政特别是省级财政应加大支持。只有这样，才能落实中央关于确保发放、不得发生新的拖欠的要求，才能保持社会稳定。

（二）工作中个案问题多

这几年，养老保险个案问题不断增多，解决的难度增大，影响了基本养老保险制度正常运行，有的甚至影响到社会稳定。一类是由于企业与机关事业单位退休人员待遇差距拉大引起的。对此，企业退休人员和社会各方面反映强烈，需要我们在制度方面进行思考。一类是一些集体企业的退休人员和一些家属工、“五七工”，由于没有参加养老保险，他们目前生活困难，要求享受养老保险待遇。一类是在企业破产过程中，由于资金安排不足等问题，影响了部分退休人员的养老和医疗等问题，有的甚至出现了群体性事件。一类是转制事业单位养老保险政策落实困难，进度缓慢，矛盾突出。改革涉及利益的调整，在深化改革的过程中个案问题增多，是难以避免的，我们必须高度重视，妥善解决。

（三）参保缴费人数出现大幅下降

去年以来，养老保险参保和缴费人数出现大幅下降。到今年6月底，企业参保职工为9 046万人，比上年底减少153万人，22个省市和兵团都有下降。企业缴费人数为7 958万人，比上年底减少242万人，有的地区缴费人数下降幅度还很大。参保缴费人数下降，从当前看，导致基金收入减少，缺口加大；从长远看，不利于保障从业人员的社会保障权益，给社会稳定留下隐患。必须高度重视，尽快采取措施，改变一边扩面一边下降的局面。

（四）就业方式的变化提出了新课题

在深化企业改革和结构调整过程中，在加入世贸组织后，就业方式会越来越趋于灵活多样。党中央、国务院将召开全国再就业工作会议，明确新时期促进就业和再就业工作的指导思想、目标任务和政策措施。其中提出了鼓励灵活就业的一系列政策措施，必将推动灵活就业形式的发展，使越来越多的劳动者以灵活的形式就业。同时，随着城镇化进程加快，很多农村人口成为城镇居民，还有大量农村富余劳动力转移到城镇就业。这些新情况对养老保险工作提出了新的课题，要求我们研究提出相应的政策，实现灵活就业人员的社会保障权益，解决农民工和农转居人员的社会保障问题。

面对新的形势，促进养老保险事业的新发展，必须认真贯彻“三个代表”的重要思想，学习领会江总书记“5·31”重要讲话精神，按照在新世纪新阶段，发展要有新思路，改革要有新突破，开放要有新局面的要求，树立大局意识，转变思想观念，增强工作责任，改进管理方式，不断推进我们的工作。

第一，在完善制度的同时，要在健全机制上下功夫。经过近20年的改革，养老保险的制度模式基本确立，但有些政策仍需完善。我们在制定政策完善制度的同时，要在健全机制方面多下功夫，保障制度的实施。如解决缴费满15年就中断缴费和大量职工提前退休等问题，就应在完善制度的同时，还要在健全机制方面多做工作，注意通过政策引导来形成机制。

第二，在依法推进的同时，要加强工作引导。依法强制用人单位和劳动者参加社会保险，是维护广大劳动者合法权益的需要。《社会保险费征缴暂行条例》的颁布实施，为参保征缴工作提供了法律依据，我们必须认真贯彻落实，要求用人单位和个人参保缴费。同时也要看到，新旧体制的转换，制度的落实，思想观念的转变，需要有一个过程。因此，在继续强化依法参保缴费的同时，还要通过政策宣传和管理服务，通过做好工作，使用人单位和广大劳动者看到和得到参保缴费的好处，变“要我参保缴费”为“我要参保缴费”。

第三，在做好当前工作的同时，要注意研究长远问题。在改革不断深化的过程中，养老保险工作的任务非常繁重，出现了很多个案问题，这些都需要认真研究解决，首先把当前的工作做好。但就事论事，实行按人群处置的政策是难以持久的，需要整体设计，总体规划。这就要求我们在努力做好当前工作的同时，必须着眼长远，及早研究影响长远的一些重大问题，提出对策和预案，以确保养老保险事业的可持续发展。

第四，在加强管理的同时，要不断提高服务水平。在当前和今后一个时期，要推进养老保险工作，必须加强管理，运用必要的行政手段。但同时，我们要努力适应市场经济发展要求，转变思想观念和管理方式，增强服务意识，树立以人为本的观念，通过周到、细致的工作，为参保单位和参保人员提供及时便捷的服务。

第五，在推进工作的同时，要加强基础建设。适应改革发展稳定大局的要求，养老保险工作必须不断向前推进。这几年，我们围绕确保发放，解决难点问题，突破重点问题，成绩是明显的。但同时，基础管理薄弱的问题越来越明显地暴露出来，突出表现在信息系统建设滞后，管理方式粗放，统计数据失实，经办机构能力建设和工作条件严重不足等方面，已经制约养老保险事业的发展。为此，我们要统一思想，加大投入，加快推动基础建设上新台阶。

## 三、全面完成今年养老保险工作的各项任务

今年下半年，养老保险工作的总体要求是：从维护社会稳定的大局出发，紧紧围绕确保发放和体系建设，认真落实养老金调整，全力巩固工作成果，大力推进社会化管理服务和信息系统建设，继续做好试点工作，认真开展社会保障政策大检查和养老保险综合调研，全面完成今年养老保险工作的各项任务，以优异的成绩迎接党的十六大。概括起来讲，就是抓落实、抓巩固、抓突破、抓调研。关于下半年工作，养老保险司和社保中心的领导还要部署。这里，我强调几个问题。

### （一）认真落实企业退休人员调整养老金工作

中央决定从今年7月1日起调整企业退休人员养老金，并对中西部地区和老工业基地给予适当补助。这是落实江总书记“三个代表”重要思想、维护社会稳定、迎接党的十六大召开的一项重要举措。各地要作为一项政治任务来认识和把握，把工作做到位，把政策落实好。今年的养老金调整工作要在普遍调整的基础上，对退休早、养老金偏低的老干部、老工人、军队转业干部等群体适当倾斜，使他们的养老金月人均增加70元左右。明确倾斜对象，并对调整水平提出要求，这在企业退休人员基本养老金总体偏低的情况下，增加了工作的难度。所以，对今年的养老金调整工作，大家一定要认识到它的艰巨性和复杂性，把好事办好，决不能出现不稳定的问题。为此，我强调几点：一是要在党委、政府的领导下，会同有关部门认真落实中央的政策规定，落实国家的统一部署，具体实施方案报劳动保障部、财政部审批后执行；二是认真做好调查摸底和测算等基础工作，特别是摸清需要倾斜人员的基本情况，精心制定实施方案，防止引发新的矛盾；三是注意做好政策解释和思想政治工作，妥善处理可能出现的问题；四是抓紧组织实施，9月底前完成方案审批工作，10月底前将增加的养老金发到退休人员手中；五是必须做到养老金的按时足额发放，不能因调整养老金而发生新的拖欠。

### （二）继续确保基本养老金按时足额发放

经过几年的努力，我们基本实现了养老金的按时足额发放，受到广大企业离退休人员的

普遍拥护。如果我们不把“两个确保”作为一项中心任务，抓住不放，狠抓落实，就很难有今天的稳定局面，改革发展就无从谈起。我们要珍惜这来之不易的局面，一如既往地克服困难，努力工作，巩固确保发放的成果。现在，确保发放的各项政策都非常明确，中央财政也提供了很大支持，确保发放完全有条件做到。要进一步完善月调度和城市直报等措施，对重点地区实行重点监控，及时了解掌握情况，发现问题，提前防范；要结合各地实际，认真排查各种隐患，清除死角，把工作做深做细；要加强监督检查，充分发挥新闻媒体等社会监督的作用，对发生拖欠的，发现一起，查处一起。

（三）研究完善参保政策

依法扩大养老保险覆盖范围，是维护广大劳动者合法权益的要求，也是养老保险事业持续发展的需要。目前我国养老保险参保人数不到全部城镇从业人员的一半，而且已有的参保人数还在下降。各地一定要高度重视，按照《社会保险费征缴暂行条例》的规定做好参保工作，采取有效措施遏制和扭转这种局面，保证今年扩面任务的完成。当前，完善养老保险参保政策主要是要研究两个问题。一是个体工商户的参保政策是否需要统一。现在是由各地自行制定，缴费比例不统一，缴费基数不一致，做法不规范，影响了工作的开展。二是灵活就业人员的参保政策是否需要明确。从国际经验看，参保范围一般是按照城镇职工、城镇从业人员、城镇居民、全体国民的顺序逐步扩大的。随着市场经济的发展，我国灵活就业人员将越来越多，需要尽快研究灵活就业人员的参保办法。有的地方已经制定了一些政策，实际执行情况也不错，需要加以总结和推广。

（四）全力抓好征缴工作

养老保险费征缴是养老保险基金的主要来源，是确保发放的物质基础。征缴工作的好坏，直接影响到确保发放工作，也关系到制度的生命力。上半年征缴工作取得了较好成绩，下半年要确保完成全年基金增收200亿元的任务，并力争再多收一些。要认真稽核缴费人数和缴费基数，堵塞这方面的漏洞，做到应收尽收；要继续加大清欠力度，对有能力缴费的欠费企业要一抓到底，解决好前清后欠、边清边欠甚至欠大于清的问题。要认真分析缴费人数下降的原因，搞好下岗失业人员养老保险关系接续。社会保险经办机构要普遍开设个人缴费窗口，方便个体和灵活就业人员缴费。

（五）大力推进社会化管理服务工作

社会化管理服务是社会保障体系的重要内容，中央领导同志对此十分重视，多次作出重要指示。朱镕基总理强调，要及时做好企业退休和失业人员的管理和服务工作，努力使他们能够更好地生活于所在社区。过去，社区建设不包括劳动保障事务，随着社会主义市场经济体制的建立，我国基层社会生活组织形式发生重大变化，社区要承担原来由政府和企事业单位承担的一些社会职能。劳动保障事务成为社区建设的一项重要内容，劳动保障部门要及时把劳动保障工作的职能向社区延伸。这是一项新的任务，各地要主动向党委、政府汇报，积极创造工作条件。今年以来，社会化管理服务工作取得了一定进展。但总体上进展不快，客观上讲有社区建设不健全和缺乏必要的工作条件等问题，但也有我们认识和工作不到位的问题。党中央、国务院即将召开的全国再就业工作会议，将对城乡基层组织承担做好下岗失业人员再就业和企事业单位退休人员管理服务工作提出要求：明确街道和工作任务重的乡镇，可设立或确定负责劳动保障事务的机构，具体由各地党委、政府根据实际情况决定；充分发挥社区在就业和社会保障方面的服务功能，街道劳动保障工作机构要在社区聘用专门的服务人员，并提供工作经费，建立统一的社会保障和劳动就业工作体系。部里研究拟定了社会化管理服务的标准和规范，提交这次会议讨论修改后下发。各地要抓住机遇，增强紧迫感，像抓养老金社会化发放一样，抓企业退休人员社会化管理服务，尽快打开工作局面，实现今年1 000万企业退休人员实行社会化管理服务的目标。100个重点联系城市要走在前面，做出样子，为全国的工作提供经验。

（六）加快社会保障信息系统建设

社会保障信息系统也是社会保障体系建设的重要内容，是规范管理和提升工作水平的重要手段。从这几年的实践看，各地都非常重视信息系统建设，做了许多工作，投入了不少资金和人力，取得了一定成绩。但由于各地做法不一，作用没有充分发挥出来。特别是一些市县虽然建立了网络，但只是解决了手工操作问题，数字仍然上不来，对宏观决策和实时监控的帮助不大，我们要认真总结经验教训。国务院要求在2003年建立覆盖全国的社会保障信息系统。近日，中办、国办《关于转发国家信息化领导小组关于我国电子政务建设指导意见的通知》，明确了12个重点建设和完善的业务系统，社会保障是其中之一，部党组已决定称为“金保工程”。社会保障信息系统是一个整体，是一个系统工程，需要总体规划，整体推进。但从当前人力、物力、财力的情况看，只能有先有后。部里研究决定，在坚持总体规划的前提下，在已有工作成果的基础上，养老保险信息系统应实现突破。今年，先与各地共同规范业务流程，研究设计方案，明年与具备条件的省市实现联网，形成全国网的雏形，希望较多的省市与部里实现联网。

（七）继续完善多渠道筹集养老保险基金的机制

我们已经建立了以养老保险费征缴为主体，中央和地方各级财政提供支持的多渠道筹资机制，为确保养老金发放提供了资金保证。从今年起，中央财政补助办法做了调整，年初确定计划，资金按季拨付。中央财政在困难的情况下，作了很大努力支持确保发放工作。解决今后养老保险基金缺口的关键还在于我们加强征缴，在于各地调整财政支出结构，尤其是省级财政要加大支持力度。各地劳动保障部门要认真履行职责，主动向党委、政府汇报，争取地方财政支出结构调整力度更大一些。要会同财政部门加强监督检查，管好用好财政补助资金，切实做到专款专用。要加快财政补助资金的周转速度，不能出现一边资金闲置，一边又产生拖欠的问题。

（八）认真开展社会保障政策落实情况大检查

近日，国务院办公厅发出《关于开展社会保障政策落实情况大检查的通知》，决定今年下半年在全国范围内开展一次社会保障政策落实情况的大检查。通过检查，促进“两个确保”等社会保障政策的贯彻落实，继续扎实有效地做好各项劳动保障工作，保持社会稳定，为党的十六大召开创造良好的社会环境。各地要加强组织领导，按照统一部署、分工负责、密切配合的原则，明确目标任务，落实工作责任，保证检查工作的顺利进行。各级从事养老保险工作的同志要以这次大检查为契机，认真回顾和总结养老保险工作的经验教训，梳理工作中存在的问题，提出工作意见和建议。对检查中发现的问题，要及时解决，对好的经验和做法，要及时交流推广。

（九）切实搞好养老保险综合调研

为研究解决当前养老保险工作中的突出问题，进一步完善制度和政策，确保企业离退休人员养老金按时足额发放，劳动保障部、财政部商定，开展养老保险综合调研。调研的提纲已经发给大家，前期已在4个省进行了调研，近期准备再去2个省，其他地区也应按提纲主动开展调研，并形成书面材料年底前报部养老保险司。这次调研活动，既是对当前工作的检查，更是对长远问题的研究。有的是需要摸清情况的，有的是需要研究提出建议的，目的是为中央决策提供政策储备。需要强调的是，重大问题只是调研，听取意见和建议，不是具体操作。在中央没有决策前，主要是继续把现有政策落实好。

（十）认真落实全国再就业工作会议对养老保险工作提出的要求

即将召开的全国再就业工作会议，是党中央、国务院决定召开的一次重要会议，将明确新时期就业和再就业工作的指导思想、目标任务和政策措施，进一步巩固两个确保和完善社会保障体系，全面推动就业和再就业工作。养老保险工作贯彻落实会议精神，主要是做好以下几件事：一是研究制定个体工商户和灵活就业人员参保缴费的具体办法；二是协助落实下岗再就业人员实行社会保险补贴的政策；三是落实在街道和社区建立统一的社会保障和劳动就业工作体系的工作；四是做好下岗失业人员养老保险关系的接续工作。这些要求，对于我们养老保险工作来说，是新形势下面临的新任务，做好这些工作，对于促进就业和再就业具有重要的意义。各地要提高认识，统一思想，结合实际情况，尽快制定落实的措施，以这次全国再就业工作会议为契机，进一步完善养老保险制度。

养老保险工作处在一个非常重要的发展时期，任务繁重，责任重大。我们要按照江总书记“三个代表”重要思想的要求，讲大局、讲团结、讲稳定，把各项工作计划好、安排好、落实好，全面完成今年养老保险工作任务，不断把养老保险事业推上一个新台阶。

# 抓住机遇 奋发有为 全面推进企业退休人员社会化管理服务工作

## ——在全国企业退休人员社会化管理服务工作现场会上的讲话

刘永富

（2002年11月4日）

这次会议的主要任务是，认真学习贯彻全国再就业工作会议的有关精神，按照党中央、国务院关于完善社会保障体系的要求，研究部署加快推进企业退休人员社会化管理服务工作。

### 一、当前社会化管理服务工作的基本情况

党中央、国务院对建立和完善独立于企事业单位之外的社会保障体系工作十分重视。1999年，党的十五届四中全会通过的《关于国有企业改革和发展若干重大问题的决定》指出：要“逐步推进社会保障的社会化管理，实行退休人员与原企业相分离，养老金由社会服务机构发放，人员由社区管理”。2000年，国务院印发《关于完善城镇社会保障体系的试点方案》，专门对推动退休人员转入社区管理做出部署。前不久，中央召开全国再就业工作会议，会后下发了中央12号文件，又对这项工作提出了明确要求。各地区按照中央的部署和要求，积极探索，努力开拓，社会化管理服务工作取得一定进展。

（一）社会化管理服务工作的总体进展

近几年，劳动保障系统狠抓养老金社会化发放，既将其作为确保养老金按时足额发放的重要手段，又作为实行退休人员社会化管理服务的重要条件，经过2000年和2001年两年的艰苦努力，在全国全面实现了社会化发放，有力地保障了养老金的按时足额发放。同时，又不失时机地启动了推进退休人员纳入社区管理工作，在部分城市进行试点，取得初步成效。今年以来，部里进一步加大工作力度，年初在全国确定了100个重点联系城市，从第二季度开始分片召开了6个社会化管理服务工作座谈会，并派出工作组进行督导。在前不久国务院部署进行的社会保障政策落实情况大检查中，又把这项工作作为一个重要内容进行了检查。在各地的共同努力下，社会化管理服务工作取得新的进展。截至9月底，全国共有1 109.9万名企业退休人员实行社会化管理服务，比去年底增加441.6万人；社会化管理率达到34.6%，比去年底提高12.7个百分点。其中，32个全国重点联系城市实行社会化管理服务的人数已达到616.8万人，占全国实行社会化管理人数的55.6%，社会化管理率为53.1%。

上海、沈阳、唐山、宁波、大连、南京、南宁等城市的社会化管理率已经达到60%以上，其中上海市已经达到100%，并且全部实行社区管理。

（二）社会化管理服务工作的基本经验

在推进社会化管理服务工作的过程中，不少地区和城市进行了积极的探索，创造了有益的经验。在这次会议上，有11个城市要作大会发言或书面交流。它们的经验材料，可以说是各具特色，值得各地学习借鉴。总结起来，我认为有这样几条基本经验：

第一，领导重视是根本。这是工作进展较快城市的共同体会。比如南宁市，由于市委、市政府高度重视，采取在街道、社区建立工作机构，明确市区两级政府和有关部门的工作职责，召开现场会推广典型经验等措施，今年下半年工作有了突破性进展。在4个月的时间里，社会化管理率就由6月底的14%提高到10月底的76%，提高62个百分点。这次会议共有16个城市的分管市长和秘书长应邀出席，表明了政府领导对这项工作是十分重视和支持的。

第二，社区建设是基础。社区是企业退休人员实行社会化管理服务的载体，社区建设水平的高低直接关系到社会化管理工作的进度和质量。上海市已全部实现退休人员纳入社区管理，这与它们那里社区建设的快速发展有直接关系。上海市的街道、乡镇基本上建立了社会保障服务中心，有2 000多个居委会建立了服务分中心，退休人员在社区能够得到良好的服务。因此，各地推进社会化管理工作，一定要与相关部门通力协作，努力提高社区建设的水平。

第三，机构、人员和经费保障是条件。推进社会化管理服务是需要工作条件来保障的。这次在会上介绍经验以及其他一些工作做得不错的城市，大都比较好地落实了机构、人员和经费。北京、杭州、大连、泰州等市政府，专门发文解决机构、经费问题；广州、郑州等地也通过财政支持和多方筹资的办法，为工作的正常开展提供了必要条件。

第四，开拓进取是动力。社会化管理服务是摆在我们面前的新任务，存在不少困难，没有迎难而上、开拓进取的精神是不行的。像南宁、沈阳等城市，在起步之初都遇到了诸如经费不足、经验缺乏等这样那样的困难，但它们没有等待观望，而是勇于探索和开拓，取得了可喜成绩。这种可贵的精神，值得大家很好学习。

（三）社会化管理服务工作存在的主要问题

在充分肯定成绩的同时，还要清醒地看到我们取得的进展仅仅是初步的，社会化管理服务工作还存在一些不容忽视的问题：

一是工作进展不平衡。有的省市社会化管理率已经达到50%以上甚至100%，而有的省市还不足10%甚至尚未启动。有的重点联系城市已经全面实现社会化管理或者已经基本实现社会化管理，而在32个全国重点联系城市中有2个还不到10%，在68个省级重点联系城市中有18个不足10%，其中有6个工作还没有启动。部里、省里确定的重点联系城市，要通过工作来发挥引导和示范作用，所以这些城市应当认清差距，真抓实干，迎头赶上来。

二是管理办法不规范。从全国情况看，纳入社区管理的退休人员有410.8万人，仅占全部社会化管理服务人数的37%。从各地情况看，除了上海、大连、南宁等一些城市外，不少城市直接纳入社区管理的退休人员还比较少。有的省社会化管理人数已有60多万，进入社区的却只有1 000多人；有的城市则全部是依托企业管理或由社保经办机构管理，而且管理办法也不规范。当然，这有历史的原因，许多地区是在社区建设不完善的情况下起步的，同时由于这是一项新的工作，工作内容和标准还不是很明确，也制约了规范发展。下一步部里要加强调研和指导，在推进工作的同时，抓好管理形式、工作内容和工作标准的规范和完善。

三是工作条件不配套。从大部分城市来

说，社区建设尚未很好开展起来，在街道和社区，社会保障的机构、编制、人员、经费也都没有落实；有些初步建立了机构的，在经费、场地等方面也还面临不少困难和问题，因而不同程度地影响了工作的开展。

四是思想认识不到位。在我们系统内，有的同志认为这件事不是劳动保障部门的工作，应当由别的部门牵头去做，行动还在犹豫；有的存在较严重的畏难情绪，认为社会化管理服务工作的人员、经费难以落实，工作难以开展，想等条件具备了再说；还有的认为两个确保、再就业等方面的工作任务已经很重了，难以分出更多精力来抓社会化管理服务工作。这些思想认识，都不同程度地妨碍着社会化管理服务工作的推进。

## 二、充分认识社会化管理服务工作的重要意义

社会化管理服务是完善社会保障体系的重要组成部分，是管理体制上的创新，是一项开拓性的工作，具有重要意义。

### （一）社会化管理服务是实践“三个代表”重要思想的具体体现

贯彻“三个代表”重要思想的本质在于坚持执政为民，把实现人民群众的利益作为我们一切工作的出发点和归宿。这既是我们党全部工作的指导思想，也是我们社会保障工作的根本指导方针。目前，我国的离退休人员已有4 000多万，其中企业退休人员就有3 200多万人。他们为我国社会主义建设勤劳了大半生，我们理当为他们晚年的幸福生活提供服务。这是我们的重要职责。经过两年多的紧张工作，我们已经全面实现了养老金社会化发放，基本做到养老金的按时足额发放，企业离退休人员晚年生活有了经济上的保障。但这还不够。当前，随着国有企业改革不断深化和破产兼并企业的增加，一大批企业退休人员失去了原单位的依托，亟须通过建立和完善社会化管理服务体系为他们提供服务。即使是仍由原单位管理的退休人员，其中不少人也认识到企业生产经营的风险，迫切要求由社会来管理，使自己的晚年过得安稳、幸福。因此，我们贯彻落实“三个代表”重要思想，就要顺应经济和社会发展的要求，顺应广大企业退休人员的需要，积极推进社会化管理服务体系的建设，把社会化管理服务工作全面开展起来。

### （二）社会化管理服务是继续深化国有企业改革的重要条件

经过几年的努力，国有企业改革和脱困工作取得了很大成绩，但并没有大功告成。吴邦国副总理在全国再就业工作会议的讲话中指出：“国有企业改革的路还很长，当前和今后一个时期，国有企业改革仍是整个经济体制改革的中心环节，仍处于攻坚阶段。”深化国有企业改革必须化解的难题之一，就是要解决企业办社会的问题，切实减轻企业负担。其中一件重要工作是要把退休人员从企业分离出来，实行社会化管理服务。这个问题解决好了，对于巩固和发展国有企业改革脱困的成果，具有非常重要的意义。目前的实际情况是，虽然国有企业基本上纳入了养老保险覆盖范围，养老金也已经全面实现社会化发放，在一定程度上减轻了企业的社会事务负担，但是，大部分企业退休人员仍然由原单位管理，企业要花费相当的人力、物力开展这方面的工作。我国已经加入世界贸易组织，国有企业面临着前所未有的发展机遇和严峻挑战。加快推进国有企业改革，建立现代企业制度，是一项十分紧迫的重大任务。因此，我们要在全面实现养老金社会化发放的基础上，不失时机地抓紧推进企业退休人员的社会化管理服务，为国有企业深化改革创造条件。

### （三）社会化管理服务是建立和完善社会保障体系的重要内容

管理服务社会化，是独立于企业之外的社会保障体系的重要方面。朱镕基总理几次阐述社会保障体系的内容，都把社会化管理服务作为必须明确和把握的要点之一。我们要建立的社会保障体系，既是具有中国特色的，又是与社会主义市场经济相适应的。在这种体系覆盖

下，企业事业单位要依法履行缴纳社会保险费的义务，不再承担发放基本社会保险金和管理社会保障对象的日常工作。这也是世界上所有实行社会保险制度国家的通行做法。我们要建立现代企业制度和完善社会保障体系，就必须实行社会保障管理服务的社会化。

（四）社会化管理服务是党中央国务院交给我们的又一项重要任务

这几年，劳动保障部门及其社会保险经办机构，按照中央的决策和部署，狠抓扩面征缴，确保养老金按时足额发放，完成原行业统筹企业下放，实行养老金社会化发放，一个个硬任务都完成了，受到各级党委、政府和社会各方面的充分肯定。现在，中央又要求我们全面推进社会化管理服务工作，我们要保持和发扬几年来形成的扎实苦干、能打硬仗的精神和作风，在继续做好确保发放和扩面征缴的基础上，像抓行业下放和社会化发放那样，把社会化管理服务、信息化建设和养老保险的规范化管理等几项重要任务完成好。

当前是我们推进企业退休人员社会化管理服务工作一个十分有利的时机。中央12号文件及其配套文件的出台为全面推进这项工作提供了很好的契机。我们要抓住机遇而不可丧失机遇，要奋发有为而不可无所作为，靠我们的拼搏和实干开创社会化管理服务工作的新局面。当然，全面推进社会化管理服务工作，确实存在着这样那样的困难，各地同志们的任务也确实很重。但这项工作非干不可并且是非干好不可。希望大家树立高度的责任感和紧迫感，抓住机遇，努力开拓，把这项工作更快更好地全面开展起来。

## 三、加快实现社会化管理服务的工作任务

企业退休人员社会化管理服务工作的指导思想是：认真学习贯彻党的十六大精神，以邓小平理论和“三个代表”重要思想为指导，按照党中央、国务院关于完善社会保障体系的目标任务，抓住机遇，采取措施，规范管理服务办法，加快推进速度，力争用两年时间在全国范围内基本完成企业退休人员社会化管理服务工作，为广大退休人员提供优质的管理服务，为企业深化改革创造条件，为完善社会保障体系贡献力量。

（一）明确社会化管理服务工作的目标任务

按照中央的要求和社会化管理服务工作的指导思想，部里确定企业退休人员社会化管理服务工作分三步走：第一步，今年底，各重点联系城市以及其他有条件的地区，要有50%左右的企业退休人员实行社会化管理服务，并形成比较规范的管理模式及工作内容和工作标准。这个目标部分城市已基本实现，但发展还不平衡，要再加一把劲，力争后两个月取得更大的进展，为明后两年的工作奠定一个更好的基础。第二步，到2003年底，全国的社会化管理率要达到80%，总人数达到2 600万以上。第三步，2004年底，争取在全国范围内基本实现企业退休人员的社会化管理服务，同时做好规范和完善工作。上述目标任务，既是艰巨的，也是经过积极努力可以实现的。我们要看到，推进这项工作已经具备条件。一是党中央、国务院非常重视城市基层建设，在各地党委、政府和有关部门的共同努力下，各地社区建设有了很大发展。社会化管理服务是社区建设的重要内容，是社区建设与时俱进的体现，必将随着社区建设的推进而取得更大突破。二是中央12号文件明确要求城乡基层组织要承担起企事业单位退休人员管理服务工作的责任，解决社会化管理服务的机构、人员、经费问题，为我们开展工作创造了必要条件。三是经过近年来的努力，全国已经有1/3左右的企业退休人员实行社会化管理，我们有了一定的工作基础和部分城市的成功经验。目标任务已明确，相关政策和措施已出台，基础条件将不断改善，我们要有充分的信心和决心把这项任务完成好。

（二）规范社会化管理服务工作的形式和内容

企业退休人员社会化管理服务是指职工在

办理退休手续后，其管理服务工作与原单位相分离，养老金实行社会化发放，人员纳入社区管理。这是社会化管理服务的基本形式。除此之外，我们还从目前情况出发提出了两种特殊形式，一是在远离城市的独立工矿区和退休人员居住比较集中的企业生活区，可以依托大中企业或企业主管部门管理；二是在社区建设相对滞后的地区，主要指中西部地区部分不发达的县，可以由社会保险经办机构直接进行管理。各地在工作指导上，既要坚持因地制宜、分类指导，对不同地区提出不同要求，又要始终明确社区管理是社会化管理的基本形式和目标模式。在社区条件比较好的地区，要尽可能地将退休人员直接转入街道、社区，争取一步到位。新办理退休手续的人员要直接纳入社区管理。社会保险经办机构直接管理的这种特殊形式，主要是考虑到在一些边远县，企业退休人员数量不多，社区建设规模小、进展慢，社保经办机构的业务工作量不是很大，为了推动工作，可以先由社保经办机构直接管理。但要随着当地社区建设的发展和社区劳动保障事务机构的建立，有计划地将职能和工作向街道和社区移交。对于依托企业管理这种特殊形式，要切实加强指导，可以通过统一挂牌、统一规章制度、统一工作职责、统一对工作人员进行培训考核、统一给予适当的经费补贴等办法，逐步增加它的社会属性，积极创造条件使其逐步实现与企业的分离。

要做好社会化管理服务工作，还必须明确工作内容，掌握好工作标准。劳动保障工作机构和街道社区工作人员开展社会化管理服务工作的主要内容包括：在配合社会保险经办机构做好养老金社会化发放的相关工作的同时，全面掌握退休人员的基本信息，开展社会保险查询服务，协助相关部门在退休人员中建立健全党的组织，开展文体活动，指导帮助社会服务机构提供医疗卫生服务和老年生活照料服务。在工作推进中，要明确工作标准，讲求工作质量，实打实，不加水分。要提倡讲实话、鼓实劲、报实数，反对说空话、鼓虚劲、报假数。社会化管理服务也有个品牌问题，我们不能自己把牌子搞砸了。在这次会议的文件中，我们提出了社会化管理服务的评估内容，实际上也是工作内容和工作标准，准备提交会议讨论后颁布实行。

（三）采取有效措施保证社会化管理服务工作顺利推进

一是要制定好工作规划和工作方案。各地劳动保障部门要切实加强对社会化管理服务工作的领导，按照部里提出的目标任务和工作要求，结合本地实际情况，抓紧制定工作规划和方案，尽快组织实施。大家回去以后，要把会议精神向省市政府领导和厅局党组认真汇报，提出贯彻实施的措施，认真征求有关部门的意见，制定好工作规划和工作方案，并与有关部门共同努力，抓紧把工作开展起来。

二是抓紧建设街道社区劳动保障管理服务网络。把原来由企业承担的退休人员管理服务职能转移到街道、社区，有大量工作要做，当务之急是设立或确定工作机构和人员，做好相关准备工作，再开始办理人员的移交和接收，这就是我们通常所说的“先修渠，后放水”。各地劳动保障部门要按照中央和部里的要求，积极主动地与编制、财政等部门搞好协调，解决机构建设中的职能、人员编制和工作经费等问题，尽快在街道普遍建立劳动保障工作机构，在社区配备工作人员，初步形成管理服务网络。在机构建设中，要注意统筹规划、健全职能，全面承担基层劳动保障工作职能，不要搞单打一。要统一规范工作机构的名称、标识、管理制度和工作职责等。这方面要认真汲取社保经办机构发展过程中的一些经验教训。机构设置不统一，名称五花八门，再纠正起来就困难了。对此，省级劳动保障部门特别要加以注意，认真做好有关协调和规范工作。

三是建立月调度和季通报制度。为推动社会化管理服务工作的更好落实，部里和各地都要进一步加强督促和指导。从明年起部里要建立社会化管理服务工作的月调度制度，各地的工作进展要每月报部社保中心，部里每季度进行通报。各省区市在抓好省会城市和重点联系城市工作进展的同时，也要通过召开现场会、推广典型经验、派工作组调研督导、发布排行榜等方式推进面上工作，确保目标任务的完成。部里在适当时候还要抽调人员对各重点联系城市组织检查评估，检查各地工作进度和质量。

四是做好宣传和思想工作，创造良好的社会氛围。退休人员纳入社区管理，是管理体制上的一种变革，涉及他们的切身利益。退休人员的观念转变也要有一个过程，一定要做好宣传引导和思想工作，创造出一个好的氛围来。要注意充分发挥新闻媒体的作用，广泛宣传社会化管理服务的意义，详细介绍有关政策、措施，深入报道纳入社区管理的退休人员安居乐业的情况。还要通过召开座谈会、举办有关政策讲座、发放宣传资料、组织退休人员参观社区等多种形式，做好深入细致的思想工作，及时打消他们的种种疑虑。特别是要让退休人员清楚地了解，实行社会化管理服务，只是管理服务职能的转移，是把本应由社会负担的工作归还给社会；不是原单位把他们推出去就没人管了，街道社区都有专门的机构和人员接收他们，为他们提供管理服务。随着社区建设的发展，他们在社区将会得到比原单位更加全面的服务。从而帮助他们疏通思想，转变观念，愉快地适应这种管理服务体制的变化。

五是继续落实企业应承担的责任。长期以来，退休人员由企业进行管理并提供相应服务，他们与原单位保持着密切联系，形成了特有的“企业情结”。这种情况是在一定历史条件下形成的，不可能因为实行社会化管理服务就一下子全部取消，有些工作企业还应继续做好。比如，统筹项目外养老金的发放、未实行住房制度改革的企业退休人员住房的管理和维修，尚未参加医疗保险的企业退休人员医药费的报销，以及退休人员移交过程中的思想工作、交接工作等等，都要按有关规定由企业继续负责，不能因为退休人员移交给社区管理，企业就撒手不管了，即便是退休人员进了社区，有些思想工作企业也还要协助做好。在办理人员移交时，企业应该继续承担哪些责任，应当加以明确。同时，我们要积极推进医疗保险制度改革，加快建立企业年金制度，创造条件逐步把这些事情从企业分离出来，不断提高社会化管理服务水平。

## 四、全面完成养老保险的其他工作任务

现在距年底还有不到两个月的时间，全面完成今年的养老保险任务，还有不少工作要做。

### （一）毫不松懈地继续做好确保养老金按时足额发放工作

在这次全国再就业工作会议上，中央领导同志反复强调要巩固两个确保，不能发生新的拖欠。应该说，今年以来确保养老金发放工作在总体上是好的，但也不是没有问题。除个别地区农垦企业的养老金还有拖欠以外，这次社会保障政策落实情况大检查还发现有3个省的8个县市今年有1 240多万元的当期拖欠，而且没有按要求上报。这是不对的，应该提出批评。中央财政补助养老保险的资金数额不可谓不大，并且从今年就实现了按季拨付；这些出现拖欠的县市在大检查当中也很快补发了拖欠。这说明发生问题的原因主要不是资金问题，而是工作问题。有关地区要认真总结分析出现拖欠的原因，采取切实措施，杜绝此类问题的再次发生。特别需要提出的是，从现在开始，十六大、“两节”“两会”、政府换届，一个接一个大事，维护社会稳定的任务十分繁重，希望大家务必保持高度的责任感，切实做好保发放工作。

### （二）做好今年调整企业退休人员养老金的总结工作

各级劳动保障、财政部门认真贯彻党中央、国务院的决策，努力做好今年调整企业退休人员基本养老金工作，并注意向退休早、养老金偏低的老干部、老工人、军队转业干部等人员倾斜。各地认真制定方案，精心组织实施，总体进展比较顺利。初步总结这项工作，

有以下几个特点：一是行动较快。两部8月下旬下发文件并开会部署之后，仅有两个多月时间，多数省市就落实到位。截至10月底，已有23个省市将增加的养老金基本发到退休人员手中。很多省市在基础数据缺乏的情况下，认真摸底测算，确定需要照顾的对象，很快制定出了调整方案，四川、贵州、重庆等省市9月上旬就上报两部审批。二是自控意识强。按两部文件，今年调整养老金水平按上年在岗职工平均工资增长率的50%左右掌握，但多数省市都从基金承受能力出发，较好地控制了调整水平。北京、上海、浙江等省市，虽然有一定的基金能力，方案也没有攀高，确定的水平比较适度。三是工作积极主动。由于财政资金列支渠道的原因，今年调待的中央补助资金下拨晚了一些，辽宁、黑龙江、陕西、内蒙古、青海、江西、安徽等省市主动克服困难，自行筹集资金，保证了工作进度。从初步了解的情况看，各地普遍反映，这次调整养老金政策好，组织落实好，社会反响好，企业退休人员满意，为党的十六大召开营造了良好的社会氛围。下一步，尚未全部落实到位的地区要做好收尾工作，各地都要在11月底前报送总结报告。

（三）确保完成今年扩面征缴的任务

近年来，参保缴费人数下降成为养老保险工作中的一个突出问题。今年上半年，全国企业参保人数比去年减少153万人，缴费人数比去年减少242万人。在这次对18个省市社会保障政策落实情况大检查中，除北京、陕西、广西、江西4个省市外，有14个省市参保缴费人数下降。此事已引起中央和各地政府普遍重视。下半年，各地做了不少工作，许多地区下降的势头已得到遏制。9月底，参保和缴费人数分别比6月底上升82.6万和82.3万，说明抓和不抓大不一样。最近，部社保中心专门下发了《关于进一步做好扩大养老保险覆盖范围工作的通知》，我看这个通知发得很及时，请各地认真落实，保证完成部里下达的扩面任务，确保实现今年全国参保职工人数达到10 910万人的目标，同时要采取有效措施提高缴费人数占参保人数的比例。凡不能按要求完成任务的地区，应找出原因，向部里提交专题报告。在做好扩面工作的同时，要继续做好养老保险基金征缴工作，认真稽核缴费人数和缴费基数，堵塞漏洞，继续加大清欠力度，力争再多增收一些。要切实做好下岗失业人员社会保险关系接续工作。社会保险经办机构要普遍开设个人缴费窗口，方便个体劳动者和灵活就业人员参保缴费。

（四）尽快启动实施“金保工程”

刚刚结束的全国劳动保障信息化工作会议，以江泽民同志“三个代表”的重要思想为指导，认真贯彻中央关于加快国家电子政务工程建设的有关要求，对全面启动实施“金保工程”进行了部署。会议确定了“金保工程”建设的基本框架和主要内容，即：一个工程（即“金保工程”）、两大系统（社会保险信息系统和劳动力市场信息系统）、三层结构（国家、省、市分别建立资源数据库）和四大功能（满足业务经办、基金监管、公共服务、决策支持的需要）。会议提出了“十五”期间“金保工程”建设的三项任务：在地级城市全部建立统一的覆盖各项业务的集中式资源数据库，实现区域内广域网实时连接，在街道和有条件的社区建立劳动保障信息发布站或查询终端；实现劳动保障主要业务全过程计算机管理，大部分业务应用系统能够使用统一软件；初步建立硬件设备配置标准、网络接口标准和数据传递方式统一的全国养老保险信息系统。各级劳动保障部门及其社会保险经办机构要认真学习并抓紧贯彻落实会议精神，要把建设“金保工程”当做党中央、国务院交给我们劳动保障系统的一项重大任务，坚持不懈地狠抓落实，务求取得实效。各级社会保险经办机构要以实现养老保险全国联网和加快地级城市资源数据库建设为重点，以系统最终用户的身份，积极主动地参加系统建设的规划和方案设计工作，积极提出合理化建议和意见，确保系统建设能够满足业务经办和管理服务的全部需求；要与行政部门一道抓紧规范相关的政策，统一各项业务流程和工作标准；要下大力气狠抓基础数据的规范清理工作，建立健全数据库基本项目，记准基本信息，并做到定期维护；要加强人员培训，抓紧培养一批既懂业务又懂技术的信息化建设的骨干，为建设“金保工程”提供人才保证。还要注意把“金保工程”建设与推行企业退休人员社会化管理服务紧密结合起来，将信息系统向社区街道延伸，为离退休人员提供方便、快捷的查询服务。

（五）继续搞好养老保险综合调研

几年来，围绕确保养老金发放这一中心，养老保险工作取得了全面进展。但也出现了一些新情况、新问题，如企业参保缴费人数下降，灵活就业人员参保缴费政策不规范，虚报冒领养老金、违规提前退休屡禁不止，缴费满15年的人员再就业后不愿继续缴费，女干部、女工人退休年龄不一样，机关事业单位养老保险政策不统一、待遇差距过大等，都需要认真研究。各地要认真总结经验，结合工作实践提出进一步完善养老保险政策的建议，通过完善政策促进经办工作的开展。这项工作在8月份全国养老保险工作座谈会上已作了布置，请大家给予重视，花点力气，下点功夫，提供一些有价值的情况，提出一些有见地的建议。

# 在部分省（市）劳动保障厅（局）纪检组长座谈会上的讲话

中纪委驻劳动和社会保障部纪检组组长　崔会烈

（2002年9月4日）

今年以来，全国劳动保障系统在部党组的领导下，全面贯彻落实“三个代表”重要思想，按照中央经济工作会议的部署和劳动保障工作会议的安排，紧紧围绕加强劳动保障、维护社会稳定这个中心积极开展工作，各项工作都取得了较大进展。

一是两个确保继续得到巩固。上半年，通过贯彻落实《关于劳动保障部门进一步安排好当前困难群众生产和生活的紧急通知》要求和保障“两类人员”基本生活的对策措施，调整资金拨付方式，加强对养老保险金当期拖欠问题督促等工作，使基本养老保险金和下岗职工生活保障金基本做到按时足额发放。

二是再就业工作引起各地重视。各级劳动保障部门在下岗失业人员增加，再就业难度越来越大的情况下，认真按照党中央、国务院做好下岗失业人员再就业工作的要求，普遍加强了对就业工作的重视，注意深入调查研究，结合实际出台再就业优惠政策，积极开发新的就业岗位，截至6月底，全国国有企业下岗职工有47万人实现了再就业，再就业率为9.1%。

三是养老保险和失业保险基金征缴工作取得新成效。上半年养老保险费征缴收入达到984亿元，同比增收133亿元；清理回收企业欠费69.9亿元，完成全年下达任务指标的64%；全国失业保险基金收入达到92.8亿元，比上年同期增加10.3亿元；发放失业保险金为417.3万人，比去年同期增加158.5万人。

四是社会化管理服务工作取得明显进展。截至6月底，全国企业养老保险金社会化发放人数达到3 241万人，比上年底增加120万人；社会化发放率达到99.2%，比上年底提高1.3个百分点。全国企业退休人员达到3 174万人，其中793万人实现了社会化管理服务，社会化管理率达到24.9%。

五是医疗保险制度改革稳步推进。到6月底，参保人数为7 920万人，比上年底增加634万人，增长率为8%；上半年医疗保险基金收入257亿元，支出169亿元，当期结余88亿元。

总的来讲，上半年劳动保障工作形势是好的，但由于再就业、社会保险扩面等方面工作难度加大，资金不到位、政策不完善，以及个别地区认识和工作不到位等原因，地区间工作发展还不平衡，主要表现在：两个确保仍有死角；养老保险和失业保险参保人数下降，基金收不抵支矛盾突出；医疗保险管理亟待加强；再就业率继续走低，城镇登记失业率连续攀升；劳动争议案件和涉及劳动保障问题的群体性事件大幅度上升，社会不稳定因素依然存在。因此，部里要求各级劳动保障部门下半年要继续做好社会保障和失业人员再就业安置工作。

一是继续巩固两个确保。巩固两个确保是当前和今后一个时期劳动保障系统的一项重点工作。部里近期要在全国范围开展一次社会保障政策落实情况大检查，重点检查两个确保是否有死角，各项社会保险覆盖面和社会保险收缴率是否达到规定要求，三条保障线衔接情况，是否做到应保尽保，社保基金是否专款专用等。各级劳动保障部门要以这次检查为契机，推动两个确保的进一步落实，要重点解决好“两类人员”的基本生活保障问题，积极帮助他们实现再就业；加强重点监控和资金调度，解决好农垦企业养老金当期拖欠问题；做好企业退休人员调整待遇工作；推进退休人员社会化管理服务和社会保险信息网络建设。我们纪检监察部门也要通过这次检查，发现在基金管理方面存在的突出问题和薄弱环节，以便确定监督检查项目，选准工作切入点，使我们的工作更有针对性。

二是贯彻落实全国再就业会议精神。中央近期要召开全国再就业工作会议，总书记和总理都要作重要讲话。为了贯彻落实好这次会议精神，党中央、国务院要下发《关于进一步做好下岗失业人员再就业工作的通知》。部里也要求各级劳动保障部门把落实中央促进再就业工作会议精神作为当前和今后一个时期的工作重点。各地要结合实际，抓紧制定再就业目标和就业岗位净增计划，建立健全目标责任制；全面落实各项再就业优惠政策，引导下岗人员到社区和第三产业就业；积极开发公益性岗位，对就业困难群体实施托底安置；认真落实鼓励企业自行消化安置富余人员和控制失业的各项措施；加强社区劳动保险工作机构建设和信息网络建设；加大职业培训和职业资格认证等项工作的力度，积极开创就业和再就业工作的新局面。

在抓好上述工作的同时，劳动保障部门还要继续贯彻“三改并举”方针，积极稳妥地推进医疗保险制度改革，配合有关部门做好社保基金监督检查和对挤占挪用基金的清理回收，以及规范企业裁员行为，预防和处理好群体性事件等项工作。

劳动保障系统下半年面临的形势很严峻，任务也很艰巨。各级纪检监察机构要在厅（局）党组的领导下，进一步发挥纪检监察职能，紧贴劳动保障中心工作，主动开展监督检查，在落实劳动保障政策，维护社会稳定方面发挥积极的促进作用。

## 一、继续抓好今年的纪检监察工作

今年是劳动保障部设置派驻纪检组、监察局的第一年。年初，驻部纪检组根据行业和系统工作的特点，下发文件，对全国劳动保障系统纪检监察工作进行了部署；4 月和 5 月，部办公厅和驻部纪检组、监察局又分别下发通知，对推行政务公开和开展社保基金监督检查工作做出了具体安排。几个月来，各级纪检监察机构认真按照部署和要求，做了大量的工作。

一是推行政务公开工作在系统普遍开展起来。近年来，一些地区的劳动保障部门按照中央纪委、监察部和地方党委政府的要求，在推行政务公开方面已做了大量工作，取得了一定成效。但工作发展还不平衡，公开的范围、内容、形式还不够规范。去年劳动保障部在威海召开了精神文明建设和行风建设座谈会，对推行政务公开工作作了部署，今年又下发文件，要求劳动保障系统行政管理部门和窗口单位，凡是运用行政权力办理的直接为企业或群众服务的各类事项，只要不涉及党和国家机密的，都要按照规定如实向服务对象或社会公开，而且对政务公开的指导思想、基本原则、公开的内容、形式和监督保障措施等都作出了明确规定。几个月来，全国劳动保障部门对这项工作十分重视，很多厅（局）都成立了由厅领导牵头，有关部门负责同志参加的领导小组，建立了具体的办事机构，制定了工作方案和落实措施，通过下发文件或召开会议进行部署，并按照工作计划认真组织落实。工作起步较早、有一定基础的部门，把重点放在抓规范上，它们认真总结推广经验、查找问题和不足，按照要求改进基础设施，规范公开的范围、内容和形式。有条件的单位还积极筹建政务公开办事大厅、设置电子查询和语音查询系统、组建信息网站，并逐步向基层延伸，使这项工作进一步完善。起步较晚的部门主要是抓推动。根据自身条件建立政务公开栏，印发宣传品，及时将政务内容向服务对象和社会公布。为了保证政务公开工作真实有效，不走过场，一些地区的劳动保障部门将政务公开工作的任务进行分解，落实到部门和人员，建立了领导负责制和责任追究制度；有的还通过公布举报电话、设立举报箱，聘请特邀监督员，加强对政务公开工作的监督；有的还把推行政务公开与“三优”文明窗口建设和行风评议工作有机结合起来，针对群众反映政务公开内容宣传不够、劳动保障部门及其工作人员服务态度不好、办事效率不高、执法不力等问题，制定措施、限期整改，不仅简化了行政手续，方便了群众办事，而且对劳动保障部门及其工作人员进一步增强服务意识，改进工作作风，提高办事效率，严格依法履行职责起到了积极的促进作用。

二是社保基金监督检查工作进一步深化。在前两年国务院四部门联合开展四项社保基金监督检查的基础上，今年，驻部纪检组、监察局下发通知，要求劳动保障系统纪检监察机关把促进社保基金安全完整作为当前和今后一个时期的重要任务，积极配合有关部门开展监督检查工作。今年重点要抓好对1998年以来社保基金管理中违纪违法案件的自查清理，并积极参加有关部门组织的专项检查工作。几个月来，在案件自查和清理方面，有的单位能够认真按照文件要求，了解和掌握案件的数量、种类，对案件特别是典型案件的办理情况进行检查和督办，有的单位认真分析发生案件的原因，查找在制度、管理上存在的问题和薄弱环节，积极提出改进工作的意见和建议。基金监督检查工作也在一些单位开展起来，有的针对基金管理中存在的问题，继续会同监察、财政、民政部门开展监督检查工作；有的主动协助业务主管部门针对基金拨付、管理和使用中存在的问题，以及执行收支两条线管理规定等情况开展专项检查，发现问题线索，查处违纪违法案件，清理回收被挤占挪用的资金。为了规范基金监督检查工作，有的还制定了行政监督办法实施细则，明确了监督内容、方式和手段。有的层层签订了社保基金管理目标责任状，将基金征缴、清欠、发放纳入目标考核的内容。还有的建立了举报制度，加强对资金管理的监督。

三是机关党风廉政建设进一步加强。今年以来，各级纪检监察机关能够认真按照当地纪检和驻部纪检组、厅（局）党组的安排，积极开展党风廉政建设。一是运用正反两方面的典型，在机关党员干部中普遍开展以理想信念、廉洁从政、党性党风和党纪条规为主要内容的专题教育，引导广大党员干部正确对待权力、地位和自身利益，增强勤政廉政意识和拒腐防变的能力。二是加强对领导干部执行廉政规定情况的监督检查。重点对执行不准收受现金、有价证券；不准接收用公款赠送现金、有价证券和支付凭证；不准到企业和单位报销应由个人及其配偶、子女支付的个人费用，以及领导干部配偶、子女从业等有关规定的情况进行了检查，发现问题及时进行纠正。有些部门还对处级以上干部违规购买企业内部职工股，党政机关、事业单位用公款为个人购买商业保险，领导干部违反住房规定等问题进行了清理登记。三是进一步建立和完善党风廉政责任制。有的厅（局）建立了党风廉政责任制和责任制实施细则，明确了各级领导在加强本机关和本系统党风廉政建设方面所承担的责任，还有些厅（局）层层签订党风廉政建设目标责任状，将任务分解到部门，责任落实到人，使责任范围覆盖全面、不留死角，责任到位、不留空缺。党风廉政建设进一步得到深化。

在完成上述工作的同时，一些纪检监察机

构还积极参加落实下岗职工再就业优惠政策、拖欠农民工工资、虚报保险金额等问题的专项检查，以及行政审批制度改革、“三优”文明窗口建设、工程招标投标、干部提拔和任用考察等项工作，都取得了一定成效。

今年的工作也存在一些问题，如：一些单位对推行政务公开工作认识不足、重视不够、行动迟缓，公开的广度、深度不够，公开的内容、形式不规范，管理制度、监督保证措施不完善；在基金监督检查方面，有的单位对1998年以来基金管理中违纪违法案件的清理和剖析工作进展缓慢，对基金监督检查工作安排不细，投入力量不多，监督检查的职能发挥不够；对系统纪检监察工作的指导抓得不紧、思路不清、方法不多，了解基层情况较少。这些问题要认真研究和改进。

今年要做的事情很多，时间也很紧迫。我们要抓紧后几个月的时间，把各项工作抓紧抓实。一是要继续抓好今年部署的两个重点项目：政务公开工作要继续抓推动、抓规范。基础设施不完善的要进一步完善；公开的范围、内容、形式和监督措施不规范的要按照部里的要求进一步规范；工作进度比较慢的单位，要加强领导，加大力度。要真正做到行政审批的法规政策依据要让群众应知尽知，行政部门和窗口单位的办事程序要公开透明，服务的方式要方便群众办事。基金监督检查工作，要重点抓好对1998年以来基金管理中违纪违法案件的清理和剖析。有案件的单位，要了解和掌握案件的数量、种类，分析发生案件的原因，提出加强和改进基金管理的意见和建议，并从中分析研究今后基金监督检查的重点和切入点；对案件的办理情况要进行检查，发现有案不查、查而不处的问题，要坚决予以纠正，典型案件要直接参与调查或督办；没有发生案件的单位，也要认真查找在基金管理中容易产生腐败案件的突出问题和薄弱环节，为今后的基金监督检查工作理清思路，使工作更有针对性。在清理和剖析案件的同时，要继续参加有关部门组织的基金专项检查工作，发挥纪检监察职能，查处违纪违法案件，督促有关部门健全制度、加强管理，避免问题的发生。二是要贯彻落实好全国再就业工作会议精神。在促进下岗职工和失业人员再就业优惠政策的落实，以及加强扶持再就业资金管理等方面，我们要认真按照厅（局）党组的部署和要求，找准自己的位置，发挥好监督检查作用。三是要继续加强党风廉政建设。要按照当地纪委、驻部纪检组和厅（局）党组的要求，深入开展党风廉政教育、抓好执行廉洁自律规定情况的检查，对违纪违法案件要严肃查处。各级纪检监察机构对今年工作的进展情况，特别是推行政务公开和开展基金监督检查工作的情况要进行一次自查，工作达不到要求的，要抓紧进行整改。省（区、市）劳动保障厅（局）纪检组、监察室对市、县的自查工作要加强监督、检查和指导，好的做法和经验要及时总结推广，对重视不够、行动迟缓、工作质量不高的，要提出要求，限期改进。各地自查情况要于10月底报驻部纪检组、监察局。10月下旬我们将组织检查组，对部分省（区、市）劳动保障厅（局）开展纪检监察工作的情况进行抽查。

各级纪检监察机关在抓好今年后几个月工作的同时，还要结合劳动保障工作实际，考虑明年的纪检监察工作。明年劳动保障系统的纪检监察工作与今年相比，任务会更艰巨。首先要学习和贯彻好党的十六大和中央纪委全会精神，把我们的思想认识和工作思路统一到中央的部署上来。二是要紧紧围绕保证政令畅通积极开展监督检查。具体讲，要继续协助有关部门加强对社保基金管理，特别是落实收支两条线管理规定情况的监督检查；针对基金管理部门容易产生问题的薄弱环节，建立健全基金征缴、管理、发放责任制，对发生问题部门和人员实行责任追究。同时，要按照全国再就业工作会议的部署和厅（局）党组的要求，积极会同有关部门监督检查下岗职工和失业人员再就业优惠政策落实及扶持再就业资金的管理情况，促进各项优惠政策的落实。三是要加强行风建设。我们要按照中央纪委、监察部的统一部署抓好行风建设。首先政务公开工作要继续深化，包括公开的范围、内容、形式要规范，基础设施建设要进一步完善；其次要以窗口单位为载体，以提高服务质量为核心，开展行风建设。以上是一个初步的想法，具体明年抓些什么工作，怎么抓，还要根据党中央、国务院，以及部党组的中心工作来确定。各地在考虑明年工作时要认真调查研究，好的意见和建议及时向驻部纪检组、监察局反馈，以便使我们的工作既符合纪检监察职能，又紧贴劳动保障工作实际。

## 二、注意工作方法，讲究工作实效

今年是我们抓系统纪检监察工作的起步之年，要把系统纪检监察工作扎扎实实地开展起来，切实见到成效，就要不断探索工作思路，改进工作方法。我认为当前需要注意以下几个问题：

（一）要紧紧围绕劳动保障中心工作开展纪检监察工作

我们在确定工作任务、选择监督检查项目，要坚持“一个结合、两个围绕、三个针对”。一个结合是，要结合劳动保障系统和本部门的工作实际。两个围绕是，要围绕党中央、国务院重大改革决策、措施的贯彻落实，围绕劳动保障部党组和本单位党组的工作重点。三个针对是，要针对群众反映强烈、影响社会稳定的热点问题，针对一个时期本系统、本单位容易产生腐败现象的关键部门和薄弱环节，针对行政管理中的突出问题。只有这样，我们才能在维护党的集中统一，保证政令畅通，促进改革、发展和稳定方面发挥积极的作用，我们的工作也才能得到各级领导的重视和有关部门的支持。

（二）要加强系统纪检监察工作的组织协调

年初，一些部门在制定工作计划时，偏重机关内部的党风廉政教育和行风建设，对系统今年抓什么、怎么抓，考虑比较少，对系统纪检监察工作的指导职能没有充分体现出来。我还是要强调，劳动保障系统纪检监察机构改为双派驻机构后，任务加重了、领域拓宽了，在抓好机关内部党风廉政建设的同时不能忽视对系统工作的指导。驻部纪检组、监察局对劳动保障系统的纪检监察工作要有统一的项目，提出明确要求，省里对地、县的纪检监察工作也要做出具体安排；上级机关要经常深入基层调查研究、检查指导工作，典型经验要总结推广，存在的问题要及时纠正。全国劳动保障系统纪检监察机构只有形成一个整体，我们才能在保证劳动保障政策落实，维护社会稳定方面发挥更大的作用。

（三）要讲究工作方法

一是要抓重点。目前，我们的机构和人员与承担的任务还不相适应。在这种情况下，安排工作也好、开展监督检查也好，要注意抓重点。在确定工作任务时，要注意从影响劳动保障工作的突出问题和薄弱环节中选项，选择的项目角度要小、内容具体、好操作、易见成效，监督检查的内容也要有法律、政策依据。在实施过程中，项目与项目之间，问题与问题之间，也不能眉毛胡子一把抓，平均使用力量。如果我们安排项目过多，工作抓不住重点，到头来什么也抓不好、什么问题也解决不了，纪检监察机构的作用总是发挥不出来，我们就会失信于民。二是要抓指导。纪检监察干部要养成深入扎实的工作作风。到基层调查研究、检查工作，了解情况要细致，分析问题要透彻，不能走马观花，对基层的指导要及时。上面的精神、好的做法和经验要及时传达和推广到基层；基层工作情况，特别是遇到的困难和问题要能够及时反馈上来，及时给予解答。信息渠道要进一步拓宽，地区与地区、部门与部门之间要加强沟通与交流，以促进面上的工作平衡发展。三是要抓协调配合。纪检监察机关的监督检查与业务监管部门的监督检查，在职责、对象、方法和手段方面都有所不同。两者不能缺一、不能替代，也不能对立起来。在工作中，我们不能包打天下，属于纪检监察机关职责范围内的工作，要勇于承担，大胆负责，由于我们在知识面、信息量、工作手段等方面的局限，要注意多与业务监管部门沟通、协调，认真听取他们的意见和建议，主动争取他们的支持；属于业务监管部门的工作，要督促他们去做，需要纪检监察机关协助的，要积极支持配合。这样才能形成合力，把监督检查工作做好。

（四）要加强纪检监察队伍的自身建设

一是加强纪检监察队伍的自身建设。要争取领导在纪检监察机构编制和人员方面的支持，把有一定理论和实践经验的同志充实到纪检监察队伍中来。二是进一步规范纪检监察工作。各部门可以通过建立必要的规章制度或出台规范性的文件，对纪检监察工作的职责、任务、方法和程序进行规范和完善，使我们的工作有章可循。三是提高干部队伍的素质，要组织纪检监察干部学习劳动保障知识和纪检监察业务，研究和探索新形势下劳动保障系统纪检监察工作的思路、方法、特点和规律，使我们的工作能够更加贴近劳动保障工作实际。

# 三、《中国的劳动和社会保障状况》白皮书

# 中国的劳动和社会保障状况

国务院新闻办公室

（2002年4月）

## 前　言

劳动和社会保障权利是公民的基本权利，关系广大公民的切身利益。中国是世界上最大的发展中国家，人口众多，经济发展水平不高，发展劳动和社会保障事业的任务十分艰巨。

中国政府从本国国情出发，依据《中华人民共和国宪法》和《中华人民共和国劳动法》，保障公民的劳动和社会保障权利，努力提高劳动和社会保障管理服务水平，取得了巨大成就。

中华人民共和国成立初期，中国政府采取一系列有效措施，解决了旧中国遗留下来的严重失业问题，保障了人民的基本生活。在计划经济体制下，中国实行高度集中统一的就业、工资和劳动保险制度，对统筹安排当时的就业、保障职工生活、促进经济建设和社会安定发挥了积极作用。但随着历史的发展，旧的劳动和社会保障体制已不能适应经济和社会发展的要求。

1978年以来，中国坚持以经济建设为中心，实行改革开放政策，逐步走上建立社会主义市场经济体制的道路，劳动和社会保障事业发展迅速。中国政府合理调整就业结构，努力促进就业总量的增加，建立市场导向的就业机制，保持了就业形势的基本稳定；致力于维护和谐稳定的劳动关系，改革工资收入分配制度，逐步完善劳动标准体系，使新型劳动关系基本形成；改革和完善社会保障制度，使社会保险制度覆盖了大多数城镇从业人员和退休人员，并在城市普遍建立了居民最低生活保障制度，在农村也积极推进社会保障制度建设。经过多年的探索和努力，与社会主义市场经济体制相适应的劳动和社会保障制度已初步建立。

中国政府根据相互尊重、平等互利的原则，积极参加国际劳工事务。在劳动和社会保障领域，中国与国际劳工组织、联合国开发计划署、世界银行、亚洲开发银行等众多国际机构以及许多国家进行了卓有成效的交流与合作，为促进就业、消除贫困和维护劳动者合法权益发挥了积极作用。

进入二十一世纪，中国开始了全面建设小康社会、加快推进现代化的新的发展阶段。积极促进就业、维护职工权益、协调劳动关系、增加居民收入、完善社会保障，是新世纪之初中国劳动和社会保障事业的主要奋斗目标。

## 一、就业形势总体保持稳定

由于人口众多、劳动力资源丰富和经济结构调整等原因，中国面临巨大的就业压力。中国政府始终将促进就业作为国民经济和社会发展的战略性任务，将控制失业率列入国民经济宏观调控的主要目标，合理调整就业结构，建立市场导向的就业机制，大力促进就业总量的增加，总体上保持了就业形势的基本稳定。到2001年底，全国人口总数为127 627万人（不含香港、澳门特别行政区和台湾省），从业人员为73 025万人，劳动力参与率为77.03%；城镇从业人员占从业人员总数的32.8%，乡村从业人员占从业人员总数的67.2%；城镇登记失业率为3.6%。

**实施积极促进就业的政策**

中国政府坚持以经济建设为中心，通过经济增长带动就业增长，实行积极的就业政策，采取各种有效措施，大力促进就业。

*合理调整就业结构*。适应产业结构的调整，引导有利于增加就业机会的产业和企业的发展。在增加基本建设投资，积极扩大内需，保持国民经济快速发展的同时，通过产业政策的调整，重视发展具有比较优势和市场潜力的劳动密集型企业，特别是就业容量比较大的服务性企业和中小企业。积极发展集体、私营、个体等多种所有制经济，实行灵活多样的就业形式，增加就业岗位，拓宽就业渠道。

*建立市场导向的就业机制*。中国政府实行“劳动者自主就业、市场调节就业、政府促进就业”的就业方针，鼓励劳动者通过公平竞争获得就业岗位，支持用人单位自主决定用人的数量和质量，并采取各种措施促进市场导向就业机制的形成。劳动力市场信息网络已开始发挥作用，促进了劳动力供求信息的交流，帮助劳动者通过劳动力市场实现就业和再就业。为建立机制健全、运行规范、服务周到、监督有力的劳动力市场，中国政府在100个城市进行了劳动力市场科学化、规范化和现代化建设试点。近年来，中国政府开始探索建立劳动力市场价格形成机制，发挥市场机制在劳动力资源配置、工资形成和劳动力流动中的基础性调节作用。

*提高劳动者素质*。为提高劳动者文化素质和职业技能，中国政府通过多种途径，积极发展各类教育事业，实行学历证书和职业资格证书并重的制度。目前，普及九年义务教育人口覆盖率达到85%，青年壮年文盲率下降到5%；有普通高等学校1 225所，在校学生719万人；成人高等学校686所，在校生456万人；普通中等学校80 400所，在校生7 919万人。国家还通过发展高等职业技术学校、中等职业技术学校、中等专业技术学校、技术工人学校、就业训练中心、民办职业培训机构、企业职工培训中心等职业培训形式，努力形成全方位、多层次的职业技术教育和培训体系，加强对新生劳动力、在职职工及下岗失业人员的培训。针对未能升学的初高中毕业生等新生劳动力，全面实行一至三年劳动预备制培训；对技工学校、就业训练中心进行调整和重组，建立综合性培训基地；推动“市场引导培训、培训促进就业”机制的形成；全面推行职业资格证书制度，并建立了从初级工到高级技师的职业资格体系。目前中国城镇80%以上的新就业人员达到高中水平以上或者经过职业技能培训，已有近3 500万人取得了相应的职业资格证书。

*发展就业服务体系*。中国从二十世纪八十年代开始，建立并不断完善包含职业介绍、就业训练、失业保险和劳动就业服务企业等内容的就业服务体系。通过就业服务体系为劳动者求职和企业用人提供指导、咨询与介绍服务，对初次求职者进行就业前训练，对失业人员进行转业训练，并提供失业保险，为就业弱势群体提供就业岗位。政府鼓励民办职业介绍机构的发展，推动就业服务向社区延伸，形成多层次的就业服务网络。

*统筹兼顾城乡就业*。中国农村劳动力资源丰富，不充分就业问题严重。中国政府高度重视农村劳动力的就业问题，结合“城镇化”和“西部大开发”等战略的实施，努力探索城乡统筹就业的新途径，形成了两方面的基本政策。一是促进农村劳动力在当地就业。充分利用农村本地资源优势，积极调整农业和农村经济结构，发展效益农业和劳动密集型农业，发

展农村非农产业，引导乡镇企业发展与小城镇建设相结合，扩大农村水利、交通运输、农村电网等基础设施建设规模，发展农村基础教育和职业技能培训。二是引导农村劳动力跨地区流动就业。农村改革的成功极大地提高了农业生产率，农业富余劳动力开始从农村流向城镇，从西部内地流向东部沿海地区。中国政府积极引导农村劳动力跨地区合理流动，通过加强信息网络建设和职业中介服务，开展农村劳动力输出前培训，组织农村劳动力有序流动，提高外出劳动力就业率，并建立农村劳动力外出就业和返乡创业双向流动就业机制。目前，已在全国100个县市建立了1 000个农村劳动力流动就业监测点，分析农村劳动力的流动和需求状况，及时发布信息，引导农村劳动力合理流动。

**就业规模扩大，结构优化**

经过政府和社会各方面的共同努力，中国的就业总量明显增加。1978年以来，城乡从业人员共增加了32 873万人，其中城镇增加了14 426万人。

就业结构发生很大变化。2000年，第一、二、三产业从业人员的就业结构比重分别为50%、22.5%和27.5%。与过去相比，第一产业就业比重明显下降，第二、三产业就业比重增长较大，特别是第三产业的就业比重增长速度高于第二产业的增长速度。国有和集体单位的从业人数占城镇从业人员的比重从1978年的99.8%下降到2001年的37.3%，私营企业、个体和外商投资企业的从业人员明显增加。在农村，农业就业虽仍以家庭为主，但随着城镇化战略的实施和非农产业的发展，非农就业和农村劳动力转移迅速发展。到2000年底，乡镇企业从业人员达12 819.5万人，其中，乡镇集体企业从业人员3 832.8万人，乡镇私营企业从业人员3 252.5万人，乡镇个体企业从业人员5 734.2万人。二十世纪九十年代以来，农村转移到城镇就业的劳动力达8 000多万人。

**促进下岗职工和失业人员再就业**

随着经济结构调整的加速，长期积累的企业经营机制等矛盾日益显露，出现了企业大量富余人员下岗的情况。国有企业下岗职工多为年龄相对较大、文化素质较低和职业技能单一的人员，实现再就业比较困难。为解决下岗职工和失业人员的问题，中国政府在保障他们基本生活的同时，制定了一系列再就业政策并采取了多方面措施。

*采取积极主动的就业服务措施。*在有下岗职工的国有企业普遍建立再就业服务中心，下岗职工进中心后，政府公共就业服务机构每半年为他们提供一次职业指导、三次就业信息和一次免费的职业培训机会。从1998年开始，政府实施第一期“三年千万”（三年内累计培训下岗职工和失业人员1 000万人）再就业培训计划，通过动员社会培训力量，实行政府购买培训成果等有效措施，推动下岗职工和失业人员参加再就业培训。1998年至2000年的三年间，全国各地共组织了1 300多万名下岗职工和失业人员参加培训，接受培训半年后的就业率达到60%。从2001年起，政府开始实施第二期“三年千万”再就业培训计划。目前已在30个城市实施了“创业培训”计划，对有志于开办小企业的下岗职工和失业人员进行创业培训，在培训结束后帮助他们进行工商登记、获得小额贷款，通过发展小企业以吸纳更多的下岗职工和失业人员再就业。

*完善和落实再就业优惠政策。*通过简化工商登记、安排场地、减免税费、提供信贷等措施，帮助下岗职工和失业人员举办生产自救型经济实体或劳动组织、自谋职业或组织起来就业。把社区就业作为下岗职工和失业人员再就业的主要方向，积极发展吸纳就业能力比较强的小企业和劳动就业服务企业。

*开展“再就业援助行动”。*为妥善解决下岗职工出中心后面临的实际困难，政府组织开展了“再就业援助行动”，通过各项援助措施，使下岗职工出中心后均能在基本生活保障、再就业和社会保险接续等方面得到及时有效的服务。

1998年至2001年，中国国有企业下岗职工累计有2 550多万人，其中1 680多万人实现了再就业。

**保障妇女就业权利**

妇女就业在中国得到特别关注。《中华人民共和国宪法》《中华人民共和国劳动法》《中华人民共和国妇女权益保障法》对保障妇女就业权利均有专门规定。国家保护妇女享有与男子平等的劳动权利，实行男女同工同酬，并保障妇女在经期、孕期、产期和哺乳期受到特殊保护。中国政府和社会各界积极开展妇女的职业技能培训，开发和拓展适合妇女就业的领域和行业，实行更加灵活的就业形式，为不同就业需求的妇女提供就业机会。

**帮助残疾人等特殊群体就业**

残疾人参加社会劳动和就业的权利得到政府的高度重视。中国采取集中与分散相结合和鼓励自谋职业的方针促进残疾人就业。福利企业是集中安置残疾人就业的重要形式，政府通过给予税收减免等优惠政策，鼓励发展福利企业，以吸纳更多的残疾人就业。同时，还实行残疾人按比例就业的政策，所有用人单位都要按照一定比例安排残疾人就业，达不到比例的企业和单位要缴纳促进残疾人就业保障金。1996年至2000年的五年间，社会各方面利用政府拨款和残疾人就业保障金培训残疾人110多万人，安置就业110多万人，残疾人就业率由70%提高到80.7%。

针对城市贫困无业人员、大龄下岗职工及失业人员的就业困难，政府建立就业服务制度，通过出资扶植社区公益性就业组织，开展环境保洁、社区保安、社区服务等项目，安置特困人员就业，以及组织开展免费就业服务，取得了较好的效果。

## 二、新型劳动关系基本形成

在建立和完善社会主义市场经济体制过程中，中国的劳动关系日趋复杂多样。中国致力于维护和谐稳定的劳动关系，初步形成了以《中华人民共和国劳动法》为主体的调整劳动关系的法律法规体系，建立了劳动合同和集体合同制度、三方协调机制、劳动标准体系、劳动争议处理体制和劳动保障监察制度，与社会主义市场经济相适应的新型劳动关系基本形成。

**实行劳动合同制度**

中国的劳动合同制度从二十世纪八十年代中期开始试点，在九十年代得到大力推行，至今已在城镇各类企业中广泛实施。中国的法律规定，用人单位与劳动者依法建立劳动关系，应该书面订立有固定期限、无固定期限或以完成一定的工作为期限的劳动合同；在订立劳动合同过程中，劳动关系双方必须遵循平等自愿、协商一致的原则。实行劳动合同制度，明确了劳动者与用人单位双方的权利和义务，保障了劳动者择业自主权和用人单位的用人自主权。

**建立集体合同制度**

中国政府鼓励企业不断加强职工代表大会和工会的职能，完善职工民主参与制度。为形成企业劳动关系自我协调机制，中国开始探索通过平等协商建立集体合同制度，并加以推广。中国的法律法规规定，企业职工可以就劳动报酬、工作时间、休息休假和劳动安全卫生、保险福利等事项，由工会代表或直接推荐职工代表与企业开展平等协商，签订集体合同。平等协商形式多样，集体合同内容丰富。多数企业采取由本单位工会与企业协商签订集体合同的形式。

近年来，集体合同制度不仅在非国有企业推广，而且在国有企业的改革过程中也得到逐步推行。截至2001年底，全国企业签订并报送劳动和社会保障行政部门备案的集体合同已达27万份。

**建立三方协调机制**

中国积极建立符合本国国情的政府、工会和企业三方协调机制。这种协调机制，由各级政府劳动和社会保障部门、工会组织、企业组织派出代表，组成协调机构，对涉及劳动关系的重大问题进行沟通和协商，对拟订有关劳动和社会保障法规以及涉及三方利益调整的重大改革方案和政策措施提出建议。

2001年8月，中国劳动和社会保障部同中华全国总工会、中国企业联合会建立了国家协调劳动关系三方会议制度，并召开了第一次国家级协调劳动关系三方会议，使中国的劳动关系协调工作有了一个较为规范和稳定的工作机制。目前，北京、天津、河北、山西、江苏等十多个省、直辖市以及深圳、大连等城市已建立了地区性劳动关系三方协调机制。其中，山西、江苏等省还在省、地（市）、县（区）三个层次建立了三方协调机制。

**完善劳动标准体系**

中国政府重视合理确定、依法公布、适时调整劳动标准，保障劳动者合法权益，促进经济和社会发展。目前，中国已初步形成了以《中华人民共和国劳动法》为核心，内容涉及工时、休息休假、工资、禁止使用童工、女职工和未成年工特殊劳动保护、劳动定额、职业安全卫生等方面的劳动标准体系，并根据经济和社会的发展不断调整和完善。

为保证劳动者享有正常工作和休息休假的权益，中国目前实行劳动者每日工作时间不超过8小时、平均每周工作时间不超过40小时的工时制度。用人单位延长工作时间时，必须与工会和劳动者协商，一般每日不得超过1小时，特殊原因每日不得超过3小时，每月不得超过36小时。在休息休假方面，劳动者依法享有法定节假日及每周至少休息1日的权利。

国家禁止未满16周岁的未成年人就业，严格查处非法使用童工的行为。对于女职工和未成年工（年满16周岁，未满18周岁），国家禁止用人单位安排他们从事国家明确规定禁忌从事的劳动。中国在职业安全卫生方面制定了国家标准、行业标准和地方标准。为了完善职业安全卫生管理制度，中国政府于1999年公布了职业安全卫生管理体系标准，并开展了认证工作。目前，中国已制定国家和行业劳动定额定员标准200多项，公布了职业分类标准和职业技能标准等其他劳动标准。

为保证劳动标准的科学性和合理性，并使其得到顺利实施，中国在制订、公布和调整劳动标准过程中，都要向工会组织、企业组织以及专家学者广泛征求意见。中国政府一贯主张劳动标准必须与本国经济和社会发展水平相协调，保障基本人权，促进国民经济发展和社会进步，并在此基础上逐步提高水平。中国重视国际社会关于制订和实施劳动标准的经验，并结合本国经济和社会发展的实际，适时加入有关国际劳工公约。

**健全劳动争议处理体制**

中国政府主张及时依法处理劳动纠纷，维护当事人双方的合法权益，提倡和支持劳动争议双方采取自行协商的方式解决争议。中国有关法律法规明确规定了依法解决劳动争议的程序和机构。按照规定，劳动者与企业发生劳动争议后，当事人一方可向企业内部劳动争议调解委员会申请调解，调解不成或当事人不愿意进行调解时，也可向当地劳动争议仲裁委员会申请仲裁；当事人对仲裁机构的仲裁裁决不服，可向人民法院提起诉讼。

截至2001年底，全国已建立县级以上（含县级）劳动争议仲裁委员会3 192个，专职和兼职劳动仲裁员近2万人。从1993年8月1日《中华人民共和国企业劳动争议处理条例》公布至2001年底，全国各级劳动争议仲裁委员会共立案受理劳动争议案件68.8万件，涉及劳动者236.8万人，结案率始终保持在90%以上。此外，各级劳动争议仲裁委员会还以非立案方式处理劳动争议50.3万件。

**建立劳动保障监察制度**

自1993年以来，中国逐步建立了劳动保障监察制度。《中华人民共和国劳动法》《中华人民共和国行政处罚法》等法律法规规定了劳动保障监察机构的职责和工作程序。劳动和社会保障行政部门依法对用人单位遵守劳动和社会保障法律法规的情况进行监督检查，对违反劳动和社会保障法律法规的行为有权制止、责令改正，并可依法给予警告、罚款等行政处罚。任何组织和个人对于违反劳动和社会保障法律法规的行为都有权检举和控告；当事人认为劳动和社会保障行政部门在实施监察执法时侵犯了其合法权益，可以提起行政复议或行政诉讼。

中国各级劳动和社会保障部门按照依法行政、严格执法的原则，不断加强劳动和社会保障行政执法力度，建立健全劳动保障监察组织。截至2001年底，全国共建立劳动保障监察机构3 174个，配备劳动保障监察员4万人。

**改革工资收入分配制度**

中国政府坚持以按劳分配为主体、多种分配方式并存的制度，体现效率优先、兼顾公平的原则。通过改革工资制度，发挥市场机制对工资收入的调节作用，使劳动者的工资收入水平随着经济发展和企业效益的增长相应提高。《中华人民共和国劳动法》和《企业最低工资规定》《工资支付暂行规定》等法律法规，对规范工资分配行为作出了明确规定。中国政府依法制订和适时调整最低工资标准，规范工资支付办法，定期向社会发布工资指导线、劳动力市场工资指导价位和人工成本信息，鼓励企业试行工资集体协商制度，引导企业采用灵活多样的工资制度和分配形式，维护企业的工资分配自主权和劳动者依法获得劳动报酬的权利。目前，全国基本建立了最低工资制度，有1万多户企业开展工资集体协商试点，26个省、自治区、直辖市发布了工资指导线，88个城市发布了劳动力市场工资指导价位。

改革开放以来，随着经济的快速发展，城镇职工工资收入不断增长。到2001年底，中国城镇职工平均货币工资达到10 870元，是1978年的16.3倍，扣除物价因素后，职工实际平均工资水平年平均递增5.5%。

## 三、社会保障体系初步建立

为促进经济发展和社会稳定，逐步提高广大人民群众的生活水平和社会保障待遇，中国政府致力于建设一个与社会主义市场经济体制相适应的健全的社会保障体系。经过多年的探索和实践，以社会保险、社会救济、社会福利、优抚安置和社会互助为主要内容，多渠道筹集保障资金、管理服务逐步社会化的社会保障体系已初步建立起来。

**社会保障制度改革**

自二十世纪八十年代初开始，中国政府对社会保障制度进行了一系列的改革。改革的目标是：建立独立于企业事业单位之外、资金来源多元化、保障制度规范化、管理服务社会化的社会保障体系。其主要特征是：基本保障，广泛覆盖，多个层次，逐步统一。与经济发展水平相适应，国家强制建立的基本保障主要满足人们的基本生活需要；社会保障逐步覆盖全体公民；在基本保障之外，国家积极推动其他保障形式的发展，力争形成多层次的社会保障体系；通过改革与发展，逐步实行全国统一的社会保障制度。经过十几年的努力，目前，社会保险制度的基本政策已经制定并陆续颁布和实施，覆盖了大多数城镇职工和离退休人员，部分地区还把流动到城市就业的农民工也纳入进来；在城市普遍建立了居民最低生活保障制度。2001年，中国政府开始在辽宁省开展完善城镇社会保障体系的综合试点。

二十世纪九十年代中期以来，为加强各项社会保障制度的统一规划和社会保障基金的管理、监督，中国政府对社会保障管理体制进行了一系列改革。把过去由多个行政部门分别管理的社会保险转变为由劳动和社会保障行政部门统一管理，各级劳动和社会保障行政部门也建立了相应的社会保险经办机构，承担社会保险具体事务的管理工作。过去由企业承担的社会保险事务逐步转变为由社会机构管理，即社会保险待遇实行社会化发放，社会保险对象实行社区管理。中国政府加强了对社会保险基金的行政管理和社会监督工作。社会保险基金被纳入财政专户，实行收支两条线管理，专款专用。各级劳动和社会保障行政部门专门设立了社会保险基金监督机构，负责对社会保险基金的征缴、管理和支付进行检查、监督，对违法违规问题进行查处。此外，中国政府还通过强化基金征缴和提高社会保险支出占财政支出的比重等一系列措施，努力拓宽社会保险资金的来源。仅2001年一年，中央财政用于社会保障支出的资金就达982亿元，是1998年的5.18倍。中国政府专门成立了全国社会保障基金理事会，负责通过减持国有股所获资金、中央财政投入的资金及其他各种方式筹集的社会保障资金的运营和管理。

1998年以来，中国政府采取了“两个确保”措施。一是确保国有企业下岗职工的基本生活，在国有企业普遍建立下岗职工再就业服务中心，由再就业服务中心为下岗职工发放基本生活费，并为他们缴纳社会保险费，所需资金由政府财政、企业和社会（主要是失业保险基金）三方面共同筹集。同时，组织下岗职工参加职业指导和再就业培训，引导和帮助他们实现再就业。二是确保离退休人员的基本生活，保证按时足额发放基本养老金。为保证“两个确保”的实施，中国政府提出与“两个确保”相衔接的“三条保障线”政策：国有企业下岗职工在再就业服务中心最长可领取三年的基本生活费；三年期满仍未实现再就业的，可继续领取失业保险金，领取时间最长为两年；享受失业保险金期满仍未就业的，可申请领取城市居民最低生活保障金。到2001年，绝大多数国有企业下岗职工领到基本生活费，离退休人员养老金基本实现按时足额发放。“两个确保”的实施，为维护下岗职工、离退休人员的合法权益和社会稳定发挥了重大作用。

**养老保险制度**

1984年，中国各地进行养老保险制度改革。1997年，中国政府制定了《关于建立统一的企业职工基本养老保险制度的决定》，开始在全国建立统一的城镇企业职工基本养老保险制度。

中国的基本养老保险制度实行社会统筹与个人账户相结合的模式。基本养老保险覆盖城镇各类企业的职工；城镇所有企业及其职工必须履行缴纳基本养老保险费的义务。目前，企业的缴费比例为工资总额的20%左右，个人缴费比例为本人工资的8%。企业缴纳的基本养老保险费一部分用于建立统筹基金，一部分划入个人账户；个人缴纳的基本养老保险费计入个人账户。基本养老金由基础养老金和个人账户养老金组成，基础养老金由社会统筹基金支付，月基础养老金为职工社会平均工资的20%，月个人账户养老金为个人账户基金积累额的1/120。个人账户养老金可以继承。对于新制度实施前参加工作、实施后退休的职工，还要加发过渡性养老金。

经过几年的推进，基本养老保险的参保职工已由1997年末的8 671万人增加到2001年末的10 802万人；领取基本养老金人数由2 533万人增加到3 381万人，平均月基本养老金也由430元增加到556元。为确保基本养老金的按时足额发放，近年来中国政府努力提高基本养老保险基金的统筹层次，逐步实行省级统筹，不断加大对基本养老保险基金的财政投入。1998年至2001年，仅中央财政对基本养老保险补贴支出就达861亿元。目前，基本实现了基本养老金由社会服务机构（如银行、邮局）发放，2001年基本养老金社会化发放率达到98%。此外，机关事业单位职工和退休人员仍实行原有的养老保障制度。

1991年，中国部分农村地区开始进行养老保险制度试点。农村养老保险制度以“个人交费为主、集体补助为辅、政府给予政策扶持”为基本原则，实行基金积累的个人账户模式。

**医疗保险制度**

1988年，中国政府开始对机关事业单位的公费医疗制度和国有企业的劳保医疗制度进行改革。1998年，中国政府颁发了《关于建立城镇职工基本医疗保险制度的决定》，开始在全国建立城镇职工基本医疗保险制度。

中国的基本医疗保险制度实行社会统筹与个人账户相结合的模式。基本医疗保险基金原则上实行地市级统筹。基本医疗保险覆盖城镇所有用人单位及其职工；所有企业、国家行政机关、事业单位和其他单位及其职工必须履行缴纳基本医疗保险费的义务。目前，用人单位的缴费比例为工资总额的6%左右，个人缴费比例为本人工资的2%。单位缴纳的基本医疗保险费一部分用于建立统筹基金，一部分划入个人账户；个人缴纳的基本医疗保险费计入个人账户。统筹基金和个人账户分别承担不同的医疗费用支付责任。统筹基金主要用于支付住院和部分慢性病门诊治疗的费用，统筹基金设有起付标准、最高支付限额；个人账户主要用于支付一般门诊费用。

为保障参保职工享有基本的医疗服务并有效控制医疗费用的过快增长，中国政府加强了对医疗服务的管理，制定了基本医疗保险药品目录、诊疗项目和医疗服务设施标准，对提供基本医疗保险服务的医疗机构、药店进行资格认定并允许参保职工进行选择。为配合基本医疗保险制度改革，国家同时推动医疗机构和药品生产流通体制的改革。通过建立医疗机构之间的竞争机构和药品生产流动的市场运行机制，努力实现"用比较低廉的费用提供比较优质的医疗服务"的目标。

在基本医疗保险之外，各地还普遍建立了大额医疗费用互助制度，以解决社会统筹基金最高支付限额之上的医疗费用。国家为公务员建立了医疗补助制度。有条件的企业可以为职工建立企业补充医疗保险。国家还将逐步建立社会医疗救助制度，为贫困人口提供基本医疗保障。

中国的基本医疗保险制度改革正稳步推进，基本医疗保险的覆盖范围不断扩大。到2001年底，全国97%的地市启动了基本医疗保险改革，参加基本医疗保险的职工达7 629万人。此外，公费医疗和其他形式的医疗保险制度还覆盖了一亿多的城镇人口，中国政府正在将这些人口逐步纳入到基本医疗保险制度中。

**失业保险制度**

在中华人民共和国成立初期，曾实行过短暂的失业救济制度。此后，在计划经济体制下，由于实行统包统配的就业制度，失业救济制度逐步被取消。实行改革开放政策后，为适应国有企业经营机制的转换和劳动制度的重大改革，自1986年开始，中国政府逐步建立起失业保险制度，为职工失业后的基本生活提供保障。

1999年，中国政府颁布《失业保险条例》，把失业保险制度建设推进到一个新的发展阶段。失业保险覆盖城镇所有企业、事业单位及其职工；所有企业、事业单位及其职工必须缴纳失业保险费。单位的缴费比例为工资总额的2%，个人缴费比例为本人工资的1%。享受失业保险待遇需要满足三方面的条件：缴纳失业保险费满一年；非因本人意愿中断就业；已经办理失业登记并有求职要求。失业保险待遇主要是失业保险金。失业保险金按月发放，标准低于最低工资标准、高于城市居民最低生活保障标准。领取失业保险金的期限根据缴费年限确定，最长为24个月。失业者在领取失业保险金期间患病，还可领取医疗补助金；失业者在领取失业保险金期间死亡，其遗属可领取丧葬补助金和遗属抚恤金。此外，失业者在领取失业保险金期间还可接受职业培训和享受职业介绍补贴。

近年来，失业保险的覆盖面不断扩大，保障对象不断增加。从1998年到2001年，失业保险参保人数由7 928万人扩大到10 355万人。2001年末领取失业保险金的人数为312万人。随着失业保险制度的完善，国有企业下岗职工基本生活保障制度正逐步纳入失业保险。

**工伤保险制度**

二十世纪八十年代末，中国政府开始对工伤保险进行改革。1996年，中国政府有关部门出台了《企业职工工伤保险试行办法》，开始在部分地区建立工伤保险制度。同年，中国政府有关部门还制定了《职工工伤和职业病致残程度鉴定标准》，为鉴定工伤和职业病致残程度提供了依据。

《企业职工工伤保险试行办法》规定：工伤保险费由企业缴纳，职工个人不缴费。工伤保险缴费实行行业差别费率和企业浮动费率。根据不同行业的工伤事故风险和职业危害程度确定不同的行业费率；在行业费率的基础上，根据企业上一年实际的工伤事故风险和工伤保险基金支出情况确定每个企业当年的具体费率。

工伤保险基金支付的待遇主要包括：工伤医疗期发生的医疗费用；工伤医疗期结束后根据劳动能力丧失程度确定的伤残补助金、抚恤金、伤残护理费等。2001年底，全国平均工伤保险费率为1%左右，参加工伤保险的职工达4 345万人。没有参加工伤保险的单位，仍由该单位承担支付工伤待遇的责任。

**生育保险制度**

1988年以来，中国的一些地区开始进行企业生育保障制度的改革。1994年，在总结各地经验的基础上，中国政府有关部门制定了《企业职工生育保险试行办法》，其中规定，生育保险费由企业缴纳，职工个人不缴费。生育保险支付待遇主要包括：因生育发生的医疗费用和产假期间按月发放的生育津贴等。2001年底，全国平均生育保险费率为0.7%，参加生育保险的职工达3 455万人。没有参加生育保险的单位，仍由该单位承担支付生育待遇的责任。

**最低生活保障制度**

早在中华人民共和国成立初期，中国政府就建立了针对城乡贫困居民的社会救济制度。1993年，中国政府开始对城市社会救济制度进行改革，尝试建立最低生活保障制度。到1999年，全国所有城市和有建制镇的县城均建立了最低生活保障制度。同年，中国政府正式颁布了《城市居民最低生活保障条例》，为城市所有居民提供最基本的生活保障。

城市居民最低生活保障资金由地方人民政府列入财政预算。地方政府根据当地维持城市居民基本生活所必需的费用来确定最低生活保障标准。家庭人均收入低于最低生活保障标准的城市居民均可申请领取最低生活保障待遇。城市居民领取最低生活保障待遇需要经过家庭收入调查，领取的待遇水平为家庭人均收入与最低生活保障标准的差额部分。

2001年，全国领取城市最低生活保障金的人数达1 170.7万人，中央财政投入用于发放最低生活保障待遇的资金为23.01亿元。近年来，部分农村地区也开始建立了最低生活保障制度。

**社会福利制度**

中国社会福利制度是指政府出资为那些生活困难的老人、孤儿和残疾人等特殊困难群体提供生活保障而建立的制度。为保障特殊困难群体的生活权益，国家颁布了《中华人民共和国老年人权益保障法》《中华人民共和国残疾人保障法》和《农村五保供养工作条例》等法律法规。有关法律法规规定：对城市孤寡老人、符合供养条件的残疾人和孤儿实行集中供养；对农村孤寡老人、符合供养条件的残疾人和孤儿实行集中供养与分散供养相结合；集中供养一般通过举办社会福利院、敬老院、疗养院、儿童福利院等福利机构进行；对于残疾人，通过政府的优惠政策来兴办多种形式的社会福利企业，帮助适合参加劳动的残疾人获得就业机会。

中国的社会福利事业取得了很大的成就。截至2001年底，全国有政府举办的社会福利机构3 327个，收养了19.1万人；集体举办的社会福利机构3.5万个，收养66.8万人；民办社会福利机构934家，收养3.4万人；社会福利企业3.8万家，安置残疾职工69.9万人。此外，中国还通过发行社会福利彩票募集资金支持社会福利事业。2001年，福利事业共募集资金42亿元。

**优抚安置制度**

优抚安置制度是指对国家和社会有功劳的特殊社会群体给予补偿和褒扬的一种制度。目前，中国有3 800多万优抚安置对象。为保障优抚安置对象的权益，国家陆续颁布了《革命烈士褒扬条例》《军人抚恤优待条例》和《城镇退役士兵安置条例》等法规。这些法规规定：对于牺牲军人家属、革命伤残军人、老复员军人等重点优抚对象实行定期定量补助；对义务兵家属普遍发放优待金；对革命伤残军人等重点优抚对象实行医疗费用减免；城镇退役士兵可享受政府一次性就业安置，对自谋职业的安置对象发给一次性经济补助。1996 年至 2001 年，国家各级财政累计投入抚恤资金为 292 亿元。

**灾害救助制度**

中国是一个自然灾害频繁的国家，大的水灾、旱灾、风灾、冰雹灾等自然灾害不断，严重影响了人民生活。为做好灾民的救助工作，中国建立了针对突发性自然灾害的社会救助制度。在中国，各级政府每年都在财政预算中安排救灾支出，用于安置和救济灾民。1996 年至 2001 年，全国各级财政救灾支出达到 212.6 亿元，向 3.9 亿人次的灾民提供粮食、衣被等救助。灾害救助制度有力地保障了灾区人民的基本生活。

**社会互助制度**

邻里互助是中华民族的优良传统。2000 年颁布的《中华人民共和国社会公益捐赠法》，对社会捐赠活动的经济化、制度化进行了立法规范和鼓励。2001 年民政部门接收的社会捐赠（含捐赠物资折款）金额为 15.9 亿元。中国政府还积极倡导机关、企事业单位、社会团体有组织地帮助和扶持贫困户脱贫致富。基层政府通过兴办社区服务业，为贫困对象提供照顾和服务。自 1994 年起，全国各级工会组织每年开展对困难职工家庭的“送温暖”活动。几年来，共筹集慰问款 104.4 亿元，走访慰问了3 975万户次困难职工、劳动模范、离退休职工和伤病残职工家庭。

## 四、二十一世纪初期的发展

中国于 2001 年开始执行国民经济和社会发展第十个五年（2001—2005）计划，劳动和社会保障事业的发展进入了新阶段。新世纪初期，发展中国劳动和社会保障事业既存在需要解决的问题，又面临新的发展机遇。改革开放和现代化建设的全面推进，为解决就业和社会保障问题创造了有利条件；国民经济的进一步发展和经济实力的增强，为扩大就业和发展社会保障事业提供了较为坚实的物质基础；已初步建立的市场导向的就业机制和社会保障体系，为进一步推动劳动和社会保障事业的发展奠定了良好基础。同时，中国政府也清醒地看到，在今后较长一个时期，城乡就业矛盾依然突出，结构性失业更加严峻，劳动关系趋于复杂化，人口老龄化和失业人员的增加对社会保障的压力将进一步增强，发展农村社会保障事业任重道远。

**目标任务**

二十一世纪初期，中国劳动和社会保障事业的发展目标是：基本建立起适应中国生产力发展水平、符合社会主义市场经济要求的比较完善的劳动和社会保障制度，使广大劳动者得到较为充分的就业和基本的社会保障，维护劳动者和用人单位的合法权益，提高城乡居民的物质和文化生活水平，促进经济发展和社会稳定。主要任务是：不断提高劳动者素质和改善就业结构，基本形成市场导向的就业机制，努力促进就业增长，规范和完善失业率统计，城镇登记失业率控制在 5%以内；积极协调劳动关系，保持劳动关系的和谐稳定；完善收入分配宏观调控体系，保持合理的收入分配关系，城镇居民人均可支配收入、农村居民人均纯收入年均增长 5%左右；加快城镇社会保障制度建设，改进筹资方式和运营机制，推进社会保障管理和服务的社会化；在农村，以多种形式的农民养老保障和健康保障为先导，积极探索与社会主义市场经济体制和经济发展水平相适应的基本保障体系，建立帮助弱势群体生活和工作的制度。

**政策措施**

——实行积极的促进就业政策，千方百计扩大就业规模。继续保持经济较快增长，扩大国内需求，最大限度地创造新的就业机会，增加就业总量。改善劳动力就业结构，大力发展劳动密集型产业和企业，将第三产业、中小企业和非公有制经济作为扩大就业的主要渠道。进一步落实优惠政策，促进下岗失业人员再就业。

——建立统一、规范的劳动力市场，统筹城乡就业，完善就业服务体系。深化劳动人事和户籍管理制度改革，引导劳动力在城乡之间、地区之间的有序流动，促进农业剩余劳动力转移。改善公共职业介绍机构的服务，推动民营职业介绍机构的健康发展。

——全面提高劳动者素质，实行灵活的就业形式。推行劳动预备制度和就业准入制度，强化职业教育、继续教育和再就业培训，推行职业资格证书制度。重视对农村劳动力的职业技术培训，逐步形成完善的农村职业培训体系。采取灵活的就业形式，提倡自主就业。

——巩固和完善劳动合同制度，大力推进集体合同制度，促进劳动关系三方协调机制的建立。积极开展国家基本劳动标准的制订修订工作，完善适合中国国情的劳动标准体系。进一步完善劳动争议处理制度，不断提高预防和处理劳动争议的综合能力。

——推进工资收入分配制度改革，建立收入分配的激励和约束机制。健全最低工资制度，全面推行工资指导线和劳动力市场工资指导价位制度。继续试行工资集体协商制度，规范工资支付行为，保障职工的劳动报酬权益。

——深化社会保障体制改革，加快社会保障体系建设，积极进行完善社会保障体系试点。建立可靠稳定的社会保障基金筹资机制，调整财政支出结构，增加必要投入，充实保障基金，合理调整缴费率和替代水平，提高社会保障基金运营效率和投资收益率。健全社会保障宏观调控和监督体制，提高管理水平和工作效率，促进社会保障体系稳定、健康和有序运行。

——健全基本养老保险和基本医疗保险制度，鼓励有条件的用人单位为职工建立企业年金和补充医疗保险。进一步完善失业保险制度，将国有企业下岗职工基本生活保障制度纳入失业保险。加快推进工伤保险与生育保险制度建设。完善机关事业单位职工基本养老保险制度。规范城市居民最低生活保障制度。加快社区建设，推进社会保障社会化。探索多种保障形式，推进农村基本保障体系建设。完善社会救济、社会互助、优抚安置和社会福利政策，维护妇女、未成年人、老年人和残疾人的合法权益。

——建立行政监督、社会监督和机构内部控制相结合的社会保障基金监管体系。在建立和完善社会保障制度的同时，探索投资管理的途径，根据不同保障项目资金的管理原则，建立与基金管理体制相配套的基金监督管理制度，努力实现基金保值增值，化解社会保障基金的运行风险，维护社会的安全与稳定。

——加快劳动和社会保障法制建设，完善劳动和社会保障监察制度，不断提高监察执法人员的综合素质，开展多种形式的监察活动，推进劳动保障监察执法与社会各方面实行法律监督的有机结合。加强劳动保障管理信息系统建设和科学研究成果推广工作，提高劳动和社会保障管理的科学化、规范化、法制化、信息化水平。继续积极参与国际劳动和社会保障领域的活动，广泛开展对外合作与交流，进一步发挥中国在国际劳工事务中的促进作用，适应加入世界贸易组织的新形势，努力推动劳动和社会保障事业不断取得新的发展。

# 四、重要文件

# 中共中央　国务院关于进一步做好下岗失业人员再就业工作的通知

中发〔2002〕12号

各省、自治区、直辖市党委和人民政府，各大军区党委，中央和国家机关各部委，军委各总部、各军兵种党委，各人民团体：

1998年以来，按照党中央、国务院的部署和要求，各级党委、政府坚决贯彻执行“鼓励兼并、规范破产、下岗分流、减员增效、实施再就业工程”和建立国有企业下岗职工基本生活保障制度、失业保险制度、城市居民最低生活保障制度“三条保障线”等政策措施，确保了绝大多数下岗职工的基本生活，并使一大批下岗职工通过多种途径实现了再就业。实践证明，这些政策措施是完全正确的，必须继续全面贯彻执行。当前和今后一个较长时期内，我国就业形势仍十分严峻。我国就业方面的主要矛盾，是劳动者充分就业的需求与劳动力总量过大、素质不相适应之间的矛盾。当前，主要表现在劳动力供求总量矛盾和就业结构性矛盾同时并存，城镇就业压力加大和农村富余劳动力向非农领域转移速度加快同时出现，新成长劳动力就业和失业人员再就业问题相互交织。焦点集中在下岗失业人员再就业上，这已经成为一个带有全局性影响的重大经济和社会问题。为了确保社会稳定，为深化改革和促进发展奠定更好的基础，必须采取切实有效的措施，进一步做好就业工作特别是下岗失业人员再就业工作。现就有关问题通知如下：

## 一、统一认识，加强领导，明确再就业工作目标和责任

（一）各级党委、政府和各有关部门必须充分认识就业和再就业工作的极端重要性。要从维护改革发展稳定大局，实现国家长治久安的高度，将就业和再就业工作作为一项长期的战略任务和重大的政治任务，作为全面贯彻“三个代表”要求的重要措施，着眼长远，立足当前，统筹兼顾，坚持不懈地抓好。要坚持通过发展和改革的办法促进就业和再就业，正确处理发展经济、经济结构调整、深化改革、城乡经济协调发展、完善社会保障体系与扩大就业的关系，逐步走出一条既能充分促进就业，又能保证经济持续快速健康发展的路子。要坚持市场导向的就业机制，实施积极的就业政策，多渠道开发就业岗位，努力改善就业环境，支持劳动者自谋职业和自主创业，鼓励企业更多吸纳就业，帮助困难群体就业。当前和今后一个时期，要在进一步巩固“两个确保”，逐步完善社会保障体系的基础上，重点做好有劳动能力和就业愿望的下岗失业人员再就业工作。

（二）各级党委、政府对本地区就业工作负主要责任。要把控制失业率和增加就业岗位作为宏观调控的重要指标，纳入国民经济和社会发展计划。把净增就业岗位、落实再就业政

策、强化再就业服务、加大再就业资金投入和帮助困难群体就业作为具体工作目标，层层分解，督促落实，并作为政绩考核的重要内容，定期进行检查，对落实好的予以表扬，对落实不好的予以批评，对因工作不力造成严重后果的要追究领导责任。

各级劳动保障、计划、经贸、教育、民政、财政、建设、税务、工商、银行、物价等部门要切实履行职责，加强协调配合。要充分发挥各民主党派、工商联和工会、共青团、妇联等人民团体的作用，群策群力，共同做好就业特别是下岗失业人员再就业工作。

（三）充分发挥基层党组织和思想政治工作在促进就业和再就业工作中的作用。在实施企业改制重组、关闭破产、下岗分流和再就业工作过程中，必须把保障群众生活、促进就业和维护社会稳定作为基层党组织的主要任务。要动员全社会都来关心和支持就业工作特别是下岗失业人员的再就业工作。充分发挥党的思想政治工作优势，大力宣传党和政府的有关方针政策，用再就业的典型事例，帮助下岗失业人员理解和支持企业改革，转变观念，自强自立，自觉维护社会稳定，在国家政策扶持和社会帮助下，依靠自身努力实现再就业。

## 二、努力开辟就业门路，积极创造就业岗位

（四）坚持扩大内需的方针，保持国民经济必要增长速度，积极调整经济结构，千方百计扩大就业。在制定涉及全局的经济社会政策和确定建设项目时，要在注重提高竞争力的同时，把扩大就业作为重要因素考虑。积极发展具有比较优势的劳动密集型产业和企业，提高经济增长对就业的拉动能力。

（五）努力开辟就业和再就业的门路。

大力发展第三产业，继续拓展商贸、餐饮等传统服务业领域的就业渠道，努力发展旅游业增加就业，尤其要积极开发社区服务业的就业岗位，重点开发面向社区居民生活服务、机关企事业单位后勤保障和社区公共管理的就业岗位以及清洁、绿化、社区保安、公共设施养护等公益性岗位。

鼓励发展个体、私营、外商投资、股份合作等多种所有制经济扩大就业，积极发展有市场需求的劳动密集型中小企业，继续发展劳动就业服务企业，更多吸纳下岗失业人员。

促进跨地区的劳务协作和对外劳务输出。鼓励就业压力大的地区特别是资源开采型城市和独立工矿区，按市场需求发展接续性产业，组织下岗失业人员到有劳务需求的地区就业，到农村承包荒山、荒地，从事种植业和养殖业。

鼓励有条件的国有大中型企业在进行结构调整、重组改制和主辅分离中，利用非主业资产和闲置资产，通过多种方式分流和安置企业富余人员，对破产企业要利用其有效资产安置职工。

鼓励下岗失业人员通过非全日制、临时性、季节性、弹性工作等灵活多样形式实现就业。通过发展劳务派遣、就业基地等组织形式，为他们灵活就业提供服务和帮助。

## 三、完善和落实促进再就业的扶持政策

（六）实施再就业扶持政策的对象范围是有劳动能力和就业愿望的下列人员（以下简称下岗失业人员）：

1．国有企业的下岗职工；

2．国有企业的失业人员；

3．国有企业关闭破产需要安置的人员；

4．享受最低生活保障并且失业一年以上的城镇其他失业人员。

（七）鼓励下岗失业人员自谋职业和自主创业。

1．对下岗失业人员从事个体经营（国家限制的行业除外）的，3年内免征营业税、城市维护建设税、教育费附加和所得税，并免收属于管理类、登记类和证照类的所有各项行政事业性收费。国务院有关部门和省级人民政府要明确免收的项目，并向社会公布。严禁各种形式的集资、摊派和乱收费。各类中介机构对

下岗失业人员从事个体经营涉及的各种服务性收费，要按照最低标准收取，严禁强制服务和强行收费。

2. 各省、自治区、直辖市和地级以上城市要建立下岗失业人员贷款担保基金，所需资金主要由同级财政筹集，担保机构由当地政府确定。为下岗失业人员自谋职业和自主创业提供的小额贷款，按照个人自愿申请、社区推荐、劳动保障服务机构审查、担保机构承诺担保、商业银行核贷的程序进行。贷款额度一般掌握在2万元左右。贷款期限最长不超过2年，到期确需延长的，可申请展期1次。贷款利息按照中国人民银行公布的贷款利率确定，对从事微利项目的，由中央财政据实全额贴息，展期不贴息。担保最高限额为担保基金的5倍，期限与贷款期限相同。各国有商业银行、股份制商业银行、城市商业银行和有条件的城市信用社，都要开办此项贷款业务，并且要简化手续，提供开户和结算便利。

对下岗失业人员合伙经营和组织起来就业的，可根据人数和经营项目扩大贷款规模。

3. 各级政府和有关部门要切实转变职能，改革行政审批程序，简化下岗失业人员开业的相关手续，提高服务效率。根据需要，有条件的地方应设立专门窗口，由有关行政审批部门参加，提供"一条龙"服务。

4. 各级政府在城市规划建设和整顿市容时，要统筹解决好下岗失业人员自谋职业和自主创业的经营场地问题。有条件的地方，可安排相对集中的生产经营培育性场所。

5. 对下岗失业人员以非全日制、临时性和弹性工作等灵活形式就业的，要适应其特点，抓紧制定劳动关系形式、工资支付方式和社会保险等方面的配套办法，保障他们的合法权益。

（八）鼓励服务型企业吸纳下岗失业人员。

1. 对现有的服务型企业（国家限制的行业除外）新增加的岗位，当年新招用下岗失业人员达到职工总数30%以上，并与其签订3年以上期限劳动合同的，经劳动保障部门认定，税务机关审核，3年内根据招用人数按年度应缴所得税额的一定比例减征企业所得税。

2. 对新办的服务型企业（国家限制的行业除外）当年新招用下岗失业人员达到职工总数30%以上，并与其签订3年以上期限劳动合同的，经劳动保障部门认定，税务机关审核，3年内免征企业应缴纳的营业税、城市维护建设税、教育费附加和企业所得税。当年新招用下岗失业人员不足30%的，根据招用人数，按应缴所得税额的一定比例减征企业所得税。

3. 对各类服务型企业（包括商贸、餐饮、服务业企业，国家限制的行业除外）新增岗位新招用国有企业下岗失业人员，并与其签订3年以上期限劳动合同的，经劳动保障部门审核后，从再就业资金中按招用人数提供为期3年的社会保险补贴。补贴标准按单位应为所招人员缴纳的养老保险费和失业保险费之和计算，个人应缴的养老保险费和失业保险费仍由本人负担。

（九）对国有大中型企业通过主辅分离和辅业改制分流安置本企业富余人员兴办的经济实体（国家限制的行业除外），凡符合以下条件的，经有关部门认定，税务机关审核，3年内免征企业所得税。

1. 利用原企业的非主业资产、闲置资产或关闭破产企业的有效资产；

2. 独立核算、产权清晰并逐步实现产权主体多元化；

3. 吸纳原企业富余人员达到30%以上；

4. 与安置的职工变更或签订新的劳动合同。

（十）上述有关社会保险补贴和减免税费的政策暂定执行到2005年底。

（十一）适当提高营业税和增值税的起征点。具体办法由财政部、国家税务总局制定。

（十二）各级政府要把有劳动能力和就业愿望的男性50周岁以上，女性40周岁以上，就业困难的下岗失业人员作为再就业援助的主要对象（以下简称大龄就业困难对象），提供即时岗位援助等多种帮助。由政府投资开发的公益性岗位要优先安排大龄就业困难对象。在社区开发的公益性岗位安排原属国有企业大龄就业困难对象就业，从再就业资金中给予社会保险补贴。补贴标准按单位应为所招人员缴纳的养老保险费和失业保险费之和计算，个人应缴的养老保险费和失业保险费仍由本人负担。同时，各地可根据实际提供适当比例的岗位补贴，补贴标准由当地政府确定，资金由地方财政解决。

（十三）各级政府要调整财政支出结构，加大再就业资金投入，将促进再就业资金列入财政预算。在《政府预算收支科目》中增设“就业补助”款级科目，以反映各级财政用于社会保险补贴、岗位补贴、小额贷款担保和贴息、再就业培训补贴、职业介绍补贴等项支出。各级财政还要安排资金，用于社区劳动和社会保障工作经费与劳动力市场信息网络建设。

各级财政原来安排用于国有企业下岗职工基本生活保障的资金规模不减，在确保下岗职工基本生活的前提下，根据当地工作需要，安排一部分用于促进再就业。

对中西部地区和老工业基地，中央财政将在原国有企业下岗职工基本生活保障专项转移支付资金项下，增加再就业补助资金，支持地方促进再就业工作，严禁挪作他用。

中央财政增加的再就业补助资金，主要用于补助：（1）小额贷款贴息的全部资金；（2）社会保险补贴的部分资金；（3）职业介绍和再就业培训补贴的部分资金。

（十四）各级党委和政府要采取有力措施，认真抓好再就业扶持政策的落实。要组织劳动保障、监察、计划、经贸、公安、财政、建设、文化、卫生、税务、工商、银行、物价等部门和工会每年对再就业扶持政策的落实情况进行专项检查，并充分发挥社会监督和群众监督的作用，使再就业扶持政策真正落实到基层单位和下岗失业人员身上。

（十五）各地要严格掌握扶持政策的对象范围。各级劳动保障部门负责为符合条件人员免费核发《再就业优惠证》，作为享受扶持政策的凭证。要依托街道和企业审核认定下岗失业人员，对证件发放和使用进行严格的管理和监督。对出租、转让和伪造《再就业优惠证》的行为，依法严肃处理。对采取各种形式骗取国家资金和优惠政策的企业和个人，要严肃查处，情节严重的依法追究刑事责任。

## 四、改进就业服务，强化再就业培训

（十六）各级政府要建立公共就业服务制度，对城镇登记失业人员和国有企业下岗职工，提供免费职业介绍，对城镇就业转失业人员和国有企业下岗职工提供免费再就业培训，所需经费主要由地方财政承担，中央财政对困难地方给予适当补助。要建立再就业援助制度，为就业困难对象提供专门的帮助和服务。在各级公共职业介绍机构中，要实行求职登记、职业指导、职业介绍、培训申请、鉴定申报、档案管理、社会保险关系接续“一站式”就业服务。要加快就业服务信息化建设，健全劳动力市场信息网及其公开发布系统，提供及时、便捷的就业信息服务。

要根据劳动力市场变化和产业结构调整的需要，大力加强职业教育和再就业培训。各地要充分利用全社会现有的教育资源，组织开展多层次、多形式的再就业培训，提高下岗失业人员的就业能力。对从事技术性工作的劳动者开展的技能培训，应与推行和规范国家职业资格证书制度相结合。对有开业条件的人员开展的创业培训和开业指导，应提供项目咨询、跟踪扶持等服务，加快培养一批创业带头人。

各级政府可在资质认定的基础上，委托社会各类职业培训机构和职业中介机构为下岗失业人员提供职业培训和就业服务，由政府给予资金补贴的免费培训和服务项目，要进行严格、科学的效果评估。

（十七）城乡基层组织要承担起做好下岗失业人员再就业和企事业单位退休人员的管理、服务工作的责任。街道和工作任务重的乡镇，可设立或确定负责劳动保障事务的机构，具体由各地党委、政府根据实际情况决定。要充分发挥社区在就业和社会保障方面的服务功能，街道劳动保障工作机构要在社区聘用专门的服务人员，并提供工作经费，建立统一的社会保障和劳动就业工作体系。

（十八）规范劳动力市场秩序，加强对各类职业中介行为的监管，严厉打击非法职业中介和各类欺诈行为。加大劳动保障执法监察力度，规范执法监察行为，对各类企业招聘人员不签订劳动合同、滥用试用期、随意压低和克扣工资、拒缴社会保险费等违法行为，要依法查处。根据工作需要，充实劳动保障执法监察队伍的人员，保证工作经费。

## 五、坚持统筹兼顾，搞好就业的宏观调控

（十九）正确处理深化国有企业改革与扩大就业的关系，既要坚持国有企业改革方向，推进企业减员增效，又要切实加强对关闭破产企业职工安置和正常生产经营企业裁员的指导。实施政策性关闭破产的企业，职工安置方案必须经职工代表大会讨论通过，并报当地政府企业兼并破产和职工再就业工作协调小组审核批准。凡职工安置方案和社会保障办法不明确、资金不到位的，不得进入关闭破产程序。正常生产经营企业成规模裁减人员，人员裁减方案要经企业职工代表大会讨论。凡不能依法支付解除劳动合同的经济补偿金并妥善解决企业拖欠职工债务的，不得裁减人员。国有大型企业一次性减员超过一定数量和比例的，要事前向当地政府报告。

各地要按属地管理原则，将中央企业的再就业纳入当地的再就业工作规划，统筹安排落实。中央企业集团公司（总公司）也要切实负起责任，配合地方共同做好下属企业的再就业工作。中央企业关闭破产，由地方与中央有关单位组成联合工作班子，负责协调离退休人员管理、企业办社会职能移交、职工安置等工作。

（二十）建立城镇劳动力抽样调查制度，定期开展全国城镇劳动力抽样调查，及时反映全国及各地的就业和失业动态变化。建立失业预警机制，在下岗失业总量接近或超过警戒线时，各级政府要及时采取措施缓解矛盾。

（二十一）在重点做好下岗失业人员再就业工作的同时，要统筹兼顾城镇新成长劳动力的就业和农村富余劳动力的转移工作。对城镇新成长的劳动力，要引导和帮助他们参与市场竞争就业，对城镇未能继续升学的初、高中毕业生普遍实行劳动预备制度，加强职业教育和培训，延缓就业压力。对农村劳动力进城就业要公平对待，合理引导，完善管理，搞好服务，认真清理不合理的限制政策，切实保障他们的合法权益。各类企业招用农民工，应签订劳动合同，必须依法缴纳社会保险费。

## 六、巩固“两个确保”，完善社会保障体系

（二十二）各级政府要继续按照“三三制”原则落实下岗职工基本生活保障资金，努力扩大社会保险覆盖范围，加强社会保险费的征缴，进一步巩固“两个确保”，不得发生新的拖欠。中央财政对中西部地区和老工业基地，继续通过专项转移支付的方式给予支持。

积极稳妥地做好下岗职工出中心向失业保险并轨工作。完善社会保障体系的省级试点目前只在辽宁进行，其他地方要从实际出发，在确保稳定的前提下，因地制宜、分类指导、分别处理，积极探索下岗职工出中心向失业保险并轨的办法和途径。对企业新裁减人员和出中心的下岗职工，要按规定及时提供失业保险，符合条件的，纳入城市居民最低生活保障。对协议期满暂时无法解除劳动关系的下岗职工，各级政府和企业要继续运用现有各类资金渠道筹措的资金保障其基本生活。

加强城市居民最低生活保障工作。将所有符合条件的城市贫困居民都纳入保障范围，做到“应保尽保”。对特殊困难群体的最低生活保障情况进行检查，帮助解决他们在生活保障以及医疗、住房、取暖、子女入学、水电煤气等方面遇到的问题。

（二十三）完善下岗失业人员的社会保险关系接续办法，做好接续服务。下岗失业人员离开企业时，其过去的社会保险缴费年限和个人账户继续保留，企业和个人欠缴的社会保险费要一次性补缴。下岗失业人员由企业招用再就业的，应由新的用人单位和职工个人按规定继续缴纳社会保险费；自谋职业和灵活就业的，可以按照个体工商户参保办法参加养老保险。继续参加养老保险并按规定缴费的，其前后缴费年限合并计算；未继续参加养老保险中断缴费的，达到退休年龄后按实际缴费年限计发基本养老金。对接近内部退养年龄的下岗职工，经企业与职工协商一致，在解除劳动关系时，可以签订社会保险缴费协议，按规定缴纳社会保险费。

社会保险经办机构要开设专门窗口，方便下岗失业人员继续参保缴费，并积极探索适合下岗失业人员从事个体经营和灵活就业的社会保险办法。对尚未纳入基本医疗保险范围的下岗失业人员，实施社会医疗救助。

各地区、各有关部门要结合实际，抓紧研究制定贯彻本《通知》的具体办法和实施细则，确保本《通知》精神落到实处。

2002 年 9 月 30 日

# 中华人民共和国国务院令

## 第 364 号

《禁止使用童工规定》已经 2002 年 9 月 18 日国务院第 63 次常务会议通过，现予公布，自 2002 年 12 月 1 日起施行。

**总　理　朱镕基**

2002 年 10 月 1 日

## 禁止使用童工规定

**第一条**　为保护未成年人的身心健康，促进义务教育制度的实施，维护未成年人的合法权益，根据宪法和劳动法、未成年人保护法，制定本规定。

**第二条**　国家机关、社会团体、企业事业单位、民办非企业单位或者个体工商户（以下统称用人单位）均不得招用不满 16 周岁的未成年人（招用不满 16 周岁的未成年人，以下统称使用童工）。

禁止任何单位或者个人为不满 16 周岁的未成年人介绍就业。

禁止不满 16 周岁的未成年人开业从事个体经营活动。

**第三条**　不满 16 周岁的未成年人的父母或者其他监护人应当保护其身心健康，保障其接受义务教育的权利，不得允许其被用人单位非法招用。

不满 16 周岁的未成年人的父母或者其他监护人允许其被用人单位非法招用的，所在地的乡（镇）人民政府、城市街道办事处以及村民委员会、居民委员会应当给予批评教育。

**第四条**　用人单位招用人员时，必须核查被招用人员的身份证；对不满 16 周岁的未成年人，一律不得录用。用人单位录用人员的录用登记、核查材料应当妥善保管。

**第五条**　县级以上各级人民政府劳动保障行政部门负责本规定执行情况的监督检查。

县级以上各级人民政府公安、工商行政管理、教育、卫生等行政部门在各自职责范围内对本规定的执行情况进行监督检查，并对劳动保障行政部门的监督检查给予配合。

工会、共青团、妇联等群众组织应当依法维护未成年人的合法权益。

任何单位或者个人发现使用童工的，均有权向县级以上人民政府劳动保障行政部门举报。

**第六条**　用人单位使用童工的，由劳动保障行政部门按照每使用一名童工每月处5 000元罚款的标准给予处罚；在使用有毒物品的作业场所使用童工的，按照《使用有毒物品作业场所劳动保护条例》规定的罚款幅度，或者按照每使用一名童工每月处5 000元罚款的标准，从重处罚。劳动保障行政部门并应当责令用人单位限期将童工送回原居住地交其父母或者其他监护人，所需交通和食宿费用全部由用人单位承担。

用人单位经劳动保障行政部门依照前款规定责令限期改正，逾期仍不将童工送交其父母或者其他监护人的，从责令限期改正之日起，由劳动保障行政部门按照每使用一名童工每月处 1 万元罚款的标准处罚，并由工商行政管理部门吊销其营业执照或者由民政部门撤销民办非企业单位登记；用人单位是国家机关、事业单位的，由有关单位依法对直接负责的主管人员和其他直接责任人员给予降级或者撤职的行政处分或者纪律处分。

**第七条** 单位或者个人为不满 16 周岁的未成年人介绍就业的，由劳动保障行政部门按照每介绍一人处5 000元罚款的标准给予处罚；职业中介机构为不满 16 周岁的未成年人介绍就业的，并由劳动保障行政部门吊销其职业介绍许可证。

**第八条** 用人单位未按照本规定第四条的规定保存录用登记材料，或者伪造录用登记材料的，由劳动保障行政部门处 1 万元的罚款。

**第九条** 无营业执照、被依法吊销营业执照的单位以及未依法登记、备案的单位使用童工或者介绍童工就业的，依照本规定第六条、第七条、第八条规定的标准加一倍罚款，该非法单位由有关的行政主管部门予以取缔。

**第十条** 童工患病或者受伤的，用人单位应当负责送到医疗机构治疗，并负担治疗期间的全部医疗和生活费用。

童工伤残或者死亡的，用人单位由工商行政管理部门吊销营业执照或者由民政部门撤销民办非企业单位登记；用人单位是国家机关、事业单位的，由有关单位依法对直接负责的主管人员和其他直接责任人员给予降级或者撤职的行政处分或者纪律处分；用人单位还应当一次性地对伤残的童工、死亡童工的直系亲属给予赔偿，赔偿金额按照国家工伤保险的有关规定计算。

**第十一条** 拐骗童工，强迫童工劳动，使用童工从事高空、井下、放射性、高毒、易燃易爆以及国家规定的第四级体力劳动强度的劳动，使用不满 14 周岁的童工，或者造成童工死亡或者严重伤残的，依照刑法关于拐卖儿童罪、强迫劳动罪或者其他罪的规定，依法追究刑事责任。

**第十二条** 国家行政机关工作人员有下列行为之一的，依法给予记大过或者降级的行政处分；情节严重的，依法给予撤职或者开除的行政处分；构成犯罪的，依照刑法关于滥用职权罪、玩忽职守罪或者其他罪的规定，依法追究刑事责任：

（一）劳动保障等有关部门工作人员在禁止使用童工的监督检查工作中发现使用童工的情况，不予制止、纠正、查处的；

（二）公安机关的人民警察违反规定发放身份证或者在身份证上登录虚假出生年月的；

（三）工商行政管理部门工作人员发现申请人是不满 16 周岁的未成年人，仍然为其从事个体经营发放营业执照的。

**第十三条** 文艺、体育单位经未成年人的父母或者其他监护人同意，可以招用不满 16 周岁的专业文艺工作者、运动员。用人单位应当保障被招用的不满 16 周岁的未成年人的身心健康，保障其接受义务教育的权利。文艺、体育单位招用不满 16 周岁的专业文艺工作者、运动员的办法，由国务院劳动保障行政部门会同国务院文化、体育行政部门制定。

学校、其他教育机构以及职业培训机构按照国家有关规定组织不满 16 周岁的未成年人进行不影响其人身安全和身心健康的教育实践劳动、职业技能培训劳动，不属于使用童工。

**第十四条** 本规定自 2002 年 12 月 1 日起施行。1991 年 4 月 15 日国务院发布的《禁止使用童工规定》同时废止。

# 国务院关于大力推进职业教育改革与发展的决定

国发〔2002〕16号

各省、自治区、直辖市人民政府，国务院各部委、各直属机构：

改革开放以来，我国职业教育事业有了很大发展，各级各类职业学校教育和职业培训取得显著成绩，为社会主义现代化建设培养了大量高素质劳动者和实用人才。但是，职业教育的改革与发展也面临一些问题，一些地方对发展职业教育的重要性缺乏足够的认识；投入不足，基础薄弱，办学条件较差；管理体制、办学体制、教育教学质量不适应经济建设和社会发展的需要；就业准入制度没有得到有效执行，影响了受教育者的积极性；地区之间、城乡之间发展不平衡。为了进一步贯彻落实《中华人民共和国职业教育法》和《中华人民共和国劳动法》，实施科教兴国战略，大力推进职业教育的改革与发展，特作如下决定：

## 一、深刻认识职业教育在社会主义现代化建设中的重要地位，明确“十五”期间职业教育改革与发展的目标

1．职业教育为初、高中毕业生和城乡新增劳动者、下岗失业人员、在职人员、农村劳动者及其他社会成员提供多种形式、多种层次的职业学校教育和职业培训，是我国教育体系的重要组成部分，是国民经济和社会发展的重要基础。推进职业教育的改革与发展是实施科教兴国战略、促进经济和社会可持续发展、提高国际竞争力的重要途径，是调整经济结构、提高劳动者素质、加快人力资源开发的必然要求，是拓宽就业渠道、促进劳动就业和再就业的重要举措。在我国加入世界贸易组织和经济全球化迅速发展的新形势下，要狠抓职业教育，抓出成效。

2．大力推进职业教育的改革与发展，要以邓小平理论和江泽民同志“三个代表”重要思想为指导，坚持体制创新、制度创新和深化教育教学改革，为经济结构调整和技术进步服务，为促进就业和再就业服务，为农业、农村和农民服务，为推进西部大开发服务，力争在“十五”期间初步建立起适应社会主义市场经济体制，与市场需求和劳动就业紧密结合，结构合理、灵活开放、特色鲜明、自主发展的现代职业教育体系。

要以中等职业教育为重点，保持中等职业教育与普通高中教育的比例大体相当，扩大高等职业教育的规模。职业学校和职业培训机构要进一步适应经济和社会发展以及劳动力市场需求，增强自主发展能力，改善办学条件，全面提高教育质量和效益。“十五”期间，职业教育要为社会输送2 200多万名中等职业学校毕业生，800多万名高等职业学校毕业生。

要广泛开展各级各类职业培训，“十五”期间每年培训城镇职工5 000万人次，培训农村劳动力1.5亿人次；积极实施国家再就业培

训计划，每年为300多万名下岗失业人员提供再就业培训。

从实际出发，因地制宜，分区规划，分类指导，把农村和西部地区作为工作重点。“十五”期末，中等职业学校面向农村的年招生规模要达到350万人，面向西部地区的年招生规模要达到120万人，为农村和西部地区培养留得住、用得上的实用人才。大中城市和经济发达地区要在继续发展中等职业教育和职业培训的同时，积极发展高等职业教育，有条件的市（地）可以举办综合性、社区性的职业技术学院。

## 二、推进管理体制和办学体制改革，促进职业教育与经济建设、社会发展紧密结合

3．推进职业教育管理体制改革，建立并逐步完善在国务院领导下，分级管理、地方为主、政府统筹、社会参与的职业教育管理体制。

在国务院领导下，建立职业教育工作部际联席会议制度，研究解决职业教育工作中的重大问题。国务院教育行政部门负责职业教育工作的统筹规划、综合协调、宏观管理，劳动保障部门和其他有关部门在各自职责范围内，负责职业教育的有关工作。

发展职业教育的主要责任在地方。县级以上地方各级人民政府要加强对本行政区域内职业教育工作的领导和统筹协调，结合当地经济建设和社会发展实际，制定促进职业教育发展的政策和措施，研究解决工作中的实际问题；各级教育行政部门会同劳动保障等有关部门管理本行政区域内各有关职业学校的教育业务工作。要依法严格审批程序，规范职业学校和培训机构的办学行为。

4．强化市（地）级人民政府在统筹职业教育发展方面的责任。市（地）级人民政府要统筹规划，促进本行政区域内职业教育与其他各类教育协调发展，建立多渠道筹措职业教育经费的机制，组织动员社会力量举办职业教育；要整合和充分利用现有各种职业教育资源，打破部门界限和学校类型界限，积极发挥市场机制的作用，提高办学效益，优化职业学校布局结构，防止职业教育资源流失。省（自治区、直辖市）所属中等和高等职业学校可以由省级有关部门与职业学校所在市（地）联合共建、共管，增强其为区域经济服务的功能。

5．深化职业教育办学体制改革，形成政府主导、依靠企业、充分发挥行业作用、社会力量积极参与的多元办学格局。

县级以上地方各级人民政府要在发展职业教育中发挥主导作用，重点办好起骨干和示范作用的职业学校和职业培训机构，组织、指导并支持企业、行业和社会力量举办职业学校和职业培训机构。要规范中等和高等职业学校的名称，并体现职业特点。实施高中阶段学历教育的各类职业学校统一规范为“××职业技术学校”，高等专科学校和成人高等学校要逐步统一规范为“××职业技术学院”。

要充分依靠企业举办职业教育。企业要根据实际需要举办职业学校和职业培训机构，强化自主培训功能，加强对职工特别是一线职工、转岗职工的教育和培训，形成职工在岗和轮岗培训的制度，实行培训、考核、使用、待遇相统一的政策。企业要和职业学校加强合作，实行多种形式联合办学，开展“订单”培训，并积极为职业学校提供兼职教师、实习场所和设备，也可在职业学校建立研究开发机构和实验中心。有条件的大型企业可以单独举办或与高等学校联合举办职业技术学院。中小企业应依托职业学校和职业培训机构进行职工培训和后备职工培养。企业举办的职业学校和职业培训机构应积极面向社会开展职业教育和培训。

行业主管部门要对行业职业教育进行协调和业务指导，继续办好职业学校和培训机构。行业组织受政府主管部门委托，开展行业人力资源预测、制定行业职业教育和培训规划、指导行业职业教育、职工培训和职业技能鉴定、参与相关专业的课程教材建设和教师培训等工作，也可以举办职业学校或职业培训机构。

鼓励和支持民办职业教育的发展。非营利性的民办职业学校，享受举办社会公益事业的有关优惠政策。地方人民政府和其他单位，可以采取出租闲置的国有、集体资产等措施，对民办职业学校予以扶持。民办职业学校教师、学生享有与公办职业学校教师、学生同等义务与权利。对举办民办职业教育有突出贡献的单位和个人予以表彰奖励。鼓励公办学校引入民办机制。

积极引进国（境）外优质职业教育资源。鼓励国（境）外组织和个人依照我国法律和办学资格要求，同我国境内职业教育机构和其他社会组织，合作举办高水平的职业学校或职业培训机构。努力拓展职业学校毕业生国（境）外就业市场。

6．扩大职业学校的办学自主权，增强其自主办学和自主发展的能力。要依法保障职业学校在专业设置、招生规模确定、学籍管理、教师聘用及经费使用等方面享有充分的自主权。有条件的职业学校可以跨区域招生，可以与本地、异地职业学校联合办学。职业学校要建立由企业、行业等社会各界人士参加的咨询委员会或理事会，为学校重大问题提供咨询或参与决策。

**三、深化教育教学改革，适应社会和企业需求**

7．认真贯彻党的教育方针，全面实施素质教育。要加强“爱岗敬业、诚实守信、办事公道、服务群众、奉献社会”的职业道德教育，加强文化基础教育、职业能力教育和身心健康教育，注重培养受教育者的专业技能、钻研精神、务实精神、创新精神和创业能力，培养一大批生产、服务第一线的高素质劳动者和实用人才。

8．职业学校和职业培训机构要适应经济结构调整、技术进步和劳动力市场变化，及时调整专业设置，积极发展面向新兴产业和现代服务业的专业，增强专业适应性，努力办出特色。要大力加强技术工人尤其是高级技术工人和技师的培养和培训。积极推进课程和教材改革，开发和编写反映新知识、新技术、新工艺和新方法、具有职业教育特色的课程和教材。加强职业学校与企业、行业等用人单位的联系，建立职业学校与劳动力市场密切联系的机制。

9．加强实践教学，提高受教育者的职业能力。职业学校要把教学活动与生产实践、社会服务、技术推广及技术开发紧密结合起来，把职业能力培养与职业道德培养紧密结合起来，保证实践教学时间，严格要求，培养学生的实践能力、专业技能、敬业精神和严谨求实作风。改善教学条件，加强校内外实验实习基地建设。职业学校要加强与相关企事业单位的共建和合作，利用其设施、设备等条件开展实践教学。职业学校相对集中的地区应建设一批可共享的实验和训练基地。加强职业教育信息化建设，推进现代信息技术在教育教学中的应用。积极发展现代远程职业教育，开发职业教育资源库和多媒体教育软件，为职业学校和学生提供优质教育资源。

10．加强职业教育教师队伍建设。要积极开展以骨干教师为重点的全员培训，提高教师的职业道德、实践能力和教学水平，培养一批高水平的骨干教师和专业带头人。鼓励职业学校教师在职攻读相关专业学位，提高学历层次。要有计划地安排教师到企事业单位进行专业实践和考察，提高教师的专业水平。广泛吸引和鼓励企事业单位工程技术人员、管理人员和有特殊技能的人员到职业学校担任专、兼职教师，提高具有相关专业技术职务资格教师的比例。深化职业学校人事制度改革，在职业学校推行教师全员聘任制和管理人员公开选拔、竞争上岗和职务聘任制度，建立健全激励和约束机制。职业学校教师职务资格评审要突出职业教育特点，改进评审办法。重视职业学校校长培训工作，逐步实行校长持证上岗的制度。加强职业教育师资培养培训基地建设，逐步完善职业教育师资培养培训网络。

11．坚持学历教育与职业培训并重，实行

灵活的办学模式和学习制度。职业学校要实行学历教育与职业培训相结合、全日制与部分时间制相结合、职前教育与职后教育相结合，努力办成面向社会的、开放的、多功能的教育和培训中心。要根据不同专业、不同教育培训项目和学习者的实际需要，实行灵活的学制和学习方式，推行学分制等弹性学习制度，为学生半工半读、工学交替、分阶段完成学业等创造条件。

12．加强中等职业教育与高等职业教育，职业教育与普通教育、成人教育的衔接与沟通，建立人才成长“立交桥”。扩大中等职业学校毕业生进入高等学校尤其是进入高等职业学校继续学习的比例，适当增加高等职业教育专科毕业生接受本科教育的比例。适度发展初中后五年制高等职业教育；在高中阶段开展职业教育与普通教育相沟通的综合课程教育试验，建立中等职业教育与高等职业教育相衔接的课程体系；高等职业学校可单独组织对口招生考试，优先招收中等职业学校优秀毕业生；注重专业知识、职业技能的考核，对取得相应中级职业资格证书的中等职业学校毕业生，可以免除技能考核。

**四、采取切实措施，加快农村和西部地区职业教育发展**

13．农村和西部地区职业教育是今后一段时期职业教育发展的重点。要根据现代农业发展和经济结构调整的需要，继续推进农科教结合和基础教育、职业教育、成人教育的“三教统筹”。农村职业学校要加强与企业、农业科研和科技推广单位的合作，发挥专业优势，实行学校、公司、农户相结合，推动农业产业化发展。推行“绿色证书”教育，培养一大批科技示范户和致富带头人。国家采取措施，扶持农村地区、西部地区、少数民族地区和贫困地区职业教育的发展，办好一批骨干职业学校。建立县、乡、村三级实用型、开放型的农民文化科技教育培训体系，把职业学校和成人学校办成人力资源开发、技术培训与推广、劳动力转移培训和扶贫开发服务的基地。

14．加强东部地区和西部地区、大中城市和农村的学校对口支援工作。东部地区和大中城市要为西部地区和农村的职业学校培养培训骨干教师，帮助改善办学条件。推动东部地区与西部地区、大中城市与农村开展合作办学，鼓励东部地区和大中城市职业学校的校长和教师到西部地区和农村职业学校任职和办学。东部地区和中西部地区大中城市要面向西部地区和农村招生，对家庭经济困难学生应适当减免学费。现代远程教育和培训以及自学考试等要积极向广大农村和西部地区延伸。

**五、严格实施就业准入制度，加强职业教育与劳动就业的联系**

15．大力推行劳动预备制度，严格执行就业准入制度。用人单位招收、录用职工，属于国家规定实行就业准入控制的职业（工种），必须从取得相应学历证书或职业培训合格证书并获得相应职业资格证书的人员中录用；属于一般职业（工种），必须从取得相应的职业学校学历证书、职业培训合格证书的人员中优先录用。从事个体工商经营的，也必须接受职业教育和培训。劳动保障、人事等部门要加大对就业准入制度执行情况的监察力度，加强监督管理，对违反规定，随意招收未经职业教育或培训人员就业的要责其纠正并给予处罚。

16．完善学历证书、培训证书和职业资格证书制度。职业学校毕业生申请与所学专业相关的中级以下（含中级）职业技能鉴定时，只进行操作技能考核。部分教学质量高、社会声誉好的中等职业学校和高等职业学校开设的主体专业，经劳动保障和教育行政部门认定，其毕业生在获得学历证书的同时，可视同职业技能鉴定合格，取得相应的职业资格证书。经人事、教育行政和相关行业主管部门认定的职业学校相关专业的毕业生，不受工作年限的限制，可直接申请参加专业技术从业资格考试，并免试部分科目。各地劳动保障、人事或相关部门要统筹规划，注意发挥和利用职业学校的优势，优先在具备条件的职业学校设立职业技能鉴定站（所）或职业资格考试机构。

17．加强职业指导和就业服务，拓宽毕业生就业渠道。职业学校要加强职业指导工作，引导学生转变就业观念，开展创业教育，鼓励毕业生到中小企业、小城镇、农村就业或自主创业。地方人民政府要利用社会就业服务体系或建立职业学校毕业生就业服务机构，为职业学校毕业生在本地或异地就业提供信息、咨询服务和便利条件。工商、税务部门要研究制定优惠政策，适当减免有关税费，支持职业学校毕业生自主创业或从事个体经营，金融机构要为符合贷款条件的提供贷款。对外经济贸易部门、劳动保障部门、教育行政部门要创造条件，积极协助符合条件的职业学校毕业生到国（境）外就业。

**六、多渠道筹集资金，增加职业教育经费投入**

18．各级人民政府要加大对职业教育的经费投入。省级人民政府要制定本地区职业学校生均经费标准，并依法督促各类职业学校举办者足额拨付职业教育经费。县级以上地方各级人民政府和国务院有关部门用于举办职业学校和职业培训机构的财政性经费应当逐步增长，确保公办职业学校教师工资按时足额发放，并监督民办职业教育机构按时足额发放教师工资。城市教育费附加安排用于职业教育的比例不低于15%，已经普及九年义务教育的地区不低于20%，主要用于职业学校实验实习设备的更新和办学条件的改善。各级人民政府在安排使用农村科技开发经费、技术推广经费和扶贫资金时，要安排一部分农村劳动力培训经费；安排农业基础设施建设投资时，要安排一部分农村职业学校和成人学校的建设经费。

中央财政增加职业教育专项经费，重点用于补助农村和中西部地区加强职业教育师资培训、课程教材开发和多媒体教育资源建设以及骨干和示范职业学校建设。地方人民政府也要增加职业教育专项经费。

19．各类企业要按《中华人民共和国职业教育法》的规定实施职业教育和职工培训，承担相应的费用。一般企业按照职工工资总额的1.5%足额提取教育培训经费，从业人员技术素质要求高、培训任务重、经济效益较好的企业可按2.5%提取，列入成本开支。要保证经费专项用于职工特别是一线职工的教育和培训，严禁挪作他用。企业技术改造和项目引进，都应按规定比例安排资金用于职工技术培训。对不按规定实施职工职业教育和培训，经责令改正而拒不改正的企业，县级以上地方各级人民政府可以收取其应当承担的职业教育经费，用于本地区的职业教育。

20．利用金融、税收以及社会捐助等手段支持职业教育的发展。县级以上各级人民政府应支持企事业单位、社会团体、其他社会组织及公民个人按照国家有关规定设立职业教育奖学金，奖励学习成绩优秀的学生，资助经济困难的学生。金融机构要为家庭经济困难学生接受职业教育提供助学贷款，优先为符合贷款条件的农村职业学校毕业生开展生产经营提供小额贷款。认真执行国家对教育的税收优惠政策，支持职业学校办好实习基地、发展校办产业和开展社会服务。鼓励社会各界及公民个人对职业教育提供资助和捐赠，企业和个人通过政府部门或社会中介机构对职业教育的资助和捐赠，可在应纳税所得额中全额扣除。

21．加强职业教育经费管理。省级教育行政部门、劳动保障部门要会同价格主管部门合理确定职业学校和职业培训机构的学费标准，并向社会公布。职业学校按规定收取的学费实行收支两条线管理，地方各级财政部门要确保全额返还职业学校，不得冲抵财政拨款，任何部门不得截留或挪作他用。严禁向职业学校乱收费。要严格执行财务管理和审计制度，提高职业教育经费的使用效益。

**七、加强领导，推动职业教育持续健康发展**

22．各级人民政府要加强对职业教育工作

的领导，把职业教育工作纳入当地经济和社会发展的总体规划，列入政府重要议事日程，帮助职业学校和职业培训机构解决实际困难和问题。调动和保护社会各个方面兴办职业教育的积极性，充分发挥行业、企业、社会中介组织和人民团体在发展职业教育中的作用。加强职业教育理论研究和政策研究，健全科学研究和教学研究机构，为职业教育宏观决策和职业学校改革与发展服务。

23．依法治教、依法办学、依法管理。各级人民政府和有关部门要认真贯彻《中华人民共和国职业教育法》和《中华人民共和国劳动法》等有关法律法规，加强职业教育和就业准入的法制建设，完善执法监督机制，加大执法力度，提高依法治教的水平。要加强对职业教育的督导检查，各级人民政府的教育督导部门要把职业教育作为教育督导的重要内容。加强和改进对职业教育的评估，积极探索发挥市场作用和社会参与的职业教育评估方式。

24．营造有利于职业教育改革与发展的社会氛围。要大力宣传职业教育和高素质劳动者在社会主义现代化建设中的重要作用，在全社会弘扬“三百六十行，行行出状元”的风尚。企业要根据经济效益情况逐步提高生产、服务一线高素质劳动者特别是高级技工和技师的经济收入。要积极开展各种职业技能、技术竞赛活动，表彰职业教育的先进单位和个人，在全社会形成重视、支持职业教育的浓厚氛围。

2002年8月24日

# 国务院办公厅关于下岗失业人员从事个体经营有关收费优惠政策的通知

国办发〔2002〕57号

各省、自治区、直辖市人民政府，国务院各部委、各直属机构：

根据《中共中央、国务院关于进一步做好下岗失业人员再就业工作的通知》（中发〔2002〕12号）的有关规定，为鼓励和促进下岗失业人员从事个体经营，经国务院批准，现就下岗失业人员从事个体经营有关收费优惠政策问题通知如下：

一、凡下岗失业人员从事个体经营的，除国家限制的行业（包括建筑业、娱乐业以及广告业、桑拿、按摩、网吧、氧吧等，下同）外，自工商部门批准其经营之日起3年内可以免交有关登记类、证照类和管理类的各项行政事业性收费（以下简称“收费”）。

二、从事个体经营的下岗失业人员免交的收费项目具体包括：

（一）法律、行政法规规定的收费项目，国务院以及财政部、国家计委批准设立的收费项目。

1. 工商部门收取的个体工商户注册登记费（包括开业登记、变更登记、补换营业执照及营业执照副本）、个体工商户管理费、集贸市场管理费、经济合同鉴证费、经济合同示范文本工本费。

2. 税务部门收取的税务登记证工本费。

3. 卫生部门收取的民办医疗机构管理费、卫生监测费、卫生质量检验费、预防性体检费、预防接种劳务费、卫生许可证工本费。

4. 民政部门收取的民办非企业单位登记费（含证书费）。

5. 劳动保障部门收取的劳动合同鉴证费、职业资格证书费。

6. 公安部门收取的特种行业许可证工本费。

7. 烟草部门收取的烟草专卖零售许可证费（含临时的零售许可证费）。

8. 国务院以及财政部、国家计委批准设立的涉及从事个体经营的下岗失业人员的其他登记类、证照类和管理类收费项目。

（二）各省、自治区、直辖市人民政府及其财政、价格主管部门批准设立的涉及个体经营的登记类、证照类和管理类收费项目。

三、从事个体经营的下岗失业人员，应当向工商、税务、卫生、民政、劳动保障、公安、烟草等部门的相关收费单位出具劳动保障部门核发的《再就业优惠证》，经收费单位核实无误后免交有关收费。

四、上述有关收费优惠政策暂定执行至2005年12月31日。

五、各省、自治区、直辖市人民政府及其财政、价格主管部门应通过广播、电视、报刊等新闻媒体，在本行政区域范围内公布免征的各项具体收费项目，使下岗失业人员及时了解和掌握有关收费优惠政策。工商、税务、卫生、民政、劳动保障、公安、烟草等部门应当督促本系统内的有关收费单位不折不扣地落实各项收费优惠政策，促进下岗失业人员再就业。

六、各省、自治区、直辖市人民政府应对各种收费项目进行全面清理，取消不合法、不合理的收费项目。同时，要加强对从事个体经营的下岗失业人员收费优惠政策落实情况的监督检查，凡不按规定落实收费优惠政策的，要予以严肃处理。

对从事个体经营的下岗失业人员实行收费优惠政策，是党中央、国务院促进下岗失业人员再就业的重要举措。地方各级政府和有关部门一定要按照江泽民总书记“三个代表”重要思想的要求，认真做好有关工作，确保有关政策的贯彻落实。各省、自治区、直辖市人民政府和国务院有关部门要在2002年12月31日前将落实本通知的有关情况告财政部、国家计委。

2002年10月17日

# 中共中央宣传部　劳动和社会保障部关于印发《进一步做好下岗失业人员再就业工作宣传提纲》的通知

中宣发〔2002〕9号

各省、自治区、直辖市党委宣传部、劳动和社会保障厅（局），中央宣传系统各单位党委（党组）：

2002年9月，党中央、国务院召开了全国再就业工作会议，江泽民总书记和朱镕基总理在会上作了重要讲话，吴邦国副总理作了工作报告。会议以“三个代表”重要思想为指导，从维护改革发展稳定大局和实现国家长治久安的高度，强调了做好就业和再就业工作的极端重要性，全面分析了当前就业和再就业工作面临的形势，明确了做好这项工作的指导思想、目标任务和政策措施，为今后做好就业和再就业工作指明了方向。会后，中共中央、国务院下发了《关于进一步做好下岗失业人员再就业工作的通知》（中发〔2002〕12号，以下简称《通知》）。贯彻落实好会议精神和《通知》要求，对于促进就业和再就业工作，解决当前突出的下岗失业人员再就业问题，具有重要意义。下岗失业人员再就业工作政策性强，涉及面广，为了做好会议精神和有关政策的宣传工作，我们编写了《进一步做好下岗失业人员再就业工作宣传提纲》，现印发给你们。

一、各地、各部门要充分认识就业和再就业工作的极端重要性，切实加强宣传教育工作。扩大就业，促进再就业，关系改革发展稳定的大局，关系人民生活水平的提高，关系国家的长治久安，不仅是重大的经济问题，也是重大的政治问题，要充分认识做好这项工作的重要意义。要围绕贯彻落实会议精神和《通知》要求开展各项工作，运用多种宣传手段，采取各种宣传方法，把有关政策精神原原本本地告诉广大群众。要通俗易懂地做好政策阐释工作，使党中央、国务院关于进一步做好下岗失业人员再就业工作的精神深入人心，促进下岗失业人员再就业工作顺利进行。

二、各级新闻单位要坚持团结稳定鼓劲、正面宣传为主的方针，积极主动地做好下岗失业人员再就业工作的宣传。各级报刊、电台、电视台和新闻网站要精心组织安排，制订报道计划，开办专栏专题，认真搞好报道。要集中宣传江泽民总书记重要讲话精神和全国再就业工作会议精神，把各级党委、政府的思想和行动统一到江总书记重要讲话和《通知》的精神上来，动员社会各方面的力量投入到促进下岗失业人员再就业工作中来；宣传中央关于做好就业和再就业工作的主要政策措施，特别是对下岗失业人员再就业的扶持政策，引导社会各有关方面认真执行好各项政策；宣传各级党委和政府积极贯彻落实《通知》精神，认真执行有关政策，热情为下岗失业人员排忧解难，在加强对就业和再就业工作的领导、开发就业岗位、增加就业机会、加强就业服务、开展就业培训等方面的好做法和好经验；宣传下岗失业人员实现再就业过程中转变观念、自强自立、艰苦创业的先进典型，积极引导下岗失业人员解放思想，增强信心，克服困难，努力实现再就业。此外，新闻媒体还要对再就业和社会保障政策不落实等方面的情况进行舆论监督，为下岗失业人员再就业工作营造良好氛围。

三、充分发挥基层党组织的核心作用，认真做好下岗失业人员的思想政治工作。促进下岗失业人员再就业政治性、政策性很强，是一项涉及每个下岗失业人员切身利益的具体工作。每个下岗失业人员的具体情况都有所不同，遇到的问题也不一样，必须充分发挥各级党组织尤其是基层党组织的政治核心作用，充分发挥党员的先锋模范作用，深入细致地做好思想政治工作。在实施企业改制重组、关闭破产、下岗分流和再就业工作过程中，必须把保障群众基本生活、促进就业和维护社会稳定作为基层党组织的主要任务。要向下岗失业人员大力宣传中央的有关方针政策，引导他们了解政策出台的背景，支持企业改革；引导他们了解就业和再就业政策的具体内容，充分利用这些政策，更快地实现再就业。要密切与下岗失业人员的联系，关心他们的疾苦，倾听他们的呼声，了解他们的思想状况，及时做好理顺情绪、化解矛盾、促进稳定的工作。

2002 年 10 月 29 日

# 进一步做好下岗失业人员再就业工作宣传提纲

扩大就业，促进再就业，是一项长期的战略任务和重大的政治任务。当前，要重点做好下岗失业人员再就业工作。这是深化国有企业改革、加快经济结构调整的必然要求，是完善社会保障体系、维护社会稳定的重要前提，也是缓解就业压力、解决当前突出矛盾的当务之急。

为便于各地做好下岗失业人员再就业政策的宣传解释工作，现就有关问题分述如下：

**一、充分认识就业和再就业工作的极端重要性**

就业是民生之本。实现就业，是老百姓安居乐业的根本前提。我国有近 13 亿人口，就业问题始终是一个值得高度关注的问题。尤其是我们正处于加快实现工业化和向现代化第三步战略目标迈进的过程中，在经济全球化、农村城镇化和发展高新技术、进行经济结构重大调整的背景下，下大力气解决好就业问题，把失业率控制在社会能够承受的范围内，具有更为重要的意义。扩大就业，促进再就业，不仅是重大的经济问题，也是重大的政治问题。我国是社会主义国家，我们党的宗旨是全心全意为人民服务。千方百计解决好就业问题，是贯彻“三个代表”要求的重大实践。

全党同志都要深入学习和领会全国再就业工作会议精神，从全局和战略的高度，充分认识做好就业和再就业工作的长期性、艰巨性和复杂性。准确把握就业方面的主要矛盾，集中力量做好下岗失业人员再就业工作。正确处理发展经济和扩大就业的关系，通过发展经济促进就业，通过扩大就业推动经济发展，实现发展经济与扩大就业的良性互动；正确处理经济结构调整和扩大就业的关系，使经济结构调整和劳动力结构调整协调推进；正确处理深化改革和扩大就业的关系，坚持减员增效和促进再就业相结合、职工下岗分流和社会承受能力相适应的原则；正确处理城乡经济协调发展和扩大就业的关系，把引导农村富余劳动力转移和解决“三农”问题紧紧联系起来；正确处理完善社会保障体系和扩大就业的关系，通过实行“两个确保”解决保障基本生活的当务之急，通过促进再就业解决下岗失业人员的根本出路，通过完善社会保障体系为深化改革和扩大就业提供保障。要统一思想，提高认识，明确任务，调动一切积极因素，把就业和再就业工作抓紧抓实抓好。

**二、改革开放以来，就业和再就业工作取得很大成绩**

改革开放以来，为解决好就业问题，党和政府采取了一系列行之有效的政策措施。近年来，中央多次研究决策，不断对下岗职工基本生活保障和再就业工作作出部署。1998 年 5 月，党中央、国务院专门召开国有企业下岗职工基本生活保障和再就业工作会议，出台了相关政策。经过各地区、各部门的共同努力，就业和再就业工作取得了显著成绩。

就业规模不断扩大，就业结构逐步调整。1978 年以来，全国共创造 3.3 亿个就业岗位，城乡从业人员增加到 7.3 亿人。两亿多农村劳动力通过多种途径实现了非农就业。第三产业从业人员由 1978 年的 12.2%提高到 2001 年的 27.7%。1998 至 2001 年，国有企业下岗职工有1 680万人通过多种形式实现了再就业。

市场导向的就业机制初步形成，就业方式发生深刻变化。与社会主义市场经济体制发展相适应，国家确立了劳动者自主就业、市场调节就业和政府促进就业的方针，逐步发挥市场在劳动力资源配置中的基础性作用。个体、私营、外商投资等就业渠道多元化，非全日制、弹性工作等就业形式多样化。

“两个确保”目标基本实现，社会保障体系建设取得重大进展。国有企业下岗职工和企业离退休人员的基本生活得到了切实保障。养老、失业、医疗等社会保险制度进一步发展完善，城市居民最低生活保障制度取得重大进展。

**三、当前和今后一个时期就业和再就业的形势**

在充分肯定已经取得成绩的同时，我们要清醒地看到就业和再就业形势的严峻性。我国人口众多，解决就业问题是长期而艰巨的任务。当前我国正面临城镇新增劳动力就业、农村劳动力转移、下岗失业人员再就业交织的情况，就业方面的主要矛盾，是劳动者充分就业的需求与劳动力总量过大、素质不相适应之间的矛盾，这将是一个长期存在的问题。

一是劳动力供大于求的矛盾十分尖锐。“十五”期间，每年城乡新增劳动力将升至峰值，加上现有城镇下岗失业人员，每年城镇需要安排就业的达到2 200万至2 300万人，而每年新增就业岗位 700 万至 800 万个，年度供大于求的缺口1 400万到1 500万个。同时，农村还有 1.5 亿富余劳动力需要转移，城乡就业压力并存。

二是就业结构性矛盾十分突出。随着国有企业改革和经济结构调整力度的进一步加大，技术进步不断加快，传统行业出现大批下岗失业人员，许多人再就业困难，而新兴的产业、行业和技术职业需要的素质较高的人员又供不应求。特别是加入世贸组织的初期，不同地区、不同行业劳动力供求的不平衡性还会加剧。

三是下岗失业人员再就业问题凸显。由于下岗失业人员普遍年龄偏大，就业技能单一，在劳动力市场上竞争能力弱，再就业难度更大。矛盾的焦点集中在下岗失业人员再就业上，这个问题已经成为一个带有全局性影响的重大经济和社会问题。

**四、做好就业和再就业工作，有很多有利条件**

首先，党和政府一贯高度重视就业和再就业工作。党中央、国务院召开的全国再就业工作会议和下发的《关于进一步做好下岗失业人员再就业工作的通知》（中发〔2002〕12 号，以下简称《通知》）明确提出，各级党委、政府和各有关部门必须充分认识就业和再就业工作的极端重要性。要从维护改革发展稳定大局，实现国家长治久安的高度，将就业和再就业工作作为一项长期的战略任务和重大的政治任务，作为全面贯彻“三个代表”要求的重要措施，着眼长远，立足当前，统筹兼顾，坚持不懈地抓好。根据这一指导思想，会议明确了就业和再就业工作的目标任务、政策措施和基本要求。

第二，我国经济正处于高速成长阶段，本世纪头一二十年，又迎来了大有作为的战略机遇期。经济持续快速健康发展为我们解决就业问题提供了巨大的就业空间。当前，就业的潜力还很大。预计“十五”期间，将新增就业岗位4 000万个。

第三，经济结构调整为就业岗位的开发创造了条件。从产业结构看，我国第三产业的就业潜力很大。2001 年，我国第三产业从业人员占全部从业人员的比重为 27.7%，而发达国家占 70%左右，一些发展中国家也已达到 50%左右。根据国际经验，人均 GDP 达到 1 000美元是第三产业加速发展的转折点，我国2001 年人均 GDP 已经超过 900 美元，第三产业高度发展将创造大量就业岗位。从所有制结构看，私营个体等非公有制经济已成为增加就业的主要渠道，在国家政策的支持下，非公有制经济的发展可以吸纳更多的下岗失业人员。从企业结构看，我国新增就业岗位的 80%以上来自中小企业，中小企业的发展，对解决就业问题具有重要作用。另外，国家正在实施西部大开发战略，对西部地区的经济社会发展和扩大就业将产生重大影响。

第四，中央确定了“鼓励兼并、规范破产、下岗分流、减员增效、实施再就业工程”方针，建立了国有企业下岗职工基本生活保障、失业保险、城市居民最低生活保障“三条保障线”和养老、医疗保险制度，取得了重大进展，为进一步做好就业和再就业工作奠定了坚实基础。

第五，不少地方结合本地实际，在促进下岗失业人员再就业方面进行了积极探索，在发展服务业特别是社区服务业、鼓励下岗失业人员自谋职业和自主创业、对就业困难群体实施就业援助、加强就业服务和再就业培训等方面创造了一些成功的经验和切实有效的做法，有了一个比较好的工作基础。

**五、要重点做好有劳动能力和就业愿望的下岗失业人员再就业工作**

当前，我国的就业面临三方面的问题：一是结构调整中下岗失业人员的再就业问题；二是城镇新增劳动力的就业问题；三是农村大量富余劳动力向非农产业和城镇转移就业问题。对这些问题需要统筹考虑，从多方面着手逐步解决。但从轻重缓急程度看，当前最突出、最紧迫、最需要解决的是下岗失业人员的再就业问题。

下岗失业人员很困难，迫切需要帮助。他们上有老、下有小，家庭负担重，仅靠领取基本生活费、失业保险金或“低保”补差维持生活，成为城镇中最为困难的群体，必须采取更加积极有效的扶持政策，帮助他们尽快实现再就业，靠劳动收入的提高从根本上摆脱生活上的困境。

下岗失业人员再就业问题最突出，最需要解决。一方面，这是深化改革和调整经济结构中遇到的突出问题。当前和今后一个时期，国有企业改革仍是整个经济体制改革的中心环节，任务相当艰巨。不解决好企业冗员和下岗失业人员再就业问题，国有企业改革很难深入。另一方面，这又是维护企业和社会稳定遇到的突出问题。下岗失业人员如果长期不能实现再就业，缺乏社会归属感和安全感，容易产生心态不平衡和消极情绪，这本身就是企业和社会不稳定的因素。

国有企业的下岗失业人员，过去曾为国有企业发展和国家建设做出过贡献，理应得到国家和社会的关心和帮助。解决好他们的再就业问题，是各级党委和政府以及全社会义不容辞的责任。

根据当前的工作重点，《通知》明确规定了实施再就业扶持政策的对象范围是有劳动能力和就业愿望的下列人员：国有企业的下岗职工；国有企业的失业人员；国有企业关闭破产需要安置的人员；享受最低生活保障并且失业一年以上的城镇其他失业人员。

### 六、坚持市场导向的就业机制，实施积极的就业政策

解决我国的就业和再就业问题，要坚持市场导向的机制，实施积极的就业政策，多渠道开发就业岗位，努力改善就业环境，支持劳动者自谋职业和自主创业，鼓励企业更多吸纳就业，帮助困难群体就业。

实行“劳动者自主择业、市场调节就业、政府促进就业”，这是中央确定的正确方针，一定要认真贯彻执行。我国劳动力总量大，整体素质较低，经济结构调整和技术进步对劳动力的要求越来越高，扩大就业，缓解劳动力供求的矛盾，是一个长期的战略任务。在这个过程中，政府在促进就业和再就业中的作用是很重要的，这方面必须十分明确。同时，也要认识到，在发展社会主义市场经济条件下，就业和再就业还是主要依靠市场调节，政府不能包办，实际上也包不下来。政府在促进就业和再就业中的作用主要是：制定就业规划，引导和调节劳动力供求；实施积极的就业政策，对特殊困难对象实施就业援助；健全劳动力市场体系，依法维护劳动力市场秩序；提供就业服务和完善社会保障体系等。这些都是政府需要做好的。但是，我们必须始终坚持充分发挥市场机制在就业和再就业中的主导性作用，或者说基础性作用。要把市场机制的调节作用和政府的促进作用很好地结合起来，这是解决我国就业和再就业问题的正确选择。

### 七、努力开辟就业门路，积极创造就业岗位

通过发展经济扩大就业是解决就业和再就业问题的根本性措施。因此，要按照以公有制为主体、多种所有制经济共同发展的要求，适应经济体制改革的深化和结构调整力度的加大，坚持扩大内需的方针，保持国民经济必要增长速度，积极调整经济结构，千方百计扩大就业。今后，要着重开辟五个方面的就业门路：

一是大力发展第三产业，继续拓展商贸、餐饮等传统服务业领域的就业渠道，努力发展旅游业增加就业，尤其要积极开发社区服务业的就业岗位，重点开发面向社区居民生活服务、机关企事业单位后勤保障和社区公共管理的就业岗位以及清洁、绿化、社区保安、公共设施养护等公益性岗位。

二是鼓励发展个体、私营、外商投资、股份合作等多种所有制经济扩大就业，积极发展有市场需求的劳动密集型中小企业，继续发展劳动就业服务企业，更多吸纳下岗失业人员。

三是促进跨地区的劳务协作和对外劳务输出。鼓励就业压力大的地区特别是资源开采型城市和独立工矿区，按市场需求发展接续性产业，组织下岗失业人员到有劳务需求的地区就业，到农村承包荒山、荒地，从事种植业和养殖业。

四是鼓励有条件的国有大中型企业在进行结构调整、重组改制和主辅分离中，利用非主业资产和闲置资产，通过多种方式分流和安置企业富余人员，对矿产企业要利用其有效资产安置职工。

五是鼓励下岗失业人员通过非全日制、临时性、季节性、弹性工作等灵活多样形式实现就业。通过发展劳务派遣、就业基地等组织形式，为他们灵活就业提供服务和帮助。

这几个方面的就业门路是适应我国国情，根据当前国有经济战略调整和经济结构调整的总体部署提出来的。它适应就业格局和从业方式的变化趋势，适应面向国内国外两个市场、两种资源，有利于充分发挥我国劳动力资源优势。大力开发这几个领域的就业门路，在解决我国就业和再就业问题的同时，就可以逐步走

出一条既能够充分促进就业、又能够保证经济持续快速健康发展的路子。

**八、鼓励和扶持下岗失业人员自谋职业和自主创业**

自谋职业和自主创业是下岗失业人员再就业的重要方式。目前，在已经实现再就业的下岗失业人员中，约有30%是自谋职业。为了鼓励扶持更多的下岗失业人员从事个体经营，减轻他们的税费负担，规定对下岗失业人员从事个体经营（国家限制的行业除外）的，3年内免征营业税、城市维护建设税、教育费附加和所得税，并免收属于管理类、登记类和证照类的所有各项行政事业性收费。严禁各种形式的集资、摊派和乱收费。各类中介机构对下岗失业人员从事个体经营涉及的各种服务性收费，按照最低标准收取，严禁强制服务，强行收费。

从实际情况看，下岗失业人员自谋职业、自主创业很需要启动资金和流动资金。《通知》针对小额贷款因担保等原因难以落实的问题，制定了小额贷款的政策，明确了担保贷款的程序、额度、期限及担保、贴息具体内容，有较强的操作性。下岗失业人员自谋职业和自主创业的，可以向商业银行申请小额贷款。由当地政府确定的担保机构负责担保，贷款担保基金主要由同级财政筹集资金建立。贷款额度一般掌握在2万元左右。贷款期限最长不超过2年，到期确需延长的，可申请展期1次。贷款利息按照中国人民银行公布的贷款利率确定，对从事微利项目的，由中央财政据实全额贴息，展期不贴息。对下岗失业人员合伙经营和组织起来就业的，可根据人数和经营项目扩大贷款规模。各省、自治区、直辖市和地级以上城市要建立下岗失业人员贷款担保基金，各类商业银行和有条件的城市信用社，都要开办小额贷款业务，并且要简化手续，提供开户和结算便利。

同时，为了给下岗失业人员自谋职业和自主创业提供开业及场地上的便利，要求各地简化下岗失业人员开业的相关手续，有关行政审批部门应根据需要和条件，设立专门窗口，提供“一条龙”服务，提高服务效率。各级政府在城市规划建设和整顿市容时，要统筹解决好下岗失业人员自谋职业和自主创业的经营场地问题，有条件的地方，可安排相对集中的生产经营培育性场所。

**九、鼓励服务型企业吸纳下岗失业人员**

服务型企业就业容量大，为了充分发挥其扩大就业的作用，鼓励这些企业吸纳更多的下岗失业人员，对招用人员达到一定规模的服务型企业，实行减免税收的政策。对现有的服务型企业（国家限制的行业除外）新增加的岗位，当年新招用下岗失业人员达到职工总数30%以上，并与其签订3年以上期限劳动合同的，3年内根据招用人数按年度应缴税额的一定比例减征企业所得税。

对新办的服务型企业（国家限制的行业除外）当年新招用下岗失业人员达到职工总数30%以上，并与其签订3年以上期限劳动合同的，3年内免征企业应缴纳的营业税、城市维护建设税、教育费附加和企业所得税。当年新招用下岗失业人员不足30%的，根据招用人数，按应缴所得税额的一定比例减征企业所得税。

在实行减免税收政策的同时，对各类服务型企业（包括商贸、餐饮、服务业企业，国家限制的行业除外）新增岗位新招用国有企业下岗失业人员，并与其签订3年以上期限劳动合同的，从再就业资金中按招用人数提供为期3年的社会保险补贴。补贴标准按单位应为所招人员缴纳的养老保险费和失业保险费之和计算，个人应缴的养老保险费和失业保险费仍由本人负担。实行社会保险费补贴，是借鉴了下岗职工基本生活保障制度中由再就业服务中心代缴社会保险费的政策。社会保险费是企业用人成本的重要组成部分，实行这一政策，可以在一定程度上降低企业的用人成本，鼓励其吸纳下岗失业人员就业。同时，也可以帮助下岗失业人员接续社会保险关系，解除他们的后顾之忧。

## 十、鼓励国有大中型企业主辅分离安置富余人员

国有大中型企业在国民经济发展中具有重要的地位和作用，在经济结构调整中也承担着重要任务。为了建立现代企业制度，增强竞争力，实行主辅分离、减员增效是一条重要措施。国有大中型企业实行主辅分离和辅业改制，盘活企业闲置土地和资产，发挥内部潜力分流安置富余人员，而不是直接把富余人员推向社会，不仅有利于促进企业精干主体，提高竞争力，也有利于保持企业和社会稳定。

今后，对国有大中型企业通过主辅分离和辅业改制分流安置本企业富余人员兴办的经济实体（国家限制的行业除外），凡符合条件的，3年内免征企业所得税。具体条件是：利用原企业的非主业资产、闲置资产或关闭破产企业的有效资产；独立核算、产权清晰并逐步实现产权主体多元化；吸纳原企业富余人员达到30%以上；与安置的职工变更或签订新的劳动合同。

## 十一、鼓励和支持下岗失业人员灵活就业

就业形式的多样化是社会经济发展的必然趋势。鼓励和引导多种灵活就业形式的发展，有利于广开就业门路，增加就业岗位。灵活就业也是就业。在市场经济条件下，无论工作时间长短，工作报酬多少，劳动者只要通过参加社会劳动，获得合法收入或报酬，都是就业。政府鼓励劳动者通过灵活就业的方式实现就业，并且提供相应的服务和帮助。

灵活就业与正规就业相比，在劳动关系、工资支付、社会保险和就业服务等方面，有不同特点和要求。应当制定相应的政策措施，保障劳动者合法权益，创造适宜的发展条件。

在劳动关系方面，对期限短、流动性大的工作，双方可以采取约定的形式订立劳动合同，通过平等协商，就工作时间、工作内容、劳动报酬及支付形式、劳动条件等达成一致；允许在多个用人单位灵活就业的劳动者，分别与不同的用人单位建立劳动关系；发生劳动争议，同样适用处理劳动争议的规定，当事人可以要求劳动保障行政部门、劳动争议仲裁机构和法院依法保护自己的合法权益。

在工资支付方面，可以按小时工资、日工资或周工资的形式支付工资，标准应略高于以月最低工资标准直接换算的水平，增加劳动者个人应缴纳的社会保险费部分。对时间不超过1个月的临时性工作，用人方应在工作任务完成后立即向劳动者支付工资。

在社会保险关系方面，灵活就业的人员可以按照个体工商户参保办法参加养老保险。对无用人单位的就业人员，社会保险经办机构、劳动保障事务代理机构和街道劳动保障工作机构等要为他们提供社会保险参保登记和代缴社会保险费的服务。

通过成立具有独立法人资格的劳务派遣组织，将下岗失业人员组织起来，到单位和居民家庭从事有报酬的社会劳动，这种形式既能适应多种用工需求，又广开了就业门路，收到了很好的效果。要推广这一做法，鼓励和支持社会力量创办劳务派遣企业，公共就业服务机构特别是街道劳动保障工作机构要积极开展这方面的服务。

## 十二、对大龄就业困难对象实施再就业援助

大龄就业困难对象是指有劳动能力和就业愿望的男性50周岁以上，女性40周岁以上，就业困难的下岗失业人员。他们是再就业难度最大的一个群体，也是家庭负担最重、生活最困难的一个群体，在实现再就业过程中，最需要给予帮助。《通知》要求各级政府要把大龄就业困难对象作为再就业援助的主要对象，提供即时岗位援助等多种帮助。由政府投资开发的公益性岗位要优先安排大龄就业困难对象。在社区开发的公益性岗位安排原属国有企业大龄就业困难对象就业，从再就业资金中给予社

会保险补贴。补贴标准按单位应为所招人员缴纳的养老保险费和失业保险费之和计算，个人应缴的养老保险费和失业保险费仍由本人负担。同时，各地可根据实际提供适当比例的岗位补贴。这些政策体现了党和政府对下岗失业人员的关心和照顾。

**十三、建立公共就业服务制度，免费为下岗失业人员提供职业介绍**

为下岗失业人员提供更有针对性的就业服务，是做好再就业工作的重要内容。要建立公共就业服务制度，对城镇登记失业人员和国有企业下岗职工，提供免费职业介绍。要建立再就业援助制度，为就业困难对象提供专门的帮助和服务。在各级公共职业介绍机构中，要实行求职登记、职业指导、职业介绍、培训申请、鉴定申报、档案管理、社会保险关系接续“一站式”就业服务。要加快就业服务信息化建设，健全劳动力市场信息网及其公开发布系统，提供及时、便捷的就业信息服务，把就业信息更直接地送到下岗失业人员面前。同时，要规范劳动力市场秩序，加强对各类职业中介行为的监管，严厉打击非法职业中介和各类欺诈行为，保护劳动者的合法权益。

改革开放以来，我国逐步建立起公共就业服务体系，特别是近几年，公共就业服务工作得到了加强，在促进下岗失业人员再就业方面发挥了积极作用。但从总体看，服务措施还不到位，对失业人员免费服务还不普遍，这些仍然是再就业服务中的突出问题。

公共就业服务是非营利性的公益性事业，由政府提供资金，为城镇登记失业人员和国有企业下岗职工，提供免费职业介绍，对城镇就业转失业人员和国有企业下岗职工提供免费再就业培训，以减轻他们的经济负担。所需经费主要由地方财政承担，中央财政对困难地方给予适当补助。适应信息时代劳动力市场供求的变化，必须抓紧建立和完善就业信息网络，及时准确地采集劳动力供求信息并进行分析预测，迅速、便捷地为下岗失业人员提供就业信息服务。

**十四、加强职业教育和再就业培训，提高下岗失业人员的就业能力**

我国就业问题的一个突出矛盾是劳动者的素质和技能不能适应就业的需要。加强职业教育和再就业培训，提高下岗失业人员的技能，是实现再就业的基础和有效手段。要根据劳动力市场变化和产业结构调整的需要，大力加强职业教育和再就业培训。要充分利用全社会现有的教育资源，组织开展多层次、多形式的再就业培训，提高下岗失业人员的就业能力。要增强再就业培训的针对性、实用性、有效性，使更多的下岗失业人员通过培训打开再就业的通道。对从事技术性工作的劳动者开展的技能培训，应与推行和规范国家职业资格证书制度相结合。对有开业条件的人员，要开展创业培训和开业指导，并提供项目咨询、跟踪扶持等服务，帮助他们创业取得成功，并带动更多的下岗失业人员实现再就业。

**十五、建立社区工作平台，完善基层劳动保障管理服务体系**

城乡基层组织要承担起做好下岗失业人员再就业和企事业单位退休人员的管理、服务工作的责任。街道和工作任务重的乡镇，可设立或确定负责劳动保障事务的机构。要充分发挥社区在就业和社会保障方面的服务功能，街道劳动保障工作机构要在社区聘用专门的服务人员，并提供工作经费，建立统一的社会保障和劳动就业工作体系。

街道劳动保障工作机构和社区聘用的专门工作人员，负责对下岗失业人员再就业和企事业单位退休人员的管理与服务，是就业服务和社会保险工作最基层的组织依托。街道、社区对下岗失业人员的情况最了解，与他们的关系最密切，管理和服务也最直接、最方便，特别是随着下岗职工、企事业单位退休人员逐步由“单位人”向“社会人”的转变，街道、社区工作机构要承担大量的管理和服务工作。因此，必须加强基层组织建设，建立相应机构，配备专职人员，保障工作经费，支持他们做好工作。

**十六、在坚持市场调节就业的同时，搞好就业的宏观调控**

在市场就业条件下，政府有责任对就业进行宏观调控，以避免失业规模过大，影响社会稳定。

第一，要正确处理好深化国有企业改革与扩大就业的关系，既要坚持国有企业改革方向，推进企业减员增效，又要切实加强对关闭破产企业职工安置和正常生产经营企业裁员的指导。实施政策性关闭破产的企业，职工安置方案必须经职工代表大会讨论通过，并报当地政府企业兼并破产和职工再就业工作协调小组审核批准。凡职工安置方案和社会保障办法不明确、资金不到位的，不得进入关闭破产程序。正常生产经营企业成规模裁减人员，人员裁减方案要经企业职工代表大会讨论。凡不能依法支付解除劳动合同的经济补偿金并妥善解决企业拖欠职工债务的，不得裁减人员。国有大型企业一次性减员超过一定数量和比例的，要事前向当地人民政府报告。

就业问题事关职工的切身利益，事关社会的稳定。国有企业职工为国家和社会做出过贡献，在改革过程中，还要承受失业的风险和压力。尽可能地减少他们的损失，是政府和国有企业管理者的义务。因此，在国有企业改革过程中，既要坚持减员增效的改革方向，也要根据社会承受能力，把握好裁员的规模和节奏，规范操作，平稳推进，促进社会和企业的稳定。

第二，要建立城镇劳动力抽样调查制度，定期开展全国城镇劳动力抽样调查，及时反映全国及各地的就业和失业动态变化。建立这项制度，可以补充现行城镇失业登记制度的不足，更全面、准确地了解就业与失业状况。这也是国际通行做法。同时，建立失业预警机制，通过分析相关指标变动情况，预测失业变化对社会稳定和经济发展的影响，在下岗失业总量接近或超过警戒线时，各级政府就要及时采取措施缓解矛盾，防止出现大的问题。

**十七、在重点做好再就业工作的同时，统筹兼顾城镇新成长劳动力的就业和农村富余劳动力的转移工作**

城镇新成长劳动力就业和农村富余劳动力转移工作是就业的重要方面。切实做好这两方面的工作，可以减轻当前劳动力市场的就业压力，也有利于实现就业的社会公平。

城镇新成长劳动力在劳动力市场中最活跃、最有竞争力，也是用人单位招聘的主要对象。做好青年就业工作，实行劳动预备制度，加强职业教育和培训，有利于提高企业竞争力，有利于提高劳动者的整体素质。对城镇新成长的劳动力，要引导和帮助他们参与市场竞争就业，对城镇未能继续升学的初、高中毕业生主要普遍实行劳动预备制度，加强职业教育和培训，延缓就业压力。

做好农村富余劳动力转移工作，引导农村劳动力实现有序转移，可以有效提高农民收入，对于农村经济结构调整和推进城镇化也有重要意义。加强对农民工利益的保护，是今后一项重要工作，在政策、管理和服务上都要体现公平原则。对农村劳动力进城就业要公平对待，合理引导，完善管理，搞好服务，认真清理不合理的限制政策，切实保障他们的合法权益。各类企业招用农民工，应签订劳动合同，必须依法缴纳社会保险费。

**十八、巩固“两个确保”，完善社会保障体系**

确保国有企业下岗职工基本生活费和企业离退休人员养老金按时足额发放，全面做好社会保障工作，与做好就业和再就业工作同等重要。各级政府要继续按照“三三制”原则落实下岗职工基本生活保障资金，努力扩大社会保险覆盖范围，加强社会保险费的征缴，进一步巩固“两个确保”，不得发生新的拖欠。

要积极稳妥地做好下岗职工出中心向失业保险并轨工作。完善社会保障体系的省级试点目前只在辽宁进行，其他地方要从实际出发，在确保稳定的前提下，因地制宜、分类指导、分别处理，积极探索下岗职工出中心向失业保险并轨的办法和途径。对企业新裁减人员和出中心的下岗职工，要按规定及时提供失业保险，符合条件的，纳入城市居民最低生活保障。对协议期满暂时无法解除劳动关系的下岗职工，各级政府和企业要继续运用现有各类资金渠道筹措的资金保障其基本生活。要加强城市居民最低生活保障工作，将所有符合条件的城市贫困居民都纳入保障范围，做到应保尽保。要对特殊困难群体的最低生活保障情况进行检查，帮助解决他们在生活保障以及医疗、住房、取暖、子女入学、水电煤气等方面遇到的问题。

巩固“两个确保”是完善社会保障体系的基础，也是做好就业和再就业工作的基础。社会保障“关乎国运，惠及子孙”。在做好下岗失业人员再就业工作的同时，要继续把“两个确保”放在重要位置抓紧抓好，绝不能有丝毫的放松。要做到目标不变、政策不变、工作要求不变，确保下岗职工的基本生活费和企业离退休人员养老金按时足额发放，绝不能发生新的拖欠。要通过监督检查，查找工作中的薄弱环节，对发现的问题及时整改，坚决清除死角。

### 十九、接续社会保险关系，解除下岗失业人员的后顾之忧

能否顺利接续社会保险关系，是下岗失业人员普遍关心的一个问题。下岗失业人员离开企业时，其过去的社会保险缴费年限和个人账户继续保留，企业和个人欠缴的社会保险费，要一次性补缴。下岗失业人员由企业招用再就业的，应由新的用人单位和职工个人按规定继续缴纳社会保险费；自谋职业和灵活就业的，可以按照个体工商户参保办法参加养老保险。继续参加养老保险并按规定缴费的，其前后缴费年限合并计算；未继续参加养老保险中断缴费的，达到退休年龄后按实际的缴费年限计发基本养老金。对接近内部退养年龄的下岗职工，经企业与职工协商一致，在解除劳动关系时，可以签订社会保险缴费协议，按规定缴纳社会保险费。

完善下岗失业人员的社会保险关系接续办法，做好接续服务。一是要严格执行政策，保留下岗失业人员社会保险缴费年限和个人账户，对达到退休年龄的下岗失业人员按规定办理养老金领取手续，按时足额计发待遇；二是要改进服务，社会保险经办机构要开设专门窗口，方便下岗失业人员继续参保缴费；三是要加强执法和监督，督促用人单位履行法定义务，为招用的下岗失业人员接续社会保险关系并足额缴费。同时，对尚未纳入基本医疗保险范围的下岗失业人员，要实施医疗救助制度。

### 二十、加强领导，明确就业和再就业工作目标和任务

加强领导是做好就业和再就业工作的关键。党中央、国务院明确要求，各级党委、政府对本地区就业和再就业工作负主要责任。要把控制失业率和增加就业岗位作为宏观调控的重要指标，纳入国民经济和社会发展计划。把净增就业岗位、落实再就业政策、强化再就业服务、加大再就业资金投入和帮助困难群体就业作为具体工作目标，层层分解，督促落实，并作为政绩考核的重要内容，定期进行检查，对落实好的予以表扬，对落实不好的予以批评，对因工作不力造成严重后果的要追究领导责任。各有关部门要切实履行职责，加强协调配合。要充分发挥各民主党派、工商联和工会、共青团、妇联等人民团体的作用，群策群力，共同做好就业特别是下岗失业人员再就业工作。

落实再就业扶持政策，必须加大资金投入。各级政府要调整财政支出结构，加大再就业资金投入，将促进再就业资金列入财政预算，宁肯少上几个项目，也要拿出钱来帮助下

岗失业人员实现再就业。对中西部地区和老工业基地，中央财政将在原国有企业下岗职工基本生活保障专项转移支付资金项下，增加再就业补助资金，支持地方促进再就业工作。

# 劳动和社会保障部关于劳动保障部门进一步安排好当前困难群众生产和生活的紧急通知

劳社部发明电〔2002〕1号

各省、自治区、直辖市劳动和社会保障厅（局）：

2月4日，中央政治局常委会召开会议，研究进一步安排好困难群众生产和生活的工作。江泽民总书记发表重要讲话，强调贯彻“三个代表”最根本的是要不断实现好、发展好、维护好最广大人民群众的根本利益，要求各级领导干部必须从巩固党的执政地位的高度出发，从促进经济和社会发展、维护社会稳定的大局出发，深怀爱民之心，恪守为民之责，善谋富民之策，多办利民之事，更好地为广大人民群众服务，更好地为最需要帮助的困难群众服务。2月5日，中共中央办公厅、国务院办公厅发出《关于进一步安排好困难群众生产和生活的通知》，就做好有关工作提出了明确具体的要求。为认真贯彻中央政治局常委会议精神，落实好两办通知要求，现就有关事项通知如下：

## 一、各级劳动保障部门要立即组织学习会议精神，提高思想认识

当前国际社会局势深刻变化，我国改革和发展也遇到了许多新情况新问题，解决好城乡困难群众的生产和生活问题，对于深化改革、扩大开放、促进发展、保持稳定，具有十分重要的意义。做好两个确保，完善社会保障体系，促进就业和再就业，涉及人民群众的切身利益，是做好困难群众生产和生活工作的重要内容。各级劳动保障部门要从全局和战略的高度，充分认识安排好困难群众生产和生活工作的重要性，增强做好劳动保障工作的责任感、紧迫感，坚持以稳定为主线、以解决困难群众工作和生活问题为重点，安排好全年的工作。要进一步转变作风，深入实际、深入基层，努力为困难职工办实事，使他们切实感受到党和政府的温暖和关怀。

## 二、全力以赴做好两个确保工作

各级劳动保障部门要继续把两个确保作为事关改革发展稳定的头等大事来抓，一把手要亲自负责，层层落实目标责任制。要特别注意防止和克服麻痹松懈情绪和疲劳厌战思想，坚决把春节和“两会”期间的两个确保工作摆在突出位置抓紧抓好。2001年中央财政补助资金已全部下拨，各地要加强资金调度，及时拨付到位，保证国有企业下岗职工基本生活费、企业离退休人员养老金以及失业保险金按时足额发放，不得拖欠。要按照中央的要求，立即进行一次全面的排查，及时解决存在的问题，切实消除工作死角。对可能产生的拖欠地区实行重点监控，加强工作指导和督促检查。要通过建立举报制度、公布举报电话等措施，加强

舆论和社会监督，对各种渠道反映的问题要发现一起查处一起。

**三、抓紧落实企业离退休人员养老金待遇调整政策**

经国务院批准，劳动保障部、财政部下发了适当提高企业离退休人员待遇的通知，这是党和政府对广大企业离退休人员的关心，各地要认真抓好落实。目前，企业离休人员的待遇调整基本到位，少数没有落实的地区要在春节前兑现。企业退休人员调整养老金待遇，各地要尽快拟定方案，筹集调度资金，报劳动保障部和财政部审核后，认真组织实施，保证2月底前落实到位。

**四、做好社会保障资金预测预算工作**

各地劳动保障部门要对今年的社会保障资金收支情况早做测算，制定收支计划。资金存在缺口地区，要积极主动地向当地党委政府报告，争取支持。目前，各地正在制定2002年财政预算，要按中央关于逐步将社会保障支出占财政支出的比例提高到15%～20%的要求，积极调整财政支出结构，增加对社会保障的资金投入，足额列入预算。中央财政将继续对困难地区给予补助，但要同各地的工作实绩和地方财政投入情况挂钩。

**五、做好三条社会保障线的衔接工作**

落实好三条社会保障线的各项政策措施，使每一个困难职工和城市居民的基本生活得到保障。对协议期满的下岗职工应按规定解除劳动关系、支付经济补偿金、清偿债务，接续好社会保险关系，并依照规定享受失业保险和城市居民最低生活保障，不能推出去不管。对暂时出不了中心且生活确有困难的下岗职工，可以继续按“三三制”办法发放一定期限的基本生活费。对接近退休年龄和年龄偏大、再就业困难的职工，可采取内部退养、协议缴纳社会保险费等措施予以适当照顾。

**六、妥善做好关闭破产企业的职工安置工作**

为加强这项工作，部里成立了专门机构，各地劳动保障部门可成立相应的办事机构，并落实专人负责。要积极参与企业关闭破产方案的制定，对职工安置和社会保障问题严格把关，凡是职工安置和社会保障办法不完善、资金没有落实的企业，不能进入关闭破产程序。要跟踪了解关闭破产方案的实施工作，抓好职工安置和社会保障工作的落实。对可能发生的问题，要制定工作预案，及时妥善处理突发事件。

**七、加强社会保险扩面征缴工作**

要依法扩大养老、医疗、失业保险覆盖范围，使困难群众能及时享受到基本的社会保障。要落实好医疗保险的各项政策，切实解决困难群体基本医疗保障和部分职工医疗费负担较重的问题。要加强社会保险费征缴，保证基金的稳定增长，切实发挥主渠道作用。对有缴费能力而拒绝缴费或瞒报少缴、欠缴社会保险费的，要综合运用法律、经济、行政等多种手段强制缴费。

**八、切实做好就业和再就业工作**

实行积极促进就业的政策，大力加强劳动力市场建设和就业服务体系建设，千方百计创造就业岗位，落实各项优惠政策，认真清理各种不合理收费和摊派，帮助下岗职工和失业人员实现再就业。动员社会各方面的力量，大力组织实施以“保生活、促就业、接保险”为主要内容的再就业援助行动，对弱势群体提供就业援助。充分挖掘社区就业岗位安置困难群体就业，公共就业服务机构要满腔热情地为他们提供职业指导、职业培训等就业服务和多种形式的就业援助。

**九、进一步加强执法监察**

加强劳动保障执法监察，切实维护职工合

法权益。当前，要把防止两个确保产生新的拖欠，把纠正和处理拖欠、克扣职工工资特别是拖欠农民工工资的违法行为，作为执法检查的重点。要加大对职业介绍中介机构的清理整顿力度，严厉打击非法职业中介机构和欺诈行为。认真清理各种限制农民进城务工的不合理政策，切实加强劳动力市场信息服务，引导农村富余劳动力合理有序流动就业，防止民工盲目流动徒劳往返。

2002年2月6日

# 劳动和社会保障部 人事部 财政部 科技部 建设部关于转制科研机构和工程勘察设计单位转制前离退休人员待遇调整等问题的通知

劳社部发〔2002〕5号

有关省、自治区、直辖市劳动和社会保障、人事、财政、科技、建设厅（局）：

经国务院批准，现就国家经贸委所属的原10个国家局管理的242个科研机构、中央所属的178家工程勘察设计单位以及建设部等11个部门（单位）所属的134个科研机构（以下简称转制单位）转制前离退休人员离退休待遇调整等问题通知如下：

一、有正常事业费的转制单位，转制前离退休人员不再执行企业离退休人员基本养老金调整办法，社会保险经办机构只负责发放接收时按规定标准核定的基本养老金，以后不再增加。从2001年开始，其离退休待遇调整纳入国家统一的事业单位离退休费调整范围，由财政部门按统一的补助标准和现有经费渠道安排所需资金，并由离退休人员原单位负责发放。2001年地方已经按企业办法为转制前离退休人员增加的基本养老金，由社会保险经办机构扣回。

二、没有正常事业费的转制单位，转制前离退休人员按规定标准核定的基本养老金继续由社会保险经办机构发放，基本养老金调整按企业的办法执行，所需费用从基本养老保险统筹基金中支付。国家统一出台事业单位离退休费调整政策时，转制前离退休人员按企业办法增加的基本养老金与按事业单位办法增加的离退休费的差额部分，由原单位视经济情况自筹资金解决，并做好在职职工和离退休人员的稳定工作。

三、中央所属的178家工程勘察设计单位以及建设部等11个部门（单位）所属的134个科研机构在职职工，可参照《国务院办公厅转发人事部、财政部关于调整机关事业单位工作人员工资和增加离退休人员离退休费四个实施方案的通知》（国办发〔2001〕14号）的规定，调整在职职工工资，并纳入社会保险的缴费基数。调整工资所需资金，有正常事业费的转制单位由财政部门按同类事业单位的调资政策和现行资金渠道予以补助，没有正常事业费的转制单位自筹资金解决。此后，这些单位在职职工调整工资按企业工资政策执行。

四、本通知下发后，《国务院办公厅转发建设部等部门关于中央所属工程勘察设计单位体制改革实施方案的通知》（国办发〔2000〕71号）、《关于国家经贸委管理的10个国家局所属科研机构转制后有关养老保险问题的通知》（劳社部发〔2000〕2号）、《关于印发建设部等11个部门（单位）所属134个科研机构转制方案的通知》（国科发政字〔2000〕300号）中的有关规定与本通知不一致的，按本通知规定调整，其他政策规定继续执行。

2002年2月6日

# 劳动和社会保障部关于进一步加强劳动力市场建设完善就业服务体系的意见

劳社部发〔2002〕7号

各省、自治区、直辖市劳动和社会保障厅（局）：

为加快建立和完善市场导向的就业机制，促进就业，根据国家“十五”计划《纲要》的有关要求，现就进一步加强劳动力市场建设，完善就业服务体系提出如下意见：

## 一、适应扩大就业的需要，全面推进劳动力市场建设

（一）各级劳动保障部门要适应扩大就业的需要，将劳动力市场建设作为劳动保障事业发展的重要基础工程，统筹规划，并协调政府有关部门，将其纳入当地国民经济和社会发展总体规划。

（二）“十五”期间劳动力市场建设的总体要求是：以充分开发和合理配置劳动力资源为出发点，进一步提高劳动力市场科学化、规范化、现代化（以下简称“三化”）水平，务求在促进下岗职工、失业人员再就业中发挥更大的作用；加快就业制度改革，逐步打破城乡分割和地域分割，促进劳动力合理流动，为形成市场导向的就业机制，逐步实现城乡统筹就业奠定基础。

（三）各地要结合本地实际，认真总结劳动力市场“三化”建设试点经验，推动所有地级以上城市和有条件的县级市分期分批达到劳动力市场“三化”的基本要求。组织有条件的城市进一步开展劳动力市场“三化”建设推进试点，争取通过2～3年的努力，在建立街道社区就业服务网络、完善公共就业服务制度、强化就业服务功能、提高就业服务信息化水平、构筑社会化的就业服务体系以及完善劳动力市场工资指导价位制度等方面取得新的进展。

（四）切实保证劳动力市场“三化”建设的经费投入。各地要协调有关部门，按要求将劳动力市场建设费列入各级财政支出预算，保证就业服务工作和信息网络运行有稳定的资金来源，并依法加强资金的管理。

## 二、建立公共就业服务制度，完善就业服务体系

（五）“十五”期间，要形成以劳动保障部门所属劳动就业服务机构为主导，其他部门和社会办就业服务组织共同发展，集职业介绍、职业指导、职业培训、劳务派遣、创业指导、劳动保障事务代理、就业服务技术支持等多项功能为一体的就业服务体系。

（六）建立健全公共就业服务制度，为就业困难群体提供公益性就业服务。各级劳动保障行政部门每年应根据政府促进就业、控制失业率的目标以及本地就业困难群体的状况，确定公共就业服务的任务和重点服务对象，争取政府安排促进就业专项资金，设立公共就业服

务项目，通过实行工资性补贴、提供免费服务和培训等方式，帮助就业困难群体就业。公共就业服务由各级劳动就业服务机构具体组织实施，充分发挥社会培训和中介服务机构的作用，探索按服务实绩拨付使用就业专项经费的机制。各地要积极协调有关部门解决好劳动就业服务机构的人员编制和工作经费问题。

（七）加强城市公共就业服务的统筹管理。直辖市和设区的市级劳动保障行政部门应制定公共就业服务实施方案，在全市范围内统筹规划和合理布局公共职业介绍机构，确定公共就业服务的具体对象和具体项目，统一服务流程和规范标准，实施全市公共职业介绍信息联网，实现信息共享，定期组织对公共就业服务的成效开展统一评估。

（八）巩固发展公共职业介绍机构。公共职业介绍机构按规定免费向失业人员和特殊服务对象提供公益性服务；在完成公共就业服务任务的基础上，可根据劳动力市场的需求不断拓展服务功能，开展劳动保障事务代理服务以及其他满足劳动者和用人单位要求的有偿服务项目。要加强就业服务技术方法的研究开发和推广应用，完善服务手段，改进服务方法，提高服务质量和效率，形成一批人民群众信得过、满意度高的窗口。

各地要适应下岗、失业人员管理服务社会化的要求，加快建立和完善街道、社区就业服务网络，作为公共就业服务的基层窗口，直接承担对街道失业人员的管理和服务工作。充分发挥乡镇劳动服务站在组织劳务输出、管理外来劳动力和保障劳动者合法权益等方面的作用。

（九）加强公共就业服务与失业保险、职业培训工作的衔接。建立健全失业登记、失业保险金申领发放、职业指导、职业介绍相互衔接的工作流程和管理办法，为失业人员接受就业服务和申领失业保险金提供便捷服务。规范享受失业保险的失业人员接受职业介绍和职业培训的补贴办法。发挥公共就业服务对职业培训的信息引导和服务作用，提高职业培训的针对性和有效性。

（十）进一步完善劳动力市场工资指导价位制度。加快建立以中心城市为依托、广覆盖、多层次发布的工资指导价位制度，逐步扩大到所有具备条件的地级以上城市，并不断增加工资指导价位发布的信息量，提高信息质量，充分发挥其劳动力市场的价格信号作用，直接、及时、便捷地服务于企业和劳动者。

（十一）充分利用社会各类资源，加快就业服务体系建设。规范发展职业介绍、劳务派遣、劳动保障事务代理、职业咨询指导、就业信息服务、职业培训，以及其他同人力资源开发与就业相关的服务和培训实体，为劳动者通过多种形式实现就业提供全方位服务。支持和指导工会、妇联等组织建立各类职业介绍和培训机构。支持各级残联举办的残疾人就业服务机构建设，提供适应残疾人特点的公益性就业服务。

（十二）按知识化、专业化要求加强就业服务工作人员队伍建设。加强就业服务岗位技能培训，完善职业指导人员职业资格证书制度和考评办法，加快培养就业服务发展所需的各类人才。各地要指导公共职业介绍机构采取灵活的用人、考核办法，建立各种有效的激励机制；大力加强工作人员职业道德教育，改进工作作风，提高工作效能。

**三、加强信息化建设，为劳动者和用人单位提供优质高效的就业服务**

（十三）“十五”期间，要力争使城市公共职业介绍机构和失业保险经办机构前台服务全部使用计算机，地级以上城市劳动力市场综合服务场所建成局域网，并实现与辖区内主要区、县公共职业介绍机构和失业保险经办机构、培训机构信息联网。有条件的城市要逐步将信息网络连接到街道和社区就业服务组织。

（十四）积极发展互联网就业信息服务。鼓励和发展各类网上自助式就业服务。有条件的城市，可依托城市劳动力市场信息网络，建立互联网站，开展网上招聘求职服务。建立全国性的就业服务网站，与有条件的联网城市实行链接，为求职者和用人单位实施网上求职招聘提供信息服务平台。

（十五）加强对信息网络的管理，促进就业服务各机构间的信息共享。建立严格的信息管理制度，制定劳动力市场信息网络管理办法，做好网络维护，保证网络正常运行。研究制定网上招聘求职的规则，规范网上招聘求职行为。完善劳动力市场信息公开发布系统，利用电视、广播、报刊、公告栏等多种形式发布就业信息，消除各公共职业介绍机构信息的人为分割和封锁。建立和完善劳动力市场信息监测分析制度，对职业供求信息进行统计分析，向社会公开发布。

**四、健全管理制度，规范劳动力市场秩序**

（十六）建立规范的就业登记制度。省级劳动保障行政部门要根据《劳动力市场管理规定》（劳动和社会保障部令第 10 号），结合当地实际制定就业登记的具体办法，建立就业登记、失业登记与就业服务紧密结合的工作流程，加强对劳动者就业和失业的管理。要逐步建立就业登记与社会保险登记、社会保险关系接续及社会保险缴费工作结合的机制，形成规范的就业管理制度。

（十七）规范用人单位的招聘用工行为，保障劳动者的合法权益。加强对用人单位招聘用工行为的指导，制定和完善用人单位发布招聘广告、就业登记、签订劳动合同或协议、缴纳各项社会保险费、终止或解除劳动合同备案等的具体制度和操作办法，加大监管力度，切实维护劳动者的合法权益。

（十八）加强对职业中介机构的管理。各地要认真执行职业介绍行政许可制度，制定和完善职业介绍机构资格准入条件，按照规定的条件和程序依法审批。指导督促职业介绍机构明示合法证照、收费标准和监督电话等，自觉接受社会监督。各地要加强劳动力市场监管，将日常监督检查与定期清理整顿结合起来，联合有关部门，每年定期集中力量对劳动力市场的职业中介机构进行清理整顿，建立劳动力市场良好秩序。

（十九）制定有利于促进城乡劳动者流动就业和通过灵活形式就业的政策，建立和完善统一的劳动和社会保障制度，消除不合理的市场分割和行政限制。坚持城乡统筹就业的改革方向，逐步建立城乡一体化的劳动力市场新格局。

2002 年 3 月 21 日

# 劳动和社会保障部办公厅关于实施中德社会保险协定的通知

## 劳社厅发〔2002〕2号

各省、自治区、直辖市劳动和社会保障厅（局）：

《中华人民共和国与德意志联邦共和国社会保险协定》（以下简称《协定》），已于2001年7月12日由中国劳动和社会保障部部长、德国劳动和社会事务部部长正式签署。《协定》的目的是在确保中德双方驻外人员参加社会保险的前提下，避免同时承担缔约两国法律规定的参加社会保险的义务。《协定》是建国以来我国政府与外国政府签署的第一部社会保险方面的双边协定，标志着我国社会保险涉外工作开始走向规范化、制度化、国际化，为在加入WTO的新形势下按国际惯例和对等原则与其他国家签署类似协议打下了良好的基础，这对加强中德在社会保险领域的友好合作，提高我国的国际地位和影响，维护国家和驻外机构、人员的合法权益，促进人员交流和经贸发展，具有重要的政治、经济意义。2002年2月18日，两国有关机构签署了《关于实施中华人民共和国和德意志联邦共和国社会保险协定参保义务规定的行政协议》。双方商定，《协定》于2002年4月4日起正式生效。为确保《协定》的贯彻执行，现就有关问题通知如下：

### 一、《协定》的有关具体内容

（一）适用相互免除缴纳社会保险费的范围：

法定养老保险费、失业保险（德称“就业促进”）费（以下简称“两费”）。

（二）中方适用免除在德缴纳“两费”的人员：

第一类人员：中资公司、企事业等单位派驻德国办事处、联络机构的工作人员（简称派遣人员）；

第二类人员：中资公司、企事业等单位在德国子公司的工作人员（简称子公司人员）；

第三类人员：在中国国内无雇主人员（简称无雇主人员）；

第四类人员：船员；

第五类人员：中国驻德国外交机构及其工作人员雇用的中方人员（简称外交雇员）。

（三）德方适用免除在中国缴纳“两费”的人员与中方适用人员的条件类同。

（四）免除缴纳“两费”的期限：

第一至四类人员，首次可申请免除缴费期限最长为60个日历月（第一类人员在被派往德国工作的头48个日历月内自动免除缴费义务，但仍须申请并持经办机构出具的证明）。如工作需要，经批准后免除期限总共可延长至96个日历月。在特殊情况下，经批准可给予最后一次免除。

第五类人员，经雇佣双方申请，免除期限不限。

（五）主管机关、联络机构和经办机构：

1．主管机关：中方为劳动和社会保障部；德方为联邦劳动和社会事务部。

2．联络处：中方为劳动和社会保障部国际合作司；德方为医疗保险国际联络处。

3．经办机构：中方为劳动和社会保障部社会保险事业管理中心（以下简称部社保中心）；德方为负责征收养老保险费的医疗保险经办机构以及联邦职员保险局（柏林）。

符合免除缴纳“两费”的人员由经办机构签发《根据中德社会保险协定出具的证明书》（以下简称《证明》，样式附后），由申请人向征缴机构出示。

**二、中方在德人员办理免缴“两费”《证明》的程序**

已在国内按规定参加基本养老保险和失业保险，并按时足额缴纳保险费的人员，可按以下程序办理申请免除在德缴纳“两费”的《证明》：

（一）申请人填写《办理〈根据中德社会保险协定出具的证明书〉申请表》（以下简称《申请表》，样式附后），并加盖所在单位印章。《申请表》可从部社保中心领取或从部社保中心网页下载，网址：www.molss.gov.cn（进入后点击“直属单位”，再点击“社会保险事业管理中心”）。

（二）申请人或代理人持填写后的《申请表》（一式三份）到参保所在地的社会保险经办机构审核；经办机构在审核参保人员的情况无误后，加盖印章。负责养老保险和失业保险的经办机构若分设，应分别核实盖章，并各留存一份《申请表》备案。

（三）申请人或代理人将盖章后的《申请表》寄至部社保中心。

（四）对一、二类首次申请人员，部社保中心在收到《申请表》的5个工作日内通知申请人并向申请人寄出《证明》，未签发《证明》的应及时通知申请人并说明原因。

（五）对第三类首次申请人员以及申请延长免除期限的人员，部社保中心在收到《申请表》进行审核后，将审核结果报送我部国际合作司；我部国际合作司复核后，通报德国医疗保险国际联络处。我部国际合作司在接到德国医疗保险国际联络处的决定通知后，安排部社保中心向申请人通知结果并视情况出具《证明》。

（六）对第四类申请人员，视其情况分别按派遣人员、子公司人员、无雇主人员申请程序分别办理。

（七）在德工作人员回国后超过6个月再次到德国工作的，需按照第（五）条中申请延长免除期限的程序，重新办理有关免除缴费申请手续。

（八）尚未参加当地基本养老保险的事业单位派出人员填写《申请表》时，只须加盖负责失业保险经办机构的印章，但寄出《申请表》时应附该事业单位法人登记证书（复印件）。

**三、对德方在华人员免缴“两费”的管理办法**

（一）在《协定》生效后的30日内，德方在华工作人员应向工作所在地社会保险征缴机构出具由德方指定经办机构签发的《证明》，征缴机构可免征社会保险费。

（二）凡不能出具《证明》的在华德国工作人员，征缴机构应按国务院《社会保险费征缴暂行条例》及《协定》的规定，征收基本养老保险费和失业保险费。

以上规定自《协定》生效之日起开始执行。各级劳动和社会保障部门要高度重视此项工作，社会保险经办机构应本着如实、便捷的原则及时办理申请的有关手续，在审核时要认真负责，防止欠费现象发生。各地在执行《协定》中如发现问题，请及时向我部报告。

附件：1．中华人民共和国与德意志联邦共和国社会保险协定（略）

2．关于实施中华人民共和国与德意志联邦共和国社会保险协定参保义务规定的行政协议（略）

3. 办理《根据中德社会保险协定出具的证明书》申请表（略）

4. 根据中德社会保险协定出具的证明书（1～4）（略）

2002年3月23日

# 劳动和社会保障部关于印发《职工非因工伤残或因病丧失劳动能力程度鉴定标准（试行）》的通知

劳社部发〔2002〕8号

各省、自治区、直辖市劳动和社会保障厅（局）：

为了规范职工非因工伤残或因病丧失劳动能力程度鉴定工作，我部组织制定了《职工非因工伤残或因病丧失劳动能力程度鉴定标准（试行）》，现印发给你们，请遵照执行。

2002年4月5日

## 职工非因工伤残或因病丧失劳动能力程度鉴定标准（试行）

职工非因工伤残或因病丧失劳动能力程度鉴定标准，是劳动者由于非因工伤残或因病后，于国家社会保障法规所规定的医疗期满或医疗终结时通过医学检查对伤残失能程度做出判定结论的准则和依据。

**1 范围**

本标准规定了职工非因工伤残或因病丧失劳动能力程度的鉴定原则和分级标准。

本标准适用于职工非因工伤残或因病需进行劳动能力鉴定时，对其身体器官缺损或功能损失程度的鉴定。

**2 总则**

**2.1** 本标准分完全丧失劳动能力和大部分丧失劳动能力两个程度档次。

**2.2** 本标准中的完全丧失劳动能力，是指因损伤或疾病造成人体组织器官缺失、严重缺损、畸形或严重损害，致使伤病的组织器官或生理功能完全丧失或存在严重功能障碍。

**2.3** 本标准中的大部分丧失劳动能力，是指因损伤或疾病造成人体组织器官大部分缺失、明显畸形或损害，致使受损组织器官功能中等度以上障碍。

**2.4** 如果伤病职工同时符合不同类别疾

病三项以上（含三项）“大部分丧失劳动能力”条件时，可确定为“完全丧失劳动能力”。

**2.5** 本标准将《职工工伤与职业病致残程度鉴定》（GB/T 16180—1996）中的1至4级和5至6级伤残程度分别列为本标准的完全丧失劳动能力和大部分丧失劳动能力的范围。

**3 判定原则**

**3.1** 本标准中劳动能力丧失程度主要以身体器官缺损或功能障碍程度作为判定依据。

**3.2** 本标准中对功能障碍的判定，以医疗期满或医疗终结时所作的医学检查结果为依据。

**4 判定依据**

**4.1** 完全丧失劳动能力的条件

**4.1.1** 各种中枢神经系统疾病或周围神经肌肉疾病等，经治疗后遗有下列情况之一者：

（1）单肢瘫，肌力2级以下（含2级）。

（2）两肢或三肢瘫，肌力3级以下（含3级）。

（3）双手或双足全肌瘫，肌力2级以下（含2级）。

（4）完全性（感觉性或混合性）失语。

（5）非肢体瘫的中度运动障碍。

**4.1.2** 长期重度呼吸困难。

**4.1.3** 心功能长期在Ⅲ级以上。左室疾患左室射血分数≤50%。

**4.1.4** 恶性室性心动过速经治疗无效。

**4.1.5** 各种难以治愈的严重贫血，经治疗后血红蛋白长期低于6克/分升以下（含6克/分升）者。

**4.1.6** 全胃切除或全结肠切除或小肠切除3/4。

**4.1.7** 慢性重度肝功能损害。

**4.1.8** 不可逆转的慢性肾功能衰竭期。

**4.1.9** 各种代谢性或内分泌疾病、结缔组织疾病或自身免疫性疾病所导致心、脑、肾、肺、肝等一个以上主要脏器严重合并症，功能不全失代偿期。

**4.1.10** 各种恶性肿瘤（含血液肿瘤）经综合治疗、放疗、化疗无效或术后复发。

**4.1.11** 一眼有光感或无光感，另眼矫正视力<0.2或视野半径≤20度。

**4.1.12** 双眼矫正视力<0.1或视野半径≤20度。

**4.1.13** 慢性器质性精神障碍，经系统治疗2年仍有下述症状之一，并严重影响职业功能者：痴呆（中度智能减退）；持续或经常出现的妄想和幻觉，持续或经常出现的情绪不稳定以及不能自控的冲动攻击行为。

**4.1.14** 精神分裂症，经系统治疗5年仍不能恢复正常者；偏执性精神障碍，妄想牢固，持续5年仍不能缓解，严重影响职业功能者。

**4.1.15** 难治性的情感障碍，经系统治疗5年仍不能恢复正常，男性年龄50岁以上（含50岁），女性45岁以上（含45岁），严重影响职业功能者。

**4.1.16** 具有明显强迫型人格发病基础的难治性强迫障碍，经系统治疗5年无效，严重影响职业功能者。

**4.1.17** 符合《职工工伤与职业病致残程度鉴定》标准1至4级者。

**4.2** 大部分丧失劳动能力的条件

**4.2.1** 各种中枢神经系统疾病或周围神经肌肉疾病等，经治疗后遗有下列情况之一者：

（1）单肢瘫，肌力3级。

（2）两肢或三肢瘫，肌力4级。

（3）单手或单足全肌瘫，肌力2级。

（4）双手或双足全肌瘫，肌力3级。

**4.2.2** 长期中度呼吸困难。

**4.2.3** 心功能长期在Ⅱ级。

**4.2.4** 中度肝功能损害。

**4.2.5** 各种疾病造瘘者。

**4.2.6** 慢性肾功能不全失代偿期。

**4.2.7** 一眼矫正视力≤0.05，另眼矫正视力≤0.3。

**4.2.8** 双眼矫正视力≤0.2或视野半径≤30度。

**4.2.9** 双耳听力损失≥91分贝。

**4.2.10** 符合《职工工伤与职业病致残程度鉴定》标准5至6级者。

**5 判定基准**

**5.1** 运动障碍判定基准

**5.1.1** 肢体瘫 以肌力作为分级标准，划分为0至5级：

0级：肌肉完全瘫痪，无收缩。

1级：可看到或触及肌肉轻微收缩，但不能产生动作。

2级：肌肉在不受重力影响下，可进行运动，即肢体能在床面上移动，但不能抬高。

3级：在和地心引力相反的方向中尚能完成其动作，但不能对抗外加的阻力。

4级：能对抗一定的阻力，但较正常人为低。

5级：正常肌力。

**5.1.2** 非肢体瘫的运动障碍 包括肌张力增高、共济失调、不自主运动、震颤或吞咽肌肉麻痹等。根据其对生活自理的影响程度划分为轻、中、重三度：

（1）重度运动障碍 不能自行进食、大小便、洗漱、翻身和穿衣。

（2）中度运动障碍 上述动作困难，但在他人帮助下可以完成。

（3）轻度运动障碍 完成上述运动虽有一些困难，但基本可以自理。

**5.2** 呼吸困难及肺功能减退判定基准

**5.2.1** 呼吸困难分级

**表1** **呼吸困难分级**

| | 轻度 | 中度 | 重度 | 严重度 |
|---|---|---|---|---|
| 临床表现 | 平路快步或登山、上楼时气短明显 | 平路步行100米即气短 | 稍活动（穿衣、谈话）即气短 | 静息时气短 |
| 阻塞性通气功能减退：1秒钟用力呼气量占预计值百分比 | ≥80% | 50%～79% | 30%～49% | <30% |
| 限制性通气功能减退：肺活量 | ≥70% | 60%～69% | 50%～59% | <50% |
| 血氧分压 | | | 60～87毫米汞柱 | <60毫米汞柱 |

注：血气分析氧分压60～87毫米汞柱时，需参考其他肺功能结果。

**5.3** 心功能判定基准

心功能分级

Ⅰ级：体力活动不受限制。

Ⅱ级：静息时无不适，但稍重于日常生活活动量即致乏力、心悸、气促或心绞痛。

Ⅲ级：体力活动明显受限，静息时无不适，但低于日常活动量即致乏力、心悸、气促或心绞痛。

Ⅳ级：任何体力活动均引起症状，休息时亦可有心力衰竭或心绞痛。

**5.4** 肝功能损害程度判定基准

**表2** **肝功能损害的分级**

| | 轻度 | 中度 | 重度 |
|---|---|---|---|
| 血浆白蛋白 | 3.1～3.5克/分升 | 2.5～3.0克/分升 | <2.5克/分升 |
| 血清胆红质 | 1.5～5毫克/分升 | 5.1～10毫克/分升 | >10毫克/分升 |
| 腹水 | 无 | 无或少量，治疗后消失 | 顽固性 |
| 脑症 | 无 | 轻度 | 明显 |
| 凝血酶原时间 | 稍延长（较对照组>3秒） | 延长（较对照组>6秒） | 明显延长（较对照组>9秒） |

**5.5** 慢性肾功能损害程度判定基准

**表 3　　肾功能损害程度分期**

| | 肌酐清除率 | 血尿素氮 | 血肌酐 | 其他临床症状 |
|---|---|---|---|---|
| 肾功能不全代偿期 | 50～80 毫升/分 | 正常 | 正常 | 无症状 |
| 肾功能不全失代偿期 | 20～50 毫升/分 | 20～50 毫克/分升 | 2～5 毫克/分升 | 乏力；轻度贫血；食欲减退 |
| 肾功能衰竭期 | 10～20 毫升/分 | 50～80 毫克/分升 | 5～8 毫克/分升 | 贫血；代谢性酸中毒；水电解质紊乱 |
| 尿毒症期 | ＜10 毫升/分 | ＞80 毫克/分升 | ＞8 毫克/分升 | 严重酸中毒和全身各系统症状 |

注：血尿素氮水平受多种因素影响，一般不单独作为衡量肾功能损害轻重的指标。

## 附件

# 正确使用标准的说明

1．本标准条目只列出达到完全丧失劳动能力的起点条件，比此条件严重的伤残或疾病均属于完全丧失劳动能力。

2．标准中有关条目所指的“长期”是经系统治疗 12 个月以上（含 12 个月）。

3．标准中所指的“系统治疗”是指经住院治疗，或每月二次以上（含二次）到医院进行门诊治疗并坚持服药一个疗程以上，以及恶性肿瘤在门诊进行放射或化学治疗。

4．对未列出的其他伤病残丧失劳动能力程度的条目，可参照国家标准《职工工伤与职业病致残程度鉴定》（GB/T 16180—1996）相应条目执行。

# 劳动和社会保障部　统战部　财政部 民政部关于进一步解决部分原 工商业者生活困难问题的通知

劳社部发〔2002〕9号

各省、自治区、直辖市党委统战部，各省、自治区、直辖市劳动和社会保障、财政、民政厅(局)：

1997年，财政部、统战部、劳动部《关于切实解决部分原工商业者的生活困难问题的通知》(财社字〔1997〕90号)下发后，各地按照通知要求，采取切实措施，帮助原工商业者解决生活中遇到的困难。但目前仍有部分原工商业者收入水平较低，生活存在困难。党中央、国务院对此高度重视，要求各地进一步加大工作力度，努力解决好这部分人员的生活困难问题。现就原工商业者（含从原工商业者中区分出来的小商小贩、小手工业者、小业主，下同）生活保障的有关问题通知如下：

一、继续贯彻好现行各项社会保障政策，保障原工商业者的基本生活。各地要对贯彻落实财社字〔1997〕90号文件的情况进行检查，切实将有关政策落到实处。

二、对基本养老金低于当地企业退休人员平均水平的原工商业者，在调整企业退休人员基本养老金待遇时，要给予照顾。所需资金，已参加养老保险统筹的，从统筹基金中列支；未参加的按原资金渠道解决，确有困难的由当地政府帮助解决。

三、已参加基本医疗保险的原工商业者，其医疗费用从医疗保险基金中解决；未参加基本医疗保险的，当地政府和所在单位要认真研究保障其基本医疗的有效办法，切实保证其医疗待遇的落实。

四、对已故原工商业者无工作的配偶，可按当地城市居民最低生活保障标准全额发给生活费。

五、要继续发挥工商联、民建中央建立的生活互助金的作用，按规定筹集和管好用好资金。对生活特别困难的原工商业者，地方政府可适当给予补助。

原工商业者为实现对资本主义工商业的社会主义改造和社会主义建设做出了重要贡献。现在，他们中的一部分人生活出现困难，各地要按照“三个代表”重要思想的要求，从改革、发展、稳定和统战工作的大局出发，切实采取措施，解决好这部分人员的生活困难问题。各地统战、劳动保障、财政、民政等有关部门要在当地党委、政府的领导下，密切配合，抓好落实。对安排落实情况要经常进行督促检查，发现问题及时帮助解决，重大问题及事项要立即向当地党委、政府报告。各省区市贯彻落实本通知的情况，请于今年年底前报告我们。

2002年4月30日

# 中华人民共和国劳动和社会保障部
# 中华人民共和国公安部令
# 中华人民共和国国家工商行政管理总局

第15号

现公布《境外就业中介管理规定》，自2002年7月1日起施行。

劳动和社会保障部部长　张左己
公安部部长　贾春旺
国家工商行政管理总局局长　王众孚
2002年5月14日

## 境外就业中介管理规定

### 第一章　总　　则

**第一条**　为规范境外就业中介活动，维护境外就业人员合法权益，根据《中华人民共和国劳动法》和国务院有关规定，制定本规定。

**第二条**　本规定适用于在中国境内从事境外就业中介活动的管理。

本规定所称境外就业，是指中国公民与境外雇主签订劳动合同，在境外提供劳动并获取劳动报酬的就业行为。

本规定所称境外就业中介，是指为中国公民境外就业或者为境外雇主在中国境内招聘中国公民到境外就业提供相关服务的活动。经批准，从事该项活动的机构为境外就业中介机构。

**第三条**　境外就业中介实行行政许可制度。未经批准及登记注册，任何单位和个人不得从事境外就业中介活动。

**第四条**　劳动保障部门负责境外就业活动的管理和监督检查。

公安机关负责境外就业中介活动出入境秩序的管理。

工商行政管理部门负责境外就业中介机构登记注册和境外就业中介活动市场经济秩序的监督管理。

## 第二章　中介机构的设立

**第五条**　从事境外就业中介活动应当具备以下条件：

（一）符合企业法人设立的条件；

（二）具有法律、外语、财会专业资格的专职工作人员，有健全的工作制度和工作人员守则；

（三）备用金不低于50万元；

（四）法律、行政法规规定的其他条件。

**第六条**　申请从事境外就业中介活动的机构（以下简称申请机构）应当向其所在地的省级劳动保障行政部门提出申请，经初审同意并征得同级公安机关同意后，报劳动和社会保障部审批。劳动和社会保障部自收到申请之日起60日内做出答复。新设境外就业中介机构报劳动和社会保障部审批前，应当到工商行政管理机关办理名称预先核准登记。劳动和社会保障部审查批准并抄送公安部后，向该机构颁发境外就业中介许可证（以下简称许可证）。

许可证自颁发之日起有效期为3年。

境外机构、个人及外国驻华机构不得在中国境内从事境外就业中介活动。

**第七条**　申请机构应当向审核机关提交以下文件材料：

（一）填写完整的境外就业中介资格申请表；

（二）企业名称预先核准通知书；

（三）法定代表人或者拟任人选、主要工作人员或者拟聘用人选的简历和有关资格证明；

（四）具有法定资格的验资机构出具的验资报告；

（五）机构章程及内部有关规章、制度；

（六）拟开展境外就业中介活动的行政区域和可行性报告；

（七）住所和经营场所使用证明；

（八）省级劳动保障行政部门认可的备用金存款证明；

（九）劳动和社会保障部规定的其他材料。

**第八条**　申请机构应当自领取许可证之日起30日内，到工商行政管理机关申请企业法人设立登记或者变更登记，并应当于设立登记或者变更登记核准之日起10日内，到所在地的省级劳动保障行政部门和公安机关备案。

## 第三章　经营和管理

**第九条**　境外就业中介机构依法从事下列业务：

（一）为中国公民提供境外就业信息、咨询；

（二）接受境外雇主的委托，为其推荐所需招聘人员；

（三）为境外就业人员进行出境前培训，并协助其办理有关职业资格证书公证等手续；

（四）协助境外就业人员办理出境所需要的护照、签证、公证材料、体检、防疫注射等手续和证件；

（五）为境外就业人员代办社会保险；

（六）协助境外就业人员通过调解、仲裁、诉讼等程序维护其合法权益。

**第十条**　境外就业中介机构应当依法履行下列义务：

（一）核查境外雇主的合法开业证明、资信证明、境外雇主所在国家或者地区移民部门或者其他有关政府主管部门批准的招聘外籍人员许可证明等有关资料；

（二）协助、指导境外就业人员同境外雇主签订劳动合同，并对劳动合同的内容进行确认。

劳动合同内容应当包括合同期限、工作地点、工作内容、工作时间、劳动条件、劳动报酬、社会保险、劳动保护、休息休假、食宿条件、变更或者解除合同的条件以及劳动争议处理、违约责任等条款。

**第十一条**　境外就业中介机构应当依法与境外就业人员签订境外就业中介服务协议书。协议书应当对双方的权利和义务、服务项目、收费标准、违约责任、赔偿条款等内容作出明确规定。

**第十二条** 境外就业中介机构应当将签订的境外就业中介服务协议书和经其确认的境外就业劳动合同报省级劳动保障行政部门备案。省级劳动保障行政部门在10日内未提出异议的，境外就业中介机构可以向境外就业人员发出境外就业确认书。公安机关依据有关规定，凭境外就业确认书为境外就业人员办理出入境证件。

**第十三条** 境外就业中介机构设立分支机构的，应当按照本规定第二章的规定办理申请审批、登记和备案手续。

**第十四条** 境外就业中介机构不得以承包、转包等方式交由其他未经批准的中介机构或者个人开展境外就业中介活动。

**第十五条** 境外就业中介机构不得组织非法出入境，不得组织中国公民到境外从事中国法律所禁止的违法犯罪活动。

**第十六条** 发布有关境外就业中介服务广告，发布前必须经中介机构所在地省、自治区、直辖市工商行政管理局批准。无批准文件的，不得发布。

**第十七条** 境外就业中介机构可向境外就业人员或者境外雇主收取合理的中介服务费，并接受当地物价部门监督。

**第十八条** 境外就业中介机构应当在服务场所明示合法证照、服务项目、收费标准、监督机关名称和监督电话等，并接受劳动保障行政部门及其他有关部门的监督检查。

**第十九条** 境外就业中介机构的名称、住所或者经营场所、法定代表人发生变更的，应当按照本规定规定的申办程序办理许可证变更，并凭新的许可证到原企业登记主管机关申请变更登记。其中，涉及名称变更的，应当在申请新的许可证时提交工商行政管理机关同意变更名称的证明文件。其他登记事项的变更，按照现行企业登记管理的有关规定办理。

**第二十条** 境外就业中介机构拟在许可证有效期届满后继续从事境外就业中介活动的，应当在许可证有效期届满前90日内，依照本规定规定的申办程序办理更换许可证手续。许可证有效期届满，境外就业中介机构未申请更换的，由劳动和社会保障部予以注销。

**第二十一条** 境外就业中介许可证实行年审制度。境外就业中介机构应当向所在地省级劳动保障行政部门提交上一年度经营情况以及其他相关材料。对审验不合格的境外就业中介机构，省级劳动保障行政部门应当报劳动和社会保障部，由劳动和社会保障部注销其许可证，并通报公安机关和工商行政管理机关。

**第二十二条** 境外就业中介机构在破产、解散前，应当以书面形式向省级劳动保障行政部门提出注销许可证申请和善后事宜处理措施，并办理注销许可证手续。

**第二十三条** 发证机关应当及时将注销境外就业中介机构经营资格的情况通报公安机关和工商行政管理机关。被注销资格的境外就业中介机构应当在收到被注销资格通知之日起10日内向发证机关缴还许可证，向原登记机关申请注销或者变更登记。

**第二十四条** 凡违反本规定被注销境外就业中介许可证的，其法定代表人和主要责任人3年内不得从事境外就业中介活动。

## 第四章 备 用 金

**第二十五条** 境外就业中介实行备用金制度。备用金用于因境外就业中介机构责任造成其服务对象合法权益受到损害时的赔偿及支付罚款、罚金。

**第二十六条** 境外就业中介机构按照规定将备用金存入省级劳动保障行政部门指定的国有商业银行中该境外就业中介机构的专门账户，实行专款专用。

**第二十七条** 备用金及其利息由境外就业中介机构所在地省级劳动保障行政部门实行监管。未经监管部门的许可，任何单位和个人不得擅自动用备用金。

**第二十八条** 备用金及其利息归境外就业中介机构所有。境外就业中介机构破产、解散时，其备用金及其利息作为境外就业中介机构资产的一部分，按照有关规定处置。

**第二十九条** 境外就业中介机构无力按照仲裁机构的裁决或者人民法院的判决进行赔偿，或者无力支付罚款、罚金时，可以书面形式向备用金监管部门提出动用备用金及其利息的申请。

境外就业中介机构拒不支付罚款、罚金，拒不执行仲裁机构或者人民法院的裁决或者判决的，由执行机关依法强制执行。

**第三十条** 备用金不足以补偿服务对象合法权益受到侵害造成的经济损失时，境外就业中介机构必须按照国家有关规定承担民事责任。

**第三十一条** 备用金被动用后低于本规定所规定数额时，境外就业中介机构应在60日内将备用金补足至规定数额，逾期未补足的，不得开展境外就业中介业务。

**第三十二条** 境外就业中介机构自行解散、破产或许可证被注销后，如2年内未发生针对该境外就业中介机构的投诉或者诉讼，可凭备用金监管部门开具的证明，到开户银行领取其备用金及其利息。

## 第五章 罚　　则

**第三十三条** 单位或者个人未经劳动保障行政部门批准和工商行政管理机关登记注册，擅自从事境外就业中介活动的，由劳动保障行政部门会同工商行政管理机关依法取缔、没收其经营物品和违法所得。因非法从事境外就业中介活动，给当事人造成损害的，应当承担赔偿责任。

**第三十四条** 境外就业中介机构违反本规定，有下列行为之一的，由劳动保障行政部门责令改正，没有违法所得的，处以10 000元以下罚款；有违法所得的，处以违法所得3倍以下但不超过30 000元的罚款；对当事人造成损害的，应当承担赔偿责任；构成犯罪的，依法追究刑事责任：

（一）提供虚假材料骗领许可证的；

（二）以承包、转包等方式交由其他未经批准的中介机构或者个人开展境外就业中介活动的；

（三）拒不履行本规定第十条规定义务的；

（四）不与其服务对象签订境外就业中介服务协议书的；

（五）逾期未补足备用金而开展境外就业中介业务的；

（六）违反本规定，严重损害境外就业人员合法权益的。

**第三十五条** 违反本规定第十二条规定，未将境外就业中介服务协议书和劳动合同备案的，由劳动保障行政部门处以1 000元以下罚款。

**第三十六条** 境外就业中介机构在中介活动中为他人编造情况和提供假证明，骗取出入境证件，没有违法所得的，由县级以上公安机关处以10 000元以下的罚款；有违法所得的，没收违法所得，并可处以违法所得3倍以下但不超过30 000元的罚款；构成犯罪的，依法追究刑事责任。

**第三十七条** 境外就业中介机构违反工商行政管理法规，由工商行政管理机关依法查处。

对未经批准发布境外就业中介服务广告的，由工商行政管理机关责令停止发布，没有违法所得的，处以10 000元以下的罚款；有违法所得的，没收违法所得，并可处以违法所得3倍以下但不超过30 000元的罚款。

## 第六章 附　　则

**第三十八条** 境外就业中介资格申请表、境外就业中介许可证由劳动和社会保障部统一制定。

**第三十九条** 本规定实施前已领取境外就业中介许可证的，应当自本规定实施之日起90日内重新申请许可证和登记注册。

**第四十条** 劳动和社会保障部及时向社会公布获得或者被注销许可证的境外就业中介机构名单。

**第四十一条** 省、自治区、直辖市劳动保障行政部门可以会同同级公安机关、工商行政管理机关根据本规定制定实施办法，并报劳动和社会保障部、公安部、国家工商行政管理总局备案。

**第四十二条** 为内地公民到香港、澳门特别行政区和台湾地区就业提供中介服务活动，不适用本规定。

**第四十三条** 本规定自2002年7月1日起施行。原劳动部1992年11月14日公布的《境外就业服务机构管理规定》同时废止。

# 财政部　劳动保障部关于企业补充医疗保险有关问题的通知

财社〔2002〕18号

各中央管理企业，各省、自治区、直辖市、计划单列市财政厅（局）、劳动和社会保障厅（局）：

为加快医疗保险制度改革步伐，进一步完善多层次的医疗保障体系，根据《国务院关于建立城镇职工基本医疗保险制度的决定》（国发〔1998〕44号）和有关文件精神，现就企业建立补充医疗保险的有关问题通知如下：

一、按规定参加各项社会保险并按时足额缴纳社会保险费的企业，可自主决定是否建立补充医疗保险。企业可在按规定参加当地基本医疗保险基础上，建立补充医疗保险，用于对城镇职工基本医疗保险制度支付以外由职工个人负担的医药费用进行的适当补助，减轻参保职工的医药费负担。

二、企业补充医疗保险费在工资总额4%以内的部分，企业可直接从成本中列支，不再经同级财政部门审批。

三、企业补充医疗保险办法应与当地基本医疗保险制度相衔接。企业补充医疗保险资金由企业或行业集中使用和管理，单独建账，单独管理，用于本企业个人负担较重职工和退休人员的医药费补助，不得划入基本医疗保险个人账户，也不得另行建立个人账户或变相用于职工其他方面的开支。

四、财政部门和劳动保障部门要加强对企业补充医疗保险资金管理的监督和财务监管，防止挪用资金等违规行为。

2002年5月21日

# 劳动和社会保障部　财政部　信息产业部　中国人民银行　审计署　国家税务总局　国家邮政局关于加强社会保障基金监督管理工作的通知

劳社部发〔2002〕12号

各省、自治区、直辖市劳动保障、财政、信息产业、审计、地方税务、邮政厅（局），中国人民银行各分行、营业管理部、省会（首府）城市中心分行：

近年来，国家有关部门通过对社会保障基金收支管理的监督检查，发现瞒报社会保险缴费基数、少缴社会保险费、骗取或违规支付社会保险金等问题时有发生。为进一步加强社会保障基金管理，确保基金安全，维护社会稳定，现就加强社会保障基金监督管理的有关问题通知如下：

**一、充分认识加强社会保障基金监督管理的重要意义**

建立健全社会保障体系，是发展社会主义市场经济、保护广大社会保障对象合法权益、维护社会稳定的需要。加强社会保障基金监督管理，确保基金安全完整，是社会保障体系正常运行的前提条件。党中央、国务院高度重视社会保障基金监督管理工作，要求建立健全监督管理机制，推动社会保障基金征缴、支付和管理的规范化、制度化，保证社会保障基金专款专用，严禁挤占挪用。

随着社会保障制度改革的不断深化，社会保障基金的规模逐步扩大。由于各地社会保障制度改革进展情况不同，有关法规政策不够完善，社会保障基金监督管理制度还不健全，存在违纪违规等问题。各级政府和有关部门要高度重视，充分认识加强社会保障基金监督管理、确保基金安全完整和保值增值的重要性、紧迫性，进一步完善社会保障基金管理规章制度，规范管理运作行为，加大监督检查力度，严厉查处挤占挪用或其他违规动用社会保障基金的行为，共同做好基金监督管理工作，切实防范和化解基金管理风险，保障基金的安全与完整。各地要加强社会保障基金监督机构和队伍建设，选配必要的财会、金融、法律等专业人员，充实社会保障基金监督队伍。

**二、加强监督管理，切实防止挤占挪用和其他违规问题**

各级劳动保障、财政、审计、税务、邮政部门和人民银行分支行，要按照各自职能，加强对社会保障基金管理和运营机构贯彻执行基金管理法规和政策情况的监督检查，实施对社会保险费征缴、社会保险金发放、基金管理和运营各个环节的全过程监督。

劳动保障行政主管部门要切实负起责任，

加强对社会保险费征收机构、社会保险金发放机构、社会保障基金管理和运营机构征缴、支付和管理运营基金情况的监督，定期不定期地对基金收入户、支出户及财政专户等各类社会保障基金银行账户进行监督检查。

各级财政部门要加强对社会保障基金财务、会计制度执行情况的监督，定期不定期地对基金收入户、支出户及财政专户基金管理情况进行监督。

各级审计部门要依法对社会保障基金管理及使用情况进行审计监督，对基金收入户、支出户及财政专户基金管理情况进行审计。

实行税务机关征收社会保险费的地区，各级税务机关要对征收社会保险费的情况进行监督检查。

中国人民银行各分支行，要对社会保障基金账户的开立和使用情况进行监督检查。

各级邮政部门要对邮政机构代发放社会保险金情况进行监督检查。

各级劳动保障、财政、审计、税务、邮政部门和人民银行分支行按照各自职能实施检查时，有权要求被检查单位提供或报送社会保险费征缴、社会保险金支付和基金存储运营情况，社会保障基金预算或收支计划、预算执行情况、决算和财务报告以及其他有关资料。有权查阅被检查单位与社会保障基金管理有关的会计凭证、会计账簿、会计报表以及其他有关资料。有权纠正和制止检查发现的违反社会保障基金管理法规政策的行为，并及时通报主管部门。有关部门要严厉查处挤占挪用基金行为，追究有关领导和直接责任人的责任。涉及政府机关及其工作人员违纪问题的要移送监察机关，涉嫌犯罪的要移交司法机关。

各级社会保险费征收机构、社会保险金发放机构、社会保障基金管理和运营机构及基金开户银行，要自觉接受监督，配合有关部门做好检查工作。对拒绝监督检查、不提供有关资料或不如实反映问题的机构，应建议有关部门视情节轻重，对有关领导和直接责任人给予党纪、政纪处分。

## 三、规范管理行为，确保社会保障基金安全

各级社会保险费征收机构、社会保险金发放机构、社会保障基金管理和运营机构，要认真履行职责，严格执行有关法规政策，保证基金收支及管理各个环节的正常规范运行。

各级社会保障基金管理机构要严格执行社会保障基金财务、会计制度，加强对基金收入户、支出户及财政专户的管理，按时足额将收入户基金划入财政专户，并认真做好社会保障基金核算。要强化社会保险结余基金管理，妥善安排基金存入银行和购买国债计划，确保基金保值增值。要及时核对基金收入户、支出户和财政专户的基金，保证财政专户与收入户、支出户账账相符。要加强社会保险个人账户基金管理，认真做好个人账户记录工作，健全管理制度，规范运作程序。

实行税务机关征收社会保险费的地区，各级税务机关要按规定征收社会保险费，接受有关方面的监督检查，并定期向社保经办机构、财政部门报送社会保险费征收情况，不得滞留、挤占挪用和违规动用社会保险费收入，做到征收和管理规范有序。

社会保障基金开户银行要根据有关代收、代发协议和结算凭证，及时办理社会保障基金的代收和代发业务。要按照社会保障基金管理政策规定，加强对基金收支和管理情况的审核。

实行社会保险金社会化发放地区的银行、邮政等机构，要根据社会保险经办机构开出的支付凭证，按时足额发放社会保险金，不得延迟或滞留，不得从社会保险金中扣除邮寄费和手续费，并定期向行政主管部门报送社会保险金发放情况。

与社会保障基金征缴、支付、管理及运营有关的部门或单位，要加强协调，规范运作，及时对账和传递有关数据或凭证，防止相互推诿扯皮等问题的发生，确保基金管理运作的顺利畅通。

2002年7月15日

# 劳动和社会保障部关于印发加强职业培训提高就业能力计划的通知

劳社部发〔2002〕13号

各省、自治区、直辖市劳动和社会保障厅（局）：

现将《加强职业培训提高就业能力计划》印发给你们，请结合全国职业教育工作会议精神的贯彻落实，结合本地实际，组织实施。

2002年7月25日

## 加强职业培训提高就业能力计划

为加强职业培训，促进劳动者就业能力的提高，从现在起到“十五”末期，实施本计划。

### 一、目标任务

（一）广泛动员社会力量，以市场需求为导向，大力开展职业培训工作，提高下岗失业人员、青年劳动者、企业在职职工和农村富余劳动力的就业能力、工作能力和职业转换能力。

今后3年，要重点做好再就业培训和技工培训工作。强化再就业培训，力争使培训合格率达到90%，培训后就业率达到50%以上；推行创业培训，力争使成功创业率达到40%；加快培养技术技能劳动者，使技术工人特别是高级技工、技师和高级技师的数量和比重有明显提高；全面推行职业资格证书制度，大力推行就业准入制度。

### 二、落实“三年千万”再就业培训

（二）实施第二期“三年千万”再就业培训计划，广泛动员社会各类职业培训资源参与再就业培训。加强与教育部门的协调配合，发挥行业组织以及企业集团的作用，动员民主党派、工商联和工会、共青团、妇联等群众团体，充分调动社会教育培训机构的积极性，共同开展再就业培训。通过资质认定，确定定点培训机构，形成再就业培训网络。引导培训机构以劳动力市场需求为导向，确定培训内容，组织实施针对性强、具有实效的再就业培训。

（三）落实培训经费，明确使用方向。从地方再就业补助费或失业保险基金中落实培训经费，在对培训合格率和再就业率进行综合考察和效果评估的基础上，由政府支付培训经费补贴。经劳动保障部门按劳动力市场需求确定的培训项目，通过招标方式落实承担的培训，可根据培训合格率对培训机构支付经费补贴；定点机构自主开发培训，可根据培训后再就业率支付经费补贴；下岗失业人员参加非定点机构培训，并在相关职业实现再就业的，可在规定额度内报销培训经费；有条件的地方还可探索核发培训券、个人支付与财政补贴相结合等灵活多样的经费补贴方式。

（四）在100个社区就业联系城市普遍推广创业培训工作。发动社会各方面力量，组织具有创业愿望和相应条件的人员，进行开办小企业的基础知识和必备能力的培训。指导学员进行市场调查、论证创业计划，并做好开业指导、咨询服务和后续扶持工作，落实税费减免、经营场地安排、小额贷款担保等再就业扶持政策，提高成功创业率。建立创业培训师资进修基地，加强创业师资和开业指导人员的培训。

## 三、开展技能振兴行动，加强技术技能劳动者的培养

（五）依托行业、企业搞好技工培训。指导行业组织进行本行业人力资源需求预测，开展理论研究，推进培训改革；推动大型企业办好自有培训机构，着重开展新技术、新工艺、新设备、新材料的培训；鼓励中小型企业与社会培训机构建立合作伙伴关系，充分利用社会资源组织培训。通过企业培训与学校培养相结合、在职培训与脱产学习相结合、个人自学提高与企业、社会支持相结合等方式，加快培养一批企业急需的技术工人。

（六）充分发挥技工学校的作用。继续推进技工学校调整改革工作，进一步落实“调整布局、提高层次、突出特色、服务就业”的方针，根据优化结构，合理配置培训资源的原则，对技工学校进行必要的调整和重组，形成一批兼备培训、就业、鉴定功能的综合型职业培训基地。围绕劳动力市场需求，大力开展适合劳动者就业和素质提高的职业培训，不断提高技工学校办学实力，扩大技工培养规模。加强督导评估工作，逐步建立办学质量评价体系，提高技工学校和培训机构办学质量。总结和推广技工学校跨地区招生、办学和就业的经验，推动技工学校形成面向城乡、面向市场的灵活办学机制。

（七）强化高级技能和复合型技术人才的培养工作。大力发展高级技工学校或技师学院，招收职业学校和大中专毕业生以及企业职工，探索校企结合培养技师和高级技师的途径。引导技工学校等职业教育培训机构结合企业技术进步的需要，调整专业结构，扩展教学内容，培养复合型技术技能人才。根据以考为主、考评结合、评聘分离的原则，推进技师社会化考评工作，拓宽高级技能人才的成长通道。

（八）继续推进劳动预备制度。面向城乡初、高中毕业生和进城务工的农村劳动力，加大组织开展职业培训的力度。在劳动预备制培训中加强技能培训和职业指导，提高参加预备制培训的青年市场就业的能力。结合农村劳动力开发就业试点项目，推进农村培训工作，提高农村富余劳动力的转移就业能力。

## 四、大力推行职业资格证书制度，完善就业准入制度

（九）逐步建立和完善就业准入制度。进一步完善配套措施，对技术技能含量较高以及涉及到国家财产、人民生命安全和消费者利益的职业（工种），实行就业准入制度。在职业介绍、企业招工和私营、个体工商登记等环节严格把关，落实劳动者凭职业资格证书就业上岗的要求。把就业准入执行情况列为劳动保障监察重点内容，加强执法监察力度。

（十）加强职业技能鉴定质量管理。逐步完善职业技能鉴定的质量督导制度和社会监督

机制，加大对各级职业技能鉴定工作机构的行政监督和技术监督。分期分批地对涉及社会公共利益面广、技能要求高而且从业人员数量多的重点职业开展职业资格专项治理，加强质量监督，确保培训、鉴定的质量和职业资格证书的权威性。

（十一）做好职业学校职业技能鉴定工作。按照统一标准、教材、题库、考务、证书的要求，根据社会化管理和考培分离的原则，逐步在职业学校毕业生中普遍实行职业资格证书制度。制定职业学校培训和技能鉴定专业目录，引导职业学校专业设置和教学内容适应劳动力市场需求，并与国家职业标准相衔接。依据国家职业分类和职业标准，结合职业学校教学特点和内容，探索适合职业教育特点的职业技能鉴定工作模式。

## 五、加强就业服务和技术支持，建立激励机制

（十二）发挥劳动力市场的导向作用，加强就业服务工作。做好劳动力市场信息的分析和发布工作，指导职业教育培训机构根据市场需求进行专业设置、教学内容和培训方式等方面的改革。达到一定规模的技工学校和培训机构，应设立就业指导和职业介绍机构，有条件的可与公共职业介绍机构实现信息联网，实现劳动力供给和需求信息的沟通和对接。加强对职业教育培训机构毕结业生的职业介绍和就业推荐工作，由公共职业介绍机构提供即时的岗位信息，组织专场招聘会，提供档案管理、指导建立劳动关系和社保关系等劳动保障事务代理服务。

（十三）加强基础工作和技术支持。做好职业标准、教学计划、课程开发、教研教材、鉴定题库等基础工作。加强师资队伍特别是生产实习指导教师队伍建设。强化技工学校和培训机构学生的实习操作训练。创新培训形式，加快职业培训信息化建设，实施职业资格在线工程，推广多媒体和仿真模拟等先进教学技术方法的应用。组织实施西部地区远程职业培训试点。适应市场需要和新职业的发展，编辑出版与就业和职业资格紧密联系的适用教材。

（十四）积极创造有利于技术技能劳动者成长的社会环境。运用劳动力市场工资指导价位制度和岗位技能工资政策，推动企业建立培训、考核、使用相结合并与待遇相联系的激励机制。在企事业单位中广泛推广根据职工的职业资格和技术技能等级确定就业岗位，结合技术技能水平和实际贡献确定相应的工资和福利待遇的经验。组织开展各级各类职业技能竞赛活动，继续做好中华技能大奖和全国技术能手的评选表彰工作。大力宣传技术技能劳动者的重要作用，推动技能振兴行动。

（十五）各级劳动保障部门要把加强职业培训提高就业能力作为劳动保障工作的重要内容，纳入总体规划，并根据本计划要求，结合实际，制定实施方案。建立劳动保障系统内部培训、鉴定、就业、劳动监察、失业保险等部门的工作协调机制，共同推动工作的全面落实。

# 劳动和社会保障部办公厅关于加强城镇职工基本医疗保险个人账户管理的通知

劳社厅发〔2002〕6号

各省、自治区、直辖市劳动和社会保障厅(局):

《国务院关于建立城镇职工基本医疗保险制度的决定》(国发〔1998〕44号)下发以来,各地劳动保障部门和社会保险经办机构(以下简称经办机构)对城镇职工基本医疗保险个人账户(以下简称个人账户)的管理取得了一定的成效。但目前仍有相当一部分统筹地区对加强个人账户的管理重视不够,管理不规范,个别地区存在个人账户基金流失现象。为了加强个人账户管理,维护广大参保人员的基本医疗保障权益,保证基本医疗保险制度的稳健运行,现就有关问题通知如下:

## 一、统一思想,提高对加强个人账户管理重要性的认识

建立统筹基金与个人账户相结合的城镇职工基本医疗保险制度,是党的十四届三中全会确定的一项重要原则。个人账户是城镇职工基本医疗保险制度的重要内容,个人账户资金是基本医疗保险基金的重要组成部分。建立个人账户的核心是解决参保职工的门诊或小额医疗费用,同时为职工年老体弱时积累部分资金。个人账户管理不到位,不仅会影响参保职工当期的医疗保障,同时也会对职工未来的医疗保障构成威胁。各地劳动保障行政部门和经办机构一定要充分认识加强个人账户管理,对维护参保职工的基本医疗保障权益、确保新制度稳健运行的重要意义,转变观念,坚决克服“个人账户完全归个人所有,可放开不管”等模糊认识,采取有效措施,切实把个人账户纳入各级劳动保障行政部门和经办机构的监督管理范围。

## 二、统一个人账户的基本内容,规范管理形式

实行统筹基金和个人账户相结合的统筹地区,经办机构都要按规定为参保人员建立个人账户,及时记录参保人员个人账户的收入、医药费用支出和账户结余额等相关信息。各地要努力通过计算机和信息网络对个人账户进行管理,按照《社会保险管理信息系统指标体系——业务部分(LB 101—2000)》(劳社信息函〔2000〕19号)的要求,规范和健全个人账户的指标体系,并做到及时更新和维护。对个人账户实行委托管理的统筹地区,要明确委托方责任和管理权限,同时要积极创造条件,尽快实现个人账户由当地经办机构统一管理。

## 三、加强个人账户基金管理,严格控制资金支出和使用方向

经办机构要按照《社会保险基金财务制度》(财社字〔1999〕60号)、《社会保险基金

会计制度》（财会字〔1999〕20号）规定，严格个人账户基金的管理与核算。个人账户基金必须纳入财政专户管理，按规定编制基金预算和财务决算报告。要加强个人账户基金的支出管理和监督。个人账户基金只能用于支付在定点医疗机构或定点零售药店发生的，符合基本医疗保险药品目录、诊疗项目范围、医疗服务设施标准所规定项目范围内的医药费用。个人账户原则上要实行钱账分管，个人当期的医疗消费支出可采取划账的形式，最后由经办机构定期与定点医疗机构和定点药店统一进行结算。个人账户原则上不得提取现金，禁止用于医疗保障以外的其他消费支出。各地经办机构要加强对个人账户支出情况的审核和监督，对不符合要求的项目，不得纳入个人账户基金的支付范围。

劳动保障部门要加强对医疗保险定点医疗机构和定点零售药店的监督管理，规范定点医疗机构和定点零售药店的服务行为。对违反规定向参保职工提供医疗保障以外产品或服务的定点医疗机构和定点零售药店，要按有关规定和定点协议进行处理，情节严重的要取消其定点资格。

**四、加强各项基础管理，方便参保职工就医购药**

各地经办机构要切实改进工作作风，强化服务意识，及时与定点医疗机构和定点零售药店进行费用结算。要定期与职工进行个人账户对账工作，完善个人账户的查询服务。要深入开展政策宣传，让广大参保人员充分认识建立个人账户的作用和加强管理的必要性，支持和配合经办机构做好相关工作。要加强个人账户基金的收入、支出、结余和费用支出分布等信息的统计分析，及时准确掌握个人账户各项主要指标的动态变化情况，并按规定向上级机构报送相关信息。

各省、自治区、直辖市劳动保障部门及经办机构要根据本通知要求，尽快对本地区个人账户管理情况进行一次全面的检查，凡不符合规定要求的，要限期进行整改。检查情况请于2002年10月底前报送我部社会保险事业管理中心。我部将适时对各地个人账户管理情况进行抽查。

2002年8月12日

# 劳动和社会保障部　中华全国总工会　中国企业联合会/中国企业家协会关于建立健全劳动关系三方协调机制的指导意见

劳社部函〔2002〕144号

各省、自治区、直辖市劳动保障厅（局）、总工会、企业联合会/企业家协会：

为进一步加强政府劳动保障行政部门、工会组织和企业代表组织三方对涉及劳动关系方面的重大问题进行沟通和协商，建立和谐稳定的劳动关系，保护、调动和发挥广大职工和经营者的积极性，为改革、发展、稳定的大局服务，现就建立健全劳动关系三方协调机制提出以下意见。

**一、充分认识建立劳动关系三方协调机制的重要意义**

随着经济体制改革不断深化，经济结构调整力度进一步加大，特别是我国加入WTO和经济全球化，企业所有制形式、劳动组织形式、劳动者就业形式日益多样化，劳动关系利益主体日趋复杂化、多元化，迫切需要我们加快建立健全适应社会主义市场经济发展要求的劳动关系调整机制。劳动关系三方协调机制，是我国劳动关系调整机制的重要组成部分，是社会主义市场经济条件下协调劳动关系的有效途径，对于维护劳动关系双方的利益，最大限度地保护、调动和发挥广大职工的积极性，促进我国劳动关系的和谐稳定，为改革开放创造一个稳定的社会环境，推动国民经济持续快速健康发展，都具有重要的意义。

**二、从实际出发，建立和健全劳动关系三方协调机制**

目前，全国已有20多个省、自治区、直辖市建立了劳动关系三方协调机制。到今年年底，尚未建立三方协调机制的省份都要从本地实际出发，切实采取措施，建立由劳动保障行政部门、工会组织和企业代表组织参加的省一级劳动关系三方协调机制。已经建立三方协调机制的地区，要紧紧围绕劳动关系方面的重大问题进行协商，进一步完善制度和规程，在总结实践经验的基础上，逐步向市、县（区）一级延伸，形成本地区多层次的三方协调机制。

**三、明确劳动关系三方协调机制的职责**

各地要从实际出发，制定本省劳动关系三方协调机制的工作制度和规程，明确职责，规范运作。省级三方协调机制一般应在以下几个方面开展工作：

（一）研究分析经济体制改革政策和社会经济发展计划对劳动关系的影响，提出政策性意见和建议。

（二）通报交流各自协调劳动关系工作中的情况和问题，研究分析劳动关系状况及发展趋势，对劳动关系方面带有全局性、倾向性的重大问题进行协商。

（三）对制定涉及调整劳动关系的法律、法规、规章和政策提出意见和建议，并监督实施。

（四）对地方建立三方协调机制和企业开展平等协商、签订集体合同等劳动关系调整工作进行咨询、指导。研究现行劳动争议处理体制，指导地方的劳动争议处理工作。总结推广典型经验。

（五）对具有重大影响的集体劳动争议和群体性事件进行调查研究，提出解决和预防的意见建议。

（六）开展劳动法律、法规和规章的宣传工作。

三方协调机制要制度化、规范化，定期召开会议。会议纪要和有关材料上报国家协调劳动关系三方会议办公室。重大问题应及时向国家协调劳动关系三方会议反映。

**四、积极探索劳动关系三方协调机制的运作方式，加强对劳动关系三方协调机制工作的指导**

三方要本着相互理解、相互信任、相互支持和兼顾国家、企业、职工利益的原则，充分发挥三方协调机制的优势，在最广泛的范围内达成一致意见。要紧紧围绕本地区劳动关系方面的突出问题开展工作。根据不同时期的实际情况，突出工作重点，抓住职工普遍关心的影响劳动关系和谐稳定的全局性问题，开展工作，充分发挥三方协调机制的作用。

建立健全劳动关系三方协调机制是一项全新的工作，各省、自治区、直辖市要认真总结三方协调机制的做法和经验，指导地市一级建立三方协调机制。要不断研究新情况，解决新问题，积极探索三方协调机制的运作方式。要注意借鉴外国的成功做法和有益经验，逐步形成具有中国特色的劳动关系三方协调机制。

2002年8月13日

# 劳动和社会保障部　财政部关于2002年调整企业退休人员基本养老金水平的通知

劳社部发〔2002〕16号

各省、自治区、直辖市人民政府，新疆生产建设兵团：

经国务院批准，从2002年7月1日起，调整企业退休人员基本养老金水平。现就有关事宜通知如下：

一、调整基本养老金的人员范围为2001年12月31日前已按规定办理退休手续的企业退休人员。

二、调整基本养老金的水平，以2001年12月基本养老金为基数，总体上按当地上年企业在岗职工平均工资增长率的50%左右掌握。实施时，要在普遍调整的基础上，对退休早、基本养老金偏低的老干部、老工人、军队转业干部等人员适当提高调整水平。调整基本养老金的具体办法，由各省、自治区、直辖市人民政府根据本地区实际情况和企业职工基本养老保险基金承受能力制定，报劳动和社会保障部、财政部审批后实施。

三、调整基本养老金所需资金，参加企业职工基本养老保险统筹的由企业职工基本养老保险基金承担，对财政确有困难的中西部地区和老工业基地，中央财政通过专项转移支付方式予以适当补助；未参加企业职工基本养老保险统筹的按原渠道解决。

四、调整企业退休人员基本养老金水平，体现了党中央、国务院对广大退休人员的亲切关怀。各地区要高度重视，切实加强领导，认真进行测算，精心制定方案，做好深入细致的思想政治工作，抓紧组织实施，尽快将增加的基本养老金发到退休人员手中；要继续确保企业退休人员基本养老金按时足额发放，不得发生新的拖欠。

2002年8月16日

# 教育部　公安部　人事部　劳动保障部关于切实做好普通高等学校毕业生就业工作的通知

教学〔2002〕16号

各省、自治区、直辖市人民政府，国务院各部委、各直属机构：

《国务院办公厅转发教育部等部门关于进一步深化普通高等学校毕业生就业制度改革有关问题意见的通知》（国办发〔2002〕19号，以下简称《通知》）下发后，为进一步做好扩招后普通高等学校（以下简称高校）毕业生就业工作，不少地方认真贯彻落实《通知》精神，结合本地实际制定了相应的实施细则和配套措施。但是，一些地方对高校毕业生就业工作的重视程度不高，贯彻落实《通知》精神的力度不大，解决困难的办法不多。目前还有相当部分高校毕业生没有就业。从总体上看，一方面，目前高校毕业生还不能满足各行各业对各类高素质人员的需要；另一方面，由于在用人机制、供需结构、择业观念等方面存在的问题，部分高校毕业生就业存在结构性困难。2003年全国高校毕业生将有212万人，比2002年增加67万人。随着高校毕业生数量的迅速增加，高校毕业生就业问题将会更加突出。为做好高校毕业生就业工作，经国务院同意，现通知如下：

## 一、提高认识，加强领导

高校毕业生就业工作涉及千家万户，关系到人民群众的切身利益，关系到国家经济发展和社会稳定。要以“三个代表”重要思想为指导，进一步提高认识，加强对高校毕业生就业工作的领导。

（一）各省、自治区、直辖市人民政府要按照《通知》要求，尽快成立由政府主管领导牵头，有关部门参加的领导协调机构，统筹做好高校毕业生就业工作。

（二）各省、自治区、直辖市人民政府要把高校毕业生就业工作纳入重要议事日程。政府主管领导要定期深入基层调查研究，并想方设法帮助解决高校毕业生就业存在的困难和问题，把本地区高校毕业生就业工作作为考核领导干部政绩的重要内容。

（三）各省、自治区、直辖市人民政府要结合本地实际情况，尽快研究出台贯彻落实《通知》精神的实施细则和配套措施。

## 二、进一步转变用人机制，拓宽高校毕业生就业渠道

（一）要进一步完善并严格执行就业准入制度。对国家规定实行就业准入的职业，从业者和初次就业者必须取得相应职业资格证书后，方可上岗；对新增加的就业岗位，要优先录用符合相应资格条件的高校毕业生。

（二）在国家政策规定范围内，切实落实用人单位的用人自主权。省会及省会以下城市

要取消进人指标、户口指标等限制，以利于高校毕业生就业。

（三）取消限制高校毕业生包括专科（高职）毕业生合理流动的政策规定，允许高校毕业生跨省（自治区、直辖市）、跨地（市）就业。

## 三、调整高校学科专业和人才培养结构

进一步加快高校学科专业结构和人才培养结构的调整，特别是要加快专科（高职）人才培养模式的改革。在中央、地方和高校之间形成招生、培养、投入与就业相互联系、相互制约、相互促进的管理运行机制。

（一）对社会需求不大、毕业生就业率过低的地方、高校、专业，要根据情况减少招生数量，相应减少教育经费投入，甚者停止招生。

（二）高校要主动开展就业市场需求分析和毕业生跟踪调查，根据产业结构的调整和就业市场的变化，及时调整专业，改革教材、教学内容和教学方法，拓宽专业适应性，努力办出特色。

（三）要将毕业生就业率作为高校评估的一项重要指标。国务院有关部门将定期公布各省、自治区、直辖市高校毕业生的就业率和就业情况。各省、自治区、直辖市要定期公布本地区范围内高校毕业生的就业率和就业情况。

## 四、加强就业指导机构和队伍建设

各省、自治区、直辖市人民政府和各高校要尽快建立并完善高校毕业生就业指导服务机构，在场地、经费、人员等方面给予充分保证。

高校要按一定的师生比配备专职的工作人员，以适应数量迅速增加的高校毕业生的就业工作需要。要从学生交纳的学费中提取一定比例用于毕业生就业指导和服务工作。

## 五、发挥市场作用，建立高校毕业生社会服务体系

要充分发挥现有的高校毕业生就业市场、人才市场和劳动力市场的作用，逐步建立并完善高校毕业生社会服务体系。

（一）凡就业确有困难、需要帮助的未就业高校毕业生，应到当地政府有关部门所属的高校毕业生就业指导机构、人才交流机构或公共职业介绍机构登记。

（二）对已进行登记的未就业高校毕业生，有关机构要提供免费就业指导和就业信息服务。对其中的党、团员，要按有关规定，定期组织活动。

（三）要根据就业市场的需求情况，有组织地定期举办短期职业技能培训。各省、自治区、直辖市人民政府要划拨一定专项经费，同时广泛吸引社会用人单位资金用于未就业高校毕业生初次职业技能培训。

## 六、加强舆论宣传和思想教育

要加强对高校毕业生的思想教育和就业指导，引导、帮助高校毕业生及其家长全面了解、正确判断就业形势，增强高校毕业生就业的基层意识和创业意识。

对2002年的未就业高校毕业生，各省、自治区、直辖市人民政府要采取多种措施，努力创造条件，积极开辟临时就业、灵活就业等多种渠道，力争在2002年底之前使绝大多数高校毕业生走上工作岗位。国务院有关部门将组织调查组，检查各地落实情况。

2002年9月5日

# 劳动和社会保障部办公厅关于妥善解决医疗保险制度改革有关问题的指导意见

劳社厅发〔2002〕8号

各省、自治区、直辖市劳动和社会保障厅（局）：

《国务院关于建立城镇职工基本医疗保险制度的决定》（国发〔1998〕44号）公布以来，全国绝大部分地区已启动实施基本医疗保险制度，医疗保险覆盖面逐步扩大，新制度运行平稳，保障了参保职工的基本医疗需求。同时，在改革不断深入的过程中，也遇到一些新情况和新问题。为了妥善解决医疗保险制度改革过程中出现的新问题，需要进一步完善医疗保险政策，强化医疗保险管理，提高医疗保险服务水平。现就有关问题提出如下意见：

## 一、积极探索困难企业职工医疗保障办法

（一）高度重视困难企业职工医疗保障问题，在坚持权利和义务相对应原则的基础上，区分不同情况，多方筹集资金，采取不同方式，妥善解决困难企业职工特别是退休人员的医疗保障问题。

（二）对有部分缴费能力的困难企业，可按照适当降低单位缴费率，先建立统筹基金、暂不建立个人账户的办法，纳入基本医疗保险，保障其职工相应的医疗保险待遇。单位缴费的具体比例由各地根据建立统筹基金的实际需要确定。对无力参保的困难企业职工要通过探索建立社会医疗救助制度等方式，妥善解决其医疗保障问题。

（三）对关闭、破产国有企业的退休人员（包括医疗保险制度改革前已关闭、破产的原国有企业退休人员），要充分考虑这部分人员的医疗费用水平和年龄结构等因素，多渠道筹集医疗保险资金，单独列账管理，专项用于保障其医疗保险待遇。

（四）对仍在再就业服务中心的国有企业下岗职工，要继续按照“三三制”原则，落实基本医疗保险缴费资金。对出中心解除劳动关系的人员，已经再就业并建立劳动关系的，应继续将其纳入基本医疗保险。

（五）各地要适应就业形式灵活多样化的需要，根据当地医疗保险制度规定，结合实际，制定灵活就业人员参加基本医疗保险的办法，可采取由个人缴费的办法将其纳入基本医疗保险，并根据缴费水平和缴费年限给予相应待遇。对灵活就业人员可以通过职业介绍中心等劳动人事代理机构代办医疗保险的方式实现整体参保，同时做好有关服务管理工作。

## 二、完善和加强医疗保险服务管理

（六）根据医疗保险管理的要求，进一步明确和细化医疗机构与零售药店定点资格条件。要按照方便职工就医购药、促进充分竞争的原则，打破垄断，取消各种不合理的限制，将符合条件的不同规模、不同所有制的各类医疗机构和零售药店纳入定点范围，特别是要逐

步扩大社区卫生服务组织等基层医疗机构的定点范围。对定点零售药店要强化药师配备、处方管理等资格条件的审查。对从医院门诊药房剥离出来的零售药店，符合条件的要纳入定点范围。

（七）进一步完善和细化医疗保险管理措施。确定定点医疗机构和定点零售药店必须签订定点协议。在定点协议中要根据医疗保险政策和管理要求，明确医疗服务内容、服务质量和费用的控制指标。对部分定点医疗机构，可以将管理措施落实到具体科室和医务人员；要明确考核指标和办法，考核结果要与医疗费用结算标准挂钩，建立激励和约束机制；对违规行为和违规费用要明确违约责任。

（八）强化基本医疗保险用药、诊疗和医疗服务设施等医疗服务项目及费用支出管理。要严格执行国家基本医疗保险用药管理规定。在与定点医疗机构的定点协议中，要根据定点医疗机构的级别和专科特点，对定点医疗机构的基本医疗保险用药目录内药品的备药率、使用率及自费药品费用占参保人员用药总费用的比例提出具体指标；在诊疗项目管理中要重点明确对新增诊疗项目、大型设备检查和一次性医用材料使用的控制措施；对住院医疗服务要明确人均住院费用和人均住院天数的控制指标。

（九）建立医疗保险监督检查制度。要充分利用医疗保险管理信息系统，动态监控定点医疗机构和定点药店的医疗服务和医疗费用发生情况，建立医疗保险日常监督管理制度。要通过向社会公布定点医疗机构医疗费用发生情况和药品价格信息、建立医药专家委员会、聘请义务督查员等措施，对定点医疗机构和定点药店执行医疗保险政策、服务质量和收费等情况进行舆论和社会监督。对违规的定点医疗机构和定点药店，经办机构要依据协议落实违约经济责任，必要时可与其终止协议；劳动保障行政部门要视情况责令其限期整改，直至取消定点资格。

## 三、妥善处理医疗费用个人负担问题

（十）加强宣传，提高广大参保人员对医疗保险制度改革意义及政策的理解和认识，坚持建立合理的医疗费用分担机制的改革方向。要对医疗费用增长趋势、医疗保险基金收支状况、参保人员个人医疗费用负担情况进行科学分析，不断完善医疗保险政策和管理办法。

（十一）妥善解决少数患者个人负担较重的问题。对高额医疗费用患者个人负担较重的，要通过落实公务员医疗补助和职工大额医疗费用补助以及建立企业补充医疗保险等办法，妥善加以解决。对部分费用较高的门诊慢性病导致患者个人负担较重的，可根据统筹基金的承受能力支付一定比例费用。

（十二）切实加强管理，杜绝滥开药、滥检查等不规范医疗行为。要依据临床诊疗规范和用药规范，不断完善用药、诊疗等医疗服务项目的管理措施，完善医疗服务管理办法，强化医疗服务行为监督检查，严格控制不合理的医疗费用支出，提高基金使用效率，减少浪费，切实减轻个人负担，维护参保人员医疗保障权益。

## 四、提高医疗保险管理服务水平

（十三）加强基础建设，完善管理制度，树立服务意识，提高工作效率，规范和简化业务流程。在同一城市对医疗机构和零售药店要逐步实现统一定点。加强对异地安置人员和转诊、转院等异地就医人员的管理和服务，可通过跨地区确定定点医疗机构、委托异地经办机构管理等办法，按规定及时为异地安置和异地就医人员支付医疗费用。

（十四）强化医疗保险基金征缴和管理，健全基本数据统计制度和医疗费用监测系统。要采取切实措施，提高医疗保险基金的征缴率，做到应收尽收。医疗保险基金要及时建账入户，对统筹基金、个人账户、公务员医疗补助、大额医疗费用补助等要分别建账管理，专款专用，确保基金安全。要统计参保人员发生的所有医疗费用，对各项基金的收支、个人自付医疗费用要分开统计。要加强医疗保险费用支出监测，及时对医疗保险各项统计和监测数据进行综合分析，建立医疗保险基金风险防范机制。

2002 年 9 月 16 日

# 劳动和社会保障部关于印发国家高技能人才培训工程暨机电高级技工培训项目的通知

劳社部发〔2002〕18号

各省、自治区、直辖市劳动和社会保障厅（局）：

现将《国家高技能人才培训工程》暨《机电高级技工培训项目》印发给你们，请结合本地区实际，组织实施。

附件：1．国家高技能人才培训工程

2．机电高级技工培训项目（略）

3．机电高级技工培训项目工作领导小组（略）

2002年9月23日

## 国家高技能人才培训工程

为加强技工培养工作，根据《国务院关于大力推进职业教育改革与发展的决定》，按照劳动保障部《加强职业培训提高就业能力计划》，实施“国家高技能人才培训工程”（以下简称工程）。

### 一、指导思想

认真贯彻全国职业教育工作会议精神，从适应经济发展对技能人才的需要出发，充分依靠行业和企业，广泛动员全社会的教育培训力量，普遍开展技能振兴行动，形成良好的社会环境，促进高技能人才成长。

### 二、目标任务

瞄准企业生产急需，采取切实措施，大力加强技术工人特别是高级技术工人的培养，力争通过3至5年的努力，使技术工人尤其是高级工、技师和高级技师的数量和比重有明显增加和提高，缓解高技能人才短缺状况。

### 三、项目内容

根据国家产业技术政策，结合经济结构调整需要和劳动力市场需求，在制造、加工、建筑、能源、环保等传统产业和信息通信、航空航天等新技术产业领域，选择一些重点工业城市，实施若干高级技工培训项目。2002 年 10 月，首先启动机电高级技工培训项目，其他项目将陆续发布实施。

**四、主要措施**

（一）充分发挥企业和高级技工学校的作用，动员其他职业教育培训机构积极行动，沟通培训机构与企业的联系，促进职业培训与岗位开发相结合，强化高级技能人才和复合型技能人才的培养。

（二）推广新技术、新技能在职业培训领域的研究、应用和推广，创新培训形式，开展远程职业培训，推动多媒体音像、仿真模拟教学技术的应用。

（三）推动企业落实培训经费，大力开展职工培训，建立培训、考核、使用、待遇相统一的政策，提高高级工、技师、高级技师的工资水平、岗位津贴和福利待遇。

（四）推进职业技能鉴定改革，探索实行与企业生产和职业学校教学实际相结合的鉴定模式。加大技师考评改革的工作力度，使经过培训的高级技工，通过公开考评的方式，取得技师职业资格，促进高技能人才尽快成长。

（五）实行劳动预备制度、职业资格证书制度和就业准入制度。用人单位招收、录用技术职业（工种）人员，必须从取得相应学历证书或职业培训合格证书并获得相应职业资格证书的人员中录用。对实施情况加强劳动监察，对违反规定的进行纠正并给予处罚。

（六）利用国家级和省级示范性职业培训教师培训基地，加强教师特别是生产实习指导教师培训，培养具备高级职业资格的专业理论和生产实习指导“一体化”教师。

（七）组织各级各类职业技能竞赛，开展群众性岗位练兵活动，表彰奖励优秀高技能人才。建立高技能人才库，定期组织同业技能交流活动。

（八）逐步完善职业分类、标准、教研、教材等基础工作，依据《国家职业标准》《高级技工学校教学计划》和行业、企业生产岗位规范要求制定培训教学计划，并根据新技术、新工艺、新设备、新材料的发展，进行动态调整。开发和出版一批体现高技能人才培养特色的教材。

（九）做好就业服务工作。指导各类职业教育培训机构开设职业指导必修课。各级公共职业介绍机构做好劳动力市场需求信息和企业用工需求情况的收集、预测、分析和发布工作，做好培训毕（结）业人员的就业服务工作，组织专场招聘会。

（十）充分利用广播、电视、报纸、网络等多种新闻媒体和宣传途径，大力宣传高技能人才的重要作用和突出贡献，宣传政府和企业高技能人才培养和使用的政策、措施，宣传各行业的技术能手和标兵事迹，在全社会营造尊重技能人才、争当技术标兵的良好氛围，形成有利于高技能人才成长的社会环境，弘扬“三百六十行，行行出状元”的社会风尚。

**五、经费筹措**

（一）各省（自治区、直辖市）和重点城市劳动保障部门向当地财政部门争取专项经费，用于工程的组织推动和基础工作开发。

（二）企业应从职工教育经费（占职工工资总额的1.5%～2.5%）中落实技能培训经费。

（三）培训机构和承担委托培训任务的企业，可根据学制教育和职业培训的类型，按照物价部门核定的标准向学员收取培训费用。

（四）对面向下岗失业人员开展的培训，符合条件的，由劳动保障部门从地方再就业培训经费中给予补贴，补贴标准可适当提高。

**六、组织管理**

劳动保障部负责工程的总体规划、综合管理，并在中国劳动力市场网（WWW.LM.GOV.CN）设立《国家高技能人才培训工程》专栏，及时通报工程进展。各地劳动保障部门负责本地区工程的组织实施、管理服务、监督检查等工作。行业组织对本行业工程的实施工作进行必要的业务指导。企业负责本企业工程的组织实施。

# 国家工商行政管理总局关于贯彻落实《中共中央国务院关于进一步做好下岗失业人员再就业工作的通知》的通知

工商个字〔2002〕第250号

各省、自治区、直辖市工商行政管理局：

最近，党中央、国务院召开了全国再就业工作会议，并下发了《关于进一步做好下岗失业人员再就业工作的通知》（以下简称《通知》）。《通知》分析了当前我国的就业形势，明确了今后一个时期再就业工作的目标、任务和重点，完善了有关政策措施。这对于进一步做好下岗失业人员再就业工作，确保社会稳定，促进改革深化和经济发展，具有十分重大而深远的意义。各级工商行政管理机关要遵照党中央、国务院关于再就业工作的方针和政策，采取切实有效措施，进一步加大工作力度，在促进下岗职工再就业中更好地发挥职能作用。现就有关问题通知如下：

**一、提高认识，统一思想，进一步增强做好下岗失业人员再就业工作的责任感和紧迫感**

搞好下岗失业人员的再就业工作，是一项重大的政治任务。各级工商行政管理机关要切实抓好全国再就业工作会议精神的传达学习，坚决贯彻落实《通知》规定的各项政策措施，进一步增强政治意识、大局意识、责任意识和紧迫感，自觉从维护改革发展稳定大局、实现国家长治久安的高度，把促进下岗失业人员再就业作为一项长期的战略任务和重大的政治任务，作为全面贯彻“三个代表”要求的重要措施，高度重视，加强领导，抓紧抓实，抓出成效。

**二、积极发挥工商行政管理职能作用，促进下岗失业人员再就业**

一是鼓励、支持个体私营经济发展，积极引导下岗失业人员在个体私营企业实现再就业。各级工商行政管理机关要大力宣传党和国家鼓励个体私营经济发展的政策、法规，把鼓励、支持个体私营经济发展与促进下岗失业人员再就业结合起来。积极引导下岗失业人员更新择业观念，兴办个体工商户和私营企业，实现自谋职业；鼓励和引导个体工商户、私营企业在招工时，优先招收、聘用下岗失业人员；积极扶持农村个体私营经济专业村、专业乡的发展，引导企业下岗失业人员到这些经济组织中就业；积极支持下岗失业人员面向农村，承包开发荒山、荒地、荒滩，从事农、林、牧、渔业生产，开拓新的就业领域。二是积极支持国有企业深化改革，增加多形式就业岗位。支持国有企业深化改革，转换经营机制，增强企业活力，积极创造新的就业岗位；支持国有企业结合结构调整、重组改制和主辅分离，开展多种经营，兴办经济实体，广开就业门路；支持国有企业充分挖掘内部潜力，积极利用非主业资产和设备、厂房、场地等闲置资产，兴办第三产业，安置下岗分流人员；支持国有企业利用技术、人才优势，与农村从事加工业的专业村、专业乡联合经营，多渠道分流企业富余人员；支持严重亏损或停产的国有小型企业采取改组、联合、兼并、承包经营以及出售等形式的改革，以吸纳下岗失业人员就业。三是大力支持发展第三产业和社区服务业，不断拓展再就业空间。各级工商行政管理机关要把支持发展第三产业特别是社区服务业，作为解决下岗职工再就业的重要途径。鼓励、引导下岗失业人员在社区兴办快餐、小吃、茶馆等餐饮业；兴办日用百货、服装、家具、花卉、图书报刊等零售业；兴办理发、洗染、日用品修理、家政服务、婚姻介绍等居民服务业；兴办代购、代销、代储、代运商品等信托服务业；兴办交通工具、家庭生活用品、文化体育用品等租赁服务业。对其他便民利民的新兴行业，也要本着有利于促进经济发展、有利于扩大再就业的原则，大力予以支持。

**三、转变作风，改进管理，落实各项优惠政策，热情做好下岗失业人员再就业的有关服务工作**

各级工商行政管理机关要从实践“三个代表”重要思想、为民办实事的高度，进一步转变作风，满腔热忱地为促进下岗失业人员再就业服务。基层工商行政管理机关要设立专门窗口，为下岗职工自谋职业、申办个体和企业登记提供开业指导以及相关政策、法规和信息的咨询服务；要依法办理登记手续，提高工作效率，不得在法律和行政法规之外设置个体私营企业登记的前置条件。对下岗失业人员凭《再就业优惠证》申办个体工商户和私营企业的，要优先受理，优先发照。从事个体经营的，从发照之日起3年内免收个体工商户登记费（包括开业登记、变更登记、补换营业执照及营业执照副本）、个体工商户管理费、集贸市场管理费、经济合同鉴证费和经济合同示范文本工本费。对下岗职工从事临时性、季节性经营的，可以核发临时营业执照。进一步加大治理“三乱”力度，坚决制止向个体工商户和私营企业乱收费、乱罚款和各种摊派，严禁各种代收代扣行为。要充分发挥各级个体劳动者协会、私营企业协会的积极作用，为下岗失业人员再就业排忧解难，热心服务。一要鼓励、引导个体劳动者协会、私营企业协会协助、配合政府有关部门组织下岗失业人员参加再就业培训，组织创业有成的个体工商户、私营企业向下岗失业人员介绍自谋职业、勤劳致富的经验，提高下岗失业人员的专业劳动技能和自谋职业能力。二要支持个体劳动者协会、私营企业协会配合有关部门举办下岗职工和个体工商户、私营企业及其他企业共同参加的再就业洽谈会，沟通双向选择渠道，为下岗失业人员再就业牵线搭桥。三要指导、支持个体劳动者协会、私营企业协会组织有条件的个体工商户和私营企业与下岗失业人员开展“结对帮困”活动，帮助下岗失业人员实现再就业。

**四、继续深入整顿和规范市场经济秩序，为下岗失业人员再就业营造良好的市场环境**

各级工商行政管理机关要进一步加大监管执法力度，集中力量抓好整顿和规范市场经济秩序的各项工作，严厉打击制售假冒伪劣商品等违法违章行为，坚决取缔无照经营，严肃查处“三无”企业，积极配合有关部门搞好流动人口综合治理，努力维护良好的市场秩序，为下岗失业人员再就业营造公平竞争的市场环境。

请各地于2002年12月15日前将贯彻落实本通知的有关情况以书面形式报送国家工商行政管理总局个体私营经济监管司。

2002年10月15日

# 国家经贸委　财政部　劳动保障部　国土资源部　人民银行　税务总局　工商总局　全国总工会　印发《关于国有大中型企业主辅分离辅业改制分流安置富余人员的实施办法》的通知

国经贸企改〔2002〕859号

为推进国有及国有控股大中型企业主辅分离，辅业改制，分流安置富余人员，根据《中共中央国务院关于进一步做好下岗失业人员再就业工作的通知》（中发〔2002〕12号）的有关规定以及国家有关法律法规，我们制定了《关于国有大中型企业主辅分离辅业改制分流安置富余人员的实施办法》，经国务院同意，现印发你们，请遵照执行。

2002年11月18日

## 关于国有大中型企业主辅分离辅业改制分流安置富余人员的实施办法

为贯彻落实《中共中央国务院关于进一步做好下岗失业人员再就业工作的通知》（中发〔2002〕12号，以下简称《通知》）精神，推进国有及国有控股大中型企业（以下简称国有大中型企业）主辅分离，辅业改制，分流安置富余人员，制定本办法。

### 一、总体思路和原则

（一）坚持党的十五届四中全会确定的国有企业改革方向，鼓励有条件的国有大中型企业在进行结构调整、重组改制和主辅分离中，利用非主业资产、闲置资产和关闭破产企业的有效资产（以下简称“三类资产”），改制创办面向市场、独立核算、自负盈亏的法人经济实体，多渠道分流安置企业富余人员和关闭破产企业职工，减轻社会就业压力（以下简称改制分流）。

（二）国有大中型企业改制分流应遵循以

下原则：

1. 正确处理改革、发展、稳定的关系，充分考虑企业、职工和社会的承受能力，整体规划，分步实施，确保稳定；

2. 实施改制分流要与企业的结构调整、改制重组和做强主业相结合，符合国家产业政策，有利于加快企业发展，促进企业资产结构、组织结构、人员结构的优化；

3. 实施改制分流要依法进行，规范操作，坚持“公开、公平、公正”的原则，维护国家、企业及职工的合法权益，防止国有资产流失和逃废银行债务。

## 二、改制企业享受扶持政策的条件

（三）国有大中型企业主辅分离，辅业改制，分流安置本企业富余人员兴办的经济实体，凡符合以下条件的，经有关部门认定，税务机关审核，可享受《通知》规定的三年内免征企业所得税的政策。

1. 利用原企业的“三类资产”；

2. 独立核算、产权清晰并逐步实现产权主体多元化；

3. 吸纳原企业富余人员达到30%（含）以上；

4. 与安置的职工变更或签订新的劳动合同。

## 三、改制分流的范围

（四）国有大中型企业应根据企业发展战略和结构调整的需要，以精干主业、减员增效、安置富余人员为目标，从本企业实际出发，合理界定“三类资产”的范围。

非主业资产指按照企业改革发展的要求和专业化分工原则，需要分离的辅业资产、后勤服务单位的资产以及与主业关联度不大的其他资产；

闲置资产指闲置一年以上的企业资产；

关闭破产企业的有效资产指政策性关闭破产企业中，符合国家产业政策、有一定获利能力，并用于抵偿职工安置等费用部分的资产。

（五）改制企业安置的富余人员，是指原企业需精简分流的富余人员。

## 四、改制分流的形式

（六）改制企业应当按照《中华人民共和国公司法》和其他有关法律法规的规定，通过合资、合作、出售等方式，逐步实现产权主体多元化。具备一定市场生存能力的改制企业，可直接改制为非国有法人控股的法人实体；暂时不具备上述条件的改制企业，可保持国有法人的控股地位，但必须产权明晰、独立核算、面向市场、自负盈亏。

改制企业与原主体企业除产权关系外，不再具有行政隶属关系，原主体企业仅以出资额为限承担有限责任，并依法享有股东权利。

（七）改制企业要建立以产权关系为基础的法人治理结构，建立健全相应的组织机构，制定各项管理制度，完善监督约束机制。原主体企业在改制企业设立过程中，有责任帮助推荐考核经营者人选并监督其产生程序的合法性。防止恶意侵犯投资者和职工合法权益的行为。

## 五、资产处置

（八）改制分流过程中涉及资产定价、损失核销、产权变更等有关国有资本管理与财务处理的事项，按照财政部《企业公司制改建有关国有资本管理与财务处理的暂行规定》（财企〔2002〕313号）办理。

（九）改制企业可用国有净资产支付解除职工劳动关系的经济补偿金等，由此造成的账面国有资产减少，按规定程序报批后冲减国有资本。

（十）改制企业的国有净资产按规定进行各项支付的不足部分，应由原主体企业予以补足；剩余部分可向改制企业的员工或外部投资者出售，也可采取租赁、入股或转为债权等方式留在改制企业。

已完成改制分流的单位，原主体企业要按规定及时办理相关的资产转移、产权登记手续。

（十一）按照国家和当地土地管理的有关法律法规，改制企业占用的原主体企业的行政划拨土地，只要不改变土地用途，经所在地县级（含）以上人民政府批准，可继续以划拨方式使用；需要转让土地使用权的，依法办理转让手续；需要改变用途的，应按照《划拨土地目录》（国土资源部令第9号）核定，改变后的用途符合《划拨土地目录》的可继续以划拨方式使用，不符合《划拨土地目录》的，应依法办理土地有偿使用手续，允许将土地出让收益用于支付改制成本，具体办法由各地人民政府制定。

## 六、债权债务关系

（十二）原主体企业要做好改制企业的债权债务清理工作，进行必要的债务审计，落实债权债务人。防止利用改制之机逃废银行或其他债权人的债务。

改制企业原为独立法人的，要继续承担和落实原有的债权债务关系；从原主体企业分立重组的改制企业，按商定的比例承担债务，并及时办理有关手续。

（十三）改制企业对所欠原主体企业的债务，要制定出切实可行的还款计划，按期偿还；原主体企业要按规定妥善处理拖欠职工的集资款、工资、医药费和欠缴社会保险费等债务问题。

## 七、劳动关系的处理

（十四）依法规范劳动关系。对从原主体企业分流进入改制企业的富余人员，应由原主体企业与其变更或解除劳动合同，并由改制企业与其变更或重新签订三年以上期限的劳动合同。变更或签订新的劳动合同应在改制企业工商登记后30天内完成。

（十五）对分流进入改制为非国有法人控股企业的富余人员，原主体企业要依法与其解除劳动合同，并支付经济补偿金。职工个人所得经济补偿金，可在自愿的基础上转为改制企业的等价股权或债权。

（十六）对分流进入改制为国有法人控股企业的富余人员，原主体企业和改制企业可按国家规定与其变更劳动合同，用工主体由原主体企业变更为改制企业，企业改制前后职工的工作年限合并计算。

（十七）改制企业要及时为职工接续养老、失业、医疗等各项社会保险关系。

## 八、申报程序

（十八）中央企业所属企业改制分流按以下程序办理：

1．中央企业所属企业改制分流的总体方案，在与当地政府协调衔接的同时，报国家经贸委、财政部、劳动保障部联合批复；各部门在接到企业的改制分流方案后20个工作日内出具批复意见。

2．中央企业依据批复的意见，对所属企业改制分流中利用“三类资产”和实现产权主体多元化的情况，逐个进行审核认定，并出具相关认定证明，分别报财政部和国家经贸委备案；其中规范劳动关系、吸纳富余人员的比例以及接续各项社会保险的情况，由改制企业所在地省级劳动保障部门审核认定，并出具相关认定证明，报劳动保障部备案。

3．改制企业可凭上述联合批复意见和有关认定证明以及税务机关规定的其他有关材料，向当地主管税务机关提出免税申请。具体办法按照税务总局、劳动保障部《关于促进下岗失业人员再就业税收政策具体实施意见的通知》执行。

（十九）地方企业改制分流方案的申报程序，由省级人民政府参照本办法和税务总局、劳动保障部《关于促进下岗失业人员再就业税收政策具体实施意见的通知》要求，另行规定。

（二十）企业的改制分流方案须经过改制企业职工代表大会讨论，充分听取职工意见。其中涉及职工分流安置和用于安置职工的资产处置等有关事项，要经职工代表大会审议通过；未经审议通过，不得实施企业改制分流工作。

## 九、其他相关事项

（二十一）各级地方人民政府要按照属地化管理原则，及时将非国有法人控股的改制企业中党、团等组织关系、职工的各项社会保险关系以及职工档案管理、职称评定等移交接收工作，进行统一归口管理。原企业要积极做好改制企业属地管理的交接工作。

（二十二）各级政府和工商、税务、土地、经贸、财政、劳动保障等部门要按照《通知》和本办法的要求，主动做好服务，简化有关的审批手续，对在改制分流过程中发生的资产置换以及土地、房产、车辆过户等各项行政性收费，应予以适当减免，为企业改制分流、安置富余人员创造有利条件。

（二十三）企业在改制分流中要做好深入细致的思想政治工作，重视发挥企业党团组织和工会的作用，做好政策解释和宣传工作，引导职工和分流富余人员增强改革意识和承受能力，转变就业观念，使职工理解、支持改革并主动参与改革。

（二十四）要注意防止企业改制过程中弄虚作假、骗取优惠政策的不正当行为。对于侵占国有权益、无偿量化国有资产、擅自核销国有资本等行为，各级政府和有关部门要依法查处，并追究有关人员的责任；对不符合条件享受免税政策的企业，经查实后，取消其政策优惠并补缴税款，给予经济处罚，并依法追究有关人员的责任。

（二十五）各地可根据《通知》精神和本办法的原则，结合本地区实际，因地制宜，制定地方企业改制分流的实施细则。

# 劳动和社会保障部　国家计委　国家经贸委　监察部　财政部　建设部　中国人民银行　国家税务总局　国家工商总局　中央编办　全国总工会关于贯彻落实中共中央国务院关于进一步做好下岗失业人员再就业工作的通知若干问题的意见

劳社部发〔2002〕20号

各省、自治区、直辖市劳动和社会保障厅（局）、计委、经贸委（经委）、监察厅（局）、财政厅（局）、建设厅（建委）、中国人民银行各分行（营业管理部）、国家税务局、地方税务局、工商行政管理局、物价局、机构编制委员会办公室、总工会：

为贯彻落实《中共中央国务院关于进一步做好下岗失业人员再就业工作的通知》（以下简称《通知》），经国务院同意，现就有关问题提出如下意见：

**一、关于享受再就业扶持政策对象的认定和管理**

（一）具有劳动能力、并有就业愿望的下列人员（以下简称下岗失业人员）可享受《通知》中规定的再就业扶持政策：

1．国有企业的下岗职工；

2．国有企业的失业人员；

3．国有企业关闭破产需要安置的人员；

4．享受最低生活保障并且失业一年以上的城镇其他失业人员。

享受再就业扶持政策的对象不包括下列人员：已按规定办理企业内部退养的人员；《通知》下发前已领取营业执照从事个体经营、被用人单位招收以及通过其他途径实现再就业已有稳定收入的人员。

（二）下岗失业人员再就业时，凭《再就业优惠证》享受相应的扶持政策。《再就业优惠证》的申领程序如下：准备再就业的下岗失业人员，持经劳动保障部门确认的下岗失业凭证和社区居委会出具的证明，向街道（镇）劳动和社会保障工作机构（以下简称街道劳动保障机构）提出申请。街道劳动保障机构经张榜公示核实后，报县级以上劳动保障部门审批。经认定符合条件者，由劳动保障部门发放《再就业优惠证》。未设立街道劳动保障机构和社区居委会的独立工矿区，经由劳动保障部门委托，其下岗失业人员可通过企业向县级以上劳动保障部门申请。

各地对申请领取《再就业优惠证》的人员，经核实符合下列条件的，应按有关程序为其办理《再就业优惠证》：

1．仍在再就业服务中心，或协议期满出中心、但未解除劳动关系，且仍未再就业的国有企业下岗职工；

2．处于领取失业保险金期间，尚未再就业的原国有企业的失业人员；

3．已按全国企业兼并破产计划关闭破产的企业中，领取一次性安置费且仍未再就业的人员；

4．正在享受城市居民最低生活保障待遇、且登记失业一年以上的城镇其他就业转失业人员。

各地要提高办事效率，明确规定办理《再就业优惠证》各环节的具体时限。

（三）《再就业优惠证》采用实名制，限持证者本人使用。下岗失业人员从事个体经营的，《再就业优惠证》由本人保管。被用人单位录用的，享受扶持政策期间，《再就业优惠证》由用人单位保管。

《再就业优惠证》的式样由劳动保障部统一制定，内容包括：下岗失业人员的基本情况、再就业扶持政策和享受政策记录等，具体内容由省级劳动保障部门会同有关部门根据本地实际情况确定，并统一印制，免费发放。《再就业优惠证》工本费从再就业资金中列支。

各级劳动保障部门要加强对《再就业优惠证》发放和使用的管理。建立享受扶持政策的人员和用人单位公示制度，接受群众的监督。严格《再就业优惠证》审核发放程序，防止弄虚作假、欺骗冒领等行为。对下岗失业人员转让、出租《再就业优惠证》的，没收其《再就业优惠证》。对用人单位或个人伪造、租借《再就业优惠证》骗取国家扶持政策和资金的行为，要严肃查处，情节严重的要依法追究有关责任人员的刑事责任。对发证机构违反有关规定变卖或滥发《再就业优惠证》的，要严肃处理，对有关责任人员给予行政处分。

（四）对领取《再就业优惠证》的下岗失业人员要实行动态管理。各地劳动保障部门要依托街道劳动保障机构和社区居委会建立下岗失业人员基础情况档案和再就业情况数据库，随时掌握下岗失业人员享受扶持政策的情况。下岗失业人员享受扶持政策再就业后，正在领取基本生活费或失业保险金的，应停发基本生活费和失业保险金；正在享受城市居民最低生活保障待遇的，要重新核实其家庭收入情况。

**二、关于对下岗失业人员从事个体经营的扶持**

（五）各地城市规划、建设和管理部门要从本地实际出发，在城市规划建设、建立商贸市场时，要为下岗失业人员再就业适当安排经营场所。在整顿市容市貌时，要采取切实有效的措施，帮助解决好再就业者的经营场地问题。新办贸易市场的经营摊位，可安排一定比例租售给下岗失业人员。有条件的地方，可为下岗失业人员安排相对集中的生产经营实验和培育性场所，鼓励他们自谋职业和自主创业。

（六）各有关部门要加强对下岗失业人员从事个体经营的指导，明示办事程序，提供相关政策咨询和创业培训服务。要简化审批程序，提出办理各项手续的具体时限。有条件的地方，应设立专门窗口，由有关行政部门参加，采取集中办公形式，为下岗失业人员提供一次办完工商登记、税务登记、社会保险登记和其他有关手续的“一条龙”服务。

（七）从事个体经营的下岗失业人员，可持《再就业优惠证》及税务机关规定的有关材料，向其当地主管税务机关申请减免有关税收。具体办法按《财政部、国家税务总局关于下岗失业人员再就业有关税收政策的通知》（以下简称《税收政策通知》）、《国家税务总局、劳动和社会保障部关于促进下岗失业人员再就业有关税收政策具体实施意见的通知》（以下简称《税收政策实施意见》）执行。

（八）下岗失业人员自谋职业、自主创业或合伙经营与组织起来就业，资金不足的，经当地贷款担保机构承诺担保，可向商业银行或其分支机构申请小额担保贷款；从事微利项目的，可享受中央财政据实全额贴息。具体办法按《中国人民银行、财政部、国家经贸委、劳动和社会保障部关于下岗失业人员小额担保贷款管理办法》执行。

（九）全面落实下岗失业人员从事个体经营的各项免收费政策。各地要对下岗失业人员从事个体经营涉及的各项行政事业性收费进行一次全面认真清理，并进一步明确免收的具体项目，向社会公布。严禁各级管理执法机构借管理服务之名，向从事个体经营的下岗失业人员集资、摊派，或强行推销报刊等行为。各类中介机构对下岗失业人员从事个体经营涉及的服务性收费，要按照自愿有偿的原则收取。坚决纠正各种对下岗失业人员从事个体经营强行服务、强制收费的行为。

**三、关于对企业吸纳下岗失业人员和安置富余人员的扶持**

（十）符合享受税收减免政策条件的服务型企业，可向当地县级以上劳动保障部门申请享受税收减免政策的认定。劳动保障部门对企业新招用并与其签订3年以上劳动合同的下岗失业人员人数和比例核实认定后，根据企业状况，出具《新办服务型企业吸纳下岗失业人员认定证明》或《现有服务型企业吸纳下岗失业人员认定证明》。企业凭劳动保障部门的认定证明及税务机关规定的有关材料，向其当地主管税务机关申请减免有关税收。具体办法按《税收政策通知》《税收政策实施意见》执行。

（十一）符合《通知》规定主辅分离和辅业改制条件的国有大中型企业兴办的经济实体，可凭有关部门出具的相关认定证明及税务机关规定的有关材料，向当地主管税务机关申请减免有关税收。具体办法按《国家经贸委、财政部、劳动和社会保障部、国土资源部、中国人民银行、国家税务总局、国家工商行政管理总局、全国总工会关于国有大中型企业主辅分离辅业改制分流安置富余人员的实施办法》《税收政策通知》《税收政策实施意见》执行。

（十二）各类服务型企业（包括商贸、餐饮、服务业企业，国家限制的行业除外）新增岗位新招用国有企业下岗失业人员，可持以下材料向当地县级以上劳动保障部门申请享受社会保险补贴：

1．营业执照副本和税务登记证副本；

2．上年底职工花名册和现有职工花名册；

3．企业工资支付凭证；

4．企业与新招收的下岗失业人员签订的劳动合同，新招收下岗失业人员的《再就业优惠证》及与原企业解除劳动关系的证明；

5．当地劳动保障部门要求的其他文件。

县级以上劳动保障部门对企业新增岗位新招用并与其签订3年以上劳动合同的国有企业下岗失业人员人数审核后，出具《企业吸纳国有企业下岗失业人员审核证明》。企业凭审核证明到社会保险征缴、经办机构办理有关社会保险缴费手续，并核定社会保险补贴人数和应补额度。

（十三）社会保险补贴实行“先缴后补”。用人单位按规定为招用的国有企业下岗失业人员缴纳社会保险费。社会保险征缴、经办机构按季向当地财政部门出具企业缴费证明，财政部门审核后，从再就业资金中将应补贴的社会保险费按季直接拨付给企业在银行开设的基本账户，同时将拨款情况向劳动保障部门通报。具体办法及相关管理，按《财政部、劳动和社会保障部关于促进下岗失业人员再就业资金管理有关问题的通知》（以下简称《资金管理通知》）执行。

**四、关于对大龄就业困难对象的再就业援助**

（十四）有劳动能力和就业愿望、且就业困难的下岗失业人员，申请领取《再就业优惠证》时，男性年满50周岁，女性年满40周岁，经街道劳动保障机构上报，县级以上劳动保障部门审核后，可认定为大龄就业困难对象，并在《再就业优惠证》上予以注明。

（十五）各地对大龄就业困难对象应实施再就业援助。凡由各级政府投资开发的公益性岗位，要优先安排适合岗位要求的大龄就业困难对象。街道、社区对大龄就业困难对象要列出名单，重点帮助。公共职业介绍机构要根据大龄就业困难对象的特长和就业需求，按年度制定专门的援助计划，有针对性地开展就业服务，并与街道劳动保障机构密切配合，对愿意接受政府有关部门提供公益性岗位的大龄就业困难对象，在一定时间内，为其提供公益性就业岗位。

（十六）对在社区开发的公益性岗位安排原属国有企业的大龄就业困难对象就业，申领社会保险补贴的具体办法及相关管理，按《资金管理通知》执行。

对在社区开发的公益性岗位安排大龄就业困难对象就业，各地可根据本地实际提供适当比例的岗位补贴，补贴标准和办法由当地政府确定。

## 五、关于职业介绍和再就业培训

（十七）各地要按《通知》要求，建立公共就业服务制度。公共职业介绍机构要免费为城镇登记失业人员和国有企业下岗职工提供职业介绍和职业指导服务。要实行求职登记、职业指导、职业介绍、培训申请、鉴定申报、档案管理、社会保险关系接续“一站式”就业服务。要制定“一站式”服务标准、业务流程和工作制度，提高工作效率。

对各类职业介绍机构免费介绍城镇登记失业人员和国有企业下岗职工就业成功的，根据职业介绍机构推荐证明、被介绍人员的《下岗证》或《失业证》等下岗失业证明、用人单位与下岗失业人员签订并经当地劳动保障部门确认的劳动合同复印件，从再就业资金给予职业介绍补贴。

（十八）城镇登记失业人员中由就业转失业人员，以及国有企业下岗职工，可享受免费再就业培训。具备资质条件的社会各类教育培训机构，面向上述人员开展免费培训的，经劳动保障、财政部门对其培训合格率、培训后再就业等情况进行审核后，从再就业资金给予培训补贴。

（十九）职业介绍补贴和再就业培训补贴标准，由省级劳动保障部门商财政部门确定。资金具体拨付办法及相关管理，按《资金管理通知》执行。

（二十）各地要加强劳动力市场信息网络建设，广泛收集信息，建立公开发布系统，逐步实现就业服务信息化，为各类求职者，特别是下岗失业人员提供优质高效的就业服务。要在城市建立就业服务与失业保险基础数据库，在市级公共职业介绍机构建立局域网，实现与辖区内主要区、县公共职业介绍机构和失业保险经办机构信息联网，并逐步做到与各类职业培训机构信息共享。大中城市要将信息网络连接到街道劳动保障机构。

## 六、关于社会保险关系的接续

（二十一）社会保险经办机构要及时为实现再就业的下岗失业人员接续社会保险关系。下岗失业人员解除劳动关系离开企业时，本人欠缴以及企业应当为其缴纳的社会保险费，要一次性予以补缴。用人单位招收下岗失业人员，要及时到社会保险经办机构为其办理社会保险关系接续和转移手续。社会保险经办机构要适应下岗失业人员就业方式多样化的需要，采取不同的接续方式，普遍开设专门窗口，方便职工以个人身份参保缴费。要认真核对职工的缴费记录和个人缴费年限等基础数据，规范接续程序。对无固定单位的灵活就业人员和相对集中经营的个体工商户，可以依托街道劳动保障机构和公共职业介绍机构代理接续和缴费手续。下岗失业人员未再就业的，社会保险经办机构要保留其原有的社会保险关系；在下岗失业期间达到国家规定的退休年龄的，由保管其档案的单位或部门代其办理申请退休手续。社会保险经办机构要加强与就业服务机构的沟通和联系，及时准确掌握下岗失业人员的就业变动情况。

（二十二）社会保险经办机构要向下岗失业人员发放《社会保险缴费接续通知书》。《社会保险缴费接续通知书》包括如下内容：社会保险个人账户基金结存情况和累计缴费（含视同缴费）年限；办理社会保险缴费接续时应携带的相关证明材料；不同就业方式的参保方法和相关政策；享受社会保险待遇的条件和社会保险待遇计发办法；申请享受社会保险待遇的程序；社会保险经办机构的咨询电话与联系方式等。

## 七、关于街道、社区劳动保障工作

（二十三）街道和工作任务重的乡镇，可设立或确定负责劳动保障事务的机构，具体由各地党委、政府根据实际情况决定。街道劳动保障机构要在社区聘用专门人员负责劳动保障工作。要建立统一的基层劳动保障工作体系，为便于工作，提高效率，负责劳动保障工作的机构，可称为劳动保障事务所（站）。街道劳动保障机构人员编制由各地劳动保障部门提出方案，商同级编制部门确定。街道劳动保障机构的人员和工作经费，以及社区劳动和社会保障工作经费由财政安排。

（二十四）明确街道劳动保障机构的职责和社区工作人员的任务。街道劳动保障机构要认真做好《再就业优惠证》的核发和下岗失业人员管理工作，为自谋职业的下岗失业人员申请小额担保贷款办理有关手续，开发社区公益岗位，组织实施社区就业项目，动员组织未能继续升学的新成长劳动力参加劳动预备制培训，组织开展就业服务。负责退休人员的社会化管理，协助有关部门在退休人员中建立健全党的组织，开展文体活动，指导帮助社会服务机构提供医疗卫生服务。做好劳动保障统计调查工作。

社区劳动保障工作人员要掌握本辖区内下岗失业人员的基本情况，掌握退休人员的基本信息，为下岗失业人员再就业和退休人员生活提供相关服务。

（二十五）要切实加强对基层劳动保障工作人员的业务培训和工作指导。要建立工作目标责任制，完善基础管理，制定工作标准，实行业绩考核，逐步提高基层工作人员的工作水平。要指导基层工作人员转变工作作风，提高工作效率，提供切实有效的服务，帮助下岗失业人员和退休人员解决实际问题。

## 八、关于再就业工作部门责任

（二十六）各地要按照《通知》要求，在当地党委、政府确定的促进就业目标责任体系下，层层落实有关部门促进就业的责任制。要定期组织有关部门对再就业扶持政策的落实情况进行监督检查，确保各项政策落实到位。

劳动保障部门要加强对下岗失业人员认定和管理，协调有关部门完善和落实各项再就业扶持政策；加快建立社区工作平台，大力推行“一站式”就业服务，组织开展再就业培训，搞好再就业援助；继续巩固两个确保，做好下岗失业人员社会保险关系接续工作；加强劳动监察，维护劳动者合法权益。

计划部门要将控制失业率和增加就业岗位纳入当地经济和社会发展计划；研究制定有利于促进就业的宏观经济社会政策；协调各项经济社会政策形成有利于扩大就业的合力；价格主管部门要协调和督促检查各项减免收费政策的落实。

经贸部门要通过改善融投资环境、市场准入等方面措施，促进中小企业发展，创造更多就业岗位；鼓励国有大中型企业实施主辅分离和辅业改制拓宽富余人员分流安置渠道；把关闭破产企业职工安置和社会保障工作落到实处，积极稳妥地做好优势企业减员增效工作。

监察部门要加强对政府部门落实再就业各项扶持政策情况的监督检查，对政府部门和国家公务人员不落实政策及其他违反法律、法规和行政纪律的行为要依法查处。

财政部门要加大财政支出结构调整力度，加大再就业资金投入，加强对再就业资金监督管理；协调和督促有关部门采取措施认真落实下岗失业人员从事个体经营的各项减免收费项目。

城市规划、建设、管理部门要妥善安排下岗失业人员自谋职业经营场地；要制定优惠扶持政策等具体措施，在物业管理、环境卫生、园林绿化等劳动密集型行业，优先安置下岗失业人员。

人民银行要指导、督促各商业银行对符合条件的下岗失业人员及时提供小额担保贷款支持。

税务部门要坚持依法治税，规范执法，采取跟踪问效的措施，及时了解再就业税收扶持政策落实情况，发现问题及时解决；开展对再就业税收扶持政策执行情况的专项检查，确保各项税收扶持政策落实到位。

工商部门要积极鼓励、支持个体私营经济发展，促进下岗失业人员再就业；要设立专门窗口，为下岗失业人员申办个体户和企业登记提供开业指导及相关政策、法规和信息的咨询服务；要依法办理个体户和企业开业登记，简化相关手续。

机构编制部门要协调解决劳动保障监察和街道（乡镇）、社区劳动保障工作机构、编制等问题。

工会组织要积极参与地方再就业政策的制定和实施工作；充分发挥群众组织的监督作用，督促各项扶持政策落实到位；教育和引导职工转变观念，为下岗失业人员特别是就业困难群体再就业办实事。

各部门要按照科学合理、方便群众、简化手续、提高效率的原则，制定规范的业务工作程序，加强协调配合。要建立再就业扶持政策定期检查制度，对扶持政策不落实或落实不力的，要通报批评。

（二十七）各地要加大劳动保障监察执法力度，会同有关部门定期对劳动力市场进行清理整顿，保障劳动者合法权益。对各类企业招聘人员不签订劳动合同、滥用试用期、克扣和无故拖欠工资、拒缴社会保险费等违法行为，要依法查处。对各种非法职业中介机构和各类欺诈行为要严厉打击。要建立失业登记、录用备案和就业登记、职业介绍行政许可制度，规范单位用人、劳动者求职就业和职业介绍机构的行为。

要在市、县级劳动保障部门普遍建立劳动保障监察机构，配备专、兼职劳动保障监察人员。建立劳动保障法律监督员制度，在工会、妇联、共青团等人民团体和企业聘请法律监督员。要按《通知》要求保证劳动保障监察执法队伍的工作经费。

（二十八）中央企业下岗失业人员的再就业工作按属地化原则，纳入当地的再就业工作规划，统筹安排落实。中央企业下岗失业人员再就业享受当地各项再就业扶持政策和就业服务，其认定、管理、服务和统计等工作由当地有关部门统一负责。中央企业集团公司（总公司）也要切实负起责任，配合地方共同做好下属企业下岗失业人员的再就业工作。

地方劳动保障、计划、经贸、监察、财政、建设、人民银行、税务、工商、物价、编制等部门和工会组织，要在当地党委、政府的领导下，切实按照本意见的要求，结合本地实际情况，制定具体的落实措施。执行中出现的问题，应及时向上级主管部门报告。

2002 年 11 月 25 日

# 劳动和社会保障部　教育部　人事部关于进一步推动职业学校实施职业资格证书制度的意见

劳社部发〔2002〕21号

各省、自治区、直辖市劳动和社会保障厅（局）、教育厅（教委）、人事厅（局）：

为贯彻落实《国务院关于大力推进职业教育改革与发展的决定》（国发〔2002〕16号）精神，切实加强职业教育与劳动就业的联系，全面提高职业学校（包括中等和高等职业学校，下同）毕业生的综合素质和就业能力，经国务院同意，现就进一步推动职业学校实施职业资格证书制度有关问题提出如下意见：

一、推动职业学校实施职业资格证书制度，是落实中共中央、国务院关于“在全社会实行学业证书、职业资格证书并重制度”要求的重要举措，对于提高劳动者素质，推动就业准入制度的实施，促进职业教育的改革与发展，增强职业学校毕业生的实践、创新能力和就业、创业能力具有重要意义，各地劳动保障、人事和教育行政部门要高度重视，切实加强领导，统筹规划，采取有力措施，积极推进。

二、各地教育和劳动保障行政部门要积极推动职业学校深化教育教学改革，引导职业学校进一步转变观念，努力使职业学校的专业设置与劳动力市场需求紧密结合，教学内容与国家职业标准相衔接。职业学校要瞄准市场需求设置和调整专业，突出办学特色，切实改进实践教学环节，不断加强学生动手能力和实际操作技能的训练，增强毕业生的就业能力。

三、各地劳动保障、人事和教育行政部门要依据国家职业标准，结合职业学校的特点、培养目标、专业设置、教学要求，研究确定职业学校毕业生参加职业资格考核鉴定的具体办法。职业学校毕业生申请职业技能鉴定和专业技术职业资格考试，应分别按《中华人民共和国职业分类大典》规范的职业名称和专业技术职业资格类别进行。同时，鼓励职业学校学生在校学习多种职业技能，实现一专多能，拓宽就业渠道。

四、各地劳动保障行政部门要按照职业技能鉴定的有关规定，积极做好职业学校毕业生职业技能鉴定工作。经劳动保障和教育行政部门认定，职业学校所设专业的教学内容与国家职业标准要求相符合的，其毕业生申请参加中级以下（含中级）职业技能鉴定时，理论课考试成绩合格者可视为鉴定理论考核合格，按照职业技能鉴定有关规定只进行操作技能考核。对于培养学生复合技能的专业，除考核所需的基本职业理论和技能外，应增加应用能力、核心能力等方面综合能力的考核。

国家级重点职业学校以及少数教学质量高、社会声誉好的省级重点中等职业学校和高等职业学校的主体专业，经劳动保障和教育行政部门认定，其毕业生参加理论和技能操作考核合格并取得职业学校学历证书者，可视同为职业技能鉴定合格，发给相应的中级职业资格证书。

五、各地劳动保障行政部门要按照统筹规划、合理布局、择优建站的原则，充分发挥和利用职业学校的优势，选择具备条件的职业学校建立职业技能鉴定所（站）。要加强职业技能鉴定考评员和督导员的资格培训和管理，严格职业技能鉴定所（站）的审批程序，加强对鉴定所（站）鉴定日常督导，并实行年检制度。

六、各地人事部门要按照专业技术人员职业资格制度的有关规定，制定适合于职业学校特点的专业技术职业资格证书的取得方式。经人事、教育和相关专业主管部门组织专家评估认定的职业学校相关专业毕业生，可直接申请参加相应专业技术人员从业资格考试；对职业技术学院和具备条件的职业技术学校毕业生，实行免试部分科目等政策，逐步实现职业学校学历证书与专业技术人员从业资格证书相衔接。具体办法由各省、自治区、直辖市人事部门会同教育行政部门、有关专业管理部门制定并组织实施。

七、大力推进劳动预备制度的实施。各级各类职业学校要面向城乡未能升学的初、高中毕业生广泛开展职业教育和培训。要加强对农村准备从事非农产业工作或进城务工的人员开展各种形式的职业教育和培训，努力提高他们的职业技能水平和职业道德、法制观念等综合素质，实行先培训后上岗。同时，要积极面向下岗失业人员和已经在城市务工的农村青年开展职业教育和培训，引导和组织他们参加职业技能鉴定，对学习和培训合格者颁发相应的学历证书或培训合格证书，对技能鉴定合格者发给相应的职业资格证书，帮助他们提高就业能力和工作能力。

八、各地劳动保障、人事和教育行政部门要密切配合，进一步发挥职业学校在实施职业资格证书制度中的作用，切实做好职业学校毕业生职业资格考核鉴定工作。要在职业学校中开展职业资格证书制度和就业准入制度的宣传咨询活动，做好职业学校毕业生的职业指导和就业服务工作，帮助学生了解当前的就业形势和就业政策，树立正确的择业观念。要进一步落实就业准入制度，加大劳动监察执法力度，认真把好新生劳动力就业入口关，促进职业教育事业的健康发展。

九、要认真贯彻落实《国务院办公厅转发教育部等部门关于进一步深化普通高等学校毕业生就业制度改革有关问题意见的通知》（国办发〔2002〕19号）要求，鼓励高等学校毕业生参加职业资格考核鉴定，进一步拓宽高等学校毕业生的就业渠道。

2002年11月29日

# 财政部　劳动和社会保障部关于促进下岗失业人员再就业资金管理有关问题的通知

财社〔2002〕107号

各省、自治区、直辖市、计划单列市财政厅（局）、劳动保障厅（局），新疆生产建设兵团财务局、劳动保障局：

为贯彻落实《中共中央国务院关于进一步做好下岗失业人员再就业工作的通知》（中发〔2002〕12号），经国务院同意，现就促进下岗失业人员再就业资金（以下简称再就业资金）管理有关事宜通知如下：

一、各级财政要切实调整支出结构，通过预算内外各种资金渠道积极筹措资金，加大再就业资金投入。财政预算原安排用于国有企业下岗职工基本生活保障补助资金的规模不减，在确保下岗职工基本生活的前提下，应根据再就业工作需要，调整用于促进下岗失业人员再就业。在此基础上，按照再就业工作任务和财政承受能力，合理增加再就业资金，并列入各级财政年度预算。

失业保险基金用于促进再就业的支出，按《失业保险条例》和《中共中央国务院关于切实做好国有企业下岗职工基本生活保障和再就业工作的通知》（中发〔1998〕10号）的有关规定执行。

二、再就业资金主要用于促进下岗失业人员再就业的社会保险补贴、小额贷款担保基金和从事微利项目的小额担保贷款贴息、再就业培训和职业介绍补贴（以下简称就业服务补贴）、公益性岗位补贴、劳动力市场建设等项支出以及经省级财政、劳动保障部门共同批准的其他支出。

三、对中西部地区和老工业基地，中央财政将在原国有企业下岗职工基本生活保障专项转移支付资金项下，增加再就业补助资金。中央财政增加的再就业补助资金主要用于：小额担保贷款贴息的全部资金、社会保险补贴的部分资金、就业服务补贴的部分资金。中央财政对地方国有企业下岗职工基本生活保障补助资金和再就业补助资金，采取专项转移支付的分配方式，实行指标一次统一下达、补助资金按季拨付、年底全面考核评价、全年重点跟踪检查的办法。中央财政对地方的再就业资金补助要与地方财政实际投入和再就业工作实绩等因素挂钩。

四、再就业资金必须坚持专款专用的原则，严格按照规定的范围、标准和程序管理使用，严禁用于与再就业工作无关的其他方面开支。

（一）对各类服务型企业（包括商贸、餐饮、服务业企业，国家限制的行业除外）新增岗位新招用国有企业下岗失业人员，并与之签订3年以上劳动合同以及在社区开发公益性岗位安排原属国有企业大龄就业困难对象的企业（单位），按其为符合规定条件的国有企业下岗失业人员实际缴纳的基本养老保险费和失业保险费给予社会保险补贴，不包括下岗失业人员个人应缴纳的基本养老保险费和失业保险费以及企业（单位）和个人应缴纳的其他社会保险费。对符合规定条件的各类服务型企业按招用人数提供为期 3 年的社会保险补贴。社会保险补贴政策暂定执行到 2005 年底。经职工个人申诉和劳动保障部门查实，用人单位因非生产经营困难和非职工个人过错等原因，与招用的下岗失业人员提前解除劳动关系的，应继续为该职工缴纳社会保险费直至补贴期满。

社会保险补贴实行先缴后补的办法。企业（单位）必须按规定及时足额缴纳基本养老保险费和失业保险费，在申报缴费时应将企业招用下岗失业人员的缴费情况单独列出，季度终了后，按规定向当地劳动保障部门申请对上季度已缴纳的社会保险费给予补贴。企业（单位）提交的社会保险补贴资金申请报告，要附符合享受社会保险补贴条件的下岗失业人员名单及《再就业优惠证》复印件、经劳动保障部门鉴证的劳动合同副本、社会保险征缴经办机构出具的上季度企业为招用的下岗失业人员缴费的明细账（单）、企业（单位）在银行开立的基本账户等凭证材料，由劳动保障部门审核汇总后转同级财政部门，由财政部门核定后 30 日内直接划入企业（单位）在银行开立的基本账户。对未参加社会保险和未按规定履行社会保险费缴纳义务的企业（单位），不得给予社会保险补贴。对请款手续和相关凭证材料不齐全的企业（单位），不得给予社会保险补贴。

（二）对在社区开发公益性岗位安排大龄就业困难对象的企业（单位），地方财政可根据本地实际给予适当比例的岗位补贴，具体补贴标准和办法由当地政府确定。

（三）具备资质条件的各类职业培训、职业介绍机构，可按经其就业服务后实际就业人数，向当地劳动保障部门申请就业服务补贴。就业服务补贴资金申请报告要附经其就业服务已实现就业的下岗失业人员名单及《下岗证》或《失业证》等下岗失业证明复印件、劳动合同复印件等相关就业证明、上月工资发放及社会保险费缴纳凭单、职业培训和职业介绍机构在银行开立的基本账户等凭证材料，由劳动保障部门审核汇总后转同级财政部门，由财政部门核定后直接划入职业培训介绍机构在银行开立的基本账户。在申请就业服务补贴时，只能按每位下岗失业人员人均享受一次就业服务补贴计算，不得重复申请。就业服务补贴标准由省级财政、劳动保障部门确定。

（四）各省、自治区、直辖市和地级以上城市要建立下岗失业人员小额贷款担保基金，所需资金主要由同级财政筹集，担保基金的具体筹集、管理办法由地级以上财政部门根据《中国人民银行、财政部、国家经贸委、劳动和社会保障部关于印发〈下岗失业人员小额担保贷款管理办法〉的通知》等有关规定，会同有关部门制定。

（五）中央财政对经办微利项目小额担保贷款业务的商业银行，按同期商业贷款利率，据实全额贴息，展期不贴息。微利项目是指下岗失业人员在社区、街道、工矿区从事的商业、餐饮和修理等个体经营项目，具体包括：家庭手工业、修理修配、图书借阅、旅店服务、餐饮服务、小饭桌、小商品零售、搬家、钟点工、家庭清洁卫生服务、初级卫生保健服务、婴幼儿看护和教育服务、残疾儿童教育训练和寄托服务、养老服务、病人看护、幼儿和学生接送服务、洗染缝补、复印打字和理发。

国有独资商业银行的小额担保贷款贴息，由国有独资商业银行总行（以下简称总行）向财政部申请办理结算事宜。每年年底，开展小额担保贷款业务的国有独资商业银行各地市经办行，要向财政部驻当地财政监察专员办事处（以下简称专员办）提交当年小额担保贷款贴息补助资金申请报告，并附享受小额担保贷款的下岗失业人员名单及《再就业优惠证》复印件、小额担保贷款合同复印件、小额担保贷款发放凭单、当地财政和劳动保障部门审核意见等凭证材料，经专员办审核后报总行汇总。同时各地专员办要将审核结果汇总上报财政部。财政部根据各总行小额担保贷款贴息申请报告和专员办审核结果，向各总行核拨小额担保贷款贴息资金。

其他商业银行的小额担保贷款贴息，由各省级财政部门向财政部申请办理结算事宜。每年年底，开展小额担保贷款业务的其他商业银行各地市经办行，要向省级财政部门提交当年小额担保贷款贴息补助资金申请报告，并附享受小额担保贷款的下岗失业人员名单及《再就业优惠证》复印件、小额担保贷款合同复印件、小额担保贷款发放凭单、当地财政和劳动保障部门审核意见等凭证材料，经专员办审核后，由省级财政部门汇总上报财政部。

（六）各级财政还要安排资金，加强劳动力市场信息网络的建设。

五、各级财政、劳动保障部门要按照专项资金管理的有关规定，切实加强再就业资金预、决算管理。

（一）各级劳动保障部门要根据财政部门规定的预算编制要求，申报再就业资金年度预算，经同级财政部门审核并报同级人民代表大会批准后列入年度财政预算。

（二）各级再就业资金要严格按照批准的预算执行。

（三）各级劳动保障部门要根据批准的年度预算，及时编制年度分项用款计划报同级财政部门，财政部门对用款申请审核无误后及时拨付资金。

（四）各级劳动保障部门在每年年度终了，要认真做好再就业资金的核算、清理和对账工作，并按要求向同级财政部门报送再就业资金年度决算和说明，再就业资金决算资料要做到格式统一、内容完整、数据真实、报送及时。地方各级财政部门要将审核汇总后的再就业资金年度决算及时报送上级财政部门。

再就业资金年度终了如有结余，需详细说明原因，并经批准后，按规定结转下一年度继续使用。

六、各地财政部门要根据国有企业下岗职工基本生活保障和再就业工作需要，据实将中央财政补助资金分别列入“国有企业下岗职工补助”和“就业补助”款级科目。

七、各地财政部门要将财政预算安排的再就业资金及时转入“财政社会保障补助资金专户”，并将预算内外各种资金渠道筹措的再就业资金全部纳入“社会保障基金财政专户”管理，按具体用途进行分账核算。

八、中央管理企业下岗失业人员的再就业工作要按照属地管理的原则纳入企业所在地政府的再就业工作规划，所需资金由当地政府统筹安排落实，中央财政在对各地再就业资金进行补助时一并予以考虑，不再单独安排资金。各地不得因隶属关系等原因将中央管理企业下岗失业人员排除在再就业优惠政策之外。

九、各级财政、劳动保障部门要建立健全财务管理规章制度，加强内部财务管理和审计监督，严肃财经纪律。要严格按照规定程序审核再就业资金，不得擅自扩大支出范围和提高支出标准，严禁截留、挤占、挪用、骗取再就业资金，并自觉接受监察、审计部门和社会的检查监督。对违规使用再就业资金的，要按有关规定严肃处理。

十、各地财政、劳动保障部门要密切配合、通力合作，及时掌握和沟通有关情况，定期向上级财政、劳动保障部门报告再就业人数、再就业资金使用等有关情况，定期或不定期对再就业资金使用管理情况进行全面或专项检查，共同研究解决再就业工作存在的实际问题。

十一、各省、自治区、直辖市、计划单列市财政、劳动保障厅（局）可根据本通知，结合本地实际制定具体实施办法，并报财政部、劳动保障部备案。

2002 年 12 月 3 日

# 劳动和社会保障部关于进一步加快劳动保障信息系统建设的通知

劳社部发〔2002〕22号

各省、自治区、直辖市劳动和社会保障厅（局）：

根据中央关于加快我国信息化建设的战略部署和总体要求，《中共中央办公厅国务院办公厅关于转发〈国家信息化领导小组关于我国电子政务建设指导意见〉的通知》（中办发〔2002〕17号）提出，要加快包括社会保障在内的12个重点业务系统建设。为进一步加快劳动保障信息系统（金保工程）建设，现就有关问题通知如下：

## 一、金保工程建设的重大意义和指导思想

建设金保工程是建立和完善社会保障体系、加快劳动力市场"科学化、规范化、现代化"建设的重要内容，是加强基金有效监管、提高宏观决策水平的重要基础工作，是依法行政、转变政府职能的重要保证，是改进劳动保障工作管理方式、提高管理水平和工作效率的有效手段。加快金保工程建设对于实现劳动保障工作管理服务社会化，建立公共服务体系，推动劳动保障事业的新发展，更好地服务社会具有重大意义。

金保工程建设要按照劳动保障事业发展的总体目标，以全国电子政务建设规划为指导，遵循统一规划、统一标准、统一指导，分步实施、分级负担、分级管理，网络互联、信息共享的原则，运用成熟先进的技术手段，建成覆盖劳动保障领域主要业务，统一、高效、简便、实用的全国劳动和社会保障信息系统，实现本地业务和服务的规范化、异地业务和服务的现代化、基金监管和宏观决策的科学化。

## 二、金保工程建设的主要任务和进度要求

金保工程是利用先进的信息技术，以中央—省—市三级网络为依托，支持劳动和社会保障业务经办、公共服务、基金监管和宏观决策等核心应用，覆盖全国的统一的劳动和社会保障电子政务工程。金保工程包括社会保险和劳动力市场两个子系统，由市、省、中央三层数据分布和管理结构组成，具备业务经办、公共服务、基金监管和宏观决策四大功能。

各级劳动保障部门要将金保工程建设作为劳动保障部门的一项重要工作切实抓紧抓好，力争用三年左右的时间初步完成金保工程建设任务，将劳动保障信息化建设提高到一个新水平。

（一）基本完成城市社会保险信息系统建设，推进社会保险全国联网。

1. 城市网建设。地级市（包括直辖市和省级经办机构，以下简称"城市"）建成统一的社会保险数据中心，建立标准统一的覆盖全部参保人员和参保单位的集中式资源数据库，网络终端延伸到各个经办窗口和定点医疗机构、定点药店等相关服务机构，实现养老、医

疗等各项社会保险主要业务的全程信息化。

城市资源数据库是支撑城市经办系统安全良好运行和支持全省、全国联网的基础。各险种的数据库要在现有系统的基础上完成数据整理工作，不符合统一标准的要按照统一标准进行转换；社保基金实行区县级统筹并独立建库的，要将数据定期集中到城市数据中心；各险种信息系统分别建设的，要按照统一标准在城市数据中心进行整合，建立城市集中式资源数据库。各险种统筹层次不同的，要在2005年底以前实现同人同城同库。

2．省级社会保险数据中心建设。建立覆盖全省的养老保险资源数据库、各类社会保险统计监测数据库和各项社会保险基金管理数据库，对跨统筹地区领取社会保险待遇的人员要建立社会保险省内异地交换数据库。省级数据中心要下联各城市数据中心，实现养老保险业务数据、各类社会保险统计监测数据的网上传输，支持社会保险异地信息交换，对全省社会保险基金进行监控。

3．全国社会保险数据中心建设。建立覆盖全国的统计监测数据库、社会保险跨省异地交换数据库，网络下联各省级数据中心，对各地社会保险基金进行监控，为宏观决策和异地信息交换提供支持。

4．进度要求。2003年，要有1/3的省区市第一批进入全国联网。首批联网单位要完成辖区内各城市的城市数据库和网络建设任务，完成社会保险省级数据中心建设，实现省市间联网和部省互联，网上传输养老保险数据，建成全国网雏形。2004年，全国绝大多数省区市基本完成辖区内各城市的城市数据库和网络建设任务，建立起省级数据中心，率先实现养老保险的全国联网。同时，要着手构建全国医疗保险监测服务体系，对医疗保险费用支出及业务运行情况进行监测。2005年，所有地区要全面完成建设任务，进一步完善全国社会保险信息系统，增强网络功能，增加网上应用，以网络扫描方式实现各类社会保险业务统计监测数据的采集。

（二）进一步完善劳动力市场信息网，积极发展互联网就业信息服务。

1．城市网建设。公共职业介绍机构和失业保险经办机构前台服务要力争全部纳入信息系统管理，扩大系统功能，满足职业介绍、职业培训、下岗失业人员管理和劳动保障事务代理等业务工作的需要。城市建立集中式就业服务和失业保险资源数据库，就业服务、失业保险业务要做好与其他社会保险业务的信息共享。劳动力市场综合服务场所要建成局域网，并实现与辖区内主要区、县公共职业介绍机构和失业保险经办机构及培训机构联网，做到信息共享。要将信息网络连接到街道，为公众提供就近便捷的信息服务。

各城市要积极创造条件在互联网上建立就业服务专门网站，发布就业信息，开展网上招聘求职服务，并将网站接入“中国劳动力市场”门户网站。按照有关要求在本地公布劳动力市场供求分析报告，向部、省报送劳动力市场供求状况季度分析和综合月报数据库。“三化”建设推进试点城市还应报送失业保险管理情况的月报数据库。

参加“三化”建设推进试点的城市，要有一半以上在2003年完成上述任务，其他试点城市在2004年底前完成；非试点城市要在2005年底以前基本完成上述任务。

2．省级劳动力市场信息网监测中心建设。要加强对各城市系统建设的指导，监督检查季报和综合月报数据库上报的情况，定期发布省内劳动力市场信息，并逐步充实信息发布的内容。

东部地区各省要在2004年以前指导本省各城市完成城市劳动力市场信息网建设的各项任务，同时完成省级监测中心的建设任务；其他各省区要在2005年完成。

3．全国劳动力市场信息网监测中心建设。通过对各地劳动力市场供求状况季报、综合月报和劳动力市场工资价位年度调查的统计分析，发布全国劳动力市场信息。通过“中国劳动力市场”门户网站的建设和逐步完善，链接各城市的劳动力市场网站，提供异地求职、招聘等信息服务。

到2003年底，全国劳动力市场供求信息发布内容应包括120个以上“三化”建设推进试点城市，到2004年底应包括全部试点城市。“中国劳动力市场”门户网站要做到城市劳动力市场网站建成一个链接一个，到2005年应基本覆盖全国所有城市。

（三）整合社会保险和劳动力市场信息网络，为社会提供良好的公共服务。

各级劳动保障部门社会保险数据中心和劳动力市场监测中心原则上应统一建设（已经分别建设的，要充分利用现有基础搞好衔接），并以此为基础形成统一的劳动保障数据平台，实现单位和个人基本信息以及必要业务信息的统一管理。以城市劳动保障数据平台为基础，建设政府网站，在街道建立综合的劳动保障信息窗口，为开发就业岗位、面向下岗失业人员开展就业服务、面向企业退休人员开展社会化管理服务以及其他方面劳动保障管理服务提供统一的技术支持。各地还要加快建设办公自动化系统，提高工作效率。需要并有条件发行IC卡的地区，必须将各项劳动保障业务涵盖，统一发行、使用符合劳动保障部标准和管理要求的社会保障卡。

为保证金保工程建设任务顺利完成，各省级政府劳动保障部门要按照上述工作任务和时间进度要求，尽快制定全省数据分布策略和联网规划，并报部里备案。要指导各地市完成网络和各类数据库建设工作，按时实现全省联网。

## 三、加快金保工程建设的主要措施

（一）加强领导，统一规划。各级劳动保障部门的信息化工作领导小组要切实负起组织领导金保工程建设的责任，一把手亲自抓，协调各有关部门的工作。信息化综合管理机构要充分发挥系统规划和组织职能，按照全国统一规划要求制定本地区金保工程建设的总体规划和具体实施计划，明确责任，落实到人。积极争取当地政府的支持，将金保工程纳入本地区电子政务建设的总体规划。各省级政府劳动保障部门要加强对地市信息系统建设工作的指导，建立联系制度，对各地市系统建设中遵守统一标准和规范、落实工程进度、保证工程质量等情况进行监督检查。部里将对各地系统建设情况进行督促检查，并定期公布各省区市的建设进度。

（二）规范业务流程，统一技术标准。各级就业服务和社会保险经办机构要按照部里下发的业务经办规程和系统建设要求，规范经办行为，优化经办流程，认真整理数据，做好系统建设的基础准备工作。要严格执行部里下发的有关信息系统建设的标准规范，包括《劳动和社会保险管理信息系统信息结构通则》《劳动力市场职业分类与代码》《社会保险管理信息系统指标体系—业务部分》《社会保障（个人）卡规范》《劳动保障系统网络IP地址规划方案》《劳动保障系统政府机构因特网域名规范》等。尚未执行统一标准的地区要尽快向统一标准过渡。各地新建系统和系统升级时，应使用部里统一组织开发的社会保险核心平台软件和劳动99软件。继续做好统一软件的完善和升级工作，以适应劳动保障事业不断发展的需要。

（三）积极筹集建设资金。各地要根据中办发〔2002〕17号文件有关电子政务建设资金的要求，努力争取向计划、财政部门申请系统建设和运行资金，同时也可考虑与银行等机构合作，多渠道筹集资金。劳动力市场信息网建设要按照《中共中央国务院关于进一步做好下岗失业人员再就业工作的通知》（中发〔2002〕12号）文件的要求，积极与财政部门协调，落实资金。

（四）重视安全管理，建立安全监控机制。各级劳动保障部门要高度重视信息系统的安全问题，加大对信息系统的安全投入，建立健全系统安全管理制度，加强对计算机管理人员和操作人员的管理，提高安全管理的技术手段，重点做好系统应用、数据权限、网络管理、机房设备等方面的安全工作，确保信息安全，做到防患于未然。

（五）加强信息队伍建设。各地要加快信息技术人才的引进和培养，建立政治素质高、业务能力强，熟悉信息技术、熟悉劳动保障业务的工作人员队伍，合理有效地发挥信息技术人才的作用。部里将制定培训大纲，对各地的业务管理人员和技术人员进行培训。

2002 年 12 月 3 日

# 国家税务总局　劳动和社会保障部关于促进下岗失业人员再就业税收政策具体实施意见的通知

国税发〔2002〕160号

各省、自治区、直辖市和计划单列市国家税务局、地方税务局、劳动和社会保障厅（局）：

为贯彻落实《中共中央国务院关于进一步做好下岗失业人员再就业工作的通知》（中发〔2002〕12号，以下简称《通知》）和《财政部、国家税务总局关于下岗失业人员再就业有关税收政策问题的通知》（财税〔2002〕208号）精神，经国务院批准，现将下岗失业人员再就业有关税收政策的具体实施意见明确如下：

## 一、新办服务型企业的认定、审核程序

（一）企业申请认定

新办服务型企业的认定工作由劳动保障部门负责。

新办服务型企业当年新招用下岗失业人员，并与其签订3年以上期限劳动合同的，可向当地劳动保障部门递交书面认定申请。

（二）企业申请认定需报送下列材料：

1．营业执照副本；

2．税务登记证副本；

3．下岗失业人员《再就业优惠证》；

4．职工花名册（企业盖章）；

5．企业与新招用的下岗失业人员签订的劳动合同（副本）；

6．企业为职工缴纳的社会保险费记录；

7．企业工资支付凭证（工资表）；

8．劳动保障部门要求的其他材料。

（三）认定办法

1．核查材料

县级以上劳动保障部门接到企业报送的材料后，重点核查下列材料：一是核查新办服务型企业当年新招用的人员是否属于《通知》中规定的享受税收扶持政策对象；二是核查新办服务型企业新招用的下岗失业人员占企业职工总数的比例；三是核查新办服务型企业是否与下岗失业人员签订了3年以上期限的劳动合同；四是核查新办服务型企业为新招用的下岗失业人员缴纳社会保险费的记录。必要时，应深入企业进行现场核实。

2．人员比例计算公式

新办服务型企业当年新招用的下岗失业人员比例的计算公式为：当年新招用下岗失业人员占职工总数的比例＝当年新招用下岗失业人员人数/职工总数×100%。

新办服务型企业经核查，符合条件的，由劳动保障部门核发《新办服务型企业吸纳下岗失业人员认定证明》。

（四）新办服务型企业申请税收减免程序

1．具有《新办服务型企业吸纳下岗失业人员认定证明》的企业申请减免税的，应向其当地主管税务机关报送下列材料：

（1）减免税申请表；

（2）营业执照副本；

（3）税务登记证副本；

（4）《新办服务型企业吸纳下岗失业人员认定证明》；

（5）资产负债表；

（6）企业工资支付凭证（工资表）；

（7）主管税务机关要求的其他材料。

2．经县级以上（含县级，下同）税务机关审核同意后，可以按下列办法享受税收优惠政策：

新办服务型企业当年新招用下岗失业人员达到职工总数30%（含30%）以上的，3年内免征企业应缴纳的营业税、城市维护建设税、教育费附加和企业所得税；

新办服务型企业当年新招用下岗失业人员不足职工总数30%的，3年内按计算的减征比例减征企业所得税。减征比例=（企业当年新招用的下岗失业人员/企业职工总数×100%）×2。

## 二、新办商贸企业的认定、审核程序

（一）企业申请认定

新办商贸企业的认定工作由劳动保障部门负责。

新办商贸企业当年新招用下岗失业人员，并与其签订3年以上期限劳动合同的，可向当地劳动保障部门递交书面认定申请。

（二）企业申请认定需报送下列材料：

1．营业执照副本；

2．税务登记证副本；

3．下岗失业人员《再就业优惠证》；

4．职工花名册（企业盖章）；

5．企业与新招用的下岗失业人员签订的劳动合同（副本）；

6．企业为职工缴纳的社会保险费记录；

7．企业工资支付凭证（工资表）；

8．劳动保障部门要求的其他材料。

（三）认定办法

1．核查材料

县级以上劳动保障部门接到企业报送的材料后，重点核查下列材料：一是核查新办商贸企业当年新招用的人员是否属于《通知》中规定的享受税收扶持政策对象；二是核查新办商贸企业新招用的下岗失业人员占企业职工总数的比例；三是核查新办商贸企业是否与下岗失业人员签订了3年以上期限的劳动合同；四是核查新办商贸企业为新招用的下岗失业人员缴纳社会保险费的记录。必要时，应深入企业进行现场核实。

2．人员比例计算公式

新办商贸企业当年新招用的下岗失业人员比例的计算公式为：当年新招用下岗失业人员占职工总数的比例=当年新招用下岗失业人员人数/职工总数×100%。

新办商贸企业经核查，符合条件的，由劳动保障部门核发《新办商贸企业吸纳下岗失业人员认定证明》。

（四）新办商贸企业申请税收减免程序

1．具有《新办商贸企业吸纳下岗失业人员认定证明》的企业申请减免税的，应向其当地主管税务机关报送下列材料：

（1）减免税申请表；

（2）营业执照副本；

（3）税务登记证副本；

（4）《新办商贸企业吸纳下岗失业人员认定证明》；

（5）资产负债表；

（6）企业工资支付凭证（工资表）；

（7）主管税务机关要求的其他材料。

2．经县级以上税务机关审核同意后，可以按下列办法享受税收优惠政策：

新办商贸企业当年新招用下岗失业人员达到职工总数30%（含30%）以上的，3年内免征企业应缴纳的城市维护建设税、教育费附加和企业所得税；

新办商贸企业当年新招用下岗失业人员不足职工总数30%的，3年内按计算的减征比例减征企业所得税。减征比例=（企业当年新招用的下岗失业人员/企业职工总数×100%）×2。

## 三、现有服务型企业的认定、审核程序

（一）企业申请认定

现有服务型企业的认定工作由劳动保障部门负责。

现有服务型企业，其新增加的岗位，当年新招用下岗失业人员达到职工总数 30%（含 30%）以上，并签订 3 年以上期限劳动合同的，可向当地劳动保障部门递交书面认定申请。

（二）企业申请认定需要报送下列材料：

1. 营业执照副本；

2. 税务登记证副本；

3. 下岗失业人员《再就业优惠证》；

4. 企业上年底职工花名册及本年度职工花名册（企业盖章）；

5. 企业与新招用的下岗失业人员签订的劳动合同；

6. 企业为职工缴纳的社会保险费记录；

7. 企业工资支付凭证（工资表）；

8. 劳动保障部门要求的其他材料。

（三）认定办法

1. 核查材料

县级以上劳动保障部门接到企业报送的材料后，重点核查下列材料：一是核查现有服务型企业新招用的人员是否属于《通知》中规定的享受税收扶持政策对象；二是核查现有服务型企业新增加岗位与新招用的下岗失业人员占企业职工总数的比例；三是核查现有服务型企业是否与下岗失业人员签订了 3 年以上期限的劳动合同；四是核查现有服务型企业为当年新招用的下岗失业人员缴纳社会保险费的记录。必要时，应深入企业进行现场核实。

2. 人员比例计算公式

现有服务型企业在当年新增加岗位中，新招用的下岗失业人员占职工总数比例的计算公式为：当年新招用下岗失业人员占职工总数的比例 = 当年新招用下岗失业人员人数/职工总数(上年年底职工总数 + 当年新招人员数) × 100%。

现有服务型企业经核查，符合条件的，由劳动保障部门核发《现有服务型企业吸纳下岗失业人员认定证明》。

（四）现有服务型企业申请税收减免程序

1. 具有《现有服务型企业吸纳下岗失业人员认定证明》的企业申请减免税的，应向其当地主管税务机关报送下列材料：

（1）减免税申请表；

（2）营业执照副本；

（3）税务登记证副本；

（4）《现有服务型企业吸纳下岗失业人员认定证明》；

（5）企业财务报表；

（6）企业工资支付凭证（工资表）；

（7）主管税务机关要求的其他材料。

2. 经县级以上税务机关审核同意后，3 年内对年度应缴的企业所得税额减征 30%。

## 四、现有商贸企业的认定、审核程序

（一）企业申请认定

现有商贸企业的认定工作由劳动保障部门负责。

现有商贸企业，其新增加的岗位，当年新招用下岗失业人员达到职工总数 30%（含 30%）以上，并签订 3 年以上期限劳动合同的，可向当地劳动保障部门递交书面认定申请。

（二）企业申请认定需要报送下列材料：

1. 营业执照副本；

2. 税务登记证副本；

3. 下岗失业人员《再就业优惠证》；

4. 企业上年底职工花名册及本年度职工花名册（企业盖章）；

5. 企业与新招用的下岗失业人员签订的劳动合同；

6. 企业为职工缴纳的社会保险费记录；

7. 企业工资支付凭证（工资表）；

8. 劳动保障部门要求的其他材料。

（三）认定办法

1. 核查材料

县级以上劳动保障部门接到企业报送的材料后，重点核查下列材料：一是核查现有商贸企业新招用的人员是否属于《通知》中规定的享受税收扶持政策对象；二是核查现有商贸企业新增加岗位与新招用的下岗失业人员占企业职工总数的比例；三是核查现有商贸企业是否与下岗失业人员签订了3年以上期限的劳动合同；四是核查现有商贸企业为当年新招用的下岗失业人员缴纳社会保险费的记录。必要时，应深入企业进行现场核实。

2. 人员比例计算公式

现有商贸企业在当年新增加岗位中，新招用的下岗失业人员占职工总数比例的计算公式为：当年新招用下岗失业人员占职工总数的比例＝当年新招用下岗失业人员人数/职工总数（上年年底职工总数＋当年新招人员数）×100%。

现有商贸企业经核查，符合条件的，由劳动保障部门核发《现有商贸企业吸纳下岗失业人员认定证明》。

（四）现有商贸企业申请税收减免程序

1. 具有《现有商贸企业吸纳下岗失业人员认定证明》的企业申请减免税的，应向其当地主管税务机关报送下列材料：

（1）减免税申请表；

（2）营业执照副本；

（3）税务登记证副本；

（4）《现有商贸企业吸纳下岗失业人员认定证明》；

（5）企业财务报表；

（6）企业工资支付凭证（工资表）；

（7）主管税务机关要求的其他材料。

2. 经县级以上税务机关审核同意后，3年内对年度应缴的企业所得税额减征30%。

**五、国有大中型企业通过主辅分离和辅业改制分流安置本企业富余人员兴办的经济实体（以下简称“经济实体”）的认定、审核程序**

（一）经济实体申请认定

经济实体，符合下列条件的，可向其主管财政部门、经贸部门和劳动保障部门申请认定：

1. 利用原企业的非主业资产、闲置资产或政策性破产关闭企业的有效资产（以下简称“三类资产”）；

2. 独立核算，产权清晰并逐步实现产权主体多元化；

3. 吸纳原企业富余人员占职工总数达到30%以上（含30%）；

4. 与安置的职工变更或签订新的劳动合同。

其中，地方企业“三类资产”的认定由财政部门出具证明；主辅分离、辅业改制的认定及其产权多元化的认定由经贸部门出具证明；富余人员的认定、签订劳动合同以及安置比例由劳动保障部门出具证明。中央企业需出具国家经贸委、财政部、劳动和社会保障部联合批复意见和集团公司（总公司）的认定证明，具体办法按国家经贸委等八部门联合下发的《关于国有大中型企业主辅分离辅业改制分流安置富余人员的实施办法》（国经贸企改〔2002〕859号）执行。

（二）具有上述证明的经济实体申请减免税的，应向其当地主管税务机关报送下列材料：

1. 营业执照副本；

2. 税务登记证副本；

3. 由财政部门出具的《“三类资产”认定证明》；

4. 由经贸部门出具的主辅分离或辅业改制的证明；

5. 由经贸部门出具的《产权结构证明》（或《产权变更证明》）；

对中央企业兴办的经济实体，上述3、4、5项是指由国家经贸委、财政部、劳动和社会保障部联合出具的批复意见和集团公司（总公司）出具的认定证明。

6. 由劳动保障部门出具的《经济实体安置富余人员认定证明》；

7. 经济实体职工花名册；

8．原企业与安置的富余人员劳动关系的变更协议及经济实体与富余人员签订的新的劳动合同（副本）；

9．经济实体工资支付凭证（工资表）；

10．经济实体为所安置的富余人员个人缴纳社会保险费的记录；

11．主管税务机关要求的其他材料。

（三）认定办法

1．核查材料

主管税务机关接到经济实体报送的材料后，重点核查下列材料：一是由经贸部门出具的主辅分离或辅业改制的证明和《产权结构证明》（或《产权变更证明》）；二是由财政部门出具的国有企业的《“三类资产”认定证明》；三是由劳动保障部门出具的《经济实体安置富余人员认定证明》，具体包括：经济实体安置的富余人员是否属于《通知》中规定的享受税收扶持政策对象；经济实体安置的富余人员占企业职工总数的比例；经济实体是否与安置的富余人员签订了新的劳动合同；经济实体为安置的富余人员缴纳社会保险费的记录。必要时，应深入经济实体进行现场核实。

2．人员比例计算公式

经济实体当年安置本企业富余人员比例的计算公式为：当年安置本企业富余人员占职工总数的比例 = 当年安置本企业富余人员人数/企业职工总数（上年年底职工总数 + 当年新安置富余人员人数）× 100%。

（四）经济实体享受的税收扶持政策

经县级以上税务机关审核同意后，对符合条件的经济实体，3 年内免征企业所得税。

## 六、对下岗失业人员从事个体经营的审核程序

下岗失业人员从事个体经营的，领取税务登记证后，可持下列材料向其当地主管税务机关申请减免税：

1．营业执照副本；

2．税务登记证副本；

3．《再就业优惠证》；

4．主管税务机关要求的其他材料。

经县级以上税务机关审核同意后，下岗失业人员可到当地主管税务机关办理营业税、城市维护建设税、教育费附加和个人所得税的减免税手续。

## 七、监督管理

（一）建立健全年度检查制度

各级劳动保障部门、税务部门共同负责本地区年检工作。年检的主要目的是检查企业是否符合国家规定，具备享受扶持政策的条件，防止和杜绝骗税、逃税情况的发生，凡经年检合格的，由税务部门核准继续给予企业或个人享受相关减免税待遇。

1．企业要按照年检内容和工作要求，首先做好自查自检。

2．参加年检的企业应向当地的劳动保障部门递交下列材料（一式两份）：

（1）《新办服务型企业吸纳下岗失业人员认定证明》《新办商贸企业吸纳下岗失业人员认定证明》《现有服务型企业吸纳下岗失业人员认定证明》《现有商贸企业吸纳下岗失业人员认定证明》或《经济实体安置富余人员认定证明》（以下通称《认定证明》）；

（2）新招用下岗失业人员的《再就业优惠证》；

（3）填写《年度检查报告书》（一式四份）；

（4）上年度及本年度上半年财务报表；

（5）职工花名册；

（6）工资报表；

（7）与吸纳的下岗失业人员或被安置的富余人员签订的劳动合同；

（8）社会保险缴费记录。

各级劳动保障部门、税务部门对企业报送的年检材料要及时认真审查。对不符合要求的，要尽快通知企业限期进行整改；对限期整改后，仍达不到要求的，不得继续享受减免税优惠政策，并追缴已减免税款。

对年检合格的企业，由劳动保障部门在

《认定证明》上加盖“年检合格”印戳。

3．年检工作结束后，劳动保障部门、税务部门应将年检资料装订成册，分别归档备查。

不参加年检的企业不得继续享受税收优惠政策。

在年检中发现弄虚作假，伪造《认定证明》和骗取税收扶持政策的，应缴销《认定证明》、追缴所骗税款，情节严重的，应移交司法部门处理。

各省、自治区、直辖市和计划单列市劳动保障部门、税务部门应根据本地区的实际情况，联合做好重点抽查工作。抽查企业不得少于各类应享受税收优惠政策企业的15%。劳动和社会保障部与国家税务总局每年对各地年检认证及享受税收政策情况组织抽查，对抽查中发现的问题要全国通报。

对从事个体经营的下岗失业人员，申请继续享受税收扶持政策的，应持有经县以上劳动保障部门年检的《再就业优惠证》，申请办理本年度减免税手续。

（二）加强《认定证明》的管理

1．《认定证明》由劳动和社会保障部制定统一式样，并负责监制。

2．《认定证明》由各省、自治区、直辖市劳动保障部门负责印制，统一编号备案。

3．企业关闭破产或改变其性质时，发证机关应及时收回《认定证明》。

4．任何单位或个人不得伪造、涂改、转让《认定证明》，违者将依法予以惩处。

2002年12月24日

# 中国人民银行　财政部　国家经贸委 劳动和社会保障部关于印发《下岗失业人员小额担保贷款管理办法》的通知

银发〔2002〕394号

中国人民银行各分行、营业管理部，各省、自治区、直辖市、计划单列市财政厅（局）、经贸委（经委）、劳动和社会保障厅（局），财政部驻各省、自治区、直辖市、计划单列市财政监察专员办事处，各国有独资商业银行、股份制商业银行：

为贯彻落实《中共中央国务院关于进一步做好下岗失业人员再就业工作的通知》（中发〔2002〕12号）精神，中国人民银行会同财政部、国家经贸委、劳动和社会保障部共同起草了《下岗失业人员小额担保贷款管理办法》。经国务院同意，现印发给你们，请遵照执行。

2002年12月24日

附件：下岗失业人员小额担保贷款管理办法

## 附件

## 下岗失业人员小额担保贷款管理办法

**第一条**　贷款的对象和条件。凡年龄在60岁以内、身体健康、诚实信用、具备一定劳动技能的下岗失业人员，自谋职业、自主创业或合伙经营与组织起来就业的，其自筹资金不足部分，在贷款担保机构承诺担保的前提下，可以持劳动保障部门核发的《再就业优惠证》向商业银行或其分支机构申请小额担保贷款。

**第二条**　贷款程序和用途。小额担保贷款按照自愿申请、社区推荐、劳动保障部门审查、贷款担保机构审核并承诺担保、商业银行核贷的程序，办理贷款手续。商业银行自收到贷款申请及符合条件的资料之日起，应在三周内给予贷款申请人正式答复。借款人应将贷款用作自谋职业、自主创业或合伙经营和组织起来就业的开办经费和流动资金。

**第三条** 贷款额度与期限。小额担保贷款金额一般掌握在两万元左右，还款方式和计结息方式由借贷双方商定，对下岗失业人员合伙经营和组织起来就业，可根据人数，适当扩大贷款规模。贷款期限一般不超过两年，借款人提出展期且担保人同意继续提供担保的，商业银行可以按规定展期一次，展期期限不得超过一年。

**第四条** 贷款利率与贴息。小额担保贷款利率按照中国人民银行公布的贷款利率水平确定，不得向上浮动。从事微利项目的小额担保贷款由中央财政据实全额贴息，展期不贴息。微利项目是指由下岗失业人员在社区、街道、工矿区等从事的商业、餐饮和修理等个体经营项目，具体包括：家庭手工业、修理修配、图书借阅、旅店服务、餐饮服务、洗染缝补、复印打字、理发、小饭桌、小卖部、搬家、钟点服务、家庭清洁卫生服务、初级卫生保健服务、婴幼儿看护和教育服务、残疾儿童教育训练和寄托服务、养老服务、病人看护、幼儿和学生接送服务。每年年底，国有独资商业银行各地市经办银行的贴息发生额度经当地财政部门审核同意后，经财政部专员办核准后，由经办银行上报其总行汇总，总行汇总后报财政部审核后拨付；股份制商业银行的各地市经办银行向当地财政部门据实报告贴息发生额度，经当地财政部门审核，并报财政部专员办核准后，由省级财政部门报财政部审核后拨付。

**第五条** 贷款担保基金。各省、自治区、直辖市以及地级以上市都要建立下岗失业人员小额贷款担保基金，所需资金主要由同级财政筹集，专户储存于同级财政部门指定的商业银行，封闭运行，专项用于下岗失业人员小额担保贷款。小额担保贷款责任余额不得超过贷款担保基金银行存款余额的五倍。贷款担保基金收取的担保费不超过贷款本金的1%，由地方政府全额向担保机构支付。

**第六条** 贷款担保机构。下岗失业人员小额贷款担保基金委托各省（自治区、直辖市）、市政府出资的中小企业信用担保机构或其他信用担保机构运作，尚未建立中小企业信用担保机构的地区，由同级财政部门会同经贸部门、劳动保障部门报经当地政府批准后可成立新的担保机构。受托运作的信用担保机构应建立贷款担保基金专门账户，贷款担保基金的运作与信用担保机构的其他业务必须分开，单独核算。

**第七条** 贷款管理与考核。商业银行地级以上城市分支行小额担保贷款不良率达到20%时，应停止发放新的贷款，担保基金代位清偿降低贷款不良率后，可恢复受理贷款申请。贷款到期不能归还至担保机构履行代位清偿责任之间的期限，最长不得超过三个月，这期间，小额担保贷款质量考评情况不纳入商业银行不良贷款考核体系。

**第八条** 贷款担保基金的风险管理。省级政府设立的下岗失业人员小额贷款担保基金应适当分担地市贷款担保基金的损失，具体分担比例和运作方式由省级财政部门会同经贸部门、劳动保障部门确定。贷款担保基金对单个经办银行小额贷款担保代偿率达到20%时，应暂停对该行的担保业务，经与该行协商采取进一步的风险控制措施并报经同级财政部门商经贸部门、劳动保障部门批准后，再恢复担保业务。同级财政部门应会同经贸部门、劳动保障部门确定贷款担保基金的年度代偿率的最高限额，对限额以内、贷款担保基金自身无法承担的代偿损失，由同级财政部门审核后予以弥补。

**第九条** 贷款服务。商业银行要简化手续，为申请贷款的下岗失业人员提供开户和结算便利。因申请人不符合贷款条件而不能提供贷款的，应向申请人说明理由，提出改进建议，并将有关情况定期向上级行报告。贷款期间，贷款银行要定期与借款人联系，了解其资金使用和经营情况，提供必要的财务指导。

**第十条** 监督与审计。各商业银行要根据本办法的要求，结合本行和当地的实际情况，制定切实可行的具体措施；要确保分支机构发放小额担保贷款所需的资金和额度；随时掌握本行开展小额担保贷款业务的情况和存在的问题，主动与就业工作主管部门沟通信息、协调工作。中国人民银行及各分支机构，要对当地商业银行贯彻落实情况加强督促检查。各省级财政部门应结合本地的实际情况，会同经贸部门、劳动保障部门制定和完善本地区的贷款担保基金管理措施，积极支持商业银行开展小额担保贷款业务，防范和控制风险，加强对贷款担保基金和财政贴息监督检查，确保政策落到实处。各地要将小额担保贷款运行中的经验及发现的问题，及时报送中国人民银行、财政部、国家经贸委及劳动和社会保障部。

# 财政部　国家税务总局关于下岗失业人员再就业有关税收政策问题的通知

财税〔2002〕208号

各省、自治区、直辖市、计划单列市财政厅(局)、国家税务局、地方税务局，新疆生产建设兵团财务局：

为了促进下岗失业人员再就业工作，根据《中共中央国务院关于进一步做好下岗失业人员再就业工作的通知》（中发〔2002〕12号）精神，经国务院批准，现就下岗失业人员再就业有关税收政策问题通知如下：

一、对新办的服务型企业（除广告业、桑拿、按摩、网吧、氧吧外）当年新招用下岗失业人员达到职工总数30%以上（含30%），并与其签订3年以上期限劳动合同的，经劳动保障部门认定，税务机关审核，3年内免征营业税、城市维护建设税、教育费附加和企业所得税。

企业当年新招用下岗失业人员不足职工总数30%，但与其签订3年以上期限劳动合同的，经劳动保障部门认定，税务机关审核，3年内可按计算的减征比例减征企业所得税。减征比例＝(企业当年新招用的下岗失业人员÷企业职工总数×100%)×2。

二、对新办的商贸企业（从事批发、批零兼营以及其他非零售业务的商贸企业除外），当年新招用下岗失业人员达到职工总数30%以上（含30%），并与其签订3年以上期限劳动合同的，经劳动保障部门认定，税务机关审核，3年内免征城市维护建设税、教育费附加和企业所得税。

企业当年新招用下岗失业人员不足职工总数30%，但与其签订3年以上期限劳动合同的，经劳动保障部门认定，税务机关审核，3年内可按计算的减征比例减征企业所得税。减征比例＝(企业当年新招用的下岗失业人员÷企业职工总数×100%)×2。

三、对现有的服务型企业（除广告业、桑拿、按摩、网吧、氧吧外）和现有的商贸企业（从事批发、批零兼营以及其他非零售业务的商贸企业除外）新增加的岗位，当年新招用下岗失业人员达到职工总数30%以上（含30%），并与其签订3年以上期限劳动合同的，经劳动保障部门认定，税务机关审核，3年内对年度应缴纳的企业所得税额减征30%。

四、对国有大中型企业通过主辅分离和辅业改制分流安置本企业富余人员兴办的经济实体（以下除外：金融保险业、邮电通讯业、建筑业、娱乐业以及销售不动产、转让土地使用权，服务型企业中的广告业、桑拿、按摩、网吧、氧吧，商贸企业中从事批发、批零兼营以及其他非零售业务的企业），凡符合以下条件的，经有关部门认定，税务机关审核，3年内免征企业所得税。

1．利用原企业的非主业资产、闲置资产或关闭破产企业的有效资产；

2．独立核算、产权清晰并逐步实行产权

主体多元化；

3. 吸纳原企业富余人员达到本企业职工总数30%以上（含30%）；

4. 与安置的职工变更或签订新的劳动合同。

五、对下岗失业人员从事个体经营（除建筑业、娱乐业以及广告业、桑拿、按摩、网吧、氧吧外）的，自领取税务登记证之日起，3年内免征营业税、城市维护建设税、教育费附加和个人所得税。

六、提高营业税和增值税的起征点。

提高增值税的起征点：将销售货物的起征点幅度由现行月销售额600～2 000元提高到2 000～5 000元；将销售应税劳务的起征点幅度由现行月销售额200～800元提高到1 500～3 000元；将按次纳税的起征点幅度由现行每次（日）销售额50～80元提高到每次（日）150～200元。

提高营业税的起征点：将按期纳税的起征点幅度由现行月销售额200～800元提高到1 000～5 000元；将按次纳税的起征点由现行每次（日）营业额50元提高到每次（日）营业额100元。

七、本《通知》所称的新办企业是指《中共中央国务院关于进一步做好下岗失业人员再就业工作的通知》（中发〔2002〕12号）下发后新组建的企业。原有的企业合并、分立、改制、改组、扩建、搬迁、转产以及吸收新成员、改变领导（或隶属）关系、改变企业名称的，不能视为新办企业。

本《通知》所称的服务型企业是指从事现行营业税“服务业”税目规定的经营活动的企业。

本《通知》所称的下岗失业人员是指：1. 国有企业的下岗职工；2. 国有企业的失业人员；3. 国有企业关闭破产需要安置的人员；4. 享受最低生活保障并且失业一年以上的城镇其他失业人员。

八、上述优惠政策执行期限为2003年1月1日至2005年12月31日。

对于在《中共中央国务院关于进一步做好下岗失业人员再就业工作的通知》（中发〔2002〕12号）下发之日至2002年12月31日期间组建，并于2003年1月1日前通过劳动保障部门认定和税务机关审核的企业，从2003年1月1日起3年内享受该政策；对于在《中共中央国务院关于进一步做好下岗失业人员再就业工作的通知》（中发〔2002〕12号）下发之日至2002年12月31日期间组建，但在2003年1月1日后（含2003年1月1日）通过劳动保障部门认定和税务机关审核，以及在2003年1月1日后（含2003年1月1日）组建，并通过劳动保障部门认定和税务机关审核的企业，从通过税务机关审核之日至2005年12月31日享受该政策。

九、本《通知》下发之后，现行有关劳动就业服务企业的税收优惠政策以及其他扶持就业的税收优惠政策，仍按原规定执行。如果企业既适用本《通知》规定的优惠政策，又适用原有的优惠政策，企业可选择适用最优惠的政策，但不能累加执行。

2002年12月27日

# 全国劳动和社会保障工作

# 就业和再就业

## 一、就业总量继续增长，就业结构进一步改善

2002 年末，全国城乡就业人员 73 740 万人，比上年末增加 715 万人。其中第一产业 36 870万人，占 50.0%；第二产业15 780万人，占 21.4%；第三产业21 090万人，占 28.6%。城镇就业人员24 780万人，比上年末增加 840 万人。其中城镇单位就业人员10 985万人，比上年末减少 181 万人；城镇私营和个体就业人员4 267万人，比上年末增加 609 万人。在城镇单位就业人员中，在岗职工10 558万人，比上年末减少 234 万人。年末全国城镇登记失业率为 4.0%。

## 二、积极的就业政策框架确立

党中央国务院高度重视下岗失业人员再就业工作，2002 年 9 月，召开全国再就业工作会议，中央政治局全体成员出席会议。江泽民、朱镕基、吴邦国作重要讲话。各省、自治区、直辖市党政一把手参加。会后，下发了《中共中央国务院关于进一步做好下岗失业人员再就业工作的通知》（中发〔2002〕12 号），制定了 23 条促进就业和再就业工作的方针和政策，确立了有中国特色的积极就业政策的框架。

《通知》在全面总结我国长期以来就业和再就业工作经验的基础上，针对新时期就业的新形势和新特点，围绕着解决下岗失业人员再就业问题，研究制定了一整套促进就业和再就业的政策措施，确立了有中国特色的积极就业政策的基本框架。

其基本着眼点是：坚持市场导向就业机制，采取切实有效的政策措施，支持劳动者自谋职业和自主创业，鼓励企业多吸纳下岗失业人员再就业，帮助困难群体就业，以及鼓励企业内部分流安置富余人员。主要包括以下四个方面：

一是为支持下岗失业人员自谋职业，实行免征税费和小额贷款扶持政策。对下岗失业人员自谋职业，从事个体经营的，3 年内免征有关税费。对下岗失业人员自谋职业和自主创业提供小额担保贷款，由政府建立担保基金，由财政贴息。

二是为鼓励服务型企业吸纳下岗失业人员，实行社会保险补贴政策和减免税收政策。对各类服务型企业新增岗位新招用国有企业下岗失业人员，提供社会保险补贴。补贴标准为单位应缴的养老保险费和失业保险费之和，个人应缴的养老保险费和失业保险费仍由本人负担。为鼓励企业多吸纳下岗失业人员，对服务型企业新增岗位当年新招用下岗失业人员达到职工总数 30% 以上，在给予社会保险补贴的同时，3 年内减免有关税费。

三是为帮助就业困难对象，实行再就业援助。对有就业能力和就业愿望的，男 50 周岁、女 40 周岁以上就业困难的下岗失业人员，作为就业援助的主要对象，提供即时岗位援助等多种帮助。政府投资开发的公益性岗位优先安排大龄就业困难对象。在社区开发公益性岗位安排原国有企业的大龄就业困难对象就业，给予社会保险补贴和岗位补贴。

四是为鼓励国有大中型企业主辅分离和辅业改制，分流安置富余人员，实行免征所得税政策。为调动国有大中型企业安置富余人员的积极性，减轻社会失业压力，对国有大中型企业通过主辅分离，辅业改制，分流安置本企业富余人员而兴办的经济实体，符合规定条件的，3 年内可免征企业所得税。

为更好地贯彻落实全国再就业工作会议和中发 12 号文件精神，劳动保障部会同中宣部、国家计委、国家经贸委、监察部、财政部、建设部、人民银行、税务总局、工商总局、中央编办、全国总工会 12 个部门和单位，研究制定了 8 个配套文件，进一步明确和细化了各项扶持政策的操作办法。

## 三、国有企业下岗职工基本生活保障工作成果继续得到巩固

到 2002 年底，国有企业（含国有联营企业、国有独资公司）下岗职工 410 万人，比上年底减少 105 万人，绝大多数进中心的下岗职工都能按时足额领到基本生活费并代缴社会保险费。全年共有 120 万国有企业下岗职工实现再就业，再就业率为 26%。

国有企业结构调整和关闭破产力度进一步加大，企业关闭破产项目的实施稳步推进，工作重点集中在协调处理军工、煤炭、有色、三峡库区搬迁企业等行业企业关闭破产、职工安置和社会保障问题。2002 年，经国务院批准，全国领导小组下达关闭破产项目 372 户，银行核呆 379.4 亿元，涉及在职职工 90.8 万人，离退休人员 49.5 万人。同时，进一步规范了企业破产操作程序。

## 四、全国劳动力市场科学化、规范化、现代化“三化”建设试点继续取得进展

2002 年底，全国已有 90 个城市实现职业介绍信息市内联网，并开展了职业供求信息季度分析并向社会发布。全国职业介绍工作有很大发展，各项业务量显著增长，在促进劳动者就业和单位用工方面发挥了重要作用。全国共有各类职业介绍机构26 158所。其中，各级劳动保障部门办公共职业介绍机构18 010所。全国各类职业介绍机构共有工作人员85 201人，其中劳动保障部门的58 056人。全年全国登记求职人数2 684万人次，比上年增长 10%；职业介绍成功1 354万人次，也比上年增长 10%。其中，到劳动保障部门办职业介绍机构登记求职的1 903万人次，比上年增长 14%；介绍成功 978 万人次，比上年增长 16%。

## 五、农村劳动力流动就业管理服务取得新进展

2002 年，政府从国民经济和社会发展的全局出发，按照“公平对待、合理引导、完善管理、搞好服务”的方针，积极采取措施，为农民进城务工创造有利条件，维护农民工的合法权益。一是对限制农村劳动力进城务工就业的歧视性政策和行政事业收费项目进行了清理，取消了对用工单位招用农村劳动力的行政审批、对进城就业农民工的就业限制政策和对农民的不合理行政性收费项目。二是进一步健全对进城务工农民的劳动合同管理，加强对工资支付、劳动条件等方面的管理和监督检查，依法保护农民工的合法权益。针对用工单位克扣拖欠农民工工资、非法职业中介机构坑骗进城求职农民工这两个突出问题，集中开展农民工权益保障专项监察，有效地维护了农民工的合法权益和劳动力市场秩序。三是进一步改进流动人口就业服务工作，通过调查分析和及时发布大中城市企业用工需求信息，定期公布城市劳动力市场主要职业供求分析报告，积极开展有组织的定向劳务协作和流动就业跟踪服务等措施，引导劳动力合理有序流动。据统计，2002 年全国农村劳动力到乡以外的地方就业人数约9 400万人，比上年增长 12.2%，其中当年转移农村劳动力1 349万人；农民外出务工总收入约5 278亿元，其中寄、带回家的约3 274亿元；外出务工使农民人均增收 43.5 元，占当年农民增收总量的 42%，成为农民增收的一个重要渠道。

# 职业培训

围绕贯彻落实全国职业教育工作会议和全国再就业工作会议精神，推动职业培训改革发展。2002年7月，劳动保障部启动了《加强职业培训提高就业能力计划》，提出以提高广大劳动者的就业能力、工作能力和职业转换能力为目标，把职业培训工作推向新阶段。9月，劳动保障部开始实施国家高技能人才培训工程，在北京、天津等30个重点城市和中国机械工业联合会等11个行业企业集团启动机电高级技工培训项目，确立209个培训基地，开展高级技术工人培训工作。2002年是第二期“三年千万”再就业培训计划的第二年。全年全国共组织518万人参加再就业培训，培训合格人数达467万，培训合格率为90%，培训后有294万人实现了再就业，培训后再就业率达63.1%。全国共组织31万人参加创业培训，培训合格28万人，其中，18万人成功创业或自谋职业，创业成功率达64%。在调整布局、提高层次、突出特色、服务就业方针的指引下，技工学校调整改革工作取得明显成效。2002年技校招生总数达到73万人，比上年增长32.7%，面向社会开展各类培训208万人次，比上年增长27%。到年底，全国共有技工学校3 075所，其中国家级重点技工学校389所，高级技工学校244所，在校生总数153万人。全国共有就业训练中心3 465所，社会培训机构17 350所。全国技工学校、就业训练中心、社会培训机构全年共培训近1 300万人次。

我国职业资格证书制度建设和职业技能鉴定工作取得较大进展。全年全国共有661.9万人参加了职业技能鉴定，比上年增长23.8%；有556.2万人取得职业资格证书，比上年增长21.7%。到年底，全国共有职业技能鉴定机构8 517个，职业技能鉴定考评人员17.5万人。劳动保障部制定和颁布三批共71个国家职业标准。技师考评社会化管理、企业职工职业技能鉴定和职业学校毕业生职业技能试点工作取得进展。劳动保障部与有关部门制定了进一步推动职业学校实施职业资格证书制度的意见。集中力量在全国开展了美容、美发、保健按摩、中式烹调和汽车修理5个职业的职业资格证书制度专项治理和推进工作。12月，劳动保障部召开第六届中华技能大奖和全国技术能手表彰大会，隆重表彰了10位中华技能大奖获得者和101位全国技术能手。

# 劳 动 关 系

2002年，劳动关系协调工作以妥善处理下岗职工劳动关系为重点，继续全面推行劳动合同制度，加强劳动合同管理，积极推进集体协商与集体合同制度，促进劳动关系三方协调机制建设，在保持劳动关系和谐稳定，促进社会经济发展和维护社会稳定方面发挥了积极作用。

## 一、积极稳妥处理国有企业改革中的劳动关系问题，特别是下岗职工劳动关系问题

下岗职工劳动关系处理工作稳步进行，解除劳动关系人数与上年基本持平。2002年，各级劳动保障部门坚持分类指导的原则，积极探索灵活多样的办法，努力促进下岗职工平稳出中心，推动下岗职工基本生活保障与失业保险并轨。截至2002年底，全国出中心下岗职工为191.4万人，解除劳动关系人数为90.2万人，占出中心人数的47.1%，比2001年上升了1个百分点。北京、上海、浙江、福建等省市已经撤销再就业服务中心，天津、辽宁、广东、海南等省市基本实现并轨。

积极研究制定和完善国有企业改制改组所涉及的劳动关系政策，逐步理顺和规范劳动关系。与国家经贸委等8部门联合下发了《关于国有大中型企业主辅分离辅业改制的有关意见的通知》，对国有大中型企业实施改制分流涉及的劳动关系处理等问题提出了具体政策意见。在地方国有企业改革的实践中，北京、吉林、浙江、安徽、福建、湖南、湖北等省市对改制企业采取分类处理劳动关系的办法，将企业改制与处理劳动关系紧密结合，有效地解决改制企业职工劳动关系问题，尤其是一并解决了下岗职工劳动关系处理的经济补偿和清偿历史欠债问题，取得较好效果。

认真研究劳动关系出现的新情况、新问题，针对当前突出的非全日制用工缺乏政策规范、部分企业规模裁员等问题，开展调查研究，制定相关政策法规，维护劳动者合法权益，促进就业。上海、青岛、大连等地对非全日制就业的劳动关系、小时最低工资标准以及社会保险等作出明确规定。在《中共中央国务院关于进一步做好下岗失业人员再就业工作的通知》（中发〔2002〕12号）中对规模裁员作了原则规定：正常生产经营企业成规模裁减人员，人员裁减方案要经企业职工代表大会讨论。凡不能依法支付解除劳动合同经济补偿金并妥善解决企业拖欠职工债务的，不得裁减人员。国有大型企业一次性减员超过一定数量和比例的，要事先向当地政府报告。

## 二、劳动合同制度不断完善，劳动合同管理进一步加强

2002年，各级劳动保障部门主要通过推动劳动合同立法规范劳动合同制度。北京、上海、山东、天津、河北等省市人大或政府制定或重新修订了地方劳动合同法规或规章，对劳动合同的签订、履行、法律责任作出了具体规定，加大了对不签订劳动合同的处罚力度，劳动合同签订率明显提高。截至2002年底，全国城镇各类企业劳动合同签订率达到95%以上。

在各级劳动保障部门指导和督促下，企业

执行劳动合同制度的自觉性有所提高，在劳动合同管理方式和手段以及规章制度的建立方面都有比较大的改进。据上海市和吉林省的抽样调查，建立劳动合同管理台账的企业比例分别为87.6%和70%，制定规章制度的企业比例分别为90.7%和74.3%，建立劳动合同管理统计制度的比例分别为84.8%和77.1%。广东、山东等省实行了劳动合同管理人员持证上岗制度，提高了企业劳动合同管理人员的执业水平和业务素质，为劳动合同管理规范化、制度化奠定了基础。

### 三、进一步推行集体协商与集体合同制度

2002年，各级劳动保障部门会同工会组织和企业组织，认真贯彻落实在南京召开的“全国贯彻《劳动法》《工会法》推进集体合同劳动合同工作经验交流会”精神，大力推进企业开展集体协商工作，集体合同制度建设取得一定进展。江苏省开展了劳动合同、集体合同管理年活动，湖北省下发了集体合同规定。截至年底，全国已签订集体合同所覆盖的企业达到63.5万户，涉及职工8 000万人；有3万多户企业开展了工资集体协商。为解决小企业工会组建率低、劳动关系难协调的问题，全国28个省（自治区、直辖市）开展了签订区域性、行业性集体合同试点工作。

### 四、劳动关系三方协调机制建设取得重大进展

2002年，全国省一级劳动关系三方协调机制建设取得重大进展。到年底，全国30个省（自治区、直辖市）建立了省一级三方协调机制。北京、河北、山西、辽宁、吉林、上海、江苏、福建、河南、湖南、重庆等省（直辖市）已经或正在逐步将三方机制向市（地）、县（区）、乡镇、街道延伸。各级劳动保障部门积极探索建立劳动关系三方协调机制，标志着我国劳动关系协调工作进入了一个新的发展阶段，协调劳动关系的三项主要制度框架基本形成。一些地方从本地区实际出发，探索建立具有地方特色的三方机制。福建省成立了工资协商指导委员会；辽宁省在三方协调组织中分别设立了劳动关系、工资收入分配、社会保险等专门的工作小组，三方协商内容由过去研究推进集体合同和劳动合同工作逐步扩大到劳动关系其他领域；江苏省把如何做好下岗职工基本生活保障和再就业等列为三方协商议题；上海市把建立企业欠薪制度等列为协商议题。

### 五、劳动争议处理工作的力度进一步加大

据统计，2002年全国各级劳动争议仲裁委员会共立案受理劳动争议案件184 116件，涉及劳动者608 396人，到年底共审理结案178 744件（其中上年结转12 472件），结案率为91%。各级劳动争议仲裁委员会还以非立案方式调解处理劳动争议77 342件。仲裁委员会通过处理劳动争议案件，有效地维护了当事人双方的合法权益，为深化企业改革，促进社会和劳动关系和谐稳定发挥了积极作用。

2002年劳动争议案件处理工作的主要特点是：第一，劳动争议案件总量继续以较高比例增长。与2001年相比，立案受理数比上年增长19.1%，涉及劳动者人数比上年增长30.2%。第二，国有企业劳动争议案件数量继续上升，但占案件总数的比例有所下降。股份、有限及联营企业和私营企业劳动争议案件数量增长迅猛。第三，集体劳动争议案件呈上升趋势，涉及人数较多，主要发生在国有、股份、有限及联营企业，集体、私营企业。第四，劳动争议案件多集中在经济较发达地区，中西部经济欠发达地区争议数量较少。第五，劳动争议案件调解处理难度增加，裁决比重加大。

面对劳动争议案件数量大幅度上升和处理难度加大的现状，各级劳动争议仲裁机构认真总结实践经验，积极探索完善劳动争议处理制度，在推进劳动争议仲裁机构实体化建设、改进办案方式、提高办案效率和仲裁权威性，以及仲裁员队伍建设等方面都取得了许多有益的经验。此外，劳动保障部会同全国总工会、国

家经贸委、最高人民法院等有关部门和地方劳动保障部门，对进一步改革和完善劳动争议仲裁现行体制、完善办案程序、提高办案效率、加强仲裁监督等进行了积极的探索和研究。

# 企业工资收入分配与劳动标准

## 一、企业工资分配

在企业工资分配方面，按照建立与现代企业制度相适应的收入分配制度的目标，以建立激励与约束相结合的收入分配机制为中心，突出推进国有企业经营者收入分配制度改革和改善对垄断行业工资收入分配调控两个重点，抓好企业内部分配制度改革、宏观调控体系建设、完善政策法规三个环节，切实为改革发展稳定大局服务。职工工资水平进一步提高。2002年，全国城镇单位在岗职工年平均工资12 422元，比上年增长14.3%，扣除价格因素，实际增长15.5%。

### （一）深化企业工资收入分配制度改革，着力建立收入分配的激励机制

1. 稳妥推进国有企业经营者收入分配制度改革。一是有关地区对试点办法进行了完善，强调试点重在机制建设，建立经营者收入与其职责、承担的风险和业绩挂钩的分配制度，防止盲目提高收入现象的发生。二是对中央企业下属企业年薪制试点进行指导，并对中央直属企业和部分地方企业经营者收入状况进行摸底调查，为制定科学合理的经营者分配政策奠定基础。总的来看，各地的年薪制试点更加规范化，试点比较平稳，对调动经营者积极性起到了积极作用。

2. 继续推动企业内部分配制度改革，建立工资能增能减机制。一是各级劳动保障部门积极指导企业按照《关于印发进一步深化企业内部分配制度改革指导意见的通知》（劳社部发〔2000〕21号）精神，深化企业内部分配制度改革，加紧建立人员能进能出、岗位能上能下、工资能增能减的机制。截至2002年底，约2.3万家企业进行了以岗位工资为主的内部分配制度改革。二是重点指导中央直属企业搞好内部分配制度改革，推进金融、电信等企业内部分配制度改革，打破平均主义分配，使工资收入水平与劳动力市场价位接轨，切实拉开收入分配差距，构建收入分配的激励约束机制。

同时，继续探索建立市场化的企业工资决定机制，推进工资集体协商试点工作，全国有3万多户企业开展了试点。各地区按照国家有关要求，将工资集体协商作为推行集体合同制度的重要内容来抓，促进了平等协商机制和集体合同制度的建立。工资集体协商制度的建立，使职工民主参与工资分配决策的权利有了制度保障，保证了职工工资合理增长，促进了劳动关系的和谐稳定。

### （二）完善政府对企业工资收入分配的宏观调控

1. 继续完善企业工资收入分配宏观调控体系建设。一是进一步扩大工资指导线试点范围，完善试点办法。目前，全国已有29个地区建立了工资指导线制度，对指导企业合理确定工资增长水平发挥了重要作用。二是继续加大劳动力市场工资指导价位制度建设工作，118个中心城市发布了工资指导价位，指导企业合理确定各岗位工资水平。三是推进建立人工成本预测预警制度工作，18个城市发布了当地主要行业人工成本信息，指导企业合理确定人工成本水平，增强市场竞争力。

2．继续坚持国家对垄断行业收入分配的管理，并加大调控力度，从工资总量和工资水平两方面严格控制垄断行业的工资增长幅度。同时，各级劳动保障部门与有关部门协调配合，对部分国有企业工资内外收入进行监督检查，对企业工资分配中的违法违纪行为进行查处，规范企业工资分配行为，维护国有资产所有者权益。

（三）完善企业工资分配法规，保护职工合法权益

1．完善工资分配法规。一是适应市场经济发展要求和企业工资分配实际需要，研究修改现行《工资支付暂行规定》。同时，一些地区从本地实际出发，积极修改完善当地工资支付法规规章。浙江、河北、珠海等省市制定并颁布了新的企业工资支付法规，进一步规范企业工资分配行为，保障劳动者合法权益。二是研究完善最低工资保障制度，并适应灵活就业形式的需要，研究制定适合小时工等灵活就业者的工资政策，特别是制定颁布小时最低工资标准。截至2002年底，14个省市颁布了当地小时最低工资标准。

2．重视解决和缓解拖欠职工特别是农民工工资问题，切实保障劳动者权益，维护社会稳定。一是按照国务院要求，研究制定维护农民工合法权益的政策文件，提出解决拖欠和克扣农民工工资问题的政策措施。二是各级劳动保障部门采取积极措施解决拖欠工资问题。如深圳市建立企业欠薪保障制度；黑龙江省在建筑企业建立农民工欠薪保障金制度；宁波市在建筑企业建立工资支付保障金制度；湖北、江苏、广东等省的一些地市建立了企业欠薪预警制度。这些措施的实行，对保障劳动者合法权益发挥了重要作用。

## 二、劳动标准

2002年，劳动标准工作以加强劳动标准体系建设为重点，研究制定了今后一段时期劳动标准工作的总体思路和发展规划，积极推动劳动标准法规建设和行业劳动定员定额标准的开展。

一是参加国家级课题《中国劳动标准体系研究》的工作，完成了子课题《中国劳动标准现状及存在问题》的研究和课题报告的撰写。该课题第一次全面、系统地论述了建立健全劳动标准体系的指导思想和原则，描绘了我国劳动标准体系框架及构成，阐明了劳动标准体系的基本内容，提出了建立健全劳动标准体系的主要步骤，分析了目前劳动标准方面存在的突出问题，并提出相应的对策建议，从而确立了今后一段时期劳动标准工作的发展规划。

二是配合国务院法制办重新制定了《禁止使用童工规定》（国务院令第364号），同时会同有关部门组成联合工作组赴云南省开展了有关禁止和打击非法使用童工情况的核查和调研工作。

三是加强劳动定额定员标准化工作的基础性建设。完成《劳动定员定额标准结构与编写规则》（国家标准）的编写工作，该《规则》已通过全国劳动定额定员标准化技术委员会的审定，正式报送国家标准化管理委员会审批并颁布。审定通过并批准发布了《民用航空安全检查人员定员定额》行业标准。协助国家标准化管理委员会对全国劳动定额定员标准化技术委员会所属各行业劳动定额定员分委员会进行了清理整顿工作。

四是对中国联通公司、中国水产（集团）总公司、中国铁路工程总公司等部分中央企业先后提出的关于部分工作岗位实行不定时工作制和综合计算工时工作制的申请，及时进行审核并批复。

五是完成了部级课题《女职工劳动保护标准研究》，通过了课题评审鉴定。该课题研究对我国女职工劳动保护工作的整体状况进行分析研究，对进一步做好女职工劳动保护工作和完善有关劳动标准提出了对策建议。

# 养 老 保 险

2002年，我国养老保险事业以巩固两个确保和完善社会保障体系为目标，狠抓各项工作的落实，积极开展调查研究，在确保企业离退休人员养老金按时足额发放、提高基本养老金水平、依法扩大养老保险覆盖面、完善基本养老保险政策、进一步做好行业移交后续工作、实现养老保险的社会化管理服务等方面取得了较大进展。到年底，全国参加基本养老保险的人数达14 737万人，其中：在职职工人数11 129万人，离退休人员3 608万人。全年基本养老保险基金总收入3 171亿元，基金收缴率为94.9%，基金支出2 843亿元，基金历年累计结余1 608亿元。全国参保职工的月人均缴费工资为802元，参保的离退休人员月人均养老金648元。企业离退休人员养老金基本实现社会化发放，社会化管理率达到43.5%。

## 一、确保养老金按时足额发放

2002年，各级劳动保障部门以确保养老金发放工作为重点，进一步强化基金征缴，清理企业欠费，积极争取财政支持，加大基金调剂力度。全国养老保险基金全年总收入3 171亿元，其中：征缴收入2 551亿元，财政补助560亿元。在征缴收入中，由企业补缴的历年欠费为129亿元。在财政补助中，中央财政对地方的养老保险基金补助实现了年初一次下达计划、资金按季拨付的新机制，工作进一步规范，全年共补助26个省（自治区、直辖市）408亿元。全国企业应发养老金2 406亿元，实发2 404亿元，同时还补发历史拖欠的养老金3亿元。通过努力，基本保证了企业离退休人员养老金的按时足额发放，维护了社会稳定。

## 二、提高企业退休人员养老金水平

随着基本养老金调整机制的不断完善，企业离退休人员养老金调整力度加大，养老金水平不断提高。2001年企业退休人员基本养老金的调整于2002年4月底基本完成，月人均增加养老金40元。2002年，国务院决定再次调整企业退休人员养老金，劳动保障部、财政部联合下发了《关于2002年调整企业退休人员基本养老金水平的通知》（劳社部发〔2002〕16号），规定养老金增加幅度总体上按当地上年企业在岗职工平均工资增长率的50%左右掌握，并要求采取普调与解决特殊问题相结合的办法，对退休早、基本养老金偏低的老干部、老工人、军队转业干部等人员适当提高调整水平。全国实际执行结果是普调月人均增加33元，解决突出问题的人员月人均增加66元。中央财政对26个省（自治区、直辖市）给予了37亿元专项补贴。这次待遇调整抓得紧，做得实，组织严密，工作进展比较平稳，为党的十六大召开创造了良好的社会氛围，各方面普遍反映较好。

## 三、依法扩大养老保险覆盖面

2002年，各级劳动保障部门认真落实《社会保险费征缴暂行条例》的规定，把扩面工作作为维护广大职工和离退休人员合法权益的一项重要任务，依法加大工作力度，使扩面工作取得新的进展。到年底，全国已参加基本养老保险的职工人数达11 129万人，比上年增加327万人，增长3%；其中企业参保职工为9 929万人，比上年增加196万人，增长2%。全国参保的离退休人员达3 608万人，比上年增加227万人，增长6.7%；其中企业参保离退休人员为3 349万人，比上年增加177万人，增长5.6%。在参保职工总数中，实际缴费人数为9 969万人，占90%；其中企业实际缴费人数为8 819万人，占企业参保职工总数的89%。

### 四、抓紧基本养老保险的各项政策配套

2002年，劳动保障部围绕改革中出现的新情况、新问题，相应制定养老保险的各项政策。

1. 关于转制科研机构养老保险问题。劳动保障部、人事部、财政部、科技部、建设部联合下发了《关于转制科研机构和工程勘察设计单位转制前离退休人员待遇调整等问题的通知》（劳社部发〔2002〕5号），对转制事业单位养老保险政策进行了调整。

2. 关于控制提前退休问题。劳动保障部与国家经贸委联合向国务院报送了《关于企业职工提前退休问题的报告》。

3. 关于其他相关政策的研究。针对各地的请示，对扣发离退休人员基本养老金抵偿债务问题、破产企业一次性安置人员再就业后工龄计算问题、离休人员和建国前参加工作的老工人增发生活补贴计发基数问题、劳动合同制职工工龄计算问题等，研究提出了答复意见。

### 五、大力推进养老保险社会化管理服务工作

按照加快建立独立于企事业单位之外的社会保障体系的要求，各地劳动保障部门进一步推动企业退休人员社会化管理服务工作，取得明显成效。到2002年底，全国企业退休人员养老金实现社会化发放的人数为3 352万人，社会化发放率达到99.4%。与此同时，劳动保障部还印发了《关于确定企业退休人员社会化管理服务重点联系城市的通知》（劳社厅函〔2002〕146号），正式确定了100个城市作为社会化管理服务重点联系城市，其中由劳动保障部重点联系的大中城市32个，由各省、自治区、直辖市重点联系的城市68个，明确了社会化管理服务工作的基本内容、原则、目标、任务、步骤和措施。劳动保障部还积极推广大连、上海、杭州等城市开展企业退休人员纳入社区管理的经验和做法，指导各地积极探索退休人员社会化管理服务工作。到年底，全国共有1 434万名退休人员实行了社会化管理服务，社会化管理率达到43.5%，其中：北京、天津、河北、辽宁、吉林、湖北、重庆等地已达54%以上，上海市已达100%。

# 失业保险

2002年，各级劳动保障部门认真贯彻全国再就业工作会议精神，进一步落实《失业保险条例》及相关规定，失业保险制度建设取得新的进展，在保障失业人员基本生活、促进再就业方面发挥了重要作用。

## 一、适应企业改革和并轨需要，发挥积极作用

保障失业人员的基本生活是失业保险的首要任务。2002年，随着企业关闭破产、改组改制力度的加大和下岗职工基本生活保障向失业保险并轨的稳步推进，领取失业保险金人数大幅度增加。全国共向657万名失业人员提供了不同期限的失业保险金和其他失业保险待遇，比2001年增加188.4万人，增幅40.2%。从变化趋势看，领取人数逐月递增，2002年底增加到439.8万人，比2001年底增加127.3万人，增长40.8%。从地区分布看，并轨进展较快的地区人数增加明显，辽宁领取失业保险金人数最多，全年达101.1万人，超过30万人的依次为辽宁、江苏、浙江、广东、山东、上海、湖北。其他地区也较上年有不同程度的增加。与此同时，再就业服务中心内下岗职工人数从2001年底的463.6万人下降到2002年底的338.6万人，下降27%；北京、上海、福建已经关闭再就业服务中心；浙江、广东、江苏、辽宁、山东失业保险在两种保障形式中所占份额超过95%；天津、内蒙古、安徽超过70%，并轨工作取得重大进展。从其他情况看，领取失业保险金人员中女性占45.4%，与2001年基本持平；连续领取6个月以上的占60.6%，比上年增加1.8个百分点；领取期间重新就业的占20%，比上年减少2.5个百分点。另外，全年还为20.3万名劳动合同期满未续订或者提前解除劳动合同的农民合同制工人支付了一次性生活补助，比上年增加4.2万人。

## 二、参保人数略有下降，结构发生新变化

2002年末，全国参加失业保险人数共10 181.6万人，比上年末减少173万人。主要原因是随着企业结构特别是所有制结构的调整，一些国有企业和城镇集体企业关闭破产、改组改制也更为普遍，职工人数下降较快，分别比上年减少384.1万人和152.7万人，致使部分参保人员流失。面对这一情况，劳动保障部门根据发展非公有制经济和推进事业单位用人制度改革的要求，积极推动非公有制经济单位和事业单位及其职工的参保工作，其中外商投资等非公有制经济单位新增参保人员293万人，事业单位新增47.1万人，其他单位新增23.7万人。

## 三、基金收支同步增长，部分地区支付压力增加

2002年，全国失业保险基金收入215.6亿元，比2001年增收28.3亿元，增幅15.1%。其中，征收失业保险费202.4亿元，比上年增加24.3亿元，增幅13.7%；财政补助收入7.5亿元，比上年增加4.4亿元；利息及其他收入5.7亿元，比上年减少0.4亿元。从各地情况看，除1个地区外，其他地区均有不同程度的

增加。

2002年，全国共支出失业保险基金186.6亿元，比上年增加30亿元，增幅19.2%。其中：失业保险金支出116.8亿元，比上年增加33.5亿元，增幅40.3%；医疗补助金支出8亿元，增幅61.8%；职业培训和职业介绍补贴支出18.8亿元，增幅40%；农民合同制工人生活补助支出1.9亿元，增幅22.9%；向国有企业再就业服务中心调剂资金34.5亿元，比上年减少23%；其他支出6.4亿元，减少24.8%。从各地情况看，有25个地区基金支出增加；从支出结构看，随着下岗职工基本生活保障向失业保险并轨，用于保障失业人员基本生活的支出占总支出的67%，比上年增加10.6个百分点；向再就业服务中心调剂资金占18.5%，减少10.1个百分点；两项补贴占10.1%，比上年增加1.5个百分点，其他支出占3.4%，减少2个百分点。向中心调剂资金占全部支出50%以上的地区已从2001年的11个减少到甘肃、陕西、新疆3个地区，关闭中心或基本完成并轨的地区已不再调剂或很少调剂。

2002年失业保险基金收支相抵后，全国当年结余29亿元，基金实力进一步增强。但辽宁、陕西、重庆、安徽、天津、吉林6省市当年收不抵支。其中，重庆、天津已连续3年，吉林连续2年出现赤字。

### 四、基础工作进一步加强，但仍有薄弱环节

加强基础工作，是2002年失业保险工作的重要内容。在制度建设方面，劳动保障部组织了对《失业保险条例》贯彻执行情况的检查；在全国推行了失业保险个人缴费记录制度；明确了单位成建制跨统筹地区转移和职工在职期间跨统筹地区转换工作单位时失业保险关系转迁、军队机关事业单位职工参加失业保险等有关政策；继黑龙江、上海、重庆等18个地方制定地方条例或实施办法后，广东、湖北、西藏等地新出台了地方性法规或规章。在管理工作方面，结合劳动力市场信息化建设，推动地方加强了计算机管理和网络运用工作；加强统计工作，提高了统计分析质量，对有关情况的变化进行了动态跟踪和监控；严格执行基金财务会计制度，切实保证了基金安全；随着社区劳动保障工作平台建设的推进，失业保险工作开始向街道、社区延伸，为失业人员提供更直接、更便捷的服务。但同时，也存在少数地区地方性政策仍不完善、机构建设不适应工作要求等问题。

# 医 疗 保 险

2002年，按照党中央、国务院的统一部署，在各级党委、政府的领导下，各级劳动保障部门按照“围绕一个大局、抓住两个重点、实现三个突破”的工作思路，围绕改革发展稳定的大局，在规范和加强基础管理上下功夫，在改进管理服务上动脑筋，在完善多层次医疗保障体系上做文章，着力研究解决困难群体医疗保障问题，稳步扩大基本医疗保险覆盖面，较好地完成了全年的各项既定任务。

## 一、医疗保险制度的建设取得新突破

基本医疗保险启动扩面工作进展迅速。各级劳动保障部门按照“重点突破、条块联动、整体推进”的扩面思路，努力做好直辖市及省会城市等大城市扩面、中央直属单位属地参保、县级统筹地区启动扩面三方面工作。截至2002年底，基本医疗保险制度已推进到全国绝大多数城市，参保人数达到9 401.2万人，比2001年增加了2 115.3万人，增幅29.0%。

基本医疗保险基金收支平衡，有所结余。2002年全国基本医疗基金总收入（含清欠和利息收入）为607.8亿元，比2001年增收224.2亿元，基金总支出为409.4亿元，当年结余197.7亿元，累计结余450.7亿元。

多层次的医疗保障体系初步建立。在启动实施基本医疗保险的同时，多数地区实施了大额医疗费用补助办法，半数以上地区出台了公务员医疗费用补助政策，一些地区还建立了企业补充医疗保险制度，有些地区正在研究建立社会医疗救助制度。

## 二、医疗保险政策进一步完善

在深入调研的基础上，对医疗保险制度改革过程中出现的新问题提出解决意见。2002年4月至5月期间，劳动保障部联合有关部委分5个组先后赴黑龙江、内蒙古、山东、福建、江苏、安徽、四川、湖北、甘肃、陕西10省（自治区）的10个重点城市和周边4至5个城市开展调研活动。通过实地考察和问卷调查等方式，掌握了第一手资料。在此基础上，制定下发了《关于妥善解决医疗保险制度改革有关问题的指导意见》（劳社厅发〔2002〕8号），指导各地积极探索解决困难企业职工医疗保障办法，完善和加强医疗保险服务管理，妥善处理医疗费用个人负担问题，提高医疗保险管理服务水平。针对一些地方医疗保险个人账户管理中出现的问题，劳动保障部及时制定下发了《关于医疗保险个人账户管理的通知》（劳社厅发〔2002〕6号），对各地加强医疗保险个人账户管理提出了具体要求。对改革过程中出现的问题，一些地方也有针对性地出台了政策和措施，如江苏、浙江、福建、广东等研究制定了城镇个体从业人员、下岗出中心解除劳动关系人员参保办法等。

劳动保障部会同有关部门联合下发《关于企业补充医疗保险有关问题的通知》（财社〔2002〕18号）和《关于二等乙级以上伤残人民警察医疗待遇问题的通知》（劳社部函〔2002〕19号）等文件，进一步明确了企业补充医疗保险和二等乙级以上伤残人民警察医疗待遇的有关政策，并提出工作要求。

## 三、医疗保险服务管理工作逐步细化

定点医疗机构管理工作有所加强，结算办法日趋完善。针对各地定点医疗机构数量少、结构偏大、协议不细等问题，劳动保障部要求各地以基层社区医疗机构为重点，扩大定点范围，打破垄断，促进竞争，以降低服务成本，提高服务质量；细化定点协议，明确服务质量、费用控制定额、考核指标和奖罚办法，完善结算办法，并要求将协议规定的措施逐步落实到医生。加强日常医疗保险管理督查，严格按协议规定落实奖罚措施。各级劳动保障部门按照劳动保障部要求，进一步细化了有关措施，医疗保险管理水平有了较大的提高，不规范的医疗服务行为和医疗费用过快增长的势头得到了有效遏制，医疗保险运行质量有所改善，绝大多数地区个人医药费用负担过重的问题在一定程度上得到了缓解。

基本医疗保险用药管理工作进一步加强。针对突出存在的基本医疗保险目录外用药较多，在一定程度上导致个人负担加重的问题，劳动保障部在全国推广了福建在用药管理方面的“三率”（定点医疗机构必须保证基本医疗保险药品目录品种和数量的备药率、目录内药品使用率和个人自费药品负担控制率）控制措施。2002 年 7 月，劳动保障部在呼和浩特市召开医疗保险专题座谈会，研究规范医疗保险药品目录管理措施。8 月至 10 月，在全国范围开展了基本医疗保险用药情况大检查，纠正药品目录管理和使用中的不规范行为。各地劳动保障部门按照劳动保障部统一布置，对基本医疗保险用药情况进行了一次普遍检查，进一步完善了药品管理政策，保障参保职工的用药权益。

医疗保险管理服务水平和质量进一步提升。大部分城市实现了医疗费用由医疗保险经办机构与定点医疗机构之间的直接结算，在医疗保险日常管理中实现了就医信息与结算数据的实时传输监控和网上结算。福建泉州等地还实现了市、县、乡（镇）三级联网运行管理。南京、西安等地在医疗保险信息系统中建成“三个目录”和疾病诊断的基础数据库，为医疗保险的高效运行提供了有力的技术支撑。各地还建立了医疗保险费用定期分析制度以及大额费用会审制度。特别是许多城市已经形成比较健全的医疗保险医疗服务管理监督体系，树立了医疗保险管理的权威，发挥了新型医保监管机制的作用，促进了医疗机构、药店的竞争和内部改革，开始形成“三改并举”的良好态势。

# 工 伤 保 险

2002年，全国工伤保险工作稳步推进。劳动保障部以工伤保险立法为核心，积极做好《工伤保险条例》颁布的准备工作，并针对目前我国市场经济发展条件下的劳动关系状况、职业危害形势、工伤争议多的问题和世界经济一体化的发展趋势，加强对地方工作的指导，全面推动工伤保险制度改革。各地主要以加大工伤保险扩面工作、完善工伤保险政策措施、加强依法行政为重点，不同程度地推进工伤保险工作。

2002年，各地劳动保障部门通过规范工伤认定程序、规范劳动能力鉴定机构和工作程序、加强社会化服务和管理的措施，提高管理、提高工作效率、减少工伤保险的争议。部分省市针对破产企业工伤职工的安置问题、建筑施工单位异地施工发生工伤的认定问题、非公有制企业职工参加工伤保险统筹问题制定管理办法和措施，部分省市分别采取调整企业费率、提高抚恤人员的待遇、将老工伤人员的工伤医疗费纳入社会支付的办法，完善工伤保险制度，解决实际问题。

2002年，全国工伤保险工作呈平稳推进态势，截至2002年底，全国共有28个省（自治区、直辖市）及新疆生产建设兵团实行了工伤保险社会统筹，参保人数4 406万人。工伤保险基金收入32.0亿元，支出19.9亿元，累计结余81.1亿元。

# 生 育 保 险

2002年生育保险工作认真贯彻落实《中国妇女发展纲要（2001—2010年）》（国发〔2001〕18号），在保障妇女权益，完善制度，强化管理，扩大宣传等方面取得了积极的进展，为全面提高生育保险服务质量，保护女职工身体健康，强化监督和管理创造了条件。

在总结各地实践经验的基础上，各地加快生育保险制度建设步伐，截至2002年底，全国有14个省（自治区、直辖市）、175个地级单位、922个县级单位出台了生育保险办法，分别占总数的47%、50%和30%；全国有1 097个县开展了生育保险工作，为各地进一步扩大生育保险覆盖范围奠定了基础。省级出台地方法规的有辽宁、江苏、四川、云南、内蒙古、黑龙江、浙江、福建、湖北、江西、甘肃、上海、陕西和海南。加强了生育保险社会化管理的政策研究和信息化建设，为进一步提高生育保险管理服务水平和质量创造了条件。

各地理顺了生育保险行政、经办管理体制。截至2002年底，全国省级具有生育保险行政管理职能的单位有31个，具有经办管理职能的单位有28个；地县级具有生育保险行政管理职能的单位有1 028个，具有经办管理职能的单位1 069个。全国参加生育保险的职工3 488万人，占职工总数的33%。全年生育保险基金收入21.8亿元，支出12.8亿元，累计结余29.73亿元；平均费率为0.72%；基金征缴率为87.7%。当年共有47.36万人享受生育保险待遇。

# 农村养老保险

2002年农村养老保险工作的基本思路是：以江泽民总书记“三个代表”重要思想和党的十五届六中全会精神为指导，重新审视农村养老保险（以下简称农保）工作，在实践中想办法，在创新中找出路，继续理顺体制，稳定队伍，管好基金，搞好调研，做好整顿规范工作。同时，为在有条件地区积极稳妥地推进农村养老保险制度建设做好政策研究工作。截至2002年底，全国有31个省（自治区、直辖市）1 955个县级单位开展了农保工作，参保农民达5 481万人，积累保险基金233万元。

## 一、抓管理，防风险，继续做好农保整顿规范工作

一是年初以劳动保障部办公厅文件下发了《2002年农村社会养老保险工作安排》，要求各地认真学习实践“三个代表”重要思想，坚定做好农保工作的信心，全面、准确领会《国务院批转整顿保险业工作小组保险业整顿与改革方案的通知》（国发〔1999〕14号）的精神实质，以对工作负责和对广大农民负责的态度做好农保各项工作。

二是为确保农保基金安全，加强了基金管理，完善了财务会计制度。在2001年农保基金调查摸底的基础上，对基金管理方式、运营渠道、资产状况、风险程度作出分析，有针对性地指导地方加强基金管理，化解风险。2002年9月，举办了较大规模的基金管理和财务会计培训班，收到较好的效果。

## 二、抓调研，探思路，积极做好政策研究工作

一是对各地建立农保制度的条件进行了分析。综合考虑人均国内生产总值、农民人均收入和小康标准等因素，将全国分为已经具备条件、初步具备条件、尚不具备条件三类地区；根据农民非农化的发展，确定了六类农保重点人群，提出了因地制宜、分类指导、突出重点、梯次推进的办法，拟定了分三步走、到2020年基本建立起与我国国情和农村实际相适应的养老保险制度的发展规划。

二是开展了对进城务工经商农民养老保险办法、对失去土地的农民和小城镇农转非人口养老保障问题、对计划生育家庭养老保险问题等方面的研究。

## 三、抓重点，稳大局，在有条件地区积极推进农保工作

加强了对经济较发达、农保基础较好地区的重点指导。江苏省劳动保障厅农村社会保险处根据省委、省政府的有关指示，研究起草了《江苏省农村基本养老保险办法》，在保持与农保基本制度一致的基础上，力求在筹资方式、参保范围、费率、给付标准等问题上的创新。上海市劳动保障局根据该市城市化的迅速发展，正在研究制定城保、镇保、农保三套可选择、可衔接、可转换的养老保险办法，逐步建立健全城乡养老保障体系。山东省烟台市一直保持保险业务的持续发展，连续12年投保，农保基金已达12亿元。经过十多年的发展，

该市的保费收缴、养老金发放和基金管理进入良性循环轨道，收缴和发放程序标准规范，实现了档案管理的计算机化和会计业务的电算化，社会化发放工作也取得一定进展。青岛市针对城市化的发展要求，对郊区失地农民养老保险办法进行研究并进行了试点，取得了经验，受到市政府高度重视。北京市针对农保基金管理现状，积极探索农保基金托管机制；在怀柔区对建立区、镇两级财政补贴、集体补助和个人缴费的筹资机制进行试点。福建省农村社会保险公司与省政府研究室、厦门大学等单位联合成立课题组，针对乡镇企业职工、小城镇农转非人员、失地农民、进城农民工和农村独子户、双女户的养老保障问题进行课题研究，受到当地政府和理论学术界的关注。河北省、江西省对农保业务档案进行了全面清理，妥善处理了一批错误档案，档案管理进一步标准化。广东省委提出要率先在广东省建立农村养老保险制度，东莞市、深圳市在发展经济的同时，大力发展农民养老保险，力求农村社会保障工作与社会发展同步。山西省将农保纳入农村小康社会发展目标规划。云南省、山西省将农村计划生育养老保险工作纳入农村养老保险工作范围。

# 社会保险基金管理与监督

## 一、社会保险基金管理

2002年，全国各级社会保险经办机构以“三个代表”重要思想为指针，认真落实全国劳动保障厅局长会议和全国社保局长会议的要求，团结协作，奋力拼搏，较好地完成了全年的各项任务。

### （一）确保养老金发放成果继续得到巩固

2002年，全国各级劳动保障部门和社会保险经办机构继续把确保企业离退休人员基本养老金按时足额发放作为维护社会稳定、促进经济发展的头等大事，狠抓重点地区和困难行业、企业的保发放工作，进一步巩固了确保养老金发放成果。全年应发企业离退休人员基本养老金2 405.6亿元，实发2 404.1亿元，只有个别省的农垦企业有少量拖欠。与前几年相比，在企业离退休人员增加、养老金支付总量增长的情况下，当期拖欠额最小，成为1998年以来确保发放最好的年份。同时，全年还补发了2001年底前拖欠的养老金3.05亿元。

### （二）全面实现养老金社会化发放

在前两年推进的基础上，2002年全国全面实现企业离退休人员基本养老金由银行、邮局等社会服务机构发放。实行社会化发放的离退休人数达3 352万人，社会化发放率为99.44%，16个地区达100%，分别为北京、天津、河北、山西、内蒙古、辽宁、上海、福建、山东、河南、湖北、湖南、陕西、甘肃、青海和新疆兵团。

### （三）养老保险扩面工作继续取得进展

2002年上半年养老保险参保职工人数出现小幅下降。针对这个情况，各地认真分析原因，加强对扩面工作的组织领导，实行目标管理，建立考核机制，突出重点，狠抓落实，遏制了参保职工人数下降的趋势。经过努力，养老保险扩面工作取得新的进展。截至2002年底，全国参加基本养老保险的人数达14 737万人，其中在职职工11 129万人，比上年增加327万人。其中尤以个体工商户、自由职业者参保人数增幅最大，比上年增加305万人，增长57%。

### （四）基金征收工作成效显著

基金征缴收入增幅较大。2002年，各地认真做好社会保险关系接续、采取将征缴工作与中央补助和评优工作挂钩等措施，狠抓征缴工作。经过努力，全年企业基本养老保险基金征缴收入达2 179亿元，比上年增加323亿元，增长17.4%，为近年来征缴收入绝对额最高和增幅最快的年份。全国企业基本养老保险基金平均收缴率达94.47%。

清欠任务超额完成。全年清理收回企业欠费143.75亿元，完成全年清欠任务的133%；全年清欠额大于新欠额11.6亿元，使期末欠费与年初相比下降近3%。全国欠缴基本养老保险费千万元以上企业有207户，与2001年底持平，全年共补缴欠费8.96亿元，年末累计欠缴基本养老保险费47.01亿元，比上年底减少1.69亿元，是1999年以来最低点。

稽核工作成效明显。各地积极开展了社会保险稽核工作。据统计，除西藏和新疆外，全国29个省区市及新疆兵团共对798 195户企业的养老保险费缴纳情况进行了稽核，稽核人数达5 487.3万人，占企业参保人数的59.65%，其中实地稽核179 218户、3 069.5万人，分别占本次稽核户数和人数的22.5%和55.9%。与上年相比，多稽核313 317户、393.6万人。通过稽核，共查出少报、漏报缴费人数320.6万人，少报、漏报缴费基数75亿元，少缴、漏缴养老保险费23.2亿元；查出虚报、冒领养老金1.1万人，占核查人数的0.7‰。对于稽核查出的问题，各地都制定了整改措施，并跟踪落实。截至2002年10月底，已有413 268户企业补缴养老保险费12.1亿元，追回冒领养老金1 926.4万元。

此外，2002年，基本医疗保险基金收入608亿元，支付409亿元，累计结余451亿元；工伤保险基金收入32亿元，支出20亿元，累计结余81亿元；生育保险基金收入22亿元，支出13亿元，累计结余30亿元。

（五）企业退休人员社会化管理服务工作步伐加快

对企业退休人员实行社会化管理服务是2002年社会保险的一项重点工作。各地采取确定重点联系城市、召开片会和现场会等形式，大力推进社会化管理服务工作。经过努力进展明显，截至2002年底，全国共有1 434万名企业退休人员实行社会化管理服务，比2001年底增加766万人；社会化管理率达到43.5%，比2001年底提高21.6个百分点。其中，纳入社区管理的占40.1%，由社保机构管理的占17.0%，依托企业管理的占33.2%，通过地方工会系统和政府设立的退管机构等其他形式管理的占9.7%。街道、社区管理机构和人员开始落实，社会化管理服务机构由2001年的4 485个增加到2002年的14 691个，工作人员由12 717人增加到42 387人。

（六）基本医疗保险管理服务工作进一步规范

2002年，医疗保险管理服务工作稳步推进。各级经办机构密切配合行政部门，在不断扩大覆盖范围的同时，努力从本地实际出发，抓住基本医疗保险定点管理和用药管理重点环节，细化定点协议，制定医疗服务用药"三率"控制办法，抑制不合理医疗费用增长，加强经办管理服务，提高管理服务水平，保障参保人员的合法权益。总的来看，基本医疗保险医疗服务定点协议管理工作得到加强，个人账户管理工作取得进展，参保人数稳步增长，基金收支平衡、略有结余。

（七）各项基础管理工作得到加强

养老保险全国联网工作全面启动。根据劳动保障部进一步加快劳动保障信息系统（"金保工程"）建设的要求，各地积极行动，结合本地实际，重新进行了信息系统建设的规划设计，提出了养老保险联网计划，并着手统一养老保险相关政策，规范业务流程，做好使用统一养老保险信息系统应用软件的基础工作。

统计工作进一步加强。社会保险统计和分析工作重要性得到广泛重视，统计工作逐步走向规范化，统计数据质量不断提高。2002年，在全国37个城市开展了基本养老保险有关问题的典型调查，涉及19个省、自治区、直辖市的参保职工1 149万人、离退休人员480万人，对近年来养老保险工作中比较突出的中断缴费问题、提前退休问题进行了分析，同时对地方社会保险经办机构的基础数据管理情况有了初步的了解。

调研工作取得新成果。根据中央关于"2002年是转变作风年，调查研究年"的要求，2002年全国各级社会保险经办机构普遍开展了业务调研活动，共写出有代表性的调研报告375篇。调研活动的开展，有力地推动了各地的社会保险管理工作。

经办机构工作人员业务素质考核开始启动。劳动保障部发布了《社会保险经办机构工作人员业务素质考核实施意见》，明确了业务素质考核工作的操作办法。各地认真贯彻文件精神，积极行动起来。有19个省市转发了文件；多数省区市进行了摸底和宣传动员活动；有的地方已经开始了地方命题和考前准备工作。同时，"三优文明窗口"创建活动继续推进，带动了社会保险经办机构行风建设。

2002年的工作体现出以下几个明显的特点：

1．毫不动摇地贯彻落实党中央、国务院的要求，始终以确保发放为中心，推动各项业务工作的开展。一年来，全国各级社会保险经办机构始终把确保发放作为首要任务和中心工作，讲政治、讲大局、讲稳定，坚持不懈、持之以恒地抓确保，并以此带动扩面征缴、稽核清欠工作的开展，带动社会化管理服务、信息系统建设和社会保障体系建设，带动系统的行风转变和队伍建设，使各项工作不断取得新的进展。

2．坚持与时俱进，在工作中不断开拓创新。社会保险管理工作繁重，存在许多困难，需要我们以迎难而上、开拓进取的精神克服困难，开创新的局面。实践证明，坚持与时俱进、开拓创新，是做好社会保险经办工作永不枯竭的动力之源。一年来，各级社会保险经办机构从本地实际情况出发，开拓思路，通过新举措推进工作。如江苏省无锡市聘用了百名社会保险协管员，将扩面工作向社区延伸，开展了社会保险宣传、摸底调查及动员参保工作。又比如，呼和浩特、攀枝花等市立足市情，采用从劳动保障系统抽调干部下派到街道、社区工作，或在大型企业集团的退管机构加挂市属社会化管理机构的牌子，并提供业务指导和资助等方式，使社会化管理服务工作迅速开展起来。

3．坚持重点突破，典型引路的工作指导方法。如通过现场会增进经验交流，就社会化管理服务工作，全年共召开6个片会，并在南宁召开了全国现场会。江苏、湖北、四川等省也相继召开了全省社会化管理服务工作经验交流现场会。通过现场会，起到了典型引路的作用，带动了后进地区的工作，促进了社会化管理服务工作的整体推进。再比如，加强对重点地区的监控，突出对困难地区和群体进行调研和跟踪，努力解决难点问题，确保养老金按时足额发放。

4．加强宣传，创造良好的舆论氛围。宣传对推进社会保险工作十分重要，它能起到扩大影响、提高社会认知度和舆论监督的作用。2002年1月4日，中央电视台和新华社对33户欠费企业进行了曝光，有力地推动了清欠工作。截至2002年底，33户被曝光企业已有16户退出千万元欠费企业行列，其中8户企业缴清全部欠费。为搞好专项稽核工作，哈尔滨市提出“百日攻坚会战，重点稽核清欠，突破重点难点”的口号，制作了8块宣传板，组织“大篷车”巡回展览宣讲，大造专项稽核声势，对有意瞒报、少报人数和工资基数的企业，起到了很好的震慑作用；成都市社保局与市总工会、劳动监察总队联合推出“社保维权”共值热线，已受理群众咨询、举报和投诉达千余人次。

5．坚持两手抓，不断增强经办队伍的战斗力和凝聚力。各地在抓业务工作的同时，始终不忘抓政治思想工作，通过请进来、走出去，开座谈会、举办演讲等多种形式，开展思想教育活动，在全系统形成了讲奉献、强服务、比贡献的良好精神风貌，对推动业务工作开展发挥了积极作用。吉林省结合省社保公司成立10周年纪念活动，组织演讲团在全省各地市进行演讲，弘扬社保精神，对鼓舞士气、创建社保文化起到了良好的作用。在2002年底劳动保障部党组表彰的105个劳动保障先进集体和260名先进个人中，社会保险经办机构分别有24个集体和45名个人受到记功表彰。

总的来看，2002年社会保险管理工作在“三个代表”重要思想的指引下取得了新的成绩，为保障参保职工和离退休人员的利益、促进经济发展和维护社会稳定做出了重要贡献。

## 二、社会保险基金监督

2002年社会保险基金监督按照明确监管目标、健全监管法规、改进监管方式、强化监管手段，逐步建立社会保险基金监管体系的思路，积极开展基金监管各项工作，取得了新的进展。

（一）明确监管思路，建立部门协调机制

在总结前几年工作经验的基础上，2002年确定了基金监管从对经办机构监督向基金管理监督转变，从单一环节监督向全过程监督转变，从事后监督向事前和事中监督转变的工作思路。6月，在武汉召开了全国社会保障基金监管工作座谈会，明确了今后一个时期基金监管的目标和任务，提出了加强监管基础建设的原则和要求。

为加强监管合作，逐步规范有关机构基金管理运作行为，7月，会同财政部等6部门下发了《关于加强社会保障基金监督管理工作的通知》（劳社部发〔2002〕12号），明确了劳动保障部门对税务征收、银行发放和财政专户管理的监督职责，为逐步实现社会保险基金管理全程监管提供了政策依据。为做好《通知》贯彻落实工作，9月，举办了贯彻实施培训班，确定了试点城市，进一步统一思想认识，指导地方拟定实施方案。11月，抽调有关省市监管机构的同志组成检查组，对广东、云南、辽宁、河南、福建、湖北、湖南、陕西8省的贯彻落实情况进行督查，推动了各地工作的开展。

（二）以辽宁为突破口，探索保值增值途径

2002年辽宁做实个人账户，积累基金50多亿元。5月，根据实际需要，组织有关专家赴辽宁调研，会同有关部门研究个人账户基金投资政策和管理运作规则，探索个人账户基金保值增值的途径。7月，草拟《基本养老保险个人账户基金监督管理办法》，征求财政部、人民银行和证监会的意见，并初步达成共识。9月，指导辽宁起草《基本养老保险个人账户基金运营管理办法》及相关文本，争取财政部、人民银行支持，帮助辽宁解决个人账户基金办理协议存款和购买国债事宜。

（三）拟定监管政策，建立监管制度

2002年，在指导各地贯彻《社会保险基金行政监督办法》基础上，借鉴国内外经验，研究起草并颁发了《社会保障基金现场监督规则》，进一步规范基金监督检查的程序和行为。为加强全国社会保险基金监管，4月，商财政部确定了全国社会保险基金年度报告程序，审核《全国社会保障基金年度报告》，并调整了有关投资管理政策。为规范基金监管人员和社会保险经办机构稽核人员检查证件管理工作，5月，下发《关于进一步规范管理社会保险审计检查证的通知》（劳社厅发〔2002〕4号），确定了社会保险审计检查证的管理程序。截至2002年底，全国已有11个省市制定《社会保险基金行政监督办法实施细则》，15个省制定监督举报工作程序，初步建立起社会保险基金监管制度框架。

（四）开展专项检查，规范管理行为

1．4月，配合审计部门开展中央补助资金和养老保险基金管理使用情况检查，下发《关于配合审计部门开展养老保险基金审计检查的通知》（劳社厅函〔2002〕90号），派人参与江西、黑龙江省现场检查，加强对社会保险基金财政专户的监督。

2．7月，会同财政部门开展社会保险基金银行开户情况调查，初步掌握各地社会保险经办机构、财政部门、税务部门基金开户及基金运作、存储状况，为研究规范银行开户政策打下基础。

3．3月，组织全国企业年金经办情况专项检查，下发《关于检查企业年金经办情况的通知》（劳社厅函〔2002〕135号），10月，召开企业年金检查情况会审会，基本掌握各地和有关行业企业年金发展的情况。

4．10月，商财政部检查挤占挪用基金数额较大的10个省的情况，分门别类研究了尚未回收挤占挪用基金的处理办法。

5．各地积极开展单项检查，逐步拓展监管领域并取得明显成效。天津、湖北会同审计部门开展失业保险基金审计检查，云南开展医疗、工伤、生育保险基金检查，贵州开展下岗职工基本生活保障资金使用情况检查，四川对两个确保资金管理使用情况进行检查，北京开展养老、医疗保险基金支付情况专项检查，组织中介机构检查2 000多户企业缴费情况，追缴欠费2 000多万元。

6．受理举报并查处挤占挪用基金问题30件，会同广东省劳动保障厅、财政厅对广州、深圳两市违规动用基金问题进行查处。

（五）推动基础建设，提高管理水平

1．加大工作推动力度。下发6个指导意见函，召开各省市监督处长碰头会，编辑并印发《社会保障基金监管法规文件汇编》，进一步推动地方监管工作的开展。

2002年12月，全国有428个地县设立基金监督机构。13个省区市和56个地市建立由政府、有关部门、工会组织、企业职工及离退休人员代表组成的社会保障监督委员会。28个省区市及205个地市设立监督电话，初步建立基金监督举报网络。

2．学习国际监管经验，加强合作与交流。派员参加APEC和OECD等国际组织召开的会议，介绍我国社会保险基金监管情况，学习国际社会保障基金监管经验。组织筹办劳动保障部与澳大利亚家庭与社区服务部举办的社会保障基金监管国际研讨会。

# 法 制 建 设

2002年，各级劳动保障法制和监察工作机构紧紧围绕劳动保障中心工作，全面推进依法行政，切实维护职工合法权益，劳动保障法制建设取得了新进展。

## 一、劳动保障立法取得新突破

2002年10月，国务院重新制定公布《禁止使用童工规定》，确立了用人单位录用登记和核查制度，明确了各有关方面的职责，加大了对非法使用童工和介绍未成年人就业行为的处罚力度，为保障未成年人的合法权益提供了强有力的法律保障。《禁止使用童工规定》是1999年《失业保险条例》《社会保险费征缴暂行条例》出台以来，在劳动保障领域颁布的第三个行政法规，标志着我国劳动保障立法的新突破。同时，该规定也是配合2002年6月全国人大批准的《禁止和立即行动消除最恶劣形式的童工劳动公约》而采取的一项重大举措。完成了《工伤保险条例》草案的修改和《劳动保障监察条例》草案的起草报送工作。2002年5月，劳动保障部、公安部、国家工商行政管理局发布了《境外就业中介管理规定》，进一步规范了境外就业中介行为，对维护我国境外就业人员的合法权益，推动实施我国“走出去”的就业战略和多渠道扩大就业，具有重要意义。各地劳动保障部门按照法制统一原则，结合实际、大胆探索，积极推进地方劳动保障立法，出台了工资支付、监察执法、社会保险费征缴等地方性法规、规章14件。劳动保障立法呈现多层次稳步推进的局面，各项劳动保障工作基本上做到了有法可依、有章可循。

## 二、劳动保障监察执法取得明显成效

2002年3月，劳动保障部会同国务院办公厅等9个单位组成国务院调查组，对河北省高碑店市农民工苯中毒事件进行了调查，并代国务院起草了关于此次事件的通报，要求全国各地以此为鉴，开展专项整治活动，杜绝类似事件的发生。在强化劳动保障年检、巡视监察和群众举报专查，开展养老保险扩面征缴、规范劳动力市场秩序等经常性检查的同时，针对一个时期出现的突出问题，重点开展了农民工权益保护、女职工权益保护、贯彻实施《禁止使用童工规定》情况、农民工工资支付等专项检查活动。2002年，各级劳动保障监察机构共主动检查用人单位98.4万户（次），查处群众举报案件12万件，年检用人单位102万户，审查用人单位制定的劳动规章63.7万件。督促用人单位补缴社会保险费35.8亿元，补发被克扣、无故拖欠的工资等14.2亿元，补签劳动合同730.9万份。取缔非法职业中介机构6 085户，切实维护了劳动者的合法权益。

## 三、劳动保障监察制度和机构建设稳步推进

2002年，河北、内蒙古、黑龙江、河南、四川、天津出台了劳动保障监察地方性法规，多数地方制定了规范办案程序、实行执法责任制等规范性文件，进一步夯实了监察制度基础。各地抓住贯彻中央再就业工作会议精神的契机，全面加强监察机构建设。目前，全国共有劳动保障监察机构3 196个，湖南、四川、

云南、吉林、广东5省新成立了监察总队，使省级监察总队增加到20个。配备劳动保障监察员3.7万名，其中专职监察员1.7万名，同比增长8%。北京、山东、湖北、广东、重庆、云南等地率先在街道、乡镇配备了监察员。在工会、妇联、共青团系统聘请劳动保障法律监督员1.6万人，进一步巩固和完善了劳动保障部门为主、其他部门和组织配合的劳动保障监督检查机制。

## 四、劳动保障行政执法监督工作不断加强

对劳动保障部行政审批项目进行了全面清理。目前，劳动保障部61个行政审批项目中，第一批公布废止的12项，拟保留不变的32项，合并或改变管理方式等的13项，正在协调处理意见的4项，基本上实现了既推进行政审批制度改革，又保障业务工作正常运作的目标。在健全行政执法责任制、规范性文件审核和备案等基础制度的同时，针对行政复议案件数量上升、涉及人数较多和处理难度大等特点，克服时效紧、人手少等不利因素，梳理头绪、摸索规律、加强协调，开展典型案例评析，进一步提高了案件处理的效率和质量。2002年，全国各级劳动保障行政机关共接到行政复议申请1 889件，比上年增长53.6%。其中，劳动保障部直接处理61件，比上年度增加10件。省级劳动保障行政部门处理514件，地市级处理1 153件，区县级处理161件。部分地方劳动保障部门建立了行政复议决定执行情况信息反馈制度，强化动态监督，防止出现虎头蛇尾的现象。认真开展法律法规和其他规范性文件的法律审核工作，确保合法性，增强可操作性，做到既解决实际问题，又符合国家法律规定和改革的总体方向和依法行政的基本原则。

## 五、法制宣传教育和其他工作取得新成效

各级劳动保障部门按照“四五”普法规划的要求，以社会保险法律知识普及为重点内容，采取以案说法、散发宣传手册、现场解惑答疑以及设立电话咨询中心等形式，多渠道开展法制宣传活动，取得了很好的效果。各地还把普法宣传教育和监察执法结合起来，力求做到检查到哪里、普法宣传跟到哪里；把普法教育和劳动保障部组织的劳动保障知识竞赛和电视大赛等大型宣传活动结合起来，不断扩大普法工作的广度和影响力。按照中央的统一部署，组织力量就加入世贸组织对我国劳动保障法制工作的影响及相关国际劳工标准问题进行研究，从立法、监察执法和执法监督等各个方面提出了应对措施。还配合有关方面，组织了劳动保障监察和社会保险行政争议处理国际研讨会，其中一些好的经验和做法，已在部分地方的实际工作中得到了推广。

# 规划统计与信息系统建设

## 一、规划工作

2002年，劳动保障规划工作紧紧围绕促进就业、理顺分配关系、完善社会保障体系建设的中心任务，改进计划工作方式和方法，使计划成为推动劳动保障中心工作的重要手段，确保了劳动保障事业健康有序发展。

（一）发展规划和预测工作

为充分发挥规划的预见性和实效性作用，加大改革规划工作的力度，全力推进“十五”计划任务的落实，2002年8月，劳动保障部发出《关于进一步做好劳动保障事业发展规划工作的意见》（劳社部发〔2002〕14号），改革了规划内容，加强规划实施过程的监测评估，并对科学编制劳动保障事业发展计划以及规划实施过程的监测评估工作提出了具体要求。

（二）年度计划工作

2002年劳动保障事业发展计划，根据《国务院关于下达2002年国民经济和社会发展计划（草案）的通知》（国发〔2002〕1号）精神，以“三个代表”重要思想为指导，贯彻落实党的十五届六中全会精神，落实中央经济工作会议和全国劳动保障工作会议的部署。2002年劳动保障事业发展计划的主要任务是：继续做好两个确保，加快完善社会保障体系，大力促进就业和再就业，切实安排好困难群体的工作和生活，全力维护社会稳定大局。同时，加强作风建设，强化基础管理，巩固发展成果，提高发展质量，实现劳动保障事业的新发展。主要工作：一是组织实施2002年计划。二是研究编制2003年计划。2003年计划主要围绕落实规划工作意见，在早编、早下计划，减少计划指标，切实发挥计划的时效性等方面开展工作。

（三）预测工作

2002年的预测分析工作主要有：对2002年劳动保障事业发展计划执行情况进行预测分析，提出了2003年劳动保障工作的建议。同时，充分听取和利用专家的评估意见，对劳动保障事业发展趋势进行分析判断，为科学制定2003年计划奠定了基础。同时，认真组织全面建设小康社会劳动保障事业发展主要目标的研究，按照“十六大”提出的全面建设小康社会的奋斗目标，根据对劳动保障事业发展现状的分析和发展趋势的预测，提出到2020年劳动保障事业发展奋斗目标。

（四）指导城市规划工作

为加强对基层规划工作的指导，在全国范围内确定了一批规划财务工作定点联系城市。2002年8月，劳动保障部发出《关于印发劳动保障规划财务工作定点联系城市名单和工作安排的通知》（劳社部函〔2002〕149号），确定了规划财务工作40个定点联系城市，并于2002年9月在重庆市召开了定点联系城市工作启动会，明确了市一级规划财务工作的目标任务和要求。

## 二、劳动保障统计工作

2002年，劳动保障统计制度进一步健全，统计数据质量有了提高，统计调查方法改革取得了新的进展，统计服务更加到位，统计基础建设上了新的台阶。

（一）统计工作制度建设进一步加强

一是研究制定了《劳动和社会保障部基础统计数据会审办法》，提高了统计数据的准确性和时效性，确保了基础统计数据口径统一。劳动保障部为此专门成立了基础统计数据会审工作小组，明确了会审程序和时间，确定了主要统计指标，明确了数据来源渠道及责任单位，并决定定期召开联席会议，通过对不同来源的统计资料来相互印证和校核统计数据指标的内在逻辑关系等，对数据进行分析、审定，并按季编印统计专报或摘要。

二是进一步改进和完善了现有的工作制度。劳动保障部下发了《关于进一步加强劳动和社会保障统计工作的意见》。各地劳动保障部门根据意见要求和新形势下劳动保障统计工作的需要，以及地方机构改革中职能分工的调整，对原有的统计工作管理办法、统计报告制度、统计评比办法等进行了修订完善，基本建立起了系统的劳动保障统计综合管理制度。

（二）统计指标体系逐步完善

2002年，劳动保障部会同有关职能部门修订、完成了指标体系，并印发各地参考。指标体系印发后，各地根据本地区经济形势的发展和职能的转变与扩展，按照实用、规范、科学的原则，一方面积极研究和制定能反映本地区劳动保障事业发展主要情况的统计指标体系，同时据此调整报表制度的内容及指标解释，如北京开展了劳动合同履行情况季报、劳动合同期限届满情况统计，天津增设了全部职工分类和培训情况、地方企业工资总额管理情况统计等，从而使指标体系发挥了作用。一年来，各地劳动保障部门还配合统计部门，对劳动保障统计项目进行了清理。

（三）常规报表全面完成

劳动保障部对2001年年报和2002年定期报表进行了认真的修改，正式下发了劳动保障综合统计报表制度，并对报表制度的修改情况作出了详细说明。

随后，各地根据部里新修订的报表制度，结合本地区劳动保障工作需要，制发了本地区的综合统计报表制度。为了保证质量，各地采取了许多行之有效的办法，如：山东、青岛、新疆、四川等地印发了《劳动保障统计指标解释及审核要点》。坚持三级审核制度，一方面要求填报人、科室负责人、单位主管领导审核，另一方面则要求业务处室初审、统计综合管理处室复审和厅领导终审。认真把好四关：一是要求各市统计人员亲自报送报表，以便发现问题及时纠正；二是对同一报表进行纵向对比，发现与上期、上年同期相比数据变动较大的，及时与有关市核实，落实情况后再报；不管是年报、季报还是月报，都有详尽的说明，并把领导要问的、要了解的提前准备出来；三是表间关系对照；四是领导把关。通过这些措施，有效保证了上报报表的质量。从各地报送的年报和季报情况看，各地区普遍比较重视，各部门相互支持，保证了工作任务的按时完成，为社会各界提供了较好的服务。

（四）统计方法进一步完善

2002年，统计调查方法改革进行了有益的探索，不少地方开展了统计专项调查和抽样调查，大大拓宽了统计数据的来源渠道。为配合全国再就业会议的有关工作，也为制定再就业政策提供依据，劳动保障部组织开展了四次专项统计和调查：

一是继续开展已经连续三年的10城市就业与失业抽样调查。2002年4月，为配合全国再就业工作会议的召开，劳动保障部在长春、锦州、保定、济南、湘潭、南昌、兰州、宝鸡、绵阳、昆明10城市开展了抽样调查。这次调查涉及下岗职工、失业人员、在岗职工和离退休人员个人情况、两个确保、再就业、劳动关系、社会保险等诸多问题。在这10个城市劳动保障部门及其所在省劳动保障厅局的大力支持下，取得了大量第一手数据，为全国再就业工作会议的数据测算提供了有力的支持，得到了部领导的充分肯定。

二是开展国有企业下岗职工分类统计调查。为全面了解不同经营状况的国有企业下岗职工基本情况，为全国制定再就业政策提供依据，劳动保障部和国家经贸委联合组织于2002年3月15日至4月15日对国有企业下岗职工开展了分类统计调查。这次调查时间紧、任务重，各地以高度的政治责任感和极强的事业心，克服了多种困难，保证了分类统计全面、高效完成，及时为各级领导做决策提供了所需的相关数据。其中，海南、山东、吉林、黑龙江、宁夏、内蒙古、四川、湖南等地还专门组织了工作小组，对工作进行布置、督促和总结，确保了分类统计工作的按时完成。

三是继续配合工资制度改革和劳动力市场“三化”建设试点工作，开展企业人工成本和劳动力市场工资价位抽样调查。

四是开展全国城镇劳动力就业和社会保障状况大调查。根据《中共中央国务院关于进一步做好下岗失业人员再就业工作的通知》（中发〔2002〕12号）关于“建立城镇劳动力抽样调查制度，定期开展城镇劳动力抽样调查，及时反映全国及各地的就业和失业动态变化”的要求，劳动保障部于2002年12月在全国进行了一次大规模的城镇劳动力就业和社会保障状况抽样调查。本次调查是劳动保障部门进行的规模最大的一次调查，目的是为了贯彻十六大精神，落实全国再就业工作会议的要求，全面准确地摸清全国城市劳动力就业、失业、下岗情况以及下岗失业人员再就业情况、工资收入、社会保险、劳动关系、职业培训、享受居民最低生活保障等相关情况，为国家制定和完善劳动保障有关政策提供依据，同时也是建立市场经济条件下劳动保障统计调查方法体系的有益探索。本次调查从全国抽取了66个城市的10万户居民，调查对象是被抽中调查户中的16周岁及以上人口。调查采取随机整群抽样的方法，抽样过程严格按照规定的程序进行。调查的标准时间为2002年12月9日0时，现场访问时间为12月9日至22日。各地区劳动保障部门按照调查工作的要求，建立了相应的质量保证制度，实施全过程质量监控。

与此同时，各地根据劳动保障中心工作的要求，开展了形式多样的非全面调查，不仅为科学决策提供了参考资料，同时为进一步探索统计调查方法的改革奠定了良好的基础。如：北京对劳动合同管理现状的调查，辽宁关于企业拖欠人员债务情况的调查，山东关于解决企业欠发工资情况的调查，河南对下岗职工再就业出路的调查，湖南关于涟邵、资兴矿务局企业关闭破产后分流安置人员的生活和就业状况的调查，海南关于非公有制企业管理人员及专业技术人员现状的调查、下岗职工问卷调查，青岛对四区失业（协保）人员的抽样调查，大连对城镇就业岗位状况的调查等。

### （五）统计分析工作得到强化

2002年，劳动保障部建立了统计分析制度，按季度开展统计分析，为劳动保障季度形势分析提供决策信息。各地普遍重视统计分析，把统计分析作为提高服务水平、提高统计工作地位的重要途径，在开展统计分析方面做了积极探索，加强了统计分析工作力度，有的地区已形成制度，从而使统计分析水平有了较大的提高。有的统计分析报告在日常管理和领导决策中发挥了重要作用，得到了领导和有关部门的好评，有的还在社会上引起了很大反响。

### （六）统计预测预警取得新进展

2002年，统计工作的预测预警有了新的起色。北京在总结2001年劳动保障工作运行情况的基础上，进一步完善了月度宏观监测，提出了《2002年劳动保障趋势预测的工作思路》，并进行了北京市劳动力供需的中长期预测。天津自2002年第二季度起建立了季度劳动保障监测分析例会。广东进行了建立预测预警制度的尝试。这些地区的努力为其他地区提供了借鉴，也为下一步宏观监测工作的开展打下了基础。

### （七）统计服务取得新的进步

2002年，劳动保障统计服务水平有了新的提高，统计发布和宣传工作也取得了进展，扩大了劳动保障工作在社会上的影响。

一是与统计部门在有关新闻媒体上共同发布了《2001年度劳动和社会保障事业发展统

计公报》，从劳动就业、社会保险、工资分配、劳动关系及劳动监察等各方面对2001年的劳动保障事业发展状况进行了分析。目前，全国大部分地区已经发布了公报。

二是每个季度都通过新闻媒体发布有关劳动保障统计的主要数据，如落实两个确保情况，养老、失业保险费征缴情况等，一方面加大了宣传的力度，让更多的人了解劳动保障工作，另一方面也有助于提高社会对劳动保障工作的认识，促进了劳动保障事业的发展。

三是坚持编印统计资料，供各级领导参考。劳动保障部坚持编印《劳动保障统计年鉴》《劳动保障统计基础数据》等统计资料，各地区也编印了年度统计资料和月、季或不定期的统计资料，如：北京的《劳动保障宏观监测月报》、天津的《劳动工资统计资料》、河北的《劳动和社会保障统计分析与信息》、辽宁的《统计专报》、山东的《劳动保障统计资料》，湖北、湖南、重庆、贵州、深圳、大连、青岛、云南等地区也定期编印了统计资料。通过这些资料，及时通报了有关信息，促进了劳动保障工作开展。

四是开展了有关评估和测算工作。各地劳动保障统计部门配合妇联，对《中国妇女发展纲要》有关资料进行了评估。同时，部分地区配合企业养老金待遇的调整、下岗职工出中心的经济补偿等开展了测算工作，为有关政策的制定提供了数据支持。

（八）基础建设工作取得新成效

一是各地进一步加快了统计基础设施建设，加大了对计算机设备的投入，省市间互联网有了新的进展。特别值得一提的是各地加大了劳动保障管理信息系统软件的推广力度，为提高统计工作的时效性提供了保障。

二是统计台账建设、基本单位数据库建设有了较大的进步，绝大多数地区都有了基础统计数据历史资料库，山东等省已经在数据库基础上实现了超级汇总。

## 三、劳动保障信息化建设

2002年，劳动保障信息化工作围绕劳动保障中心工作，积极推动社会保险信息系统、劳动力市场信息系统和劳动保障信息网站三项重点工程的建设，加强劳动保障部部内办公系统建设、部内网络系统基础设施建设和网上信息维护工作，并为劳动保障部开展的几个重大专题调查提供技术支持，为劳动保障业务工作提供了多方面信息服务。

（一）启动金保工程，加大劳动保障信息化推进力度

2002年10月，为进一步推进全国劳动保障信息化建设进程，劳动保障部在辽宁省沈阳市召开了全国劳动保障信息化工作会议，劳动保障部副部长李其炎、刘永富出席会议并作了重要讲话。会议明确了以“金保工程”为旗帜，加快推动劳动保障信息化建设的工作任务，研究部署了“十五”期间劳动保障信息化建设的总体目标、指导思想、工作计划、保障措施和重点工作任务。会后，印发了《关于进一步加快劳动保障信息系统建设的通知》（劳社部发〔2002〕22号），指导全国的金保工程建设。

为推动地方信息系统建设，加快整个劳动保障信息化建设进程，2002年劳动保障部多次组织调查组赴地方调研，先后调查了辽宁、贵州、四川、内蒙古、宁夏、广东、陕西、上海、天津、青岛等地的信息系统建设情况。结合当地系统建设，对落实规划、标准规范有关问题进行了检查；对系统建设重点任务和落实措施，以及规划和实施方案的制定提出了指导意见。

（二）加快社会保险信息系统建设进程

根据《中共中央办公厅国务院办公厅关于转发〈国家信息化领导小组关于我国电子政务建设指导意见〉的通知》（中办发〔2002〕17号），社会保障信息系统建设被列为国家确定的“十五”期间重点建设的12个工程之一。为加快立项工作，2002年劳动保障部完成了

《电子政务社会保障工程社会保险信息系统分工程（金保工程）一期建设项目建议书》的起草工作，经国务院信息化工作办公室审核后已上报国家计委审批。

2002年，社会保险信息系统建设加强了对辽宁试点工作中信息系统建设的跟踪指导工作。组织有关人员五次前往辽宁了解试点工作中社会保险信息系统建设情况。对辽宁省系统建设实施过程中推行应用软件和数据库、硬件设备配置标准、网络之间接口标准、数据传递方式“四个统一”和在全省加大统一社会保险政策和业务流程的经验给予充分肯定，同时针对辽宁省养老保险系统设备老化（新投资主要用于医疗保险系统）、旧系统中数据质量不符合新系统要求、城市联网覆盖面小、系统安全等问题提出了具体指导意见。2002年底，辽宁已有9个城市与省社会保险机构实现联网，正努力推进全省联网工作。

为进一步了解掌握全国社会保险统一软件—核心平台在各地的实施和使用情况，开展了核心平台实施情况调查。调查结果显示，核心平台已在全国115个统筹单位实施，其中养老保险系统29个，医疗保险系统66个，五保合一系统20个。从地方社会保险经办机构反馈的意见看，核心平台适用可行，用户满意率和基本满意率达到92%。核心平台在各地的推广实施，为社会保险信息系统实现规范化管理、执行统一标准起到了积极的推动作用，也为建设“金保工程”，实现全国统一的劳动保障信息系统联网打下了良好的基础。根据社会保险业务的发展和业务管理新的需求，2002年已着手进行核心平台二版的开发工作。

（三）继续推动劳动力市场信息系统建设

2002年，完成了“劳动99”软件升级并在福州、济南等城市进行了试点应用。用户数量增加到159个城市，子系统数1 045套。随着软件的升级，同时完成了“劳动99”软件全部技术文档整理和120个城市系统建设档案建立工作。修订完成劳动力市场地区代码标准和职业分类标准，并以《关于印发〈劳动力市场职业分类与代码（LB 501—2002）〉的通知》（劳社信息函〔2002〕12号）印发各地。

继续推进劳动力市场综合月报数据库上报制度，印发了《关于加强劳动力市场综合月报工作和试行失业人员综合月报的函》（劳社培就司函〔2002〕36号），并将数据上报情况较好的6个城市数据在内部网进行分析和发布，同时在“中国劳动力市场”网站上发布城市职业供求对比分析。

劳动力市场网站实现全面改版，建立了以数据库为基础的信息发布平台，扩大了信息源和信息量，完善了网站的设备和通信环境。2002年9月14日，劳动保障部部长张左己正式开通“中国劳动力市场”信息网站。

（四）继续加强劳动保障信息网站建设

劳动保障信息网站不断丰富栏目内容，积极推动政府网站的升级工作，建立了以数据库管理为基础的信息发布平台，改进了政府网站的信息发布和管理手段，实现了信息的动态管理。2002年，网站访问量持续增长，日均访问达4 500人次，月访问达13万人次。

随着网站访问量的增加，2002年全年通过政府网站收到的信访类电子邮件达1 672封，全部转交信访部门处理。

劳动和社会保障政策法规系统建设得到完善。完成了2002年政策法规的检查和入库工作，入库政策法规累计达3 400余篇。劳动和社会保障政策法规光盘1.0版开发、制作完成。

为加强劳动保障系统域名注册规范管理和应用推广，建立了劳动保障网上域名注册系统，实现了网上域名注册和域名解析。2002年底负责解析和管理的域名近100个。

为配合国务院办公厅推动的“电子政务试点示范工程”，完成了“劳动和社会保障电子政务试点示范工程”立项工作。

（五）统一规范，强化社会保障卡管理

加强规范、标准和制度建设。根据两年来的应用情况，对《社会保障（个人）卡规范》进行修订，2002年基本完成了“IC卡规范”

和“终端规范”两部分的修订工作，印发了《〈社会保障（个人）规范〉卡终端规范的补充说明》（劳社信息函〔2002〕26号）。完善了社会保障卡密钥管理系统，实现了对部、省、市三级密钥管理工作的技术支持。完成了社会保障（个人）卡应用标识号及注册证书、发卡机构标识号及注册证书的复审。

加强对发卡地区的管理和技术支持。对申请发卡地区从申请注册、分散密钥等工作环节加强了规范化管理的力度，并为它们提供具体的技术指导。2002年完成了辽宁、浙江、黑龙江、河南、安徽、山西、山东、广东、贵州9省20多个城市的发卡审批和注册，并为这些城市分散了密钥；开展了通用性测试工作，目前已经发卡地区（上海、云南除外）均已通过了通用性测试，发行符合规范的卡已经成为主流。到2002年底，社会保障卡发卡量达1 000余万张。

加强对社会保障卡参建厂商的管理与监督。进一步规范了社会保障（个人）卡COS检测流程，并对原有的检测程序进行了完善。截至2002年底，共有24家公司的28个硬掩膜卡（成品卡）COS通过了检测。

（六）加大统计信息管理系统推广

为加强劳动保障统计工作基础管理，提高统计工作质量和时效性，满足各项专业统计用户的需求，2002年初，适时对《劳动和社会保险统计信息管理系统》软件进行了升级，实现了在多种平台上的应用；印发了《关于进一步推广使用〈劳动和社会保险统计管理信息系统〉的通知》（劳社规划司函〔2002〕14号），加快了软件的扩面推广工作。2002年底，软件推广累计8 000多套，其中综合统计覆盖到28个省的地市，社会保险统计覆盖到24个省的地市，培训就业统计覆盖到19个省的地市，失业保险统计覆盖到7个省的地市。该软件的推广使用为劳动保障常规报表统计数据处理和典型调查数据处理提供了有力的支持。

（七）进一步做好劳动保障部机关网络基础设施建设和技术支持

2002年，完成了劳动保障部机关网络二期改造工程的系统配置、调试和测试工作，并完成了整个项目的验收和技术文档整理工作。二期改造工程的完成，进一步提高了部机关网络系统的整体运行性能、安全性和可管理性，增强了与各省劳动保障部门计算机实施远程通信的能力，为开展多项网络应用和网络互联提供了可靠的运行保障环境。

2002年，根据国家版权局、国管局和信息产业部的统一部署和要求，为劳动保障部内360多台计算机更换了正版软件，并完成了正版软件使用培训工作。

积极推进劳动保障部办公系统应用。在2001年开发的基础上，根据用户提出的新的需求，完成了部办公软件的修改方案和系统调试，制定了办公网用户管理规定，开展了办公软件的培训，为下一步在部机关推广使用做好了各项准备。

2002年，实现了中国劳动保障报社、国际交流服务中心、就业培训技术指导中心、中国社会保险学会医学分会与部机关局域网的互联，部网络系统的覆盖面和应用范围不断扩大。2002年底，劳动保障部整个系统服务器达40余台，办公网和综合网用户有600多个。

（八）积极参与各项调查分析工作

2002年，劳动保障信息化工作在各项调查工作中发挥了重要作用。在劳动保障部开展的“2002年全国城镇劳动力就业和社会保障状况抽样调查”、“2002年全国社会保障工作大检查”“10城市下岗职工、失业人员、在岗职工和企业离退休人员状况抽样调查”和“全国下岗职工分类调查”等项工作中，提供了问卷汇总、数据处理、信息分析等技术支持服务。其中“2002年全国城镇劳动力就业和社会保障状况抽样调查”涉及66个城市，问卷处理量20万份。

# 科学研究

2002年，劳动保障科研工作紧紧围绕劳动保障工作的中心任务，坚持与时俱进，不断开拓创新，科研工作取得可喜成绩，有些课题研究填补了空白，具有开创性。

劳动保障部专家咨询委员会积极组织专家开展研究工作，全年印发《专家通讯》10期，围绕劳动保障中心工作提出了一些参政意见和建议。

2002年科研课题研究项目数量多、质量高，不少课题研究成果得到上级领导同志的赞扬和批示，据不完全统计达30次之多。许多科研成果直接进入决策领域，对实际工作的开展起到了积极的作用。特别需要指出的是，2002年集中人力，在规定的时间内克服困难，以高度负责的态度，为中央领导和全国再就业会议准备材料，形成《国际促进就业政策和失业保险、社会救济概况》《国际养老保险模式和改革趋势》研究报告，受到中央领导同志的好评，并作为参阅材料印发全国再就业工作会议。

在劳动就业方面，完成了《2002年全国城镇劳动力就业和社会保障状况抽样调查》《中国就业报告（2001—2002)》《加入WTO对中国就业的影响研究》《关于“就业”和“失业”概念的研究》《国外就业、失业定义》《劳动力市场监测评估指标体系研究》《中国资源利用战略研究》分课题——《中国人力资源开发利用战略研究》《“十五”劳动力市场建设发展战略研究》《农村劳动力流动就业重点监控分析报告》《促进社区就业发展的政策问题研究》《残疾人就业保障条例》《关于农村劳动力转移培训的对策和建议》《技术工人现状与需求数据分析报告》《我国劳务派遣问题研究》《广东社区就业与社区就业管理模式研究》《劳动力市场职业供求信息》《中小企业发展调研》等课题报告，对《积极的就业政策的内容》《公益性就业岗位的定义》《关于服务型企业及商贸企业有关吸纳就业、税收情况的分析和政策建议》和《建立完善三方机制》等进行了系统研究。

在工资分配理论方面，完成了《实现收入分配格局“两头小、中间大”的意义和对策》《最低工资制度实施中的问题及对策》《关于上海市社会保险缴费工资基数情况的调查报告》《我国企业工资管理体制改革的回顾、经验与问题》《中国劳动标准体系研究》《收入分配与就业总量结构分析控制系统》《社会保险缴费工资基数的核定与征缴问题研究》《入世对我国企业收入分配的影响及对策研究》《入世后宏观工资管理体制改革研究》《改进工资收入分配办法、促进灵活多样就业的发展》等20多项课题研究报告。

在社会保险理论方面，完成了《中国医疗保障体系研究》《城市贫困群体社会保障研究》《灵活就业群体社会保险问题研究》《工伤保险关键技术研究》《企业年金制度和管理规范》《中国养老保险基金收支精算模型》《长沙市基本养老保险方案测算及下岗向失业并轨费用测算》《基本养老保险基金收支预警系统》《养老保险监测评估系统》《医疗保险基金收支预测模型》等10多项课题研究报告。

在国际劳动和社会保障问题方面，完成了

《国外促进就业的政策、失业保险和社会救助概况》《市场经济国家促进就业战略研究》《市场经济国家促进困难群体就业研究》《国外促进就业政策研究》《国际劳工组织体面劳动及其政策研究》《国外劳动争议处理制度及其对我国的借鉴》等10多项课题研究报告和《2001年世界就业报告》《2002年世界劳动报告》《劳动监察》等书籍的翻译任务。

此外，开展了其他方面的科研工作。继续关注西部大开发战略研究。组织开展了“西部大开发与劳动保障问题研究”课题，对有关问题进行了调研，与地方劳动保障研究机构合作完成了陕西、甘肃、四川三个分报告。组织院所科研人员共同完成了我国第一部《中国的劳动和社会保障状况》白皮书的起草工作，并于2002年“五一”节前由国务院新闻办向国内外发表，引起较大反响。组织院所人员编写《马文瑞传记》（劳动部分）。组织编辑出版了建院以来第一本劳动保障科研工作年报（2001）。

院所编印内部信息资料共8种约170万字，及时向部领导、各业务司局报送科研成果，与部直属机构、地方劳动保障部门、企业、专家学者交流劳动保障方面的信息。

为更好地适应科研工作信息化的要求，中国劳动保障科学研究院经过两年努力，建成中国劳动保障科研网并正式开通。

国家图书馆劳动保障部分馆建设有了新的进展。依托中国劳动保障科研网，把部分馆藏核心文献数据化，方便了读者；加工180多个国际劳工公约和建议书（中文版）、30多个国外劳动保障法规的全文数据，加工典型劳动保障案例数据100多条。创办《图书文献快报》，介绍馆藏劳动保障文献信息。

院所在重点做好科研课题研究任务的同时，积极探索在科研领域搞好开发，向社会提供服务。开发完成了《劳动合同管理软件》《劳动人事管理系统软件》《劳动争议管理软件》《劳动监察管理软件》系列软件。

# 新闻宣传与出版

## 一、新闻宣传和信息工作

2002年是我国劳动保障事业取得重要进展的一年，两个确保不断巩固，三条社会保障线制度逐步完善，就业和再就业工作力度加大，社会保障体系框架基本形成，各项政策措施进一步得到落实。新形势和新发展为新闻宣传和信息工作提出了新的更高的要求，也提供了更好的发展空间和机遇。一年来，各地劳动保障部门高举邓小平理论伟大旗帜，以“三个代表”重要思想为指导，认真贯彻落实党的十六大精神，按照全国再就业工作会议和全国劳动保障工作座谈会的部署，坚持党的基本路线，坚持团结稳定鼓劲正面宣传为主的方针，坚持全心全意为人民服务的宗旨，紧紧围绕劳动保障中心工作，努力加大宣传力度，新闻宣传产生了较大影响和较好效果。

### （一）劳动和社会保障部宣传中心成立

2002年5月30日，劳动和社会保障部宣传中心正式成立。张左己部长发表了热情洋溢的讲话，他肯定了劳动保障宣传工作取得的成绩，阐述了宣传中心成立的重要意义。他说，近几年来，劳动保障事业发展了，领域拓宽了，劳动保障宣传工作显得越来越重要，有必要成立专门机构，以加强这方面的工作，有一番更大的作为。进一步做好劳动保障宣传工作，不仅是劳动保障事业发展的需要，更是全社会对我们的期望。他强调，要做到优势互补，充分发挥宣传中心的作用，为营造良好的舆论氛围，促进劳动保障中心工作，开创劳动保障工作的新局面做出应有的贡献。

劳动保障部宣传中心的成立，为更好地做好劳动保障宣传工作打下了坚实的组织基础。宣传中心进一步加强与地方劳动保障部门的联系，充分发挥他们了解实际、熟悉基层情况的优势，发掘新鲜活泼、丰富多彩的素材，反映实际工作的经验、困难和要求，充分发挥部属报刊出版单位和政府网站的作用，形成整体优势，为他们提供服务，并加强协调配合，使宣传工作具有立体感、层次感。同时，加强与中央新闻单位的联系和合作，增强宣传工作的主动性和引导性，充分利用报纸、广播、电视和互联网等各种新闻媒体，建立顺畅的沟通。

### （二）全国劳动保障学习宣传活动成功举行

学习宣传活动以编辑出版两本书为基础，以学习两本书、宣传劳动保障政策为主题。主要内容是：

一是《领导干部社会保障知识读本》和《新时期劳动和社会保障重要文献选编》的编辑出版和学习。在全国劳动保障系统和中共中央文献研究室的共同努力下，经过一年多的努力，2001年11月，两本书定稿。2002年1月16日，中共中央总书记、国家主席江泽民为《领导干部社会保障知识读本》题写了书名。2002年2月，两本书正式出版发行。以编辑出版两本书这种形式归纳劳动保障事业的发展历程，系统总结改革的理论和实践，在我国劳动保障事业发展史上尚属首次。社会各界对两本书给予了高度评价和广泛认同，认为这不仅是劳动保障事业的一项基础性建设，而且对于社会各界学习党和国家关于劳动保障的方针政策，增强做好劳动保障工作的自觉性，推动劳动保障事业的发展，都具有十分重大的意义。

两本书出版后，各地劳动保障部门制定了详细的学习计划，做到固定时间学习，在相关报刊上发表学习体会文章，地方厅局的负责同志带头学习。通过组织一系列的学习活动，领导干部增进了对劳动保障工作的了解和支持，职工群众更加明白了自己的权益，提高了劳动保障系统工作人员的政治业务素质，增强了做好工作的紧迫感和自觉性，切实扩大了劳动保障工作的社会影响。

二是全国首届劳动保障知识竞赛。2002年4月8日，《人民日报》《中国劳动保障报》《劳动保障通讯》和劳动保障部政府网站刊登了环球磁卡杯全国首届劳动和社会保障知识竞赛试题。随后，各地劳动保障部门积极组织开展竞赛活动，采取在当地报刊刊登试题和印发答题卡等形式组织广大职工参赛。经过组委会办公室的组织和调度，共收到知识竞赛答题卡1 049万张，职工参赛率超过10%。社会各界积极响应，广大职工踊跃参赛，充分调动了各方面学习了解劳动保障知识和政策的热情。不少职工群众来信，反映参赛的心得体会，认为举办这样的活动，对于了解劳动保障政策、维护自身合法权益具有重要的意义，实现了普及劳动保障知识，宣传劳动保障政策，增强劳动保障意识的目的。

三是全国首届劳动保障知识电视大奖赛。2002年3月，全国劳动和社会保障知识电视大奖赛预赛工作在各地陆续展开，经过各地劳动保障部门和企事业单位广泛参与和层层选拔之后，全国各地选拔组成了582个参赛队参加了预赛，在预赛基础上，每个赛区选出一支代表队于7月12日至16日在北京参加决赛和总决赛。经过激烈争夺，北京、山东、陕西、青海、新疆、山西6个代表队进入总决赛，北京、天津、河南、广东、云南、新疆6个代表队的节目获得风貌展示奖。7月16日，电视大奖赛进行总决赛，北京代表队获得一等奖，陕西、新疆代表队获得二等奖，山东、青海、山西代表队获得三等奖。同时，在总决赛现场向北京、天津、河北、内蒙古、辽宁、黑龙江、上海、浙江、安徽、山东、河南、湖北、湖南、广西、四川和云南16个地区颁发了学习宣传活动组织奖。张左己部长还在总决赛现场抽取了全国首届劳动保障知识竞赛一等奖10名，组委会办公室抽取了二等奖20名、三等奖50名和纪念奖500名，获奖名单于8月5日在《人民日报》等媒体向社会公布。7月29日至8月4日，中央电视台在第一套节目连续播出电视大奖赛决赛和总决赛实况。各地劳动保障部门认真组织系统工作人员和广大群众收看。据统计，全国有近亿人次的群众收看了比赛。精彩的竞赛、丰富的内容、新颖的形式、热烈的气氛给观众留下了深刻的印象。各地普遍反映，收看电视大奖赛是一次比较集中、比较系统的业务培训，丰富了知识，拓宽了视野，在全社会形成了人人关心、参与、支持劳动保障工作的良好氛围。

（三）再就业宣传活动声势浩大

在全国再就业工作会议前后，组织新华社、《人民日报》、中央人民广播电台、中央电视台等媒体共进行各种报道达200多篇。其中《人民日报》宣传报道33篇，有19篇在头版显著位置对全国再就业工作会议和再就业工作进行评论和报道；新华社围绕全国再就业工作会议和再就业工作采写新闻通稿83篇，另有内参25条；中央电视台一、二套节目报道24则，其中在《新闻联播》节目中播出9则，另有3期《焦点访谈》节目；中央人民广播电台报道40则。这些报道，对全国再就业工作会议开展了全方位、多角度的宣传，形成了较大声势，营造了良好的舆论氛围。

（四）《中国的劳动和社会保障状况》白皮书发表

2002年4月29日，劳动保障部配合国务院新闻办公室发表了《中国的劳动和社会保障状况》白皮书。白皮书回顾了自20世纪70年代末以来，我国在建立和完善社会主义市场经济体制过程中为保障公民的劳动和社会保障权利方面所做的巨大努力和取得的成就。白皮书全文约1.5万字，分4个部分：就业形势总体保持稳定，新型劳动关系基本形成，社会保障体系初步建成，21世纪初期的发展。这是我国政府首次全面、系统地向世界介绍中国的劳动和社会保障事业发展状况。

（五）日常新闻宣传工作力度明显加大

2002年，通过部属各单位和各地劳动保障部门的共同努力，日常新闻宣传工作力度明显加大。全年共安排采访300多人次。办理各种新闻阅办件187件，组织中央媒体对劳动保障部落实中央会议精神的会议和其他重要会议采访报道20次，协调中央媒体对地方劳动保障部门的采访报道30次以上。中央媒体的宣传报道数量增加，质量明显提高。中央级媒体共报道近2 000条，较2001年的1 030条有大幅度增加。从质量上看，共在中央级媒体的重要版块刊播新闻稿件达700余篇，其中《人民日报》一、二版的重要位置刊发新闻104篇，刊发部领导署名文章11篇；新华社通稿和动态清样151条；中央人民广播电台的全国联播和报纸摘要节目播报120条；中央电视台新闻联播、焦点访谈、现在播报、经济半小时、东方时空等重要栏目播发劳动保障部重要新闻113条。同时，配合全国社会保障政策落实情况大检查，组织中央媒体记者进行了新闻访查工作，新华社、中央人民广播电台、中央电视台等主要中央级媒体发表各种报道近30篇。

（六）劳动保障部主管主办媒体在宣传工作中发挥了重要作用

《中国劳动保障报》在劳动保障部党组的直接领导下，按照统一部署和要求，紧紧围绕劳动保障工作，不断加强和改进内部管理和基础建设，发挥了重要作用，较好地完成了年度目标管理任务。报纸宣传质量、出版发行和经营工作都有新的提高。《中国劳动保障报》积极宣传报道劳动保障各项工作的方针政策，各地劳动保障工作的动态、经验和劳动保障工作的模范人物先进事迹，以及劳动保障工作中的热点难点问题；加强了专题和栏目策划和运作，涌现出一批读者喜闻乐见的好栏目、好专题和好新闻。为了适应现代新闻传媒数字信息化的发展趋势，开通了新版中国劳动保障报新闻网，数据库形成了1 400万字的库容量，完成了网站发布平台的平移工作，大大提高了网上信息查询速度，并实现了与劳动保障部政府网的链接。全年共出版《中国劳动保障报》277期，期发行量达11万份，实现了报纸发行稳中有升的目标。

《劳动保障通讯》作为劳动保障部机关刊物，继续坚持以质量求发展的方针，强化内部管理，在宣传劳动保障政策、劳动保障中心工作和劳动保障重要工作部署上发挥了不可替代的作用。适应读者需要，开辟了一些更加贴近基层、贴近实际、生动活泼的栏目。《中国社会保障》继续强化自己的品牌形象，在传播劳动保障理论和宣传劳动保障政策方面发挥了重要作用。《中国劳动》《中国培训》《中国就业》《职业》《劳工世界》《劳动和社会保障法规政策专刊》等刊物和劳动保障部政府网站在宣传劳动保障政策和劳动保障中心工作方面继续发挥应有的作用。

（七）政务信息工作取得重要进展

全年共办理信息阅办件126件，上报《劳动和社会保障情况反映》7期、《劳动保障部专报信息》73期，其中中办采用54条（综合采用9条），国办采用51条（综合采用8条）。编辑下发《劳动和社会保障工作信息》48期，编辑《参阅资料》40期，采用各地信息300余条。信息工作在坚持数量增加的同时，更加注重质量的提高。《劳动和社会保障情况反映》坚持有情况、有分析、有措施的原则，《劳动保障部专报信息》坚持将劳动保障部和系统内的工作情况及时上报的原则，《劳动和社会保障工作信息》坚持对地方工作有借鉴、有指导、有启发的原则，《参阅资料》则侧重于将地方落实各项政策情况、工作中存在的问题及各地政策建议及时上报。为促进各地增加信息报送数量，提高质量，年初还下发了政务信息评价办法，有力地促进了各地和有关单位的信息报送工作。

## 二、出版工作

2002年是中国劳动社会保障出版社实施“两个规划”（2001—2005年5年发展规划、2002—2004年3年选题规划）的重要一年，做好本年的工作，对全面完成两个规划的目标任务至关重要。在“认清形势，树立信心，抢抓机遇，深化改革，扎实做好工作”的方针指导下，一年来，出版社以两个规划为目标，坚持正确的出版方向，坚持发展与创新，坚持规范化管理，坚持实施人才战略和企业文化建设，同心协力，共同奋斗，取得了良好的社会效益和经济效益。全年共印制图书819种，其中出版新书340种，重印书479种，重印率达58.5%；销售码洋1.799亿元，销售实洋1.356亿元，继续保持和巩固了出版社作为职业教育与职业培训教材重要出版基地、劳动保障和安全生产专业图书权威性出版社的地位。

*（一）劳动保障和安全生产图书品牌特色进一步突出，初步形成了较为完整的产品体系结构*

在劳动和社会保障类图书方面，《劳动社会保障文丛》《社会保障译丛》《劳动保障重大课题报告系列》等一批水平较高、作者较为知名的学术著作相继编辑出版，在学术界产生较好影响。“高等学校劳动与社会保障专业核心课程教材”以及面向企业和普通百姓的劳动保障普及性读物等选题逐步向深度和广度开发。同时还围绕和配合劳动保障领域的中心工作，出版了《领导干部社会保障知识读本》《新时期劳动和社会保障重要文献选编》以及全国职教会和再就业工作会议文件汇编等重点图书。在安全生产和劳动保护类图书方面，确立了较为科学的图书结构框架，为下一步的编辑出版工作明确了方向。《安全生产、劳动保护法制教育丛书》《安全生产、劳动保护政策法规系列专辑》等丛书的整体推出，突出了规模效益，扩大了影响，进一步增强了出版社在这一领域的竞争力和权威性地位。

*（二）适应职业教育和职业培训工作的新形势，进一步加强职业教育和培训教材建设工作*

按照3年选题规划的要求，加大选题开发的力度，全年完成发稿292种，完成20套、共117种教材的编写布置及审纲、审稿任务。技校教材在继续做好原有的机械、电子、计算机、文秘、经营核算等专业教材的修订和开发的基础上，新开发了一批适应市场需求的专业教材，其中机械、实用美术、专业英语、电子商务、市场营销、园林、机电一体化等60余种和建筑装饰、服装设计与制作、制冷空调设备维修、实用美术（基础）、手册类、计算机等60余种已出版发行。职业技能鉴定教材紧紧围绕国家职业标准的制定和颁布，及时推出各个专业的国家职业资格鉴定教程、职业技能鉴定指导用书23种，并完成了45个职业的133种鉴定用书的组稿及审纲工作，扩大了鉴定教材的规模。新开发了电子商务师、物流管理人员、企业培训师、企业人力资源管理人员等一批新职业急需的职业技能培训教材，其内容的科学性、实用性不断提高，适应了再就业新形势的需要。

*（三）拓展新领域，多元化发展初见成效*

在巩固已有领域的同时，注重开发新类别的选题。与微软合作的国家职业资格信息技术双认证计算机教材第一批24种于2002年上半年出版，第二批合作正在加紧进行。与上海市劳动保障厅教研室合作开发出版“1＋X”职业技术（职业资格）培训教材进展顺利，现已完成五批83种各类教材的开发和编写工作。农业科技培训类图书、鉴定教材向高等院校延伸的论证研究逐步深入。国际版权合作进一步深入，引进版图书选题范围逐渐扩大，数量已增至63个。

*（四）继续完善图书质量保障体系，全面提高图书质量，确立劳动版图书的品牌竞争优势*

制定了《图书编校质量检查若干规定》《书刊外在质量检查规定》等，建立了严格、规范、科学的出版物质量保障体系，使图书的内在、外在质量都有明显提高。全年共抽检图书58种，1 395万字，优良率达83%，抽查音像制品3部，优良率为100%。尤其突出的是，出版的“维护劳动者权益金袋鼠丛书”一套（9种）获得了第十三届“中国图书奖”，实现了国家级获奖图书的历史性突破；《跟我上因特网》（VCD）获得“全国优秀音像制品奖”三等奖；《数学》等52种教材获得劳动保障部“全国职业培训和技工教育优秀教材奖”；此外，还获得中国版协校对质量一等奖2种、二等奖1种；北京地区印刷质量奖63种。同时，出版社社长张梦欣同志荣获“全国百佳新闻工作者”荣誉称号。中国劳动社会保障出版社在两个效益方面均取得了令人瞩目的成绩，为进一步实现跨越式发展奠定了坚实的基础。

# 国际交流与合作

2002年，劳动保障领域的国际交流与合作取得了新的进展，高层交往活跃，多双边交流与合作领域拓宽，境外就业工作取得进展。全国人大常委会审议批准了第182号《禁止和立即行动消除最恶劣形式的童工劳动公约》。与德国正式签署了《关于实施中华人民共和国和德意志联邦共和国社会保险协定参保义务的行政协议》。草签了中韩《互免征缴养老保险费临时措施协议》。

## 一、高层交往

一年来，先后接待了印度国家劳动委员会主席、澳大利亚家庭社区服务部部长、南非劳工部副部长、蒙古劳动保障部部长4个部级来访团组和应其他部委邀请前来拜会的20个部级团组。张左己部长7月率团访问肯尼亚和南非。李其炎副部长3月率团访问英国和古巴。王东进副部长4月率团访问墨西哥和巴西，12月率团访问韩国和日本。张小建副部长10月率团访问瑞典和德国。刘永富副部长9月率团访问加拿大和法国。崔会烈同志4月率团出席世界银行在美国举办的社会保险基金监管会议，会后访问美国和加拿大。

通过这些高层交往，宣传了我国改革开放，特别是劳动保障制度改革的成果，加深了相互了解，拓展了劳动保障领域国际交流与合作，并与摩洛哥、南非和古巴签署了劳动和社会保障双边合作谅解备忘录。

## 二、多双边交往与技术合作

中英失业保险项目正式签字实施，英方将提供300万英镑的援助。项目将在四川和辽宁的6个城市试点，帮助中国完善失业保险信息管理系统，使之与就业服务信息系统相连接，促进我国下岗职工基本生活保障与失业保险并轨。

中美劳动立法项目立项取得积极进展。双方已就项目合作框架达成共识，在劳动立法和执法、法制宣传教育、劳动争议处理和法律援助方面开展合作。这标志着中美两国政府在劳动领域合作的新突破。

中德劳动立法项目和中德职业资格证书项目实施顺利。中德下岗女职工就业项目已开始启动第二期项目活动，德方将继续提供150万欧元支持第二期项目活动，并将项目实施单位从南京扩展到本溪。

协助辽宁省就亚行支持辽宁社会保障体系试点项目签订了技术援助项目文件，并顺利进入实施阶段；与联合国开发计划署合作的小城镇就业促进项目和与国际劳工组织合作实施的城市就业促进项目进展顺利；与国际劳工组织合作实施的社会性别主流化项目正式启动；与国际劳工组织和瑞士政府合作的经济开发区人力资源和劳动关系管理项目进行了中期评估，对项目下一步活动计划提出了建议。

积极争取与瑞典在就业领域继续合作，按瑞典国际开发署要求的格式向外经贸部提交了项目建议书。同时，与加拿大、澳大利亚等国的有关机构积极接触，商谈新的技术合作项目。

积极推动中国—欧盟社会保障合作项目开发。经多次部内外协商，对欧盟方面准备的项目文件提出了修改意见，力争将项目活动集中在完善我国社会保险制度的重大问题上，突出能力建设，强调提高管理水平和人员培训。目前，项目已进入实质性立项阶段。

采取行动，落实与国际劳工组织合作谅解备忘录。与国际劳工组织方面联合召开了捐助机构会，寻求合作伙伴；利用国际劳工组织资金和技术支持，围绕社会保障、体面工作、创业培训、地方经济发展、远程培训、工作场所的艾滋病等问题举办了研讨会或磋商会；向国际劳工组织提出了创业培训和远程培训项目建议书（意向），为在上述领域争取技术合作奠定了基础。

与日本多家研修生接收机构签订新的合作协议，赴日研修生数量稳步增长。同时保持与使馆及日方企业的积极沟通，加强研修生境外管理。

## 三、国际组织活动

6月，李其炎副部长率团出席了国际劳工组织第90届大会。会前，根据我国外交总体战略，认真准备了预案；会上，深入参与各项重要议题的讨论，对有关问题做出了应有的反应。在与会代表团领导小组和我国驻日内瓦代表团党委的正确领导和大家共同努力下，我全总副主席成功当选为国际劳工局理事会工人副理事。

5月，步正发副部长率团出席了东盟第16次劳工部长会议暨东盟+中、日、韩劳工部长会议，就我与东盟进一步协调在国际劳工组织活动，在劳动、社会保障以及人力资源开发等领域加强交流与合作等有关事宜进行了友好磋商。

9月，刘永富副部长率团出席了国际社会保障协会政策研究大会，就社会保障现状及其发展趋势与国际同行进行了交流。

9月，崔会烈同志率团出席了APEC第二次妇女问题部长级会议，宣传了我在经济结构调整过程中促进男女平等参与经济发展所采取的措施和取得的成就，并与APEC各成员就为微小企业发展创造条件、促进妇女获得更多的经济机会进行了交流。

组织参加了国际劳工局第283、284、285次理事会。我政府代表当选为理事会政府组主席。派员出席了石油天然气、机械电子行业、采矿业三方会议和海事区域会议。配合全国政协，派员参加了欧洲经社委员会劳工人权会议。配合外交部派员参加了2002年APEC第一、二、三次高官会及相关会议，以及APEC社会性别融入特设咨询小组工作。此外，还派员出席了国际社会保障协会地区负责人会议。

成功地接待了国际社会保障协会秘书长，签署了关于2004年在中国举办国际社会保障协会全球大会的备忘录；成立了大会筹委会，启动了筹备工作，对会址进行了初步考察，对大会议题提出了建议。

积极筹办中国就业论坛。4月和10月先后两次与国际劳工组织联合举办了就业论坛技术磋商会。成立了由有关部委负责人组成的中国就业论坛筹备委员会，设立了秘书处。

在国际劳工标准方面，全国人大常委会审议批准了第182号《禁止和立即行动消除最恶劣形式的童工劳动公约》。6月24日，张左己部长向人大常委会做提请审议批准第182号公约的说明。此外，我们还向国务院报送第89届国际劳工大会通过的劳工标准；向香港和澳门分别征询关于适用第108号和第180号国际劳工公约的意见；向国际劳工组织提交我国已批准国际劳动公约报告和关于《国际劳工组织工作中的基本原则和权利宣言及后续措施》的报告；开展了关于基本人权公约的调研；答复全国人大和政协关于第81号公约的3项议案。

## 四、社会保险协议谈判

与德国正式签署了《关于实施中华人民共和国和德意志联邦共和国社会保险协定参保义务的行政协议》。4月，为配合《协议》正式生效，下发了《关于实施中德社会保险协定有关事项的通知》，在国内主要新闻媒体进行了宣传报道。

经过多轮谈判和反复磋商，中韩《互免征缴养老保险费临时措施协议》已草签，将以外交换文形式签署生效。中荷《社会保险待遇境外支付行政协助协议》谈判取得积极进展，双方对协议文本基本达成一致意见。同时，就中澳、中新社会保障有关问题，与我驻外使领馆进行了初步接触。

## 五、境外就业工作

2002年5月14日，劳动保障部与公安部、国家工商行政管理总局联合下发了《境外就业中介管理规定》（劳动保障部令第15号），进一步规范了境外就业中介管理工作。为落实《境外就业中介管理规定》，组织了宣传报道，召开了全国境外就业工作座谈会，举办了境外就业管理培训班。同时，加强境外就业工作制度建设和组织建设，制定了《境外就业工作有关程序》和《境外就业中介资格审批工作规则》等规范性文件，确定管理工作程序。到年末，全国所有的省、自治区、直辖市、计划单列市和新疆生产建设兵团劳动保障行政部门都指定了专门的境外就业管理机构。

多数省份制定了实施细则，开始了境外就业中介资质的申报。截至年底，共受理地方中介机构申请40家，获得许可证的共5家。

## 六、国际交流服务中心成立

国际交流服务中心于2002年5月30日正式成立。在劳动保障部党组的亲切关怀和具体指导下，交流中心在开拓劳动保障领域的民间和非政府国际交流与合作，促进劳动保障部对外交流事业的发展方面迈出了坚实的一步。交流中心坚持“一个中心”“四个方向”的总体发展思路，即始终坚持以党中央、国务院的总体外交方针、策略以及劳动保障国际交流事业的发展为中心，促进和发展劳动保障领域的民间和非政府间国际交流与合作；按民间国际交流合作、境外就业、咨询服务和人才培养四个方向开拓业务，促进交流中心总体工作发展。

# 学会与协会

## 一、中国劳动学会工作

1．重大会务活动

2002年1月15日至16日，中国劳动学会成立20周年纪念大会在北京召开。来自全国劳动学会系统、学术界、企业界和劳动保障行政部门的代表及优秀论文作者共200多人参加了会议。会议对中国劳动学会系统的先进单位和先进个人进行了表彰，并举行了劳动保障科学学术报告会。

1月16日，中国劳动学会召开了在京常务理事会议。会议审议通过了《中国劳动学会2001年工作总结和2002年工作计划》，听取了中国劳动学会分支机构复查登记工作情况的汇报，审议并原则通过了《中国劳动学会分支机构内部管理办法》征求意见稿。

4月16日，中国劳动学会召开在京常务理事会议。会议主要议程：一是宣布学会秘书长人选的建议；二是介绍了学会分支机构复查登记工作进展情况；三是就本届常务理事人员变动情况作了说明，并对增补常务理事及会员单位等问题提出了原则性意见。

2．主要的学术研讨活动

2002年7月6日至7日，中国劳动学会在延安市召开了“2002年度年会暨社会保险与就业工资制度改革学术研讨会”。来自全国各地的学会常务理事、理事和会员单位代表共117人参加了会议。会议收到学术论文36篇。

7月13日至14日，中国劳动学会在上海市召开了“就业和社会保险对策与问题研讨会”。来自部分省市劳动学会、企业会员单位和有关省、市社会保险经办机构的近70位代表参加了会议。

9月14日至15日，“中国劳动学会2002年企业信息经验交流会”在南昌市召开。参加这次会议的有来自航空、石化、机械、冶金等10多个不同行业、80多家企业及部分地区劳动学会的代表，共计150余人，收到学术论文36篇。

3．学术交流活动

2002年8月，中国劳动学会在京接待了以张瑞明为团长的台湾中华人力资源管理协会组织的海峡两岸人力资源交流访问团。10月，应台湾中华劳动与就业发展协会的邀请，中国劳动学会交流团对台湾进行了为期一周的访问。在台期间，代表团成员就海峡两岸劳动与社会保障问题进行了学术研讨和交流。

## 二、中国职协工作

2002年，是中国职工教育和职业培训协会换届以来比较繁忙、业绩也较为突出的一年。

1．在全国职业教育工作会议的筹备工作中，具体承担了劳动保障系统全国职教先进单位和先进个人的组织评选工作。通过紧张细致的工作，按时完成了组织、汇总、评审、事迹材料的筛选编辑和宣传等工作，选出的84家先进单位和81名先进个人在全国职教会上受到了表彰。

2．2002年10月16日至17日召开全国企业职工培训经验交流及工作推动会议，来自劳动保障部门、行业、企业的300余名代表参加会议，会上对评选出的190家全国企业职工培训先进单位进行了表彰。

3. 与沈阳市政府、《中国青年报》于8月31日在沈阳市成功举办了“技能人才与中国制造高层论坛”。此次论坛得到了政府官员、国内外专家学者、企业负责人和新闻媒体的关注，300多位代表和200多名记者参加了会议。会议就技能人才开发的地位、作用等问题进行了深入探讨，效果良好，影响广泛。

4. 组织建设和会员发展。在组织机构建设方面，指导几个分会和委员会进行了结构调整，增设了劳动培训机构分会，会员单位数量较上年增加了80余家。

### 三、中国劳企协工作

2002年，中国劳动就业服务企业协会坚持为企业服务，为企业办实事的宗旨，以促进下岗失业人员再就业为中心，配合召开全国再就业工作会议，参与再就业扶持政策制定，并认真贯彻落实会议精神和扶持政策，推动劳服企业、小企业、社区就业实体的发展，有效促进了下岗失业人员实现再就业。2002年，全国劳服企业、社区就业实体、生产自救基地21.19万个，较上年增长17.9%；从业人员616.2万人，较上年增长35.1%，其中新增下岗失业人员97.05万人。

1. 指导百家重点联系城市开展社区就业工作

全年在继续指导地方制定出台社区就业工作方案的基础上，跟踪了解百家重点联系城市社区就业工作进展情况，掌握进度，季度分析，及时通报情况。搜集整理地方开展社区就业工作经验64份，推广典型经验20份。

9月至12月，推广街道和社区劳动保障工作平台建设经验，指导城市尽快健全职能，建立工作制度，解决难点问题，使机构、人员、编制、场地、经费落实到位，并指导其充分发挥服务平台的作用，开展各项服务工作，特别是为下岗失业人员社区就业提供全方位的就业服务。

结合社区建设发展、产业结构调整，绝大多数的重点联系城市将社区就业岗位开发纳入年度工作计划，实行目标管理，确定开发岗位的数量、开发岗位的重点领域，将社区居民服务业、家庭服务业、驻社区机关服务、企事业单位社会化服务、社区基层组织建设、公共管理和公益性服务作为社区就业岗位开发的重点。在开发岗位形式上，重点发展个体、私营、合作、合伙等非公有制经济，兴办社区服务型小企业。鼓励下岗失业人员创办各类便民利民的社区就业实体，鼓励企事业单位、街道基层组织和社会各方面力量兴办以安置下岗失业人员为主的中小企业或劳动就业服务企业。

2. 为劳服企业服务、办实事，加快劳服企业发展

1月6日至7日，为加快劳服企业改制步伐，在山西省晋中市召开了部分省市劳服企业厂长（经理）、就业服务机构负责人参加的改制工作座谈会。会上，交流了近年来劳服企业改制的做法，讨论了如何加快劳服企业改制的措施。

6月5日至7日，在云南省昆明市召开了第十届劳服企业、小企业优秀质量管理小组成果发布会，26个省的90个小组参加发布，评定优秀质量管理小组奖项444个。其中，15个优秀小组被评为全国2002年度优秀质量管理小组，有1个小组在全国第24次质量小组代表会议优秀质量小组观摩会上发布。

下半年，面向全国劳服企业厂长经理及协会会员，开展了抓住入世机遇，促进劳服企业发展和运用再就业扶持政策促进劳服企业、小企业、社区就业实体发展的培训班，培训了劳服企业厂长、经理、技术人员近400人，收到了较好效果。

3. 加强协会自身建设

根据民政部关于全国性社会团体分支机构复查登记工作的要求，完成了冶金分会、铁道分会、化工分会、机械电子分会、船舶工业分会、航天集团分会、航空工业分会、核工业分会8个分支机构复查工作，并经过劳动保障部

人教司审查和民政部审定，于11月份进行复查登记。

## 四、中国社会保险学会工作

1．中国社会保险学会成立

经国务院批准，民政部登记，中国社会保险学会2002年6月6日于北京成立。该学会接受劳动保障部、民政部的业务指导、监督、管理。其最高权力机构是会员代表大会，理事会为其执行机构。学会实行会长负责制，设会长1名，由劳动保障部提名，并由会员代表大会选举产生。第一届会长为劳动保障部原副部长王建伦同志。全国人大成思危副委员长、全国政协李贵鲜副主席、劳动保障部时任部长张左己同志为名誉会长。学会现有单位会员176个，个人会员310名。

2．建立网站，创办会刊

学会网站于2002年12月15日在上海开通。网站的建立为社会保险的研究工作提供了一个平台。网站目前开辟学会介绍、会员、工作动态、社保研究、社保法规、国际交流、会刊、咨询服务8个栏目，随着业务工作的开展，将陆续开辟新的栏目。

2002年8月学会创办了《中国社会保险学会会刊》。已出版3期。目前会刊开辟了学会工作、学术交流、工作研究、地方动态4个栏目。正在申办正式刊物。

3．召开了第一次会长工作会议

学会第一次会长工作会议于2002年8月21日至23日在浙江杭州召开。会上对于完善我国养老保险制度的主题进行了认真讨论。围绕这一主题，分4个议题展开：（1）我国城镇化进展对养老保险制度的影响；（2）统筹层次研究；（3）社会统筹与个人账户相结合的基本养老保险制度走势及各类公积金形式的国际比较分析；（4）资本市场发展及养老保险基金的投资运营。

# 地方劳动和社会保障工作

# 北 京 市

2002 年，北京市劳动保障系统努力实践“三个代表”重要思想，坚决贯彻党中央、国务院和市委、市政府的一系列重大决策，以与时俱进的精神状态，艰苦奋斗，迎难而上，全力推进劳动保障制度改革和机制创新，圆满完成了各项任务，开创了劳动保障工作的新局面，为深化国有企业改革、促进经济发展和维护社会稳定做出了突出贡献。

## 一、下岗职工基本生活保障向失业保险并轨顺利实现

1998 年以来，北京市坚决贯彻落实“鼓励兼并、规范破产、下岗分流、实施再就业工程”的方针，共建立再就业服务中心1 067家，累计接收下岗职工 30.03 万名，通过“保生活、续保险、促就业”，下岗职工已于 2002 年全部出中心再就业，提前完成了 3 年“并轨”过渡期的任务，实现了下岗职工由基本生活保障向失业保险制度的平稳过渡。这是就业体制的历史性变革，标志着市场导向的就业机制基本形成。为解决计划经济体制下国有企业的冗员问题，推进经济结构调整，起到了非常重要的作用。

## 二、就业和再就业工作卓有成效

2002 年，北京市失业人员新增 17 万人，增幅高达 20.7%，局部就业矛盾非常突出。在这种严峻形势下，全市上下认真落实全国和市再就业工作会议精神，密切配合、全力以赴，通过完善落实促进就业政策，强化目标责任制，加大资金投入，大力开发社区就业岗位，发展社区公益性就业组织、劳务派遣企业、再就业园区，加强基层就业服务，联网贯通失业人员动态管理，整合技校教育资源，强化就业培训等一系列措施，促进下岗失业人员再就业。进一步完善了就业托底制度，深入开展再就业援助行动，使就业困难人员基本得到了安置。统筹兼顾，开展了农村富余劳动力的就业管理和服务。

2002 年，全市免费技能培训和创业培训下岗失业人员 7.7 万人，培训后就业率为 61.5%；开发社区就业岗位 12.31 万个，安置下岗失业人员 10.24 万人；通过自谋职业实现再就业 2.84 万人；社区公益性就业组织达到 123 家，安置就业特困人员4 335人，安置率达 96%。本市农村富余劳动力实现就业 5.5 万人。

2002 年，全市 22.19 万名城镇登记失业人员中，有 15.5 万人实现了再就业，再就业率为 67.68%；年底实有登记失业人员 6.02 万人，城镇登记失业率为 1.35%，保持了就业局势的基本稳定。

## 三、基本医疗保险制度基本确立并平稳运行

2002 年，北京市稳步扩大基本医疗保险覆盖面，狠抓企业补充医疗保险的落实，加大清理企业拖欠职工医药费的工作力度。截至年底，基本医疗保险参保人数达 384 万人；企业补充医疗保险已覆盖 314 万人，占企业参保人数的 94.6%；企业清还拖欠职工医药费 4.45 亿元。

2002年，北京市完善医疗保险政策，减轻了参保人员的医疗费负担；简化审核结算程序，缩短审核结算期，保证了医疗费用的及时拨付；加强对971家定点医疗机构的管理，发布医疗保险费用信息，有效控制了医疗费的支出；建立医疗保险托底机制，减轻了特困人员的医疗负担；邀请200多位人大代表、政协委员进行专项检查，增强了各方面对医改的理解和支持。

目前，北京市多层次的医疗保险体系初步形成，保障与约束机制的作用日益显现，操作运行逐步平稳，基金收支平衡，群众对新制度基本认可。

### 四、养老保险制度改革取得新突破

2002年是北京市养老保险制度改革力度最大的一年，出台了农转居人员参加社会保险试行办法、自收自支事业单位养老保险制度改革试行办法、机关事业单位转制或流动到企业的人员养老保险衔接办法、中断缴费人员养老保险办法等。石景山区和海淀区正在进行农转居人员参加社会保险试点；坚持城市居民最低生活保障相关待遇标准调整制度，企业离、退休人员养老保险待遇水平进一步提高，月均基本养老金分别达到1 600元和819元。全年养老保险基金支出131.4亿元，确保了133.2万名企业离退休人员的基本生活。

2002年北京市启动了社会保险费征缴和经办模式的改革，"统一征缴、一单托收"的试点正在西城区试行；初步建立了退休人员社区管理服务模式，平稳接收1.4万名破产企业退休人员，全市已有104万名退休人员实现了社会化管理服务。

### 五、扩面征缴形成了长效工作机制

在不断实践的基础上，2002年北京市的社会保险扩面征缴工作形成了由主管市、区（县）长挂帅、相关部门参加的领导协调机制；目标责任与区县财力挂钩的奖惩机制；审计、稽核、监察、经办等部门紧密配合的整体联动机制。这三个机制综合运用，已成为推进扩面征缴的有效工作模式。

2002年，北京市的扩面征缴工作取得显著成效。养老、失业、工伤保险基金累计收缴142.4亿元，同比增收13.4亿元，增幅达18%。参统职工人数分别净增10.3万人、12.3万人、16.3万人。各项社会保险基金收缴率均达到95%以上，超额完成了市政府下达的工作目标。

### 六、劳动关系调控体系日益健全

2002年，以深入贯彻《北京市劳动合同规定》为主线，北京市依法规范企业劳动关系。开展专项大检查，促使用人单位与28.6万名职工补签了劳动合同；大部分区县建立了劳动保障部门、工会和企业组织三方会议制度；健全了市、区和局、总公司劳动关系调整监控网络；形成全方位、多渠道的劳动争议协调处理机制。各级劳动关系、仲裁、监察、信访部门协调运作，妥善处理突发性、群体性事件，及时化解矛盾，维护了企业和社会的稳定。

2002年，全市平稳完成了25万名城镇职工劳动合同期限届满的续订、终止工作，劳动合同续订率为81.46%；受理来信来电来访23.3万件，集体来信来访824件，同比分别增长17.5%；受理劳动争议案件13 856件，同比增长30.14%，其中集体劳动争议548件，同比增长22.1%，结案率达97.5%。

### 七、企业收入分配制度改革继续推进

2002年，北京市扩大自主决定工资试点范围，全市已有23户企业参加试点；向社会发布覆盖最主要通用性职业的劳动力市场工资指导价位；发布了2002年工资指导线、企业人工成本；研究制定了授权的国有资产营运机构经营者收入管理办法。

### 八、劳动保障依法行政水平不断提高

2002年，北京市强化法制教育培训，推

进立法和政策整合工作，深化政务公开，规范行政审批、行政处罚行为，加强行政执法监督。加大劳动保障执法监察力度，对6.51万户用人单位开展了执法检查，同比增长44.5%。追缴社会保险费6.58亿元。查处违法案件8 487件，结案率为96%。为职工追发工资5 050万元。

2002年，北京市的工伤保险、农村养老保险、社会保险基金监督、劳动鉴定、职业技能鉴定、劳动保障宣传教育、调研统计和信息系统建设等各项工作都有了新进展。

一年来，北京市之所以能取得上述显著成绩，主要是较好地把握了以下4点：

一是坚持与时俱进，努力实现劳动保障观念的创新。全市各级劳动保障部门自觉地适应客观形势的变化要求，把劳动保障工作融入首都改革、发展、稳定的大局中统筹谋划，正确把握事业的发展方向，加深对工作规律和特点的认识，使思想观念不断适应劳动保障事业发展的需要。一年来，北京市劳动保障部门树立和强化了“就业是民生之本”“安排好困难群体的工作和生活是治本之策”“提高劳动者技能是发展生产力第一要务”“社会保险必须与就业形式多样化相适应”“统筹城乡劳动保障工作”等一系列新的理念。通过解放思想，更新观念，突破了“城镇劳动保障”的管理范围，推动城乡劳动保障工作协调发展；突破了单纯依靠劳动保障部门抓工作的做法，逐步构建起立体的工作网络；突破了各业务部门“单打独斗”的局面，发挥全系统整体联动的功能；突破了粗放型的管理模式，实行分级分类管理，拓展了工作视野，提升了管理效能，实现了工作创新和发展。

二是坚持深化改革，攻克劳动保障工作的重点难点问题。一年来，北京市劳动保障部门在维护社会稳定的前提下，坚持改革不动摇。针对现行养老保险制度企事业分割、覆盖范围窄等问题，以农转居人员和自收自支事业单位参保为突破口，推动了养老保险改革的制度创新；针对现行社会保险缴费基数、时间和地点不统一的问题，启动社会保险费“统一征缴、一单托收”试点，推进了征缴方式和经办模式的改革；针对城市化进程加快带来农村富余劳动力增多的问题，从就业服务入手，促进了城乡劳动保障工作整体推进。实践证明，只有坚决冲破妨碍发展的思想观念，改变束缚发展的做法和规定，革除影响发展的体制弊端，才能形成劳动保障事业发展的新思路、新举措、新境界。

三是坚持执政为民，协调各方面共同为人民群众谋利益。2002年，全市劳动保障系统把为人民群众办实事、谋利益作为一切工作的出发点和落脚点，抓住密切党同人民群众血肉联系这一核心问题，始终站在服务于首都经济发展和社会稳定的高度，主动争取各级党委、政府的高度重视和有关部门的大力支持，注重发挥行业、社团、企业等各方面的积极性，形成全社会共同关注、支持、参与劳动保障工作的态势。在纵向上，将劳动监察、劳动争议仲裁、就业服务等工作向基层延伸、向社会拓展，初步构建了市、区、街三级工作体系，通过建立292个街道（乡镇）社会保障事务所，为劳动保障各项工作的开展提供了重要基础和支撑；在横向上，加强与各部门通力合作，得到财政、税务、工商、民政等部门的大力支持，在巩固两个确保、促进就业、推进扩面征缴等方面，形成了快捷高效为群众排忧解难的合力；在系统内部，上下一心，围绕着为民服务，在抓管理、抓基础、抓合力、抓调研上下功夫。各级领导干部带队深入基层，倾听人民群众的呼声，完成了216项专题调研，深入150个居委会的3 000户家庭，开展就业和社会保障入户调查，解决了大量关系人民群众实际利益的问题。

四是坚持“勇于拼搏、争创一流”的团队精神，为事业发展提供了不竭的动力。2002年，北京市夺得全国首届劳动保障知识大奖赛冠军，这是各级劳动保障部门全员参与、层层选拔、通力合作的结晶；也是长期加强干部队伍思想建设、组织建设和作风建设，创造力、凝聚力和战斗力不断增强的集中展现。“勇于拼搏，争创一流”的精神，已经贯穿于劳动保障工作的各个方面，培育出一批先进集体和个人。2002 年，北京市劳动保障局连续第四次荣获市政府“政绩突出单位”称号，这是全市各级劳动保障干部职工同心同德、呕心沥血、奋发图强的结果。在全国表彰劳动保障先进集体、先进个人中，宣武区劳动保障局、北京市劳动保障局仲裁处、西城区社会保险中心荣获集体一等功，市、区（县）劳动保障局有 10 名同志荣获个人一等功。实践证明，劳动保障队伍是一支忠于职守、吃苦耐劳、能打硬仗的队伍，正因为如此，劳动保障工作才能不断克服前进道路上的各种艰难险阻，实现新的突破和发展。

（北京市劳动和社会保障局）

# 天 津 市

2002年，天津市劳动和社会保障系统以江泽民同志“三个代表”重要思想为指针，从改革、发展、稳定的大局出发，紧紧把握跨越发展的工作基调，认真落实年初确定的工作目标，劳动保障工作保持了良好的发展态势。党的十六大和天津市市委八届三次全会召开后，全市劳动保障系统深入贯彻会议精神，再接再厉，打好年底攻坚战，劳动保障各项工作取得明显成效。

## 一、就业和再就业工作成效显著

2002年，天津市就业工作瞄准新的经济增长点，不断开辟就业渠道，在狠抓各项政策落实的同时，抓住就业工作关键环节，努力创造就业岗位，稳步推进下岗职工基本生活保障制度向失业保险制度并轨，确保了下岗失业人员的基本生活，保持了全市就业局势的稳定，城镇登记失业率控制在3.91%。

1．拓宽就业领域，创造就业岗位

2002年初，天津市政府确定全年创造8万个就业岗位，城镇登记失业率控制在4%左右的工作目标。三季度，按照全国再就业工作会议要求和天津市再就业工作需要，把创造就业岗位工作目标从8万个增加到10万个。面对新形势和新任务，天津市实行“五个紧紧盯住”，拓宽就业领域，即：紧紧盯住第三产业特别是服务业发展，扩大就业规模；紧紧盯住劳动密集型企业发展，增加就业容量；紧紧盯住个体私营经济发展，开发就业岗位；紧紧盯住企业改组改制，控制岗位流失；紧紧盯住小城镇建设，在城乡一体化进程中拓宽就业渠道。在找准扩大就业领域的同时，通过政策引导、典型引路、综合服务等方式，鼓励各类企业和下岗失业人员创办劳服企业、社区就业实体、非正规就业劳动组织等，多形式开辟就业渠道。全年发展劳服企业504家，安置下岗失业人员1.9万人。发展社区非正规就业劳动组织1 050家，公益性劳动组织27家，兴办13家后勤社会化服务实体和20个家政服务中心，帮助1.2万名下岗失业人员在社区实现再就业。全年全市创造就业岗位安置下岗职工10.29万人，其中行业创造就业岗位安置3.45万人，区县安置6.84万人。

2．确保下岗职工基本生活，实现下岗职工基本生活保障制度和失业保险制度并轨

2002年，天津市积极筹措资金，扩大下岗职工基本生活保障财政兜底范围，对自筹资金不到位的困难企业由财政给予兜底解决，财政和失业保险基金共筹集发放基本生活保障金2.4亿元，使4.3万下岗职工基本生活得到有效保障。在此基础上，为了下岗职工在2002年末3年基本生活保障协议期满顺利出中心，实现两种保障制度并轨，天津市对下岗职工出中心问题不搞“一刀切”，视具体情况进行分类指导、分别处理。对“4050”人员（指女40岁以上、男50岁以上的下岗失业人员，他们普遍技能单一、文化水平低、家庭负担重，实现再就业比较困难）实行“政府出资协议保留社会保险关系到退休，生活保障进低保”的办法；对不具备再就业能力人员实行贴补社会保险政策，企业依法给予医疗期待遇；对其他协议期满无法解除劳动关系出中心人员，按照中

央要求，继续运用现有资金渠道筹措资金，保障其基本生活。通过几种不同途径，解除下岗职工后顾之忧，使再就业服务中心的下岗职工平稳出中心，年末基本实现了两种保障制度并轨。

3．加强再就业培训，下岗失业人员再就业能力明显提高

2002年，天津市按照2000年确立的“三年二十万”的培训任务，加大再就业培训力度，通过开展招标培训、定向培训、伙伴培训、创业培训等再就业培训，下岗失业人员的再就业能力、职业转换能力、自主创业能力得到提高。全年举办下岗失业人员培训班2 152个班次，涉及专业40余个，培训8.5万人，培训后取得结业证、职业资格证书“双证率”和再就业率均达到50%以上。按照“以培训促进创业，以创业促进就业”的思路，加大创业培训工作力度，加强“天津市创业培训中心”的软硬件建设，完善创业培训、项目募集开发、开业指导、技能培训与鉴定、融资服务、行政管理6个区域，成功引进国际流行的SYB（创办你的企业）培训，全年培训学员500名，有200人自主创办企业，创业成功率达40%。

4．深入开展再就业援助行动

2002年，天津市先后两次开展劳动力资源抽样调查，发放问卷近2万份，涉及全市18个区县近6 000个家庭，基本摸清下岗失业人员及新生劳动力的就失业状态、求职意向等情况。在此基础上，天津市加强劳动就业基础管理，建立再就业优惠政策检查、部门协商通气和劳动力资源抽样调查等制度，围绕“岗位援助、技能援助和接续社会保险援助”3个主题，开展面向下岗失业人员特别是“4050”人员等特困群体的再就业援助行动。12月中旬，天津市劳动和社会保障局与《今晚报》社联合举办援助“4050”人员再就业大行动，公开向社会征集就业项目和就业岗位。活动期间，征集再就业项目220个，提供就业岗位5 500个，收到良好的社会效果，帮扶就业困难群体的工作机制和社会环境正在形成。

5．加快社区平台建设，完善就业服务体系

2002年，天津市各级劳动力市场充分发挥市场在就业活动中的载体和桥梁作用，把面向用人单位和劳动者两个主体、满足就业需求作为着力点，完善服务手段，延伸各项服务。一是广泛收集劳动力供需信息，力求信息新、实、全，用信息吸引用工双方进场求职和招聘。全年接待用人单位8.1万户次，汇聚供需信息45万条次，进场求职317万人次，达成意向达21%。二是放大市场功能，从单纯职业介绍扩展到综合劳动保障服务，既提供就业中介服务，又提供代缴社会保险、代办退休手续、代发失业保险金等社会保障服务。天津市职业介绍中心已发展成为具有50多项综合服务功能的劳动就业和社会保障服务窗口。2002年，为在职业介绍机构存档人员代缴养老保险费4 200万元，代办退休手续602人，为2.34万人次代发失业保险金6 344万元。街道劳动保障机构建设取得突破性进展。2002年，市编委下发《关于区县、街镇劳动保障工作机构和人员编制的通知》，明确区县、街镇劳动保障服务中心的机构性质、人员编制和经费来源问题。至年末，全市已建立街镇劳动保障服务中心106个，部分社区居委会建立就业工作指导站，并设置专职人员，实现所有街道全部建立社区工作平台的目标，基本形成三级管理、四级网络的就业服务体系。

## 二、社会保险工作取得突破

经过近20年的社会保险改革实践，天津市已经基本上形成了以养老、失业和医疗保险为主要内容的社会保险体系框架。2002年，天津市继续完善社会保险体系建设，加快向“形成独立于企业事业单位之外、资金来源多元化、保障制度规范化、管理服务社会化”目标迈进，为实现老有所养、病有所医、弱有所助，解除人民群众后顾之忧，稳定社会做出积极贡献。

1. 养老保险基金保障能力增强

2002年，天津市为增强养老保险基金保障能力，对基本养老保险企业职工个人缴费比例、中央11个行业驻津单位的单位缴费比例和外商投资企业单位缴费比例进行调整，其中个人缴费比例由6%调整为7%，外商投资企业单位缴费比例由25%调整为20%，对在职业介绍机构存档缴费和“个人缴费窗口”缴费的个人承担全部缴费义务人员调整缴费比例，由原27%调整为21%。自2002年1月1日起，企业和职工缴纳基本养老保险费的“缴费最低标准”，由“本市最低工资标准”调整为“本市上年职工月平均工资的60%”，体现了养老保险政策对弱势群体的倾斜，也有效地提高了基金征缴额。在此基础上，继续抓好养老保险扩面、征缴、追欠工作。在扩面工作中，抓紧抓好为终止和解除劳动关系人员接续养老保险关系工作，在各职业介绍中心、社会保险管理分中心开办个人缴费窗口，方便职工接续养老保险关系和参保缴费，全年仅在社保分中心个人缴费窗口缴费的人数就达到3.15万人，个人缴费额达到7 800万元，全年实现扩面17.6万人。在基金征缴方面，加强养老保险缴费稽核，借助会计师事务所等中介机构，对438户参保企业进行核查，查出少报漏报缴费基数8 047万元、少报漏报缴费人数4 707人，维护了职工合法权益，促进了基金收入增加。至年末，全市企业参保人数为198万人，完成基金征缴53.16亿元，较上年同期增长15.57%，其中追缴历史欠费1.2亿元。建立养老金正常调整机制，2002年两次调整企业离退休人员养老金，人均增加85元，企业离退休人员养老金人均达到670元，离退休人员与在职职工一同及时分享到经济发展成果。对不能确保离退休人员统筹项目外养老金按时足额发放的市属困难企业继续实施专项财政补助，全年累计拨付专项补助资金2.66亿元，涉及困难企业离退休人员33.4万人，有效地保障了离退休人员的基本生活。

2. 失业保险保生活、促就业作用日益明显

2002年，随着下岗职工基本生活保障制度和失业保险制度并轨工作的推进，天津市领取失业保险金的失业人员较上年明显增加，全年累计领取失业保险金的失业人员为17.77万人，较上年增加3.09万人，失业保险基金面临考验。面对参保资源减少，征缴难度加大的严峻局势，2002年，天津市进一步加大扩面、征缴工作力度，在极其困难的情况下，将失业保险参保率提高到92.38%，比上年提高2个百分点，年末参保人数为196.35万人。通过核准缴费基数、开展稽核、加大清欠等措施，强化基金征缴，全年征缴失业保险基金5.32亿元，比上年增收0.24亿元，达到历史最高水平。为确保失业待遇按时足额发放到位，市、区、街三级经办机构规范经办行为，严格资金管理，实行贴近式服务，全年为失业人员支付各种失业保险待遇4.51亿元。失业保险在保生活的同时，完善促进就业功能，加大对下岗职工出中心、促就业工作支持的力度，对再就业培训和职业介绍提供资金支持，全年向再就业中心调剂资金8 500万元，拨付培训补贴1 246.8万元，拨付职业介绍补贴961.6万元，失业保险在保障失业人员基本生活和完善促进就业方面的双重功能得到拓展。

3. 基本医疗保险制度运行平稳

2002年，针对医疗保险运行中反映比较突出的问题，天津市继续修订完善基本医疗保险政策办法。一是对建国前参加革命工作的老工人的门（急）诊补助待遇进行调整，由原来补助70%调整为80%。二是将天津市实施医疗保险前获准出境定居的退休人员，入境探亲访友或回国定居的，纳入基本医疗保险范围。三是明确了外商投资企业单位缴纳基本养老保险费的比例下调以后，中方退休人员供养直系亲属的医疗保险待遇问题。四是在大港区进行有偿解除劳动合同人员接续医疗保险关系试点，为解决中断缴费人员医疗保险关系接续积累经验。这些政策调整为特殊人员参保创造条件，扩大了基本医疗保险的覆盖面。至年末，

全市医疗保险参保人数为250.2万人，其中参加全市基本医疗保险社会统筹的参保人员182.7万人。从2001年11月1日实施基本医疗保险制度至2002年末，累计征缴基本医疗保险基金15.03亿元，门（急）诊大额医疗费补助资金2.15亿元。从运行一年多的情况看，基本医疗保险制度运行较为平稳，基金收支基本平衡，略有结余。新的医疗保险制度建立了稳定的筹资机制，保证了社会共济目标的实现，较好地解决了职工医疗费报销难的问题；医疗保险费用分担机制的建立，增强了参保职工的费用意识和自我保障意识，促进了患者的理性消费，一定程度上遏制了医疗费用的浪费；就医秩序正常，医疗机构收入有所增加，广大参保人员的基本医疗得到保障，医疗保险制度改革受到社会普遍关注和基本赞成。

4．工伤保险制度改革稳步推进

2002年，天津市根据国务院《工伤保险条例（草案）》，结合本市实际，草拟了《工伤认定办法》《工伤鉴定办法》和《工伤保险浮动费率管理办法》等地方配套办法，为天津市实施工伤保险基金社会统筹奠定了基础。同时，还加强了对工伤认定、鉴定工作的日常管理，针对职业病例数量增多苗头，强化认定和鉴定程序，严格审查职工职业史，并深入重点行业，查看作业现场和劳动条件，确保认定和鉴定结论准确。全年认定工伤3 900例，工伤鉴定4 100例，有效地维护了企业和职工的合法权益。从2002年1月1日起，调整工伤保险计算基数和待遇标准。工伤保险计算基数由916元调整为1 020元，伤残抚恤金、护理费和供养亲属抚恤金在2001年领取额基础上增长11.4%。

5．生育保险制度改革取得进展

2002年，天津市按照劳动保障部关于生育保险制度改革工作部署，结合本市实际情况，开展了生育保险实施准备工作。围绕生育津贴、生育医疗费用和计划生育费用等内容，对全市不同类型的46家医院进行抽样调查，并通过开展专题研究，摸清全市生育工作现状和存在问题。在分析测算基础上，草拟了《天津市城镇职工生育保险实施方案》，对生育保险的覆盖范围、缴费基数和比例、基金的使用、享受条件和待遇、配套办法和结算办法、管理和监督等有关问题做出规定。

6．社会保险基金经办管理服务水平不断提高，基金监督管理得到加强

2002年，天津市建立完善社会保障体系，对社会保险基金的经办管理和服务提出了更高的要求。为适应企业深化改革的需要，全市各级社会保险经办机构改进工作作风，增强服务意识，加强对社会保险基金管理的基础工作。认真稽核参保单位的参保人数和缴费基数；规范个人缴费窗口服务，做好下岗职工接续保险关系和自由职业者参保缴费工作。加强对基金的支付管理，完善离退休人员生存认证制度，堵塞养老金支付漏洞。严格执行政策，做好各项社会保险待遇审核，杜绝不合理支出，提高管理服务水平。同时，加强对社会保险基金的监督管理，建立报表和审计专查制度，保障了社会保险基金的安全、高效运行。

**三、职业技能培训工作取得新进展**

2002年，天津市推行职业资格证书制度、就业准入制度和劳动预备制度，加大职业培训工作力度，扩大职业资格证书覆盖范围。全年完成职业培训70万人次，职业技能鉴定15万人次。

1．做好技工学校改革工作

2002年，天津市对技工学校改革主要做了以下工作：一是规范学校专业设置，加强师资队伍建设。对全市87所技工学校专业设置逐一进行评估，对32所学校的38个专业下达整改或停办要求。全年培训教师300人（次），征集评审教师论文420篇，有175名教师参加技工学校系列中、高级职称评审，教师队伍整体素质得到提高。二是扩大高级技能人才培训规模。为解决天津市技能人才特别是高级技能人才短缺问题，全年批准11所社会办学单位的高级培训资格。制定《关于天津市高级技工

学校建设中有关问题的通知》和《关于天津市高级技工学校毕业生工资待遇问题的通知》等一系列鼓励政策。首次组织5所高级技校面向中等职业学校毕业生和社会各类人员单独招生，7个专业共招收高级技工班学员350人。三是改革技工学校招生工作。通过实施网上录取、登记入学、招生录取与学籍注册相分离等措施，为学校创造了宽松的招生环境，在生源十分紧张的情况下，完成全市技工学校招生任务，全年招生1.51万人。

2．强化企业在培训中的主体作用

2002年，天津市以推行就业准入制度为切入点，把提高企业职工素质、培养后备力量作为企业发展和增强企业竞争力的长效措施，强化企业在培训中的主体作用。通过实施简化资格审查和考核程序，降低鉴定收费等鼓励措施，支持行业主管部门、行业组织和企业开展职工在职培训，收到良好成效。2002年，天津港务局在第四次全国职业教育工作会议上被教育部、劳动保障部、国家经贸委3家联合授予全国职业教育先进单位称号，天津天铁冶金集团有限公司、天津市市政工程局、天津钢管有限责任公司、天津市电力公司被劳动保障部评选为全国职工培训先进单位。与此同时，天津市还开展了职业技能竞赛活动，为技能人才提供展示的舞台，从而激发了职工学习技术、参加培训和技能鉴定的积极性。全年举办了第二届渤海之夏美容美发大赛、经委系统第六届技能大赛、总工会主办的计算机大赛、商委系统焙烤大赛和烹饪大赛等6次市级技能大赛，大赛对选手参赛资格的技术等级作出明确限制，对98名大赛获奖选手给予晋升技术等级奖励。

3．严格社会力量办学标准，清理整顿办学机构，提高职业培训质量

天津市在2002年初开展的2001年社会力量办学机构年检中，对已取得办学许可证的380家办学机构逐一进行检查，对不具备办学条件、不能正常开展培训或出现违法乱纪的170余家办学单位予以撤销。严格申请办学条件，增加租赁办学场地司法公证和注册资金等条件，规范了社会力量办学的职业培训行为。

4．开拓技能鉴定渠道，鉴定规模明显扩大

2002年，天津市从市场需求出发，开拓技能鉴定渠道，提高新工种技能鉴定能力，全社会普遍增强对职业资格证书和职业技能鉴定的重视程度，鉴定规模明显扩大。全年鉴定人数达到15.8万人，比上年增长28%。其中企业职工2.19万人，占14%；各类职业技术院校毕业生6.96万人，占44%。同时，加强对职业技能鉴定社会化的管理工作。一是实行培训、考核分离和定期鉴定制度，强化鉴定质量监控机制；二是搞好试题开发，对已采用的20个职业（工种）试卷进行调整和补充，编制开发组合机床加工、摄影师、制冷工等8个职业（工种）试卷；三是加强考评员队伍的建设，全年举办3期考评员培训班，考评员由1 676人增加到1 847人，新增考评员171人；四是推行考务管理软件，强化鉴定质量监控，有78个鉴定机构使用《考务管理系统软件》。全年鉴定合格取得职业资格证书的13.98万人，通过率达88.5%。其中初级9.8万人，占70%；中级3.4万人，占24.3%；高级0.78万人（含技师），占5.6%。

## 四、工资宏观调控指导作用得到加强

1．对工资调控政策进行调整，工资宏观调控领域实现3个突破

2002年，天津市市委、市政府提出的“新三件事”中明确要求，要增加城镇居民可支配收入。为此，天津市对企业自主决定工资水平办法、工资指导线以及最低工资标准等工资调控政策进行调整，工资宏观调控领域实现3个突破。一是在扩大“企业自主决定工资水平”办法的实行范围方面，突破只有国有企业改制后才能自主决定工资水平的限制。规定无论什么性质的企业改制后均可申请实行自主决定工资水平办法。实行计税工资企业，工资集体协商后，其工资水平可以“自主决定工资水平办法”取代“计税工资办法”。全年实行自

主决定工资水平办法的企业54户，涉及职工7.75万人。二是完善工资指导线制度，在发布层次上有突破。2002年，市政府直接公布工资指导线水平，提高了工资指导线发布层次，工资指导线的调控力度得到加强。天津市2002年企业工资指导线基准线为11%，上线（预警线）为20%，下线水平由以往的“零或负增长”提高到5%，且企业支付职工工资不得低于本市最低工资标准，体现了政府对“增加群众收入”的要求及对企业工资增长的指导取向。三是适应经济体制改革深化要求，公布非正规就业小时最低工资标准，突破最低工资标准的单一形式。天津市最低工资标准，自7月1日起由每月不低于412元调整为每月不低于450元；宝坻区、静海县、蓟县、宁河县、武清区由每月不低于402元调整为每月不低于440元；对于非正规就业（弹性就业）的劳动者实行小时最低工资制，标准为每小时不低于4元。

2．督促企业按时足额发放职工工资，提高职工收入

一是建立企业工资发放和增资情况月报、企业欠薪报告和预警等制度，及时掌握企业工资发放、增资及欠薪动态情况。对连续欠薪2个月以上的企业进行跟踪监督检查，对连续欠薪3个月以上或年累计欠薪6个月以上的企业，进行预警通报和曝光。二是增强劳动力市场价位对企业工资分配的指导作用，适时发布劳动力市场价位信息，公布工种（岗位）数量由上年247个增加到291个。三是推动工资集体协商工作。全年开办3期工资集体协商培训班，培训区、县、局（总公司）及试点企业劳资人员500余人，增强了工资集体协商代表的职业能力。年末，全市签订工资集体协议试点企业达到269户，涉及职工4.75万人。四是加强对实行经营者年薪制试点企业的管理。对经营者业绩考核、经营责任保证金制度以及年薪兑现监督等提出政策指导，强调经营者效益年薪兑现必须与本企业职工工资增幅挂钩。年内实行经营者年薪制的企业558户，涉及经营者914人。通过上述措施，维护了职工合法权益，促进了全市企业职工工资水平的提高。2002年，天津市企业从业人员人均劳动报酬15 899元，比上年增长13.96%。

**五、劳动保障法制建设和劳动关系调整机制日臻完善**

1．加强劳动保障法制建设

2002年，天津市按照世贸组织规则要求，继续对建国以来的劳动保障地方性法规、规章、规范性文件进行清理，废止地方性法规1件，修改政府规章2件，停止执行市政府规范性文件34件，废止市劳动保障局规范性文件478件。加强劳动保障立法和普法工作，全年审核发布规范性文件26件，举办普法培训学习班28期。加大劳动行政执法力度，制定《天津市劳动和社会保障监察条例》，条例已经市政府提交市人大常委会审议。强化行政执法责任制，做好行政复议工作，全年受理行政复议案件21件，行政应诉案件6件，答复上级行政复议案件7件，全部得到妥善处理。广泛开展劳动保障领域前瞻性研究，全年完成涉及劳动合同、建立企业欠薪预警制度、企业补充保险以及加入WTO劳动保障应对措施等方面调研课题20项，其中《推动下岗职工基本生活保障向失业保险制度并轨问题研究》《提高天津市企业职工工资水平问题调研报告》等5项课题获市级奖，2项被市委、市政府采纳，为制定政策和领导决策提供科学依据和参考。

2．加大劳动保障监督检查工作力度

2002年，天津市各级劳动保障监察机构以规范企业用工管理，维护和谐稳定的劳动关系为出发点，扩大劳动年检覆盖面，从1月15日至4月30日开展了为期3个半月的劳动年检，参检用人单位2.1万户，比上年增长11%。认定合格单位1.13万户，占参检单位的54%。对初检不合格单位进行复检，对537户用工行为不规范的用人单位下达《整改指令书》，对21户用人单位实施行政处罚。开展劳动保障日常巡查及劳动合同、集体合同、民工

权益保护、禁止使用童工、职业资格证书等专项执法检查，检查用人单位2.24万户，涉及劳动者198.6万人，受理查处举报投诉案件1 248件，结案率达97%。协调处理劳动保障突发事件79起，涉及劳动者7 000余人。通过各种形式的监督检查，查处违法用人单位1 674户，行政处罚235户；取缔非法职业介绍机构73家，清退童工69人，补办就业证卡1.85万人，清退违规招用外来劳动力2 400余人，为1 700余人追回风险抵押金70余万元，督促用人单位与劳动者补签劳动合同11.9万份，追缴社会保险费3 453.86万元，为3万多劳动者追讨拖欠工资1 947万元，其中追回拖欠民工工资171万元。

3．加强劳动争议预防和处理工作

（1）从规范劳动关系入手，进一步推行劳动合同制度和集体协商集体合同制度，扩大集体协商机制覆盖范围，把工资和一些劳动争议的焦点问题作为集体协商的重要内容，促进用人单位和劳动者建立和规范劳动关系，从源头上预防劳动争议的产生。2002年4月，市劳动保障局、市总工会、市经委和市企业联合会联合发出公告，要求尚未建立劳动合同制度的用人单位应在2002年6月30日前全部签订劳动合同。7、8两个月在全市范围内开展了劳动合同、集体合同执法大检查，检查用人单位4 264户，督促企业补签劳动合同7.2万份，补签集体合同145个，这样，天津市劳动合同制度的实施工作继1996年后又掀起一个新高潮。至年末，全市签订劳动合同职工182万人，审核批准集体合同涉及职工127万人，其中本年度审查集体合同199个，涉及职工29万人。完善“两账一卡”劳动合同管理制度，强化劳动合同鉴证工作，防止无效、违法劳动合同产生，全年鉴证劳动合同33.9万份。

（2）加强对突发事件的监控和预防，快速、及时解决集体争议。2002年，天津市各级劳动保障部门加强对不稳定因素的排查工作，采取措施化解争议苗头，基本建立起劳动争议突发事件的宏观预警机制，全年处理集体争议和突发事件90余起。

（3）本着“谁主办、谁负责”的原则，实行办案责任制。规范办案行为，坚持办案程序公开、过程公开，提高办案透明度，接受社会监督。在处理争议时注重调解，使30%案件调解结案，提高了办案效率，维护了劳动关系的和谐稳定。全年处理各类劳动争议8 000余件，立案处理2 780件，涉案人数8 494人，其中集体争议案件82件，涉案人数5 773人。全年结案2 223件，时效内结案率达95%以上，其中裁决结案1 102件，调解结案624件，当事人撤诉497件。

2002年的劳动争议案件有以下特点：一是劳动争议案件数量呈攀升趋势，比上年增长13.7%；涉案人数急剧增加，比上年增长111.5%。二是伴随劳动力结构调整，劳动关系日趋复杂，用工主体多元化和用工形式多样化成为劳动争议产生的主要原因。三是案件处理难度增大，劳动者思想观念发生很大变化，从关注权利转为关注利益，在拖欠工资、退休金、经济补偿金等利益上与企业争执频繁，调解余地和范围很小，裁决结案成为劳动争议案件结案的主要方式。四是劳动者依然是仲裁的主要申诉群体，劳动者申诉的胜诉率上升。

4．围绕社会稳定大局，做好劳动保障信访工作

2002年，天津市劳动保障部门适应信访量日趋增多的形势变化，坚持“分级负责、归口办理”原则和局长接待日制度，加强对突发性群体上访事件的预报和预控，对214个重点企业进行摸底排查，协调有关部门，有效地解决了许多重大疑难集体信访问题。全年全市接待群众来访3.27万人，处理来信、来电4.4万件（次），其中市劳动保障局接待群众信访2.6万件（次）。

**六、狠抓基础性工作，为社会各界提供优质服务**

1．劳动保障信息系统建设得到加强

天津市劳动保障信息管理系统一期工

程——社会保险管理信息子系统在试运行半年的基础上，于2002年5月实现养老保险、医疗保险统一征缴和审核支付，新、老系统业务同步运行。10月份实现新系统独立运行。同时，着手规划二期工程——劳动就业管理信息子系统建设，制定《天津市劳动和社会保障管理信息系统二期工程建设项目任务书》，进行了业务需求分析、系统架构设计等调研工作。积极推进办公自动化应用，建立行之有效的运行管理机制，定期督促检查，较好地维护了局机关办公自动化系统的正常运行。与此同时，为适应政务公开要求，提高工作效率和管理服务水平，天津市劳动和社会保障局对劳动保障信息网站进行全新改版，新版劳动保障网于2002年7月12日正式开通。新网站设置涉及劳动保障政策法规、业务指南、问题解答、综合信息等一级栏目17个，二、三级栏目75个；后台数据库47个。网站面向用人单位、劳动者和社会各界，信息量大，时效性强，方便实用。网站的社会影响不断扩大，已成为天津市宣传和发布劳动保障政策和信息的重要窗口，自开通至年末，网站点击率已逾5万人次，日均逾300人次。

2．做好统计信息、政务信息发布工作，搞好劳动保障政策宣传

2002年，天津市的劳动保障统计工作由单纯提供统计数据向综合分析、预警预测、宏观监测方向转变，撰写了《劳动力市场工资指导价位调查情况分析》《天津市部分行业人工成本抽样调查分析》和《天津市职工队伍和工艺水平情况分析》等分析资料，发挥了统计工作的信息、咨询、监督的整体功能。政务信息及时将工作中的热点、难点问题和工作动态反馈给各有关部门和领导，为领导决策和宏观管理提供重要参考。劳动保障宣传工作坚持正确的舆论导向，围绕劳动保障领域出现的新情况、新问题和劳动保障系统中心工作，利用各种新闻媒体，以电视、广播、报刊、知识竞赛等多种形式，宣传劳动保障政策法规，得到了广大人民群众的了解和支持，为各项工作的开展奠定了基础。

（天津市劳动和社会保障局）

# 河　北　省

2002年，河北省劳动保障部门在各级党委、政府的领导下，以邓小平理论和“三个代表”重要思想为指导，认真学习党的十六大精神，坚决贯彻落实劳动和社会保障部和河北省委、省政府的决策部署，紧紧围绕经济建设这个中心，服从和服务于全省工作大局，明确目标，突出重点，攻坚克难，开拓进取，各项工作取得了明显成效，为全省改革、发展、稳定大局做出了重要贡献。

## 一、劳动管理工作

1．城乡就业

2002年，河北省把扩大就业作为各级政府宏观调控的重要目标，广开就业渠道，拓宽就业领域，取消城乡壁垒，逐步建立以市场为导向的就业机制，促进了劳动力资源的合理配置。城镇劳动力就业方面，在全省实行了统一的就业失业登记证制度，加强对劳动力市场的清理整顿，严格各级各类职业介绍机构的审批和管理，依法取缔非法职业介绍机构，规范职业中介行为。同时，搞好对外国人和港澳台人员来河北省就业的管理。到年底，全省实有城镇登记失业人员22.16万人，城镇登记失业率为3.6%。农村劳动力就业方面，坚持城乡统筹的原则，大力发展投资少、见效快、吸纳劳动力多的新兴行业和服务业，推动县域特色经济发展，扩大劳务输出，抓好各项农村就业促进试点项目的推广，带动了大批农村劳动力就业。2002年，全省农村富余劳动力向非农产业转移130万人次。

2．下岗职工再就业

2002年，河北省共有国有企业下岗职工34.96万人。为促进下岗职工再就业，紧紧围绕“保生活、促就业、接保险”三个主题，加大再就业援助工作力度，对下岗职工全面开展上门咨询和政策援助、职业指导援助、就业信息和岗位援助、技能培训援助、社会保险接续援助、劳动保障事务代理援助、生活保障援助和特困群体援助，在保生活的基础上，促进下岗职工再就业。全面开展了“一三一”服务活动，对下岗职工免费开展一次职业培训、三次职业介绍、一次职业指导，对就业困难的下岗职工提供即时就业服务。积极发展社区服务组织，开拓社区就业岗位，鼓励下岗职工到社区实现就业。推行下岗职工自谋职业“一卡通”的做法，确保下岗职工再就业优惠政策的落实。10月20日，省委、省政府召开河北省再就业工作会议，各级劳动保障部门认真落实会议精神，制定下岗失业人员再就业配套政策，搞好调查测算，广泛开展宣传活动，动员全社会力量促进再就业工作的开展。2002年，全省共有9.76万名国有企业下岗职工实现了再就业，再就业率为27.9%。

3．劳动力市场建设

2002年，河北省认真落实劳动力市场管理办法，继续推进劳动力市场科学化、规范化、现代化建设，开发并使用了《河北省劳动力市场管理信息系统》软件，实现了省、市、县三级信息联网。省和11个设区市的劳动力市场交流大厅都在200平方米以上，前台全部实现了计算机办公，并实行“一站式”服务。各级公共职业介绍机构全面开展了职业指导工作，培训职业指导人员310多名，提高了职业指导人员的业务素质和全省职业指导人员持证上岗率。2002年，河北省公共职业介绍机构登记求职人数为109.2万人，职业介绍成功率达57%。

4．就业训练

2002年，河北省贯彻落实第二期“3年60万”再就业培训计划，努力提高下岗失业人员培训后的再就业率，取得明显成效。全省累计培训下岗失业人员19.86万人，培训合格率达92%，再就业率达62%。加强农村富余劳动力培训，积极开展“千人扶贫就业培训计划”，全省累计培训农村劳动力24.4万人次。积极稳妥地推进非国有企业劳动就业培训工作，在6个设区的市开展了试点，取得初步成效。职业学校就业前训练工作逐步开展，全省参加就业前训练的学生达5.3万人，受训学生综合素质明显得到提高。

5．劳服企业和社区就业

2002年，河北省紧密结合产业结构调整和城市社区建设发展进程，以建立社区就业服务工作网络为重点，以发展社区就业和劳服企业向社区服务业延伸为手段，积极开发劳服企业和社区服务就业岗位。在5个设区的市开展了社区就业服务工作试点，并作为全国社区就业重点联系城市。据不完全统计，全省共建立社区就业服务工作机构776个，为建立社区工作平台打下了较好基础。同时，落实劳服企业税收优惠政策，积极引导劳服企业向社区服务领域延伸。2002年，全省社区就业实体和劳服企业系统共安置下岗失业人员5.76万人。

6．劳动关系调整

2002年，河北省以省长令发布了《河北省劳动合同管理办法》，有效地促进了劳动合同的全面推行和规范运行。到年底，全省实行劳动合同制度的职工达到505.2万人，签订集体合同3.2万份，涉及职工514.7万人。省、市、县普遍建立了劳动关系三方协商会议制度。加大改制、破产、停产半停产等类企业用工和下岗职工劳动关系协调力度，为企业和社会的稳定创造条件。劳动争议处理工作进一步完善，全省共受理劳动争议案件4 209起，结案率达96.4%。劳动信访工作在人员少、任务重的情况下，接待信访人员4万多人次，劳动保障系统处理群体性突发事件的信息渠道不断完善，妥善处理了多起集体上访事件。

7．企业工资收入分配

2002年，经河北省政府批准和劳动保障部审核，发布了河北省工资指导线，各设区市在调研测算的基础上公布了劳动力市场工资指导价位，指导企业劳动者自主择业和合理确定职工工资。国有企业工效挂钩进一步完善，以岗位工资制度为主，多种形式并存的企业内部分配制度正在形成。股份制、外资、改制后的企业积极推行工资集体协商制度，企业经营者年薪制试点及其他形式的经营者收入的科学化、规范化都在积极探索之中。12月份，以省长令颁布的《河北省工资支付规定》出台，各级各类企业进行了认真学习、宣传贯彻。2002年，全省在岗职工平均工资达到9 750元，比5年前增长71%。

8．职业培训

2002年，河北省组织开展了职业技能鉴定和劳动预备制度及就业准入制度的落实情况大检查，对国家规定的90个工种实行了就业准入，2万余人参加劳动预备制度培训，有16.3万人接受职业技能鉴定。疏通了技工学校与高等职业学校联合办学的渠道，提高了办学层次；进一步调整了技工学校的布局结构，综合办学能力明显加强，技工学校招生人数达2.6万人。规范和加强了社会培训机构的教学教研工作，年培训达16.9万人以上。积极有序地开展了职业技能竞赛，健全了技能人才评选表彰制度。

9．劳动保障监察与法制

2002年，河北省人大常委会审议通过了《河北省劳动和社会保障监察条例》，并于11月1日开始执行。开展了劳动保障法律法规监督检查活动，普遍建立了劳动保障年检制度，全省主动监察用人单位4.4万户，涉及职工

458.4万人；接受群众举报专查结案率达91.4%；督促1 724户用人单位进行了社会保险登记，追发劳动者工资1 013万元，清退童工146人。特别是全省查处拖欠农民工工资专项监察取得明显成效，共检查农民工较集中的企业8 026户，涉及劳动者17.42万人，为3.3万名劳动者追发工资3 679万元。

10．规划财务和基金监督

2002年，河北省组织了劳动保障系统统计调查项目的清理工作，提高了统计工作水平；配合劳动保障部开展了城镇劳动力就业与社会保障状况的抽样调查。对全省企业年金经办情况进行了清理核查，加强了挤占挪用基金的回收工作，1998年4月以后挤占挪用基金回收率达72%。

## 二、社会保险工作

1．两个确保

2002年，河北省各级劳动保障部门从维护社会稳定和促进改革、发展的大局出发，继续抓好两个确保。一是大力筹集两个确保资金。按照财政、社会、企业“三三制”原则筹集下岗职工基本生活保障资金，财政负担部分足额列入预算并及时拨付，进一步加大社会筹集和企业自筹力度；加大养老、失业保险费的征缴力度，应收尽收，增加收入。在此基础上，摸清当地两个确保的资金缺口，积极争取财政解决；当地财政有困难的，在完成省下达各项工作目标的情况下，省给予补助。二是加大对两个确保资金管理使用的监督检查，严格按照当地基本生活保障标准发放基本生活费，并代缴社会保险费，杜绝挤占挪用和减发欠发两项资金现象。三是对两个确保隐患较多的地方、行业和企业，继续实行重点监控。四是定期向社会公布两个确保的落实情况和社会保险费的征缴情况，接受群众监督。据统计，2002年，河北省共为134.1万名企业离退休人员发放养老金95亿元，为国有企业下岗职工发放基本生活费6.69亿元，代缴社会保险费3.03亿元，下岗职工人均月生活费227.7元。从统计情况看，全省企业离退休人员养老金和国有企业下岗职工基本生活费全部实现了按时足额发放。

2．企业养老保险

2002年，河北省在规范企业用工管理、完善社会保险登记、部门内部形成合力、加大劳动保障监察力度的基础上，加强了对企业的养老保险工作。一是各级社会保险经办机构都相继开展了养老保险扩面、续保攻坚战，并加强了对非公有制经济组织人员和新增从业人员及中断缴费人员的参保续保工作，特别是重点做好下岗职工出中心养老保险关系接续工作，到年底，全省参加企业养老保险的职工达401.7万人。二是完成了企业基本养老保险费和失业保险费由税务部门征收的转移。根据《河北省社会保险费征缴暂行办法》）的规定，自2002年3月1日起，基本养老保险费和失业保险费改由税务部门征收，全省各级社会保险经办机构主动与税务部门做好协调工作，保证了按期完成移交工作。三是养老保险稽核工作收到明显成效。各级社保机构都成立了领导小组，注重以实地稽核为点，以书面稽核为面，以点带面开展工作，努力做到养老保险费的应收尽收。四是积极推进企业离退休人员社会化管理服务工作。选择了石家庄、唐山为国家重点联系城市，邯郸、保定为省重点联系城市，通过借鉴先进管理模式，积极推进试点工作。到2002年，河北省实行社会化管理的退休人员78万人，社会化管理服务率为58.2%。

3．机关事业单位养老保险

2002年，河北省按照抓完善、促规范的总体要求，大力加强征缴、发放工作，不断加强基础化建设，各项改革有了新进展。到年底，全省机关事业单位养老保险参保职工达到87万人，其中新增参保职工5.4万人；管理离退休人员10万人；全年征缴基金22.1亿元，征缴率达93.6%；发放养老金22.2亿元，发放率达99.9%。

4．农村社会养老保险

2002年，河北省按照整顿规范的思路，

改革基金管理模式，理顺管理体制，提高管理水平，全面清理了违规资金，加大了回收力度，制止了基金流失。进一步理顺了管理体制，稳定了人员队伍。继续开展财务检查，摸清了基金底数，规范了业务管理。全年回收违纪基金4 000多万元，县级农村养老保险机构移交劳动保障部门已达140多个。省、市两级管理基金27 000多万元，全省上划基金1 090万元。

5．医疗保险

2002年，河北省按照“稳步扩面、完善政策、强化管理”的思路，不断完善医疗保险新机制，推进医疗保险工作实现突破性进展。到年底，11个设区市和省直均已实施医疗保险，全省医疗保险覆盖人数达350万人，覆盖率达58%；有137个县级统筹地区启动基本医疗保险制度，占全部县级的83%。全省收缴医疗保险基金16.28亿元，支出10.28亿元。多层次医疗保障体系初步形成，省直和10个设区市本级及17个县级统筹地区实施了公务员医疗补助，省直和11个设区市及112个县级统筹地区建立了大额医疗保险制度，省直和9个设区市及30个县级统筹地区建立了补充医疗保险制度，廊坊市建立了社会医疗救助制度。参保人员个人负担逐步降低，全省平均个人负担医疗费率为28.3%。医疗保险定点机构、定点零售药店增加，较上年分别增长27%和31%。

6．工伤保险和生育保险

2002年，河北省进一步完善工伤和生育保险政策规定，规范各地工伤统筹办法，积极稳妥地扩大两项保险覆盖面，加强基金征缴。全省开展生育保险的县（市）达117个，覆盖人数141万人。全省开展工伤保险的县（市）达114个，覆盖人数146.7万人。

7．失业保险

2002年，河北省紧紧围绕贯彻落实《失业保险条例》，以非公有制企业和事业单位为重点，切实抓好失业保险扩面工作，到年底，全省参加失业保险人数达到488.6万人，其中新增扩面6万人。进一步加强了失业保险缴费基数稽核，通过与税务部门建立工作联系和协调制度，为征缴工作打下了良好基础。2002年失业保险基金收入7.45亿元，比上年增加0.79亿元。为14.5万名享受失业保险待遇的人员发放失业保险金2.55亿元，发放率达100%。通过运用失业保险促进再就业政策，与就业服务紧密结合，为失业人员提供免费职业指导、职业培训、职业介绍服务，帮助1.42万名失业人员实现了再就业，并按规定向再就业服务中心调剂资金1.24亿元，为实现两个确保做出了贡献。

（河北省劳动和社会保障厅）

# 山　西　省

2002年，是我们党和国家政治生活中具有特殊重要意义的一年。举世瞩目的党的十六大胜利召开，提出了全面建设小康社会，开创中国特色社会主义事业新局面的奋斗目标。这一年，也是劳动保障工作极不平凡的一年。中央和山西省先后召开再就业工作会议，出台了积极的就业政策，对今后一个时期的劳动保障工作作出了新的部署。山西省人大常委会也及时出台了《关于加强劳动和社会保障工作的决定》，把劳动保障这一涉及广大人民群众切身利益的大事，用法规性质的文件加以明确，对今后全省劳动保障事业的发展将产生深远的影响。

2002年，在山西省委、省政府和各级党委、政府的领导下，经过全省劳动保障部门的共同努力，各项工作取得了新的成绩。全省实现再就业6.3万人，再就业率为27.1%，年末城镇登记失业率为3.4%，低于4%的计划控制目标。全省进中心的下岗职工按时足额领到了基本生活费，参统企业的离退休人员足额领到了养老金。养老保险参保人数为276万人，养老保险费征缴收入达52.8亿元，增收9.5亿元，创历史新高。退休人员养老金调整工作如期完成，加上兑现2001年的调标资金，月人均增加60元。特别是年底前省里拿出3个亿的结存基金，加上市地和企业筹集的2亿元资金，基本上解决了养老金历史拖欠的遗留问题，受到了省政府领导的表扬和离退休人员的好评。失业保险参保人数为278.9万人，失业保险费征缴收入达3.4亿元，比上年增加0.5亿元，领取失业保险金人数达38.7万人次，月人均支付282元，较好地发挥了失业保险的保障功能。医疗保险参保人数达216万人，比上年增加56万人，服务管理得到加强，医疗费用支出得到有效控制。机关事业单位养老保险参保人数为53.7万人，征缴收入6.4亿元，发放养老金6.1亿元。农村养老保险划转移交工作基本完成，70%的经办机构纳入了同级财政预算，农民养老保险金的收缴续缴工作重新启动。全省11.6万名下岗失业人员接受了免费培训；技校招生1.8万人，比上年增长38%，接近历史最好水平。全面推行了就业准入和职业资格证书制度，5.7万人参加了职业技能鉴定，比上年增长13%。各级组织执法大检查，全年追发农民工工资930万元。通过信访、仲裁以及与有关部门密切配合，妥善处理了一大批劳动争议和纠纷，省综治委所列存在劳动关系隐患的57户企业，在十六大和“两会”“两节”期间未发生群体性事件。此外，劳动工资研究、劳动保障法制建设、信息系统管理、社保基金监管和宣传教育等工作都有新的进展。

2002年，山西省劳动保障工作取得的成绩和进展，是过去5年工作硕果的集中体现。5年来，党中央、国务院和省委、省政府高度重视劳动保障工作，立足当前，着眼长远，审时度势，作出了一系列重大决策，突破了许多难点重点问题，是劳动保障制度改革力度最大、进展最快的时期，是市场导向的就业机制初步形成、符合山西省情社会保障体系基本确立的时期，劳动保障领域发生了一系列深刻的历史性变化。

**一、落实两个确保，切实保障了国有企业下岗职工的基本生活，做到了企业离退休人员养老金按时足额发放，对深化改革、促进发展和维护稳定发挥了重要作用**

1998年以来，按照中央的部署，山西省委、省政府把两个确保和再就业工作作为头等大事，先后出台了9个重要的政策性文件，每年都要召开全省会议安排部署，全省自上而下实行了以“一把手”负总责的目标责任制，层层抓落实。各级劳动保障部门与有关部门密切配合，协同作战，千方百计筹资金，千辛万苦保发放，不断巩固两个确保工作成果，落实情况一年比一年好。5年来，全省累计国有企业下岗职工96万人，进中心、签协议的85万名下岗职工全部按时领到基本生活费，并由中心代缴了社会保险费。企业离退休人数从68万人增加到85万人，累计发放基本养老金243亿元，基本实现了当期按时足额社会化发放。企业离休人员离休金经过5次调整，退休人员退休金经过3次调整，离退休人员月人均养老金从1997年的421元提高到2002年的563元，增长34%。失业保险在及时提供失业保险待遇和促进再就业的同时，为再就业中心调剂资金4亿元。实践证明，两个确保是贯彻落实“三个代表”重要思想的重大举措，受到广大职工群众的衷心拥护。

**二、改差额缴拨为全额缴拨，大力推进社会化发放工作，堵塞了过去由企业发放产生拖欠的体制漏洞，为确保发放提供了制度保证，也减轻了企业社会事务负担**

过去，山西省养老保险长期处于“企业保险”的格局，企业社会事务负担沉重，而且也难以保证养老金按时足额发放。1998年以来，山西省改差额缴拨为全额缴拨，真正做到了把缺口留在上面、留在明处，为确保发放提供了制度保证。5年来，山西省在保证当期发放的同时，累计补发历史拖欠15亿元。社会化发放工作快速推进，目前发放率已达100%，使社会保障体系朝着建立独立于企业事业单位之外、管理服务社会化的方向迈出了重要一步。

**三、实行“三改并举”，全面推进医疗保险制度改革，解决了传统公费医疗和劳保医疗单位负担重、拖欠医疗费严重的问题，取得重要的阶段性成果**

1998年以来，山西省制定出台了新的医疗保险制度改革方案，同步推进医疗保险制度、医疗卫生体制和药品流通体制改革，并针对不同人群的医疗需求，制定了公务员医疗补助办法和大额医疗补助办法，部分企业建立了补充医疗保险。一些地方还制定了困难企业职工参保办法。全省103个统筹地区全部按新制度启动运行，参保职工基本医疗需求得到保障，医疗费用增长过快的势头得到初步遏制。

**四、实施再就业工程，大力促进下岗失业人员再就业，基本完成了计划经济向市场经济转轨过程中劳动力结构的大调整，有力地促进了国有经济的战略性调整**

富余人员问题一直是困扰山西省国有企业改革和经济结构调整的一个突出问题。1998年以来，山西省贯彻落实“鼓励兼并、规范破产、下岗分流、减员增效和实施再就业工程”的方针，将再就业工程与深化国有企业改革和经济结构调整有机结合，取得重大进展。5年来，全省累计有67万名下岗职工通过各种渠道实现了再就业，国有企业职工从262万人减少到155万人，百万职工从国有企业转向非公有制经济领域，从二产转向三产，平稳化解了计划经济时期遗留的企业富余人员这一历史难题，促进了经济结构的调整。在劳动力结构大调整的进程中，职业技能培训工作走出低谷，快速回升，发挥了重要作用，经过培训的下岗人员60%实现了再就业。与此同时，劳动力市场科学化、规范化、现代化建设取得重大进展，公共就业服务制度初步建立，市场导向的就业机制基本形成。

**五、制定积极的就业政策，就业和再就业工作得到各级党委、政府的高度重视，为做好新时期的就业和再就业工作奠定了坚实基础**

2002年9月，全国再就业工作会议在总结经验的基础上，制定了以“五大支柱、六个领域、十项政策”为主要内容的有中国特色的积极就业政策，紧接着下发了中央12号文件。山西省委、省政府从本省实际出发，很快召开会议安排部署，并制定下发了晋发〔2003〕1号文件，从5个方面明确了25条政策措施，把促进就业作为一项重大的政治任务和长期战略任务，把控制失业率和增加就业岗位作为宏观调控的重要目标，把净增就业岗位、落实再就业政策、强化服务、加大资金投入和解决困难群体就业等，作为考核各级党委、政府政绩的重要依据，把实现比较充分的就业作为全面建设小康社会的重要内容，意义重大，影响深远。2002年，山西省认真贯彻落实全国职业教育工作会议精神，把加快技工培养作为应对入世挑战、充分发挥人力资源优势的战略措施来抓，取得了重大进展。

**六、建立三方协调机制，劳动关系调整和维护企业稳定工作不断加强，企业收入分配制度改革稳步推进**

为适应新时期劳动关系调整工作的新形势，山西省各级普遍建立了劳动关系三方协调机制，为维护劳动关系双方权益，促进劳动关系和谐稳定发挥了积极作用。山西省始终将劳动合同管理作为劳动关系的基础来抓，对劳动纠纷多发地区和企业实行了重点监控；加强了信访接待和劳动仲裁工作，及时妥善地处理了一大批劳动争议和群体性事件；多次开展了社会保险和劳动力市场执法检查，维护了劳动者的合法权益和社会稳定。到2002年底，全省国有企业职工全部签订了劳动合同，集体企业、股份制企业、外资企业、私营企业、乡镇企业劳动合同签订率分别达到91%、83%、80%、43%、54%。5年来，全省共接待群众来信来访17万件次，办理仲裁案件6 955件，结案率达98%；依法检查用人单位9万户，处理举报案件9 096起，责令用人单位补签劳动合同90万份，追发劳动者工资3 386万元，清退童工1 199人，依法督促缴纳社会保险费9亿元。在企业收入分配制度改革方面，建立了工资指导线和劳动力市场工资指导价位制度，积极开展了工资集体协商制度、经营者年薪制试点工作，推行了以岗位工资制为主的基本工资制度改革，使工资分配向关键岗位、技术岗位和稀缺人才岗位倾斜；修订颁布了《山西省企业最低工资暂行规定》，完善了最低工资保障制度。职工工资收入逐年提高，全省在岗职工平均工资从1998年的5 641元提高到2002年的9 180元，增长63%。

5年来，全省劳动保障事业发展波澜壮阔，风雨兼程。劳动保障工作应对挑战，克服困难，不断研究新情况、解决新问题，一步一步向前推进，成绩来之不易，经验值得总结。

一是始终坚持不折不扣地贯彻党中央、国务院及省委、省政府的重大决策，围绕经济结构战略性调整，坚持改革的方向不动摇，这是实现劳动保障事业沿着正确方向健康发展的根本保证。

5年来，山西省劳动保障系统的广大干部职工自觉做到了一切围绕大局，一切服务于大局，不断调整工作思路和工作重点，全力以赴，狠抓落实。1998年，为落实两个确保，全系统紧急动员，实施“789攻坚战”，艰苦鏖战3个月，扭转了工作起步时面临的严重局面。2000年，提出了要“围绕经济结构调整和国企改革这一中心，巩固两个确保，突出市场导向就业机制、独立于企事业单位之外的社会保险体系和新型劳动工资制度三条主线”。2002年，又提出要“以促进就业为龙头，以维护稳定为主线，全面推进社会保障体系建设，完善劳动关系调整、企业工资收入分配和劳动保障监察监督三个机制”。针对每个时期劳动保障工作的特点，坚持与时俱进，妥善解决了一系列重大难题，为深化国企改革、促进经济发展发挥了重大作用。太原市把两个确保和再就业工作作为政府的“一号工程”和“生命工程”来抓，从上到下狠抓目标责任制的落实，工作扎实，服务到位，在中央领导视察和国家多次组织督查检查中，经受了考验，为山西省的劳动保障工作增了光、添了彩。

二是始终坚持把维护稳定摆在突出位置，正确处理改革发展稳定的关系，合理把握改革的节奏与力度，这是在维护社会稳定前提下推进劳动保障各项改革的重要方针。

在工作摆布上，山西省始终把落实两个确保摆在首位，把保障困难群众基本生活作为处理改革发展稳定关系的结合点，加强“三条保障线”的衔接。在政策的制定和推进力度上，充分考虑各方面特别是困难群众的承受能力，合理把握推进各项改革的节奏。在具体安排上，加大维护企业稳定工作力度，在开展经常性工作的同时，每逢节假日和重要会议、重大活动期间，都认真排查分析不稳定因素，及时化解矛盾，妥善处理了许多突发性事件。长治市高度重视两个确保和再就业工作，市政府贯彻落实省的再就业工作会议行动快、办法多，政策措施已经出台，在指导国有企业主辅分离、创办经济实体、安置下岗职工方面成效显著；朔州市狠抓养老保险和失业保险费的征缴工作，建立起一套行之有效的征缴清欠考核制度，在较短时间内就扭转了被动局面；大同市、晋城市对企业欠薪和恶意拖欠农民工工资行为，进行了“地毯式”排查，有针对性地采取了措施，有力地维护了职工的合法权益。

三是始终坚持一切从实际出发，充分考虑不同地区的不同情况，因地制宜，分类指导，这是指导劳动保障工作在发展不平衡的背景下实现协调发展的重要方法。

从发展的不平衡性这一现实出发，山西省比较自觉地遵循了因地制宜、分类指导的工作方针。在下岗职工出中心问题上，坚持分散决策，不搞一刀切，既维护了协议期满出中心的原则，又给地方和企业发挥主动性、创造性留出了空间。在下岗职工分流安置问题上，考虑到下岗职工的年龄和技能差异，实行了“老年的搞退养，中年的给补偿，青年的进市场”的办法。在处理行业统筹与地方养老保险制度接轨的问题上，涉及“双清”（清理提前退休、清理待遇标准）、待遇过渡、个人账户和基金结算等多项具体工作，在坚持贯彻国务院要求的大前提下，充分考虑企业和职工的实际，妥善处理了一系列实际问题，煤炭、电力、邮电、金融、铁路、民航、有色、水利等单位给予了积极配合，圆满地完成了“并轨”任务。在确保离退休人员养老金发放上，既压担子，又充分考虑了34个困难县的实际情况，在补助资金方面给予了适当倾斜。在医疗保险改革上，充分考虑到各地经济发展不平衡、企业缴费能力的差异性，对贫困市县和困难企业可以先从建立统筹基金起步，解决职工的大病问题，再逐步过渡完善。阳泉、运城、大同市在推进基本医疗保险的过程中，针对部分困难企业参保难的问题，采取了降低门槛，“低标准进入、低水平保障”的办法，较好地解决了困难职工就医难的问题。

四是始终坚持积极主动地争取各级党委、政府的高度重视和各有关部门的大力支持，相互协调，相互配合，这是顺利推进劳动保障各项改革的重要条件。

晋中市劳动保障局紧扣市委、市政府的中心工作，针对本市老企业集中，困难企业较多的实际，千方百计筹措资金，为两个确保提供了有力的资金支持，赢得了市委、市政府的大力支持，市政府直接拨款为劳动保障局解决了奖励资金、交通工具和办公设施，工作条件焕然一新。忻州市在财政困难资金十分紧张的情况下，每年拿出数千万元弥补两个确保资金的不足，保证了两个确保政策的落实到位。省直工委积极倡导开展了机关干部与困难企业“联企帮扶”活动；工会、共青团和妇联组织分别开展了为困难下岗职工“送温暖”“下岗青工创业”和“巾帼助困”活动；工商联组织民营企业发起了吸纳下岗职工的“光彩事业”活动等等。正因为如此，两个确保和再就业才在难度很大的情况下打开了局面，巩固了成果。

五是始终坚持大兴调查研究之风，尊重实践，尊重创造，不断研究新情况、解决新问题，这是劳动保障工作与时俱进，实现理论创新、政策创新和实践创新的重要途径。

5年来，针对工作中面临的各种突出问题，各级劳动保障部门在深入实际、调查研究的基础上，创造性地提出了一些解决办法和措施。阳泉、临汾、运城、吕梁在解决协议期满未出中心下岗职工基本生活的问题上，不是简单处置、推出去不管，而是参照城市居民“低保”标准发放生活救济金，取得了良好效果。吕梁、临汾着眼大市场，组织跨省市的劳务输出，积极解决农村富余劳动力增收问题。平陆县2002年一次就组织了5 000人到新疆摘棉花，县里统一包车，配备管理和医务人员，为农民外出打工提供了良好服务。每个农民工两个月就挣了1 050元，相当于当地农民一年的纯收入。事实证明，只有尊重实践，尊重创造，不断总结实践中的新经验、新做法，才能进一步拓展劳动保障工作的空间，才能在新的历史条件下实现理论创新、政策创新和实践创新。

六是始终坚持两手抓、两手都要硬的方针，毫不放松地加强劳动保障干部队伍建设，毫不放松地加强劳动保障系统行风建设，这是劳动保障工作能够经受考验、夺取胜利的力量源泉。

艰苦的工作，严峻的挑战，锻炼了干部，锻炼了队伍，提高了干部队伍的整体素质。5年来，山西省劳动保障系统的同志深入学习邓小平理论，学习“三个代表”重要思想，积极开展“阳光行动”“创三优、树四风”、创建“三优”文明窗口和民主评议行风活动，大力加强党的宗旨意识、人民公仆意识和岗位责任意识教育，干部职工的服务观念明显增强，工作作风明显转变，办事效率明显提高，精神面貌发生了深刻变化，造就了一支特别能吃苦、特别能战斗的干部队伍，展现出当代劳动保障人的新形象、新风貌。全省各级各类社会保险经办机构、职业介绍机构、培训鉴定机构、就业服务机构、信访仲裁监察机构都普遍开展了优质服务、文明服务以及专项免费服务活动。全省85%以上市、地、县劳动保障部门被评为当地精神文明建设先进单位。运城市劳动保障局被评为全省五一劳动模范先进集体，并被劳动保障部荣记集体一等功。晋城市社保所还获得了劳动保障部授予“三优文明窗口优秀单位”的殊荣。

这“六个坚持”，是5年来山西省劳动保障工作解放思想、实事求是、与时俱进的结果，是山西省劳动保障战线干部职工努力拼搏、不断创新积累的一笔丰厚的宝贵财富，值得倍加珍惜，必须长期坚持，在新的实践中不断发扬光大。

（山西省劳动和社会保障厅）

# 内蒙古自治区

2002年，在内蒙古自治区党委、政府的正确领导下，在国家劳动和社会保障部的指导下，全自治区劳动保障部门自觉服从和服务于改革、发展、稳定的大局，全面贯彻落实中央和自治区的方针政策和工作部署，解放思想、开拓进取、重点突破，圆满完成了各项工作目标，在巩固成果的基础上，取得了新成绩，在改革、发展、稳定的大局中发挥了积极作用。

## 一、两个确保不断巩固和加强

两个确保是实践“三个代表”重要思想的具体体现。2002年，内蒙古自治区采取有力措施，千方百计筹措资金，努力实现了两个确保，全区参加基本养老保险的离退休人员67.05万人，全年发放养老金43.05亿元，除当期征缴收入和中央财政专项补助外，通过采取地方财政补助，动用滚存结余基金等措施，确保了企业离退休人员基本养老金的按时足额发放，社会化发放率达到100%。坚持按照“三三制”的原则筹集国有企业下岗职工基本生活保障资金3.36亿元，保障了在中心的国有企业下岗职工的基本生活，其中用于基本生活费2.25亿元，代缴社会保险费1.11亿元。在巩固两个确保成果的基础上，认真做好三条保障线的衔接，对不再进中心的企业新裁减人员，符合条件的及时提供失业保险，符合最低生活保障条件的，纳入城市低保。

## 二、就业和再就业工作取得积极进展

内蒙古自治区将就业工作作为2002年工作的重点，强力推进。特别是2002年9月，党中央、国务院召开了全国再就业工作会议，会后下发了《关于进一步做好下岗失业人员再就业工作的通知》（中发〔2002〕12号），国家有关部门先后下发了8个扶持再就业配套政策，根据中央有关部门文件精神和自治区实际，自治区党委、政府制定了《贯彻中共中央、国务院〈关于进一步做好下岗失业人员再就业工作的通知〉的实施意见》（内党发〔2002〕21号），劳动保障部门协调有关部门，制定下发了一系列配套文件，并将就业工作纳入政府目标责任考核体系。自治区劳动保障厅按照自治区人民政府的要求，千方百计采取措施积极拓宽就业渠道，完善就业功能，提高服务质量，广开就业门路，紧紧抓住西部大开发的有利时机，组织引导下岗职工和失业人员向三产转移，向社区和家政服务领域转移，向非公有制经济转移，向自治区外转移。加强劳动力市场建设，完善就业服务体系，为促进就业创造良好环境。同时，大力开展再就业援助行动，主动深入基层帮助5.7万名援助对象实现了就业或再就业。全年实现就业人数为17.4万人。

截至2002年末，全自治区城镇登记失业率为4.1%，5.6万名下岗职工出中心，其中4.7万人再就业，再就业率为58%，高于全国平均水平。

## 三、下岗职工基本生活保障向失业保险并轨工作基本完成

2002年，内蒙古自治区把下岗职工出中心和并轨工作作为建立市场导向的就业机制的

一项重要而紧迫的任务来抓，按照国家劳动保障部坚持并轨方向和下岗职工协议期满出中心不动摇以及积极稳妥、进度服从稳定的要求，根据自治区确定的三年三步走的工作计划，本着“先易后难、渐次推进、适时并轨”的原则，采取了“农村包围城市”的办法，因地制宜，分类指导；采取了“保老、扶中、推青”的办法，出中心、并轨与接续社会保险同步考虑；采取了地方财政补贴等方式多渠道筹措资金，帮助困难企业解决好经济补偿金问题。通过上述努力，出中心和并轨工作取得了实质性进展，实现了预期目标。到2002年末，全自治区地方国有企业的下岗职工全部实现了并轨，使这项工作走在了全国前列。在并轨过程中，失业保险的保障功能明显增强，2002年末，参保职工219.7万人，完成计划的99.9%；全年支出失业保险基金近3亿元。7.9万名失业人员按时领取了失业保险金。

## 四、养老保险制度进一步完善

2002年，内蒙古自治区把进一步完善养老保险制度作为建立社会保障体系的首要问题来抓，按照政策引导、稳步扩面、强化征缴、规范管理、改善服务的原则，调整工作思路和工作重点，改进工作方法，促进了养老保险工作的有效开展。

在扩大覆盖面上，要求用人单位只要开办企业、招用职工就要参保，并逐级下达了扩面任务，稳定了参保人数，基本实现了全覆盖。到2002年底，全自治区各类企业参统职工190.6万人，覆盖率达98.1%；在征缴方面，建立了与地税部门协调联动机制，积极配合地税部门认真做好参保登记，稽核缴费基数等基础性工作，促进了征缴率的稳步提高；在管理方面，强化了基础建设，个人账户管理进一步规范，数据管理水平不断提高，计算机个人账户建账率达100%；在服务方面，社会化发放成果得到进一步巩固，社会化管理服务工作有了新的进展，全自治区实行社会化管理服务的离退休人员达31.6万人，完成了年初确定的社会化管理服务面达到30%的工作任务，社会化管理服务率达49.2%。社会化发放的实现和社会化管理服务的推进，朝着建立独立于企业事业单位之外、管理服务社会化的社会保障体系方向迈出了重要一步。

## 五、基本医疗保险制度改革稳步推进

2002年，内蒙古自治区坚持“三改并举、同步推进”的方针，以积极扩面和加强管理为重点，全自治区城镇职工基本医疗保险制度基本建立，94个统筹地区已全部启动，实施了新制度，实施面达100%；全自治区参统人数达221万人，占应参统人数的68.7%，超额完成年度目标任务近7个百分点。在管理方面，以加强基金管理、提高服务水平为重点，统筹地区参保职工的医疗费用都能按规定支付和结算，解决了过去公费、劳保医疗制度下长期存在的拖欠职工医疗费的问题。在多层次医疗保障体系建设方面，与建立基本医疗保险制度的同时，开始积极推动建立“以基本医疗保险制度为主体，以公务员医疗补助、大额医疗费用补助、企业补充医疗保险为补充，以社会医疗救助为保底线”的多层次医疗保障体系；大额医疗保险在10个盟市的45个统筹地区启动，占全自治区统筹地区的47%，参加大额医疗保险人数87万人，占参加基本医疗保险总人数的46%；一个覆盖全自治区城镇的，以基本医疗保险制度为主体，各类补充保障措施为辅助的多层次医疗保障体系开始建立；部分地区出台了公务员医疗费用补助政策；自治区本级、呼市、锡盟和鄂尔多斯市公务员医疗补助办法已批转下发，全自治区大部分盟市也已基本完成测算工作；一些地区正在研究建立企业补充医疗保险和社会医疗救助制度。

## 六、企业工资收入分配制度改革取得进展

2002年，为建立现代企业工资收入分配制度，坚持实行按劳分配和按生产要素分配相结合的制度，贯彻效率优先、兼顾公平的原则，配合企业改革探索了工资收入分配制度改

革。一是积极推进企业工资分配宏观调控体系建设，在总结1998—2001年《内蒙古自治区企业工资指导线》试点经验的基础上，进一步完善工资指导方案，经劳动保障部批准，自治区人民政府同意，发布了《内蒙古自治区2002年企业工资指导线》；二是深化企业内部分配制度改革，大力推行以岗位工资为主的基本工资制度，实行竞争上岗、以岗定薪、岗变薪变，推广企业内部分配制度改革典型经验；三是调整企业最低工资标准，对全自治区企业最低工资进行了多次测算论证，重新制定了《内蒙古自治区企业最低工资标准调整方案》，经自治区人民政府批准后，下发执行。

**七、劳动保障法制建设不断推进**

2002年，内蒙古自治区以全面推进依法行政为重点，加快立法步伐，出台了《内蒙古劳动保障监察条例》；《内蒙古劳动合同规定》已交自治区政府审议。进一步加大劳动保障监察执法力度，开展了主动监察、劳动保障年检、举报专查和专项检查活动，主动检查用人单位2.72万户，督促用人单位补缴社会保险费1.9亿元，追发被克扣、拖欠工资1.3亿元；全年受理并立案群众举报728件，已结案713件，结案率为98%；完善劳动争议预防和处理机制，受理劳动争议案件1 173件，已结案1 153件，结案率为98%。

**八、劳动保障信息网络建设工作取得积极进展**

加强劳动保障信息网络建设是基础建设的重中之重，在2002年初确定的“一体化”建设原则指导下，加大工作力度，不断提高网络建设的覆盖面和整体管理水平。经过努力，信息网络建设工作有了突破性进展：一是各地信息网络建设粗具规模，盟市级的养老保险全部实现了计算机业务管理；医疗保险实现了医疗保险业务的微机化管理；10个盟市已经建成了劳动力市场信息网络，提供职业介绍、劳动保障事务代理等服务；自治区本级、包头市、呼市等地先后完成了办公自动化网络建设，初步形成了网上信息发布。二是“一体化”范围进一步扩大。组织制定了一系列政策性文件和技术标准，组织开发了《内蒙古自治区社会保障管理信息系统2000》大型应用软件，并在全自治区范围内推广使用。现有7个盟市使用了统一软件，软件的统一，带动了数据标准和业务流程的统一，为实现信息共享、网络互联，进而建立全自治区统一的信息系统打下了基础。三是信息网络的使用效率明显提高。全自治区有8个盟市实现了自治区—盟市间统计数据政务的信息网上传输，有3个盟市通过信息网络向劳动保障部、劳动力市场监测中心上报了劳动力市场信息。

（内蒙古自治区劳动和社会保障厅）

# 辽　宁　省

## 一、完善城镇社会保障体系试点工作取得阶段性成果

辽宁省是国家惟一进行完善城镇社会保障体系试点工作的省份。省委、省政府高度重视社保试点工作，坚持“准确的统计、完善的政策、合理的成本、细致的工作”的指导原则，精心组织，周密部署，积极推进，试点工作取得阶段性成果，一个独立于企业事业单位之外、资金来源多元化、保障制度规范化、管理服务社会化的社会保障体系初步形成。

1．下岗职工基本生活保障向失业保险并轨任务基本完成

从2001年1月1日开始，辽宁省的国有企业不再建立再就业服务中心，企业新裁员不再进中心，原来在中心的下岗职工协议期满后按规定出中心，享受失业保险和最低生活保障。到2002年底，全省企业再就业服务中心由2000年底的4 801个减少到371个，在中心的下岗职工由44万人减少到3.9万人，享受失业保险的人数由18万人增加到82万人。累计有124万国有企业下岗职工与企业解除劳动关系，达到基本生活保障向失业保险并轨计划人数的95%，其中有近一半人员已实现了再就业。共支付经济补偿金102.3亿元，人均8 250元。

2．基本养老保险个人账户基本做实

从2001年7月1日起，辽宁省参保职工个人缴费比例由5%统一调整到8%，个人账户规模由11%调整到8%并实行实账积累，与统筹基金分别管理。到2002年底，累计做实基本养老保险个人账户基金47.9亿元，已全部上解省社会保险事业管理局统一管理，其中13亿元购买国债，其余部分存入商业银行。调整了基础养老金计发办法，基础养老金月标准为职工退休时上年度本市职工月平均工资的20%，缴费年限超过15年的，每超过一年增发上年度本市职工月平均工资的0.6%。共有23.7万企业新退休人员按新办法计发养老金，新老办法过渡平稳。

3．城市居民最低生活保障基本做到应保尽保

辽宁省享受低保的人数由2000年底的71.5万人增加到2002年底的150.1万人，月人均标准为173元，2002年12月全省实际月人均补差70.2元。两年共支付最低生活保障金15.4亿元。

4．困难集体企业退休人员开始按低保标准领取生活费

据统计，辽宁省共有未参加基本养老保险统筹、已没有生产能力、无力缴纳养老保险费的城镇集体企业退休人员5.13万人。到2002年底，已有1.59万人按城市居民最低生活保障标准按月足额领取生活费，共发放1 572.9万元。

5．社会保障资金的筹集和管理得到加强

试点两年来，辽宁省地方和企业共筹集社会保障资金382.5亿元（包括社会保险费征缴收入282.4亿元，地方财政补助55.7亿元，企业自筹44.4亿元。考虑可比因素不含医疗保险）。其中：2001年为169亿元，比上年增长16.6%；2002年为213.5亿元，比上年增长

26.3%。各项社会保障基金全部纳入财政专户，实行收支两条线管理。明确地税机关为社会保险费征收主体，省和各市都设立了由政府部门、用人单位、工会、职工代表和专家组成的社会保障监督委员会，加强了对社会保障资金的监督和管理。

6. 社会保障管理服务社会化水平明显提高

2002年，辽宁省企业离退休人员基本养老金全部实现社会化发放，失业人员和低保对象全部纳入社区管理。到年底，265万企业退休人员中有213万纳入社会化管理，占80.4%，比2000年提高近70个百分点。

7. 社会保障信息网络管理系统基本建成

试点启动以来，辽宁省共筹资2.5亿元用于信息系统建设，有11个市实现与省联网，基本建成覆盖各项社会保障业务的信息网络管理系统。

辽宁试点是党中央、国务院的一项重要决策，是落实“三个代表”重要思想、完善中国特色社会保障体系的重要实践。实践证明，中央关于完善城镇社会保障体系试点并首先在辽宁全省试点的决策是完全正确的，试点方案是可行的。辽宁试点的成功，为全国完善社会保障体系积累了经验。

## 二、就业和再就业工作取得显著成效

2002年，辽宁省政府把就业工作纳入目标责任考核体系，把就业工作指标列在省政府对各市政府工作考核指标的第一位，并建立严格的考核制度。各级政府积极拓宽就业门路，开发就业岗位。一是努力挖掘国有企业内部潜力，加快国有企业改革、重组、改造的步伐，鼓励企业通过主辅分离、辅业转制和兴办经济实体等多种形式，安置好本企业富余人员。二是积极发展非公有制经济，扩大就业容量。省委、省政府就加快发展民营经济做出决定，放开了投资领域和经营范围，放松了注册资本限制条件，放宽了民营企业与外商合资合作的条件，鼓励参与国有、集体企业转制，同时实行信贷支持和财政扶持政策。三是大力发展第三产业，特别是社区服务业。按照国家9部委《关于推动社区就业工作的若干意见》，提出在全省社区开展“创建百家社区就业示范基地，培养千名社区就业带头人”活动。四是发展劳动密集型企业。省政府采取多种形式，放开搞活中小企业，取得突破性进展。截至2002年底，辽宁省地方国有中小企业改制面已达70%以上，改制后的企业增强了吸纳下岗职工的能力。五是实施跨地区劳务输出。2002年，辽宁省积极开展跨地区劳务输出与协作，在北京、深圳等7个地区设立了劳务办事机构，各级政府驻外办事机构同时也承担劳务输出任务。六是根据当前并轨失业人员多、就业特困群体人员增加的实际情况，开展再就业援助活动，帮助特困群体尽快实现再就业。七是加强劳动力市场建设，全省已初步建立了以各市职业介绍中心为龙头，以区、县（市）职业介绍所为主体，以街、乡（镇）劳动管理服务所（站）为依托，以民办职业介绍机构为补充的劳动力市场职业介绍网络。2002年，全省计划安排70万人就业，到年底，全省实现就业和再就业人数为102.8万人，完成年度计划的146.9%。其中，第一产业就业6.8万人，占总数的6.6%；第二产业就业25.4万人，占总数的24.7%；第三产业就业70.6万人，占总数的68.7%（其中在社区实现就业30.6万人）。

## 三、两个确保工作继续得到巩固

2002年，辽宁省各级政府继续把两个确保摆在首要位置，进一步加大资金的筹集、调度和监督检查力度，重点对养老保险金缺口较为严重且易引发不稳定因素的地区进行检查指导，对出现的问题及时解决和处理，对部分不符合国家、省规定发放形式的县区和行业不规范的做法及时进行纠正。到2002年底，全省参加基本养老保险的企业在职职工为669万人，离退休人员281万人。企业离退休人员的基本养老金做到了按时足额发放，社会化发放率保持在100%；按照“三三制”原则筹集国有企业下岗职工基本生活保障资金3.6亿元，保证了按时足额发放；按政策领取失业保险金人数由2000年底的18万人达到2002年底的82.2万人；城市居民最低生活保障基本做到应保尽保，保障人数达到150.1万人。13个资源枯竭矿山关闭后，有17.8万人享受了最低生活保障。由于低保及时“兜底”，维护了地区的稳定。

**四、城镇企业职工基本养老保险制度改革不断深化**

2002年，辽宁省进一步完善了企业退休人员基本养老金计发办法，下发了《关于印发未参加基本养老保险统筹已经没有生产经营能力且无力缴纳基本养老保险费的城镇集体企业退休人员按企业所在地城市居民最低生活保障标准按月发放生活费试点工作实施意见的通知》（辽劳社发〔2001〕108号），在全省开始实施，已有1.59万人开始按低保标准领取生活费；制定了《辽宁省城镇企业职工企业年金试行办法》（辽劳社发〔2002〕102号），并开始在全省实施企业年金制度；对转制企业、破产企业、农村信用社以及农垦系统职工的有关养老保险问题制定了相关政策。

**五、城镇职工医疗保险制度改革进一步深化**

2002年，辽宁省坚持“三改并举”，采取有力措施，强力推动医疗保险制度改革，推进扩面工作进程。到年底，全省基本医疗保险参保人数达到617万人，覆盖面为71.7%；14个市和58个县（市）、区全部启动了医疗保险制度改革。建立起多层次的医疗保障体系，企业补充医疗保险在部分行业和大企业开始实施，建立并实施了大额医疗补助和公务员医疗补助制度。启动并实施了困难企业职工、个体工商户和自由职业者参保办法、企业离休干部医疗统筹办法。各统筹地区的基本医疗保险基金实现了收支平衡，参保职工的基本医疗需求得到基本保障。

**六、社区劳动和社会保障平台建设取得新的进展**

2002年，辽宁省有关部门将全省10 913个居委会调整为4 512个社区，普遍建立了社区党组织、社区成员代表大会、社区居民委员会。采取公开招聘、民主竞争、依法选举的办法调整工作人员，优化社区干部队伍结构。全省60%的社区配备了微机，社区办公用房、工作经费和社区干部收入得到一定改善。城市居民低保，企业退休人员、社区党员管理，失业人员就业指导与服务，扶贫帮困，家政服务等基础性工作，已由企业转到社区。全省企业离退休人员基本养老金全部实现了社会化发放，失业人员和低保对象全部纳入社区管理。到2002年底，全省90%以上的街道、社区建立了社会保障工作机构，有1.67万名工作人员从事社会化管理服务工作。

**七、职业技能开发与培训成效显著**

2002年，辽宁省加大了下岗职工再就业培训工作力度，实施“三年百万”再就业培训工程。各级政府按照此项工作目标，紧紧围绕开发的就业岗位，积极开展具有针对性、实用性和有效性的再就业培训。根据市场需求和下岗职工的意愿，确定培训内容；按照实用性、有效性的原则制订了培训计划，实现培训与市场结合。并加强了创业培训，指导有创业能力的人员提高专业技能和综合水平，帮助他们走创业之路。2002年，共投入培训经费4 657.36万元，培训下岗失业人员49.5万人，其中有30.9万人实现就业。强化技工学校和各类社会职业技能培训机构建设，积极推进职业资格证书制度和就业准入制度。全省现有技工学校184所，各类社会职业技能培训机构631个，在2002年的毕业生和培训学员中，有39 961人获得初级职业资格证书，有31 189人获得中级职业资格证书，有6 945人获得高级职业资格证书。

## 八、深入实施企业工资收入分配制度改革

2002年，辽宁省深化企业分配制度改革，完善全省职工工资总额宏观调控体系。在300多户企业进行了经营者年薪试点，在550户企业进行了集体协商谈判决定工资试点，在35户企业进行了按劳分配与按生产要素分配试点。落实了企业工资指导线制度和劳动力市场工资指导价位制度，全省14个市均利用各种媒体公布了本市劳动力市场价位。

## 九、进一步强化劳动保障法制建设

2002年，辽宁省颁布并实施了《辽宁省劳动监察条例》，配合试点工作的实施，制定了一系列行政规章和规范性文件，全省劳动保障系统共清理不适应入世要求的地方性法规、规章和规范性文件1 603件，受理行政复议51件。随着劳动保障执法监察工作力度的进一步加大，开展了社会保险扩面征缴、劳动合同签订、技术工种持证上岗和劳动力市场清理整顿等多项执法检查活动，主动监察用人单位5.3万户，涉及劳动者445.6万人；劳动年检用人单位5.9万户，涉及劳动者435.7万人；受理个人举报5 720件，立案4 568件，结案4 443件，为19.76万名职工追回工资2 635万元；追缴社会保险费10 294.67万元。

## 十、劳动关系调整工作得到加强

2002年，辽宁省贯彻《劳动法》和有关法律法规，以劳动合同、集体合同的订立和劳动争议仲裁为重点，加强劳动关系调整工作，确立了三方协调机制，劳动关系得到进一步理顺。各级劳动争议仲裁机构受理劳动争议案件6 594件，涉及劳动者2.2万人。普遍建立了预防处理群体性突发事件的领导责任制度和工作机构，加强了对突发事件隐患的监控和预防，及时妥善处理了一批突发事件。接待和处理人民群众来信来访20.3万人次，其中集体来访460批次。

（辽宁省劳动和社会保障厅）

# 大 连 市

## 一、社会保障

2002年，大连市劳动保障工作按照“三个代表”重要思想的要求，以稳定为主线，以解决困难群众工作和生活问题为重点，全力巩固两个确保，不断加快完善社会保障体系建设步伐。截至2002年底，养老保险参保职工109万人；失业保险参保职工69万人；基本医疗保险参保人数达到126万人。为维护大连市的社会稳定、促进国有企业改革和经济发展起到了积极的作用。

1. 两个确保进一步巩固

2002年，大连市养老保险参保单位为15 273户，参保人数为109万人，养老保险费征缴31.4亿元，同比增长27%；支付31.2亿元，确保了全市38.2万名离退休人员养老金按时足额发放。全市失业保险参保单位13 947个，参保职工69万人，征缴失业保险费3.3亿元，同比增长11%；待遇支出3.2亿元。在参保人员不断减少，领取失业保险金人数大幅增长的情况下，保证了对失业人员失业救济金的发放，全年有11.3万名失业人员享受失业保险待遇，比上年增加1.3万人。以非公有制企业为重点，不断加大社会保险费扩面征缴工作力度。积极做好下岗失业人员养老保险关系的接续工作，11.8万名中断缴费人员补缴养老保险费1.5亿元；企业平均缴费人数达到81.5万人，比上年底增加17.8万人；养老保险个人账户全部做实记清并做到日清月结。全市清理企业欠缴养老保险费超过1亿元，有补缴能力的企业绝大部分补缴了欠费；清理失业保险欠费867万元。各项社会保险费征缴率和征缴额均达历史最高水平。全市企事业单位退休人员社会化管理36.7万人，其中企业34.3万人。按照上级文件要求，对全市企业离退休人员养老金进行了调整并及时发放到位。调整后的企业离退休人员月人均养老金631元。

2. 医疗保险制度改革稳步推进

2002年，大连市本级及7个县级统筹地区全部建立起基本医疗保险制度。中央及省直企业、困难企业以及个体劳动者参保问题取得重大突破，全市有25户中直单位5 000多人参加了医疗保险；市区采取企业主管部门和同级财政承担一半费用，医保基金消化一半费用的办法，解决了49户困难企业1.26万人的参保问题；从2002年5月起将参加了养老保险的个体劳动者纳入基本医疗保险，截至年底，已有16万名个体劳动者参保。全市基本医疗保险参保人数达到126万人，同比增加32万人。其中市本级97万人，增加14万人；县市区29万人，增加18万人。

2002年，大连市基本医疗保险监督管理水平进一步提高。在全市所有定点医院推行一日清单制，增强了参保患者的监督意识和定点医疗机构的服务意识。实施基本医疗保险定点医疗机构量化考核竞争管理办法，中止了10所违规医疗机构或科室、药店的医保协议，对两家医院科室进行了通报批评，医疗机构准入机制正在形成。调整了医疗保险费用的结算指标，单病种结算扩大到19个，保证了基本医疗保险基金的合理支出。围绕减轻参保患者负担，对基本医疗保险用药目录进行了调整，配合8所医院取消了住院押金制度，医疗保险政策体系更趋完善。

3．国有企业裁员并轨工作平稳运作

2002年，大连市并轨工作任务重、困难多。为做好这项工作，大连市严格按照省里要求，制定了一整套操作规程和办法，严把亏损企业和并轨人员审核关，认真接续并轨人员社会保险关系，监督企业偿还债务，保证了裁员并轨工作的平稳进行。全市国有企业裁员并轨5.65万人（其中省审批4.17万人，自费并轨1.48万人），并轨人数比上年增长80%，共支付经济补偿金7.32亿元，已全部发放到并轨职工手中。1998年以来，国有企业下岗自谋职业人员中符合享受失业保险待遇条件的10万人已经开始领取失业保险金，操作平稳，未出现任何震荡。

4．社会保障信息化建设取得新的进展

2002年，大连市政府投资1 000万元对社会保险系统中心服务器进行更新改造，系统运行速度大大加快，安全可靠性大大增强。实现了五险征缴系统与医疗保险系统、机关事业单位保险系统的数据整合，职业介绍系统向街道、社区延伸，新开发的大连劳动和社会保障信息网（http://www.ldbzj.dalian.gov.cn）、就业培训网（http://www.ldjypx.dl.gov.cn）等互联网站，拓宽了与民沟通、为民服务的渠道。信息化管理手段在劳动保障管理服务中的应用更加广泛。

## 二、劳动工资

截至2002年末，全市城镇单位从业人员84.6万人，比上年减少5.2万人，下降5.8%。其中：在岗职工79.3万人，比上年减少6.2万人；城镇企业单位的从业人员为63.8万人，比上年减少4.6万人。

2002年，全市城镇单位职工年平均工资为14 360元，月均水平达到1 197元，同比增长15.5%，其中在岗职工年平均工资为15 525元。

2002年，在全社会的共同努力下，大连市全年实现城镇就业和再就业12.3万人，同比增长38%。其中：困难群体就业2.1万人，享受失业保险待遇人员就业1.2万人。培训各类人员11.8万人，职业技能鉴定7.5万人。

2002年，大连市劳动保障局被评为全国职业教育先进单位，被国家劳动保障部记集体一等功；戚秀玉同志当选十六大代表，作为全国劳动保障系统惟一的一名基层工作人员参加了党的十六大。

1．城镇就业与再就业工作取得重大突破

2002年，大连市各级党委、政府进一步加大再就业工作力度，把促进就业作为为人民群众办实事的重要内容认真落实，市委、市政府两次召开全市再就业工作会议安排部署工作。着眼于市场导向就业机制和政府帮扶机制的建设，进一步明确了就业工作的政府责任体系，一把手责任得到有效落实。全市就业和再就业工作继续以大龄失业人员等困难群体为重点，深入开展援助就业活动，公共就业服务制度不断完善。向困难群体发放《援助就业卡》《就业联系卡》，对其就业及用人单位为其缴纳社会保险费、给付报酬、签订劳动合同以及收费等方面情况进行跟踪指导，实行“送岗上门”“送人上岗”。帮助9 337名下岗失业人员上岗就业，为435名下岗职工办理了养老保险缴费补贴。社区就业又有新的发展，创办就业实体和服务网点707个，全市社区就业实体和服务网点达到4 282个，3.77万人实现社区就业。就业服务水平全面提升，全市就业服务信息网络平台初步建成。在全社会的共同努力下，全年实现城镇就业和再就业12.3万人，同比增长38%。其中困难群体就业2.1万人，享受失业保险待遇人员就业1.2万人；培训各类人员11.8万人，职业技能鉴定7.5万人，均有较大幅度提高。

2．企业工资收入分配制度进一步完善

2002年，大连市加强对企业工资分配制度的宏观指导，发布了2002年企业工资指导线，规定：企业工资增长的中线（基准线）为企业职工平均工资的9%。2002年生产经营正常运行的企业，可参照中线合理安排本企业职工的工资增长水平；企业工资增长的上线为企业职工平均工资的15%。2001年经济效益较好并预计2002年会继续增长、有承受能力的企业，可参照上线安排工资增长；企业工资增长的下线为职工平均工资零增长或负增长。2001年企业经济效益下滑，预计2002年也不会有好转的企业，可不增加工资或相应适当降低工资，但支付职工的工资不得低于大连市企业最低工资标准。

大连经济技术开发区、大连保税区、大连高新技术产业园区、金石滩国家旅游度假区可参照大连市2002年企业工资指导线制定本地区企业工资指导线。

2002年，大连市推出150个工种的劳动力市场价位，在对全市7大行业1 643户企业进行抽样调查统计的基础上，发布了全市企业和7大行业平均人工成本情况通报。建立集体协商确定工资机制的企业达到1 200户。

2002年，大连市继续对国有企业拖欠工资问题进行了清理，在市总工会、市建委等部门的支持和配合下，全市清理企业拖欠职工工资1.6亿元，偿还率为78%。

2002年，大连市共有107户并轨企业拖欠职工债务3.4亿元。为解决这一问题，市政府专门成立了工作小组，按照“分开处理、明确责任、积极偿还”的原则监督企业偿还债务。制定了债务认定标准，明确了偿债主体，加强了工作调度和监督检查。市劳动保障局、总工会、经贸委等8个部门联合下发了《关于实行企业欠薪报告制度的通知》，规定企业发生拖欠工资问题必须报告，制定偿还计划，签订偿还协议，落实保证措施，初步建立起工资发放监控机制。2002年，全市并轨企业偿还债务2.3亿元，偿还率达到72%。

3. 劳动关系调整和维护企业稳定工作不断加强

2002年，大连市以改制企业和私营企业为重点，在全市各类企业中全面推行劳动合同制，建立了多样化的劳动合同文本制度。规范了职工档案管理工作和产权制度，改革企业的劳动关系。按照多办案、快办案原则，全市受理劳动争议案件1 749件，同比增长83%，案件受理率和按期结案两项指标均达100%。疏通了劳资双方争议处理渠道，劳动关系三方协调作用日益突出。探索建立大监察机制，劳动监察工作力度进一步加大，执法行为进一步规范。全市劳动年检2.3万户，日常巡视监察9 982户。受理投诉举报立案2 267件，结案2 156件，结案率达95%。以劳动合同签订、社会保险费缴纳、工资发放为重点，开展专项执法活动，取缔非法职业中介机构49户，平息突发性事件38起，帮助民工追回工资2 100万元，较好地维护了职工的合法权益，维护了企业和社会的稳定。

2002年，大连市成立了人民群众来访接待中心，实行接访登记、分拨、处理、评价、反馈等工作的一站式服务，共接待处理案件7 741件，满意率达99%。成立了劳动保障政策咨询中心，集中为群众提供政策咨询服务，共接待电话咨询6万多人次，接待来访2万多人次，咨询问题接近150万个。2002年5月，市、区两级劳动保障部门联合开展政策咨询周活动，为2万多人次进行了政策咨询服务。

2002年，大连市劳动保障法制建设进一步加强。《大连市劳动和社会保险监察条例》于2002年4月25日大连市第十二届人民代表大会常务委员会第四十六次会议通过，2002年9月26日辽宁省第九届人民代表大会常务委员会第三十二次会议批准，2002年12月1日正式施行，为规范劳动和社会保险监察行为，保证劳动和社会保险法律、法规的实施，保护劳动者的合法权益，维护社会秩序发挥了积极作用。

2002年，大连市建立了规范性文件的审核制度，制定了《大连市劳动和社会保障局规范性文件管理规定》，对依法制定规范性文件起到了促进作用。全年制发规范性文件30余件，组织审核市政府、市直主管部门会签文件23件；全面清理规范性文件（1985年以来），清理了市政府规章49件，其中同意继续执行的22件，建议修改的11件，建议废止的16件；清理局发规范性文件267件，其中继续执行的156件，需要修改的28件，需要废止的83件，目前市政府规章已公布废止了10件；制定了《大连市劳动和社会保障局行政复议案件处理暂行规定》和《大连市劳动和社会保障局行政诉讼案件处理暂行规定》，并贯彻实施，全年依据法律规定程序共受理行政复议案件12起，行政诉讼案件13起，受理的行政复议案件维持率达100%；对局系统行政事业单位收费项目进行了清理和规范，目前局系统共有行政事业收费20项，19项办理了收费许可证，1项正在办理过程中（收费已经物价局许可）；行政审批制度改革有了进展，行政审批事项有21项被削减，目前市劳动保障局保留了行政审批事项14项，根据市政府要求，局党委决定，现有行政审批事项将全面纳入市政府一站式审批服务大厅。

（大连市劳动和社会保障局）

# 吉 林 省

## 一、基本情况

2002年，吉林省各级劳动保障部门在省委、省政府的正确领导下，坚持从改革、发展、稳定的大局出发，不断加大就业再就业工作力度，加快健全和完善城镇社会保障体系步伐，各项工作取得了一定成效。2002年，全省共开发城镇就业岗位37.61万个，同比新增就业岗位近10万个，全年实现就业和再就业人数达到27.02万人，城镇登记失业率为3.6%。两个确保成果继续得到巩固。各级政府及有关部门积极筹集资金，确保了签协议进中心下岗职工基本生活费的按时足额发放，并全部代缴了社会保险费。围绕实现离退休人员养老金确保发放的目标，继续开展了"一扩二清三规范"专项战役，积极推进面向企业和个人两个征缴主体的转变，全年征缴养老保险费同比增收5亿元，基本做到了确保发放，没有发生新的拖欠。城镇职工基本医疗保险制度改革稳步推进。到2002年底，全省参加医疗保险的职工达到176.89万人，比2001年增加52.89万人，其中企业职工参保人数达92.94万人。医疗保险费收缴情况较好，基金收支平衡、略有结余，新制度运行比较平稳。失业保险保障功能不断增强。通过实现大专院校等事业单位参保的突破，到2002年底，全省参保人数达到283.98万人，征缴失业保险费4.2亿元，同比增收1亿元，全省享受失业保险人数达到15.64万人。劳动关系处理工作进一步加强，探索实行了信访、监察、仲裁三位一体解决矛盾的新路子，较好地维护了企业和劳动者的合法权益，促进了企业和社会的稳定。

## 二、国有企业下岗职工基本生活保障和再就业工作取得重要成果

2002年，吉林省国有企业累计发生下岗职工27.52万人，其中，2001年结转27.35万人，2002年新增0.17万人，同期减少8.18万人。到年末，全省尚有国有企业下岗职工19.34万人，比2001年减少8.01万人；签协议进中心15.02万人，比2001年末减少7.24万人。2002年，全省共发放国有企业下岗职工基本生活费63 607万元，国有企业下岗职工基本生活费做到了按时足额发放。为解决有就业能力但生活存在较大困难下岗失业人员的生活问题，在全省组织开展了以"促就业、接保险、保生活"为主题的再就业援助行动，采取多种措施，千方百计促进下岗失业人员实现再就业。据统计，2002年，全省共发放《再就业优惠卡》3.8万份，对下岗失业人员提供政策咨询35万多人次，免费提供职业指导15万人次，经调查摸底确定的重点援助对象7.8万人，援助对象实现再就业3.9万人，安置特困下岗失业人员3.7万人，发放《社会保险费接续通知书》4.2万份，下岗失业人员接续社会保险关系6.6万人，出中心领取失业保险金7.4万人，提供劳动保障事务代理服务10.7万人。截至2002年末，全省共有6.3万人通过各种渠道实现了再就业，再就业率为28.08%。

## 三、城镇就业工作取得新突破

2002年，吉林省城镇就业总量继续增长。

全年城镇失业人员就业20.72万人，比上年增加8.5万人，增长69.6%。其中：女性就业9.61万人，占就业人员总数的46.4%。在就业人员中，到国有企业就业的1.97万人，占就业人员总数的9.5%；到集体企业就业的1.49万人，占就业人员总数的7.2%；到私营企业就业的4.31万人，占就业人员总数的20.8%；到其他经济类型企业就业的5.75万人，占就业人员总数的27.8%；到港、澳、台及外商投资企业就业的0.46万人，占就业人员总数的2.22%；到机关团体和事业单位就业的0.14万人，占就业人员总数的0.68%；到个体经济组织就业的6.6万人，占就业人员总数的31.8%。非公有制经济单位仍为就业主渠道，占就业总数的58.02%。年末，全省尚有城镇登记失业人员23.82万人，比上年末增加3.66万人。女性失业人员为12.15万人，占失业人员总数的51%。城镇登记失业率为3.6%，比上年末增加0.4个百分点。

2002年，全省劳务输出工作取得了较大突破。截至2002年末，全省已实现劳务输出129.38万人，劳务输出首次突破了百万人大关。劳务输出总收入达到66.68亿元，人均增收5 153元。从劳务输出的类别看，国内跨省劳务输出为54.4万人，占劳务输出总数的42.05%；省内跨区域劳务输出为68.14万人，占劳务输出总数的52.67%。从劳务输出人员的来源看，农村富余劳动力为96.15万人，占劳务输出总数的74.32%；城镇失业人员为17.11万人，占劳务输出总数的13.22%；下岗职工为9.09万人，占劳务输出总数的7.03%；企业富余人员为7.03万人，占劳务输出总数的5.43%。

推动残疾人等弱势群体就业工作取得新进展。2002年，全省城镇有劳动能力的残疾人总数为21.3万人，已就业人数为16.57万人。其中，当年新登记求职人数为7 649人，新就业人数为12 274人，比2001年增加6 308人。新就业人员中，按比例就业2 653人，占总数的22%；集中就业6 012人，占总数的49%；个体就业3 609人，占总数的29%。

**四、城镇扶困工作扎实开展，较好地保障了特困群体的基本生活**

2002年，吉林省各市州通过财政拨款、社会捐赠和企业自筹等方式筹措资金9 400万元，对3 260余户困难企业的37万名困难职工进行了生活救助。其中，省本级投入资金1 100万元（省财政拨款240万元，双日捐及机关事业单位捐款260万元，企业主管部门及企业自筹600万元），对煤炭、冶金、森工、机械、建设、劳改、地勘、轻化等行业的103户省直企业，约13.7万名困难职工进行了救助。各级党委、政府及有关部门领导同志都在两节期间开展了对困难群众的走访慰问活动。全省共有110多名地厅级以上领导干部，960多名县处级干部参加了走访慰问活动，共走访慰问400多户困难企业，约4.3万户困难职工家庭。

**五、养老保险工作扎实推进，国有企业离退休人员养老金基本做到按时足额发放**

截至2002年末，吉林省养老保险参保人数达到292.76万人。2002年，共征缴当期养老保险费52.68亿元，比上年增收5亿元，完成国家下达全年征缴计划的107.8%。到2002年末，纳入养老保险统筹的离退休人数为105万人，支付当期养老金73.6亿元，基本做到了保当期发放。养老金社会化发放率达97.3%。为确保养老保险省级统筹的正常运行，省对市县实行了“分级负责，定额补助，两级调剂，自求平衡”的管理模式，建立了省补助资金与各地工作实绩挂钩的激励机制，进一步调动了各地工作的积极性。全省各统筹地区规范了集体企业县（市）统筹办法，基本上实现了“差额缴拨改全额缴拨”“双基数改单基数”“多比例改单比例”。集体企业县（市）级统筹向市州统筹平稳过渡。按国家统一部署，2002年两次为企业离退休人员调整基本养老金。由于做到了统筹兼顾、实事求是、尽力而为，调整养老金待遇工作总体平稳。适应就业形式多样化的要求，积极研究制定政策，加大养老保险接续工作力度。全省养老保险缴费主体已由原来面向企业一个主体，转变为面向企业和个人两个缴费主体，推动了续保和缴费工作。2002年，全省有18万职工个人进行了续保，缴费额达3.8亿元。

## 六、失业保险保障功能不断增强

2002年，吉林省通过在全省范围内组织开展“失业保险宣传月”活动，深入宣传贯彻国务院颁布的《失业保险条例》和《社会保险费征缴暂行条例》，进一步提高了用人单位和职工参加失业保险、履行缴费义务的主动性和自觉性。据统计，截至2002年末，全省参加失业保险的职工283.98万人，与2001年基本持平。共征缴失业保险费3.3亿元，比2001年增长23.95%；征缴率为85%，比2001年增长7.7个百分点。清收企业欠费8 772万元，比2001年多清收4 241.79万元，增长93.6%。2002年共拨付再就业资金1.48亿元。年末享受失业保险待遇的失业人员为15.64万人，比2001年末增加2.64万人，增长18.66%。

2002年12月27日，吉林省政府第六十一次常务会议通过了《吉林省失业保险办法》，并决定自2003年2月1日起施行。

## 七、医疗保险制度运行平稳，工伤、生育保险工作进一步加强

2002年，吉林省继续按照积极稳妥的原则，推进医疗保险制度改革。到年末，全省50个统筹地区参加基本医疗保险人数达到176.89万人，比2001年增加52.89万人，增长率为42.65%。全省50个统筹地区中，实行统账结合的有38个统筹地区，只建统筹基金的有12个统筹地区。实行统账结合的参保人数为131.53万人，只建统筹基金的参保人数为45.36万人。参保人员中，在职职工为137.05万人，退休人员为39.84万人，退休人员占参保人员总数的22.5%。企业职工参保人数为92.94万人，事业单位参保人数为63.81万人，机关参保人数为20.14万人，分别占参保人员总数的52.5%、36.1%和11.4%。

2002年，吉林省各统筹地区从实际出发，不断健全和完善医疗保险制度，积极推进多层次医疗保障体系建设，努力提高医疗保险管理服务水平。全省有7个市州建立了大额补充医疗保险，有4个市州建立了公务员补助制度，确定医疗保险定点医疗机构320家，定点零售药店91家，极大地方便了广大参保职工看病就医，广大参保职工对基本医疗保险制度满意度有所提升。全省已有16个市州、县（市）实现了医疗保险计算机管理。

2002年，吉林省工伤、生育保险工作进一步加强。全省参加工伤保险人数为36.59万人，享受工伤待遇人数为15 438人，享受职业病待遇人数为505人。全省参加生育保险人数为32.68万人，享受生育保险待遇的人数为1 515人。

## 八、企业劳动工资制度改革又有新起色

2002年，吉林省进一步深化企业分配制度改革。一是加强对企业工资总量的宏观调控，完善最低工资保障制度。2002年，全省第四次调整最低劳动工资标准。调整后的最低工资标准为：第一档长春、吉林市区310元/月；第二档地级市区和延吉、珲春市275元/月；第三档各县（市）240元/月。最低工资制度的健全和完善，较好地保障了广大职工的根本利益。二是劳动力市场指导价位制度和企业人工成本预警预测体系建设试点稳步推进。2002年，全省9个市、州全部建立劳动力市场指导价位制度。工资增长指导线在引导企业合理增加工资、规范企业收入分配行为方面发挥了较好作用，地方企业工资增长水平控制在工资增长指导线以内。职工工资水平进一步提高。2002年，全省在岗职工平均工资达到9 990元，比2001年增加1 219元；增长幅度达13.9%，比2001年增加3.2个百分点。三是不断深化对劳动和劳动价值理论的认识。有146户企业试行经营者年薪制；有1 042户企业积

极试行以岗位工资为主的基本工资制度改革；有177户企业开展工资集体协商制度。

### 九、劳动关系调整工作进一步加强

2002年，吉林省按照建立现代企业制度的要求，指导企业深化用人制度改革。一是依法做好劳动合同和集体合同的签订、变更和解除工作。到2002年底，全省累计签订集体合同5 915份，比2001年多签订686份，增长13.1%；涉及职工167.02万人，比2001年多21.1万人，增长14.5%；集体合同报送率达到87.6%。二是积极探索建立劳动关系三方协调机制，解决重大劳动关系问题。到2002年底，全省有65个市州、县（市、区）建立了三方协调机制，覆盖面达94.2%。三是从本省实际出发，认真做好妥善处理国有企业下岗职工劳动关系工作。2002年，全省共启动妥善处理国有企业下岗职工劳动关系扩大试点企业541户，占有下岗职工企业户数的16.7%，涉及职工总数为204 237人。全省试点和扩大试点共筹集资金28 567万元，其中，省财政借拨10 000万元，地方筹集9 364万元，企业筹集9 203万元。全省试点使用资金23 472万元，其中：用于经济补偿金15 201万元，补缴养老、失业保险金4 703万元，企业补发职工各种债务3 568万元，人均使用资金3 399元。2002年，全省共有69 053人从中心转出后与企业解除或终止了劳动关系，占国有企业出中心应解除劳动关系人数的52.4%，为企业深化改革、转型改制、减轻负担、增加效益创造了良好的条件。

### 十、加强劳动保障信访和劳动争议处理工作，切实维护企业和社会稳定

2002年，吉林省围绕维护企业和职工合法权益，促进企业和社会稳定，加大了劳动保障信访和劳动争议处理工作力度。信访方面，建立了领导包案处理制度、领导信访接待日制度等，组织开展不稳定因素的排查工作，对重点企业实施监控，制定处置预案。截至2002年末，全省各级劳动保障部门共接待职工群众来信来访1.81万件（批）次，同比上升了14%。其中，省本级接待处理4 920件（批）次，同比上升了8.2%，占全省信访量的27%。仲裁方面，坚持把法制引入劳动信访工作之中，通过劳动仲裁开庭办案，有效化解矛盾。截至2002年底，全省劳动争议仲裁机构共受理劳动争议案件2 659件，同比上升52%；涉及职工人数24 768人，同比上升157.5%；结案2 526件，结案率为95%。省本级劳动争议仲裁机构受理案件270件，同比上升11%；涉及人数2 673人，同比上升15%；结案216件，结案率为80%。

### 十一、围绕中心工作，不断加强劳动保障监察工作力度

2002年，吉林省各级劳动保障监察机构围绕中心工作，在全省范围内开展了全方位、多层次、多形式的劳动保障执法活动，狠抓促进劳动保障法律法规及各项政策的落实，规范用人单位劳动管理行为，维护职工合法权益。截至年末，全省共检查用人单位24 572户，涉及劳动者257万人，共查处各类违法案件2 497件，比2001年同期增长17.6%。其中，查处职业中介案件126件，比2001年增长52%，依法取缔非法职业中介机构117户；招用童工案件102件，比2001年增长209%，依法清退童工141人；劳动合同案件527件，比2001年同期增长22.2%，为30.1万人补签了劳动合同；工资支付案件604件，比2001年增长199%，为12.4万人追发工资等待遇750.3万元；收取风险抵押金案件461件，比2001年增长146.5%，清退抵押金101.7万元。对228起违法案件进行了行政处罚，比2001年增长56.2%，其中有114件通过法院强制执行。共接受群众举报案件1 466件，比2001年下降16.6%，立案1 220件，结案1 197件，结案率达到98%以上。对19 187户用人单位进行了劳动保障年检，年检覆盖面达91.6%，比2001年增长4.55%。

## 十二、职业培训在促进下岗失业人员再就业方面发挥了积极作用

2002年，吉林省坚持把职业培训作为促进再就业的重要手段，大力开展有针对性的再就业培训工作，帮助下岗失业人员特别是技能单一、就业有一定困难的人员实现再就业。截至年底，全省共培训下岗失业人员16.04万人，培训就业率达到52.3%。劳动预备制度普遍展开，2002年全省参加劳动预备制度培训人员达到10.4万人。企业在职职工培训力度不断加大，岗位练兵和技能竞赛活动普遍开展，全省涌现出了一大批技术标兵和技术能手。技工教育注重创新机制，面向市场办学，全年招收学制新生9 800人，同比提高28个百分点，初步走出了招生难的困境。加强对社会职业培训机构的管理，完善政策措施，搞好年检评估，促进了培训质量的不断提高。

## 十三、离退休人员保险福利水平不断提高

2002年末，吉林省离休、退休、退职人员为124.22万人，比2001年增长4.7%。其中，企业为97.59万人（离休人员2.88万人，退休人员92.83万人，领取定期生活费的退职人员1.88万人），同比增加4.46万人，增长4.8%；事业单位为21.49万人（离休人员1.72万人，退休人员19.32万人，领取定期生活费的退职人员4 566人），同比增加6 312人，增长3%；机关为5.14万人（离休人员9 093人，退休人员4.12万人，领取定期生活费的退职人员1 094人），同比增加5 120人，增长11.1%。

2002年末，吉林省保险福利费用支出1 046.99亿元，同比增加128.1亿元，增长13.9%。其中企业支出720.72亿元（离休金支出42.51亿元，退休金支出615.66亿元，退职生活费支出5.72亿元，医疗卫生费支出34.85亿元，其他支出21.97亿元），同比增加74.95亿元，增长11.6%；事业支出258.17亿元（离休金支出24.25亿元，退休金支出207.59亿元，退职生活费支出1.16亿元，医疗卫生费支出19.67亿元，其他支出5.5亿元），同比增加42.07亿元，增长19.5%；机关支出68.10亿元（离休金支出13.96亿元，退休金支出45.08亿元，退职生活费支出0.46亿元，医疗卫生费支出7.12亿元，其他支出1.44亿元），同比增加11.09亿元，增长19.5%。

（吉林省劳动和社会保障厅）

# 黑 龙 江 省

2002年，在省委、省政府的正确领导下，黑龙江省各级劳动和社会保障部门认真贯彻落实全国再就业工作会议和劳动保障厅（局）长会议精神，紧紧围绕促进下岗失业人员再就业、两个确保和完善社会保障体系等重点工作，明确目标，落实责任，团结奋斗，改革创新，各项工作都取得了新的进展，较好地完成了年初确定的各项工作目标。

## 一、再就业工作力度进一步加大

2002年10月，黑龙江省委、省政府召开了全省再就业工作会议，对贯彻落实国家再就业工作会议制定的各项方针、政策做出了周密部署。会后，相继出台了《中共黑龙江省委、黑龙江省人民政府关于贯彻落实〈中共中央国务院关于进一步做好下岗失业人员再就业工作的通知〉的实施意见》（黑发〔2002〕15号）等一系列旨在促进下岗失业人员再就业的配套文件。这些政策以就业增长点在哪里，政策就支持哪里，就业服务就跟到哪里，工作网络就延伸到哪里为出发点，从税费减免、小额贷款、社保补贴、就业援助、主辅分离、就业服务、财政投入、社会保障、企业裁员、社区平台10个方面构筑了空前完备的再就业优惠扶持政策体系。劳动者自主就业、市场调节就业、政府促进就业的新型就业工作格局已基本形成。

2002年，全省共有38.19万名国有企业下岗职工实现了再就业，再就业率达28.3%，城镇登记失业率为4.9%。

## 二、基本实现了两个确保

2002年，黑龙江省实收基本养老保险费73.6亿元，收缴率为94.8%；追缴企业历年欠费5.2亿元；实拨基本养老金110.4亿元，拨付率达到了100%。截至年底，全省国有企业下岗职工共有76.84万人，其中进入再就业服务中心的下岗职工20.15万人，均按时足额领取了基本生活费。

## 三、养老保险制度继续完善

2002年，黑龙江省实际参保人数为459万人，参保率达到99%；基本养老金社会化发放人数达175万人，社会化发放率为99.4%；养老保险政策进一步完善落实，在全省实现了市地级统筹；个人账户的管理和记载取得较大进展，全省有99%的参保人员建立了个人账户；根据国家规定，为全省企业退休职工调整了养老金，进一步提高了全省养老金水平。绥芬河市社会保障体系改革试点工作进展顺利。

## 四、医疗保险覆盖面进一步扩大

截至2002年底，黑龙江省初步建立了多层次的医疗保险体系，基本医疗保险参保职工达到393万人，较年初纯增78万人，超额完成了国家下达的扩面任务；全省医疗保险费实收17.2亿元，收缴率为85%，共支出12.5亿元，基金收支平衡且有结余。工伤保险和生育保险有所发展，全省工伤保险的参保人数已达143万人；生育保险的参保人数已达148.9万人。

## 五、失业保险的保障功能继续增强

2002年，黑龙江省参加失业保险的职工达到462.9万人，占应参保职工的97%；共收缴失业保险费5.8亿元；共为28.15万名失业人员发放失业保险金4亿元。在确保失业人员基本生活和促进再就业的同时，2002年失业保险还为再就业服务中心拨付了下岗职工基本生活保障资金0.68亿元。

## 六、劳动工资制度改革进一步深化

到2002年底，黑龙江省各市地均实行了企业工资指导线制度和劳动力市场工资指导价位制度，在339户企业推行了岗位工资制度改革试点，在25户企业推行了科技人员工资分配试点，在100户企业推行了工资集体协商谈判试点。

## 七、劳动关系协调工作取得新成效

2002年，黑龙江省签订劳动合同的国有企业职工人数达到327.8万人，签订率为97.8%；非国有企业达到136.7万人，签订率为85.8%。全省已有7 020户企业实行了集体合同制度，比2001年增加了1 020户。全省各级劳动保障监察机构共检查各类用人单位39 900户，涉及劳动者390.76万人；为农民工讨回打工钱1 944.8万元；依法查处举报案件1 664件，结案率达到97.9%。全省各级劳动保障信访仲裁机构直接受理人民群众来信来访56 380件；参与各级信访办联合办案7 082余起；接待企事业单位和群众电话咨询4万余次；受理各级行政首长信访电话5 864件；仲裁立案3 276件，结案率达90%。

## 八、职业技能培训工作成果显著

2002年，黑龙江省加挂“职业技术培训学院”牌子的技工学校已达18所，技工学校招生13 450人，比2001年提高了12个百分点；完成短期培训13.5万人，企业职工培训23万人，涌现出2名“全国技术能手”；共培训下岗职工、失业人员33.5万人，超额完成计划的11.3%，培训后再就业率达50%；经优化整合，全省现有社会职业培训机构802个，年培训人数17.6万人；全省共15.6万人参加了职业技能鉴定，有13.6万人获得不同级别的职业资格证书；积极推进劳动预备制培训，全年共培训8.3万人，超额完成计划的12%。

（黑龙江省劳动和社会保障厅）

# 上　海　市

2002年，在上海市委、市政府的正确领导下，上海市实施积极促进就业、完善社会保障的新举措，努力构筑市场化、社会化的劳动保障新格局，实现了上海就业和社会保障的新突破。

## 一、培训和就业情况

1．落实“净增十万就业岗位”

2002年，上海市继续完善促进就业的政府责任体系，在2000—2001年实现净增岗位23万余个的基础上，2002年又完成净增就业岗位11.83万个，有效缓解了本市就业的总量矛盾。3年实现净增就业岗位35万余个。

2．对就业困难对象实施“双向承诺”

2002年，上海市实施“双向承诺”，援助就业困难对象，开展就业托底。上海各级就业服务机构通过开展调查，查出2万多名就业困难人员，并适时推出政府与就业困难人员之间“双向承诺”的安置措施，即：就业困难人员承诺服从安排，政府承诺安排其从事力所能及的劳动。到2002年底，对应安置的2万多名就业困难对象的安置率达到100%。

3．继续推进“4050”工程

2002年，上海市继续实施“4050”工程，援助“4050”群体，发挥就业的倍增效应。当年，全市共举办了3次“4050”项目招投标咨询活动，有4万多名有创业意向者参加了现场咨询，全年累计推出项目783个，吸纳就业5万多人。同时在“4050”项目启动过程中，根据创业者的需要，在项目培训、开业指导、开业融资等重点环节推出了相应的扶助措施，主要包括开展以“4050”项目为中心的创业培训，搭建开业指导服务平台，发挥开业指导专家志愿服务团的重要作用，进一步强化开业贷款担保的推动作用。

4．建立就业援助员队伍，促进四级就业服务网络的形成

2002年，上海市配合就业援助行动的顺利开展，在居委社区层面建立起了一支3 500人规模的就业援助员队伍，从而在全市形成了市、区（县）、街道（乡镇）直至居委会的四级就业和社会保障管理服务格局。就业援助员融入社区、贴近市民、走家串户，宣传劳动保障政策，调查就业困难人员情况，配合开发社区就业岗位，在劳动者合法权益受到侵害时提供维权帮助，使老百姓在家门口就能得到劳动保障援助。就业援助员队伍的建立，使上海市的就业服务网络进一步向居委会延伸，顺应了“单位人”向“社会人”的转变，为化解社区就业矛盾、维护社会安定发挥了重要作用。

5．完成20.1万人职业培训

2002年是实施“十五100万培训工程”的第二年，上海市继续实行政府购买培训成果的市场化运作模式，将培训与市场需求更紧密地结合起来，全年顺利完成了20.1万人的职业培训。其中，失业、下岗协保人员培训人数9.7万，培训后推荐就业人数5.1万，就业率达52.4%；中高层次培训人数5.9万，占总培训人数的比率为29.4%。

6．稳步推进青年“职业见习”计划

2002年2月，上海市启动了“职业见习”计划，援助青年失业人员。截至年底，共发展

了正式的"职业见习"基地118家，试运作基地99家。全市共有5 966名青年参加"职业见习"，其中大专以上（包括大专）学历的学员达到40%左右。目前已有见习结业学员2 541人，见习结束后实现就业的有1 101人。

7. 推出外来从业人员综合保险制度

为保障外来从业人员的合法权益，促进各类企业劳动者的平等竞争，建立有序的劳动力市场规则，体现上海开放公平的城市形象，2002年9月，上海市推出了外来从业人员综合保险制度，到年底，全市已有1.85万家单位进行了综合保险登记，涉及外来从业人员40多万人。

## 二、劳动关系情况

1. 正式实施《上海市劳动合同条例》

上海市十一届人大常委会第三十三次会议审议通过的《上海市劳动合同条例》于2002年5月1日正式实施。《条例》强化了对劳动者合法权益的保护，增强了非全日制工时、事实劳动关系、服务期、竞业禁止等方面的规定。为贯彻《条例》，市劳动和社会保障局发布了《关于实施〈上海市劳动合同条例〉若干问题的通知》，就《条例》的适用范围、劳动合同的订立、劳动合同的履行和变更、劳动合同的解除和终止等内容作出了进一步的规定和解释。

2. 修改《上海市企业职工最低工资规定》，调整最低工资标准

2002年，上海市根据本市的经济发展状况，对《上海市企业职工最低工资规定》进行了修改，扩大了最低工资的适用范围，将所有城镇从业人员纳入范围，增加了小时最低工资标准的规定。从2002年7月1日起，上海市职工月最低工资标准由490元调整到535元。

3. 劳动保障监察进一步加强

2002年，上海市以社会保险缴费、规范单位使用外地劳动力等为重点，从"宽度""密度"上进一步加大劳动保障监察力度，共受理群众投诉举报12 777件，监察用人单位20 958户，查处各类违法案件7 372件。其中，作出限期整改指令4 661件，行政处理决定1 329件，行政处罚决定1 382件，申请人民法院强制执行358件，罚款金额共计827.53万元。追缴社会保险费16 034.69万元，涉及职工178 549人；补签劳动合同并补办录用手续33 620人；清退擅自招用外来人员24 324人；责令用人单位清退违法收取的各类押金145万元，涉及人员4 843人；取缔违法职业中介机构210户。

4. 妥善处理劳动争议案件，维护当事人的合法权益

2002年，以《上海市劳动合同条例》的贯彻实施为重要契机，上海市建立了政府、企业、工会三方劳动关系协调联席会议制度，在政府的主导下，强化了劳动关系双方的主体地位。强化劳动争议处理的协商、调解机制，提高劳动争议处理的办案质量和效率，2002年，上海市劳动争议仲裁机构共受理劳动争议案件14 467件，同比上升6.8%，结案率达90.7%。其中协商、调解解决的9 556件，调解率为66%。各社保中心仲裁庭共受理社会保险争议4 006件，结案4 209件（2002年未结案495件），其中协商、调解解决3 426件，调解率为81.4%，裁决783件。大量案件通过撤诉和调解解决，大大缩短了争议处理时间，同时社会保险费的到位率得到保证，全年共追缴社会保险费2 021.87万元。

## 三、社会保险情况

1. 增加退休人员养老金

2002年，上海市共有234.4万退休人员按规定增加了养老金，全市退休人员总体月平均增加养老金近60元，相当于上一年在职人员工资增长率的49%（国家要求企业退休人员养老金调整幅度总体上按50%左右掌握）。其中：(1) 平均每人每月普遍增加养老金56元。其中，机关事业单位退休人员平均增加养老金66元；企业退休人员平均增加养老金54元。(2) 继续对年龄大、退休早、养老金水平偏低

的人员适当增加养老金，将养老金托底的标准线从上年700元的基础提高到750元，相当于全市企业退休人员平均养老金水平。全市共有47万高龄低收入人员，包括退休早、养老金水平偏低的老干部、老工人、军队转业干部、原工商业者等人员因此而受益，平均每人再增加养老金18元。

2．提高基金征缴水平，保证基金征缴总量完成

2002年，上海市参保户达到10.1万户，同比上年增长13%；参保在职人员数452.82万，同比上年增长2.04%；离退休人员已达246.92万，同比上年增长2.94%。全年征缴各项社会保险基金总量400多亿元，征缴率达99%以上。

3．生育保险运转平稳，配套措施日趋完善

自2001年3季度正式推出生育保险制度以来，2002年，上海市生育保险全面进入正常运作轨道。当年向近4万女性劳动者支付了生育保险待遇，平均每人约7 000元，有效地保障了女性的生育及平等就业权利。累计支付人数36 348人，支付金额2.5亿元。

4．补充保险稳步发展，管理基础不断完善

2002年，上海市把大力发展补充保险作为完善本市多层次社会保险体系的一个重要内容，充分发挥其在吸引和凝聚人才，推动经济发展，保障和提高人们生活水平等方面的作用。截至年底，参加补充养老保险的单位达到5 644户，参加补充养老保险的从业人员达到98万人，累计资金规模达到52亿元。

（上海市劳动和社会保障局）

# 江 苏 省

2002年，江苏省各级劳动保障部门从改革、发展、稳定的大局出发，坚决贯彻执行中央和省委、省政府的一系列重大决策，加强作风和行风建设，改进工作方法，全力以赴狠抓落实，劳动保障各项工作取得了较大进展。

## 一、就业再就业工作取得明显成效

2002年，江苏省认真贯彻全国再就业工作会议精神，省委、省政府召开了全省再就业工作会议，会议规格之高、规模之大、政策含金量之高，前所未有。进一步加大就业岗位开发力度，鼓励和扶持灵活就业，大力开展再就业援助行动，切实抓好就业服务，有力地促进了就业再就业工作的发展。全年下岗职工出中心达8.9万人，其中实现再就业5.77万人，再就业率达69.1%；通过开展再就业援助行动，全省共帮扶8.58万名困难下岗失业人员实现再就业；城镇登记失业人员就业达39.96万人，登记失业率控制在4.2%，均超额完成年初的目标。深入贯彻省委、省政府《关于进一步加快苏北地区发展的意见》，大力促进农村劳动力开发，强化南北劳动力交流工作，全年组织引导苏北地区新增劳务输出21万人，超额完成省委、省政府下达的目标任务。

## 二、两个确保成果继续得到巩固

2002年，江苏省共筹集下岗职工基本生活保障资金8.95亿元，发放下岗职工基本生活费5.74亿元，代缴各项社会保险费3.37亿元，在中心的下岗职工全部得到了基本生活保障。为确保企业离退休人员养老金按时足额发放，加大对苏北、苏中困难市县的支持补助力度，省补助市县由22个增加到31个，省补助资金从4.27亿元增加到7.145亿元。下半年养老金调整方案出台后再次追加了补助资金。全年养老保险基金支出181.16亿元，基本做到了按时足额发放，一些困难县（市）还千方百计筹资补发了部分历史拖欠。全省社会化发放人数达到226.54万人，77个市县均实现了100%社会化发放，全省社会化发放率达到99.8%。

## 三、养老、失业保险工作取得新突破

2002年，在全国绝大多数省份养老保险参保、缴费人数急剧减少的情况下，江苏省实现了“双增长”。全省养老保险参保职工达到710.59万人，增加28.18万人，其中实际缴费人数为658.44万人，增加40.43万人。以个人缴费形式参保和续保的人员大量增加，达到63.2万人，成为新增缴费人员的主体。养老保险稽核力度进一步加大，全省实地稽核面达到30%，查出10 534家企业少报、漏报缴费基数10.96亿元，应补缴3.16亿元，实际到账2.62亿元。全省养老保险基金征缴率达94.4%。两次调整企业退休人员养老金，并在调整企业退休人员养老金方案中对退休早、养老金水平偏低的人员适当倾斜，缓解了长期以来存在的突出问题。企业退休人员社会化管理服务工作取得进展。全省失业保险参保人数为733.87万人，参保人数持续下降的趋势得到遏制。全省征缴失业保险费19.12亿元，超额完成全年目标任务。领取失业保险金人数达到

49.69万人，比上年末增加10万人，失业保险已成为主要保障形式。

**四、医疗保险制度改革稳步推进**

2002年，江苏省医疗保险参保人数达691万人，比上年底增加235万人，增长51.5%，居全国第一；工伤、生育保险基本覆盖所有市、县，参保人数分别达到475万人、481万人。医疗保险政策体系进一步完善，9个省辖市出台公务员医疗补助办法。采取适当调整增加门诊特殊病种，减少统筹基金起付标准，降低个人自付比例，适当提高退休人员个人账户记账比例等措施，缓解了社保机构与患者之间的矛盾。离休干部医药费统筹管理工作步入正常化、制度化轨道，93个统筹地区中有88个实行离休干部医药费社会统筹制度，绝大部分市、县离休干部统筹统一划归劳动保障部门管理。

**五、集体合同和劳动合同制度建设取得新成效**

2002年，江苏省大力开展"集体合同和劳动合同管理年"活动，省委、省政府召开了全省推进集体合同和劳动合同制度工作会议，有力地促进了劳动关系调整工作的开展。全省集体、外商投资企业劳动合同签订率达到98%以上；乡镇企业、私营企业和有雇工的个体工商户劳动合同签订率超过75%；签订集体合同及集体合同覆盖的企业数达到10.55万户，涉及职工644万人，分别比上年增长24%和16%，超额完成年初确定的目标。省级劳动关系三方协调机制进一步健全，全省确定了140户企业建立协调劳动关系定点联系制度，对企业劳动关系中存在的突出问题、苗头问题进行动态跟踪，指导企业预先防范，妥善处理，避免引发群体性突发事件。坚持从实际出发，区分改制企业的不同性质，采取相应解决办法，不断加大劳动关系调整力度，切实维护了职工的合法权益。

**六、工资宏观调控进一步加强**

2002年，江苏省以国有企业经营者年薪制为核心，积极推进国有企业工资分配制度改革。出台了《江苏省国有企业经营者年薪制规定》。积极指导企业建立以工资增长为主要内容的工资集体协商制度，省辖市全部出台企业工资增长指导线及实施意见，开展了劳动力市场价位、人工成本的测算和发布工作。进一步调整了企业最低工资构成和标准，明确最低工资包括企业最低工资标准和依法应由个人缴纳的社会保险最低缴费额。全年全省在岗职工工资水平增长8%左右，较好地完成了工资增长目标。

**七、劳动保障法制建设和监察工作全面推进**

2002年，江苏省《职工失业保险规定》《实施劳动合同制度办法》两个政府规章的修正案报送省政府。编制了2003—2007年劳动保障地方性法规立法规划和2003年政府规章立法计划建议项目。按期完成了行政审批制度改革工作。开展集体合同和劳动合同管理年法律政策宣传月和贯彻实施《禁止使用童工》宣传周活动。劳动保障依法行政和执法监察力度进一步加大。全年共收到行政复议申请20件，依法受理13件，审结5件。开展了集体合同和劳动合同专项执法大检查，共检查各类用人单位32 824户，涉及职工299.8万人。接受群众举报投诉4 951件，办理劳动保障监察案件3 724件，下达限期改正指令书3 500余份，对313户单位给予了行政处理和处罚。通过检查和立案处理，共补签劳动合同39.3万人，查处使用童工198人，责令支付经济补偿金469.77万元，社会保险扩面24万余人。

**八、仲裁办案方式改革取得可喜成效**

2002年，江苏省按照效率原则，以提高办案质量为核心，依法积极推进办案方式的改革。大力推行"五公开"，即：开庭案由、时间、场所公开，劳动仲裁规则公开，审理程序公开，举证、质证、认证的环节公开，裁决结果公开，以公开促进公正，以公开促进效率，以公开促进廉洁。推行当事人选择仲裁员制度，进一步增强了广大仲裁员的责任感和使命感，增强了劳动仲裁公正、公开和透明度，提高了劳动仲裁社会公信度。制定并颁发了《江苏省劳动争议案件证据审核规则》，进一步规范了仲裁庭审活动，全省案件处理质量有了大幅提高。全年处理各类劳动争议案件34 312件，涉及劳动者78 589人。其中，集体劳动争议案件1 198件，涉及劳动者31 582人；审结31 395件，结案率达 91.5%。

## 九、职业培训和技能鉴定工作全面加强

2002 年，江苏省全面启动《江苏省加强职业培训提高就业能力计划》，确定了今后 3 年职业培训工作的总体目标、基本框架及配套措施。结合第二期“百镇百万”农村劳动力开发就业培训计划和“5112”工程的实施，开展了职业培训技能下乡活动，取得了良好的社会反响。全省技工学校招生人数扩大到 5.58 万人，超过计划 2.28 万人，为历史最好成绩；近 3 万名应届毕业生就业率稳定保持在 90% 以上。办学层次进一步提升，全省技师学院增至 15 所。开展大规模的职业技能竞赛，职业（工种）达 90 多个，参赛人数达到 100 万以上。社会力量办学发展较快，全省社会力量办职业技能培训机构近 800 所，全年培训人数近 40 万人次，增长近 18%。加大职业资格证书制度推行力度，完善职业技能鉴定社会化管理工作，全年鉴定人数 30 万人次，取证人数 27 万人次，分别增长 17.6% 和 15%，均居全国前 4 名。

## 十、机关事业单位养老保险制度逐步完善

2002 年，江苏省制定出台了《关于职工在机关事业单位与企业间流动时养老保险关系处理的意见》，明确了职工在机关事业单位和企业之间流动时养老保险关系的接续处理办法。对科研转制单位参保问题、改制前退休人员养老保险待遇的调整问题等作了进一步明确。全省参加机关事业单位养老保险的在职职工 100 万人，享受养老保险待遇的离退休人员 26 万人，基金征缴率达 95%，基金积累 31.02 亿元。

## 十一、农村养老保险工作得到进一步探索和规范

2002 年，江苏省已有 11 个省辖市和 61 个县（市、区）的农保职能移交劳动保障部门，8 个省辖市农保经办机构改为全额拨款事业单位，28 个县（市、区）改为全额拨款或由财政补贴。同时，围绕整顿和规范工作，狠抓基础管理建设，开展了业务档案规范管理和检查。年末，全省参保人员 850 万人，积累基金 47 亿元，参保人数及基金总量均列全国首位。

## 十二、规划统计、信息化建设和基金监督工作不断加强

2002 年，江苏省劳动保障厅制定了江苏省劳动保障事业发展“十五”规划。组织开展了就业和社会保障状况专项抽样调查工作。按照“统一标准、统一规划、网络互联、信息共享”的原则，制定了省级信息系统建设总体规划，市、县劳动保障信息系统建设也逐步展开。劳动力市场“三化”建设第二期试点工作全面开展，各市、县（区）全部建立了劳动力市场局域网，实现了与省辖市劳动力市场拨号联网，初步形成条块结合、上下贯通的劳动力市场信息网络。为加强社会保险基金监管工作，制定并颁布了《社会保险基金行政监督实施细则》和《社会保险基金监督举报工作管理实施细则》，与民政、审计、监察部门联合下发了《关于开展清理回收农村社会养老保险基金工作的通知》，全年共清理回收农保基金 1.2 亿元。

## 十三、劳动保障系统行风建设及信访、宣传工作全面加强

2002年，江苏省劳动保障系统广泛开展了民主评议行风工作。通过行风评议，增强了服务意识，规范了执法、服务行为，提高了办事效率，促进了劳动保障各项工作的发展，密切了劳动保障系统与人民群众的联系，得到了社会好评。省及各地高度重视并切实加强对信访工作的领导，普遍建立了负责人接待日制度、信访联络员制度、集访联名接待制度和来信督办制度，有效地化解了矛盾。同时，劳动保障宣传工作进一步加强，积极组织开展了全国、全省首届劳动保障知识竞赛和电视大奖赛，并利用各种新闻媒体加大宣传的力度，收到良好的效果。

（江苏省劳动和社会保障厅）

# 浙 江 省

## 一、两个确保继续巩固，并轨工作已经完成

2002年，浙江省各地按照中央的部署，继续扎实有效地做好两个确保工作。截至2002年底，浙江省企业下岗职工已从上年末的1.62万人减少到2 600人，减少1.36万人，其中国有企业下岗职工从1.31万人减少到2 500人，减少1.06万人。浙江省国有企业下岗职工基本生活费100%得到按时足额发放；企业离退休人数为120万人，企业离退休人员月人均养老金已达800元左右，养老金水平居全国前列。企业离退休人员养老金100%得到按时足额发放。

浙江省是下岗与失业并轨步伐较快的省市之一。到2002年底，全省除杭州市还有28个企业再就业服务中心外，其他各市所有再就业服务中心已全部停止运作，实现并轨。

## 二、就业再就业工作成效显著

2002年，浙江省各地把就业和再就业工作放在突出位置抓紧抓好，出台了相关促进再就业优惠政策。经过努力，全省有34.01万名城镇失业人员实现了再就业；年末城镇登记失业人数为27.73万人，城镇失业率为4.2%，城镇就业局势基本稳定。

在促进再就业方面，各地加大了社区就业岗位开发工作力度，尤其在为扶持困难群体就业提供服务方面狠下功夫，不少地方制定出台了相应的政策措施。2002年，浙江省共开发社区就业岗位10.5万个。为了促进农村剩余劳动力的转移和欠发达地区的经济发展，浙江省政府专门下发通知，部署开展对口劳务协作工作，2002年浙江省政府第一次将对口帮扶劳务协作列入一类考核目标。经各地努力，全省对口劳务输出3.1万余人，完成了对口帮扶劳务协作3万名的目标任务。

## 三、大力开展再就业培训工作

2002年，浙江省各地继续认真做好再就业培训工作，注重从量的扩张向质的提高转变，提高下岗失业人员再就业能力。第二期“3年40万”再就业培训计划自2001年开始组织实施以来，到2002年底已培训下岗失业人员近41万人，提前一年超额完成任务，其中2002年培训人数为21.31万人，比年度目标任务15万人超过6.31万人。职业资格证书制度的实施范围进一步扩大，2002年全省参加职业技能培训考核人数达35.6万人。

## 四、城乡统筹就业试点及推广工作进展顺利

在长兴、义乌开展以“统一政策、统一市场、统一管理”为主要内容的城乡统筹就业试点工作的基础上，2002年，浙江省已把城乡统筹就业工作范围扩大到经济发展势头好、城镇化程度高、城乡劳动力流动量大的慈溪、绍兴、嘉兴等8个市县。一年来，试点地区按照工作的总体目标要求，根据当地实际，制定试点方案，乡镇就业服务网络建设取得新的进展。德清县的4个中心镇已与县里实现劳动力市场信息联网。

## 五、社会保险工作稳步推进

1．强化社会保险工作力度

2002年初，浙江省政府召开了全省社会保险和劳动管理工作会议，研究部署社会保险扩面征缴工作。为了抓好落实，4月、7月，浙江省政府又先后召开了由26个经济发达县市政府一把手参加的全省养老保险工作现场会和13个养老保险基金支付困难县市座谈会，推动了养老保险扩面工作的开展。各地还积极配合浙江省人大在全省范围内开展了养老保险、失业保险两个条例的执法大检查活动。社会保险工作取得了新的进展。

2．养老保险扩面征缴工作成效明显

2002年，浙江省以26个发达县市为龙头，以非公有制企业为重点，竭力抓好养老保险扩面工作。同时，以13个基金支付困难县市为重点，夯实缴费基数，切实加大基金征缴力度。养老保险扩面征缴工作成效明显。截至年底，浙江省养老保险企业参保人数达515.5万人，企业实际缴费人数达460.08万人，比上年末增加71万人，其中26个较发达县市累计扩面人数达46.2万人，占扩面人数的65%。2002年，全省企业基本养老保险基金收入达150亿元，基金收缴率达97.52%，企业养老保险基金累计结余106.5亿元，支付能力达10.73个月。同时，在全省企业养老金社会化发放率达到100%的基础上，加快了离退休人员管理服务社会化的步伐。

3．失业保险基金收入稳中有升，享受人数逐月下降

2002年，浙江省各地以事业单位和规模以上非公有制企业为重点，狠抓失业保险扩面征缴工作。到年底，全省参加失业保险人数为390.02万人，失业保险基金收入为12.83亿元。其中，基金征缴额达10.16亿元，比上年同期增加0.95亿元；基金支出12.25亿元。失业保险基金累计结余10.23亿元。截至2002年底，继续享受失业保险待遇人数有27.52万人，比上年1月份最高峰时下降6.24万人，从每月享受失业保险待遇人数的情况看，已呈逐月下降趋势。

4．医疗保险在全省全面实施

截至2002年底，浙江省78个统筹地区，已全部启动和实施基本医疗保险，覆盖423.4万人，已经超额完成了浙江省政府下达的420万人的考核目标任务。从已实施的情况看，新制度运作基本稳健，基金收支平衡，保障了职工的基本医疗需求，并在一定程度上遏制了医疗费用增长过快的势头。

5．工伤、生育保险参保人数继续稳定

2002年，浙江省的工伤、生育保险主要抓了扩面工作，并取得了一定成效。到年底，全省所有市、县（市、区）已全部实行了工伤保险制度，工伤保险参保职工226万人；已有87个市、县（区）实施了生育保险制度，参保人数为193.7万人，累计享受生育保险待遇的女职工近16万人。

6．农村养老保险工作进展顺利

2002年，浙江省各地继续做好农村养老保险工作，进一步统一思想、提高认识，在调查研究中探索农保发展新思路，并在稳定队伍、加强基金管理和做好续保业务等方面积极开展工作。截至年底，全省农村养老保险参保人数为600万人，累计积累基金23亿元；已经有5万名参保农民享受农保待遇。

## 六、劳动管理工作得到加强

浙江省各地继续认真开展劳动用工整治工作。2002年，全省各级劳动保障监察机构共检查用人单位5.3万家，涉及劳动者323.4万人，超额完成年初确定4.5万家的目标任务。共受理群众投诉、举报案件26 082件，其中立案查处劳动保障违法案件11 337件，举报投诉案件结案率达到97%；补签劳动合同80万份；清退童工423人；取缔非法职业中介机构300家。责令企业补缴社会保险费6 566万元；清退抵押金446万元；追回拖欠职工工资1.49亿元，涉及劳动者人数18.4万人。

## 七、劳动关系调整工作稳步推进

为了贯彻落实2002年南京会议精神，浙江省召开了“全省贯彻实施《劳动法》《工会法》推进集体合同劳动合同工作经验交流会”，促进了劳动合同和集体合同制度的推行。全省签订劳动合同的职工人数由2001年底的475万人（签订率为59.2%）上升到2002年底的508.9万人（签订率为67.8%），全省已有7.38万户企业签订了集体合同。同时，改制企业劳动关系处理工作继续积极稳妥地推进。2002年，浙江省共有1.46万家国有、集体企业的职工转换了劳动关系，约占应转换数的88.9%，保障了职工的正当权益，维护了社会稳定。

## 八、劳动争议案件处理工作力度不断加大

2002年，浙江省各级劳动争议仲裁委员会共受理劳动争议案件10 928件，涉及劳动者22 751人，分别比2001年上升22.8%和22.5%。其中集体争议案件434件，涉及劳动者11 686人。省本级共立案处理劳动争议案件125件，比上年增长45%。全省各乡镇劳动关系协调机构处理劳动争议案件14 853件。由于加大了劳动争议预防工作力度，浙江省没有发生因劳资关系矛盾引发的恶性事件。

## 九、劳动保障法规体系建设不断推进

2002年，浙江省经省人大、省政府批准，相继出台了《浙江省劳动力市场管理条例》《浙江省企业工资支付管理办法》《浙江省职工基本养老保险条例（修正案）》和《浙江省劳动合同办法》，劳动保障法规体系日趋完善。

（浙江省劳动和社会保障厅）

# 宁 波 市

在我们党和国家政治生活中具有特殊意义的2002年，宁波市的劳动保障工作取得了实质性进展，劳动和社会保障两大领域的改革实现了大的突破。下岗职工全部出中心，企业职工理顺劳动关系工作基本完成；促进就业和再就业工作力度加大，帮困就业工作取得成效，就业局势基本稳定。被征地人员促进就业政策出台，城乡就业一体化试点工作开始；全市城镇职工基本医疗保险制度全面推进，市级统筹范围企业门诊医疗保险政策出台并顺利平稳实施；被征地人员养老保障办法出台并开始试点；女职工生育保险办法颁布；劳动保障基层组织建设取得实质性进展，市6区街道、乡镇和社区已基本建立机构并开展工作。信访处理、劳动关系调解等一系列组织和工作制度进一步完善；劳动监察部门的重拳出击、劳动争议仲裁案件的依法及时处理，有效地维护了社会的稳定。与此同时，以民主评议机关工作为契机，精神文明建设扎实推进。2002年，宁波市劳动保障局因成绩优秀而被劳动和社会保障部荣记集体一等功，周光耀局长和俞亚东同志被省劳动保障厅评为先进工作者。

## 一、促进就业与再就业工作

1．下岗职工全部出中心，三条保障线顺利衔接

2002年，宁波市企业产权和职工劳动关系理顺两项制度改革进入攻坚阶段，并取得突破性进展。截至年底，全市共理顺了29.1万名企业职工的劳动关系，占应理顺数的98%，其中市本级理顺11.18万人，占应理顺数的98%。11个县（市）、区、3区1岛以及市属29个行业，原在中心的下岗职工已全部出中心。下岗职工出中心后，与失业保险及城市居民基本生活保障制度顺利实现并轨，并按规定享受失业保险金，符合条件的，则纳入城市居民最低生活保障的范围。

2．帮困就业取得成效，实事工程圆满完成

2002年，宁波市政府仍把帮困就业列为首项实事工程，市、区劳动保障部门继续组织开展了“116”活动，圆满完成了实事工程。一是千方百计为大龄失业人员挖掘和提供合适的就业岗位。宁波市各级劳动保障部门，特别是各区街道、社区发挥自身优势，加强同辖区单位的沟通和交流，确定就业联络员，深入辖区各类用人单位，及时了解空岗信息，帮助辖区内下岗失业人员再就业，成为帮助困难群体再就业的主要渠道。同时，各有关部门也将促进就业作为己任，大力挖掘公益性就业岗位，积极安置就业困难的失业人员。如市公安局分两批招收的社区保安队伍，有相当一部分是失业人员。至年底，市及5区采取多种方式共采集帮困就业岗位信息2.7万个，帮助近7 000名帮困对象实现了再就业。全市共开发社区就业岗位2.6万个，全部用于吸纳失业人员，其中公益性劳动组织吸纳3 000余人，社区就业实体吸纳5 000余人。二是走访困难失业人员家庭。2002年，宁波市及海曙、江东、江北区劳动保障部门干部本着“结对一个、援助一个、帮困一个”的宗旨共走访结对了1 065户特困失业人员家庭。走访过程中，详细了解他

们的家庭生活、技能特长、就业意向等情况，为他们送去培训、岗位、政策等信息，建立困难人员档案，实行动态跟踪服务。三是提供“三专”服务。宁波市、区劳动保障部门会同市统战部、总工会、妇联、工商联、团委、民政局等单位联合组织了14场“帮困就业对象招聘”洽谈会，各级劳动保障部门还通过设立帮困就业服务专窗、开通特困就业群众服务热线等形式，随时为困难群体提供服务。

此外，宁波市各县（市）结合当地实际，采取了切实有效的帮困措施，纷纷建立起帮困就业工作机制，把帮困就业工作做得有声有色。据不完全统计，在全社会的共同努力下，2002年，全市共有3.46万名失业人员通过帮困就业或市场就业途径实现了就业和再就业，其中失业职工2.11万名，就业局势基本稳定。至年末，宁波市城镇登记失业率为3.97%，在预期的控制范围内。

3．强化技能培训，培训促就业作用进一步发挥

至2002年底，宁波市共举办各类再就业培训班682期，对3.05万名失业人员进行了再就业培训，完成市目标数的117%，通过培训考核后，其中有1.98万名失业人员获得各类职业资格与技能培训合格证书。为了提高培训后的再就业率，各级劳动保障部门和各类再就业培训机构更加重视培训的适用性和实效性，纷纷探索创业培训、短期性创业实务指导、订单式培训等新型培训模式。2002年，市本级已举办了3期创业培训班，共有580名学员参加了培训。在前两期287名结业学员中，有103人在政府的扶持下成功创业，并吸纳其他失业人员205人，另有76人实现再就业，自主创业和创造就业岗位的倍增效应进一步显现。继2002年中央、省、市再就业工作会议后，各级政府加大了再就业培训的资助力度，为再就业培训提供了更多的优惠政策，对创业培训、社区服务类技能培训和职业指导等培训项目，给予培训考核费全额补助，各级劳动保障部门认真贯彻并积极组织实施，全年累计投入培训减免补助经费356万元。

4．两大帮扶政策落实到位，积极就业政策作用明显

为了进一步调动用人单位主动吸纳失业人员的积极性，2001年底，市委、市政府在原有基础上，出台了新的政策，扩大了用工补助政策的适用对象和岗位范围，激励政策带来的促进就业的积极效应很快就显示出来。面对用人单位申领补助现象的不断增多，劳动保障部门进一步规范了用人单位申领用工补助行为和内部工作程序，确保政策的严肃执行和自身办事效率的不断提高，使用工补助政策发挥其应有的作用。2002年，市、区两级财政和劳动保障部门共下拨用工补助经费1 781万元，共有5 927家用人单位受惠，13 336名失业人员在此项政策扶持下实现了再就业，其中两保人员5 504人、“4050”人员3 224人、双失业人员3 610人、30年工龄人员915人、单亲家庭人员和低保对象740人，各占41.3%、24.2%、27%、6.9%、0.55%。

与此同时，为拓宽就业渠道，积极开展弹性大、灵活性高和多样化的非正规就业形式，鼓励失业人员自谋职业或组织起来从事社区便民利民服务、城市管理服务、家政服务等行业，2002年，宁波市政府先后出台实施了《关于鼓励失业人员自谋职业从事非正规就业的意见》《关于设立支持下岗失业人员自主创业专项贷款的实施意见》，市劳动保障局会同市财政局等部门制定了6个配套的操作性办法。各地劳动保障、财税部门和有关银行按照有关要求，在原有社区工作的基础上，积极引导失业人员建立非正规就业劳动组织，并认真贯彻落实一次性发给失业保险金，免征收税费，提供贷款和担保贴息，享受用工补助政策，纳入基本养老和医疗保险覆盖范围，设立综合商业保险，提供良好便捷的服务等多项扶持政策。经认定，2002年，宁波市3区非正规就业劳动组织达134家，从业失业人员达695人。非正规就业劳动组织的创办，使社区服务业步入良性循环的发展轨道，并进一步显

示出勃勃生机，不但使一大批失业人员能够准确定位，重新找到了就业机会，更让有一技之长、创业型的失业者通过政策的帮扶和资金的支持脱颖而出，成为再就业队伍中的“领头羊”，由此带动更多的失业人员实现再就业，进而整体推动了帮困就业工作的深入有效开展。

5．积极探索被征地人员就业问题和城乡统筹就业工作

随着宁波市经济的快速发展和城乡一体化进程的加快，如何解决土地被征用人员的就业和探索建立城乡一体化就业模式问题已列入市委、市政府的议事日程。2002 年上半年，市政府专门组织了市计委、劳动保障、国土资源等部门对土地被征用人员的就业问题进行了深入调研。2002 年底，在调研的基础上制定并下发了《关于促进市区土地被征用人员就业问题的若干意见》，要求各级政府、各部门通过重视发展劳动密集型产业，进一步壮大农村集体经济等途径，拓宽被征地人员的就业渠道，努力增加就业岗位；运用开展城乡一体化的就业服务，实施城乡一致的自谋职业和从事非正规就业的优惠政策，提供就业援助等手段促进被征地人员充分就业。

结合统一开放、城乡一体化的劳动力市场建设和劳动保障职能向乡镇延伸工作，2002 年，宁波市选择江北洪塘、慈溪浒山、奉化莼湖开展了劳动保障工作向乡镇延伸的试点，慈溪市还被列为省城乡统筹就业试点城市。截至年底，试点工作进展顺利，上述 3 地均在城区街道或被征地人员较多的镇（乡）设立了劳动保障服务机构，全面向被征地人员开展了就业与失业登记、失业保险金发放、职业指导、职业介绍等服务项目。江北洪塘镇为提高被征地人员的技能素质和市场就业的竞争能力，还为被征地人员举办了专场劳动力供需洽谈会和专业技能培训班。

## 二、完善社会保障体系工作

1．城镇职工基本医疗保险制度全面实施

2002 年，宁波市城镇职工基本医疗保险制度改革工作在市、区两级政府的高度重视下，紧紧围绕调整完善现行政策、制订并实施门诊医疗统筹方案、全面启动城镇职工基本医疗保险制度等中心任务，群策群力、克难而进，有效地推动了各项工作的开展。期间，针对医改出现的焦点和热点问题，在调查研究和广泛征求社会各界代表意见的基础上，对《宁波市城镇职工基本医疗保险暂行规定》进行了修改完善，不仅将参保人员普遍关注的减负政策列入了政府规章，而且将企业职工门诊医疗也纳入了统筹范围。与此相适应，相继出台了《基本医疗保险就医管理规定》等 9 个配套文件，标志着宁波市新的医疗保险制度框架已基本构建。

在全市各级劳动保障、卫生和财政部门的共同努力下，截至 12 月底，全市11 789家用人单位有 73.1 万名职工参加了城镇职工基本医疗保险，比上年底净增 16.1 万人，完成省、市政府下达任务的 179%。需要特别指出的是，市级统筹范围内 41.3 万名原参加住院医疗统筹的各类用人单位的职工已全部纳入门诊医疗统筹范围；各县（市）包括鄞州区均已出台并实施了新的城镇职工基本医疗保险改革方案，参保人员已达 28.4 万名，实现了省、市政府提出的所有统筹地区医改全面启动和 2003 年 1 月 1 日市级门诊统筹全面实施的目标任务。至 2002 年底，定点医疗机构和定点零售药店已扩大到 109 家，社区医疗服务站 18 个，企业内部医疗机构 42 家，基本形成了覆盖市区和城乡的定点医疗服务体系。新制度运行以来，宁波市的医疗保险工作总体上保持了平稳顺利的发展态势，基本医疗保险基金有了稳定的来源，改变了原公费、劳保制度下经常发生的拖欠职工医疗费和不同单位职工医疗待遇苦乐不均的现象。职工的就医观念有了转变，医疗费用持续上涨的势头得到了初步控制，计算机系统运行正常，就医秩序良好，医保基金实现了收支平衡、略有结余，医、保、患三者关系总体上趋于协调和稳定。

2．社会保险覆盖面依法扩大，基金征缴和管理力度进一步加强

2002年，宁波市参加养老保险用人单位33 867家，参保人数达到86.91万人，其中实际缴费人数达71.26万人，比上年底净增87 257人，分别完成省定、市定考核数的218.2%和174.6%。全市17.16万名企业离退休人员的养老金均按时足额发放到位，2002年下半年，按省规定进行了调整提高，人均月养老金已达842元（市本级888元）。市级统筹范围内共有8 860家用人单位、44.7万人参加了城镇职工基本医疗保险，其中失业人员3.1万名，个体工商户1 200余人；全市参加失业保险的用人单位18 685家，参保人数69.7万人，比上年净增1.1万人，完成省、市考核计划的101.8%。

同时，宁波市各级社保部门积极配合同级地税部门核实缴费基数，增强基金征缴力度，使社会保险费的征缴和清欠工作取得明显成效。2002年，养老保险基金总收入24.37亿元，总支出17.77亿元，当年结余6.6亿元，基金累计结余26.94亿元，静态支付能力为18.19个月。失业保险基金总收入25 960.6万元，总支出37 418.2万元，发放人次89.7万人次，当期基金亏损11 457.6万元，累计结余5 153.84万元。2002年，根据浙江省人大常委会统一部署，对贯彻省基本养老保险条例和职工失业保险条例情况进行认真自查，各级政府加大了对历年遗留社会保险基金问题的清理与纠正力度，在各有关部门的大力配合协助下，清理工作成效显著。统计表明，全市共清理2001年底前养老保险累计欠费3 803.67万元，清欠率为77.45%，绝大多数违规基金都得到了清理回收。其中，市本级所有的历年违规基金全部得到清偿回收。此外，基金的管理力度也不断加强，专门成立了市社会保险基金监督委员会，并从失业保险着手开始研究建立各项社保基金的预警制度，确保基金的收支平衡。此项工作受到省里充分肯定，2002年，市地税局、市劳动保障局被省地税局、省劳动保障厅评为基本养老保险基金征管先进单位。

3．社会化管理服务工作取得实质性进展

宁波市自2000年开始的社会化管理服务试点工作，2002年取得了实质性进展。至年底，市6区所辖23个街道、16个乡镇、155个社区建立基层劳动保障救助服务机构，通过社会公开招聘的工作人员达到483名。落实了市5区（不包括鄞州区）基层机构信息网络建设经费847万元，已有20个街道、113个社区与市劳动力市场联网运行。11月，首批退休人员纳入街道社会保障与救助服务站（室）管理，各区纷纷以街道、社区劳动保障延伸机构建设为平台，全面开展帮困就业、就业与失业登记、失业保险金发放、职业指导、职业介绍、劳动保障事务代理等服务，并组织失业人员从事社区便民服务、家庭手工业等非正规就业，使得失业人员、退休人员在家门口就能享受到各项便捷服务。除市区劳动保障的社会化管理工作取得进展、收有实效外，其他各县（市）劳动和社会保障的职能也逐步向乡镇延伸、推进。

4．被征地人员养老保障工作实质性启动

在宁波市委、市政府的高度重视下，市有关部门在对被征地人员养老保障的现状和对其他一些城市的做法进行专题调研的基础上，研究提出了对土地被征用人员实施养老保障的基本思路和具体办法。邵市长亲自带领市劳动保障、计委、财政、国土资源等部门有关人员，深入各区广泛征求意见，经多次论证和修改草案并提交市委、市政府审议后，已于2002年以市政府名义出台了《宁波市被征地人员养老保障试行办法》。市劳动保障局还会同市财政局制定了《宁波市被征地人员养老保障实施细则》《宁波市被征地人员养老保障费征集使用管理暂行办法》等配套文件，使被征地人员养老保障成为宁波市社会保障体系的重要组成部分。

为切实加强此项工作，市政府专门成立了领导小组，市劳动保障局专门组织得力工作班子，成立了实施办公室，抽调有关业务处室骨

干集中办公，以加强面上工作的指导和帮助。同时，为更好地总结经验，为下一步全面铺开奠定基础，会同市有关部门和镇海区，选择该区庄市街道钟包村、联兴村作为试点单位，先行实施，2003 年 1 月，首批参保对象将按规定办理参保手续，2 月，第一批参保对象可按规定享受养老保障待遇。按照市里要求，其他各区和余姚、慈溪等县（市）也正在积极探索之中，有的已在抓紧做好实施前的各项准备工作。

## 三、维护劳动者合法权益工作

1．劳动关系和谐稳定

实践证明，用人单位与劳动者之间的劳动关系能否和谐，是维系社会稳定的重要因素。为此，2002 年，宁波市以《宁波市劳动争议处理办法》和《宁波市劳动合同条例实施细则》颁布实施为契机，各级劳动保障部门进一步加强了劳动关系的协调处理工作。至年底，全市有 2.67 万家用人单位实行了劳动合同制度，有 87.9 万名职工与企业签订了劳动合同，全市已有 1.62 万家企业实行了集体合同制度。

同时，在劳动争议案件数量大、案情复杂、工作人员紧缺的情况下，劳动仲裁工作仍不断得到加强。市、县（市、区）两级的劳动保障部门、经委、总工会三方组成的仲裁协商机制进一步完善，相互之间的沟通配合更为密切。2002 年，全市各级劳动争议仲裁委员会受理劳动争议案件总量6 605件，约占全省案件总量的 1/4，比上年同期上升 54%。其中立案2 668件，比上年同期上升 40.7%。结案2 623件，结案率达 92.2%。

2．劳动监察力度不断加大

按照省市有关部署，2002 年，宁波市各级劳动保障部门会同工商、公安等单位共同开展清欠工资（春雨行动）、打击非法职介机构（春雷行动）、维护民工权益、贯彻“两个条例”（《浙江省职工基本养老保险条例》和《浙江省职工失业保险条例》）、女职工权益保护、禁止使用童工（春苗行动）、社会保险费征缴和签订劳动合同情况等多次专项监察活动。12 月份开始，市劳动保障局还会同市建委、经委、综治办、总工会等部门开展了拖欠民工工资支付大检查活动，并取得了明显成效。一年来，全市主动监察用人单位6 959户，涉及职工 60.38 万人；受理群众举报4 992件，立案查处1 476件，结案1 454件，结案率达 98.5%；取缔非法职业中介 117 户；对8 424家企业依法进行了年检；共依法处理了工资案件 937 起，为 1.76 万名职工和外来务工人员追回工资2 281.23万元。这些专项劳动监察为打造宁波信用，保障劳动者合法权益，维护社会稳定起到了积极的作用。

3．信访案件得到妥善处理

信访案件的处理是职工维权工作的重要内容。从市信访部门反馈的意见表明，2002 年，宁波市劳动保障部门受理（接待）的群众来信、来访案件数大致占到市信访局总量的 1/3。根据分析，各县（市）、区的情况也基本相同。鉴此，各级劳动保障部门以“三个代表”重要思想为指导，以对党和政府负责、为职工排忧解难的高度责任感，进一步重视和加强了信访工作，并努力在职责范围内妥善处理、尽快解决。市劳动保障局主要抓了两件事：一是理顺和统一了举报投诉“受理”部门和答复反馈的“处理”部门，既方便了群众信访，又明确了各自职责，规范了办事程序；二是专门成立了群众（单位）投诉举报案件处理协调小组，由局分管领导和相关业务处室负责人组成。协调小组定期召开会议，研究涉及重大、复杂信访案件的处理方案，包括与市有关部门的衔接联系，并坚持至少每月一次排解矛盾纠纷，及时化解不稳定因素。2002 年，市本级处理的信访总量达到 1.34 万件（次），其中来信 828 件，来访12 553件。集体上访 84 批次，1 330 人次。办结率达 99%。

## 四、劳动保障系统自身建设工作

1．行风建设初有成效

2002 年，宁波市劳动保障部门以民主评议机关活动为契机，狠抓行风建设。先后制定并严格实施了综合服务窗口管理考核办法、群众接待首问责任制、干部考核奖惩“三挂钩”制度、行风义务监督员制度和干部巡查制等5项规章制度，切实从抓窗口服务着手，改进工作人员的工作方式，提高工作人员的办事效率和服务质量。同时，为了方便职工群众咨询劳动保障政策并接受职工群众的批评和建议，2002年5月份，全市各级劳动保障部门和96178廉政投诉中心在全市范围内联合开展了劳动保障政策咨询和投诉举报周活动，公开受理群众的政策咨询，当场为群众解疑释惑，真诚接受群众批评，虚心改进工作不足。活动期间，全市共受理咨询投诉8 189件，办结率达100%，取得了良好的社会效果。经过努力，在2002年的民主评议机关活动中，市劳动保障局名列全市综合窗口工作单位前茅。

2．机构改革平稳顺利

2002年是宁波市的机构改革年，市劳动保障局党委领导统一思想、精心组织，一心把那些勤政廉洁、埋头苦干、乐于奉献、事业心和责任心强、具有开拓意识和创新精神的干部推荐到重要工作岗位。经过竞聘程序，市劳动保障局共提升了11名处级干部，其中正处长1名、副处长3名、调研员3名、助理调研员4名；事业单位提升处级干部2名；机关和事业单位交流处级干部7名；机关内部交流处级干部10名。同时，重点加强了事业单位“一把手”制度建设，把年轻优秀、有发展潜力的干部提升交流到重要岗位锻炼。机构改革后，宁波市劳动保障局的干部队伍呈现出勃勃生机，干部的工作积极性得以进一步提高。

（宁波市劳动和社会保障局）

# 安 徽 省

2002年，安徽省各级劳动保障部门深入学习贯彻党的十六大精神和“三个代表”重要思想，坚定不移地贯彻执行中央和省委、省政府的决策部署，克服多方面的困难，团结奋进，扎实苦干，全面完成各项工作目标任务。两个确保进一步巩固提高，三条社会保障线全面建立；社会保险扩面征缴成绩显著，社会保障制度建设进展顺利；大力实施再就业工程，劳动力市场建设进一步加强，市场导向的就业机制逐步形成；企业收入分配制度改革进一步深化，与现代企业制度相适应的工资分配机制逐步建立；劳动保障法制建设取得重要进展，劳动保障监察执法力度加大，劳动合同制度逐步完善，基础管理日益规范；全系统党风廉政建设、政风行风建设和文明行业创建工作取得新的成绩，劳动保障整体事业有了新的发展，为促进全省经济发展，维护社会稳定发挥了重要作用。

## 一、劳动就业

1．城镇劳动就业

2002年末，安徽省城镇职工总数423.21万人，比上年减少21.59万人。其中国有企业263.45万人，集体企业65.4万人，其他所有制企业94.36万人，分别比上年减少25.95万人、13.7万人和增加18.06万人。全省城镇失业人员43.02万人（其中上年结转19.17万人，本年度新登记23.85万人），比上年增加3.67万人；年末城镇登记失业人数为22.63万人，登记失业率为4%，比上年上升0.3个百分点。全年安置城镇失业人员20.3万人，比上年增加1.36万人，其中，失业人员在各类企业就业15.12万人，在机关、事业单位就业0.4万人，个体经济组织吸纳就业4.78万人。从安置人员的国民经济行业分类看，吸纳就业较多的为批发和零售贸易业、制造业、社会服务业、建筑业，分别占就业总人数的30.03%、27%、11.04%和7.13%，合计占就业总人数的75.2%。

2．农村劳动力跨地区流动

截至2002年底，安徽省农村转移劳动力1 059.3万人，比上年增加214.2万人，增幅达25.34%；农村转移劳动力占农村总劳动力的比重达到29.2%，比上年提高6.5个百分点，为近年来的最高水平。其中向省外转移656万人，与上年相比增幅达到36.6%，占转移人数的62%。从流向上看，主要集中在长江三角洲、珠江三角洲和京津地区；从行业来看，主要集中在工业、加工业，占45%，建筑业占18%，交通运输业占5%，饮食服务业占20%，种植业、养殖业占2%，其他占10%；从文化程度来看，高中以上文化占13%，初中文化占65%，小学文化占22%；从男女比例来看，男性为54%，女性为46%；从年龄来看，年龄多数为18至35周岁。全省劳务输出发生了四大变化：一是务工时间从短期零工向长年务工转变。二是从粗壮工型向技术管理型转变。据调查，全省从事专业技能工作的外出务工人员已占整个输出人数的26%。三是从分散、自发盲目外出到有目的、相对集中输出。四是从单纯外出务工向外出务工、返乡创业的双向流动转变。

3．境外就业

根据劳动保障部等3部委《境外就业中介管理规定》，结合本地实际，2002年，安徽省制定出台了《关于贯彻〈境外就业中介管理规定〉的意见》，对设立境外就业中介机构的人员条件、备用金额度、申办程序、年审制度等都做了具体规定，并已开始受理境外就业中介机构申报及材料的初审工作。

4．外国人来皖就业

2002年，共有120名外国人在安徽就业，比上年末增加21人。其中66人为当年在安徽就业人员，54人为就业延期。从分布情况看，内资企业13人，港澳台投资企业4人，外国企业常驻代表机构5人，外商独资企业56人，中外合资企业42人。在皖就业的外国人分别来自日本、美国、德国、法国、韩国等19个国家，就业主要集中在合肥、芜湖、马鞍山、安庆等城市。省政府转发《国务院办公厅转发公安部外交部等部门关于为外国籍高层次人才和投资者提供入境及居留便利规定的通知》，对来皖就业外国人办理《就业许可证》及《就业证》、简化有关手续等做出规定。

5．国有企业下岗职工再就业

2002年，安徽省认真贯彻落实全国再就业工作会议精神和《中共中央国务院关于进一步做好下岗失业人员再就业工作的通知》，制定出台了《中共安徽省委、省政府关于大力做好下岗失业人员再就业工作的通知》和一系列具体配套政策措施；制定了《关于实行扩大就业目标责任管理的通知》，层层建立就业目标责任管理体系；深入开展再就业援助活动，多形式举办专场招聘会、免费职介培训，帮助就业困难群体实现就业；加大社区就业工作力度，努力开发社区就业岗位；进一步制定完善下岗职工出中心政策，加快出中心工作步伐；加强督促检查，切实抓好各项政策落实。通过全省上下共同努力，在中心的国企下岗职工由年初的16.45万人减少到年末的7.07万人，平稳出中心9.38万人，其中5.94万人实现了再就业。城镇新增就业岗位34.5万个，农村劳务输出新增40万人，“两个30万”的促进就业工作目标如期实现。

6．劳动力市场建设

2002年，安徽省按照科学化、规范化、现代化的要求，不断加大工作力度，劳动力市场建设取得了重要突破，就业服务体系进一步健全。至年底，全省已有16个市和45个县（市）建成了具有一定规模的劳动力市场。各级各类职业介绍机构达1 767个，其中劳动保障部门办的1 334个，其他组织办的170个，公民个人办的263个。全年各类职业介绍机构提供岗位49.75万个，办理求职登记58.24万人次，介绍成功33.62万人（其中下岗失业人员17.74万人）。对求职者开展各类职业指导26.06万人。进一步贯彻落实《安徽省劳动力市场条例》，依法开展劳动力市场清理整顿工作，规范市场行为，大力推进公共就业服务和“一站式”服务，公共职业介绍机构进一步完善服务功能，融职业介绍、信息发布、就业指导、技能培训、社会保险办理、劳动事务代理等服务功能为一体。劳动力市场在合理配置劳动力资源方面，发挥着越来越重要的作用。

## 二、社会保险和国有企业下岗职工基本生活保障

1．企业职工基本养老保险

到2002年底，安徽省企业参加养老保险的职工达到339.6万人，比上年净增加5.42万人；企业离退休人员102.79万人，比上年净增加7.28万人。全年共征收养老保险基金49.1亿元，发放养老金69.1亿元（包括中央财政转移支付），社会化发放率达99.9%。基本确保了企业离退休人员养老金按时足额发放。2002年两次调整企业退休人员的养老金也全部足额兑现。

2．职工失业保险

根据《安徽省失业保险规定》的要求，2002年，安徽省继续扩大失业保险覆盖范围，参保人数稳步增长。至年底，参加失业保险的职工人数达到379万人，较2001年末增加3

万人，完成了当年计划的101%。加大失业保险基金征缴力度，提高失业保险基金征缴率，基金收入稳步增长。2002年，全省失业保险基金收入达到6.28亿元，比2001年增加9 400万元，增长17.6%。其中征收失业保险费收入5.45亿元，比2001年增加3 700万元，增长7%。失业保险制度的社会保障和促进再就业功能得到进一步发挥。2002年，全省新增领取失业保险金的失业人员达到12.5万人，23.92万人在失业保险经办机构享受不同期限的失业保险待遇。全年失业保险基金总支出达到6.57亿元，其中支付失业人员失业保险金达到3.64亿元，支付失业人员职业培训、职业介绍补贴0.3亿元。到2002年末，17.5万失业人员在失业保险经办机构领取失业保险金。

3．城镇职工基本医疗保险

2002年，安徽省医疗保险制度改革稳步推进，17个省辖市和所有县（市）的医改方案全部启动实施，医疗保险覆盖人数达273.02万人，比上年增加42.22万人。新老制度衔接总体上较为平稳，基金收支大体平衡，省辖市基金征缴率均在98%以上。为了妥善解决困难企业、困难群体的医疗保障问题，安徽省制定下发了《关于妥善解决困难企业职工、困难群体医疗保障问题的指导意见》。各市也针对医改实施中暴露出的问题和矛盾，健全和完善医保政策。全省17个省辖市和61个县（市、区）出台了大病医疗救助制度，17个省辖市和23个县（市、区）出台了公务员医疗补助制度，部分行业和企业单位制定了企业补充医疗保险办法，部分高校及一些事业单位建立了单位医疗补助制度，多层次医疗保障体系逐步形成。2002年，安徽省重点抓好基本医疗保险服务管理，按照劳动保障部的批复，及时印发了《安徽省基本医疗保险药品目录》，陆续制定出台了《安徽省城镇职工基本医疗保险定点医疗机构、定点零售药店资格年审办法》《安徽省城镇职工基本医疗保险定点医疗机构、定点零售药店医疗保险服务管理考核暂行办法》。通过一系列政策调整，规范了医疗服务行为，有力地保障了不同群体的医疗需求，降低了个人负担，促进了医改的顺利推进。按照管理职能统一，政事分开的要求，省、市、县已经全部理顺了医疗保险管理职能，所有统筹地区均组建了医疗保险经办机构，基本做到了机构、职能、人员、经费、办公场所五到位。医疗保险管理信息系统建设取得重大进展，15个市实现了医疗保险经办机构与定点医疗机构、定点零售药店的联网，工作效率、监控力度、服务水平都有了新的提高。工伤、生育保险取得新的进展，全省有10个市实行了工伤保险社会统筹，参保职工69.8万人；5个市和部分县实行生育保险社会统筹，参保职工23.6万人。

4．国有企业下岗职工基本生活保障

2002年，安徽省继续把确保国有企业下岗职工基本生活作为事关全局的一件大事，进一步健全完善领导体系和责任目标管理体制，坚持“三三制”筹资原则，千方百计落实国有企业下岗职工基本生活保障资金，继续加强对重点企业监控，加大对全省国有企业下岗职工基本生活工作的督察力度。全年共筹措发放下岗职工基本生活保障资金5.66亿元，确保了在中心的国有企业下岗职工按时足额领取到基本生活费，并代缴社会保险费。

5．农村社会养老保险

2002年，安徽省继续加强调研，稳定队伍，狠抓整顿规范提高，理顺农村社会养老保险管理体制，管好农村社会养老保险基金，巩固和发展已经开展起来的农村社会养老保险工作，切实做好农村养老保险移交接续工作。截至年底，全省17个市、60个县（市）、29个市辖区、3个实验区、1 731个乡镇（街道办事处）、5 289个乡镇企业全面开展了农村社会养老保险工作。参保农民208.18万人，其中2002年新增参保人数2.23万人；积累农村社会养老保险基金5.8亿元，其中责任金（个人账户）5.65亿元，调剂金0.15亿元。全省领取养老金人数1.12万人，占参保人数的

0.51%。

6．社会保险稽核

2002年，安徽省历时5个月大力开展养老、失业保险稽核活动，养老保险共稽核参保单位25 436户，参保职工319.78万人，实地稽核人数304.36万人，占参保职工人数的95.1%。查出少报、漏报缴费人数5.5万人，少报、漏报缴费工资48 814.9万元；已补缴入库8 148.7万元；查出虚报冒领养老金577人，冒领金额173.3万元，已追回119.2万元。其中稽核行业统筹企业53户，参保职工48.15万人，实地稽核面达100%；查出少报、漏报1～7月份缴费工资总额25 761.2万元，应补缴养老保险费6 779.1万元。失业保险共稽核参保单位32 017户，参保职工359.89万人，稽核人数占参保人数的97.65%，实地稽核占参保人数的97%。查出少报、漏报参保缴费人数6.71万人，少报、漏报缴费工资总额38 838.2万元，应补缴失业保险费2 647.57万元，已补缴入库701.5万元。

## 三、职业技能培训与职业技能鉴定

1．再就业培训工作成效显著

2002年，安徽省积极组织各级劳动保障部门，动员社会各方面力量，认真实施第二期（2001—2003年）再就业培训工作计划。全省再就业培训机构发展到531个，全年共培训下岗职工和失业人员17万人，其中，下岗职工10万人，失业人员7万人，完成了当年培训任务的142%。再就业培训合格人数15.8万人，获得职业资格证书人数3.14万人；培训后再就业人数8.9万人，再就业率达56%。

2．技工学校以改革求发展成绩突出

2002年，安徽省各级劳动保障部门根据技工教育面临的新形势和新任务，按照调整布局、提高层次、突出特色、服务就业的工作方针，积极推动技工学校的各项改革。一是改革技工学校招生办法，实行宽进严出的培训方式；二是改革办学模式，扩大培训范围，在举办学历教育的同时开展多层次、多形式的职业培训；三是按照实施素质教育的要求，更新教学内容，改革教学方法，强化职业道德、职业指导和创业能力的培养；四是推进以人事、分配制度为核心的学校内部管理体制改革，建立适应市场办学的用人机制。目前，全省技工学校与国家职业资格相对应的职业资格培训体系基本建立，适应市场办学的新机制初步形成，一些学校出现了招生形势喜人的局面和良性循环的发展势头。2002年，全省技工学校招生16 964人，较上一年度增长22.1%；在连续2年止跌回升的基础上，又有较大幅度的增长。全省现有技工学校97所。其中，劳动保障部门办校31所，行业（部门）办校38所，企业办校20所，国务院部委办校5所。技工学校遍布全省17个市，专业（工种）已达到近100个，涉及机械、交通、化工、冶金、建材、旅游、饮食服务等近30多个行业；在校生人数达10.2万人，其中学历教育3.9万人，职业培训6.3万人。全年为企业和社会输送合格中级技能人才近2万人；承担社会各类培训6.1万人。技工学校办学条件不断完善，办学水平不断提高，经劳动保障部评估认定的国家高级技工学校5所，国家级重点技工学校7所，经省政府批准并命名的省重点技工学校15所。

3．职工培训工作取得新的进展

2002年，安徽省各级劳动保障部门在推动企业职工培训方面做了大量工作：一是开展企业职工培训工作的调研，制定相关政策，制定出台企业职工培训的具体指导意见，积极帮助企业建立下岗、培训、竞争上岗的运转机制和培训、考核与使用、待遇相联系的激励机制，充分调动职工学习技术（业务）的积极性，有力地推动了企业全员培训工作的开展。二是以典型引路，指导企业培训工作。选择一批培训工作做出成效的企业作为典型，宣传和交流他们的成功经验，引导和推动各地企业全员培训工作。三是开展名师带徒的试点工作。根据劳动保障部《关于选择企业开展名师带徒试点工作的通知》精神，选择荣事达集团公司等企业，开展名师带徒的试点。通过试点，改革传统的以师带徒的方式，探索加快企业技能人才培养的办法和途径。四是积极开展“技术能手”评选表彰和技师评审工作。全年评选表彰省技术能手 27 名，评审技师1 156人。

4．社会职业培训机构发展迅速，管理逐步规范

2002 年，安徽省各级劳动保障部门认真贯彻国务院颁布的《社会力量办学条例》，加强引导和管理，积极鼓励、大力支持社会力量办学。一是努力建立和健全社会职业培训机构管理制度。二是加强日常管理，有重点地对社会职业培训机构进行检查。三是规范民办就业训练机构管理，将其纳入社会职业培训机构统一管理。2002 年，全省各级劳动保障部门新审批设置社会职业培训机构 37 家，全省社会职业培训机构总数达 469 家。涉及职业（工种）40 余个。社会职业培训机构面向社会开展多种形式的职业培训，全年培训各类人员 13.1 万人。

5．劳动预备制度和就业准入制度稳步推进

2002 年，安徽省约有 15 万城乡初、高中毕业生参加了职业培训，加上各类职业学校招收的学生，接受职业教育和职业培训的人数达到 26.5 万人。同时，大力推行职业资格证书制度，重点加强职业资格证书制度政策体系的建设，出台了一系列推行职业资格证书制度的政策和技术性文件，全省参加职业技能鉴定的人数达 15.15 万人，比上一年度增长 17.69%，其中 13.76 万人鉴定合格取得了职业资格证书。全省职业技能鉴定所（站）达 370 多个，其中通用工种鉴定所（站）达 318 个；举办考评员培训班 3 期，培训考评员 200 多人、督考员 20 多人；考评员总数达5 118人。全年组织省统一鉴定 3 次，组织参加全国统一鉴定 5 次。

## 四、企业工资收入分配

按照党的十六大提出的深化分配制度改革要求，2002 年，安徽省坚持以确立劳动、资本、技术和管理等生产要素按贡献参与分配和效率优先、兼顾公平的原则，逐步建立适应国民经济发展水平和社会主义市场经济要求的分配制度。一是发布了企业工资指导线，基准线为 13%，比 2001 年提高了 4 个百分点；上线为 18%，比 2001 年提高了 3 个百分点。二是在合肥等市开展劳动力市场工资指导价位试点，其中合肥市发布了 100 个工种的工资指导价位。三是进一步深化企业内部工资分配制度改革，在企业内部实行职工竞争上岗，岗变薪变，人员能上能下，工资能增能减的岗位工资制。全省实行岗位工资为主的企业户数为 1 788户，职工人数为879 910人。四是积极推行企业工资集体协商办法，全省有 25 户企业进行了工资集体协商的试点。五是积极稳妥地试行企业经营者年薪、经营者持股和股票期权。全省有 110 户企业开展了经营者年薪制试点工作，225 户企业进行了经营者持股试点，6 户企业试行了经营者股票期权。六是 2002 年 7 月 1 日调整了安徽省企业劳动者最低工资标准。调整后省辖市企业劳动者最低工资标准分别为 370 元、350 元、340 元、320 元、290 元、270 元 6 个档次。

2002 年，安徽省在岗职工工资总额 337.1 亿元，比上年增加 41.4 亿元，其中企业在岗职工工资总额 189.3 亿元，比上年增加 17.8 亿元，其中，国有企业在岗职工工资总额 87.9 亿元，集体企业在岗职工工资总额 24.6 亿元，其他企业在岗职工工资总额 76.8 亿元。全省全部在岗职工年平均工资9 296元，比上年增长 17.6%；企业在岗职工年平均工资 8 363元，比上年增长 15.1%，其中国有企业 8 640元，集体所有制企业5 627元，其他企业 9 495元，分别比上年增长 10.4%、13.7%、16.9%。

## 五、劳动关系

1．劳动关系调整

2002 年，安徽省以加强制度建设为重点，进一步完善劳动关系三方协调机制。省劳动保

障厅、省总工会、省经贸委及省企业联合会共同建立了“安徽省劳动关系协调会议制度”，联合下发了《关于建立劳动关系协调会议制度的通知》，明确了三方协调的原则、内容及职能，到年底，全省已有9个市建立了劳动关系三方协调会议制度。同时，加大劳动关系协调力度，全面推行集体合同、劳动合同制度，加强劳动合同管理，规范劳动合同的签订、变更、解除、终止程序。至年底，全省国有企业、集体企业、外商投资企业签订劳动合同人数达315万人，占同口径职工总数的92.6%；城镇私营企业签订劳动合同的从业人数达23万人；个体工商户所雇从业人员中签订劳动合同人数达21万人。累计审核集体合同7 433份，涉及职工243万人。

2. 劳动争议处理

2002年，安徽省各级劳动争议仲裁委员会在劳动争议案件数量大幅度上升，处理难度日益增大的情况下，坚持合法、公正、及时处理的原则，以确保办案质量、提高办案效率为目标，积极改进办案方式，不断加强仲裁员队伍建设，妥善处理了各类劳动争议案件，有力地维护了劳动争议双方当事人的合法权益。全年共受理劳动争议案件2 250件，比上年增长了38.3%，涉及职工11 127人，结案率为92%。其中，集体劳动争议案件214件，涉及职工7 564人。在审结的案件中，仲裁调解619件，仲裁裁决1 074件，其他方式处理465件，分别占结案数的28.7%、49.8%、21.5%。此外，案外调解劳动争议案件293件。

## 六、法制建设

1. 劳动保障法制建设

2002年，安徽省继续加强劳动保障法制建设。一是在立法上根据安徽省地方立法计划安排，对《安徽省职业技能鉴定规定》进行了多次论证修订，并分别召开了部门协调会和专家论证会。二是在普法上，编制印发了全省劳动保障系统2002年度普法工作计划，举办了“四五”普法骨干培训班，重点讲授劳动就业、养老、医疗等社会保险法规业务知识，并邀请有关专家讲授《行政处罚法》《行政复议法》《国家赔偿法》等行政法规。在“12·4”法制宣传日和宪法宣传周期间，结合劳动保障重点、热点问题，组织开展了劳动保障法制宣传咨询活动。组织编写了《经济法规知识丛书·劳动保障法规知识》分册，并正式出版发行；编写了《务工经济法律知识手册》，为我省外出务工人员提供维权知识。三是在执法监督上，对省政府下发的涉及劳动保障方面的30多件政府规章和规范性文件进行了清理，并提出了清理意见，由省政府统一审核对外发布；对新出台的劳动保障规范性文件实行审核、备案制度，全年承办审核、备案文件达80余件，审核、备案率均为100%；认真做好行政复议案件的审理工作，全年共受理21起行政复议案件，结案率为100%；积极开展全系统行政执法人员的资格认证工作，培训120多名系统内尚未取得执法资格的新进人员，并及时办理了《行政执法资格证书》。

2. 劳动保障监察

2002年，安徽省各级劳动保障监察机构紧紧围绕劳动保障中心工作，以劳动保障年审和专项执法检查为重点，不断加大对劳动保障违法案件的查处力度。全年各级劳动保障监察机构共检查用人单位1.68万户，接受群众投诉举报1 970件，立案查处1 123件，处理结案1 086件，结案率达96.8%，其中对609件劳动保障违法案件实施行政处罚，处罚金额105.7万元。通过一系列的执法检查，共追缴社会保险费1.8亿元，追发劳动者工资840万元，补签劳动合同2.07万份。对全省1.9万户用人单位实施了劳动保障年审工作，并在连续3年年审合格的单位中开展评选“劳动保障管理信得过单位”工作，通过审核、公示，全省共有196户用人单位获得省级“劳动保障管理信得过单位”称号。

（安徽省劳动和社会保障厅）

# 福 建 省

2002年，福建省劳动保障工作以“三个代表”重要思想和党的十六大，省委七届三次、四次会议精神为指导，在省委、省政府的正确领导和劳动保障部的直接指导下，全面贯彻落实党中央、国务院和省委、省政府召开的全国、全省再就业工作会议精神，以促进就业和再就业工作为中心，以维护企业和社会稳定为主题，以继续巩固两个确保，深化养老、失业、医疗保险制度改革为重点，劳动保障各项事业全面发展，有效地保障了广大职工的基本生活，保持了职工队伍的稳定，为维护福建的改革发展稳定大局做出了积极的贡献。

## 一、把就业工作放在劳动保障工作的首要位置，扩大就业工作初有成效

1. 在继续巩固两个确保的基础上，实现下岗职工基本生活保障制度向失业保险制度并轨

2002年，福建省继续按照“三个不变”的原则，狠抓两个确保责任制、资金和优惠政策的落实，确保在中心的国有企业下岗职工基本生活和企业离退休人员的基本生活，并继续实现养老金100%社会化发放，定期公开发布发放情况，没有发生当期和历史拖欠。在实现两个确保的基础上，加快下岗职工出中心实现步伐，截至12月，1998年以来进中心的16.24万名下岗职工全部协议期满出中心，全省全部关闭企业再就业服务中心，顺利实现下岗职工由再就业中心保障基本生活向失业保险制度并轨，标志着福建省已初步建立市场就业机制。下岗失业人员再就业率达61.3%。

2. 贯彻全国全省再就业工作会议精神，采取一系列政策措施，形成福建就业工作亮点

（1）建立各级政府促进就业工作目标责任制，从制度上保证再就业政策和有关优惠政策的落实到位。2002年，福建省各级党委、政府和劳动保障部门认真贯彻党中央、国务院和省委、省政府召开的再就业工作会议精神，把就业和再就业工作摆到劳动保障工作的首要位置，建立了各级政府促进再就业工作目标责任制，把促进就业和再就业工作作为头等大事，将开发就业岗位、落实优惠政策、控制失业率等作为考核各级政府政绩的重要指标。同时，根据福建省的经济特点，大力开发外向经济型、民营经济型、种养殖型、境外劳务型、社区服务型工作岗位，制定了一系列促进下岗职工再就业的优惠政策，并组织实施再就业优惠政策大检查，促进了再就业优惠政策的落实。2002年，福建省城镇失业率控制在4.2%以内，就业局势基本稳定。

（2）社区就业、灵活就业成为扩大就业的主渠道。2002年，省劳动保障厅召开了全省社区就业、灵活就业研讨会，明确了推进社区就业的指导思想和目标，完善社区就业措施，相继出台了《福建省关于加快发展社区服务业的意见》《关于延长社区非正规劳动组织试营业期限的通知》《关于努力扩大就业渠道，积极推进灵活就业的意见》等政策，把社区就业作为拓宽就业渠道特别是弱势群体就业的重要措施，引导和规范福建省灵活开展就业工作，为社区就业创造了有利条件。南平市在街道（镇）建立了17个社区就业服务组织，开发了保绿、保洁、保安等岗位3 243个，接受下岗

失业人员求职登记3 696人，推荐再就业2 329人。据不完全统计，福州、厦门、三明、南平、漳州等地目前已发展社区就业实体2 443个，安置下岗失业人员1.8万人，依托社区有1.24万人得到再就业援助。

（3）建设社区就业服务平台，推行“灵活就业、灵活保障、灵活培训、依法维权”活动。2002年，福建省各地把推进社区平台建设作为贯彻全国再就业工作会议精神和《福建省城市社区建设纲要》的重要措施，全省127个街道已经有66个建立了劳动就业服务机构；已整合的社区居委会865个，其中有473个建立了就业服务机构。省劳动保障厅还专门下文规范了街道居委会劳动保障事务机构名称，要求各地年底基本建成社区就业平台，保证社区就业工作的顺利开展。福州在市委、市政府的高度重视下，在262个社区建立了就业服务站，按每个社区3～5人配备了工作人员，并以“4050”人员为主要招聘对象，目前5城区已招聘1 000多人，正在由市局统一组织培训。厦门、三明、南平的街道级也基本建立了社区就业工作平台。三明市梅列区、三元区的街道劳动服务机构对辖区内的下岗失业人员进行详细摸底，建立专门档案，有效地开展就业服务，工作做得细，做得实，受到了劳动保障部的充分肯定。同时，为适应就业格局的变化，进一步做好灵活就业人员的管理和服务工作，省劳动保障厅提出了“灵活就业、灵活保障、灵活培训、依法维权”的思路，并决定在全省开展推行“灵活就业、灵活保障、灵活培训、依法维权”活动，保障灵活就业人员享受劳动保障的合法权益。2002年，全省灵活就业人数共有14.72万人。

（4）开展再就业援助成为扶持就业困难群体的主要手段。作为省级再就业援助试点城市的福州、三明、南平3个设区市，2002年积极落实援助对象、落实补助资金和各项优惠政策，为下岗失业人员再就业创造宽松的环境。2002年3个试点市共援助了“4050”就业困难群体实现再就业达到4 500人左右，发放援助资金近500万元，同时还有1.24万人得到职业技能、职业介绍和社保接续等重点援助。厦门市规定男45周岁、女40周岁以上的下岗失业人员实现就业的，在5年内用人单位可为其以最低缴费标准缴纳社会保险费，由同级再就业资金按最低缴费标准的50%予以补贴。连续举办了4场再就业重点援助对象招聘会，有8 000多人次下岗失业人员报名应聘，落实就业岗位1 113个。福州市10月12日举办的“金秋送岗”再就业供需见面会，有177家企事业单位参加了送岗活动，送出岗位2 374个，其中适合“4050”大龄就业困难群体的1 822个岗位，有700多名下岗失业人员被录用。三明市10月26日举办三明市下岗失业人员招聘洽谈会，351家单位为下岗失业人员提供了1 380个岗位，其中一半以上岗位是专为“4050”人员设置的，当场签订劳动合同的550人中有300多人是下岗失业人员。漳州市开创了再就业“131”模式，即劳动保障部门免费对登记注册的下岗失业人员提供1次就业知识指导，实行3次就业岗位推荐，1次职业技能培训，帮助下岗失业人员实现再就业。

（5）就业服务体系建设取得新的进展。2002年，福建省新建县级计算机信息网络系统10个，全省县级以上信息网络系统达到72个，占县级以上应建信息网络的85%左右；全年网上劳动力供求信息达80万人次，比上年增加近40万人次；进一步贯彻落实“3年30万”再就业培训计划，全年共开设技能培训专业（工种）近50个，完成技能培训6.2万人，培训后平均再就业率达60%。同时，针对下岗失业人员自谋职业的情况，积极开展职业指导，全年共完成职业指导10.3万人次，组织2 481名下岗失业人员参加创业培训，创业培训成功率达66.18%，为促进下岗职工再就业发挥了积极作用。

（6）加强山海劳务协作，全力培育境外就业市场。2002年，福建省积极贯彻落实省委提出的构建三条战略通道要求，开展农村劳动力开发就业试点工作，全年共培训转移农村劳动力17万人；进一步促进山海协作，全年共组织劳务输出16万人。同时，积极实施“走出去”战略，着手培育和发展福建省境外就业中介市场。根据劳动保障部、公安部、国家工商总局联合颁布的《境外就业中介管理规定》精神，福建省劳动保障、公安、工商等部门出台了贯彻实施意见，举办了大型境外就业政策宣传咨询活动，受理了38家中介机构的申请，规范了境外就业中介行为，促进了境外中介的健康发展，进一步拓展了境外就业市场。

**二、以养老、失业、医疗保险为重点，加快社会保障体系建设，多层次的社会保障体系初步形成**

1. 不断完善现行养老保险政策，规范养老保险业务管理，企业退休人员社会化管理服务工作进入新阶段

截至2002年12月，福建省参加企业基本养老保险的职工223.48万名，覆盖率为82.18%；征缴养老金42.34亿元；为61.62万名企业离退休人员发放养老金43.57亿元；针对企业改制、改组、兼并、破产后，职工反映强烈的养老保险关系接续问题，省劳动保障厅积极深入调研，不断完善现行养老保险政策，对新参保的勘察设计单位改制后的养老保险问题、新参保企业及其职工补缴基本养老保险费若干问题、省直机关事业单位工作人员养老保险问题、华侨农场参保职工养老保险、灵活就业人员养老保险等问题出台了一系列相关政策，解决了企业、机关事业单位和职工亟待解决的一些问题，并先后两次调整企业退休人员养老金待遇水平，全省退休人员月人均提高待遇90元。同时，加强养老保险业务规范管理工作，建立劳动、财政、地税三方协调机制，开展退休审批报备制度的软件开发工作。11月，省政府下发了《福建省人民政府关于推进企业退休人员社会化管理服务工作的通知》，标志着福建省推进企业退休人员社会化管理服务工作从试点进入了全面推行的新阶段。截至年底，全省已实行社会化管理服务的企业离退休人员15.38万人，社会化管理服务率达24.96%，取得试点阶段性成果，为福建省今后3年全面推进企业退休人员社会化管理服务工作创造了条件，积累了经验，探索了路子。

此外，福建省机关事业单位养老保险工作和农村社会保险工作在规范完善中稳步发展。截至2002年底，全省机关事业单位养老保险参保人员52.22万人，征缴21.3亿元养老保险费，支出19.48亿元养老金；农村社会保险在整顿规范中加强管理，参保人员154.62万人，征缴5 000万元养老保险费，发放1 200余万元养老金。

2. 强化失业保险基金管理，及时调剂基金余缺，确保失业人员基本生活

根据劳动保障部的部署，2002年，福建省全面建立失业保险单位和个人缴费凭证制度，强化失业保险基金管理，制定失业保险金申领发放办法，福州、三明等地还探索依托街道社区了解失业人员就业状况，严格审核领取失业保险金人员的条件；加强失业保险基础性工作，扩大失业保险覆盖面，增强基金的承受能力。截至年底，全省参保职工已达249.5万人，领取失业金人数达11.1万人，月人均失业金达260元，位居全国第11位。三明、南平、龙岩3个设区市出现失业保险基金当期收不抵支。2002年省级调剂金已调剂缺口地市3 000万元，确保了失业人员的基本生活。

3. 深化医疗保险制度改革，进一步完善多层次医疗保障体系建设

2002年，福建省的医疗保险扩面工作稳中有进。截至年底，全省参加医疗保险的实际缴费人数达230万人，超额完成劳动保障部下达的医疗保险参保人数214万的指标任务；全省基本医疗保险基金收入20.8亿元，支出12.4亿元，累计结余19.2亿元，实现了统筹基金和个人账户双结余；厦门、泉州、莆田等地市，逐步开展非公有制企业外来从业人员的参保工作，仅厦门市就有7.6万外来人员参加了医疗保险，福州、泉州、龙岩、三明、厦门等6市相继出台了困难企业和解除劳动关系职

工参加医疗保险的办法，解决了部分困难企业职工和解除劳动关系职工参保难的问题。各地积极深化医疗保险制度改革，完善多层次医疗保障体系建设，全省80%以上的设区市（含省级）实施了国家公务员医疗补助政策，各市、县全面组织统一参加了商业补充医疗保险，一些企业已经建立起企业补充医疗保险，初步形成了以基本医疗保险为主，各种补充医疗保障为辅的多层次医疗保障体系。全省已全部实现医疗保险管理手段的信息化和科学化，建立起对定点医疗机构参保人员就诊医疗费用的计算机稽核监控制度，实现住院、特殊门诊、普通门诊实时管理和监控，定点医疗保险服务管理工作上了新台阶。定点医疗保险机构范围进一步扩大，全省医疗保险定点医院已达798家，定点零售药店147家。此外，工伤、生育保险继续推进，覆盖人数稳步扩大。

**三、以建立、健全企业经营者收入分配的激励和约束机制为着力点，稳步推进收入分配制度改革**

2002年，福建省已初步建立了企业工资宏观调控体系，全省组织11家国有企业进行经营者年薪制试点，完善企业经营者年薪制试点办法。同时，为提高授权经营公司经营者的积极性，全部兑现了2001年11家试点企业经营者的基本年薪。规范国有企业工资分配秩序，继续实行工资总额使用核定管理，对85家企业开展工资内外收入监督检查，强化工资宏观调控。积极开展工资集体协商制度试点工作，对按照劳动保障部规定办法开展工资集体协商的南安、马尾等地企业的做法加以规范、指导，使其逐步走上规范化轨道。继续完善企业工资增长指导线和劳动力市场职位（工种）的工资指导价位制度，9个设区市均定期公布当地的工资增长指导线，并在工资指导价位的基础上，不断扩大工资级别指导价位的工种（职位）范围，为企业合理确定各类人员岗位工资水平及企业实行工资集体协商提供了重要依据。

**四、以提高劳动者素质为立足点，加强职业培训工作，形成以培训促就业的运行机制**

为应对加入WTO后对劳动者素质的要求，2002年，福建省大力发展职业教育和技能培训，加大对新成长劳动力就业前的培训和就业准入控制力度。技工学校招生取消了招生指标数，完全打破了生源地域界限，全省招收新生达2.6万名，比上年增长18%，招生数达到历史最高水平；在校生达5.8万人，比上年增加了1万人左右。优化职业教育资源，加大技校布局调整力度，撤并了6所技校，技校的校均学生数从400余人上升到600余人。又有一所技校被劳动保障部批准列入国家级重点技工学校。稳步推进劳动预备制度，设置实用型劳动预备制专业（工种）30多个，参加劳动预备制培训人数5万余人，促进了“先培训后就业、先培训后上岗”制度的进一步落实。加强对社会培训机构的管理与监督，目前全省社会培训机构已达286家，全年全省参加短期职业培训的人数11.18万人，获得职业培训结业证书的约5万余人。参加职业技能考核鉴定14.76万人次，其中高新技术考试13 039人，全国统考7 356人。福州市教委已将高新技术考试作为中职学生首选的计算机考试，参加全国统一鉴定人数比上年增长157%，促进了劳动者素质的提高，增强了劳动者市场就业的竞争能力。同时，积极开展职业技能竞赛活动，有2名选手被劳动保障部评为全国技术能手，3所技校被评为全国职业教育先进单位，扩大了职业教育工作的社会影响。

**五、以健全劳动关系调整制度为切入点，加大劳动执法力度，努力实现劳动关系的和谐稳定**

2002年，福建省各级劳动保障部门积极贯彻落实《劳动法》《工会法》，推进集体合同、劳动合同工作会议精神，进一步完善集体合同、劳动合同制度，健全劳动关系调整制度，理顺国有企业职工劳动关系。省级和9个设区市已全部建立协调劳动关系三方会议制度，积极对集体合同和劳动合同制度的推行和管理进行协调，并对企业改制改组过程中解除劳动关系支付经济补偿金的情况进行专题调研，从源头上规范劳动合同管理。到年底，全省实施劳动合同的各类企业16.52万家，涉及职工378.62万人，签订率达87%，其中国有企业7 580家，涉及职工84.68万人；签订平等协商集体合同的企业达1.4万家，签订区域性、行业性集体合同的企业108家。强化劳动监察和劳动争议处理，积极参与“110”社会联动，开展农民工权益保护专项检查、清理整顿劳动力市场秩序、禁止使用童工大检查、劳动法律法规执行情况专项执法检查等活动，共检查用人单位2.62万户，涉及职工540.43万人，责令用人单位补签劳动合同30.36万份，为10.18万名劳动者追回被拖欠、克扣工资9 761.23万元；受理群众举报投诉11 067件，立案10 113件，结案率达96%；立案受理劳动争议案件6 654件，涉及职工2.47万人，其中集体劳动争议341件，涉及职工1.8万人，结案率达97.9%。

当前，随着劳动保障制度改革的深化，福建省劳动保障工作中一些深层次的困难和问题逐步显现，有些问题还比较突出。在就业方面，劳动者充分就业的需要，与劳动力供给总量过大、素质不相适应的矛盾仍然突出，企业下岗职工、失业人员、城镇新成长劳动力、省内农村剩余劳动力向城镇转移和外省在闽务工劳动力5股力量聚合，对福建省就业构成新一轮压力，就业形势不容乐观；适应市场就业的管理和服务体系还不够完善，与社区就业、灵活就业相配套的政策法规不够健全，制约了下岗失业人员从事社区就业、灵活就业的积极性。在社会保障体系建设方面，福建省社会保障体系的框架虽已初步建立，但还很不完善，统筹企业退休人员养老保险待遇偏低和结构性不平衡矛盾突出，养老保险基金筹措难、底子薄的状况还未从根本上得到解决，退休人员社会化管理服务工作基础还十分薄弱；失业人员大幅度增加，失业保险形势日趋严峻，失业保险基金的支付能力和统筹体制面临严峻考验；医疗保险扩面难度和基金压力明显增大，“三项改革”不配套的状况依然十分突出。此外，经济补偿金筹措难的问题尚未得到有效解决；就业准入和职业资格证书制度落实的难度依然很大；劳动关系日益复杂化，劳动纠纷日益增多，劳动争议仲裁机构和劳动监察机构编制人员少，不能适应日益繁重的维护劳动者合法权益的需要。这些问题必须在今后的工作中逐步加以研究解决。

（福建省劳动和社会保障厅）

# 厦　门　市

2002年初，厦门市委、市政府决定在原有劳动局的基础上组建劳动和社会保障局，统一管理劳动和社会保障工作。厦门市委、市政府于3月召开全市劳动和社会保障工作会议，8月召开促进居民就业工作会议，10月召开全市再就业工作会议，明确要求厦门市劳动保障系统将积极扩大就业、完善社会保障体系、提高劳动者素质以及维护劳动关系和谐稳定作为重点工作抓好。围绕确定的目标任务，厦门市劳动和社会保障局按照“三个代表”重要思想要求，与时俱进，开拓创新，为厦门改革发展稳定做出努力，也使劳动保障工作跃上一个新台阶。

## 一、维护劳动力市场主体双方合法权益

1．指导国有企业做好改制工作

2002年，厦门市审核了106家国有企业的职工分流安置方案，依法落实再就业资金用于支持下岗职工经济补偿金，帮助职工进入劳动力市场寻求工作岗位或自谋职业。至年底，已有1.6万名国有企业职工得到妥善分流和安置。

2．妥善处理工资拖欠问题

2002年，厦门市开展了各类用人单位工资发放情况专项执法检查，全市共检查用人单位874户，及时处理因拖欠工资而引发的罢工、怠工、游行等劳动突发事件及5人以上集体上访案件122件，为职工追回被拖欠工资1 242.34万元。

3．整顿劳动力市场秩序

2002年，厦门市开展了两次较大规模的劳动力市场清理工作，检查单位959户，查处非法职业中介活动单位117户，取缔未经批准从事职业中介活动的非法机构59户，责令29户违反规定超范围经营的单位停止非法中介活动。

4．维护劳动关系的和谐稳定

2002年，厦门市共检查用人单位14 170户次（其中年审7 098户），处理信访案件12 909件，处理集体上访及罢工、怠工、游行等劳动突发事件297件，共处理2 307件劳动争议案件，督促用人单位办理社会保险登记申报265户，补签劳动合同9万多份，补办就业证卡4万多人，补缴社会保险费793万元，补发工资2 764万元，清退押金61万元。

5．调整最低工资标准

2002年，厦门市劳动保障局经过调研，提出了最低工资标准的调整方案，经市政府批准向社会公布。岛内各区最低工资标准提高至470元/月，岛外同安区为350元/月，其余各区为420元/月。

## 二、关心职工生活，扩大居民就业

1．关心职工生活

2002年元旦、春节期间，厦门市慰问进国有、集体再就业中心和个别特困企业生活困难的下岗职工，企业离退休人员和困难工伤人员，共发放慰问金78万元；春节前，提前发放失业保险金537万元，提前发放企业离退休人员养老金4 700万元。

2．确保下岗职工、失业人员和企业退休人员基本生活

2002年，厦门市发放下岗职工基本生活保障费50多万元，并为他们缴交社会保险费，100%确保了他们的基本生活；根据协议在2002年11月全部完成下岗职工出中心任务。全年为21 156名失业人员发放5 488万元失业保险金，为26 831名外来失业人员发放失业保险金125万元。全市参保企业的离退休人员6.5万人，支付基本养老金5.4亿元，月人均养老金达880元，所有退休人员都可以按时、足额从银行或邮局领取到养老金。

3．积极扩大居民就业

2002年，厦门市共办理用人登记19.26万人次，介绍成功10.22万人次，其中下岗失业人员3 521人。市委、市政府连续颁布了《厦门市人民政府关于促进本市居民就业的若干意见》《关于贯彻〈中共中央国务院关于进一步做好下岗失业人员再就业工作的通知〉的若干意见》等政策措施，制定了清理机关事业单位工勤岗位、设立促进就业资金、下岗失业人员再就业社会保险补贴、职业介绍补贴等优惠措施，有力地推进了居民就业。同时，还成立调研小组，开展了灵活就业的专项调研工作，并已拟出若干意见提交市政府决策。

4．加强职业技能培训

2002年，厦门市委、市政府将“落实优惠政策，免费培训下岗职工和农村富余劳动力”作为为民办实事项目之一，市劳动保障局针对劳动力市场的需求，在全市各训练机构和技术学校与相关职业培训机构开展了多形式、多层次的联合培训。全市共开展再就业免费培训下岗失业人员5 961人次，农村富余劳动力3 535人次，外来务工人员上岗前培训21万人次。全市共有27个职业技能鉴定站，覆盖工种66个，全年组织鉴定8 041人，有效地提高了劳动者素质。高级技校加挂职业技能学院牌子，培养有大专文凭的高级技工。

## 三、继续完善社会保障体系

1．整合社会保险机构

2002年，厦门市委、市政府已经批准成立厦门市社会保险管理中心，整合了原厦门市社会保障事业管理中心、医疗保险管理中心、社会劳动保险公司、机关事业社会保险公司、农村社会保险公司及市人才服务中心、特区劳动服务公司等单位的社会保险业务，促进了全市社会保险工作的统一和规范运作，确保社会保险制度的统一规范和基金的完整安全。

2．继续加强社会保险扩面和基金征缴

2002年，厦门市参加养老保险单位达1.2万户，参保职工47万人（其中外来劳动力28万人）；参加医疗保险单位达8 775户，参保职工达43万人（其中外来员工约9万人）。各项社会保险的参保率均达98%以上。全年征缴基本养老保险费7.9亿元、失业保险费6 100万元、工伤保险费6 432万元、医疗保险费5.6亿元，基金征缴率和基金运行情况良好。

3．适时调整社会保险政策

根据《厦门市职工基本养老保险条例》规定，经市政府批准，从2002年7月1日起，厦门市对基本养老保险缴费比例进行了调整，本市城镇户籍职工企业缴费比例由17%降为16%，职工个人（含外来员工）个人缴费比例由5%上调为6%。针对基本医疗保险实际运行过程中出现的若干矛盾和问题，厦门市劳动保障局起草了《厦门市城镇职工基本医疗保险规定（修改稿）》及《厦门市国家公务员医疗补助暂行办法（草案）》，已上报市政府决策；完善基本医疗保险医疗管理办法，出台了部分诊疗项目、部分特殊医用材料、部分药品以及床位费的最高控制标准。

## 四、推进劳动保障工作社会化

1．解决历史遗留问题

厦门市区、街属企业由于历史原因，很多单位没有参加养老保险，随着区、街属企业的改制、改组，不少退休职工生活没有保障，成为影响社会稳定的不安定因素。2002年，厦门市劳动保障局与民政、财政部门反复研究，提出《关于未参加社会保险的城镇集体企业退休人员纳入城镇居民最低生活保障有关问题的意见》，经市政府批转，将他们纳入最低生活保障，有效地保障了他们的基本生活。

2．留住外来人才

为了鼓励企业留住外来员工中的技术、管理人员，经厦门市政府批准决定，从2002年7月1日起，企业可自主选择参照本市城镇户籍职工标准为其缴纳基本养老保险费和基本医疗保险费，为留住外来人才提供保障措施，受到企业欢迎。

3．积极推进社会化管理服务工作

2002年，厦门市认真落实市、区、街（镇）三级退休人员管理服务机构的工作人员、经费、场所，完成企业退休人员资料的信息录入、制定业务规范及有关制度等。经过努力，至年底，已完成608家企业、49 648名退休人员移交社区管理工作，接收了25 055份退休人员档案进库规范化管理。

4．完善社会保险社会化服务措施

从2002年3月起，厦门市配置了全省首家基本养老金发放指纹认证管理系统，使养老金发放走上科学化道路。并已在新办理离退休手续的参保职工群体中进行指纹采集试点。

## 五、加强党风廉政和机关效能建设

1．认真开展党风廉政建设和反腐败教育

2002年，厦门市劳动保障局从抓预防违法违纪入手，组织机关全体党员到厦门监狱接受警示教育，组织开展《公民道德建设实施纲要》的学习宣传活动；严格执行领导干部礼品登记、个人收入申报和重大事项报告制度，进一步落实领导廉洁自律工作；认真开展经济责任审计，增强干部的责任感和自我约束意识，从源头上遏制腐败。

2．推行政务公开

从2002年1月起，厦门市推行了网上政务公开，将机关、事业单位的设置、职责，审批事项的政策法规依据、审批程序、审批时限、办事要求、承办部门，法规、规范性文件，相关业务举报投诉电话等上网公布，接受群众监督，并且提供网上电子信箱，接受网上投诉。

3．认真开展行风评议和机构改革工作

2002年，厦门市劳动保障局经常组织人员深入各区及直属事业单位开展行风评议检查和评比工作，通过行风评议工作，服务效率和服务质量得到明显提高。厦门市劳动监察大队和市劳动保障局副局长黄太平分别被劳动保障部记一等功。开展党政机构改革和事业单位人事制度改革，不断完善干部竞争上岗和岗位聘任制，完成了局机关“三定”工作和统一的社会保险经办机构整合工作。

4．认真组织劳动保障的宣传活动

2002年，厦门市组织开展了劳动保障知识竞赛和电视大奖赛活动，使全市20多万职工得到劳动保障知识的宣传覆盖，收到较好的效果。投入20多万元资金，创办了《厦门劳动保障》杂志，与《厦门商报》、厦门人民广播电台合作开展定期的劳动保障宣传，使劳动保障政策更加深入人心。

（厦门市劳动和社会保障局）

# 江　西　省

2002年，江西省各级劳动保障部门认真按照“三个代表”要求，切实贯彻党的十六大以及省第十一次党代会精神，围绕着支持国有企业改革、促进经济结构调整和维护社会稳定，加强职业培训、就业服务、社会保障工作之间的互相融合，两个确保基本落实到位，社会保障制度改革取得明显进展，市场导向的就业机制初步形成，各项劳动保障工作取得了新的进展，为促进全省经济发展和维护社会稳定发挥了积极作用。

## 一、就业再就业工作取得明显成效，首次实现当年再就业人数大于新增下岗职工人数

江西省委、省政府认真贯彻落实全国再就业工作会议精神，牢固树立促进就业的发展理念，把创造更多的就业岗位摆到突出位置，及时制定并完善各项扶持政策，不断创新工作机制，积极推进就业和再就业工作，取得了一定成效。2002年，该省自1998年以来首次实现了城镇从业人员的正增长和当年再就业人数大于新增下岗职工人数，全省城镇新增就业人员39.5万人，下岗职工再就业15.37万人，其中国有企业下岗职工再就业13.4万人，再就业率为31%，高于上年10个百分点；年末城镇登记失业率为3.4%，低于4.5%的预期目标。在实践中，江西重点抓了5个方面的工作。

1. 抓政策配套，营造良好的就业环境

中发〔2002〕12号文下发后，江西省在原有就业和再就业政策的基础上，不到一个月的时间里，省委、省政府就下发了《关于进一步做好下岗失业人员再就业工作的通知》，对落实全国再就业工作会议进行了全面部署，并在省政府的统一协调下，出台了17个配套文件，进一步明确了对四类下岗失业人员包括税费减免、小额贷款担保、社会保险优惠、就业援助、就业服务、社会保障、社区就业保障服务等在内的10项扶持政策，减少了63项行政性收费项目，这些政策在中央文件的基础上作了进一步细化，使政策更具操作性。为使不同规模企业在政策待遇享受上大体平衡，江西省对服务型企业吸纳下岗失业人员的税收优惠，除规定招用人员的按一定比例减征企业所得税外，较大企业招用下岗失业人员达到100人以上的，其招用下岗失业人员占职工总数的比例可适当放宽；同时对劳动密集型工业企业招用下岗失业人员也给予一定的优惠。在信贷扶持上，除个体合伙经营可享受小额贷款外，对吸纳下岗失业人员比较多的服务型企业也给予必要的支持。

2. 抓增加岗位，构建政府促进就业的责任体系

针对近年来城镇就业岗位逐渐减少的问题，江西将加快经济发展、增加就业岗位作为促进就业根本途径来抓，从2002年开始，建立了以净增城镇就业岗位、下岗职工再就业、安置就业困难群体为主要内容的扩大就业责任体系，并由省政府把目标任务分解到各设区市，制定了相应的目标考核办法，年终进行考核，对工作做得好的予以通报表彰；对当年未完成目标任务的市、县、区，年终考核一律不予评优；对连续两年完不成任务的，予以通报批评；对因工作不力造成严重后果的追究领导

责任。由于责任明确，各市、县、区都把增加就业岗位作为经济发展的一个重要目标，通过加快经济发展，带动就业岗位增加。同时，进一步发挥江西的区位优势，提出了把江西建设成沿海经济发达地区劳务输出基地的战略构想，明确了省内增岗和劳务输出并重的就业方针。目前已在省内外建立了劳务管理机构和劳务输出基地，制定了鼓励劳务输出和回乡创业的优惠政策。2002年，全省跨省务工人员405万人，同比增加33万人，直接劳务收入达240多亿元，跨省务工人员占全省农村劳动力的1/4，跨省务工收入占当年农民人均纯收入的1/4多，跨省务工人员的总收入相当于农村国民生产总值的1/4，有1/4多的下岗职工通过跨省务工实现了再就业。

3．抓资金落实，打牢落实促进就业政策的基础

江西把加大再就业资金投入作为促进就业和再就业的一项主要目标来落实。从2002年开始，在省、市、县三级均建立了促进就业资金，增加了政府对就业的投入，加大了政府促进就业的力度,2002年，全省筹集促进就业资金1.5亿元。在增加政府投入的同时，该省还积极探索再就业小额担保贷款的路子，在中央有关部门具体管理办法尚未出台、担保资金尚未建立的情况下，采取边启动、边规范的办法，在全省范围内开展了再就业小额担保贷款业务，把落实贷款政策与开发就业岗位、开展创业培训更紧密地结合起来。2002年11月17日，江西南方电动工具厂等单位17名下岗失业人员获得首批小额贷款16万元，走上了再就业之路。截至2002年底，全省各级担保中心共设立担保基金2 220万元，已发放贷款222万元，直接扶持下岗失业人员293人再就业，带动1 000余名下岗失业人员再就业。

4．抓构建载体，打造社区就业的新亮点

为了更好地推动下岗失业人员再就业，江西注意加强街道、社区载体建设，发掘社区就业的潜力。一方面按照一所（劳动保障事务所）、一队（公益性劳动服务队）、一站（社区服务站）、一室（退休人员活动室）的模式，积极推动街道社区劳动保障工作机构的建设。省编委专门发文明确了街道和乡镇劳动保障机构的人员编制，人员主要从机关分流人员和下岗职工中招聘。另一方面大力推行时间、场所、收入非固定化的非全日制、临时性、小时工等灵活多样的就业形式，建立能够较多安置下岗失业人员的再就业基地，扶持发展适合就业困难人员就业的“4050”项目，带动下岗失业人员再就业。2002年底，江西又从上海引进了无水洗车项目，在几个市实行连锁经营，已吸纳500多名“4050”人员再就业。

5．抓就业服务，探索再就业援助的新途径

为改进就业服务工作，江西积极落实第二期“三年四十万”的再就业培训计划，建立和认定了再就业培训基地114家，采取面向社会招标的方法，推行政府购买培训成果，2002年，全省共培训各类人员30多万人次，其中下岗失业人员10.1万人。同时充分利用全面启动小额贷款的有利条件，全面推开创业培训工作，着力形成创业培训、项目管理、开业指导、小额贷款、税收优惠相结合的促进下岗失业人员自主创业的工作机制。在完善常年性职业介绍的同时，自2002年9月以来，该省共举办万人以上大型就业招聘会30场，组织了两次以“行千里路、进企业门、送万个岗、暖万人心”为主题的“再就业心连心”活动，累计有1.1万户企业提供就业岗位58.2万个，进场应聘的人员达130多万人次。各级政府还通过购买1.4万个公益岗位，帮助3.2万名就业困难人员实现了再就业。

## 二、两个确保进一步巩固，工作机制进一步完善

2002年，江西省共为82.65万名企业离退休人员按时足额发放养老金48.4亿元，比上年增支7.42亿元，当期支付率达100%，社会化发放率达到99.7%。全省共发放下岗职工基本生活费和代缴社会保险费7.4亿元，比上

年增加1.1亿元，下岗职工基本生活费足额发放率和社会保险费足额代缴率均达到99.5%，比上年底分别提高1.5个百分点和9个百分点。到年底，全省国有企业下岗职工有30.1万人，当年下岗职工出中心8.59万人，其中协议期满出中心6.03万人。对出中心人员，凡符合纳入失业保险和最低生活保障条件的人员，基本纳入了失业保险或最低生活保障。到年底，全省参加失业保险人数226.7万人，有5.16万人领到了失业保险金，比上年增加3.1万人；共发放失业保险金5 768.9万元，比上年增加2 064万元。

1. 建立社会保障工作目标责任制，把社会保障工作当做民心工程来抓

自2002年起，江西省政府向各设区市政府下达了社会保障工作目标任务，对没有完成目标任务的，给予通报批评；对因工作不力影响社会稳定的，追究相关责任人的责任。同时开展经常性督促检查和通报工作，对14个重点县区和部分企业实施重点监控，建立定期汇报制度，按月在省内主要新闻媒体公布两个确保和社会保险费征缴情况。

2. 建立了社会保险费征缴激励机制，强化了基金征缴，巩固了两个确保的基础

2002年，江西省按照社会保险费征缴额较上年增长部分的3%给予奖励，全省各级财政共拨付激励经费966万元。为了增强养老保险省级统筹的调剂能力，鼓励各地及时上缴养老保险调剂金，省财政还安排了500万元专项激励经费。同时，通过制定完善个体私营经济参保政策、加强社会保障监察、对拖欠养老保险费的企业及负责人取消评模评先资格和控制购买小汽车、建办公楼等一系列措施，进一步加大了社会保险基金征缴力度，强化了基金征缴和扩面手段。全省实际征缴养老保险费35.43亿元，比上年增收4.3亿元，增长13.8%；征缴失业保险费2.42亿元，比上年增收4 900万元，增长25.3%。

3. 建立了“三条保障线”的衔接制度，为进一步完善社会保障体系奠定了基础

2002年，江西省各级劳动保障部门积极与民政、财政等部门沟通协调，建立了联席会议制度，将各类困难职工列为“低保”的重点对象，使“三条保障线”相互衔接，形成了环环相扣的社会保障安全网，从不同层次较好地保障了困难职工家庭的基本生活。

**三、基本医疗保险制度改革取得积极进展，多层次医疗保障体系正在形成**

2002年，江西省按照“狠抓市县启动，稳步扩面征缴，继续理顺体制，强化基础管理，主攻难点重点，保障基本医疗”的工作思路，通过各级劳动保障部门与有关部门的积极努力，密切配合，医疗、工伤、生育保险工作取得了初步成效。到年底，全省11个设区市，92个县、市（区）启动了医疗保险，参保人数由上年的131.7万人增加到160.4万人，当期收缴保险费统筹账户3.12亿元、个人账户2.63亿元，分别结余6 159.6万元和7 514.4万元。工伤保险参保人数为129.25万人，当期收缴保险费4 971.3万元，支付2 275万元。生育保险参保人数为109.42万人，当期收缴保险费2 628万元，支付1 473.1万元。三项保险均实现了“收支平衡、略有结余”的目标。

1. 狠抓启动扩面，形成医疗保险全省覆盖态势

到2001年底，江西还有1个设区市，39个县、市（区）未启动基本医疗保险，5个设区市的行政事业单位医疗保险未划归劳动保障部门统一管理，中央、省属单位迟迟未能参保。对此，省劳动保障厅采取分类指导、区别对待的办法，督促县、市（区）尽快启动。同时积极帮助中央、省属单位解决参保中的重点难点问题，促使其尽快参保。到2002年底，全省启动医疗保险的县市区比例为92%，完成了年初所定的90%的目标任务，驻赣中央单位及省属单位参保人数达到30余万人，占应参保人数的50%。

2. 加强管理，夯实医疗保险基础

一方面，江西各地建立和健全了医疗保险

行政管理和经办机构。到2002年底，共有10个设区市的行政事业单位的医疗保险职能都划归劳动保障部门管理，10个设区市设置了单独的医疗保险经办机构，绝大多数县市（区）也设置了单独的经办机构。抚州、赣州、吉安、南昌等市创建了经办大厅，大大方便参保职工办事。另一方面，各地还进一步加强了管理，保持了基金的收支平衡。各统筹地区十分重视建立健全管理制度，改进和完善计算机管理网络，建立健全科学高效的管理体系工作，修订、增补了各项内外管理规划，实现内部管理严格有序、外部管理高效、辅之于病种核算的办法，全面实现了医疗保险基金收支平衡、略有结余的目标，参保职工基本医疗权益得到保障，拖欠医药费或有病无钱治的情况基本得到控制。

3．以基本医疗保险为基础，完善了多层次医疗保障体系

到2002年底，江西省普遍建立了以市县为基础、省级调剂的企业离休干部医药费单独统筹机制，8 987名离休干部纳入了统筹管理，确保了离休干部生病时能得到及时有效的治疗和医药费及时足额报销。经过多方努力，江西省公务员医疗补助实施意见于2002年12月18日正式出台，为各地建立这项补助制度提供了帮助。各统筹地区还积极帮助有条件的企业建立补充医疗保险，大部分统筹地区还实施了大额医药费用补充保险，以化解特殊困难。对于无力全额缴纳医疗保险费的单位，按权利与义务对等的原则允许其降低缴费率参加医疗保险，先建统筹账户，使困难群体的大病风险得到保障。对于破产、关闭企业的退休人员，除个别市外均采取一次性收取标准不等的参保费用，把他们纳入医疗保险。对下岗职工的医疗保险，建立了“三三制”筹资机制，企业确无力负担的，由行业主管部门负责调剂解决。到2002年底，有9个设区市都先后出台了困难职工参加医疗保险办法，全省已有154家困难企业参保，参保人数7.8万人。与此同时，各统筹地区还积极稳妥地进行了灵活就业人员参加医疗保险的试点工作，抚州市首先在全省出台了灵活就业人员参加医疗保险管理暂行办法，随后南昌市也出台了相应的办法。

4．稳步推进了工伤与生育保险工作

面对企业大量改制的情况，2002年，江西省各统筹地区积极采取有效措施，抓好新组建的单位及时参保，防止已参保单位和参保职工流失，并根据基金结余情况，适时调整了工伤和生育待遇，增加了抚恤金，建立健全了工伤预防和激励机制，严格规范了工伤认定和工伤鉴定工作。到年底，全省实施工伤保险制度的市、县达到100个，占全省市、县总数的91%，基金当期结余2 696万元，累计结余1.56亿元；全省实施生育保险的市县为95个，占全省市县总数的86%，历年享受生育保险待遇的女职工人数近8万人，基金当期结余455万元，累计结余8 133万元。

## 四、稳步推进企业工资分配制度改革，促进劳动关系和谐稳定

2002年，江西省各级劳动保障部门紧紧围绕国有企业改革和建立现代企业制度，积极采取措施，深化劳动工资制度改革，企业工资分配自主权进一步落实，职工工资不断增长，2002年全省城镇在岗职工平均工资9 262元，比2000年增长32.5%，其中企业在岗职工平均工资8 547元，比2000年增长26.8%。

1．建立了工资指导线制度，进一步完善了劳动力市场工资指导价位制度

《江西省企业工资指导线制度试行办法》经省人民政府同意，已于2002年正式发布并组织实施，30户企业开展了工资集体协商试点，南昌市、赣州市、萍乡市、景德镇市、鹰潭市、新余市等6个设区市积极开展了劳动力市场工资指导价位制度试点工作，并发布了2002年度的劳动力市场工资指导价位，与上年相比，试点城市增加了2个，职业（工种）范围扩大了396个，增加了218个职业（工种）。

2．进一步健全了国有企业经营者激励和

约束机制，加强了国有企业经营者工资收入管理

按照江西省政府“扩大年薪制试点范围”的要求，省劳动保障厅在总结前几年试点经验的基础上，努力理顺年薪制管理体制，积极稳妥地试行国有及国有控股企业经营者年薪制。2002年，有63户企业进行了经营者年薪制试点，考核兑现了江西铜业公司、江西稀有稀土金属钨业集团公司等一批国有及国有控股企业经营者年薪，并进一步规范了非年薪制企业经营者工资收入管理。

3．进一步改革企业工资决定机制，完善企业工资总额的宏观调控办法

2002年，江西省对已改制的国有企业，实行按“两低于”自主确定工资总额的办法；对未改制的国有企业，效益比较好的实行工效挂钩办法，效益比较差的取消工资挂钩办法，执行计税工资办法。同时，积极开展了企业工资内外收入监督检查工作。

4．劳动关系调整取得积极进展

2002年，江西省重点抓了国有企业下岗职工出中心，规范转制、关闭、破产企业职工劳动关系调整工作，积极研究制定省属国有企业改革中妥善调整企业劳动关系的具体办法，努力配合参与企业改制，审核企业改制方案，为企业和职工提供政策咨询服务，确保下岗职工出中心与企业解除劳动关系顺利进行。据统计，“十五”前两年从再就业服务中心转出的16.76万下岗职工中，有2.69万人解除或终止劳动合同，占16.1%，全省共有56万余名转制、关闭、破产企业职工解除劳动关系和国有企业下岗职工出中心，占企业职工总数的34.7%。积极指导各设区市和企业签订集体合同和劳动合同，重点规范了城镇私营企业、外商投资企业、个体工商户的用工行为，促进了劳动关系的和谐稳定。到2002年底，全省城镇企业劳动合同签订率达到85%以上，全年各地报送劳动保障部门审核通过的集体合同7 300份，涉及企业1.25万户，职工144.1万人。

5．建立了劳动关系三方协商机制

为加强劳动保障行政部门、工会组织和企业代表组织三方对劳动关系方面的重大问题沟通和协调，建立和谐稳定的劳动关系，2002年4月，省劳动保障厅、省经贸委、省总工会、省企业联合会/企业家协会联合下发了通知，建立了省级劳动关系三方协商会议制度，督促指导设区市全部建立了劳动关系三方协商会议制度，并召开了三方会议，研究布置相关工作。

6．进一步加强了争议仲裁机构建设，提高办案水平

江西省劳动争议仲裁工作自1987年恢复以来，已有113个市、县（区）成立了仲裁委员会，建立了劳动争议仲裁办事机构，专职仲裁员200多人。2002年，全省共受理劳动争议案件1 200件，处理案件1 158件，结案率达96.5%。其中：集体争议案件125件，比上年增加23件。在已结案的1 158件案件中，仲裁调解422件，占35.2%；仲裁裁决501件，占43.26%；其他方式235件，占19.5%。仲裁裁决方式成为结案的主要方式。

## 五、维护职工权益和企业稳定工作力度进一步加大

2002年，江西省各级劳动保障部门围绕中心工作，进一步加大了劳动保障监察执法力度，收得了较好的成效。全省共检查用人单位45 726户，下达整改意见书8 774份，立案检查2 857起，结案率达98.9%。一年来，通过开展以“扩面、征缴、清欠”为重点的执法检查，进一步扩大了社会保险覆盖面，提高了社会保险费的收缴率，共为社会保险经办机构追缴社会保险费1.57亿元，促使一些长期游离在社会保险之外的非国有企业、个体经济组织依法参加了社会保险，为巩固两个确保提供了可靠的资金支撑；通过开展劳动合同执法检查，规范了用工单位的用工行为和劳动合同的签订，使16.8万名职工及时与用人单位补签了劳动合同，保护了劳动者的合法权益，减少

了劳动合同的纠纷；在全省范围内开展了贯彻实施《禁止使用童工规定》情况的执法大检查，全省共检查用人单位8 500余户，清退童工 759 人，维护了少年儿童的合法权益和身心健康；通过对劳动力市场的清理整治，取缔了 312 家非法和不规范的职业介绍机构，严厉查处了职业中介机构的欺诈和介绍童工等违法行为；通过开展技术工种从业人员持证上岗情况的执法检查，督促21 697名需持证上岗的人员办理了职业资格证；积极介入农民工追讨工资行为，在全省组织开展了农民工权益保护专项检查，共检查单位4 272户，涉及农民工人数42 174人，查处侵害农民工案件1 337件，追回被拖欠、克扣工资达1 147万元，责令补缴社会保险费 938 万元，严厉打击了拖欠克扣工资的违法行为，维护了农民工的合法权益，增强了农民工的维权意识和企业遵纪守法的意识。同时，进一步加大了宣传力度，积极与新闻媒体协作，做到报纸有文章、电视有报道、电台有声音，扩大了劳动保障监察部门的影响，树立了劳动保障监察部门为群众办好事、办实事的形象，有力地推动了劳动保障各项事业的进一步发展。

**六、职业培训开始实现由企业内部职业培训和学徒制度向社会培训、职业资格认证制度的转变，多层次、多形式的职业技能开发体系初步形成**

2002 年，江西省各地、各部门围绕提高劳动者素质，促进就业和再就业的目标，大力发展职业培训，积极推进职业资格证书制度、劳动预备制度和就业准入制度，努力开展职业技能鉴定，取得了积极进展。

1．职业培训工作力度进一步加大

江西省已建立各类职业培训机构 824 个，其中，职业培训综合基地 17 个。按照国家“积极鼓励、大力支持、正确引导、加强管理”的方针，各级劳动保障部门积极鼓励和支持社会力量以多种形式举办职业培训。2002 年，全省新批社会力量办职业培训教育机构 59 家，同时整顿撤销取缔不合格社会力量办培训机构 75 家。目前，该省现有社会力量办培训机构 758 家，开设的专业涉及机械、电子、餐饮、服装、交通等 36 个行业 127 个职业（工种），全年累计培训各类人员 17.9 万人次。按照“调整布局、提高层次、突出特色、服务就业”的方针，加快了技工学校的改革，对技工学校进行了结构调整，完成了技工学校的重新登记工作，全省技校由原来的 83 所调整到 66 所。2002 年，全年共招生 2.3 万人，比上年增长 26%，推荐输送毕业生就业约 1 万多人。同时，围绕国有企业改革和建立现代企业制度的要求，认真做好企业职工培训，指导企业建立健全培训、考核与使用相结合并与待遇相联系的激励机制，激发了企业职工学技术、比技能的积极性，推进了企业技术进步。

2．职业技能鉴定的覆盖面进一步扩大

2002 年，江西省开展鉴定的职业（工种）达到近 200 个，20.12 万人参加了各级各类职业技能鉴定，16.5 万人获得相应等级的职业资格证书。组织开展了“双证制”考试，全省各级各类职业院校毕（结）业生共 8 万余人参加了鉴定考试，92% 的人员取得职业资格证书；组织了全省近 3 万人参加的高级工统一考试以及3 000人参加的技师、高级技师考评工作，评聘技师、高级技师2 083人。2 400多人参加了推销员、秘书、公关员、物业管理员、职业指导人员5个新职业的国家职业资格鉴定，江西也成为全国首批电子商务师国家职业资格考试试点省份。进一步开发、完善了 50 个职业（工种）题库，职业技能鉴定题库职业（工种）已达 268 个，基本满足了该省职业技能鉴定工作的需要。

3．职业技能竞赛与技能人才表彰工作进一步加强

2002 年，江西省举办了全省技工学校计算机操作和无线电装配技能大赛、第三届江西铁路行车主要工种技能比赛以及烹饪技能大赛和美容美发大赛，并组织选手参加国家大赛。江铃汽车集团股份有限公司模具钳工（高级技

师）袁政海获全国中华技能大奖，江西长林机械（集团）有限公司钳工（技师）王之平、江西萍乡钢铁有限责任公司转炉炼钢工（高级工）张敏获全国技术能手称号。

**七、劳动保障法制建设进一步加强，文明窗口活动深入开展**

2002年，江西省进一步加大了学习宣传劳动保障法律、法规的力度，加快劳动保障法制建设。《江西省劳动保障监察条例》已完成立项、调研、论证等项工作，《江西省劳动合同管理条例》《江西省基本养老保险条例》也已列入2003年立法工作计划建议项目。省劳动保障厅成立了政务公开领导小组，开通了政务公开触摸查询系统和劳动保障政府网站。认真清理行政审批事项，共取消行政审批事项15项，取消率为56%。同时，对市、县劳动保障部门创建“三优”文明窗口提出了具体要求，并不定期地进行检查。社会保险、劳动保障监察、劳动争议仲裁、职业介绍、信访5个文明窗口建设活动已全面开展。加强了信访接待工作，制定了《江西省劳动保障系统预防和处置群体性事件工作预案》和劳动保障厅信访工作服务承诺。厅长接待日活动受到职工群众的好评。

江西劳动保障工作虽然取得了一定的成绩，但面临的困难和问题也不少。一是两个确保基础还不巩固，社会保障资金的支撑能力不强，社会保障覆盖范围不广、扩面工作步履维艰。二是下岗失业人员、城镇新成长劳动力和农村转移劳动力仍处在增长高峰期，就业再就业压力增大。三是面对社会经济组织、就业方式的多元化，劳动保障法制建设和相关政策还不能适应新形势的要求。四是劳动保障部门的工作条件较差，影响了劳动保障工作向深层次推进。这些需要在今后的工作中加以完善和提高。

（江西省劳动和社会保障厅）

# 山 东 省

2002年，山东省劳动保障部门深入学习和实践“三个代表”重要思想，认真贯彻劳动保障部和省委、省政府的部署，团结奋斗，扎实苦干，两个确保成果得到进一步巩固，就业再就业工作力度加大，医疗保险制度改革稳步推进，社会保障体系不断完善，劳动保障各项工作都取得了新的成绩，在改革发展稳定的大局中发挥了重要作用。

## 一、就业再就业

2002年，山东省就业再就业工作取得积极进展。年末，城镇登记失业人员39.7万人，登记失业率为3.6%。劳动保障部门开办公益性职业介绍机构达826家，社会开办的中介机构达383家。全年通过劳动力市场求职登记的达到141.86万人次，其中女性68.8万人次，占求职总人数的48.5%；实现就业74.39万人次，其中女性37.3万人，占本期介绍成功总人数的50.1%。全年共有2.3万下岗职工实现了再就业，下岗职工再就业率为31%。

山东省劳服企业总数达到6 800家，从业人员41万人，创造增加值36亿元，实现利税16亿元。

2002年，山东省组织输出劳务120万人次，收入近40亿元。聊城市通过政府推动，变劳务输出为产业化经营，全年新增外出务工人员20万人，走出了一条劳务输出转移富裕劳动力带动经济发展的新路子。山东省已建立35个劳务培训基地，外出务工人员在输出前接受技能培训的比例达75%以上。

## 二、社会保险

1．企业养老保险

2002年，山东省参加企业养老保险的人数达到641.8万人，全年征缴养老保险费150.8亿元，收缴率达到97.6%。年末，企业离退休人员163.2万人，发放养老金132.3亿元。养老金社会化发放率达到100%。按照国务院有关文件精神，为符合条件的企业离退休人员调整了养老金。参照机关事业单位离休干部增加待遇的有关规定，给企业离休干部适当增加了待遇，并为3 000多名退休早、养老金偏低的薪金制退休干部每人每月增加了120元生活补贴。

2．机关事业单位养老保险

2002年，山东省有14个市已全部开展了全员养老保险工作。全省机关事业单位参保职工达195.9万人，征缴养老保险费59.8亿元，收缴率为98.4%，年末离退休人员42.1万人，全年支付离退休金58.2亿元。养老金基本上做到了按时足额发放。

3．农村养老保险

2002年，山东省重点开展了基金清理和农民投保缴费清查核对工作，摸清了参保人员的实际缴费底数。山东省形成了东部地区大部分适龄农民投保续保，中部地区以富裕乡、村为重点积极开展工作，西部地区以富裕户为突破点引导农民自愿参保的工作局面。全省参保人员1 089.9万人，收缴养老保险费1.48亿元，为30.4万农民发放养老金1.85亿元。全省农保基金累计结余38.5亿元。

4．失业保险

2002年，山东省加强扩面征缴工作，规范失业保险金申领发放办法，搞好管理和服务。全省参加失业保险人员达701.2万人，征缴收入13.8亿元，为42.8万人发放失业保险金10.18亿元，支付职业培训补贴和职业介绍补贴1.3亿元，向困难县调剂资金5 000万元，向下岗职工再就业服务中心调剂资金1.4亿元。

5．城镇职工基本医疗保险

2002年，山东省有135个县（市、区）启动实施基本医疗保险制度，缴费参保人数达625.6万人，全年征缴收入34亿元，收缴率为95.8%，支出31.2亿元，当期结余2.8亿元。全省实施基本医疗保险的地方都同步实施了职工大额费用补助办法，11个市50多个县实施了公务员医疗补助办法，16个市出台了企业补充医疗保险办法。

6．工伤、生育保险

2002年，山东省工伤保险参保人数为277.7万人，全年征缴工伤保险费1.54亿元，支出了0.9亿元，享受待遇的人员有15 291人。生育保险参保人数322.8万人，其中女职工137.9万人，全年征缴生育保险费1.8亿元，支出1.3亿元，享受待遇的人员有43 903人。

## 三、两个确保

2002年，山东省两个确保成果得到进一步巩固。下岗职工基本生活得到切实保障。年末，在中心签协议的下岗职工还有3万人，比上年减少4.5万人，全年筹集下岗职工基本生活保障金3.76亿元，进中心的下岗职工全部领取了基本生活费，并且代缴了社会保险费。

2002年，山东省统筹范围内的企业离退休人员163.2万人，比上年增加9.7万人。企业离退休人员养老金基本做到了按时足额发放。

## 四、技工教育和职业培训

2002年，山东省职业教育培训工作呈现良好势头。年末，全省技工学校249所，其中高级技工学校和技术学院22所。2002年，全省技工学校共招生8.31万人，比上年增长56.12%，列全国第一；在校生16.5万人。2002年，全省技工学校毕业生49 634人，除5 810人升入高一级学校继续深造外，毕业生当年就业率为93.13%。就业去向：国有企业22 035人，集体企业7 651人，其他经济类型企业5 136人，私营个体企业3 385人，自谋职业2 389人。

2002年，全省152个技工学校成为劳动预备制培训机构，培训社会各类人员14.3万人次，其中下岗职工14 328人，失业人员11 484人，劳动预备制学员14 654人，在职职工70 483人，其他人员26 228人。52 769人获得初级职业资格证书，36 105人获得中级职业资格证书，10 588人获得高级职业资格证书。

## 五、企业工资收入分配

2002年，山东省企业工资分配宏观调控工作进一步加强。发布了企业工资指导线，指导线以2002年全省企业在岗职工平均工资9 376元为基数，基准线为9%，上线为15%，下线为4%。调整提高了企业最低工资标准，由原来的260～370元，提高到290～410元。青岛、济南、烟台、威海、潍坊、东营、泰安7市继续发布了劳动力市场价位，青岛市同时发布了人工成本信息。国有企业经营者年薪制试点工作取得新的进展，全省试点企业达到400多户。集体协商确定工资的试点企业达到926户。

2002年5月，山东省劳动和社会保障厅、省总工会、省企业联合会建立了省协调劳动关系三方会议机制，明确了三方会议领导成员和组成人员，设立了工作机构。同时，召开了省协调劳动关系第一次会议，对处理下岗职工劳动关系问题交流了意见和建议。截至年底，山东省多数市已建立了协调劳动关系三方会议制度。

## 六、劳动保障法制建设

2002年，山东省劳动保障厅完成了《山东省就业促进条例》和《山东省社会保险稽查暂行办法》的起草和送审工作。劳动保障行政复议、应诉工作质量不断提高，行政纠错机制发挥了重要作用。2002年，全省劳动保障系统共受理行政复议案件135起，行政应诉案件170起。全省复议案件维持率为70%，应诉案件胜诉率为75%。按照省政府统一部署，省厅对全省有关劳动保障的地方法规、规章和规范性文件进行了全面清理。共清理地方法规、规章和省规范性文件97件，其中废止51件；清理省厅1970年以来的规范性文件12 260件，其中废止11 600件。行政审批制度改革取得较大进展，取消或下放审批事项达67%。

2002年，山东省各级劳动仲裁机构受理劳动争议案件15 003件，其中集体争议1 391件，按期结案率为95%。案外处理劳动争议7 800件。各级劳动仲裁委员会积极指导乡镇劳动关系协调机构开展工作。全省乡镇劳动关系协调机构受理劳动争议案件1 830件，结案率为96%。

2002年，山东省劳动合同鉴证制度进一步完善，在各类企业中大力推行集体合同制度。全省各级劳动保障部门鉴证劳动合同76.4万份，审核集体合同3 832份，纠正违法和存在问题的劳动合同5.9万份。

2002年，山东省共核查用人单位83 245户次，查处违法单位27 497户，给予经济处罚1 296户。督促补办招用工手续58万份，补发无故拖欠克扣工资3 489万元，清退风险抵押金3 049万元，补缴社会保险费60 423万元，有效地遏制了违法行为的发生，维护了职工的合法权益。

## 七、社会保险基金管理与稽核

2002年，山东省社会保险基金财务管理工作进一步加强。根据《社会保险基金财务制度》和《社会保险基金会计制度》的要求，对各种基金实行统一管理，按险种分别建账，分账核算，专款专用，自求平衡。加强基金的预算管理，认真编制预算，严格执行预算，基金财务活动有明确的工作目标，收入合理，支出恰当，管理有序。按照基金财务制度的规定，实行收支两条线管理；严格执行社会保险基金在国有企业银行存储的规定，清理违规基金账户；各账户基金按规定划拨，按规定存储，按程序运作，确保了各项社会保险基金安全完整。

2002年，山东省把社会保险稽核作为一项经常性、长期性工作，与社会保险基金的征缴和支付工作结合进行，全省各险种共核查6.5万个单位，核查参保职工人数1 268万人，查出少报、漏报社会保险费2.1亿元。全省还查出527人虚报冒领养老金。

（山东省劳动和社会保障厅）

# 青　岛　市

2002年，在青岛市市委、市政府领导下，经过各级劳动保障部门的共同努力，青岛市劳动保障工作取得了显著成绩，为全市改革发展稳定大局做出了积极贡献。市劳动保障局被国家劳动和社会保障部记集体一等功。

## 一、城镇就业工作成绩显著

2002年，青岛市累计登记失业人员140 485人（上年结转62 859人，本期新增77 626人），新增失业人员较上年增长5.5%，其中，期末登记失业率为3.8%，较上年同期下降0.1个百分点；通过各种渠道实现就业68 950人，较上年增长25.9%。市内4区新增失业48 104人，实现就业48 534人，自1997年以来首次出现了实现就业人数大于新增失业人数的良好局面。

1．就业结构进一步优化，非公有制经济和第三产业成为吸纳就业的主要渠道

2002年，青岛市个体私营、股份制、外资等非公有制经济吸纳就业53 697人，占全部就业人数的78%。第三产业吸纳就业52 323人，占全部就业人数的75.89%。“两个75%以上”标志着青岛市就业结构发生了重大变化。

2．就业形式进一步搞活，非正规就业和自谋职业成为重要的就业形式

2002年，青岛市兴办各类非正规就业组织344个。全年通过非正规就业、非全日制就业、自谋职业和自主创业22 795人，占实现就业总量的33.1%。

3．岗位开发力度进一步加大，弱势群体就业难问题得到初步缓解

2002年，青岛市财政预算安排了3 980万元的促进就业资金用于鼓励岗位开发和扶持弱势群体就业。全市各类政策扶持性就业岗位13 383个，其中公益性岗位6 250个，安置弱势群体11 603人，有求职要求的安置率达72.7%，支付各类促进就业补贴1 307万元。启动了边劳动、边培训、边择业的“过渡性就业工程”，共开发交通协管员、城管协管员等4 700多个过渡性就业岗位。

4．就业服务网络进一步健全，就业服务不断改进

2002年，青岛市内4区47个街道全部建立劳动保障服务中心。全力打造“真情相助”的就业服务品牌，开展了“进百家门、知百家情、解百家难、暖百家心”的就业服务“四百”活动，通过一对一搞家访、讲政策、送岗位，全市共走访困难群体2.84万人，入户率达到97.8%。

## 二、下岗职工出中心工作进展顺利

2002年初，青岛市共结转中心内下岗职工22 423人。通过政策引导，全年共有20 563名下岗职工平稳出中心，其中协议期满出中心10 670人，提前出中心9 893人。年末，中心内待安置下岗职工1 860人，平稳度过了下岗职工出中心的高峰期。

在下岗职工出中心工作中，青岛市采取了以下措施：一是加大“两家抬”力度，下岗职工基本生活得到有效保障。2002年，全市筹集发放下岗职工生活保障费24 785万元。其

中财政、劳动保障部门负担20 628万元，占83.2%；企业负担4 157万元，占16.8%。中心内下岗职工基本生活费发放率、社会保险费缴纳率均为100%。二是落实“保老、扶中、推青”政策，分类帮助下岗职工出中心。2002年出中心的20 563名下岗职工中，办理中心退养安置2 973人，协保安置11 247人。三是积极推进45号文件试点，加大出中心费用筹措力度。已经试点操作的企业22户，已拍卖土地17宗462亩，拍卖收益5.3亿元，其中已拨付用于职工安置9 537万元，分流安置职工11 050人。

### 三、社会保险制度改革取得较大进展

1．企业养老保险扩面征缴力度进一步加大，企业离退休人员养老金得到按时足额发放

2002年末，青岛市参加基本养老保险的企业15 383户，参保人员839 124人（其中新增参保人员135 718人）；全年新增离退休、退职人员24 062人，年末离退休人员达到323 133人，离退休人数占在职职工人数的38.51%。全市实际征缴养老保险基金277 733万元，其中征缴当期基金222 247万元，基金收缴率达96.7%。全年3次为企业退休人员增加养老金，参加养老保险统筹的企业离退休人员月人均养老金650元，比上年同期增加89元，增幅为15.86%。养老金社会化发放率达100%。缴费基数、扩面人数、净增人数、基金增幅四项指标在全省均名列第一。

2．医疗保险运行平稳，较好地保障了城镇职工的基本医疗

2002年，青岛市内4区参保单位11 278个，参保在职职工558 546人，参保退休人员286 767人；离休人员、二等乙级伤残军人12 038人，一、二类保健干部6 415人，公务员69 120人。市内4区基本医疗保险基金征缴收入67 872万元，基金收缴率达94.61%；记入个人账户35 924万元，统筹金支付30 026万元，结余1 922万元。

3．失业保险实现广覆盖

2002年，青岛市参加失业保险的企业13 344个，参保人数581 033人；机关事业单位3 931个，参保人数149 092人。全年征收失业保险基金28 597万元，支出28 154万元，其中失业保险金21 513万元，医疗补助金923万元，职业培训补贴1 736万元，职业介绍补贴198万元，农民合同制一次性生活补助335万元，调剂再就业服务中心支出3 354万元。

4．工伤、生育保险得到长足发展

2002年，青岛市工伤保险参保人数592 950人，收缴基金3 398万元，收缴率为92.47%；支付工伤待遇2 201万元，年度基金结余1 197万元。全市生育保险参保人数592 950人，收缴基金4 895万元，收缴率为92.44%。全年支付生育待遇3 451万元，涉及生育女职工9 192人，年度基金结余1 444万元。

5．机关事业单位养老保险制度改革稳步推进

2002年，青岛市机关事业单位养老保险参保单位3 649个，参保职工120 402人。全市统筹范围内离退休、退职人员27 063人，离退休人数占在职职工人数的22.48%。养老金足额发放率达100%，社会化发放率为80%（其中市内4区为100%）。全市实际征缴养老保险基金56 417万元，其中征缴当期基金52 983万元，基金收缴率达98%；养老保险基金实际支出52 003万元，收支结余4 414万元。参加养老统筹的离退休人员月人均养老金1 523元，比上年同期增加178元。

6．农村社会养老保险制度逐步实施

2002年，青岛市农村社会养老保险参保单位（村）5 837个，参保人数515 638人，保险基金滚存积累29 326万元。其中：全年新投保续保人数259 483人，收缴保费1 771万元，较上年减少90万元，领取养老金人数8 470人，退保、转移人数15 836人，养老金支出1 396万元。

7．劳动保障信息网络建设取得较大进展

2002年，青岛市投资5 000万元，初步建成了集管理、服务、决策为一体的劳动保障信

息网络，对130万职工发放了劳动和社会保障卡，与各定点医疗机构、定点药店实行了联网，实现了医疗费的网上确认和网上结算。

8．清理企业欠薪欠费工作取得阶段性成果

2002年，青岛市对2001年6月底以前的8.8亿元欠薪欠费，通过现金清欠、土地储备变现、有效资产抵顶（押）和法院查封保全等措施，清理欠薪欠费涉及标的8亿元，占全部欠薪欠费的90.94%。

## 四、劳动保障执法工作成果突出

1．劳动争议仲裁工作

2002年，青岛市两级劳动仲裁机构共受理劳动争议案件2 933件，涉及劳动者9 915人；审理结案2 673件，结案率达95.1%。其中受理集体争议152件，涉及劳动者5 829人。共为劳动者追回经济损失3 312.8万元，其中追回劳动报酬905.6万元，社会保险待遇1 601.8万元，违约金、赔偿金805.4万元；为用人单位挽回经济损失892.9万元。

2．劳动保障监察工作

2002年，青岛市两级劳动保障监察机构共检查用人单位8 405户，涉及职工88万人；受理群众举报7 306件，举报专查立案3 953件，结案3 483件。对违法用人单位下达《劳动监察责令改正通知书》2 329份，依法作出行政处理决定79件，作出行政处罚决定135件，罚款金额109万元，强制执行案件48件；补办用工手续11.6万人，补签劳动合同11.9万人，取缔非法职业中介机构207个，为26 648名劳动者追发工资待遇2 362万元，清退风险抵押金162万元，督促4.91万人参加了社会保险，督促缴纳社会保险费11 548万元。

3．劳动保障立法工作

2002年，青岛市出台了全省第一部劳动争议处理地方法规《青岛市劳动争议处理条例》；出台了《青岛市事业单位职工社会基本养老保险暂行办法》，将养老保险扩大到全部事业单位；出台了《青岛市城镇职工生育保险办法》，将生育保险实施范围由原企业扩大到全部机关、事业单位、民办非企业单位、社会团体及其职工。

（青岛市劳动和社会保障局）

# 河　南　省

2002年，河南省各级劳动保障部门按照党中央、国务院和省委、省政府关于扩大就业、促进再就业、巩固两个确保和进一步加强社会保障体系建设的要求，努力工作，狠抓落实，各项工作取得了新的成绩。

## 一、国有企业下岗职工基本生活得到保障，再就业工作取得显著成效

2002年，河南省共筹集下岗职工基本生活保障资金9.54亿元，其中财政安排5.29亿元（中央财政补助4.77亿元），占55.45%；社会筹集2.3亿元，占24.11%；企业自筹1.95亿元，占20.44%。全年共发放下岗职工基本生活费6.07亿元，代缴社会保险费3.25亿元，进中心下岗职工全部足额领取生活费并代缴社会保险费。截至年底，全省实有国有企业下岗职工24.97万人，其中24.78万人在中心，占99.24%。

2002年9月28日，河南省委、省政府召开全省再就业工作会议，全面安排部署了全省再就业工作。会后各地普遍成立再就业工作专门机构，明确目标管理和“一把手”负责制，强化督促检查，形成了“一级抓一级，层层抓落实”的工作局面。工作中着重抓好下岗失业人员调查摸底、配套文件制定、再就业政策及业务培训、推进社区平台建设、强化再就业服务等工作，广开就业门路，积极扩大就业：一方面，着重在开辟就业门路，创造就业岗位上加大工作力度。一是继续深化国有企业改革，通过企业发展“消化一批”；二是加快发展第三产业，“吸纳一批”；三是积极鼓励和支持非公有制经济发展，“安置一批”；四是政府出面开发公益性就业岗位，“援助一批”；五是进一步规范劳务输出，组织下岗失业人员异地就业，“送走一批”。2002年，全省出中心下岗职工21.25万人，实现再就业20.07万人，再就业率为44.56%。另一方面，进一步加强了就业服务工作。一是街道社区劳动保障平台建设取得积极进展。全省323个街道中，已有203个建立劳动保障机构，配备人员756人；全省2 125个社区中，已有1 299个建立劳动保障工作机构，配备人员1 740人。二是再就业培训工作稳步推进。全省共培训下岗失业人员32万人，其中省直属企业下岗职工0.8万人。

## 二、企业离退休人员养老金按时足额发放，养老保险政策进一步完善

1．养老金按时足额发放

2002年，河南省共为149万名企业离退休人员发放养老金98.17亿元，足额发放率达100%，并在6月底前实现了养老金社会化发放率100%的工作目标。同时，除煤炭行业外，全省4万名企业离休人员和1万多名建国前参加革命工作的老工人从10月1日起增加了养老金，两次为企业退休人员调整增加了养老金，从5月1日起提高了企业部分离休干部自雇费和护理费标准。

2．养老保险扩面征缴工作取得新成效

截至2002年底，河南省新增参保职工12.26万人，全省参保职工达到520.33万人；全年应征养老保险费79.38亿元，实征81.69亿元（其中清理企业欠费7.5亿元），比上年

增收 15.22 亿元，综合征缴率达 102.9%，同比增加 4.4 个百分点。

3．省级统筹调剂制度运行良好

2002 年，河南省 18 个省辖市直均能按规定足额上解省级调剂金，全年共上解调剂金 1.7 亿元。按照省级统筹调剂原则，省按月向 7 个困难市直接拨付调剂金，全年共拨付8 026 万元。有 14 个省辖市建立了辖区范围内的调剂金制度，向困难县（市、区）拨付调剂金。

4．养老保险政策进一步规范完善

2002 年，河南省完善了转制科研机构养老保险政策，制定了扩大省直统筹基本养老保险覆盖范围若干问题的处理意见，保证了行业单位扩面征缴工作的顺利开展，并从 8 月 1 日起，在同一统筹区域内实行了各类城镇企业统一费率。同时，认真做好各项审批工作。全年共审批职工退休 10.06 万人，到企业帮助规范管理确认特殊工种 500 余人；审批 8 家破产企业提前退休1 559人；审批享受特殊贡献待遇 102 人。

5．省直统筹单位基本养老保险管理工作进一步完善

截至 2002 年底，河南省直统筹单位参保职工 92.7 万人，离退休人员 32.9 万人，全年实征养老保险费 29.4 亿元，同比增收 4.7 亿元，发放养老金 29.95 亿元，且全部实行社会化发放，并将行业单位所属各类非国有企业的 1.1 万名在职职工和6 200名退休人员纳入省直统筹管理。

**三、失业保险工作迈上新台阶，保障能力进一步提高**

1．完善失业保险制度

2002 年，河南省认真宣传贯彻《河南省失业保险条例》，制定印发了失业保险异地转移、破产企业职工重新就业后再次失业享受失业保险问题等一系列政策文件，完善了全省统一的失业保险制度。

2．失业保险扩面工作稳步推进

2002 年，河南省在相继接收 22.5 万失业人员和参保职工相对减少的情况下，扩面工作稳中有进，年底参保职工达到 670.6 万人，其中各类企业参保职工 504.7 万人，占 75.3%；事业单位参保职工 162.6 万人，占 24.2%。

3．基金征缴进一步加强，保障能力明显提高

2002 年，河南省通过采取目标责任制、加强稽核、加大执法力度，将基金征缴列入各级政府工作考核目标等措施，基金收入明显增加，全年基金收入总额 7.7 亿元，完成全年基金收入计划 6.8 亿元的 113.2%，全省累计结余基金 16.1 亿元。

河南省失业保险工作的稳步推进，失业保险作用的充分发挥，确保了失业保险金及有关待遇的按时足额发放。2002 年，河南省享受失业保险人员 22.5 万人次，年底尚有 16.9 万人，人月均领取失业金 178 元。全年全省基金支出总额 6.01 亿元，其中失业保险金支出 3.07 亿元，医疗补助支出 0.29 亿元，不仅保证了失业人员失业金的支付，还保证了医疗补助金及其他待遇的落实。向“中心”调剂资金 2.19 亿元，发挥了“一金两用”作用。支出职业培训、职业介绍补助 0.36 亿元，先后帮助 4.2 万名失业人员实现了再就业。切实搞好“三条保障线”衔接，全省下岗职工出中心转入失业保险 2.8 万人。

**四、医疗保险制度改革继续深化，工伤保险和生育保险工作取得新进展**

1．医疗保险

截至 2002 年底，河南省医疗保险参保人数达到 537.3 万人，其中在职职工 422.2 万人，退休人员 115.1 万人，同比增加 81 万人。全年全省基本医疗保险费收入 22.5 亿元，支出 15.7 亿元，基金累计结余 13.1 亿元。省直和全省 18 个省辖市全部出台了大额医疗费补充保险办法和门诊重症慢性病管理办法，省直和鹤壁等 16 个市出台了企业补充医疗保险办法，省直和郑州市等 14 个市出台了公务员医疗补助办法，部分市、县建立了困难群体医疗

互助保险办法、城镇个体私营企业人员医疗保险办法。全省医疗保险服务水平有了新的提高，全省确定定点医疗机构1 362家，定点零售药店 323 家，全省医疗保险专业管理人员2 500多人，参保单位和定点医疗机构、药店配备专兼职人员4 000多人，许多经办机构建立健全了内部管理制度，并向社会公布了服务承诺，改善了服务态度。

2．工伤保险

2002 年，河南省已有 17 个省辖市、80 多个县（市、区）建立了工伤保险制度，比上年增加 28 个县，参保人数 218.79 万人，当年征缴工伤保险费6 919.9万元，支出4 709万元，基金累计结余 1.43 亿元，享受工伤保险待遇人数6 890人。

3．生育保险

2002 年，河南省已有 15 个省辖市、71 个县（市）开展了生育保险，参保人数 204.5 万人，征缴基金4 689.4万元，支出3 100万元，累计结余4 407.35万元，享受生育保险待遇的女职工13 629人。

另外，河南省劳动鉴定组织网络基本健全，全省 18 个省辖市和省直均成立了劳动鉴定委员会，明确了目标责任，全年进行因病、因伤提前退休职工劳动能力鉴定 1 万余人，工伤伤残等级评定2 000多人。

## 五、劳动力市场建设步伐明显加快，就业工作取得新成绩

1．劳动力市场建设步伐加快

2002 年，河南省安阳、平顶山、驻马店、新乡、许昌 5 市新的劳动力市场开业运行，郑州、洛阳、安阳、许昌、新乡、开封被列为“三化”建设试点城市，郑州、开封、安阳 3 市劳动力市场得到了世行贷款支持，郑州、洛阳、安阳、开封建起完备的劳动力市场职业供求状况分析和预测制度，市场在劳动力资源配置中的基础性作用进一步发挥。截至年底，全省共有职介机构1 180个，工作人员4 278人，全年登记招聘 60.7 万人，登记求职 81.3 万人次，介绍成功 42.5 万人次。认真做好劳动力市场清理整顿和职介机构年度审验工作，全年清理整顿涉及职介机构1 300多家，查处非法职介机构 275 家，停业或限期整顿 201 家。

2．农村劳动力开发就业和流动就业有了新进展

2002 年，河南省连续外出转移半年以上的农村劳动力达1 160万人，劳务收入达 400 多亿元，劳务输出规模不断扩大。郾城、宜阳、郏县、舞钢、商丘、邓州、林州、滑县等农村劳动力开发试点单位的工作取得新进展，初步建立了一体化的劳动力市场。

3．积极推进劳服企业改革

2002 年，河南省完成了省劳企协换届工作，开展了全省劳服企业质量管理小组活动，获全国劳服企业质量管理小组优秀成果一等奖 5 名、三等奖 8 名。截至年底，全省共有劳服企业5 876家，从业人员 27.5 万人，年生产经营总值 77.6 亿元，固定资产总值 53.3 亿元，年创利税 8.8 亿元。2002 年，新办劳服企业 211 家，新安置 2.4 万人，其中下岗职工 1.7 万人。

4．认真做好外国人和台港澳人员来豫就业服务工作

2002 年，河南省共接待外国人就业政策咨询 298 人次，办理外国人就业证 58 份，台港澳人员就业证 24 份，外国人和台港澳人员就业证延期 67 份。

全省就业局势基本稳定，城镇登记失业率为 2.9%，较好地完成了城镇失业率控制在 4%以内的目标。

## 六、劳动保障法制建设进一步加强，劳动关系和谐稳定

1．深入开展劳动保障法制宣传教育

2002 年，河南省组织了全省劳动保障知识竞赛，参加了全国劳动保障知识竞赛。完成了《劳动保障监察条例》的立法调研、送审、修改工作，并经省九届人大常务会第 31 次会议审议通过。认真做好行政复议、行政应诉工

作，全年处理行政复议案件 114 件，行政应诉案件 1 件。

2. 认真开展劳动保障监察执法活动

2002 年，河南省共检查各类用人单位 24 923户，涉及劳动者 149 万人，接受群众举报投诉1 704件，立案1 628件，结案1 566件，结案率达 96%。通过上述工作，促缴社会保险费 1.58 亿元，涉及劳动者近 50 万人。督促用人单位签订劳动合同 16 万份，为63 666名劳动者追发工资待遇2 922万元，参与处理突发事件 139 起，清退童工 466 人，清退风险抵押金 85 万元。开展了农民工工资支付专项检查、民工权益保护专项检查、禁止使用童工专项检查、养老保险费征缴稽核大检查、职业资格证书专项治理检查等活动，大检查涉及单位 1 万余户，为劳动者追讨工资1 006万元，取缔非法职介机构 139 户，清退童工 314 人，罚款 16 万元。积极协助国务院调查组处理河南省民工在河北省高碑店市白沟镇打工苯中毒事件，为民工争取经济补偿金 136 万元。

3. 及时处理劳动争议

2002 年，河南省共处理劳动争议26 901件，其中由各级仲裁委立案受理的5 025件。在受理的案件中，集体争议 380 件，比上年增长 32.4%；涉及劳动者18 987人，比上年增长 0.8%；全年共结案4 964件，占受理案件的 91%；为当事人挽回经济损失10 043.62万元，较上年增长 0.9%。全省共审查鉴证各类合同 26.1 万份，纠正违法无效合同7 610份，督促用人单位与劳动者补签劳动合同1 800份，制止企业招用童工 82 人，国有企业新招职工劳动合同鉴证率达 100%，有效地预防和减少了劳动争议的发生。进一步完善了突发事件报告制度和信访工作制度，全省共接待来访 198 529人次，较上年上升 23%，其中 5 人以上来访1 631批。来访中反映工资问题的占 15%，养老保险占 37%，医疗待遇占 10%，劳动关系占 13%，法规咨询占 24%。处理群众来信3 553封，依法维护了上访群众的正当权益，保持了社会稳定。

## 七、劳动合同管理进一步完善，企业工资收入分配制度改革继续深入

1. 进一步加强和规范了劳动合同管理工作

2002 年，河南省共有 1.6 万户国有企业建立了劳动合同管理台账，占国有企业总数的 94.3%。全年督促企业新签劳动合同 25 万份，续订 25.9 万份，终止 10.3 万份，解除 7.4 万份，变更 8.8 万份。截至年末，全省已签订劳动合同的国有、集体企业职工达 396.5 万人，占应签劳动合同职工总数的 97.1%；私营企业 81 万人、乡镇企业 36.6 万人、个体工商户 31.2 万人，分别占应签人数的 89.2%、83.7%、66.9%。

2. 加快推行集体合同制度，建立劳动关系三方协调机制

至 2002 年末，河南省累计签订集体合同 1.6 万份，覆盖职工 371 万人。全年劳动保障部门共审核集体合同2 773份，涉及职工 108.4 万人。

3. 指导各地分类处理下岗职工及改制企业职工的劳动关系

截至 2002 年底，河南省国有企业下岗职工出中心理顺劳动关系 13.3 万人，其中终止解除劳动合同 5.26 万人，协议保留社会保险关系 5.12 万人，回原企业 7.44 万人。继续贯彻《工资集体协商试行办法》，指导各市在非国有企业和改制企业中大力推行和试行工资集体协商制度。截至年底，全省开展工资集体协商的企业已达1 900户，其中已签订工资协议并经劳动和社会保障部门审查的1 855户。

4. 进一步深化企业工资收入分配制度改革

2002 年，河南省继续推行以岗位工资为主的基本工资制度改革，截至年底，全省实行以岗位工资为主的基本工资制度的企业达到 1 167户，占全部企业的 17.3%；涉及职工 108.9 万人，占全部职工的 37.6%。劳动保障部门会同有关部门继续进行了国有企业经营者

年薪制试点，对上年实行经营者年薪制试点的企业进行了考核，并为经营者兑现了年薪，最高年薪5.78万元，最低年薪7 053元。同时对当年实行年薪制的企业进行了审核，截至年底，全省实行经营者年薪制的试点企业150户。劳动保障部门会同有关部门继续实行了企业工资的宏观调控，对实行工效挂钩的企业进行了审核和核定，截至年底，全省实行工效挂钩办法的企业1 403户。在郑州、洛阳、开封、安阳、南阳、新乡、焦作、平顶山、驻马店市开展了劳动力市场工资指导价位制度试点；全省有5个城市发布了部分通用职业（工种）的工资指导价位，工资指导价位数据达到5 000个。部分城市还发布了人工成本信息数据，指导国有企业建立人工成本预警体系，促使企业加强人工成本的管理与控制。

另外，河南省劳动保障厅妥善解决转业干部家属安置，全年共安置转业干部家属333人，占应安置任务的98%；会同省民政厅等部门共同下达了退伍军人安置计划，安置退伍军人22 687人。

## 八、技工学校改革进一步深化，职业技能开发继续加强

1．继续深化技工学校改革

2002年，河南省对连续3年未招生的28所技工学校提出了整改要求，认定了9所技师学院（职业技术培训学院）。取消了全省技工学校招生指导性计划，鼓励技工学校积极开设复合型专业，取消招收学员的年龄、身份、区域限制，扩大培养高级工的招生比例，全年全省共录取新生3.76万人，比原计划增加9 000人，超额完成年计划的29%，保持了技工学校招生数量的持续增长。为疏通技校毕业生的就业渠道，将22所技工学校定为省劳动力市场人才开发培训基地，据统计，2002年技校毕业人员2.26万人，已有1.78万人得到安置，当年就业率达到78.6%。向劳动和社会保障部推荐4所国家级重点技工学校、5所高级技工学校，均得到劳动和社会保障部批准。认真组织了技工学校系列教师高级专业技术职务任职资格评审工作，全省技工学校申报121名，评审通过78人，通过率为64%。积极开展多层次、多形式的培训。全年共培训各类人员99 588人，其中，实施劳动预备制度培训2 814人次，培训下岗失业人员26 107人次，培训企业在职职工62 920人次，其他人员7 747人次。

2．职业技能培训与鉴定工作得到加强

2002年，河南省共有17.4万人参加职业技能鉴定，15.6万人取得职业资格证书。认真组织全省开展“五个职业”资格培训与鉴定专项治理工作，全省检查单位25 690家，涉及人员92 140人，通过治理，美容、美发、按摩、中式烹调及汽车修理“五个职业”从业人员的持证率明显提高。职业技能鉴定基础工作进一步加强，截至年底，全省职业技能鉴定机构达348家，经培训考核，全年共批准国家职业技能鉴定考评员383人，全省考评队伍达4 930人。对实行全国统考的秘书、推销员、公关员、物业管理员等职业开展了技能鉴定，参加鉴定11 137人，合格7 499人，合格率为67.3%。进一步加强对技能性的社会力量办学机构的管理工作，全年全省1 036所社会力量办学机构共培训社会各类人员21.2万人，结业19.3万人。积极搞好职业技能竞赛和技术能手评选表彰，向劳动保障部推荐了1名中华技能大奖、5名全国技术能手候选人，最终有2人获得全国技术能手称号。此外，进一步完善技师考评办法，引导技师考评逐步向社会化管理过渡，全年共有300人晋升为高级技师，3 665人晋升为技师。积极开展职业培训教研教改优秀论文评选工作，其中2篇获全国二等奖、4篇获全国三等奖。

## 九、社会保险基金监督管理工作进一步规范，规划财务统计工作有了新发展

1．认真做好社保基金清理回收纠正工作

截至2002年底，河南省已回收纠正社保基金17 498万元，其中1998年4月以后发生的

回收纠正8 067万元，焦作、漯河等7市已全部完成了清理回收工作任务。

2．积极做好基金监督机构的组建工作

2002年，河南省各级劳动保障部门抓住机构改革的机遇，有16个市专门设立了基金监督管理机构，绝大部分市已配备了专职人员，全省16个市、70个县（市、区）开设了监督举报电话和信箱。

3．规划财务、统计工作有了新发展

2002年，河南省科学编制了2002年及2003年劳动保障事业发展计划。世行贷款“职业培训和劳动力市场建设”项目顺利实施，完成了河南省各项社会保险基金2001年度决算和2002年度预算的汇总审核与分析工作。加强完善了机构建设，成立规划财务处，与基金监督处合署办公。

## 十、全省机关事业单位养老保险制度改革步伐稳中有进

截至2002年底，河南省14个省辖市、112个县（市、区）开展了试点工作，全省机关事业单位参加养老保险的人数达88.6万人，与上年同期相比增加了5.75万人。其中：在职人员76.15万人，与上年同期相比增加了4.33万人；离退休人员12.45万人，与上年同期相比增加了1.42万人。全省应征养老保险基金138 415万元，当期实征基金132 191万元，当期基金征缴率为95%，清欠8 200万元，综合征缴率达101%，超额完成了征缴率90%的年度目标任务。全年应拨付养老金121 680万元，实拨付养老金121 680万元，拨付率达100%，完成了发放率100%的年度目标任务。养老金社会化发放人数达到42 840人，洛阳、驻马店、许昌、焦作、商丘等市的社会化发放率超过70%，部分市县已经达到100%。养老保险基金滚存积累14.19亿元，与上年同期相比增加了2.67亿元，增长率为23.3%。

## 十一、自身建设迈上了新台阶

2002年，河南省劳动保障厅注意抓好机关党建工作，提高党组织的战斗力和凝聚力。组织干部职工深入学习江泽民同志“七一”讲话和“5·31”讲话精神，先后两次组织召开专题辅导、形势报告会，提高了干部职工的思想政治素质。积极开展科普宣传活动，3次组织干部职工参观“崇尚科学、反对邪教”展览。扎扎实实抓好精神文明创建工作，点、线、面都有了新的进展，全省已有56%的窗口部位达到“三优”标准，80%以上的市、县（区）劳动保障部门获得“文明单位”称号。十六大召开期间，及时组织全体职工收看开幕式及“十六大专题”，购买十六大文献千余册，组织大家观看录像辅导，采取厅大集中、单位小集中、个人精读等形式认真学习十六大精神。

2002年，河南省的行风建设取得明显进步。召开了全省劳动保障系统党风廉政建设工作会议，部署了党风廉政建设和精神文明建设、行风建设工作任务。制定了《2002年度党风廉政建设责任目标》，并对目标进行分解细化，做到了分工明确、责任具体。工作中把政务公开作为加强行风建设的一项重要任务来抓，截至年底，全省176个市、县（市、区）劳动保障部门，实行政务公开的已达169个，建立各类政务公开大厅180个（其中市级35个，县级145个），普遍采取多种形式多方位、多角度公开办事内容、程序、职责、政策，一些市还实行了优质服务承诺制、限期办结制、首问负责制和工作人员挂牌上岗、服务质量监督岗等制度，不少市把行政审批事项放到政务公开大厅去办，实行“一站式”服务，在政务公开的深度、广度上取得了明显进步。

（河南省劳动和社会保障厅）

# 湖 北 省

## 一、两个确保

2002年，湖北省共筹集国有企业下岗职工基本生活保障资金14.7亿元，确保了国有企业下岗职工基本生活费和企业离退休人员基本养老金按时足额发放。为44.17万名国有企业下岗职工发放基本生活费和代缴社会保险费14.19亿元；企业再就业服务中心新增下岗职工2.61万人，减少下岗职工10.43万人。出中心的下岗职工中，7.81万人与原企业解除了劳动关系，有5.68万人实现了再就业。年底，全省国有企业下岗职工人数为46.7万人，其中，在中心签协议的人数为33.74万人，占下岗职工总数的72%。为部分特困企业协议到期但未与企业解除劳动关系的8.67万名下岗职工发放了生活补助费。

为全省147.23万名企业离退休人员发放基本养老金96.66亿元，确保了国有企业下岗职工基本生活费和企业离退休人员基本养老金按时足额发放，社会化发放率达到100%。

## 二、培训就业

1．就业再就业

为缓解目前再就业压力大的形势，促进再就业，2002年4月，湖北省委、省政府提出，对下岗职工、失业人员从事个体经营实行“三年零税费”政策。6月，省政府出台了《关于对下岗失业人员从事个体经济实行优惠政策的通知》，对从事个体经营的下岗失业人员实行税后补贴制度，并免收111项行政事业性收费。10月，《中共中央国务院关于进一步做好下岗失业人员再就业工作的通知》下发后（中发〔2002〕12号），省劳动保障厅对文件规定的“四类人员”（国有企业的下岗职工、国有企业的失业人员、国有企业关闭破产需要安置的失业人员、享受最低生活保障且失业一年以上的城镇其他失业人员），特别是“4050”人员（女40岁、男50岁以上的下岗失业人员）的基本情况进行了摸底调查，对各项补贴资金进行了认真测算；代省委、省政府起草了《中共湖北省委、湖北省人民政府关于进一步做好下岗失业人员再就业工作若干问题的决定》，并联合其他部门起草制定相关配套政策。积极引导各地把发展经济、调整产业结构同扩大就业紧密结合起来，通过大力发展社区服务业、坚持实行主辅分离、大力发展民营经济、引导发展城郊农业、扩大劳务输出、积极开发公益性就业岗位等6条途径，拓宽就业渠道，取得了显著成效，为全国提供了经验，中办专期刊发了湖北省的做法，国办也介绍了湖北省的经验。全年全省共介绍安置62万名城镇失业人员、下岗职工就业再就业，城镇登记失业率控制在4.3%。组织107万农村剩余劳动力实现开发就业，其中组织劳务输出15.5万人。组织就业和再就业培训82.48万人，其中就业前培训11.64万人，再就业培训29.24万人，农村劳动力开发就业培训41.6万人。

2．劳动力市场建设

2002年，湖北省职业介绍机构达到776所，其中公共职业介绍机构115所，劳动力市场总面积已达6万多平方米，42个县以上公共职业介绍机构基本建成局域网，12个国家级试点城市初步建成市、区、县相连的广域网，88.7%的县以上地方劳动力市场基本达到“三化”标准。全省各公共职业介绍机构积极为求职人员提供以求职登记、失业登记、职业介绍、职业培训、职业指导、政策咨询、招聘录用、劳务输出、社会保险、劳动保障事务代理等“一条龙”“一站式”的全方位服务，全年共办理求职登记75.95万人次，介绍就业44万人次，介绍成功率达58%。

3．职业培训

2002年，湖北省政府召开了全省职业教育工作会议，出台了《关于大力推进职业教育改革与发展的决定》。全省加快技工教育改革步伐，劳动保障部门大力推行劳动预备制度、职业资格证书制度和就业准入制度，积极开展扩大技校招生规模，不断提高广大劳动者的就业能力、工作能力和职业转换能力。全年共培训各类人员120万人，技校招收新生4.1万人，毕业生“双证”合格率达90%以上，就业安置率达85%以上。

2002年，湖北省组织职业技能鉴定17.7万人，15.6万人获得职业资格证书，其中初级2.8万人，中级10.21万人，高级2.32万人，技师1 652人，高级技师340人。5月，举办了全省首届按摩师技能大赛；11月8日，湖北省职业技能鉴定指导中心网站（www.hbosta.org.cn）正式开通，提供了有关职业技能鉴定政策法规、职业资格证书查询、最新鉴定动态，填补了湖北省职业技能鉴定网站的空白。

## 三、社会保险

1．养老保险

2002年，湖北省各级劳动保障部门联合地税部门，开展社会保险扩面征缴攻坚战，进一步扩大养老保险覆盖范围，加强缴费基数稽核，提高征缴率，增加基金支撑能力，并积极推进离退休人员社会化管理服务。全年扩面新增60.6万人，接续关系45万人，截至年底，企业参保人数达481.55万人，实行社会化管理服务的退休人员达到90.52万人，占离退休人员总数的61.61%。全面清理统筹项目和计发标准，统一企业费率，严格退休审批，推行提前退休审批公示制。全省大部分地方企业费率达到20%，个人费率达到6%。根据中央和劳动保障部、财政部文件精神，制定下发了《关于2001年调整我省企业退休人员基本养老金的通知》《关于从2001年10月1日起增加我省企业离休人员基本养老金的通知》和《关于2002年调整我省企业退休人员基本养老金的通知》，调整了湖北省企业退休人员基本养老金，全省企业离退休人员基本养老金月均达553元，比上年增加63元。

2．失业保险

2002年，湖北省政府出台了《湖北省失业保险实施办法》，对失业保险的覆盖范围、待遇标准、基金筹集、缴费比例、统筹层次等方面作出新的规定。全省各级劳动保障部门开展了失业保险扩面普查，在全省执行5项社会保险费“一个基数申报、一个机构审核、一条龙服务”的新机制，跑、冒、滴、漏现象得到有效遏制。全省参加失业保险人数为416万人，其中扩面新增34.2万人。全年领取失业保险金人数为33.7万人，支出失业保险基金7.4亿元，按时足额为失业人员发放了失业保险金。

3．医疗保险

湖北省17个市本级和86个县（市、区）统筹方案全部启动实施，参加医疗保险的人数达338.1万人，其中，机关40.2万人，事业单位95.9万人，企业202万人。2002年，全省征收基本医疗保险费14.45亿元（含职工、退休人员一次性缴费），支出8.1亿元，统筹基金累计结余6.4亿元，基本做到了基金收支平衡，略有结余。针对当前医疗保险反映出来的突出问题，制定并下发了《转发劳动和社会保障部〈关于妥善解决医疗保险制度改革有关问题的指导意见〉的通知》，对改制、改组、关闭、破产企业职工、困难企业职工、灵活就业人员的医疗保险作了规定。省劳动保障厅与财政厅联合制定并下发了企业补充医疗保险办法。目前全省已有16个地区建立了大额医疗费用补助制度，11个地区建立了公务员医疗补助制度，16个地区制定了慢性病管理办法，13个地区建立了离休人员医药费统筹机制，13个地区出台了困难、改制企业参保办法，参保职工近8万人，部分地区正在试行企业补充医疗保险办法和个体从业人员、灵活就业人员参保办法。

4．工伤保险

2002年，湖北省有15个市、州实行了工伤保险费用统筹。工伤保险参保人数达183.2万人，享受工伤保险待遇的人数达2万多人。逐步完善工伤保险差别费率和浮动费率的管理办法，认真执行《企业职工工伤保险试行办法》规定的工伤保险待遇项目、享受条件和支付标准，以保障工伤职工和家属的基本治疗和基本生活需要。

5．生育保险

2002年，湖北省有14个市、州建立了女职工生育保险制度。生育保险参保人数达182.7万人，当年享受生育保险的人数5 000多人。统一生育保险统筹项目，对还没有将产前检查、计划生育费用、生育津贴纳入生育保险范围的地方，按照有关规定抓紧落实和完善有关改革，以保证女职工生育期间的基本生活和基本医疗保健需要，确保待遇落实。

6．机关事业单位社会保险

2002年9月，按照省委、省政府的统一要求，湖北省各级机关事业单位社会保险经办机构全部由人事部门移交到劳动保障部门管理。各级劳动保障部门围绕“规范管理、完善政策、积极开拓、稳步发展”的工作思路，突出重点，强化措施，规范管理，推进机关事业单位社会保险工作。全省机关事业单位各类参保职工51.2万人，离退休人员7.26万人。养老保险费申报率达99%，核定准确率达100%。征收养老保险费8.9亿元，发放养老保险金7.07亿元，发放率达100%，养老保险基金累计结存21.3亿元。

7．社会保险基金结算

2002年，湖北省各级劳动保障部门普遍成立了社会保险基金结算机构。5月，省政府出台了《湖北省社会保险费征缴管理若干问题的具体规定》，规范了征缴程序，明确了部门职责；8月，省劳动和社会保障厅、财政厅、地税局联合下发了《关于进一步加强社会保险扩面和社会保险费征缴工作的通知》，组织开展社会保险扩面征缴攻坚战；初步建立了社会保险登记信息库；各地普遍设立了社会保险服务大厅，开设了个人缴费申报核定窗口。

8．社会保险基金监督管理

2002年，湖北省17个市、州普遍成立了社会保险基金监督机构，认真贯彻落实劳动保障部等7部委《关于加强社会保障基金监督的通知》，出台了基金监督举报实施细则，对挤占挪用和其他违纪违规基金进行了清理，回收资金1.4亿元，回收率达70%以上，有效地防止了新的挤占挪用违纪违规动用社保基金的现象。进一步完善了社会保险基金监管制度，建立了社会保险定期通报制度和奖励机制；将监管工作关口前移，由事后监管向事前监督转化，由现场监督向非现场监督转化，加强社会保险基金内部审计检查，建立社会保险基金违纪违规惩处办法，确保社会保险基金安全完整。

### 四、企业工资改革

2002年，湖北省425户企业实行年薪制，省级年薪制试点企业达16户，年薪制办法逐步规范。2 003户企业初步建立了以岗位工资为主的基本工资制度，比上年增加410户。394户非公有制企业建立了工资集体协商制度，比上年增长98%。8户企业进行科技人员工资分配制度和持股激励制度改革省级试点。649户企业实行了生产要素参与收益分配制度，并由最初单一的职工入股，逐步向技术、管理、资本入股，劳动分红，职工内部持股等多种形式发展。16个市、州发布了2002年劳动力市场指导价位。其中，发布100个职位（工种）以上的城市有9个，黄石市还根据技术等级发布了岗位价位；

宜昌、鄂州、荆门、武汉市建立了欠薪预警制度。在全省开展了3次工资支付大检查工作，责令补发拖欠工资8 818万元。

### 五、劳动关系

1．劳动关系协调和管理

2002年，湖北省成立了劳动保障维稳工作专门机构，制定了群体性事件处置预案，建立了重大事件报告制度和重点监控制度，进行了不稳定因素排查，做到了不稳定因素底数清、情况明。全省加强对改组改制企业分流职工的安置工作。全省改组改制企业达13 491户，涉及职工193.05万人，分别比上年增长38%、40%。其中，解除（终止）劳动关系71.62万人，实行内退14.73万人，提前退休2.51万人，实现再就业56.99万人。共审核集体合同7 980份。出台了《湖北省劳动关系三方协商会议制度》，省级三方劳动关系协商会议制度正式建立，武汉、孝感、黄石、荆州、鄂州等地相继建立了该项制度。全省加大了对劳动合同规范的管理，到年底，全省签订劳动合同的职工达371.06万人，其中，城镇国有、集体企业劳动合同签订率达99%，“三资”企业、个体、私营企业劳动合同签订率达到62%。

2．劳动争议处理

2002年，湖北省劳动保障厅制定了《湖北省劳动争议仲裁案件评查暂行办法》。全年共受理劳动争议案件5 927件，涉及劳动者19 322人。其中集体劳动争议508件，涉及劳动者13 526人。年内已审理结案5 767件，当年结案率为97%，用人单位胜诉的占14.51%，劳动者胜诉的占47.95%，双方部分胜诉的占37.54%。

### 六、立法与监察

1．劳动保障立法

2002年，湖北省人大颁布了《湖北省集体合同条例》；省政府颁布了《湖北省社会保险费征缴管理办法》《湖北省关于社会保险工作若干事项的规定》《湖北省社会保险基金收支管理暂行办法》和《湖北省失业保险实施办法》4个政府规章。省劳动保障厅完成了《湖北省劳动监察条例》和《湖北省劳动合同规定》的起草送审工作，立法工作在数量和质量上取得了新突破。继续对规范性文件进行清理，公布废止了1978年以来的59件厅发规范性文件。

2．劳动保障监察

2002年，湖北省劳动保障年检用人单位57 814户，组织开展了打击非法用工、社会保险扩面征缴、技术工种持证上岗、工资支付情况、民工权益保护等专项检查。主动监察各类用人单位48 113户（次），查处违法单位4 260户（次），受理群众举报案件4 311件，其中立案查处2 895件，结案率达97.7%。通过执法监察，共追缴社会保险费16 196万元，涉及职工57.58万人；为6.41万名职工追发工资3 815万元；督促用人单位与39.42万名职工补签了劳动合同；补办流动就业证、卡18 950个；纠正违规职业资格和职业培训规定单位948户；为2.34万名职工清退风险抵押金404.32万元；督促查处侵犯民工权益案件2 009件；取缔非法职业中介机构241户；审查用人单位内部劳动管理制度4.34万项，其中纠正用人单位违法管理制度3 400项；清退童工321名。在“两节”期间的“清欠工资行动”中，全省共检查各类用人单位8 876户，涉及职工22.6万人，责令补发工资1 830万元，其中补发农民工工资1 161万元，行政处罚罚款9.93万元，维护了劳动者的合法权益。

（湖北省劳动和社会保障厅）

# 湖　南　省

2002年，湖南劳动和社会保障工作在国家劳动保障部的正确指导下，在省委、省政府的高度重视和有关部门的大力支持下，坚持以“三个代表”重要思想和党的十六大精神为指导，紧紧围绕改革发展稳定主线，全力巩固两个确保，完善社会保障体系建设，努力保持就业局势稳定，全面推进劳动保障各项工作，目前劳动保障工作体系正在完善，政策逐步配套，基础日渐巩固，为促进经济结构调整、深化国有企业改革、维护社会政治稳定作出了积极努力。

## 一、两个确保目标实现

2002年，湖南省统筹内企业离退休人员123.49万人，比2001年底增加6.82万人。全年共征收基本养老保险费55.33亿元，清欠4.87亿元，同时积极调整财政支出结构，加大对养老保险基金的投入，努力争取中央财政对湖南省的补助。当期发放基本养老金73.16亿元，并补发历史拖欠7 692万元，补拨2001年企业退休人员调整待遇资金2.27亿元，确保了养老金按时足额发放。

至2002年底，全省国有企业下岗职工为39.49万人，比2001年减少14.4%，其中进入再就业服务中心签订基本生活保障和再就业协议的有38.89万人。全年筹集国有企业下岗职工基本生活保障资金18.42亿元，其中企业自筹4.17亿元，财政安排10.6亿元，社会筹集3.65亿元。使用基本生活保障资金18.42亿元，其中发放下岗职工基本生活费12.89亿元，代缴社会保险费5.53亿元。确保了在中心、签协议的下岗职工的基本生活。

## 二、社会就业稳步扩大

2002年，湖南省认真贯彻落实全国、全省再就业工作会议精神，就业和再就业工作取得显著成效。

1．就业政策基本配套

根据全国、全省再就业工作会议精神及中央和国家部委文件，2002年，湖南省进一步完善扶持再就业的各项政策措施，拟订出台了一系列配套政策文件，基本形成了具有湖南特色的积极就业政策体系。

2．就业规模不断扩大

2002年，湖南省从业人员总量达3 643.71万人，比2001年增加43.42万人，其中城镇从业人员808.42万人。新增城镇就业41万人，其中下岗失业人员再就业32万人。城镇登记失业率控制在4%。农村劳动力转移就业规模继续扩大，全省转移就业人员655万人，比2001年增加77万人，务工收入达到400亿元，务工人员年人均收入6 085元。社区就业取得新进展，兴办社区就业实体2 239个，新开发社区就业岗位14万个，通过社区新安置下岗失业人员12.2万人。

3．就业结构明显改善

2002年，湖南省第一产业从业人员1 996.75万人，比2001年减少66.22万人，占从业人员总量的54.8%，下降2.5个百分点；第二产业从业人员918.94万人，增加54.87万人，占25.2%，上升1.2个百分点；第三产业从业人员728.02万人，增加54.77万人，占

20%，上升1.3个百分点。开始扭转多年来“第一产业就业比重居高不下，第二、三产业就业比重徘徊不前”的被动局面。

4．公共就业服务体系更趋完善

2002年，湖南省358个街道办事处已全部建立劳动保障服务站，配备专兼职工作人员1 600多人。劳动力市场建设取得重大进展，10个市州进入全国“三化”建设试点城市，长株潭劳动力市场一体化建设开始启动。进入各级劳动力市场招聘的用人单位10.42万家次，提供岗位64.27万个；进场求职登记人数88.21万人，介绍成功29.39万人，其中下岗失业人员25.42万人，介绍成功率为33.3%。再就业援助行动取得初步成效，帮助一批“4050”人员实现了再就业。

## 三、社会保障体系日趋完善

各项社会保障制度日渐完善，社会保障体系框架基本形成。

1．养老保险制度

2002年，湖南省企业职工养老保险取得新进展。截至年底，参加企业养老保险单位21 073户，参保职工313.18万人，实际缴费人数253.93万人。基本养老保险费征缴率达96.3%，比2001年提高1.9个百分点。在全面实现基本养老金社会化发放的基础上，发放形式更加规范，企业退休人员社会化管理服务工作逐步推开。统一了全省企业和职工个人缴纳基本养老保险费的比例，完善了新形势下职工基本养老保险关系接续、转移政策，建立了基本养老保险业务代理制度、企业职工退休审批“两公示”制度及特殊工种登记制度。对企业离退休人员基本养老金待遇进行了调整，在实际操作中注意了向低收入水平群体倾斜。

2002年，湖南省机关事业单位养老保险制度改革运行平稳。11个市州本级和110个县市区已全面启动，参保人数达145.59万人，比2001年增加4.8万人。领取养老金的机关事业单位离退休人员34.25万人。征收养老保险费31.43亿元，支付养老金28.09亿元，基本保证了按时足额发放。

2．失业保险制度

2002年，湖南省出台了失业保险金申领发放办法、失业保险调剂金管理暂行办法等制度。失业保险以事业单位为扩面重点，覆盖面进一步扩大，参保单位23 806个，参保人数326.61万人，其中事业单位参保人数112.61万人。失业保险基金收入5.07亿元，支出3.32亿元，其中用于保障14.13万名失业人员的基本生活费支出1.8亿元，用于职业培训和职业介绍补贴支出0.33亿元，调剂再就业服务中心1.19亿元。有6.09万名失业人员参加了职业培训。

3．医疗保险制度

2002年，湖南省144个统筹单位已全部启动了基本医疗保险，实现了全覆盖。参加基本医疗保险职工达398.13万人，参保率为68%。基本医疗保险统筹基金收入8.5亿元，支出7.3亿元；个人账户基金收入9.4亿元，支出5.3亿元；大病互助费收入1.59亿元，支出1.07亿元。实现了资金收支平衡、略有结余的目标，单位负担明显减轻，基本保障了参保人员的基本医疗需求。调整了公务员医疗保险补助标准，进一步减轻了个人负担。

## 四、工资分配与劳动关系管理逐步规范

1．企业工资分配制度改革逐步深化

2002年，湖南省制定发布了2002年全省工资增长指导线，调整了全省最低工资标准，加强了对企业工资内外收入监督检查工作。劳动力市场工资指导价位制度建设工作取得突破性成果，全省14个市州都发布了年度指导价位。国有企业经营者年薪制试点工作进一步改进，试行企业达100户，其中省直达20户。全省职工工资水平不断提高，城镇职工工资总额458.53亿元，比2001年增长12.5%。

2．企业用工行为进一步规范，劳动合同管理办法不断完善

2002年，湖南省18.92万户企业中，签订劳动合同的职工人数558.73万人，占职工总

人数的 88.6%，其中，国有及国有控股企业职工劳动合同签订率达到 99.2%。签订集体合同9 751份，通过审查备案9 428份。为加强劳动合同管理，全省有 14.38 万户企业建立了劳动合同统计制度，占企业总数的 76%。有 13.25 万户企业建立了劳动合同管理台账，占 70%；8 263户企业对劳动合同实行了微机管理；852 户企业建立了预警预报机制。

## 五、维护稳定工作和劳动争议处理扎实有效

2002 年，湖南省坚持和完善紧急重大情况报告和隐患动态监控制度，对 435 家重点企业和 14 个两个确保重点监控县、区实施了有效的动态监控。切实做好矛盾纠纷的排查调处和重点时段的维护稳定工作，确保了十六大期间的社会稳定。人民来信来访得到妥善处理。全年接待群众来访 10.75 万人次，比 2001 年增长 30.7%；处理人民来信 6.39 万封，增长 20.1%；其中省厅直接接待上访群众6 813人次，处理人民来信2 738封，涉及 35 万余人。

2002 年，湖南省劳动争议仲裁工作不断加强，办案质量和结案率明显提高。全省各级劳动争议仲裁机构共立案受理劳动争议案件3 216件，立案率达到 100%，已办理结案3 215件，结案率为 97.2%；其中，省劳动争议仲裁委员会立案处理149 件，已依法处理 141 件，结案率为 94.6%。

## 六、职业培训和技能鉴定快速发展

2002 年，湖南省已经形成了包括技工学校、企业培训中心、社会力量举办的培训机构、劳动保障部门举办的培训机构在内的全省职业培训体系。技工学校调整初见成效，注销了 36 所办学条件差、竞争能力弱或已改变办学性质的技校，新增了 5 所高级技校，技校总数由 167 所调整到 133 所。技校招生 4.11 万人，比 2001 年增长 26.5%，毕业生就业率为 95%。社会力量培训继续发展，全省社会力量培训机构 545 个，比 2001 年增加 12 个，在职教职工达5 479 人。各地就业训练中心、劳动预备制定点培训机构共组织培训城乡劳动力 25.8 万人，其中培训下岗失业人员 12 万人，培训劳动预备制人员 11.62 万人。

2002 年，湖南省职业技能鉴定范围进一步扩大，鉴定质量有所提高，全年有 23.59 万人参加了职业技能鉴定，20.33 万人取得了职业资格证书。其中，有20 626人取得高级职业资格证书，2 128人取得技师资格证书，54 人取得高级技师资格证书，取得高级技能以上职业资格证书的人数占取证总人数的 11.2%，比 2001 年增加 2 个百分点。

## 七、依法行政进展明显

2002 年，湖南省劳动保障厅联合省高院出台了申请人民法院强制征缴社会保险费的措施，强化了社会保险征缴的法律手段。行政审批制度改革不断深化。省劳动保障厅直接负责的行政审批事项由原来的 90 多个减少为现在拟保留的 19 个。按照 WTO 的法制统一原则，对涉及劳动保障的政策、法规进行了认真清理，提出废止或宣布失效的地方法规 1 部，政府规章 5 部，政府政策措施文件 5 件；清理省劳动保障厅 1980 年至 2001 年发布的规范性文件 500 多件，宣布失效、废止 282 件。

2002 年，湖南省专项执法检查工作得到加强。开展了规范劳动用工行为，加强劳动合同管理，贯彻实施《妇女权益保障法》和维护农民工权益等 3 次大规模的专项执法行动，出动执法人员1 000多人次，检查单位4 098家，清退押金 10.2 万元，补签劳动合同2 135份，责令用人单位支付经济补偿金 3.2 万元，催缴社会保险费 400 万元，追回农民工工资2 871.6 万元。劳动保障监察案件处理成效显著，全年主动监察各类用人单位 2 万多户，涉及劳动者 100 万人。立案查处劳动违法案件6 790件，结案率为 95%。结案查处群众举报案件6 451件，取缔非法职业中介机构 74 家，清退童工 37 人，纠正违反职业资格和职业培训规定的单位 25 家。

## 八、其他各项工作全面推进

1．社会保险基金监督组织和制度建设不断完善

2002年，湖南省14个市州均设立了社会保险基金监督科，8个市成立了社会保障监督委员会。严肃查处基金违规违纪案件，收回被挤占挪用基金7 708.7万元，纠正其他违纪基金1 197.84万元。对省本级和8个市17个县的企业职工养老保险基金收支情况、中央和地方财政专项补助资金管理使用情况进行了专项审计。

2．关闭破产企业职工分流安置工作取得新进展

2002年，湖南省明确了破产企业职工安置方案审核程序，规范了企业经济性裁减人员工作。认真做好实施关闭破产企业的职工安置方案审核和社会保险资金的清算工作，及时疏导破产过程中可能因劳动保障问题引发的各类矛盾，推动了企业关闭破产工作的平稳实施。

3．劳动保障统计信息工作不断推进

2002年，湖南省出台了劳动保障系统基础统计数据会审办法、综合统计报表制度，开展了3次大规模的城镇职工就业和社会保障状况抽样调查。“金保工程”正式启动，并列入了全省“十五”规划的5大信息工程之一，实现了省本级与京广沿线6市及常德、永州两市的养老保险信息系统联网，医疗、失业等社会保险和劳动力市场信息网络、职业技能鉴定考务管理系统、职业资格证书查询系统已基本建成并投入使用。

4．劳动保障宣传工作取得良好效果

2002年，湖南省广泛、深入地开展了以《领导干部社会保障知识读本》和《新时期劳动和社会保障重要文献选编》两本书为主题的劳动保障宣传活动。重点宣传了各地贯彻落实全国、全省再就业会议精神，扩大就业促进再就业的经验、做法，在各大新闻媒体集中报道了一批下岗职工成功创业的典型。结合全国劳动保障系统表彰大会，突出宣传了湖南省劳动保障系统近两年来涌现出的一批先进单位和先进个人，为劳动保障工作营造了良好的舆论氛围。

（湖南省劳动和社会保障厅）

# 广　东　省

2002年，广东省各级劳动保障部门紧紧围绕完善社会保障体系和市场导向的就业机制这两大任务，坚决落实两个确保，继续推进社会保险扩面征缴，全面组织实施医疗保险制度改革，大力推动下岗职工出中心，积极促进就业和再就业，各项工作都取得了明显进展，实现了“十五”计划的良好开局。

## 一、就业和再就业工作成绩显著

劳动力市场建设步伐加快。广东省劳动力市场管理服务信息系统软件开发基本完成，并在江门、湛江、惠州、肇庆等16个地级市投入使用。各地级市和部分县区建立了公益性职业介绍机构，17个地级市建立了劳动力供求信息局域网，广州、汕头、湛江、阳江等14个市实现与省远程联网，汕头市开通了劳动力市场“网上一条街”。各地认真组织检查，落实再就业优惠政策，积极开展再就业援助行动，将失业人员纳入优惠政策享受范围。汕头、肇庆、东莞等地实行了“再就业优惠卡”制度。广州、深圳、汕头、佛山、惠州、湛江、茂名等市制定具体政策，发展多种就业形式，推进社区就业工作，扩大就业门路。组织实施第二期“三年百万”（三年培训一百万下岗失业人员）再就业培训计划，加强职业培训和创业培训。就业服务进一步发展，劳务扶贫、省际劳务协作、春运期间组织民工有序流动等工作受到省委、省政府和劳动保障部表彰。全省就业局势基本稳定，全年失业人员实现就业累计达71.55万人，比上年增长21.73%；年底全省城镇登记失业率为3.1%，实现了年初省政府确定的3%左右的目标。

## 二、两个确保工作进一步得到落实

各地根据国家和省的有关规定，继续按照“三三制”原则筹措下岗职工基本生活保障资金，切实保障按时足额发放下岗职工基本生活费和缴纳社会保险费。全省共发放国有企业下岗职工基本生活保障资金10 983.8万元，其中基本生活保障费7 224.2万元，代缴社会保险费3 759.6万元。

在确保下岗职工基本生活的同时，积极推动下岗职工基本生活保障向失业保险并轨工作，各地通过深入调查研究，采取积极措施，因地制宜，多渠道、多形式筹措下岗职工解除劳动关系的经济补偿资金，认真做好理顺下岗职工劳动关系工作。同时，各级财政通过调整财政支出结构，对亏损、停产或半停产企业下岗职工解除劳动关系给予补助，省级财政通过转移支付对15个困难地区补助了3.86亿元，作为当地困难企业与职工解除劳动关系的补助资金。到年底，广东省共与4万多名下岗职工解除了劳动关系，年底仍在再就业中心的国有企业下岗职工为0.35万人。

## 三、养老保险扩面征缴有所增长

到2002年底，广东省参加社会养老保险的人数为1 082.95万人，比上年增长25.24%。全省离退休人员186.44万人，比上年增长6.21%。2002年，全省企业人均养老金达655元，增幅为16.55%，离退休人员的基本生活水平得到提高。

## 四、失业保险为下岗职工和失业人员提供了有效保障

广东省九届人大常委会第35次会议于2002年7月25日审议通过《广东省失业保险条例》，自当年10月1日起施行。全省贯彻实施条例，依法扩面征缴，按规定发放失业保险待遇，保障国企下岗职工和失业人员基本生活，促进再就业，切实发挥失业保险作用，国企下岗职工基本生活保障向失业保险并轨工作进展顺利。到2002年末，全省参加失业保险人数为890.20万人，比上年增加70.69万人，增长8.63%；征缴失业保险费18.31亿元，比上年增加2.47亿元，增长15.59%；失业保险待遇支出11.76亿元，比上年增加1.63亿元，增长16.09%，其中调剂国有企业下岗职工基本生活保障资金0.46亿元。2002年，全省领取失业保险金人数为41.56万人，比上年增加10.29万人，增长32.90%，其中当年新增领取人数为21.84万人，比上年增加3.91万人，增长21.80%。

## 五、医疗保险得到初步完善

到2002年底，广东省所有的地级以上市全部实施了基本医疗保险制度，70个县级统筹地区启动了医疗保险；深圳、珠海、东莞、中山、佛山、肇庆、汕尾、湛江、云浮、河源、惠州11个市实现了市、县、区全面启动。全省参保人数717.74万人，有13个市的覆盖人数超过了10万人，其中广州、深圳、东莞市超过100万人；已从制度上覆盖了所有用人单位，形成了正常的保障机制。

各地落实了对退休人员和困难职工参加医疗保险的措施，基本实现了失业保险的医疗待遇与基本医疗保险接轨，退休人员过渡性基本医疗保险金的筹集办法更加规范。

全省共有定点医疗机构1 040家，定点零售药店300多家。各定点医疗机构均设置了配合医保的管理机构、人员和相应的设备及服务窗口。基本医疗保险制度运行良好。各地医疗保险统筹基金在保障基本医疗待遇的前提下，实现了收支平衡，个人账户已有了一定的积累，医疗保险制度总体运行平稳，为基本医疗保险的深入发展和逐步提高保障水平奠定了基础。

## 六、工伤保险发展顺利

截至2002年底，参保人数达1 049.9万人。比上年底增加68.5万人。参与省属劣势企业退出市场的清算和审核煤炭系统职工工伤待遇的工作。

## 七、生育保险发展稳定

各地在组织实施基本医疗保险的同时，开展生育保险工作，继续扩大生育保险覆盖面。截至2002年底，全省生育保险参保人数达258.67万人。

## 八、职业技能开发和鉴定取得新的突破

技校调整工作取得阶段性成果。广东省政府下发《中等职业教育布局结构调整的实施意见》，进一步明确了技校管理体制，各地抓紧制定改革调整方案并开始启动，省劳动和社会保障厅直接接管了省属6所行（企）业管理的技校。通过改革调整，技校办学层次提高，招生人数增加，2002年招生达到8.2万人，突破历史最高水平。技校招生改革、师资队伍管理和教学研究等方面也取得较大进展。各类职业技能培训取得新的发展，共培训100万人，比上年增长25%；全省参加劳动预备培训人数达6万多人，与上年持平；广州、深圳、茂名、佛山等市采取措施，积极建设综合性职业教育培训基地。职业资格证书制度和职业技能鉴定工作有了新的提高，全年参加鉴定人数达68万人，获证56万人，分别比上年增长10.6%和7.7%；在省重点以上技工学校实施“双证”（毕业证、职业资格证）直通车制度。经过协调，理顺了机关事业单位工人技术等级岗位考核工作的管理职能。积极推进智力扶贫工作，省委、省政府已发文明确每年资助

5 000名贫困家庭子女入读技校。配合国家西部大开发战略，完成了西部职业培训管理人员的培训工作。

### 九、企业职工工资分配有所增长

2002年，广东省结合国有企业改革，积极探索与现代企业制度相适应的工资制度，建立企业工资收入分配的宏观调控体系。全省工资水平稳定上升，全省在岗职工（包括机关、事业单位和企业）工资总额为1 306.32亿元，比上年增长14%，增幅比上年上升了3.6个百分点；在岗职工年平均工资17 814元，增长13.6%，企业在岗职工年平均工资为15 801元，增长12.6%。工资的宏观调控指导体系初步形成，建立和完善了企业工资指导线和劳动力市场工资指导价位制度，至2002年底，深圳、广州、汕头、湛江等14个地级市建立了部分工种（岗位）的劳动力市场工资指导价位制度，江门、阳江等17个市制定并颁布了工资指导线，初步建立了工资的间接调控手段，形成了与社会主义市场经济相适应的企业工资分配框架。

根据我国加入WTO的形势发展和市场经济的要求，部分地区积极开展工资集体协商工作试点，据统计，至2002年底，广东省已有18个地级以上市开展了工资集体协商工作，签订工资集体协议2 002份，覆盖企业6 510家，涉及职工292 937人。继珠海市出台《珠海市企业工资支付条例》后，广东省和深圳市都起草了《企业工资支付条例》，并多次进行了论证，争取尽快出台，以规范企业的工资支付行为，维护劳动者的合法权益。

### 十、劳动关系调整工作得到加强

2002年，广东省大力推行劳动合同制，推进非公有制企业、个体工商户、乡镇企业和金融企业签订劳动合同工作，全年全省签订劳动合同的职工1 057.32万人，合同签订率为88.6%，比上年同期提高了3个百分点。全省积极稳妥推进集体协商和签订集体合同工作，继续完善集体合同机制，取得了显著的成效。据统计，2002年，广东省新签集体合同企业17 757家，其中国有、集体企业1 761家，外商投资企业4 626家，私营企业11 370家。至2002年底，全省共有57 838家企业签订了集体合同，累计覆盖职工433.3万人。探索建立了村、镇区域性集体合同和行业性集体合同，取得较好的成效。到2002年底，全省签订区域性集体合同3 373份，覆盖企业28 831家，涉及职工133.1万人，签订行业性集体合同198份，覆盖企业4 228家，涉及职工20.49万人。

配合国有企业改革，做好理顺国有企业下岗职工的劳动关系工作，并加强劣势退出企业职工安置工作，加强管理和指导，全年省属劣势企业共176户退出市场，安置职工2.88万人，财政拨付3.03亿元安置费用，有效地保障了国有企业改革顺利推进。

### 十一、劳动保障法制建设取得新进展

劳动保障立法取得新进展。《广东省失业保险条例》已由省人大颁布实施，《广东省社会保险基金监管条例》《广东省生育保险规定》《广东省社会工伤保险条例（修订）》等法规、规章草案已报送省政府。受理劳动保障行政复议案件40件，审结38件，结案率达95%。全面、认真地履行法规、规章的清理工作。对39个法规规章提出了清理意见，其中对12个法规、规章提出废止意见，对15个法规、规章提出保留意见，对12个法规、规章提出修改意见，为加入WTO后开拓劳动保障行政执法工作的新局面，创造了有利条件。

### 十二、维护劳动者合法权益取得新成果

2002年，广东省开展了劳动合同、非法职介机构和禁止使用童工的专项检查，维护劳动力市场秩序。责令用人单位补办流动人员就业证共35万人，取缔非法职业介绍机构588户。开展劳动保障法律监督检查活动，全省共检查了10.84万户用人单位，涉及劳动者869万人。查处劳动保障违法案件50 807件，督促

补签劳动合同146万人。督促用人单位缴纳社会保险费1.6万户。全省成立联合检查组6个，检查各类用人单位156家，涉及职工7.17万人。加大举报投诉案件的查处力度。各级劳动保障部门认真做好劳动保障信访工作，积极排查不稳定因素。2002年，全省接受群众举报45 640件，群众举报专查立案21 004件，结案20 633件，结案率为98%。全面实行劳动年审工作，参加劳动年审的用人单位已达14万户。

省劳动和社会保障厅信访部门被评为全省信访工作先进单位。深圳市劳动局劳动监察大队、广州市白云区劳动局劳动监察科、南海市劳动局劳动监察科被评为“全国劳动和社会保障系统优秀‘青少年维权岗’”。

**十三、劳动保障计划统计工作适应了发展需要**

根据《广东省劳动保障事业发展“十五”计划》，制定和落实“十五”事业发展计划的政策措施，着手建立全省劳动保障信息系统、公益性职业介绍机构等一批重点建设项目。制定了《广东省劳动保障事业发展计划检查评估办法》，建立了宏观监测台账，把失业率、下岗职工再就业率和参保率等重要指标纳入监测范围，加强对“十五”计划组织实施情况的监督检查。加大统计工作力度，发挥统计的信息、咨询、监督等项职能，做好两个确保、扩面征缴和就业培训等统计工作，针对当期劳动保障重点、热点问题，积极运用抽样调查、重点调查等方法，开展了“城镇劳动力就业和社会保障状况”和“国有企业下岗职工分类情况”抽样调查，为领导决策提供了及时、准确的数据依据。

（广东省劳动和社会保障厅）

# 深圳市

## 一、劳动工作

2002年，深圳市认真贯彻落实全国和省劳动保障工作会议精神，深化改革，强化管理，全面完成了年度各项工作任务。就业局势稳定，城镇居民登记失业率为2.45%，低于全国和全省平均水平；职业技能培训116.5万人次，技能鉴定4.77万人次，分别比上年增长22%和15%；引进技能人才4 900多人。企业工资水平增长率调控在10%以内。劳动关系总体和谐稳定，签订劳动合同320万份，集体合同3 372份，受理劳动信访51 173件，监察企业20 907家；受理劳动争议申诉13 628件，立案9 496件，案外调解4 132件，结案率为93.1%。各项任务的完成，不仅为2003年工作奠定了良好的基础，同时也积累了一些新的经验。

1. 加强社会劳动力综合管理，落实就业和再就业政策，搞活劳动力市场，促进劳动力充分就业

(1) 积极做好就业和再就业工作。2002年，深圳市认真贯彻全国再就业工作会议精神，组织精干队伍，深入调查研究，采取一系列措施，促进劳动就业和再就业工作，基本完成了各项预定工作目标：全市城镇登记失业率控制在2.45%；为用人单位提供招聘服务近2万家次，登记招聘岗位20.21万个，为求职者提供职业介绍服务约27.6万人次，介绍成功6.36万人，委托推荐成功率达20%；开展人力资源代理服务7 000多人次；为失业人员开展公共培训11 280多人次，免费技能培训1 194人次；全年新招收员工2 485人。

2002年，深圳市劳动局在深入调查研究的基础上，召开了促进再就业工作会议，制定了优惠政策，进一步整合政府资源，调整就业管理服务机构，加强就业工作力量。在抽样调查的基础上，形成了居民就业和再就业有关情况的专题报告，制定了《深圳经济特区促进居民就业的若干意见》和《深圳经济特区居民按比例就业实施办法》。2002年，深圳市成立了由相关职能部门组成的居民就业工作委员会，定期召开联席会议，解决再就业工作中遇到的问题，形成了“市委市政府领导，劳动部门主管，各部门协调，社会参与”的再就业工作格局，建立起最低工资制度、失业救济金制度和最低生活保障制度三个层次的社会保障线。在资金筹备方面，动员政府、社会和企业各方面力量，确保再就业资金足额到位，确保下岗职工基本生活费100%发放，养老、医疗、保险金100%缴纳。同时，加强了再就业培训，提高失业人员职业技能和竞争能力，确定了17家培训能力强、信誉好的培训机构，组成再就业培训网络，开设了包括计算机、机电、维修、特种作业、服务等50多个社会需求量较大的培训专业和工种，规定每个失业人员享有两次减免学费最高可达2 000元的技能培训机会。在政策上，市政府出台了一系列鼓励企业招用失业人员的优惠政策措施，如规定批发、零售、贸易等7大行业按比例优先招用需要再就业者，对招用人数达到一定比例的用人单位给予补贴。凡招用35岁以下的失业人员，市区劳动部门都按照签订合同的时间长短，分别

给予每年1 000～2 000元的奖励。政府还鼓励10多家劳动密集型企业吸收失业人员，成为再就业基地。例如扶持金谷园实业公司开展“再就业爱心早餐工程”等。市政府还出台优惠政策，鼓励失业人员自谋职业，对从事个体、合伙和私营经济活动的，在税收、工商管理、场地、资金等方面给予一定扶持。开展社区就业服务，将居民就业和再就业工作延伸到基层，确定福田区为试点地区，大胆开展探索，开辟新的工作模式。市劳动局组织福田区劳动局、南园街道办有关人员赴广州进行考察，充分吸取成功经验，初步确定从南园街道办事处开始投入工作。同时，注意了解和通报各区动态，推动各区促进就业工作，一些街道办事处已经探索出一些较好的经验和做法。

（2）加强劳务工管理。2002年，深圳市劳动局按照国家计委、财政部有关文件精神和广东省物价局关于取消暂住人口管理费收费的规定，制定实行了新的劳务用工手续办理方式，顺利度过了第三季度的办证高峰期，全年共办理劳务工手续368万多人次。还与市交通运输部门积极联系，共同做好春运工作各项安排，提供民工团体购票、订票的服务。劳务扶贫方面也已基本完成了省布置的任务。

（3）强化招调员工管理。2002年，深圳市劳动行政部门组织了3次有50多个不同类型企业参加的招调员工政策调研会，提出了2002年市外招调员工立户的条件，调整、简化了招调员工计划下达及企业评价系统。首次将企业与招调员工的承诺引入招调员工办事程序，减少了免试审批环节，简化了免试审批的手续；用纳税证明取代了财务审计报告作为评价企业的重要指标，体现了企业对深圳贡献与其申报计划之间的正比关系，降低了高科技企业、中小企业申报的成本和办事环节，受到企业的好评。全年共受理招调员工材料6 694份，引进技能人才4 900多人，满足了企业短缺人才特别是高新技术企业技能人才的需求。

（4）积极落实政策性安置工作。2002年，市劳动局建立了部队联络员制度，做好随军家属就业前培训和职业技能培训，大力宣传随军家属安置的优惠政策，鼓励企业安置随军家属，召开了100多家企业参加的安置工作动员会议。面对随军家属安置工作难度大的矛盾，共推荐随军家属就业600多人次，平均每人推荐6次，已有107人落实并走上了工作岗位，100%完成了全年安置任务。同时，完成了煤矿、归难侨属等政策性专项指标的下达工作，完成了煤矿安置任务86名，完成率达95%。对安置任务完成好的企业在招调员工指标下达方面予以政策倾斜。

（5）抓好劳动力市场建设。2002年，深圳市大力规范劳动力市场，年初即对全市68家职业介绍机构进行了年审，新批中外合资职业介绍机构1家。继续开展从业人员培训，使从业人员持证率达97.5%。加强职介信息网业务的管理，按照市场需求，开展成批引进推荐中高级技能人才和人力资源代理等业务，市场服务日益多元化。市职介中心和鹏劳职介中心初步建立了以中高级技能人才服务和技术工人成批引进的技工交流中心架构，推出了“求职快道”“人才寻访代理”等新业务，完善“代招快聘”等专项业务，使市场服务更加多元化，更具针对性。积极筹备内地中等专业技术学校洽谈会，确保了劳务输送的渠道畅通，保证了生源的质量。充分利用互联网和电子邮箱拓展业务，在网上搜集人才资料，为用人单位、有关院校和各类人才提供信息服务。举办一系列专项活动，先后召开了“2002年深圳外企人才招聘会”“深圳中高级人才招聘群英会”等几十场集中性活动，技能人才引进人数比上年同期有了较大幅度的增长。加强了对协作员工的入职培训、岗位培训和综合业务素质的培训考核，提高了管理人员的素质。鹏劳职介中心制定了《人力资源管理手册》，用于指导人力资源管理工作。根据市场需求，市职介中心和鹏劳职介中心先后成立了人力资源派遣部门，为企业派遣员工、代理劳动事务及提供相关的服务等。全年外派员工总数共达7 300多人。

(6) 加强涉外劳动管理。2002年，深圳市纳入管理的境外人员在深圳就业人数达1万人；纳入管理的外企驻深圳代表机构1 021家，中方雇员（全职、兼职临时、托管员工）4 110人。劳务输出方面，已签约输出劳工9人。此外，办理雇员赴港通行证504本、出国护照120本，办理雇员暂住证3 100人、工作证920本，办理调干15人，接收应届毕业生120人，其中研究生占50%。对外劳动服务公司所办企业安置就业岗位100人。

(7) 加强计划统计工作。根据劳动和社会保障部的部署，深圳市劳动局上报了深圳市2002年度计划执行情况以及深圳市2003年劳动事业发展计划（草案）；编写了《深圳劳动事业发展概况（2001）》，被劳动和社会保障部确定为劳动保障规划财务工作定点单位；修改完善了市劳动系统统计管理办法、报表制度，建立企业定期调查制度，对机构调整后市区专兼职统计人员进行了培训，被劳动和社会保障部授予2001—2002年度劳动保障综合统计先进单位，被省劳动保障厅评为“劳动保障综合统计先进单位”。2002年，深圳市被选定为全国城镇劳动力抽样调查的66个城市之一，市劳动局与社保局共同组织了城镇劳动力抽样调查工作，受到了劳动和社会保障部联络员的表扬和省督查组的一致好评。在招调员工指标的投向方面，加强了宏观调控的力度，完成计划指标的99.68%。从指标投向的企业性质看，国有企业投放指标占13.4%，股份制企业、外商投资企业、民营科技企业共投放指标占总指标的63%；从年龄结构看，19岁以下的占总指标的15%，20~34岁的占总指标的70%，35岁以上的占总指标量的14%，平均年龄26.4岁；从技术职称、职业资格证书情况看，中级技术职称和中级技术等级以上的技能人才占招调工计划总量的58%；从学历结构上看，大专以上文化程度的占总量的57%，中技中专以上学历占77%；从迁出省份看，共有30个省、自治区、直辖市迁往深圳，其中广东排第一，占30%，其余前5省分别为湖南占11.3%，湖北占9%，江西占6.8%，四川占5.4%，最少的上海只有2人。

2. 加强职业技能开发，推进职业培训基地建设，整顿社会培训机构，重点抓好高技能人才培训和技能鉴定，在总量和结构上有较大突破

(1) 加强职业培训管理。2002年，深圳市积极贯彻以市场为导向，加强职业技能开发的职业培训方针。召开了职业培训工作会议，贯彻全国职教会议精神，结合起草修改《深圳经济特区职业训练条例》（草案），制定了贯彻劳动保障部《加强职业培训提高就业能力计划》的实施方案；提出深圳市职业培训事业到2005年的主要工作目标及其措施；制定贯彻劳动保障部《国家高技能人才培训工程》实施方案，组成深圳市实施国家高技能人才培训工程领导小组，确立了高技能人才培训点。加强职业培训基础建设，新批准设立技术含量较高的10家培训机构，主要开展计算机网络、手机维修、服装设计、形象设计等新技术培训；新批准设立职业技能鉴定所3家；有3家培训机构培训层次升级到高级工培训；根据不同需要设计了5种职业培训统计季报表，强化网上办公能力，提高了工作效率。认真贯彻职业培训走市场化、专业化和社会化道路，以发展企业培训为重点的工作方针，在高科技、现代物流、现代旅游、现代加工制造业等4个行业率先推进企业培训工作，作为培训的“四个轮子”。要求树立100家可培训高级工以上的典型企业，创建30家名牌培训机构，建立10家品牌鉴定所。在实施高级技能人才培训工程方面，要求培养1 000名技师，新培养300名高级技师，树立100名技术能手。技术工人占社会劳动者的比重由1999年底（市统计局组织有关部门进行全面调查，统计面最广最准确的一年）的28.9%提高到32.4%，提高了3.5个百分点；技术工人结构有所调整，高级工为7.8%，中级工为25%，初级工为67.2%，高级工和中级工分别比1999年底提高了2.7个百分点和5.1个百分点，初级工降低了7.8个

百分点，达到年培训总量提高20%的目标。社会培训机构全年培训16.5万人次，企业内部培训100万人次，分别比上年同期增长26.9%和42.8%，超额完成培训总量增长计划。完成了2002年度全市184家职业培训机构年审工作，重点抽查了33家培训机构，主要是美容、美发、厨师、按摩、汽车修理等行业的培训机构。年审结果为：合格培训机构150家，需整改的培训机构20家，撤并注销的14家。截至8月31日，全市共有184家职业培训机构，其中民办117家，占63.6%；企业（含行业协会）举办的15家，占21.7%；政府举办的12家，占6.5%；事业单位举办的15家，占8.2%。完成了深圳市职工教育和职业培训协会的筹建工作，共有37家发起单位和107家会员单位。

（2）推进职业培训基地建设。2002年，深圳市选择50个大型企业及行业作为培训实习基地，在184家社会培训机构中选择了18家机构作为品牌试点，在24家鉴定机构中选择了5家作为优秀鉴定机构试点。市训练中心已建立起以机电业、科技资讯业和餐饮服务业为主的培训工种布局，现可开展的各级各类培训工种（项目）150个。开设以远程教育为手段的学历教育作为职业教育和培训的补偿。与有关高校合作，开设大专、本科以及研究生层次的学历教育，招生达1 000人。建立了以市内行政区划为基点的培训网点，同时加强对外合作，在长沙建立培训点。

（3）加速高级技工学校建设。2002年，深圳市的高级技工学校完成了与第一、第二技工学校的三校整合调整，引进优秀教师和管理人才，完成了各个系、教研室和行政处室的人员配备，教职工总数达到340多人。其中，90%以上的教师具有本科和研究生以上学历，归国博士、高级技师、技师、教授、副教授等高级人才占1/3以上。整章建制，规范管理，形成了可持续发展的潜在动力。完成了工业培训中心组织架构的建设和培训业务的整合，按照职业培训社会化、市场化的方向，调整布局、提高层次、突出特色、服务就业。全年共开展社会培训近2 000人次，其中技师班6个，培训人数150人，占全市技师培训规模的1/2。推出了深圳市第一个技师模块化培训班，为高质量地培养技能人才探索新路。职业技能鉴定已完成电工、制冷、钳工等十余个工种的初、中、高级工和技师鉴定任务，其中理论考试7 595人次，实操考试2 423人次，加大了技能训练课的比重，增强了学生在未来市场竞争中的实力。高级技校以职业资格教育为主，培养"高学识、高技能"人才，在办学体制改革方面进行了校政合作、校校合作。与龙岗区政府合作，在龙岗区设立深高技龙岗分校，完成了1 400人的招生任务，在校生达到2 660人，其中高技班2 000人；开展技师、高级技师培训共210人；为高级技校打开了发展的空间，从首期4 000在校生规模发展到二期8 000人在校生规模。在深化教学改革方面，倡导教育产业化，继续推行学分制管理和模块化教学，分层次教学，提高了学生的专业能力、创新能力和综合素质；实施了教学督导制，保证教学质量。同时，发挥地缘优势，实现产、教、研、训一体化。在2000年开办5个专业、8个班、在校生700余人的基础上，迅速壮大，形成了以10大系为核心的23个专业，与之相关的51个专业（工种）的初、中、高级工和技师等级的技能培训，在校生规模近4 000人。为了走产业化发展的道路，与华中科技大学合作，利用对方的技术成果、人才和设备优势，开展半成品精加工的生产经营活动和激光技能人才的培训，强化本校的工业自动化、数控制造技术、精密（激光）加工技术、机电与数控技术等专业的开发和教学活动，进而将光机电学科产业化，培养现代激光产业工人，达到了低成本投入、高效率产出的目的，向产、教、研、训一体化发展。

（4）加强职业技能鉴定。2002年，深圳市劳动局工考办顺利完成3批招调工技能水平测试组织工作，共计4 568人次报考106个招调工技能水平测试工种，考试人数比上年增长了11.9%。组织了多批职业技能鉴定，全年开展了134个鉴定工种考核，鉴定总量为47 651人次，其中初级鉴定24 073人次，中级鉴定17 297人次，高级以上为5 797人次，鉴定总量增长了14.6%。鉴定结构也比上年更加合理，其中，初级鉴定量比上年同期下降了8.9%，中级鉴定量比上年增长了49%，高级以上鉴定量比上年增长了115%。加大了职业技能鉴定的开发力度。为推行国家职业资格证书制度，扩大职业技能鉴定覆盖面，成立了开发组，在建设、园林、洗衣、服务等行业企业和高校领域开展职业技能鉴定。为使鉴定工作更加规范，加快与国际接轨，开展了职业技能鉴定ISO 9001质量管理体系认证工作。完善各类鉴定基础建设工作，进一步加强考评员队伍建设，向全社会公开招聘30多个工种新考评员，共聘用了215名新考评员，使全市考评员队伍从质量和数量上都有了明显的提高。鉴定所采用随机方式选用考评员，避免了以前小范围内重复使用同一考评员而可能出现的营私舞弊等问题。同时，进一步完善试题库建设。完成了装饰美工、绿化工等10个新工种的试题库的开发工作；为适应职业技术不断发展变化，先后对电工、制冷、电梯维修、机泵运行工、燃气管道、燃气安装等14个工种的现有试题库修订增补。为适应社会分工出现细工种的考试需要，还完成了电工、制冷、电梯安装维修工等3个工种技师考核、4个公共模块和其他特有模块的考试大纲和试题库建设工作，为2003年的3个工种技师实行模块化考试打下了基础。

3．加强和完善劳动合同管理、劳动信访、劳动监察和劳动仲裁机制，规范、监督和处理劳动关系，确保劳动关系和谐稳定

（1）加强劳动合同管理。2002年，深圳市劳动行政部门大力推进劳动关系的和谐发展，劳动合同签订率达92%，劳动合同持有率达90%。取消合同鉴证工作后，下发了办理劳动用工手续文件，市、区、镇三级劳动部门建立了合同签收备案制度，从源头上规范劳动关系双方行为。据统计，全年全市企业在办理用工手续时与员工共签订劳动合同320万人次。同时，大力拓宽集体合同覆盖面，认真贯彻2001年全国集体合同工作会议精神，落实《开创我市集体协商和集体合同工作新局面的意见》和《2002年我市集体合同签订指标的通知》。调研起草了《深圳经济特区集体协商和集体合同条例》，形成第二稿。全市已签订集体合同3 372家，涉及员工538 566人，超过预期指标1 372家。全市已有2 325家企业进行工资谈判，签订了工资集体协议。其中还分别签订深圳市首家行业性、个体工商户工资协商协议，这一创新与突破，为今后深圳市的其他行业推行工资谈判打下了基础。

（2）大力加强劳动关系协调工作。2002年，深圳市以规范协调劳动关系为主线，初步构建市、区两级劳动关系整体运作模式，下发了《2002年规范协调劳动关系工作意见》，使市、区工作目标明确，任务量化，构成整体推进态势。开展多种形式的调研工作，起草了《深圳经济特区劳动关系协调办法》，经劳动、工会、企业家协会三方的努力，劳动关系三方协调委员会于8月经市政府批准成立，建立完善了劳动关系协调会议制度。加大普法宣传力度，在《中国劳动保障报》《深圳特区报》《深圳商报》《深圳法制报》等相关报刊上登载劳动合同政策法规、工资集体协商、三方协调机制、典型案例、企业经验介绍等方面内容；与企业家协会联合举办3期以劳动争议预防工作为主题的企业沙龙，完成5期、有420人参加的企业合同管理人员培训班，接待来电来访咨询共1.3万多人次，办理复信、复函35件，为广大市民提供了方便快捷的劳动法规咨询服务。完善了工时审批制度，下发了《关于不定时工作制和综合计算工时工作制审批事项的复函》，全市共审批企业实行不定时工作制与综合计算工时制532家。积极调解30人以上重大劳动争议共18件，涉及员工5 700多人，有50%得以妥善解决。

（3）认真做好劳动信访工作。2002年，

经市政府批准，成立了深圳市劳动信访办公室，为正处级行政事务机构，编制8人。制定了《深圳市劳动局信访工作办法》，初步建立起劳动信访的规范处理机制。继续健全局领导接访制度，全年局领导接访23次，妥善解决了三九集团、晶都酒店、深华集团等企业上访员工的信访疑难案件。建立信访案件分析统计制度和重大案件报告制度，改造了电话咨询投诉系统，接通率由原来的10%提高到80%左右，方便了群众的电话投诉和咨询。在市政府9月份召开的咨询投诉专线电话工作座谈会上作了经验介绍，受到市信访办的肯定。及时认真处理好群众来信、来访、来电工作，全年全市共受理来信来访51 173件，涉及59 092人，同比上升4.1%。其中：市劳动局受理群众来信（含政府在线、市长在线）1 825件，同比减少22%；受理群众来访12 801件，同比增长10.2%；受理重大劳资纠纷232件，同比持平；接听群众来电约33 880人次；全年妥善处理市信访办转来的案件104件，结案率达100%。在来信来访中，涉及纠纷类案件通过信访调解处理的有3 336件、20 016人，占此类信访案件的59%。同时，注意做好群体性属历史遗留问题上访案件的调解处理。如广东省水产深圳公司41名员工的经济补偿和生活问题上访案，深华集团116名员工要求经济补偿上访案，市装饰工程总公司53名员工要求经济补偿和安置费上访案等等。在重大信访隐患的排查方面，全市共排查出欠薪问题、深圳户籍老员工历史遗留问题较突出的企业32家，均能及时向市信访办和维稳办报告，及时化解隐患，实行重点监控，发现苗头及时化解、就地处理；加强政府有关部门和市、区劳动部门之间的联系，沟通信息，密切配合，确保及时妥善解决劳资纠纷，共同维护社会稳定。

（4）强化劳动监察工作。2002年，深圳市劳动监察部门在队伍建设、业务建设和基础建设方面取得显著成效，得到上级部门的肯定。市劳动监察大队在全国劳动和社会保障系统荣记集体一等功。进行了全方位的岗位交流和竞争上岗工作，实现了干部资源的优化组合，又实施行政过错追究办法，促进依法行政。全市共监察用人单位20 907家，涉及劳动者316.9万人；年审用人单位17 618家，涉及劳动者257万人；处理信访举报案件共4 451件，处理重大劳资纠纷案件739件。全年处罚违法企业共567家，罚款金额达510万元，劳动监察逐步实现了从以教育为主到教育、处罚相结合的职能转变，进一步规范了劳动力市场秩序。同时，大力开展专项检查，维护弱势群体的合法权益。3月份开展了非法使用童工的专项整治行动，共检查企业3 000余家，查出有非法使用童工问题的企业24家，清退童工29人。5～6月，又与市妇联联合开展了贯彻实施《妇女权益保障法》的情况检查活动，共检查用人单位3 924家，涉及员工65.65万人，其中女工36.11万人；发现涉及违反女职工特殊保护规定案件5件，清退女童工4人；为员工追回拖欠的工资3 458万元，处罚单位45家，处罚金额51.9万元。从11月开始，根据市政府统一部署，开展了为期两个月的全市用工单位工资发放情况大检查暨劳动法律法规宣传月活动。全市共检查用工单位6 726家，涉及员工101.25万人，共向用工单位发出整改指令书636份，查出欠薪用工单位366家（欠薪额与上年同比减少68%），涉及员工约6.56万人（与上年同比减少23.1%），追讨欠薪约3 532.08万元。此外，加强了对信访举报件的反馈，设计并启用了《信访举报案件（重劳案件）跟踪反馈表》，对拖扣工资、收取押金、职介诈骗等7类信访举报案件跟踪反馈及分类统计，提高了劳动监察工作的针对性和目的性，为领导决策提供了参考依据。统一了监察案件的处理规则，明确划清各职能部门的责权关系和执法过程的有关审批权限与程序。从4月份开始，推行了劳动监察案件主理监察员制度，每件案件均指定一名主理监察员，对案件的真实性和处理的合法性承担第一责任；推行了严格的法律文书使用管理制度，使法律文书统一规范，从根本上杜绝了滥用文书以权谋私等违法违纪行为的发生，规范了执法行为。

（5）大力抓好劳动争议处理。2002年，深圳市劳动仲裁机构依法及时处理劳动争议案件，有效地维护了当事人的合法权益和社会稳定。全年共立案9 496件，比上年同期增长47.55%，其中集体案件593件，比上年减少22.38%。全市劳动争议结案数8 838件，比上年增长49.32%，结案率达93%，待处理案件均在法定期限内，首次实现无积案的目标。市劳动仲裁院成立之初，有644件案件积压，仲裁院采取措施开展了积案清理，至5月底基本上把积案处理完毕。创新案件审理方式，按案件类别逐步进行专业化分工审理；建立重大疑难案件集体研讨制度；优先处理、及时化解重大劳资纠纷，全年立案处理的集体劳动争议案件涉及劳动者达27 127人，有效地缓和了当事人之间的对立情绪，维护了社会的稳定。注重发挥调解的优势，案内调解结案率达20%以上。建章立制，理顺仲裁工作流程，起草了《深圳市劳动争议仲裁程序规定》，制定了一系列内部规则，杜绝了案件处理的随意性。改革和简化仲裁文书，统一制作《劳动争议申诉登记、立案、组庭、结案、审批表》，实施专人送达仲裁文书制度。7月份，劳动保障部举办全国部分地区劳动争议处理体制改革座谈会，深圳劳动仲裁实体化改革的经验引起很大的反响。11月份，承办了全省劳动仲裁工作暨疑难案例研讨会，充分肯定了深圳仲裁改革的成果，以深圳劳动仲裁院为实体化改革的范本向全省推出。同时，组织全市劳动部门的同志实地考察了市中级人民法院和福田区法院，对各区的仲裁庭状况进行评估后，制订了《深圳市劳动仲裁庭及设施、人员配备达标方案》；强化内部管理，制定了预防岗位违纪、职务犯罪措施，跟踪追查合理化投诉，完善岗位责任制；采取业余学习和统一培训、调研考察等方式，对仲裁人员进行全面“充电”。采取不定期的专题碰头会和印发《劳动仲裁简报》、组织交流考察等方式，加强对各区的业务指导；加强与法院在业务上的联系，吸收其合理化建议，保证了裁决在适法上的公信力和执行力；从7月份开始，配合市司法和公安部门，对“暗托”进行打击，制定了《关于参加劳动仲裁活动代理人资格审查规定》，对公民代理进行庭前初审。同时，引导正规律师事务所介入劳动争议代理市场。

4．加强企业收入分配的宏观管理，规范社会收入分配秩序

（1）加强企业工资规范管理。2002年，深圳市进一步加强企业收入分配管理，规范社会收入分配秩序，调整公布了2002年度最低工资标准。特区内最低工资为595元/月，特区外最低工资460元/月；工资增长指导线，基准线为10%，预警线为16%，下限为工资零增长或负增长；工资指导价位工种284个，比上年增加57个，增幅达25%。办理企业工资总额使用手册4 200多户，比上年略有增加。根据国家劳动和社会保障部的要求，市劳动局于10月会同市财政、市审计两局联合开展了工资内外收入大检查，对部分行业、国有及国有控股企业近年贯彻“两个低于”原则、工资指导线情况、工资内外收入的列支和代扣代缴个人所得税情况等进行检查，重点检查了交通运输、电力、邮电通讯、烟草4大行业的20家企业，上报国家劳动保障部和省劳动保障厅。起草修改《深圳经济特区工资支付条例》（草案），3月召开了专家研讨会，广泛听取来自劳动保障部、省劳动保障厅、市人大、法制局以及法律界、企业界专家对《工资支付条例》（草案）的意见，经反复修改，形成了送审稿（第七稿），于5月报市法制局进入立法程序。与此同时，市劳动局与区劳动局合作，分别在福田和龙岗两区进行工资法规培训，龙岗区各劳动管理站近30名工作人员，福田区近200家企业的企业主、劳资人员经过培训，提高了执行工资法规的认识。又通过《深圳特区报》《深圳法制报》、深圳电视台、中央电视台等新闻媒体宣传《深圳经济特区最低工资条例》，使企业知晓应当如何合法地更改工资制度，员工知道如何维护自己的合法权益，指导

企业和员工进行工资集体协商活动，收到了较好的效果。

（2）做好欠薪保障工作。2002 年，深圳市认真做好企业垫付工作。全年共受理欠薪投诉 33 件，垫付 432 万元，涉及人数3 255人。其中市欠薪保障办垫付欠薪 17 件，垫付金额 176 万元，涉及员工1 283人。针对企业拖欠、克扣工资的突出问题，市劳动局拟定了《深圳企业克扣、拖欠工资原因探析与政策调整》的调研课题，已列入市“十五”社会科研二类项目并完成了调研课题的部分前期工作，并召开了一系列座谈会，分别与相关部门、部分专家进行座谈，到宝安、龙岗两区劳动局与劳动管理站和镇、村、企业代表座谈调研，准备提出政策调整意见。

（3）完善国有企业经营者年薪制。2002 年，深圳市修订了市属国有企业经营者年薪制办法。修订草案已完成第十七稿，并已报市政府审批。新办法对经营者年薪的考核办法作了较大改进。完成 2001 年度市属国有企业经营者年薪结算。全年办理年薪结算企业 23 家，上报年薪备案 18 家，平均年薪 25 万元，最高 30.4 万元，最低 13.3 万元（不含奖励年薪）。

5．继续加强劳动法制建设，深入推进依法行政

2002 年，深圳市劳动局完成了《深圳市职业训练条例》《深圳经济特区企业工资支付条例》（草案）的论证和修改工作，并向市人大、市法制局送审；起草修订了《深圳经济特区居民按比例就业实施办法》和《深圳市劳动局依法行政操作规程》。同时，制定了 2002 年度依法行政工作要点及实施细则。对行政审批、核准和备案事项以及 2002 年以前制定的规范性文件进行全面清理，决定 24 件继续执行，对《深圳市劳动局行政过错责任追究办法》进行了全面修订。在行政复议和应诉方面，全年共受理不服区劳动局具体行政行为的复议案件 21 件，办结 17 件，其中维持区劳动局行政决定 15 件，撤销 2 件。共办理不服市劳动局具体行政行为的行政诉讼应诉案件 4 件，已结案 3 件。法制宣传教育工作有了新进展，制定了全市劳动工作普法方案，组织了世贸专题讲座和规范性文件起草专题讲座，完成了4 000多人的企业劳资人员法律法规培训任务，牵头与劳动学会、外商协会、台商协会各举办 1 次劳动法律政策答疑会，又与外商协会合作举办 3 期讲座，接受 200 家企业现场咨询，还到深业集团等 10 多家企业讲授劳动法律法规，送法上门。同时，加大了劳务工法制教育的力度，编写了《深圳市劳务工学法用法知识读本》，并举办了赠送暨咨询活动，在广大劳务工中掀起了学法用法热潮。

6．进一步加强劳动基础工作

（1）加强劳动信息化建设。2002 年，深圳市劳动信息化建设进一步发展完善。根据劳动保障部、省劳动保障厅信息化建设规划，结合深圳市的实际情况，多方征求基层意见，反复论证修改，于 8 月份完成了《深圳市劳动系统信息化建设三年规划》，通过专家评审，于同年 9 月局务会议通过并组织实施。同时，分别完成了劳动力市场大楼主机房、市劳动局主机房、劳动业务网上办公系统、深圳市劳动用工单位库、办公自动化系统等工程，推动了劳动信息化升级。

（2）加强机关基础建设。2002 年，深圳市劳动局重点抓好思想、机关作风、队伍和法制建设，印发了《市劳动局 2002 年度教育培训计划》《市劳动局公务员世界贸易组织基本知识培训实施方案》，组织处级干部参加统一轮训和其他公务员的培训工作，统一组织了科以下公务员的考核。完成了市委组织部部署的 2002 年度干部培训任务。机构改革后市劳动局分别组织全体处级和新录用公务员的业务培训。为规范人事管理，组织全局系统专、兼职人事干部业务培训班。积极组织本局干部职工参加业余高等教育学习，全局有 20 人报名参加了市职业技能训练中心与同济大学合办的劳动经济学研究生班学习；25 人报名参加了法学、行政管理学等专业本科、专科班学习。此外，完成了参加深圳市第七批出国赴港进修人

员的推荐工作。完成了2001年市劳动局机关处室、行政事务机构及事业单位的年度考核工作，全局（高级技校除外）共210多人参加考核，48人被评为优秀。完成了76名干部的岗位调整或职务任免聘用工作。市劳动局针对局机关机构改革后岗位空缺情况，组织录用了22名公务员，并办理欠薪办2名干部过渡为公务员的手续，为公务员队伍补充了新鲜血液，优化了年龄结构。

（3）加强劳动科研工作。2002年，深圳市以深圳劳动学会为主体，以深化劳动体制改革，依法行政，加强管理为中心，积极开展劳动科学研究活动。组织对2000年至2002年撰写的30多篇劳动科研论文进行评选，评出一等奖2篇，二等奖3篇，三等奖5篇，入选奖20篇。7月份劳动学会换届后，新一届领导班子深入基层调查研究，完成了《面临调整转型期，谋划采取新对策》的调研报告。与此同时，积极拓宽研讨交流和培训考察渠道，组织会员单位、企业劳资人员到昆明、济南、南京、杭州、南宁等地进行学术交流和实地考察6批次。组织和协办30多个赴国外学习考察团组，共计350人（次），分别赴美国、欧洲、澳洲和日韩等国家进行访问学习和实地考察，写出了一批质量较高的考察报告，为劳动体制改革提供了许多可供借鉴的国际经验和做法。劳动学会不断改进和加强宣传咨询等各项服务工作，努力办好会刊《深圳劳动学会通讯》，使之成为宣传劳动法律法规、传播重要信息、推广劳动科研成果、加强会员之间交流和沟通的重要阵地；同时，编辑各种信息资料，提供给会员单位和劳动工作者学习参考。积极开展咨询服务，为企业提供法律法规和政策咨询；举办“劳动法律法规政策答疑会”，及时向领导和有关处室反映情况，较好地发挥学会的“桥梁”和“纽带”作用。劳动学会积极发展会员，团体会员由原来的137家发展到160多家，个人会员由原来的226人发展到430多人。在2002年11月召开的广东劳动学会成立20周年大会上，深圳劳动学会被评为“1982—2002年先进劳动学会”。

## 二、社会保险工作

1．概况

2002年以前，深圳市的社会养老保险、医疗保险、工伤保险是由深圳市社会保险管理局管理，失业保险由市劳动局管理，农村养老保险由市民政局管理。2002年，根据深圳市委、市政府的要求，劳动局承担的失业保险、民政局承担的农村养老保险管理职能划转深圳市社会保险管理局，由市社保局对全市社会保险的各个险种实行统一管理。到2002年9月，全市失业保险和农村养老保险业务移交工作基本完成。在移交中加强了对失业保险和农村养老保险的管理，取得了很好的效果。一是加强电脑信息网络建设，变失业保险原以微机为主的局域网和手工操作相结合的管理为大型计算机广域网集中实时的主机联网管理，实现了五险合一，信息共享。二是实行失业保险与养老保险捆绑征收失业保险费，解决了过去一些企业只缴养老保险费，不缴失业保险费的问题，为今后扩大失业保险覆盖面打下了坚实的管理基础。三是五险合一的主机连通，为失业救济金发放提供了监管平台；通过与养老保险费缴交情况电脑比对，校核了一批已经出国、退休或者再就业的失业员工，及时停发了这部分人的失业保险金，杜绝了失业保险救济金流失的现象；同时，也纠正了一些没有为失业人员及时缴交住院医疗保险费的情况，维护了失业人员的权益。四是对农村养老保险进行了深入调研，并在此基础上初步提出了农村养老保险进一步改革的方案。五是按照基金收支两条线管理办法，失业保险基金和农村养老保险基金分别建立了收入户、支出户和财政专户，完善了收、支、付的管理办法。业务衔接积极稳妥推进，实现了职能移交和正常业务运作两不误。

深圳市社会保险实行市、区、镇三级管理架构，深圳市社会保险管理局在每个区都设立社会保险分局，在每个镇设立社会保险管理站。调整后的深圳市社保局的机构设置为18

个处室，6个分局。

2002年，深圳市完善了信息系统查询、互联网、电话咨询等社会化信息服务系统。完成了收缴大厅100个信息点的网络配置。大力推进网上申报，目前上网企业达2 500家。和深圳市信息办共同完成了网上服务数字CA认证技术，为开展网上社会保险业务提供了安全保障。自主开发失业保险子系统，保证了失业保险业务的顺利移交。承担了深圳市机关事业单位工资统发系统社会保险子系统项目应用软件开发工作，确保了10月1日开始由市财政统发工资和机关事业单位离退休人员的离退休金。全面推广网上医疗保险系统，方便了约定医疗单位和广大参保人。完成了开发医疗保险监管系统的前期准备工作，为医疗保险监管信息化夯实基础。电话咨询服务中心推向社会管理，并完成了设备升级改造，开通了96888咨询服务热线。2002年，市社保局分别被广东省和深圳市政府评为“信息化建设示范工程单位”和“信息化应用示范工程单位”。

2002年，深圳市社会保险管理局完成了全局定编、定岗、定员和干部的提拔使用工作。完成了处级干部和分局科级干部竞争上岗。通过面试、笔试、民主评议、组织考核和公示等程序，分3批进行处级干部竞争上岗。通过处长和工作人员双向选择，优化组合了干部职工队伍。局长与各分局、处室领导签订了《廉政责任书》，廉政工作一级抓一级，层层抓落实。组织举办了多种形式的社会保险业务知识和技能培训班、WTO基本知识培训班和依法行政培训班。持续深入地开展文明优质服务活动。市社保局提出了“真心实意为民服务，理直气壮依法管理”的工作指导思想，按照“三优文明窗口”标准完善服务大厅窗口建设，实行“一站式”服务，严格实行“首问负责制”。大力推行政务公开，办事程序、服务承诺上墙，接受群众监督。热情接待群众来信来访，共接待来访群众4 300多批、13 800多人次。

2002年，深圳市进一步加大了社会保险的宣传力度，利用多种媒体和多种方式，尽量采用简明生动、群众喜闻乐见的形式，宣传普及社会保险知识和社会保险政策，使社会保险深入人心，提高企业和员工依法参加社会保险的自觉性，提高市民的社会保险意识。在《深圳商报》上每周开辟一期“社保信箱”，对群众关心的社会保险热点难点问题，通过问答的形式逐一依法解答，成为社会保险管理工作者与广大群众直接沟通的便捷渠道；在深圳广播电台开设了“社会保险5分钟”专栏，日积月累地传播社会保险意识和知识。编印各种社会保险法规和社会保险知识的小册子，以及《社会保险服务指南》，免费派发给广大群众；将社会保险的知识和政策制作成录像带和DVD，到地处边远和工人比较集中的工厂和村镇播放，主动送宣传和服务上门；举办多期企业负责人和经办人培训班，对他们进行了普遍的轮训，教给他们参保须知、参保业务流程、参保缴费和待遇等知识；继续办好《特区社会保险》杂志，编辑《社会保险信息》等刊物，把它们办成宣传社会保险的坚强阵地。通过持之以恒地宣传，社会保险已逐渐深入人心，越来越多的企业和职工，由被动地动员其参保，变为主动要求参保。

2．各项社会保险

2002年，深圳市建立了包括养老保险、医疗保险、工伤保险、失业保险、农村养老保险在内的比较完善的社会保险体系。到年底，全市养老保险参保221.24万人，新参保同比增长28.7%；基本医疗保险参保127.38万人，同比增长22.0%；失业保险参保110.15万人，同比增长21.8%；工伤保险参保300.75万人，同比增长14.9%。

（1）养老保险。2002年，深圳市继续确保了离退休人员养老金按时足额发放。到年底，全市享受养老保险待遇44 000多人，其中2002年核准5 338人。全市离退休人员养老金100%实现按时足额社会化发放，做到了一天不拖、一分不欠、一人不漏。按照养老金正常调整机制，企业退休人员人月均增加了85元。

离退休人员指纹采集率达 99.5%，指纹验证率达 94.5%，保证了养老保险待遇发放的准确性。配合有关部门，妥善解决了5 000多名退转军人的社会保险问题。继续完善对离退休人员的社会化管理，医疗保健、娱乐活动、组织生活都进社区，使离退休人员老有所养，身心健康。继续开办个人缴费窗口，使个体工商业主及其从业人员也能参加社会保险。继续将外来工纳入社会保险体系，解除了他们养老的后顾之忧。

（2）医疗保险。2002 年，深圳市社会保险管理局规范医疗保险管理服务，确保参保人员的基本医疗。顺利完成了定点医疗机构的签约工作，进一步规范了医疗行为。通过科学测算确定各定点医疗机构住院偿付标准，采用事前协商和上门签约等方式，顺利完成了全市 80 余家综合医院和 6 家综合保健院及 160 多家社康站、门诊部（所）室的签约工作。由于较好地协调处理了卫生行政部门和各定点医疗机构的关系，采取了积极稳妥的签约措施，签约工作比较顺利。进一步扩大定点药店的试点范围，全市定点药店增加到 18 家，同比增加 12 家。继续完善推行定点医疗机构量化考核办法，加强医疗保险审核报销工作的制度化建设，将报销标准的计算依据公布，接受社会监督。全年共提供医疗保险对象门诊服务 676.1 万人次，同比增长 20.5%；提供住院服务 6.95 万人次，同比增长 31.4%；现金报销 16 561人次，同比减少 10.1%，费用同比减少 8.4%。有效遏制了医疗费用不合理增长的趋势。共济基金支付的最高封顶线由 8 万元调整到 9.2 万元，提高了重症病人基本医疗待遇。

（3）工伤保险。2002 年，深圳市社会保险管理局加大工伤保险服务力度，依法做好工伤事故调查、工伤鉴定和补偿工作，大力加强工伤预防工作。全年核发工伤补偿金22 847.4 万元，同比增长 11.8%。召开了全市工伤预防先进单位表彰大会，表彰和奖励了 2001 年度全市工伤预防工作先进单位。加大了对工伤事故高发企业的工伤预防的检查，并督促限期整改，以此促进企业重视和加强工伤预防工作。同时，加紧对工伤保险费实行差别费率的调查研究，积极筹备工伤康复的硬件基础建设。

（4）失业保险。2002 年，深圳市进一步加强了失业保险工作。为理顺关系，从 4 月开始，失业保险业务由深圳市劳动局系统移交到深圳市社保局系统，更加方便了失业人员领取失业金和享受基本医疗保障。失业保险业务移交以来，4～12 月，共核准享受失业保险待遇 53 135人次，发放失业保险金2 432.82万元，为领取失业保险金期限内的失业人员缴交住院医疗保险费 270.96 万元。深入失业人员困难家庭调查，发放失业人员特殊社会困难补助 318 人，金额 84.97 万元。继续巩固了两个确保工作，进一步支持了国企改革，维护了社会稳定。

3. 社会保险基金

（1）基金征收。2002 年，深圳市社会保险管理局在加强规范的基础上继续加强基金征收，扩大社会保险覆盖面和规范并重。全年社会保险费征收 58.58 亿元，同比增长 20%。社会保险基金征收率达 99.8%。

（2）基金偿付。2002 年，深圳市各项社会保险待遇继续得到及时足额偿付，全年共支付各项社会保险待遇 25.22 亿元，比上年增长 30.15%，基本实现了社会保险各险种的财务目标。

（3）基金管理。2002 年，深圳市社会保险管理局初步建立了收缴、支付、监督、运营四权分立的基金管理框架，实行经常性内部审计与定期国家审计相结合的审计体系，为基金的安全完整提供了保证，为基金的保值增值打下了基础。严格按照社会保险基金收支两条线、财政专户管理的规定，加强对社会保险基金的监督管理。根据社会保险基金险种、支付方式等制定了一套完整的财务审批制度。新成立的审计监督处制定了《内部审计制度》和《内部审计工作规范》，完成了盐田分局和罗湖分局 2000 年至 2001 年度社会保险基金及事业经费的财务收支审计等5个项目的审计。继续抓紧对历史上投资的社会保险基金清理回收。按广东省政府的要求，按时完成了挤占挪用社会保险基金的回收处置工作。

4．法制建设

（1）社会保险法规建设。2002年，深圳市抓好社会保险法规和规章的起草工作，市政府公布并实施了《〈深圳经济特区企业员工社会养老保险条例〉若干实施规定》和《〈深圳经济特区工伤保险条例〉实施细则》，使养老保险和工伤保险的管理更加细致，更具操作性。根据市政府的部署，对深圳市社会保险管理局颁发的16个规范性文件进行了全面的审查清理，对其中与WTO规则和现行法律法规冲突的9份规范性文件予以废止，对7份规范性文件予以保留，并按法定程序重新公告。深圳市社会保险管理局草拟了农村养老保险办法，草拟修改了社会医疗保险办法和事业单位职员养老保险暂行办法，报市法制局和市政府审定，务求使社会保险的各项工作有法可依。

（2）依法行政。2002年，深圳市社会保险管理局将2002年定为“管理年”，社会保险工作较好地实现了“依法、规范、科学”的管理目标。全面贯彻执行《深圳市行政机关工作人员行政过错责任追究暂行办法》，要求社会保险工作人员学法懂法，依法行政。认真抓好行政复议和行政诉讼的应诉工作，全年行政决定约6万件，行政复议和行政诉讼共257件，其中行政复议154件，行政诉讼一审72件，二审31件，行政决定正确率在99.95%以上。对行政复议和行政诉讼暴露出的问题，及时认真总结改进。依法加大社会保险监察力度。全年共追缴欠缴基金到账2 750万元，处理投诉案件980件；查处骗取工伤保险企业2家，追回工伤待遇款3.2万元，并且进行了罚款。与卫生、物价、药监、体改等部门协调配合，加大了对定点医疗机构和定点药店的监管力度，对违反医疗保险规定的9家定点医疗机构和定点药店分别给予暂停或取消资格的处罚，并扣回违规金额共60多万元。

（深圳市劳动局、深圳市社会保险管理局）

# 广西壮族自治区

2002年，在自治区党委、自治区人民政府的正确领导和劳动保障部的指导下，广西壮族自治区各级劳动保障部门从改革发展稳定大局出发，全面贯彻“三个代表”重要思想，树立高度的政治责任感和历史使命感，以维护企业和社会稳定为主线，以巩固两个确保、促进就业和再就业为重点，立足本职，服务大局，与时俱进，开拓创新，全面推进劳动保障工作向前发展，取得显著成绩。

## 一、两个确保继续得到巩固

1. 积极筹措资金，确保下岗职工基本生活

2002年，广西坚持“三三制”（财政承担、社会筹集、企业筹集各1/3）的筹资原则，筹集下岗职工基本生活保障资金2.78亿元，其中，中央和地方财政承担1.89亿元，占筹资总额的67.98%；社会筹集0.67亿元，占筹资总额的24.1%；企业自筹0.22亿元，占筹资总额的7.91%。共支付基本生活保障资金2.85亿元，其中发放基本生活费1.65亿元，代缴社会保险费1.2亿元。至年末，全自治区企业再就业服务中心尚有下岗职工5.28万人，100%按时领到基本生活费。

2. 巩固养老金社会化发放成果，确保城镇企业退休人员统筹项目内养老金按时足额发放

2002年，广西参加城镇企业职工基本养老保险社会统筹人员257.16万人，其中在职职工193.68万人，离退休、退职人员63.48万人。征缴基本养老保险费35.62亿元（含清理回收企业历年欠费3亿元），比上年增加5.48亿元，征缴率为92.4%。全年累计发放企业离退休人员基本养老金43.78亿元，发放率达100%，没有出现新的拖欠。至年末，全自治区有62.27万名企业离退休人员基本养老金实行社会化发放，社会化发放率为98.1%。企业退休人员社会化管理服务试点工作取得成效。年末，全自治区参保企业退休人员有6.35万人实行社会化管理服务，社会化管理服务率为10.2%，其中劳动保障部社会保险事业管理中心重点联系城市南宁市，有4.59万名企业退休人员实行社会化管理服务，社会化管理服务率为62.02%。养老金的两级调剂工作有序进行。年内，为确保企业离退休人员基本养老金的按时足额发放，从自治区级调剂金划出1.54亿元对各市、地，特别是农垦、林业系统企业的基金缺口予以调剂。多层次养老保险工作继续开展。全自治区企业补充养老保险基金收入3 306万元，滚存结余9 766万元；个人储蓄性养老保险基金收入201万元，滚存结余868万元。

2002年，广西提高企业离退休人员基本养老金待遇。两次给符合条件的企业退休人员调整增加基本养老金，全自治区企业退休人员人均月调整增加养老金87元，特别是在普遍提高企业退休人员基本养老金水平的基础上，对老干部、老工人、军队转业干部和原工商业者等特殊群体再适当提高养老金水平。同时，按政策规定，参照机关离休人员离休费标准，给企业离休人员增加养老金，并补发离休人员2001年10～12月和退休人员2001年7～12月

增加的养老金。

## 二、就业和再就业局势基本稳定

1．贯彻扩大就业方针，就业再就业局势基本稳定

2002年，广西高度重视和加强就业和再就业工作，9月，召开全自治区再就业工作会议，强调实施积极的就业政策，把就业放到与发展同等重要位置，把促进就业和再就业纳入经济社会发展总体规划，统筹抓好城乡就业，实现城乡就业工作的全覆盖。各地以促进下岗失业人员再就业为重点，统筹兼顾城乡就业，千方百计挖掘潜力，广开就业渠道，制定和落实促进再就业政策措施，开展再就业援助行动，加强职业技能培训和再就业培训，完善就业服务，全自治区就业局势保持基本稳定。年末，全自治区从业人数2 589万人，比上年增长0.4%，其中城镇从业人数416万人，减少0.7%。全自治区全部企业职工人数达292.49万人，比上年减少5.7%。其中，企业职工176.69万人（国有企业职工101.7万人），减少4.4%；城镇私营企业和个体从业人员108.38万人，增长11.38%。全年全自治区城镇登记失业人员31.22万人，年内就业16.25万人。就业去向：企业10.33万人（内资企业8.71万人，港澳台商投资企业0.87万人，外商投资企业0.75万人），事业单位0.38万人，机关团体0.08万人，个体经济组织5.46万人。年末，实有登记失业人员14.71万人，登记失业率为3.7%，比上年上升0.2个百分点。年末，全自治区农村劳动力外出流动就业人数357.26万人，比上年增长2.5%，其中，跨省流动就业人数290.95万人，比上年增长3.1%。

2002年，全自治区企业再就业服务中心共有国有企业下岗职工10.92万人（均为上年结转）。年内有5.64万名下岗职工从企业再就业服务中心转出，其中有3.48万人实现再就业，再就业率为31.87%，比上年提高10.67个百分点。各地全面开展再就业援助行动，全自治区有6万多下岗职工获得免费职业指导，为特困人员提供1.02万个援助岗位，使近8 000人实现了再就业。年末，全自治区企业再就业服务中心尚有下岗职工5.28万人。

2．劳动力市场建设步伐进一步加快

2002年9月召开的广西壮族自治区再就业工作会议，要求建立统一、开放、竞争、有序的劳动力市场，并提出分两步走的工作目标：在2003年底以前，完成自治区、市、县三级劳动力市场的场所建设，并开始运行，有条件的乡镇在乡镇政府所在地建立有一定规模的劳动力市场。在此基础上，强化劳动力市场的“科学化、规范化、现代化”建设和信息网络建设，构建一个覆盖全自治区，连接全国，通达境外的信息网络。至年末，全自治区已建立了比较规范的劳动力市场的有南宁、柳州、桂林3个城市，另外，玉林、贵港、钦州、贺州、百色、宜州市以及来宾市的兴宾区（原来宾县）的劳动力市场建设也已经启动。各级劳动保障部门对劳动力市场和职业介绍机构进行集中整治，取缔192个非法职业中介机构。年末，全自治区有职业介绍机构276个，其中劳动保障部门开办的167个。全自治区职业介绍机构工作人员1 147人，其中属劳动保障部门的工作人员780人。职业介绍机构全年办理求职登记50.4万人次，用人单位用人登记41.9万人，职业指导20.77万人，成功介绍就业27.48万人次。劳动保障部门组织劳动力输出31.3万人，其中贫困地区12万人。

3．职业技能培训工作取得新成效

2002年，广西壮族自治区有技工学校72所，比上年减少5所；在校生5.15万人，毕业1.39万人，招生2.35万人，分别比上年增长18.9%、16.6%和16.3%；毕业生当年就业率为92.4%，比上年提高6.4个百分点。全自治区有就业训练中心109所，比上年增加7所；社会力量举办的以职业技能培训为主的教育机构（简称社会培训机构）393所；技工学校、就业训练中心和社会培训机构积极开展职业技能培训，当年培训25.49万人，毕（结）

业24.25万人，分别比上年增长27.45%和25.97%；培训毕（结）业后实现就业13.6万人，就业率为56.08%。结业人员中，在职职工1.94万人，下岗职工2.29万人，失业人员5.19万人，劳动预备制培训1.38万人，以农村劳动力为主的其他人员13.4万人。自治区本级的下岗失业人员培训重点放在特困和破产企业以及失业人员相对集中的矿区，2002年，共培训中直、区属国有企业的下岗失业人员5 433人，培训后实现就业1 250人，有就业去向和意向的2 950人。通过开展职业技能培训，提高了部分新生劳动力和下岗失业人员的职业技能，为他们实现就业和再就业创造了条件。

4．职业技能鉴定稳步推进

2002年，广西有12.9万人参加职业技能鉴定，其中10.99万人获得相应的职业资格证书，比上年增长10.34%。广泛开展职业技能竞赛和技术能手评选活动，在各有关部门的支持和配合下，先后举办了广西企业青工职业技能竞赛、第三届广西烹饪技术大赛、全国工程建设系统电焊工技能竞赛广西区选拔赛、首届广西残疾人职业技能竞赛等一系列较大规模的全区性职业技能竞赛活动，有数千名企业职工和从业人员参加了各级技能竞赛，一大批技能人才脱颖而出；通过广泛发动、自下而上的推荐评选，全自治区产生了2名全国技术能手和53名广西技术能手。此外，自治区交通、经贸、水利、新闻出版等行业继续开展技师、高级技师考评工作，全区有622人分别获得技师、高级技师职业资格，比上年增长42.6%。通过开展职业技能竞赛和技术能手评选表彰活动以及技师、高级技师考评工作，充分调动了广大企业职工钻研技术的积极性。

## 三、社会保险工作进一步加强

1．城镇企业职工基本养老保险覆盖面逐步扩大

至2002年底，广西参加企业职工基本养老保险的人数257.2万人，其中在职职工193.42万人，全年扩面新增参保人数7.5万人，与2001年底相比，净增扩面人数3.18万人。2002年，全自治区企业基本养老保险基金征缴收入33.12亿元，其中当期征缴30.81亿元，收缴率为91.8%；追收企业历年欠费2.31亿元。

2．失业保险的保障作用日益增强

2002年，广西参加失业保险的城镇企业事业单位职工215.5万人，比上年末减少2.2万人。全年失业保险基金收入4.12亿元，比上年增长27.2%，其中失业保险费收入3.96亿元，增长27.7%。失业保险月人均缴费15.36元，比上年增长31.6%。全年支出失业保险基金2.45亿元，比上年增长26.3%，其中支出失业保险金1.84亿元，增长71.2%；调剂用于国有企业再就业服务中心资金2 891.42万元，减少52.4%。全年累计新增领取失业保险金人员7.3万人，其中下岗转失业人员2.1万人，年末领取失业保险金人数为7.6万人，比上年末增长53%。年内，共向10.22万失业人员发放失业保险金并提供其他各项失业保险待遇，比上年增长66.2%。年末，全自治区失业保险基金滚存结余9.27亿元。

3．城镇职工医疗保险制度改革全面推进

2002年4月1日，自治区本级职工基本医疗保险制度顺利实施。至9月，全自治区14个市（地）、81个县（市）以及自治区本级共96个统筹地区全部启动实施医疗保险制度。参加医疗保险人数201万人，比上年增加36万人，增长21.82%。全年基本医疗保险基金收入9.32亿元，其中统筹基金收入4.69亿元，个人账户基金收入4.63亿元；基本医疗保险基金支出5.31亿元，其中统筹基金支出3.01亿元，个人账户支出2.30亿元。年末，基本医疗保险基金滚存6.3亿元，其中统筹基金滚存2.65亿元，个人账户滚存3.65亿元。全自治区实现统筹基金和个人账户双结余，为进一步深化改革奠定了基础。

2002年，广西多层次医疗保障体系基本形成，医疗保险制度步入良性循环。全自治区

有78个统筹地区实行不同形式的大额医疗费补助统筹（或保险），参加大额医疗费补助统筹（或保险）173万人，比上年增加109.56万人。大额医疗费补助统筹费收入9 649万元，支出2 239万元，滚存9 490万元。有38个统筹地区开展机关事业单位职工工伤统筹（或保险）；有37个统筹地区实施机关事业单位职工生育统筹（或保险）；有24个统筹地区实行公务员医疗补助政策；有19个统筹地区出台企业补充医疗保险。多层次医疗保障体系的逐步建立，化解了高额医疗费带来的风险，增强了基金的抗风险能力，参保人员得到实惠。

4．农村社会养老保险工作取得新进展

2002年，广西采取措施规范农村社会养老保险工作，维护农村社会稳定。全自治区农村社会养老保险基金收入1 451.83万元，其中养老保险费收缴额56.72万元；养老保险基金支出309万元。年末，全自治区参加农村社会养老保险人数184.3万人，领取养老金人数1.95万人。农村社会养老保险基金滚存结余4.9亿元。

5．工伤保险工作取得初步成果

2002年，广西继续开展工伤保险工作，各级劳动保障部门及其社会保险经办机构积极采取措施征缴工伤保险费，严格执行工伤保险政策，合理支付工伤保险待遇。全自治区参加工伤保险的职工117.26万人。全年征缴工伤保险费5 228万元，支付工伤保险各项待遇2 705万元。各地认真做好工伤事故的认定、伤残等级的鉴定和抚恤金的发放工作。年内，参保企业职工因工死亡218人，伤残1 313人。伤残等级为1～4级的571人，享受因工伤残退休待遇；5～6级的187人，享受离岗退养待遇；7～10级的555人，享受伤残抚恤待遇。继续实行工伤保险浮动费率制度，均衡企业负担；企业预防工伤发生和安全生产意识进一步增强。

6．城镇企业职工生育保险制度不断完善

2002年，广西各级劳动保障部门及其社会保险经办机构积极抓好生育保险工作，不断完善城镇企业职工生育保险制度，扩大参保范围，合理支付生育保险待遇。全自治区参加生育保险的企业职工人数106.78万人。全年征收生育保险费5 078万元，支付生育保险待遇3 101万元，有1.34万名企业职工享受生育保险待遇。各地生育保险费率继续维持在企业缴费工资的0.6%～0.8%之间，个人不缴费。待遇补偿水平按照各地的实际情况确定，一般按绝对金额或工资的一定比例支付，参保职工在生育期间均得到相应的生活保障。

## 四、劳动关系调整工作得到加强，劳动关系保持和谐稳定

2002年，广西继续加强劳动合同和集体合同工作，地方国有和国有控股企业劳动合同签订率达97.1%，涉及职工98.7万人；报各级劳动保障部门审查的集体合同8 100份，涉及职工126万人。6月，自治区劳动和社会保障厅、总工会、经贸委、企业家协会/企业联合会联合召开全自治区贯彻实施《劳动法》《工会法》推进劳动合同、集体合同工作经验交流会，劳动关系三方协调机制进一步完善，促进了劳动关系的和谐稳定。继续探索完善劳动争议调解和仲裁机制。柳州市成立劳动仲裁院，南宁市各城区设立劳动仲裁所，进一步推进全自治区仲裁机构实体化建设。发挥仲裁委员会三方办案机制的作用。年内，全自治区受理劳动争议案件8 025件，其中，案外调解4 884件；立案受理3 141件，结案2 992件，结案率达95.3%。劳动争议案件涉及人数1.47万人，比上年增长8.8%。全区共鉴证劳动合同47.1万份。

## 五、劳动保障法制建设取得了新的成效

2002年，广西继续加强劳动保障立法工作，重点抓《广西壮族自治区失业保险办法》的修订和《广西壮族自治区劳动合同管理条例》《广西壮族自治区劳动保障监察条例》的立法准备工作。清理1978年以来全自治区颁行的劳动保障规范性文件87件，其中自治区

劳动保障厅废止 19 件；清理劳动保障行政审批项目 75 件。坚持实行劳动保障法规审核制度，规范行政执法行为。做好行政复议工作，全年全自治区处理劳动保障行政复议案件 42 件。

2002 年，广西各级劳动保障部门继续强化劳动保障监察执法，依法查处违法案件，促进劳动保障法律法规的贯彻落实，维护劳动者和用人单位的合法权益。全年办结劳动保障监察案件5 831件，其中群众投诉举报案件3 854件，办结率达 99%。对 8.15 万个用人单位进行劳动保障监察年审，涉及劳动者 267.88 万人；检查用人单位 7.01 万个，涉及劳动者 200.3 万人。检查中，督促补签劳动合同 15.36 万人，清退童工 99 人，追发劳动者工资待遇1 905.43万元；督促 1.1 万个用人单位缴纳社会保险费 2.33 亿元。

## 六、企业工资收入分配制度改革进一步深入

2002 年，广西试行工资指导线制度。8 月，经国家劳动和社会保障部同意，广西壮族自治区人民政府授权自治区劳动和社会保障厅发布工资增长指导线，基准线为 8%，上线为 14%，下线为零或负增长（职工工资不得低于当地最低工资标准）。

年内，南宁、柳州、桂林、梧州市继续向社会公布年度劳动力市场工资指导价位信息。其中，南宁市公布 330 项，柳州市公布 378 项，桂林市公布 381 项，梧州市公布 180 项。全自治区试行工资集体协商的企业 368 户。

2002 年，广西城镇单位职工工资总额 287.97 亿元，比上年增长 12.7%。其中，国有单位 222.77 亿元，增长 7.94%；集体单位 15.77 亿元，增长 1.55%；其他单位 49.43 亿元，增长 47.07%。全自治区城镇单位职工平均工资9 821元，比上年增长 19.56%。其中，国有单位职工10 252元，增长 20.68%；集体单位职工5 615元，增长 15.99%；其他单位职工10 334元，增长 10.87%。

（广西壮族自治区劳动和社会保障厅）

# 海 南 省

2002年，在劳动和社会保障部的指导下，在省委、省政府的高度重视和直接关怀下，海南省劳动保障部门认真贯彻党的十六大精神和“三个代表”重要思想，紧紧围绕改革发展稳定大局，以做好下岗失业人员再就业工作、继续巩固两个确保成果为重点，开拓创新，扎实工作，劳动保障各项工作取得新进展，整体水平又上了一个新台阶。

## 一、全力做好下岗失业人员再就业工作

为贯彻落实好全国、全省再就业工作会议精神和中发〔2002〕12号文件的要求，全国再就业工作会议后，海南省委于2002年9月18日专门召开省委常委会进行传达学习全国再就业工作会议精神，研究贯彻措施。10月10日，海南省召开再就业工作会议，省委书记、副书记、常委，省政府省长、副省长，省人大副主任、省政协主席和各市县委书记、市县长、分管人事劳动的副市县长、人事劳动保障局局长、财政局局长、工会主席、省有关部门200多人参加了会议。省委书记、省人大常委会主任白克明，省委副书记、省长汪啸风在会上就再就业工作作了部署，要求把促进就业的各项政策和措施落到实处。10月11日上午，海南省召开了全省人事劳动保障局长会议，就贯彻落实全国、全省再就业工作会议精神进行具体部署。

海南省人事劳动保障局长会议后，省人事劳动保障厅结合本省实际情况，抓紧制定配套政策措施。一是会同省经济贸易厅研究制定并以省政府名义印发了《海南省改制关闭破产国有企业职工安置办法》，加大了海南省改制、关闭、破产的国有企业职工的安置力度。二是制定了《海南省人事劳动保障厅再就业工作实施方案》，确定海南省就业和再就业工作的总体目标是：加大政策支持力度，广开就业渠道，在积极推进农业产业化和城市化进程中，积极引导农村剩余劳动力就地就近就业。在今后3年内，城镇每年力争新增10万个就业岗位，登记失业率控制在4%。三是进行了城镇劳动力就业和社会保障状况的抽样调查，掌握海南省城市就业和失业的基本情况，了解就业和再就业政策落实的情况以及下岗失业人员再就业的能力和意愿，把握就业和再就业工作的重点、难点和就业压力，为继续出台促进就业的政策提供了科学依据。四是组织制定了再就业培训基地建设方案和劳动力市场信息平台建设可行性报告，并积极与省财政厅、省发展计划厅协商解决再就业培训基地和劳动力市场信息平台建设经费的问题。五是按照“3年6万”再就业培训计划，与有关单位一起组织下岗失业人员参加再就业培训2.35万人；积极开展再就业援助活动，千方百计拓宽下岗失业人员再就业渠道。六是通过报刊、电视等媒体开展形式多样、富有成效的立体式再就业宣传活动，介绍海南省就业再就业工作情况和再就业优惠政策，报道政府促进就业、企业安置就业和下岗失业人员自主创业情况，解答再就业工作有关问题。

通过努力，海南省下岗失业人员再就业率有所上升。2002年，下岗职工通过自谋职业、企业改制改组再就业、发展多种经营安置就

业、发挥海南气候环境优势从事农业开发实现就业、从事社区服务就业等，分流再就业12 850人，下岗职工已从2001年底的20 426人减少为7 396人，分流再就业率为63%，走在全国前列。

## 二、两个确保进一步巩固

1．确保了企业离退休人员养老金按时足额发放

2002年，海南省委、省政府把确保企业离退休人员养老金按时足额发放当做为民办实事的一项重点工作来抓。省人事劳动保障厅积极配合地税部门强化基金征缴，开展社会保险费专项稽核工作，清理企业欠费，提高征缴率。2002年12月，全省参加基本养老保险职工793 480人，实际缴费职工703 821人，应收养老保险费136 060万元，实收123 059万元，征缴率达90.44%，为两个确保提供了资金保证。此外，海南省还采取用好中央和省财政补助资金、实行两个确保责任追究制度、养老金发放监控制度等措施，切实做好养老金的按时足额发放。企业离退休人员270 017人，应发养老金135 667万元，实发127 851万元，除农垦外，全省各市县养老金基本实现按时足额发放，社会化发放率达到100%。

2．做好调整企业退休人员养老金工作

根据劳动和社会保障部、财政部关于2001年、2002年两个调整企业退休人员基本养老金水平的通知精神，在充分调查、测算的基础上，结合海南省的实际情况，省政府先后批转执行了关于2001年、2002年调整企业退休人员养老金实施意见，提高了企业退休人员基本养老金，人均增加60元。

3．确保国有企业下岗职工基本生活费按时足额发放

确保国有企业下岗职工100%领到基本生活费是2002年海南省委、省政府为民办实事事项中的一项重要内容。海南省强化了措施，使国有企业下岗职工基本生活得到了有效保障。据统计，2002年全省共筹集资金4 385万元为下岗职工发放基本生活费和代缴社会保险费，国有企业下岗职工100%足额领取了基本生活费。

4．积极稳妥地推动下岗职工基本生活保障向失业保险制度转变

2002年，海南省组织开展了国有企业下岗职工出中心解除劳动关系情况特别是企业支付经济补偿金能力的调查，加强下岗职工基本生活保障向失业保险制度转变的指导。2002年，省直和东方、澄迈、三亚等市县国有企业下岗职工已全部出中心。

## 三、积极稳妥地推进医疗、工伤、生育、失业保险制度改革

1．医疗保险制度改革稳步推进

2002年，海南省为了扩大医疗保险覆盖面，下发了《关于国家驻琼行政事业单位参加地方基本医疗保险、生育保险的通知》，转发了劳动和社会保障部《关于国家电力公司所属单位职工参加基本医疗保险有关问题的通知》和《关于妥善解决医疗保险制度改革有关问题的指导意见的通知》。截至年底，海南省所有的统筹单位都已启动了基本医疗保险，参保人数达51.29万人（不含农垦的农场部分），比2001年底增加10.25万人，增幅为25%，完成了劳动保障部下达给海南省的任务。为解决一部分参保人员个人负担过重问题，海南省积极探索困难职工医疗保障办法，下发了《关于省直单位参保人员享受基本医疗保险门诊特殊病种待遇有关问题的通知》，以减轻患有特殊病种的参保人员的个人负担，保障参保人员的基本医疗。为了形成多层次的医疗保障体系，经省政府批准，省人事劳动保障厅会同财政厅下发了《离休人员医疗费管理暂行办法》。为了加强医疗保险的管理，下发了《关于基本医疗保险服务项目及收费标准有关问题的复函》，转发了《财政部、劳动和社会保障部关于企业补充医疗保险有关问题的通知》。启动公务员医疗补助的有省直、海口、三亚、琼海、洋浦5个统筹地区，参保人数达12 786人。启动企

业补充医疗保险的有省直、海口、三亚、海钢、洋浦5个统筹地区，参保人数达252 838人。

2．规范工伤保险管理

2002年，海南省工伤保险工作以抓管理、促提高为主题，重点强化工伤医疗管理，同时加强工伤事故预防工作，有效地遏制了医疗资源的浪费，减少了工伤保险基金的支出，促进了企业安全生产。全省重大工伤事故比上年下降了50.1%，全省参加工伤保险人数达68.9万人，工伤保险基金历年累计结余13 334万元。

3．积极推进生育保险扩面工作

2002年，海南省生育保险工作按照“建立健全制度，规范基础管理，逐渐推开，稳步扩大覆盖面，促进生育保险向法制化、规范化、社会化健康轨道发展”的思路，做好生育保险工作的基础性管理工作，稳步推进生育保险扩面工作，共有6个统筹单位启动了生育保险，参保职工为23万人，参保率达21.3%，生育保险基金累计结余1 181万元。

4．完善失业保险配套制度

为全面深入贯彻国务院颁布的《失业保险条例》和相关规定，2002年7月22日，海南省政府出台了《海南省城镇从业人员失业保险条例实施细则》，使失业保险的保障功能不断增强。2002年，全省失业保险参保人数达60万人，领取失业保险金人数1.7万人，比上年同期增长129.57%；失业保险基金收入11 565.3万元，支出5 557万元，累计结余22 416万元。

5．开展农村养老保险工作

2002年，海南省开展农村养老保险工作的市县18个，乡镇312个，村（居）委会3 697个，乡镇企业1 121个，村办企业188个，参保的农村人口有38.48万人，农村养老保险基金收入12 391.56万元，累计支付养老金6 000万元。

## 四、加强劳动保障监察，维护劳动者的合法权益

为维护劳动者的合法权益，保持社会稳定，2002年，海南省劳动保障监察机构在日常工作中加强了对用人单位参保缴费情况、拖欠劳动者工资问题和外商投资企业、城镇私营企业、有雇工的个体工商户依法签订和履行劳动合同情况的监察。还在全省范围内先后部署了清理整顿民办职介机构、民工权益保护、妇女权益保障、禁止使用童工、清理有毒有害作业和11个技术工种持证上岗5次综合执法大检查，共检查用人单位6 351家，涉及劳动者18.7万人。群众举报专查立案545件，结案525件，结案率达96.3%。其中强制执行案件32件，行政复议8件，行政诉讼2件，罚款金额18.5万元。处理突发事件16起，涉及劳动者2 576人。清退童工38人。取缔非法职介机构9家，纠正职业资格和职业培训违规单位80家，为6 390名劳动者追回拖欠、克扣工资363.13万元，为1 600名劳动者追回抵押金38.4万元。共鉴证劳动合同47 850份，审查集体合同8份，纠正违法违规条款178条。审查用人单位内部规章制度36份，纠正违法违规条款156条。据统计，全省参加年审的单位7 654家，涉及劳动者45.2万人，有效地规范了劳动力市场，保护了劳动者的切身利益。

## 五、深化分配制度改革，增强工资的保障激励作用

1．继续深化企业工资收入分配制度改革

2002年，海南省按照“市场机制调节，企业自主分配，职工民主参与，国家监控指导”的工作思路，从宏观调控、内部推动和经验总结3个方面，继续深化企业工资收入分配制度改革。首先，研究制定有关政策，对企业工资增长的幅度和企业最低工资标准进行调控。确定2002年度企业货币平均工资增长不得突破11%，基准线为8%，下线为零增长。2002年度企业最低工资标准分别调整为：一

类地区为450元、二类地区350元、三类地区300元，保障了职工的合法权益；指导海口、三亚市分别调查并发布了220个和13个职位（工种）工资指导价位信息，为企业内部分配和劳动力市场的求职者提供了参考依据，推进了劳动力市场建设。其次，积极推进企业内部收入分配制度改革，指导企业建立以岗位工资为主的基本工资制度。指导农垦系统和海口市金鹿公司开展企业经营者年薪制试点，促进了企业经营者收入分配激励和约束机制的建立。目前，全省已有近1 000户、占50%的企业建立了以岗位工资为主的基本工资分配制度，创造实行了符合本企业特点的工资收入分配形式。突出了以岗定薪，岗变薪变，竞争上岗，收入分配开始向关键和重要岗位倾斜。第三，加大国有企业收入分配制度改革的力度。指导企业搞好内部分配制度改革，建立多种形式的岗位工资制度。总结推广了海洋石富岛股份公司、海南大广坝水电有限公司内部工资分配的成功经验，在全国企业工资研讨会上交流。引导鼓励企业探索职工持股、销售收入提成、经营者股权激励、人工成本核算管理等有效的工资分配形式，以市场调节为基础、企业效益为根据的企业工资决定机制初步形成。

2．强化管理，规范程序

2002年，海南省从规范制度入手，相继下发了多个文件，对行政审批事项进行规范。如对保留的特殊工种提前退休审批事项，在明确审批程序、时限、投诉途径和责任人的同时，还增加了联合审档及公示等环节，建立并完善了提前退休工种档案登记制度，全年共审查职工档案2 409卷，进一步增强了工作的透明度，扩大了群众的知情权和监督权。

## 六、社会保险基金的监督工作得到加强

2002年，海南省按照劳动保障部等7部委的要求，改组了社会保险基金监事会，成立了社会保险基金监督委员会，加强了对社会保险基金的行政监督。建立了社保基金收支管理情况评估制度，省人事劳动保障厅与省财政厅等4家单位联合开展了首次全省社保基金收支管理情况评估。全省清理回收挤占挪用基金1 638万元。

（海南省人事劳动保障厅）

# 重 庆 市

2002年，是我们党和国家政治生活中具有特殊重要意义的一年，我们迎来了党的十六大的胜利召开。一年来，重庆市各级劳动保障部门深入学习和实践“三个代表”重要思想，认真贯彻党的十六大精神，在各级党委、政府的领导下，在有关部门的支持配合下，通过广大干部职工的艰苦奋斗，顽强拼搏，取得了显著的工作成绩。两个确保得到进一步巩固，下岗职工出中心进展平稳，积极促进就业和再就业，医疗保险制度改革稳步推进，养老保险工作取得新的突破，维护职工权益和维护企业稳定工作力度进一步加大，劳动保障信息化建设、社区社会保障工作机构建设都有新的进展，劳动保障各项工作取得了新的成绩，在改革发展稳定的大局中发挥了重要作用。

## 一、两个确保进一步巩固

两个确保是落实“三个代表”重要思想的具体体现和转变作风的重要内容。在各级党委、政府的领导下，重庆市各级劳动保障部门与有关部门密切配合，千方百计筹集资金，把国有企业下岗职工基本生活保障、企业离退休人员基本养老金按时足额发放工作放在各项工作的首位。2002年，全市共筹集再就业资金11.21亿元，其中财政安排资金占76.4%，进中心的下岗职工100%得到了基本生活保障。2002年，全市应支付企业离退休人员基本养老保险基金49.19亿元，实际支付49.19亿元，按时足额发放率达100%，连续5年未发生新的拖欠。全市企业离退休人员通过6 224个社会化发放网点按时足额领取了基本养老金，社会化发放率达99.95%。同时，顺利完成了国有企业下岗职工基本生活费“提标”工作和两次调整企业退休（职）人员养老金待遇工作，有力地维护了社会稳定。

## 二、切实做好扩大城镇就业和再就业工作

按照中共重庆市委、市政府渝委发〔2002〕6号和渝委发〔2002〕31号文件精神，重庆市各级劳动保障部门积极采取有效措施，拓宽就业渠道，广开就业门路，把促进就业和再就业作为经济发展和社会稳定的重要工作来抓。2002年，全市共指导和帮助下岗职工和城镇失业人员就业和再就业17.12万人，完成全年计划14万人的122.3%。其中：指导和帮助国有企业下岗职工实现再就业4.67万人，完成年计划4万人的116.8%；指导和帮助城镇失业人员就业10.74万人，完成年计划9万人的119.3%；指导和帮助集体企业下岗职工实现再就业1.71万人，完成年计划1万人的171%。他们采取的主要措施是：

1. 强化职业培训，提高下岗失业人员的就业能力

2002年，重庆市劳动保障局会同市财政局，重新制定了下岗职工再就业培训经费补助办法，从资金上确保培训工作的开展。通过召开培训工作会议、举办政策辅导班、上门指导服务等多种方式，指导企业多形式、多层次地开展再就业培训，提高了培训的实用性、针对性和有效性。加强对企业再就业培训工作的督促检查，确保再就业培训的效果。全市下岗职工再就业培训结业5.23万人，完成年计划5

万人的104.6%。其中再就业2.56万人，再就业率为48.9%。

2. 积极引导下岗职工协议期满出中心

2002年，重庆市继续按照市委办公厅、市人民政府办公厅渝委办发〔2001〕18号和市劳动和社会保障局渝劳社发〔2002〕16号文件精神，引导国有企业下岗职工协议期满顺利出中心。全市共有2.68万名国有企业下岗职工协议期满出中心与企业解除劳动关系，按规定接续了养老、失业保险关系，基本生活得到保障，一部分已实现再就业。全年出中心工作态势平稳，进展顺利，未因此发生群体性事件。

3. 全面加快劳动力市场建设，创造良好的市场就业环境

一是认真贯彻渝委发〔2002〕6号和渝委发〔2002〕31号文件精神，全面加快劳动力市场信息网络建设。到2002年12月12日，重庆市劳动力市场信息网络实现了全市40个区县全部联网，标志着全市劳动力市场信息化建设步入全国先进行业。二是认真做好职业介绍服务工作。2002年，全市职业介绍机构共办理用工登记27.3万人次，求职登记30.54万人次，介绍成功15.56万人，介绍成功率为50.95%。为了给广大求职者提供及时可靠的信息，制定了劳动力市场信息网络运行规则，收到明显效果。现各网络成员单位均将经过严格审查的用工信息全部及时上网，供求职者选用。三是对全市385所劳务中介机构进行了执法检查，有力地维护了劳动力市场的正常秩序。四是认真贯彻落实《境外就业中介管理规定》，市劳动保障局积极会同公安、工商部门，开展对境外就业中介机构资格认定工作。同时，还组织了2001年度全市职业介绍机构资格审验和换发职介许可证工作，对通过资格审验的256所职介机构换发了职业介绍许可证。

4. 加快城市社区社会保障工作机构建设

按照渝委发〔2002〕6号和渝委办发〔2002〕23号文件精神，2002年，重庆市劳动和社会保障局积极指导主城9区和万盛区制定、上报了实施方案，协调有关部门对方案进行了审核、批复。到12月中旬，已审核批复北碚区、沙坪坝区、江北区、渝中区、南岸区、渝北区、九龙坡区、巴南区和万盛区9区建立社区社会保障工作机构的实施方案，涉及街道（镇）96个。部分街道现已建立社区社会保障服务大厅的工作窗口，其中渝中区已在辖区11个街道全部设立了社区社会保障服务厅（室），开设了就业服务、城市低保、失业保险、养老保险等工作窗口。截至年底，社区社会保障工作机构建设已进入具体实施阶段。

5. 积极扩大再就业小额贷款规模

2002年，重庆市通过扩大小额贷款发放规模，扶持更多的下岗失业人员通过创业实现就业。市劳动保障局配合市再就业办制定了《重庆市再就业小额贷款试行办法》和实施细则，对各区从事再就业小额贷款的工作人员进行了业务培训。到年底，市、区两级财政存入担保资金1 360万元，贷款规模可达4 000万元，主城9区、涪陵区、合川市等11个区（市）已经全面开展再就业小额贷款工作，已发放再就业小额贷款836万元，帮助1 254名下岗失业人员实现了再就业，贷款额是前几年280万元的近3倍。

6. 失业保险的保障功能进一步增强

2002年，重庆市切实抓好失业保险扩面工作，新增参保人员4.38万人。全年共计支出失业保险基金3.14亿元，为12.89万名失业人员发放了失业保险金，期末仍有9.11万人享受失业保险待遇。同时，顺利完成了失业保险金“提标”工作，切实保障了失业人员的基本生活，有力地促进了就业和再就业。

## 三、基本养老保险工作取得新的突破

2002年，重庆市各级劳动保障部门和社会保险经办机构紧紧围绕确保离退休人员基本养老金按时足额发放这一中心，强化基础管理，加强政策研究，有力地推动了重庆市经济结构的战略性重组，维护了社会稳定大局，各项工作取得了明显成效。

1. 顺利完成两次调整企业退休（职）人

员养老金任务

截至2002年底，通过两次调整企业退休(职)人员养老金，重庆市企业退休人员基本养老金月平均为474元，在一定程度上缓解了重庆市退休人员养老金偏低的现状，维护了社会稳定大局。

2．扩大养老保险覆盖面工作取得新的进展

截至2002年底，重庆市扩面新增参保企业1 499户，新增参保职工10.6万人，完成了年初制定的扩面10万人的任务。2002年，全市参保企业缴费人数147.74万人，应征收基本养老保险费30.57亿元，实际征收26.96亿元（不含补收历年欠费7.27亿元），征收率为88.19%。

3．积极推进企业退休人员社会化管理服务工作

截至2002年底，重庆市企业退休人员实行社会化管理服务的有47.16万人，占全市企业离退休人员总数的54%。其中，依托社区管理的1.19万人，社会保险经办机构直接管理的9.19万人，依托国有大中型企业管理的36.59万人，其他办法管理的1 944人。

4．进一步完善病退鉴定工作机制

2002年，重庆市继续按照公正、公平、公开的原则，采取两级劳动鉴定委员会共同组织鉴定的形式，对全市22个行业、1 650户企业、7 458名职工进行了丧失劳动能力鉴定。经鉴定，有2 096名职工符合“完全丧失劳动能力”标准。由于标准更加科学严谨，措施更加有力，把关更加严格，2002年市级统筹地区合格人数比上年减少了818人。

5．狠抓基础管理

2002年，重庆市狠抓基础管理，加强调查研究，开拓新的工作领域，突破阻碍业务工作进一步向前推进的瓶颈。改革了养老保险基金结算模式，实行月结算；推行了退休待遇计算预复算制模式；开发全市统一的养老保险业务应用软件。加强业务管理，建立规范化台账。市劳动保障局联合地税部门开展了缴纳基本养老保险费专项稽核工作，取得了较好的效果。

## 四、医疗保险制度改革稳步推进

按照稳步扩面、分步实施、完善政策、健全系统的工作思路，通过各部门、各统筹地区的共同努力，2002年，重庆市医疗保险制度改革取得了一定进展。截至年底，全市35个基本医疗保险统筹地区中有33个统筹地区的医改实施方案已上报市政府，32个统筹地区的实施方案已经市政府审批同意，其中黔江、万州、万盛、北碚、双桥、长寿、合川、永川、江津、丰都、奉节、忠县、开县、巫山、大足、綦江、璧山、巫溪、武隆和市级统筹20个统筹地区已启动实施了基本医疗保险制度，参保人数达65万人，占应参保人数的20%。其中，基本医疗保险市级统筹参保人数达17万人。基本医疗保险市级统筹从2001年12月启动运行以来，在有关部门的共同努力下，运行基本平稳，医疗资源得到了较为充分的利用，医疗费用得到了有效控制。市三项制度改革领导小组及有关部门根据实际及时调整完善相关政策和简化手续，参保单位、参保职工逐步转变观念，基本医疗保险制度得到了社会各界的理解与支持。

## 五、加强职业技能培训和鉴定工作

2002年，重庆市认真贯彻全国职业教育工作会议精神，加大职业技能开发工作的宣传力度，积极推进有关职业技能开发工作的行政审批制度改革。进一步深化技校改革，狠抓学生素质教育，重庆市技校招生和毕业生就业安置工作开创了历史新局面。通过大力推行国家职业资格证书制度和就业准入制度，重点实施企业职工鉴定、职业院校学生鉴定、高技能人才鉴定3个突破，职业技能培训与鉴定覆盖面进一步扩大，有效地促进了职业培训、鉴定与企业劳动人事、工资制度改革的衔接，重庆市职业技能开发工作跃上了一个新台阶。2002年，重庆市各级各类技校招生1.95万人，创

历史最高记录。安置技校定向毕业生1.03万名，毕业生就业率达95%以上。全年通过职业技能鉴定，取得职业资格证书的人数达10万人，其中高级以上的技能人才通过培训、鉴定取得职业资格证书的人数达1.51万人，分别比上年增长33%和122%，均超过了年初提出的增长20%的目标。

在5月宣传月活动中，市劳动保障局组织了“五一”杯钳工、维修电工技能大赛和重庆市2002年国家职业资格计算机信息技术双认证大赛。评选出全市十大杰出技术能手和十大杰出青年岗位能手，由市委办公厅和市政府办公厅联合表彰。评选出全市技术能手和青年岗位能手各90名，由市级10部门联合表彰。

2002年7月，教育部、劳动保障部、国家经贸委授予重庆市劳动保障局、市行知技工学校“全国职业教育先进单位”荣誉称号，授予重庆市劳动保障局职业技能开发处处长、市职业技能鉴定指导中心主任段凤文、重庆五一高级技工学校校长黄建明“全国职业教育先进个人”荣誉称号。

## 六、大力推进劳动保障法制建设

2002年，重庆市紧紧围绕扩大就业和社会保障体系建设两大中心，加大劳动保障立法、政策研究和行政执法监督力度。制定了重庆市2003—2007年共13项劳动保障地方立法计划，《重庆市失业保险条例》已经市政府常务会议审议通过，提请市人大审议，《重庆市工伤保险实施办法》《重庆市生育保险办法》和《重庆市劳动合同规定》已进入中期论证阶段；进一步改革行政审批制度，对重庆直辖以来本市制定发布的劳动保障规范性文件和政策措施共330件进行了清理；规范行政执法行为，落实劳动保障行政执法责任制，明确执法机构，实行行政执法考核、奖惩及错案追究制度，使重庆市的劳动保障行政执法工作朝着规范化、制度化的方向迈出了重要一步；加强执法监督，认真做好行政复议和应诉工作，全年共办理行政复议案件110件，审结98件，结案率为89%。市劳动保障局行政审批制度改革和行政复议工作得到了劳动保障部的肯定。

## 七、劳动保障监察工作取得明显成效

2002年，重庆市各级劳动保障监察机构积极应对取消了劳动用工年检的新情况，努力探索加强劳动保障监察执法的新思路、新形式，在规范企业用工行为、清理整顿劳动力市场秩序、维护劳动者合法权益等方面加大了执法力度，取得了明显成效。

组织开展了清理整顿劳动力市场秩序、维护民工权益、禁止使用童工、企业工资支付、技术工种从业人员持证上岗等6次专项执法大检查。加强日常劳动保障监察工作，全年共检查用人单位1.2万余户，追发拖欠职工工资3 200余万元，清退风险抵押金56万余元。检查职业介绍中介机构420余户，查处非法职业中介机构234所，责令49所违规职介机构限期整改，吊销了9户严重违规机构的职业介绍许可证。对部分技术工种10万余人的持证上岗情况进行了检查。查处了一批使用童工的单位和个人，对80余户违反劳动保障法律法规的用人单位实施了行政处罚，受理举报案件结案率在98%以上。劳动保障监察队伍建设进一步加强，有18个区（市、县）组建了劳动保障监察大（中）队，统一了劳动保障监察执法着装，规范了劳动保障行政处罚简易程序。

## 八、企业工资收入分配制度改革取得新的进展

2002年，重庆市各级劳动保障部门在深化企业分配制度改革的过程中，积极探索建立与现代企业制度相适应的企业工资分配制度，加强政府对工资收入的调控职能，继续做好工资总量与经济效益挂钩的宏观调控工作。在市级近400户国有及国有控股企业中实行了工效挂钩或工资总量包干的宏观调控形式。按照《重庆市市级国有及国有控股集团公司经营者年薪制试行办法》的规定，参照外省、市的做法，对机电、化医、轻纺、水务（集团）公司

的经营者实行了年薪制。万州、涪陵、永川、云阳等区县（市）也对部分企业进行了经营者年薪制试点。

为了维护劳动者的合法权益，促进就业和再就业，重庆市劳动保障局适时调整了各区县（自治县、市）执行的最低工资标准，制定并公布了非全日制工作最低小时工资标准，测算出了2002年度企业工资指导线并继续进行试点，发布了2002年度劳动力市场7大类共337个工种（岗位）的工资指导价位。此外，还进行了企业工资内外收入专项检查，委托会计师事务所抽查审计了10户市属企业。为保障劳动者的休息休假权利，对部分企业实行非标准工时制度进行了严格审批。

## 九、不断加强劳动关系调整工作

为了进一步推进劳动合同、集体合同制度的建立，2002年，重庆市劳动保障局牵头与市总工会、市经委、市企业家协会共同筹备召开了全市贯彻实施《劳动法》《工会法》推进集体合同劳动合同制度电视电话会议；牵头对非全日制就业的劳动关系问题进行研究；起草了《重庆市劳动合同规定》（草案），组织了多次论证并反复修改，很快将上报市政府。到年底，全市40个区县（自治县、市）及经开区、高新区都已建立了劳动关系三方协商制度，一些区县劳动关系三方协商机制运行良好，已开始在调整劳动关系方面发挥出重要作用。全市已有1.2万余户企业建立了平等协商机制，4 064户企业与职工一方签订的集体合同经劳动保障部门审核生效，覆盖职工177万人。

2002年，重庆市各级劳动保障部门继续参与破产企业清算过程中的职工安置工作和国有企业改制过程中的劳动关系处理工作，指导企业依法解除劳动关系，按规定支付经济补偿金，维护企业和社会的稳定。参与处理集体上访事件，对下岗职工进再就业服务中心3年期满终止劳动关系工作进行指导和协调，认真处理有关劳动关系的事件1 500余件，接待群众4 000余人次。

2002年，重庆市继续组织部分外商投资企业开展薪酬福利调研，为外商投资企业提供法律、法规、政策咨询，积极协调外商投资企业的劳动关系。为了履行中国政府加入WTO关于“市场准入限制”有关问题的承诺，市劳动保障局及时出台了《关于进一步做好外国人在渝就业管理工作的通知》（渝劳社办发〔2002〕87号），放宽了在渝有关单位雇用WTO成员方的高级雇员的就业期限，缩短了办理有关证件的工作时间。到年底，已为241位外国人、96位港澳台人员提供了就业服务。

重庆市各级劳动保障部门不断完善预防和处理机制，群体性事件得到妥善解决。2002年，全市共处理劳动争议案件17 119件，案件数量比2001年增长24%，结案率为97%，案件涉及人数2.24万人，涉及经济标的1.03亿元；全年处理集体劳动争议案件156件，涉及人数5 061人；处理因集体劳动争议引起的罢工或上访事件11件，有力地维护了企业和职工的合法权益，维护了社会稳定。认真处理人民来信来访，积极为群众排忧解难。2002年底，市委、市政府授予市劳动保障局“1998—2001年度重庆市信访工作先进集体”光荣称号。

## 十、积极开展社会保险基金监督工作

2002年，重庆市社会保障监督工作打开了新的局面。一是在全市建立了社会保险基金监督举报制度，并通过新闻媒体向社会公布了社会保险基金监督举报电话。各区县（自治县、市）劳动保障局相继明确了社会保险基金监督工作的分管领导、承办机构及相关工作人员。2002年，市劳动保障局共受理社会保险基金举报案件13件。其中查实的10件，现已结案10件；查实违纪基金1 070.4万元，已收回1 070.4万元，回收率达100%。云阳县、沙坪坝区等地劳动保障局已开始受理并办理社会保险基金举报案件。二是按照《重庆市市级领导和市级部门2002年党风廉政建设和反腐败分工责任制》的要求，市劳动保障局牵头对

2001年度重庆市国有企业下岗职工基本生活保障资金、失业保险基金、基本养老保险基金、城市居民最低生活保障资金等“四项资金”的管理使用情况进行了专项监督检查。沙坪坝区、渝北区、江津市、永川市、荣昌县、梁平县、酉阳县、秀山县等16个区县（自治县、市）成立了专门的监督检查领导小组，由政府分管领导任组长，落实“四项资金”自查工作，取得了较好的成效。在各区县（自治县、市）自查的基础上，市劳动保障局会同有关部门成立了“四项资金专项监督检查组”，对部分区县（市）“四项资金”的管理使用情况进行了抽查。三是经市政府决定，重庆市社会保障监督委员会正式成立，委员会办公室设在市劳动保障局。同时，经市政府同意，市劳动保障局会同市级7部门印发了《关于加强社会保障基金管理工作的实施意见》，标志着重庆市社会保障监督工作向规范化、制度化方向迈出了重要一步。

### 十一、其他劳动保障工作全面推进

1．规划财务工作取得新进展

2002年，重庆市各级劳动保障部门积极拓宽劳动保障事业经费来源渠道，编制劳动保障事业发展计划，加强劳动保障统计工作，顺利完成了全市城镇劳动力就业与社会保障状况的抽样调查，管好用好劳动保障事业发展经费，争取更多的发展资金，确保了劳动保障各项工作的顺利开展。一年来，规划财务基础工作不断加强，服务决策和保障支撑作用进一步增强，市劳动保障局先后被劳动保障部和市统计局评为统计工作先进单位，被市财政局评为部门预算工作先进单位。

2．劳动保障信息化建设全面启动

2002年，在市委、市政府的重视和推动下，劳动保障信息化建设工程列入了重庆市信息化建设重点工程和市政府惠民工程，并落实了项目建设资金。市劳动保障局组建了市劳动保障信息中心，成立了市劳动保障信息化工作领导小组和专家咨询组，制定了社会保障信息系统建设方案，建成了市劳动保障局机关办公自动化系统，并实现了与市政府党政办公网的实时互联，召开了全市劳动保障信息化工作会议，加快了区县劳动保障信息化工作机构的建设步伐。

3．工伤、生育保险基础工作进一步加强

2002年，重庆市修改了《重庆市工伤保险实施办法》及相关配套文件；完成了《重庆市生育保险办法》（征求意见稿）的草拟和相关数据的调研、测算，并多层次、多方面征求意见，基本上形成了上报稿。认真做好职工工伤认定工作和工伤职工劳动能力鉴定工作，全年共为近2万名职工进行了工伤性质认定，为1.1万名工伤职工进行了劳动能力鉴定；积极处理工伤行政复议案件，做好政策宣传解释工作，维护企业和职工的合法权益。

4．机关事业单位社会保险工作稳步推进

2002年，重庆市强化基金征收，确保了养老金的按时足额支付；组织实施了2001年度基金结算工作；完成了22个区县（自治县、市）机关事业单位社会保险经办机构的职能归并和机构划转工作；深入调查研究，强化基础管理，取得了显著效果。

5．积极推进农村社会养老保险工作

2002年，重庆市有关区县劳动保障部门与民政部门清理结算了农保基金，做好农保职能的归并划转工作，目前已有近60%的区县农保经办机构从民政部门划归到劳动保障部门管理。《重庆市人民政府办公厅转发市劳动保障局〈关于认真做好农村社会养老保险工作的通知〉的通知》（渝办发〔2002〕112号）印发后，渝西4个区县和渝东地区农保工作得到了一定程度的恢复。

6．继续抓好公费医疗管理工作

2002年，重庆市各级公费医疗管理办公室在新旧医疗体制转变过程中，克服矛盾大、工作难度大的困难，完成了公费医疗享受人员医疗管理及经费管理任务，做好了有关离休干部医疗保障工作，抓好了公费医疗管理和相关医疗保险政策的衔接，保证公费医疗向基本医疗保险平稳过渡。

7．大力开展党风廉政建设和反腐败工作

2002年，重庆市认真贯彻落实中纪委第七次全会和市纪委第九次全会精神，积极开展党风廉政教育，落实党风廉政建设责任制，认真抓好领导干部廉洁自律、纠正部门行业不正之风和反腐败抓源头工作，积极查处案件，为各项劳动保障工作任务的完成提供了坚强的政治保证。

8．自身建设进一步加强

2002年，重庆市劳动保障部门不断加强干部队伍建设，认真学习贯彻《党政领导干部选拔任用工作条例》，抓好事业单位人事制度改革工作，抓好干部职工的思想政治教育工作，切实做好劳动保障系统老干部管理工作和计划生育管理工作。

9．抓好精神文明建设，切实转变工作作风

2002年，重庆市劳动保障部门继续深入开展创建“三优”文明窗口活动，评选出16个“三优”文明窗口先进单位、29个“三优”文明窗口达标单位，有力地促进了重庆市劳动保障系统精神文明建设。2002年，市劳动保障局共办理市人大代表建议、议案77件，市政协委员提案55件，均得到市人大代表和市政协委员的认可，其中，满意和基本满意的分别占84%和96%。在市级部门接受社会公开评议中，市劳动保障局受到好评，重庆市劳动保障工作得到了社会各界的理解和肯定。

（重庆市劳动和社会保障局）

# 四　川　省

2002年，四川省各级劳动保障部门坚持以“三个代表”重要思想为指导，按照全国劳动保障工作会议的部署，在各级党委、政府的高度重视和正确领导下，团结奋斗，勤奋工作，锐意进取，劳动保障各项事业得到全面发展，在改革、发展、稳定的大局中发挥了重要作用。

## 一、两个确保成果继续得到巩固

2002年，四川省各级劳动保障部门继续把两个确保作为重点工作来抓，采取多种行之有效的措施，有力地保障了国有企业下岗职工基本生活费和离退休人员养老金按时、足额发放，维护了社会稳定。

2002年，四川省国有企业下岗职工进入再就业服务中心的共有39万人，全年发放下岗职工基本生活费6.1亿元，代缴社会保险费5.3亿元，下岗职工基本生活费发放率和社会保险费代缴率均达到100%。

全省共发放养老金111.9亿元，其中企业离退休人员养老金108.1亿元，养老金按时足额发放率达到100%，没有发生新的拖欠。

## 二、就业和再就业工作力度加大，就业局势基本稳定

2002年末，四川省在岗职工481.2万人，比上年末减少5.5万人。其中，国有单位327万人，减少23.5万人；城镇集体单位52.6万人，减少5.7万人；其他各种经济类型单位101.6万人，增加23.7万人。

1．下岗失业人员就业和再就业工作取得新的突破

2002年，四川省全面贯彻落实全国再就业工作会议和中发〔2002〕12号文件精神，加强调查研究，强化再就业服务，大力推进社区就业工作，积极开发新的就业岗位，加快劳动力市场信息网络建设步伐，广泛开展再就业援助行动，全年共有44.4万名下岗失业人员实现了就业和再就业，超额23.3%完成了省政府下达的全年帮助36万下岗失业人员实现就业和再就业的目标任务。

2．国有企业下岗职工再就业工作取得新进展

2002年，四川省国有企业新增下岗职工8.3万人，加上年结转的36.3万人，全年共有44.6万名国有企业下岗职工需要再就业。通过组织实施《第二期“三年四十万”再就业培训计划》，当年全省共组织8.7万名国有企业下岗职工参加了再就业培训，培训后的再就业率为66%。通过努力开发社区就业岗位、进一步落实再就业优惠政策、大力开展再就业援助行动等措施，有力地推动了再就业工作，全年共有10.8万名国有企业下岗职工实现了再就业。到2002年末，全省国有企业实有下岗职工31.3万人。

3．城镇就业工作成绩显著

2002年，四川省共有城镇登记失业人员70.1万人，其中当年新增38.2万人，比上年增加14.7万人，同2001年增加人数相比，多增13.4万人，就业形势严峻。但由于各级党委、政府高度重视，措施有力，全年仍有31.7万名城镇失业人员通过多渠道实现就业

和再就业，较上年同期增加12万人。其中，到国有企业就业的3.9万人，占就业人数的12.3%；到城镇集体企业就业的4.3万人，占13.6%；到其他单位就业的6.5万人，占20.5%；从事个体私营经济的17万人，占53.6%。城镇私营企业和个体经济组织等非国有经济成为四川省失业人员就业和再就业的主要渠道。截至年末，全省实有城镇登记失业人员33.8万人，登记失业率为4.5%。

4．劳动力市场建设步伐明显加快

到2002年末，除四川省本级已建成劳动力市场综合性服务场所和信息网络外，全省有成都、自贡、攀枝花、泸州、德阳、绵阳等16个地级以上城市已建成比较规范的劳动力市场综合服务场所，其中遂宁、宜宾、乐山等10个地级以上城市已建成劳动力市场信息广域网或局域网；宜宾、攀枝花两市的劳动力市场信息广域网在实现区、县全覆盖的同时，已开始向街道、社区延伸；成都、绵阳、宜宾、乐山、泸州市已按要求开展了劳动力市场职业供求状况的分析发布工作。这对四川省公共职业介绍工作的开展起到了明显的促进作用。

5．职业介绍工作取得明显成效

2002年，四川省职业中介组织得到进一步规范和发展，特别是公共职业介绍机构的服务领域不断拓展，服务水平、服务质量有了新的提高，在促进下岗失业人员实现就业和再就业中发挥了重要作用。2002年，全省1 323个职业介绍机构共办理登记求职90.9万人次，提供职业指导服务73.1万人次，职业介绍成功57.2万人次，求职成功率为62.9%，其中为19万名下岗职工和就业转失业人员提供了职业指导和职业介绍服务。

6．劳务输出总量进一步增加

2002年，四川省各级就业服务管理机构加大有组织劳务输出力度，全年直接组织劳务输出15.5万人，比上年增加0.8万人。

7．社区就业工作取得突破性进展

到2002年底，四川省社区就业实体发展到13 718个，比上年增长90.7%。全年新安置下岗失业人员5.7万人，社区就业实体从业人员达9.8万人。

**三、继续深化企业收入分配制度改革，协调规范劳动关系**

2002年，四川省继续加强对各类用人单位的劳动合同管理，重视劳动合同的订立、变更、续签以及履行劳动合同期限等方面的工作。在国有企业改革中，积极稳妥依法处理职工安置等问题，不断调整劳动关系，维护稳定。到年末，全省签订劳动合同职工507.4万人，劳动合同签订率为88.2%。城镇企业签订劳动合同人数为372.1万人，劳动合同签订率达94.7%，其中国有企业劳动合同签订率达98.3%，集体企业劳动合同签订率达84.8%，私营企业劳动合同签订率达88.6%，劳动合同制职工人数分别达到213.4万人、54.4万人、37.9万人。此外，个体工商户劳动合同签订率为53.7%，涉及职工34.1万人。

2002年，四川省继续推行平等协商和集体合同制度。全省签订集体合同的企业8 815户，涉及职工177.1万人。其中：国有企业3 328户，涉及职工111.3万人；集体企业3 139户，涉及职工34万人；外商投资企业112户，涉及职工1.8万人；私营企业1 295户，涉及职工4万人。

2002年，四川省在岗职工工资总额为539.1亿元，比上年增加48.8亿元，增长10%。全省在岗职工平均工资为11 183元，比上年增加1 249元，增长12.6%，扣除物价因素，实际增长13%。其中，国有单位在岗职工平均工资12 388元，增长14.9%；城镇集体单位在岗职工平均工资7 395元，增长12.5%；其他单位在岗职工平均工资9 233元，增长6.7%。

2002年，四川省企业单位在岗职工平均工资10 308元，比上年增长10.1%；事业单位在岗职工平均工资12 186元，增长16.3%；机关单位在岗职工平均工资13 133元，增长14.2%。全省国有企业在岗职工平均工资

12 067元，增长13.7%，其中中央企业在岗职工平均工资15 812元，地方国有企业在岗职工平均工资9 130元。

2002年，四川省试行国有企业经营者年薪制的企业为259户，试行工资集体协商的企业为279户，涉及职工9.7万人。15个市州发布了年度工资指导线，2002年底省政府批准下发了《四川省企业工资指导线制度试行办法》。2002年7月，全省最低工资标准调整为每月230元、270元、310元、340元，平均上调幅度为25.7%。成都、宜宾、乐山、绵阳、遂宁开展了劳动力市场工资指导价位工作，分别发布了202个、181个、159个、134个、124个当地主要职业和工种的工资指导价位。

## 四、各项社会保险工作顺利开展

1. 养老保险

截至2002年末，四川省离休、退休、退职人员（不包括由民政部门支付离退休费的人员）总数为225万人，比上年末增加12.5万人。其中，离休人员3.7万人，减少0.1万人；退休人员217.7万人，增加12.6万人；退职人员3.6万人，与上年持平。离休、退休、退职人员全年保险福利费用总额为178.5亿元，比上年增长19.2%。其中，离休金6.3亿元，增长19.5%；退休金154.2亿元，增长26.6%；退职生活费1.5亿元，增长13.6%；医疗卫生费9.8亿元，下降30.5%。

截至2002年末，四川省参加企业职工基本养老保险的职工为411.2万人，比上年增加1.7万人，全年累计新增扩面19.8万人。全省养老保险缴费人数380万人，比上年增加25.4万人，参保缴费率达到92.4%，比上年提高5.8个百分点。参加企业养老保险职工建立个人账户人数为385.7万人，建账率达99.9%，比上年提高了5.4个百分点。全年征收基本养老保险费78.2亿元，征缴率达94.9%，比上年提高0.9个百分点。

2002年，四川省机关事业单位养老保险制度改革试点工作进一步完善，机关事业单位参保职工达117.7万人。

2002年，四川省参保离退休人员总数为178.1万人，比上年增加8.7万人。全省全部实现养老金全额缴拨，保证了养老金的按时足额发放，全年共发放养老金111.9亿元，足额发放率达100%。企业离退休人员养老金社会化发放人数为173.4万人，社会化发放率达到99.5%，比上年提高0.2个百分点。

2002年，四川省农村社会养老保险改革规范工作继续进行。到年末，全省农村参加养老保险的有330万人，领取养老保险金的有9.7万人。

2. 失业保险

2002年，四川省失业保险扩面征缴工作稳步推进，参保人数基本保持稳定，失业保险费收入继续增加，基金支撑能力得到增强。2002年，全省失业保险新增扩面15.8万人，年末参保人数为402.9万人。全年共征收失业保险费6亿元，征缴率达93.3%，比上年提高0.7个百分点。全年共有22.1万名失业人员享受失业保险待遇，比上年增加1.6万人。全年支付失业保险金2.5亿元，确保了失业人员的基本生活。全年共划拨下岗职工基本生活保障资金2.4亿元，为下岗职工按时足额领取基本生活费提供了资金保障。

3. 医疗保险

2002年，四川省紧紧围绕“巩固成果、完善政策、夯实基础、提高管理服务水平”开展医疗保险工作，到年末，医疗保险覆盖人数达到480.6万人，比上年末增加53.9万人，覆盖率达到67.1%；启动实施的县市区数达到170个，占全省县市区总数的93.4%，除甘孜、凉山州所属部分县外，全省其余县市区全部启动。多层次医疗保障政策初步建立，到年末，全省21个市州全部出台实施了公务员医疗补助政策，20个市州出台实施了补充医疗保险政策，纳入公务员医疗补助的人群达到44.6万人，参加补充医疗保险的人数达到265.8万人。基金收支情况良好，全省共征收基本医疗保险基金24.4亿元，征缴率达到

96.1%，统筹基金收支平衡。

4．工伤、生育保险

2002年，四川省工伤、生育保险工作继续深入开展，但随着企业破产改制力度的加大，全省工伤、生育保险人数总体上有所下降。2002年，全省工伤保险参保人数167.4万人；全年有6 065名伤残职工和397名因公死亡职工获得补偿，1 473名职工享受职业病待遇。全省生育保险参保职工166.4万人；全年共有14 269名职工享受生育保险待遇。

**五、大力开展职业培训，提高职业技能鉴定质量**

2002年，四川省技工学校调整和改革工作继续开展，进一步促进了技工学校的发展。调整和改革后，全省技工学校减到129所，比上年减少27所。其中，国家级重点技工学校18所，省部级重点技工学校21所，高级技工学校9所，职业培训学院29所。调整后技工学校的培训层次有所提高，布局更加合理，培训实力增强。2002年，全省技工学校招收新生2.9万人，比上年增加0.9万人；毕业学生1.5万人，比上年减少0.2万人；在校技工学校学生5.1万人。短期培训人数呈上升趋势，全年全省技工学校培训社会人员结业数为9.1万人，比上年增长56.9%。

加强对社会力量办学机构的综合管理，规范办学行为。全省开展了对社会培训机构的复核认定工作，截至年末，全省社会培训机构有885个，全年共培训各类人员21.5万人，比上年增加6.6万人。

就业训练工作进一步推进，全省就业训练中心共150所，全年共培训下岗职工和各类求职人员14.4万人，培训后就业率为69.4%。

加强管理，提高职业技能鉴定质量，促进职业技能鉴定事业健康发展。在全省范围内开展了职业技能鉴定质量大检查，并对鉴定机构进行了年检。清理、停办了一批鉴定机构，规范了鉴定行为，鉴定质量有所提高。当年全省有38.1万人参加职业技能鉴定，获得职业资格证书人数为32.6万人，比上年增加8.6万人。

**六、加大劳动保障监察执法工作力度，切实维护劳动者的合法权益**

2002年，四川省各级劳动保障部门紧紧围绕劳动和社会保障中心工作，加强了对监察机构队伍的建设及监察执法力度，在开展劳动保障年检、日常巡视检查、举报专查的同时，开展“社会保险扩面征缴”“民工权益保护专项检查”“农民工工资支付情况检查”“旅行社贯彻执行劳动保障法律法规情况检查”“贯彻实施《禁止使用童工规定》情况检查”“技术工种持职业资格证书上岗的监督检查”等专项监察执法活动，进一步宣传了劳动和社会保障法律、法规和政策，及时纠正和制止了部分用人单位和就业中介服务机构的违法行为。

2002年，四川省劳动保障部门主动监察用人单位56 699户，督促3 776户用人单位为22.4万名劳动者办理了社会保险登记，督促6 759户用人单位为55万人缴纳社会保险费14 018万元；为23.4万名劳动者追回欠发的工资3 361.2万元；督促用人单位与劳动者补签劳动合同22.6万份；帮助1.1万名劳动者追回风险抵押金404.2万元；取缔非法职业中介机构353户；纠正违反职业资格和职业培训的单位1 325户；审查用人单位规章1.5万件，纠正用人单位违章2 700件；清退童工319人；接受群众举报14 992件，群众举报专查立案6 804件，结案率达99.1%。

截至2002年末，全省劳动争议仲裁委员会已达200个，组建率达100%。全省用人单位建立劳动争议调解委员会达12 012个，组建率达96%，其中国有企业组建率达100%。

2002年，四川省劳动争议仲裁三方机制继续得到完善，劳动争议处理工作力度进一步加大。全年全省共处理劳动争议案件5 510件，其中集体争议案件241件，结案率达96.3%。促进了劳动关系的和谐以及社会的稳定。

劳动争议仲裁员、调解员队伍不断壮大。

截至2002年末，全省仲裁员已达1 085人，其中专职355人，兼职730人。用人单位专职调解员达11 754人，兼职调解员达21 505人。

继续推进劳动争议处理体制向乡镇延伸，一些有条件的地区已实行了仲裁派出庭制度。截至2002年末，全省已建立乡镇（街道）劳动争议处理机构约620个。

## 七、劳动保障法制工作取得新进展

《四川省劳动和社会保障监察条例》于2002年1月18日经省九届人大常委会第二十七次会议通过，并于2002年3月1日起施行。2002年，四川省劳动保障行政审批制度改革取得初步成效，行政行为进一步规范。各级劳动保障部门普遍推行了政务公示制度，行政执法责任制进一步完善。

2002年，四川省各级劳动保障部门共接到行政复议申请95件，符合受理条件并依法受理的78件。在受理的行政复议案件中，中途撤回的12件，决定维持的40件，变更的4件，撤销的12件，确认违法或限期履行的2件，未结案的8件。全省劳动保障部门全年共办理行政应诉案件56件，从审理结果看，中途撤诉的10件，维持的22件，变更的2件，撤销的12件，限期履行的2件，未结案的8件。

2002年，四川省劳动保障厅认真完成了省重点科技项目《加入WTO对我省劳动和社会保障事业发展的影响与对策研究》和劳动保障部重点课题《西部大开发与四川省劳动和社会保障问题研究》，研究成果得到有关部门的充分肯定和采纳。成立了四川省劳动和社会保障厅专家咨询委员会，对劳动保障重大理论和实际问题、重要文件出台进行咨询与论证，决策的科学化和民主化水平进一步提高。

（四川省劳动和社会保障厅）

# 贵 州 省

2002 年，贵州省劳动保障系统在省委、省政府的领导和劳动保障部的指导下，认真学习贯彻“三个代表”重要思想和十六大精神，贯彻落实全国和全省再就业工作会议精神，积极促进就业和再就业，两个确保继续实现了两个 100%，社会保险制度进一步完善，各项工作取得新的成绩。

## 一、认真贯彻落实全国和全省再就业工作会议精神

全国再就业工作会议和全国劳动保障厅局长会议结束后，贵州省劳动保障系统立即组织学习，传达贯彻会议精神，统一思想，提高认识，全力以赴做好再就业工作。贵州省劳动保障厅认真履行职责，积极做好全省再就业工作会议的各项准备工作。2002 年 9 月底，贵州省委、省政府召开了全省再就业工作会议，贯彻落实全国再就业工作会议精神，出台了《中共贵州省委贵州省人民政府贯彻〈中共中央国务院关于进一步做好下岗失业人员再就业工作的通知〉的实施意见》(黔党发〔2002〕18 号)，并已下发各地执行。全省 9 个市、州、地党委、政府分别召开再就业工作会议，传达贯彻全省再就业工作会议精神，具体安排部署了本地区的再就业工作，制定了再就业工作目标，并与县、区签订了目标责任书。贵阳市委、市政府按照全省会议的精神，积极推进劳动保障社区平台建设，已落实了劳动保障所的机构、人员编制和经费等，在南明、云岩、白云、小河 4 个区全部建立了街道劳动保障事务所(站)，遵义市红花岗区在 17 个街道全部建立了劳动保障事务所（站）。

2003 年 1 月 7 日至 9 日，贵州省政府召开了全省劳动和社会保障工作会议，全面落实全国劳动和社会保障工作会议要求，总结 1998 年以来的劳动保障工作，分析当前形势，安排部署 2003 年全省劳动保障工作任务。会议期间，陈大卫副省长专门召开专员和州、市长座谈会，并代表贵州省政府与各市、州、地签订了就业和再就业目标责任书。2003 年，贵州省计划促进下岗失业人员再就业 6.71 万人，促进其他失业人员就业 8 万人，合计 14.71 万人，城镇登记失业率控制在 5%左右。

为做好下岗失业人员再就业工作，2002 年，贵州省劳动保障系统开展了对下岗失业人员情况的摸底调查，完成了下岗失业人员人数及再就业资金的测算。据调查和测算，贵州省 2001 年末国有企业下岗失业人员 33.87 万人，预计今后几年还将继续增加。为了使中央促进就业和再就业的各项政策措施落实到位，贵州省按照《中共中央国务院关于进一步做好下岗失业人员再就业工作的通知》（中发〔2002〕12 号）和劳动保障部等部委相关配套政策文件的要求，研究制定了具体实施意见，抓紧组织落实。

## 二、积极促进就业和再就业

截至 2002 年底，贵州省进入再就业服务中心并签协议的国有企业下岗职工为79 218 人；2002 年全省国有企业下岗职工实现再就业10 355人，再就业率为 9.77%，促进城镇就业 10.41 万人；年末城镇登记失业率为 4.1%。

2002年，贵州省继续做好就业和再就业工作，一是积极推进国有企业下岗职工“出中心、进市场”。为鼓励下岗职工出中心，省劳动保障厅与省财政厅联合下发了《关于调整再就业资金使用范围有关问题的通知》，出台了《关于调整下岗职工劳动关系问题的通知》，有效地推动了下岗职工出中心。全年全省国有企业下岗职工从再就业服务中心转出15 878人。二是加强职业培训，以培训促就业。通过加强下岗职工再就业培训的管理，落实培训资金，增强了培训的针对性、实用性和有效性。2002年，全省技工学校、就业训练中心和社会力量办学等各类培训机构达303个，共培训19.72万人次，其中培训下岗职工16 958人、失业人员50 989人，结业人数16.28万人，培训后实现就业人数为8.1万人，培训就业率为49.7%。三是加强劳动力市场建设，大力开展职业介绍工作，同时坚决打击非法职业介绍中介机构和非法职业中介行为，规范劳动力市场秩序。2002年，贵州省职业介绍机构总计555个，共登记求职人数196 658人，介绍成功102 071人次，介绍成功率为51.9%。四是做好对社区就业服务实体和劳动服务企业的指导、服务工作，落实有关优惠政策。

贵州省积极开展劳务输出工作，通过加强非农技能培训，促进农村劳动力向非农产业转移。2002年，全省新增外出就业的农村劳动力55.6万人，其中跨省就业39.1万人，劳动保障部门有组织输出达7.8万人。截至年底，贵州省在外就业人数243.1万人，全年汇回劳务收入约48.3亿元。

## 三、继续巩固两个确保

贵州省继续按照“三三制”原则千方百计筹集资金，督促全省各级财政做好预算安排，保证再就业资金的到位，确保了国有企业下岗职工基本生活。2002年，全省共筹集再就业资金32 718.6万元，使用再就业资金32 534.1万元，其中发放基本生活费17 960.9万元，代缴养老保险费10 032.4万元、医疗保险费2 688.8万元、失业保险费1 171.1万元，国有企业下岗职工基本生活费足额发放率和社会保险代缴率均为100%。

2002年，贵州省巩固了确保离退休人员养老金按时足额发放的成果。截至年底，全省参保离退休人员44.86万人，全年实发基本养老金29.99亿元，足额发放率达100%，没有发生当期拖欠，社会化发放率达99.99%。全省参保企业离退休人员月平均养老金为554.58元，同比增长10.5%。为确保养老金按时足额发放，贵州省采取了以下主要措施：一是积极争取中央补助资金。2002年，中央财政共下达补助贵州省企业基本养老保险专项转移支付资金98 323万元，均已按规定拨付全省各级，为确保发放提供了资金支持。省级养老保险调剂金下拨3 500万元，为部分发放困难地区养老金的按时足额发放提供了保障。二是完成了企业退休人员调整养老金待遇的工作。对部分困难企业无力落实增加离休人员养老金的问题，省劳动保障厅积极与省经贸委、省财政厅协商，认真加以解决，增加了这些困难企业离休人员的养老金。三是进一步规范全省基本养老金社会化发放工作。四是加大对各地确保发放工作的监督检查，按季度在省主要媒体上公布全省确保发放的情况。

2002年，贵州省继续做好养老保险扩面征缴工作。通过广泛征求意见，贵州省制定了城镇个体工商户及其从业人员、自由职业人员、省地矿局所属地勘单位原劳动合同制职工、农村信用社参加养老保险的政策，为扩面工作提供了支持。截至年底，全省基本养老保险参保人数为124.03万人，全年实际收缴当期养老保险费21.7亿元，同比增长10.15%，收缴率为91.81%，清理回收基本养老保险欠费1.75亿元。

## 四、加快建立和完善社会保障制度

1. 继续完善养老保险制度

根据国家政策，2002年，贵州省制定了养老保险的一系列政策，包括转制科研和工程设计单位转制前离退休人员待遇调整办法、企业职工终止或解除劳动关系后接续社会保险关系的有关问题、职工在机关事业单位与企业之间流动时社会保险关系的接续政策等。统一了机关事业单位职工养老保险费率，调整了2002年新办法计发养老金封控比例和从2003年1月1日起的全省企业及其职工缴纳基本养老保险费比例。这些政策的出台，进一步完善了贵州省的养老保险制度。

2．积极推进医疗保险制度改革

到2002年底，贵州省9个统筹地区均实施了医疗保险制度改革方案，基本医疗保险参保人数为94.58万人，其中在职职工68万人，退休人员26.58万人。全年征缴医疗保险费36 456万元，收缴率为91.39%，支出30 167万元。从已组织实施的地区看，基本医疗保险制度保障了大多数企业职工的基本医疗，医疗保险基金收支基本平衡，略有结余，达到了改革的预期目的，受到广大职工的拥护。各统筹地区按照省的统一部署，在全省医改实施方案的基础上，制定实施细则，细化各项政策措施。部分统筹地区建立了国家公务员医疗补助、大额医疗救助和企业补充医疗保险等多层次的医疗保障体系。各级医疗保险经办机构建立了规章制度，规范了操作程序。

根据劳动保障部《关于印发国家基本医疗保险药品目录的通知》精神，2002年，贵州省完成了《贵州省基本医疗保险药品目录》的调整增补工作，经劳动保障部审批后，已正式印发各地执行。至此，按照国务院要求和国家有关部委文件规定，贵州省制定印发了城镇职工基本医疗保险制度所需的所有配套政策文件共计20余件。

按照贵州省委、省政府的要求，2002年，省劳动保障厅制定了省本级医改的4个文件，已经省委、省政府审议通过。省本级医疗保险改革方案实施前的准备工作正有条不紊地进行。省本级医改将于2003年正式启动实施。企业离休干部医药费单独统筹机制取得一定进展，遵义市和安顺市已启动离休干部医药费单独统筹机制。

3．切实发挥失业保险作用

随着贵州省属国有企业下岗职工3年协议期满后从再就业服务中心转出进入失业保险，失业保险待遇发放的工作量增大。各级失业保险工作部门认真履行职能，严格按照《失业保险金申领发放办法》规范操作，为符合条件的失业人员按时足额发放失业保险金，提供其他失业保险待遇，并积极调剂失业保险基金用于再就业，切实发挥了失业保险的作用。2002年，全省失业保险基金支出5 759.86万元，其中支付失业保险金3 384.79万元，调剂用于再就业资金1 881.08万元，与上年同期相比，均大幅增长。到年底，仍在领取失业保险金的人数为15 920人，比上年同期增长36.8%。按照中央和省的部署，2002年9月1日起对贵州省失业保险金进行了调整。继续抓好失业保险扩面征缴工作。截至年底，全省失业保险参保人数为132.22万人。2002年收缴失业保险费25 484万元，收缴率为90.63%，失业保险基金支撑能力进一步加强。

2002年，贵州省工伤保险参保人数为13 464人，生育保险参保职工为8 869人。

## 五、全面推进劳动保障工作

2002年，贵州省继续在企业推行以岗位工资为主的企业内部分配制度。积极探索建立科技人员收入分配的激励机制，省劳动保障厅与省人事厅、省财政厅、省科技厅共同制定了《技术要素参与收益分配的试行办法》，该试行办法已经省政府同意印发各市、州、地。做好企业经营者试行年薪制的准备工作，研究制定了《贵州省国有企业及国有控股企业经营者年薪制试行办法》。继续推行劳动力工资指导价位制度。在贵阳、六盘水、遵义、都匀4城市已经成功推行的基础上，继续指导其他中心城市推行劳动力工资指导价位制度工作。制定并公布了贵州省2002年企业工资指导线，对全省最低工资标准进行了调整。2002年3月，由省劳动保障厅牵头的全省协调劳动关系的三方会议召开了第一次会议，通过了《贵州省协调劳动关系三方会议制度》。制定下发了《关于劳动合同管理有关问题的通知》，规范了企业劳动合同管理。截至2002年底，全省签订集体合同的企业已达3 850户。

贵州省职工工资稳步提高。2002年，全省职工工资总额为190.76亿元，职工平均工资为9 043元，同比增长8.7%。

2002年，贵州省部分用人单位恶意拖欠、克扣劳动者报酬的情况十分突出，引发了一些群体事件，直接影响了社会稳定。为解决这些问题，省劳动保障厅向省政府作了专题情况汇报。经省政府同意，省劳动保障厅与省经贸委、监察厅、建设厅、公安厅、工商局、总工会和人行贵阳市中心支行等8部门联合下发了《关于解决用人单位拖欠、克扣民工工资问题的处理办法》，提出了7条具体措施，建立了由省劳动保障厅牵头的解决恶意拖欠、克扣民工工资问题联席会议制度，定期或不定期召开会议，研究解决用人单位恶意拖欠、克扣民工工资问题。根据省领导的批示，贵州省在全省范围内开展了清理用人单位拖欠劳动者劳动报酬的专项检查活动，按照劳动保障部的要求，开展了民工工资支付情况专项监察活动和劳动者权益保护等专项检查活动，取得了较好的效果。2002年，全省共处理突发事件80起，涉及劳动者1.16万人；为劳动者追发工资等金额2 561.7万元，涉及劳动者6.86万人；取缔非法职业中介83户；督促单位缴纳社会保险费共计14 748万元；受理劳动保障监察案件7 087件，结案率达100%；受理群众举报专查立案2 771件，结案率为95.7%；受理劳动争议案件1 215件，结案率为95.88%。

为适应入世的要求，贵州省对“文革”以来颁发的劳动保障法律、法规和规范性文件进行了清理，共废止规章和规范性文件287件，并已报省政府审核同意予以公布。

（贵州省劳动和社会保障厅）

# 云 南 省

2002年，是我们党和国家政治生活中具有特殊重要意义的一年。党的十六大胜利召开，提出了全面建设小康社会，开创中国特色社会主义事业新局面的奋斗目标。这一年，也是劳动保障工作极不平凡的一年，党中央、国务院和云南省委、省政府先后召开了全国、全省再就业工作会议，对劳动保障工作作出了新的部署，出台了一系列积极的就业政策，影响深远，意义重大。一年来，云南省劳动保障战线的同志们坚决贯彻执行党中央、国务院和省委、省政府的一系列决策，解放思想，与时俱进，求真务实，开拓创新，在财政、税务、工商和其他有关部门、有关单位的支持、配合下，较好地完成了劳动和社会保障工作的各项任务。

## 一、两个确保继续得到巩固

2002年，云南省在确保参保企业离退休人员基本养老金按时足额发放方面，劳动保障、财政、地税三方密切配合，为确保发放奠定了基础。省里还将养老保险扩面计划层层分解，落实目标责任，加大了扩面工作力度。到年底，扩面任务已完成。全省参加基本养老保险的人数达252.13万人，其中，享受基本养老保险金的离退休人员74.13万人。各级劳动保障部门与地税部门紧密配合，加强基金征缴和企业欠费的清理回收工作，当期征缴率达93.67%。回收欠费完成了部里下达的2亿元的指标。针对云南省养老保险基金缺口较大的实际，多方筹集资金，确保了参保企业离退休人员都能按时足额领到基本养老金。2002年，中央财政给云南省基本养老金补助13.75亿元，省财政补助2.24亿元，共发放基本养老金59.59亿元，社会化发放率达98.5%。此外，云南省还两次对企业离退休人员基本养老金进行了调整。第一次调整涉及离休人员15 495人，月人均增加基本养老金340元；涉及企业退休人员61万人，月人均增加基本养老金40元。第二次调整涉及企业退休人员63.57万人，月人均增加基本养老金31元。两次新增加的基本养老金，都纳入了确保发放的范围。

云南省在确保国有企业下岗职工基本生活费按时足额发放方面，一是继续按照“三三制”原则筹集资金，保证有稳定的经费来源。2002年，共筹集基本生活保障金28 897万元（其中企业筹集4 328万元，社会筹集8 649万元，财政补助15 920万元），发放28 905万元（其中发放基本生活费16 463万元，代缴养老保险费9 429万元，代缴医疗保险费2 068万元，代缴失业保险费945万元），确保了全省53 791名下岗职工的基本生活，年末保障率达100%。二是从云南省的实际出发，提高了下岗职工基本生活费标准，月人均增加基本生活费45元，下岗职工在2002年11月8日前按新标准足额领取了基本生活费。三是采取提前预拨基本生活保障金的办法，确保了下岗职工基本生活费的按时足额发放。

## 二、就业和再就业工作力度加大

2002年，全国、全省再就业工作会议的召开，揭开了云南省就业和再就业工作崭新的一页。为了贯彻落实中发〔2002〕12号文件精神，经省委、省政府批准，出台了《中共云南省委、云南省人民政府贯彻〈中共中央国务院关于进一步做好下岗失业人员再就业工作的通知〉的实施意见》（云发〔2002〕29号），即促进就业和再就业的32条政策措施，确定了云南省今后3年就业和再就业的主要工作目标。各级劳动保障部门及时为有就业愿望的下岗职工提供了再就业服务。省就业局推出了“大篷车”就业援助行动和12项“套餐”服务，受到了下岗职工和失业人员的欢迎。昆明市委、市政府出台了《关于购买公益性岗位安置国有企业下岗职工实施办法（暂行）》《关于购买社会保险鼓励创业实施办法（暂行）》和《关于购买就业培训成果实施办法（暂行）》等配套文件；玉溪市委、市政府出台了清岗腾位实施办法；楚雄、红河、曲靖、大理、临沧等地州市也及时提出了相应的贯彻实施意见。为了加快全省劳动力市场的建设步伐，仅省本级就向各地下拨劳动力市场建设补助资金1 593.09万元，有效地促进了劳动力市场的建设和市场导向的就业机制的形成。到2002年底，全省国有企业下岗职工在中心人数为36 492名，全年共有17 299名下岗职工出中心，有11 015名实现了再就业，出中心后的再就业率为63.7%。

### 三、深化国有企业改革的劳动保障配套政策出台及时

2002年，按照《中共云南省委、云南省人民政府关于深化国有企业改革的若干意见》（云发〔2002〕3号）、《云南省深化国有企业改革任务分解方案》对劳动保障工作的总体要求，云南省劳动保障厅及时进行调研，并在此基础上，制定了《云南省劳动和社会保障厅贯彻〈中共云南省委、云南省人民政府关于深化国有企业改革的若干意见〉的实施办法》《关于进一步深化国有企业内部劳动用工和分配制度改革的指导意见》《云南省劳动和社会保障厅关于省级党政机关与所管企业脱钩后处理有关职工劳动关系等问题的实施意见》等配套文件；拟定了《云南省国有及国有控股企业经营者年薪收入暂行办法》，经省政府批准，以省劳动保障厅、省财政厅和省经贸委名义印发执行；省劳动保障厅制定并与省财政厅联合下发了《关于省属国有停产企业经济补偿金补助办法》，省劳动保障厅制定并与省级其他9个部门联合下发了《关于社区就业和社会保障服务管理有关问题的意见》。这些文件的出台和实施，对深化云南省国有企业改革发挥了积极的促进作用。

### 四、失业保险工作稳步开展

至2002年底，云南省失业保险参保人数为183.23万人，失业保险基金征缴3.93亿元，支出2.72亿元，共救助失业人员8.78万人。先后动用省级失业保险基金6 124.23万元调剂给地州市，确保地州市5.72万名失业人员按时足额领到失业保险金。此外，云南省在认真调查研究的基础上，对失业保险金待遇进行了调整，失业保险金标准分别由154元、182元、210元提高到189元、217元、252元。全省为此共支出失业保险金862.5万元。2002年，全省城镇登记失业人员共18.74万人，新增10.75万人，失业人员就业数8.9万人。期末实有城镇登记失业人员9.8万人，城镇登记失业率为4%。

### 五、医疗保险和工伤、生育保险制度改革成效明显

2002年，云南省劳动保障厅按照省委、省政府和劳动保障部的要求，继续推进医疗保险制度的改革。到年底，全省16个地州市和128个县（市、区）全面启动和实施了城镇职工医疗保险制度，参保人数达238万人，超额完成230万人的计划指标，参保职工覆盖率达70.5%；有41个县（市、区）实施了公务员医疗补助，有15个地州市、85个县建立和实施了离休干部医疗保障机制；全省共确定定点医疗机构2 343个，定点零售药店670个，方便了参保职工就近就医购药。同时，医疗保险

政策进一步完善，信息系统得到健全，管理日趋规范，基金收支总体平衡，略有结余。全年医疗保险基金收入 21.47 亿元，收缴率为 95.02%；基金支出 15.05 亿元。

在工伤、生育保险方面，紧紧围绕年度工作目标，狠抓了扩面工作。至 2002 年底，全省工伤保险参保人数达 125.51 万人；生育保险参保人数达 123.23 万人；工伤和生育保险均超额完成了 105 万人的扩面目标。省劳动保障厅根据年初对行业管理单位工伤、生育保险基金运行的审核情况，一次性调剂给中央和省属行业工伤、生育保险基金 441.3 万元，有效地维护了职工的合法权益，促进了工伤、生育保险业务的开展。

## 六、劳动关系调整和企业工资分配制度改革平稳进行

2002 年，云南省加强了劳动关系的协调工作，省和地州市两级都建立了协调劳动关系三方机制，积极处理国有企业深化改革过程中劳动关系出现的新情况、新问题，积极参与处理重大突发事件和进行劳动争议调解仲裁工作。省劳动保障厅先后参与处理了原东川矿务局部分人员群体上访事件，云南宣创公司、滇中化工厂、云南轮胎厂、澄江磷矿、西双版纳景洪农场及部分转制科研院所等涉及劳动保障问题的突发事件，维护了企业和社会的稳定。2002 年，云南省各级劳动保障部门共处理群众来信8 264件次，接待群众来访54 427起，涉及职工97 417人次；受理劳动争议案件1 200起，涉及职工3 333人，劳动争议案件结案率为95%。为了进一步规范劳动关系和用工行为，全省加强了劳动合同的签订和管理工作。到年底，全省签订劳动合同的职工累计达 262.15 万人。

在企业工资分配制度改革方面，省劳动保障厅加强了对工资水平的宏观调控，提高了全省的最低工资标准，发布了1 027个劳动力市场工资指导价位，省和 14 个地州市发布了企业工资指导线；按新制定的《云南省国有及国有控股企业经营者年薪收入暂行办法》，在 8 户企业开展了试点。

## 七、职业技能培训鉴定工作有所突破

2002 年，云南省职业技能培训鉴定工作有所突破。一是全省技校发展建设规划和招生工作有新的突破。在实地调研和多次论证的基础上，完成了《云南省技工学校建设发展总体规划》的起草上报工作。根据就业形势的发展变化，扩大了技校招生规模，2002 年共招收新生13 358人，超额完成8 200人的招生计划。二是全省职业技能鉴定工作得到进一步加强。《云南省职业技能鉴定条例》已经省人大常务委员会二审通过，从 2003 年 2 月 1 日起颁布施行。同时，还加强了对职业技能鉴定机构的动态管理，引入优胜劣汰的市场运行机制，先后取消了 23 个不合格的鉴定所，对 25 个鉴定所进行了停业整顿。2002 年，全省参加职业技能培训鉴定 15.7 万人，鉴定合格人数 13.81 万人，超额完成了 11 万人的任务指标。三是充实完善了国家题库，完成了计算机操作工、维修电工等 16 个工种的试题修订工作。

## 八、劳动保障法制监察工作进一步加强

2002 年，云南省劳动保障法制监察工作进一步加强。一是为了进一步促进全省各级劳动和社会保障行政部门依法管理劳动保障事务，规范行政行为，省劳动保障厅制定下发了《云南省劳动和社会保障部门依法行政规定(试行)》。二是组建了云南省劳动保障监察总队。三是积极配合国务院联合检查组，完成了对云南省社会保障政策落实情况的大检查工作。四是认真开展了劳动保障执法年审和监察工作。2002 年，各级劳动保障部门在执法年审中，共审查用人单位 8.41 万户，涉及劳动者 198.32 万人，追缴各类社会保险费总计7 264.94万元，取缔非法职业中介机构 96 个，纠正违反职业资格和职业培训单位1 497户，清退不规范用工4 532人，清退童工 253 人，清退风险抵押金 125.93 万元；主动监察用人

单位3.4万户，涉及劳动者78.84万人；接受群众举报4 045件，立案2 309件，结案2 286件，结案率达99%；审查用人单位规章14 929件，纠正违法规章2 618件；督促3.1万户用人单位进行社会保险登记，督促用人单位与7万名劳动者补签了劳动合同。

**九、社会保障监督工作力度加大**

2002年，云南省加大了社会保险基金监督工作的力度。一是进一步建立和完善了监督体系。全省地、县两级已建立基金监督机构109个，省和6个地州市成立了社会保障监督委员会，各级共开通社会保障举报电话101部，省、地两级社会保障基金监督网已基本建立。二是依法对社会保障基金的预决算、基金征缴和支出等进行了专项清理监督检查。2002年6~9月，省劳动保障厅对10个行业主管部门经办的工伤、生育保险基金进行了一次全面的清理检查，涉及基金2.71亿元，涉及参保职工33.12万人，除发现部分行业在执行政策上不到位、会计账目设置不规范外，没有发现大的挤占、挪用、转移、截留以及违法违纪行为。按照劳动保障部的要求，开展了以基本养老保险费征缴和基本养老金领取资格核查为内容的专项稽核工作，共稽核参统企业10 895户，稽核面为34.5%；涉及职工53.56万人，占参统职工的33.15%；共查出少报、漏报缴费工资总额人数22 869人，补缴基本养老保险费537.8万元。

**十、劳动保障宣传和其他各项工作取得新成绩**

2002年，云南省各级劳动保障部门对宣传工作极为重视，做了大量工作，收到了明显效果。一是高度重视江泽民同志题写书名的《领导干部社会保障知识读本》和《新时期劳动和社会保障重要文献选编》“两本书”的学习宣传工作，基本做到了省、地、县五大班子领导干部和劳动保障系统人员、企业劳资干部都有“两本书”，都学“两本书”。二是组织开展了“两个知识”竞赛活动。组织全省企业职工参加全国环球磁卡杯劳动保障知识竞赛活动，参加答题职工超过80万人；组织了全省首届劳动保障知识电视大赛，有63个代表队参加初赛，20个代表队进入预赛、决赛，共有562万人通过电视转播观看电视大赛实况。组队参加了全国劳动保障知识电视大赛决赛，并荣获大赛优秀奖、组织奖和风貌展示奖。三是充分利用新闻媒体的舆论作用，广泛宣传全国、全省再就业工作会议精神，广泛宣传劳动和社会保障的政策法规和先进人物。省劳动保障厅与省电视台合拍的专题片《系满关爱的就业之路》，已在中央电视台“成功之路”栏目播出。在省、市核心报刊上开辟的“医保在线”专栏，大力宣传医保政策，受到了广大人民群众的普遍欢迎。省劳动保障厅还积极推选近年来在劳动保障工作中做出突出贡献的先进集体和先进个人报劳动保障部表彰，云南省劳动保障战线的3个集体和9名个人荣立了一等功。

（云南省劳动和社会保障厅）

# 西藏自治区

2002年，是西藏自治区劳动和社会保障工作继往开来的重要之年，中央和自治区相继召开了全国、全自治区就业再就业工作会议，对就业和再就业工作作出了重大部署，通过全自治区各级劳动保障部门的共同努力，就业和再就业工作取得新的突破，各项就业服务工作得到了加强。两个确保继续得到巩固，社会保障体系建设不断推进，劳动保障法规建设有了一定的进展，有力地维护了劳动者的合法权益。劳动保障事业在各个方面都取得了较大发展，为全自治区经济发展和社会稳定做出了积极贡献。

## 一、就业和再就业工作

2002年，西藏自治区以全国再就业工作会议精神为指针，按照全自治区就业再就业工作会议的安排部署，实行积极的就业政策，通过开展劳务洽谈会、加强就业和再就业培训，采取各种措施扩大就业，努力挖掘就业岗位，就业和再就业工作取得了新的成效。

1. 积极开展就业和再就业培训，充分挖掘社区就业岗位

（1）加大就业和再就业培训力度。2002年，西藏自治区各级各类培训机构采取“委托、联合、自办”等多种培训方式，相继举办各类培训班36期，共培训下岗失业人员达4 012人。其中：各级公共就业部门培训2 328人，社会力量办学机构培训1 684人；培训下岗职工410人次，城镇失业人员3 590人，扶贫培训12人。全自治区公共就业部门培训的2 328名下岗失业人员中，通过各级就业部门积极开展职业指导、职业介绍、举办劳务洽谈会等多种方式，已有1 835人实现了就业和再就业，占参加当年技能培训总人数的78.8%。其中：下岗职工275人，城镇失业人员1 560人。

（2）积极做好自治区劳动就业技能培训基地项目的前期准备工作。自治区劳动保障厅根据自治区人民政府常务会议要求，对就业技能培训基地的建设规模进行充分论证，形成书面材料上报有关部门。

（3）为了充分挖掘社区就业岗位，自治区劳动保障厅起草了《关于开展社区就业服务促进国有企业下岗职工和失业人员再就业有关问题的通知》，经自治区人民政府批准，由自治区劳动保障厅、财政厅、计委、经贸委等9家联合下发。

2. 加强劳动就业干部队伍建设，做好就业服务工作

（1）为提高全自治区劳动就业部门干部队伍素质，更好地推动职业指导工作的开展，2002年，自治区劳动保障厅积极与国家职业培训和技能鉴定指导中心联系，举办了全自治区首期职业指导人员培训班。参加培训班的共有39人。其中：职业指导员10人，助理职业指导师29人。通过严格的基础理论知识、实际操作技能和综合评定3门考试，36人获得了职业资格证书，合格率为92.3%。

（2）举办了两期拉萨地区劳务洽谈会。参加洽谈会的有130家用人单位，提供就业岗位2 086个，求职者达12 118人次，现场达成意向性供需协议1 996人，989人实现就业。

3. 认真做好职业技能鉴定和工人技术等级考核工作

(1) 继续开展了计算机操作、美容、美发、保健按摩、中式烹调等工种的职业技能鉴定工作，为790名考核鉴定合格者颁发了相应的职业资格证书。

(2) 开展了学历证书与资格证书并重的试点工作。根据全国职业教育会议精神和国家“严格实施就业准入制度，加强职业教育与劳动就业的联系”规定，自治区劳动保障厅经与自治区教育厅协商，选择自治区综合中专学校开展学历证书与职业资格证书并重的试点工作。

(3) 开展了全自治区机关事业单位技术工人晋升技术等级考核工作，在参加考试的1 495名技术工人中，1 412人合格，合格率为95%。其中：驾驶员896人，炊事员360人，打字员156人。

4. 加强社会力量办学的综合管理工作

根据《西藏自治区实施〈社会力量办学条例〉办法》，自治区劳动保障厅审批了两家符合办学条件的社会力量办学机构。为加强对已批准的社会力量办学机构的管理，对现有的7家社会力量办学机构进行了年检，对培训工作开展较好的给予了肯定，对条件差、管理不善、办学秩序混乱或长期不开展工作的给予了批评，并限期整改。

5. 加强劳动力市场管理，规范劳动力市场秩序

(1) 根据国家和自治区的有关规定，严格按照“条件成熟、资质合格、无偿服务、逐步规范”的发展思路，2002年，自治区劳动保障厅先后审批了4家民营职业介绍服务机构，对职业介绍范围、操作程序、收费标准作了明确规定，加强了对民营职介机构的管理和监督指导。

(2) 开展用工备案工作，规范用工行为。根据国家《劳动力市场管理规定》，为保护劳动者和用人单位的合法权益，进一步规范用工行为，按照“统一管理、分块运作”的原则，自治区劳动保障厅积极开展了企业用工备案工作，同时，加强了对用人单位招聘广告的审查、审批工作，有效地控制了私招乱雇的现象。

(3) 为发展和规范劳动力市场，规范西藏自治区职业技能培训管理，促进职业技能培训的健康发展，根据国家和自治区的有关规定，自治区劳动保障厅起草了《西藏自治区劳动力市场管理办法》和《西藏自治区职业技能培训管理实施办法》，已经上报上级有关部门。

## 二、社会保障工作

2002年，西藏自治区在继续巩固两个确保工作的同时，进一步完善基本养老保险、失业保险制度，认真组织进行城镇职工基本医疗保险制度试点工作，社会保障体系建设继续向前推进。

1. 两个确保工作

(1) 确保了国有企业下岗职工基本生活费的按时足额发放。截至2002年底，西藏自治区国有企业下岗职工共有463人。2002年，全区共筹集下岗职工基本生活保障费383万元。其中：企业自筹73万元，社会筹集88万元（主要是失业保险基金调剂），财政负担128万元，财政安排培训费94万元。全区共发放下岗职工基本生活保障费401万元。通过“三三制”筹措资金方式，确保了下岗职工基本生活费的按时足额发放。

(2) 确保了国有企业离退休人员养老金按时足额发放。2002年，西藏自治区社会保险经办机构把按时足额发放基本养老金工作作为重中之重的工作任务，狠抓落实。在各级财政等有关部门的大力支持下，保证了离退休人员基本养老金的按时足额发放。截至年底，全自治区参加基本养老保险统筹的单位共计1 336家，参保人数达42 987人，领取基本养老金的退休人员达到26 068人，支付基本养老金42 439万元，支付率达100%。实行社会化发放的人数达23 459人，社会化发放率约为90%，其中：区直单位离退休人员社会化发放

率达到100%。

（3）为督促做好全自治区两个确保工作，继续实行了社会保险基金征缴按季向社会公示制度，接受社会的监督。在重大节日期间，各级劳动保障部门通过召开座谈会，走访慰问下岗职工、困难职工和离退休人员家庭，在报刊上登载慰问信等方式，及时掌握下岗失业人员和离退休人员的生活情况，向他们宣传劳动保障政策，及时把党和政府的关怀和温暖送到他们心中。

2．基本养老保险工作

（1）进一步完善了养老保险制度，做好了相关政策的解答工作。2002年，自治区劳动保障厅会同财政厅等有关部门制定下发了《关于发布基本养老保险专用全区上年度从业人员月平均工资的通知》《关于发布基本养老保险个人统筹比例的通知》等一系列文件，进一步完善了养老保险制度，保证了全自治区统一基本养老保险制度的顺利实施。

（2）加大了养老保险费征缴稽核力度。2002年，西藏自治区制定下发了《印发〈关于开展基本养老保险费征缴稽核和基本养老金领取资格核查工作的实施方案〉的通知》，对全自治区养老金稽核工作进行了安排。针对全自治区18家破产企业缴纳一次性养老、医疗保险费，以及自治区民政厅福利总公司拖欠社会保险费等问题，采取了下文催缴，签订缴费协议等方式，妥善地解决了有关问题，为自治区破产企业顺利破产清算以及困难企业减员增效等发挥了积极的促进作用。截至年底，全自治区基本养老保险费核定应收数为22 128万元，实际征缴基本养老保险费20 161万元，收缴率达91.11%，其中区直收缴率达96.06%。为提高基金征缴率，利用现有的计算机手段，逐步改善基金征缴方式，缩短征缴周期，实现应收尽收。同时，按照统一安排部署，加大了基本养老保险费的清欠力度。截至年底，清理回收历年拖欠的基本养老保险费1 491万元，清欠率为52.15%。

（3）认真做好企业离退休人员养老金待遇水平调整工作。根据劳动保障部、财政部有关通知精神，经自治区人民政府批准，2002年，西藏自治区先后两次下文提高了自治区159名企业离休人员的养老金待遇，使全自治区企业离休人员养老金待遇水平得到了较大幅度的提高。自治区劳动保障厅会同自治区财政厅制定了《关于提前兑付企业退休人员基本养老金调整部分金额的通知》，从2001年7月1日起兑付了养老金。与此同时，经自治区人民政府批准，在上报劳动保障部、财政部增资方案的同时，下发了《关于2001年调整企业退休人员基本养老金的通知》，为全自治区21 567名企业退休人员增加了养老金，有效地缓解了西藏自治区企业退休人员养老金待遇水平偏低的问题。

（4）继续做好退休人员的跨省安置工作，及时办理跨省退休人员的安置问题。2002年，西藏自治区共收到跨省安置协议书177份，安置退休人员154人。按照有关文件精神的规定，严格审查审批，为829人办理了退休手续，并审核确定了新批退休人员的退休待遇。

（5）建立和规范了养老保险个人账户。2002年，西藏自治区社会保险经办机构克服困难，创造条件，与参加基本养老保险统筹的单位联合，为参保职工建立了养老保险个人账户。截至年底，全区建账率已达80%，区直建账率达90%以上。

（6）为了全面掌握自治区企业离退休人员基础数据，做到家底清、情况明，利用调整企业离退休人员养老金水平的有利时机，2002年，自治区劳动保障厅下发了《关于填报全区企业退休人员基本情况调查表的通知》，对全自治区企业离退休人员基本情况进行了调查摸底。据统计，截至2001年底，全自治区企业离休人员有159人。其中：地（厅）级11人，县（处）级79人，科级及以下69人。企业退休人员22 950人。此次调查摸底对今后离退休人员的管理和养老保险金的社会化发放，以及提高服务管理水平等都将起到积极的作用。

3．失业保险工作

2002年，西藏自治区认真开展了失业保险基金的征缴工作。全区各级劳动就业部门加大了失业保险基金征缴力度，对失业保险基金基数进行了重新核定。在《拉萨晚报》《西藏日报》上连续刊登了《关于重新核定失业保险基金征收基数的通知》，并组织专人到各欠缴单位进行催缴，取得一定成效。截至年底，应参保单位数为1 301个，实际参保单位数为1 103个，占参保单位的85%；应参保职工数为69 272人，实际参保职工数为61 010人，职工参保率为88%；失业保险基金历年滚存结余10 267.5万元。

全自治区失业保险基金支出112万元。主要用于支付失业保险金、职业培训和职业介绍补贴、调剂下岗职工基本生活保障资金等。2002年，全自治区共征收失业保险基金3 371万元，征缴率达到89%。

4. 基本医疗保险工作

按照全自治区城镇职工基本医疗保险制度改革工作会议的部署，2001年12月1日，拉萨地区城镇职工基本医疗保险改革试点工作正式启动，一年来，重点做了以下几项工作：

(1) 大力开展宣传工作。在各级各类新闻媒体上开辟专栏，发表基本医疗保险政策宣传文章45篇；接待群众咨询4 500余次；开设各类医保培训班10余次，培训人数达3 000人次；印发20 000册文件汇编，召开了10余次医改政策解答座谈会。采取多种形式，大力宣传建立城镇职工基本医疗保险制度的重要性、必要性以及医保政策和业务知识等，努力争取参保职工和社会各界的理解和支持。

(2) 深入开展调研。2002年，自治区劳动保障厅对拉萨市七县一区开展医保试点工作进行了全面调研，及时了解拉萨市医改进展情况。并先后召开了多次区直参保单位和职工征求意见座谈会，对医改试点过程中反映出的新情况、新问题进行了收集分析，为下一步调整完善医改政策提供参考。

(3) 认真做好基本医疗保险的参保登记和缴费核定，加强基金征缴。

(4) 为全部参保职工建立了基本医疗保险个人账户，划转记入资金，并发放了基本医疗保险卡。其中区直、中直单位有90%以上的参保职工拿到了基本医疗保险卡。

一年来，西藏自治区医疗保险制度改革试点工作运行平稳，基本达到了改革的预期目的。针对试点工作中出现的新情况、新问题，相关制度的调整和完善工作正在积极进行。截至2002年底，拉萨地区参加基本医疗保险的单位457家，参保人数57 564人，拉萨地区两级医保中心累计实收基本医疗保险费9 756.1万元，其中：单位缴费7 893.1万元，个人缴费1 863万元。

## 三、劳动关系调整及劳动保障监察工作

2002年，西藏自治区继续推进劳动合同和集体合同，加强劳动争议仲裁工作，加大劳动保障监察工作力度，重点查处拖欠民工工资的违法行为，努力维护劳动者的合法权益，促进了劳动关系的和谐稳定。

1. 继续推进劳动合同制，加强劳动合同管理

根据市场经济发展及西藏自治区企业改革的需要，2002年，自治区劳动保障厅在深入调查研究、广泛听取企业和企业主管部门意见的基础上，采取相应措施，加大宣传力度，进一步推动劳动合同的依法签订以及加强劳动合同管理工作，劳动合同制度覆盖面进一步扩大，全自治区签订劳动合同的人数已达66 591人，占同口径人数的100%。在集体协商的基础上，有531家企业签订了集体合同。同时，加强了对劳动合同的监管力度，使其在规范化方面又迈进了一步。

2. 加强劳动争议仲裁工作，积极预防劳动争议案件，努力维护劳动者的合法权益

2002年，西藏自治区劳动争议仲裁案件发案率升势不减，劳动争议仲裁部门在处理劳动争议的过程中，严格遵循办案规则，有效地解决了劳动关系运行中出现的各类劳动争议，尤其是对拖欠民工工资的案件加大了查处力

度。2002 年，全自治区共受理劳动争议案件 272 件，其中涉及工资拖欠 222 件、工伤 38 件、除名 12 件，涉及金额 979.4 万元，其中个人争议 62 件，涉及 161 人次；集体争议 210 件，涉及6 535人次；结案 254 件，结案率达 93.4%；挽回经济损失 853.5 万元。全自治区劳动争议仲裁部门依法鉴证劳动合同66 591 份，集体合同 531 份，劳动合同续签 362 份，比上年上升 364%。

劳动保障部门还积极与有关部门相互配合，深入做好预防劳动争议工作，遵循“预防为主、调解为主、基层为主”的方针，重点做好对企业经营者的宣传、教育工作，增强他们的法律意识，依法制定完善企业各种内部规章，建立监督约束机制，实行规范化管理和职工民主管理。指导基层工会和企业将劳动争议更多地解决在基层。

3．加大法规监察力度，推进劳动保障法制建设

（1）运用劳动保障监察法律手段，针对一些企业侵犯职工合法权益，拖欠、克扣工人工资，随意延长工作时间等举报案件，进行了深入细致地调查取证和处理工作，切实维护用人单位和劳动者的合法权益。据统计，2002 年，全自治区劳动保障监察部门共受理举报案件 87 起，涉及民工1 022人，追讨金额为 253.23 万元，已结案 77 起，结案率为 88%。

（2）根据劳动和社会保障部《关于开展民工权益保护专项检查活动的紧急通知》精神，结合西藏实际，2002 年，自治区劳动保障厅在全自治区开展了一个多月的民工权益专项检查活动，对建筑企业、集体企业、私营企业、个体工商户及各类职业中介机构等 441 家用人单位进行了全面检查，对侵害民工权益的 136 家企业进行了行政处罚，取缔了 1 家非法职业中介机构。

（3）根据劳动和社会保障部要求，2002 年，自治区劳动保障厅深入开展了贯彻实施《妇女权益保障法》情况自查和抽查活动，对 392 家用人单位进行了检查，对拖欠工资和欠缴社会保险费的用人单位责令改正，并对情节较严重的 12 家用人单位进行了行政处罚。

（4）根据劳动和社会保障部等 8 部委《关于开展贯彻实施〈禁止使用童工规定〉情况检查活动的通知》精神，及时组织有关部门在全自治区开展了使用童工情况检查活动，对 514 家用人单位进行了检查，对非法使用童工的 21 家用人单位进行了行政处罚。

## 四、企业工资分配工作

1．审批调资方案

根据企业效益情况，按照“两低于”的原则，2002 年，自治区劳动保障厅审批了自治区交通厅、外经贸厅和农牧厅等所属 37 家企业的调资方案，涉及职工人数5 708人。通过调资，激发了企业职工的工作积极性，促进了企业的发展。

2．开展调查研究

按照自治区政府对自治区经贸委党组关于当前企业职工思想动态的分析和对策意见的批示精神，2002 年，自治区劳动保障厅对自治区经贸委、交通厅、外经贸厅、旅游局 4 个部门的所属企业就职工工资水平状况及企业存在的问题进行了专题调研。通过调研，了解了全自治区企业收入分配的基本情况，并对企业收入分配中存在的问题及其原因进行了分析研究，上报了《当前我区企业工资现状、存在的问题和解决措施》的调研报告，为政府决策提供了依据，并为改革自治区的企业收入分配制度打下了一定的基础。

3．最低工资测算工作

为适应市场经济发展的需要，保障企业员工及其家庭成员的基本生活，维护企业员工的合法权益，促进企业公平竞争与发展，2002 年，自治区劳动保障厅在充分调研、广泛征求意见并与周边省市进行比较的基础上，完成了《西藏企业最低工资暂行规定》的测算、起草工作，并已上报自治区政府，待批准后颁布实施。

## 五、其他工作

在做好以上工作的同时，西藏自治区劳动保障其他各项工作也得到了进展。

1．专项检查和排查工作

按照国家劳动保障部和自治区的统一安排，2002 年，自治区劳动保障厅对涉及劳动保障工作的不稳定因素开展了专项检查和排查工作。根据国家和自治区的有关要求和劳动保障工作实际，全自治区各级劳动保障部门开展了“社会保障政策落实情况大检查”和“人民内部矛盾排查调处工作”，对两个确保、困难职工生活、下岗失业人员再就业、企业减员、关闭破产企业职工安置、社会保障政策落实情况以及工资支付等方面存在的问题，进行了全面深入的排查。通过排查，消除了一些隐患，增强了工作的针对性、主动性和预见性，有力地促进了国有企业改革及企业和社会稳定。

2．加强调查研究

2002 年，自治区劳动保障厅多次组成调研组下地区调研，调研内容涉及地区劳动保障机构设置，工作开展情况，以及社会保险、就业和再就业工作等难点热点问题。通过调查研究，一方面对劳动和社会保障工作进行了一次全面的宣传，使地方各级领导站在一个新的高度对劳动和社会保障工作有进一步的认识和理解；另一方面考察了劳动保障工作的现状，掌握了基本情况。进一步增强了做好全自治区劳动和社会保障工作的危机感、紧迫感和责任感。

3．认真做好群众来信来访接待工作

2002 年，自治区劳动保障厅共受理群众来访 167 批，2 138人次。在接待来信来访中，自治区劳动保障厅各有关部门切实按照“三个代表”的要求，热情接待群众来信来访，对人民群众反映的问题及时作出答复和解决，对化解社会矛盾、维护社会稳定起到了重要的作用。

4．开展劳动保障宣传学习活动

根据劳动和社会保障部《关于做好劳动保障学习宣传活动的通知》精神，2002 年，自治区劳动保障厅及时组织成立了由财政、广播电视等有关部门参加的全自治区劳动保障学习宣传活动组织委员会，组织了全国劳动保障知识竞赛西藏自治区的答题工作，同时组织做好劳动保障学习宣传活动和《新时期劳动和社会保障重要文献选编》《领导干部社会保障知识读本》的征订和学习活动。

5．做好计划统计工作

在计划工作方面，根据《中共西藏自治区委员会关于制定国民经济和社会发展第十个五年计划的建议》精神，结合西藏劳动保障工作实际，自治区劳动保障厅起草了《西藏自治区劳动和社会保障事业发展“十五”计划纲要》，经政府常务会议同意，以政府名义下发。按照自治区政府的部署，自治区劳动保障厅配合自治区社科院起草了《西藏自治区人口、就业、社会保障事业发展“十五”专项规划》。根据劳社部函〔2001〕190 号通知精神，编制上报了 2002 年劳动保障事业发展计划执行情况和 2003 年劳动保障事业发展计划，为国家全面了解西藏自治区劳动保障事业的发展提供了有力依据。在统计工作方面，按照劳动保障部要求，自治区劳动保障厅按时完成了全自治区劳动保障综合统计年报和劳动保障季报工作，为国家了解西藏自治区的劳动保障工作进展情况提供了依据。

2002 年，西藏的劳动保障工作在任务重、时间紧、困难大、矛盾多的情况下，较好地完成了各项工作任务，成效显著。但仍然存在一些困难和问题。主要有：一是受西藏社会经济发展水平相对较低的制约，就业渠道窄、容量小，就业形势严峻。劳动力市场建设和职业介绍中介服务严重滞后，影响了劳动力的合理流动。二是由于养老保险覆盖面窄，多渠道筹资机制难以形成，加之西藏自治区企业经济效益普遍较差，养老保险费的征缴难度大，使基本养老保险基金的支撑能力下降，收支缺口逐年增大。三是受机制和经费的双重制约，职业技能培训特别是企业职工培训工作严重滞后，造成企业职工队伍的技能素质偏低，与建立现代企业制度的要求不相适应。四是医疗保险制度改革工作还需进一步完善政策，落实资金，加大宣传力度，改进操作手段。五是失业保险基金征缴难度大，各地（市）事业单位失业保险费征缴率较低，失业保险扩面征缴工作难度较大。六是劳动合同制度尚未实现全覆盖，一些用人单位没有依法与劳动者签订劳动合同，签订劳动合同的内容不够规范等情况依然存在。七是全自治区劳动保障系统的法规建设、统计、信息等基础工作仍不适应劳动保障事业发展的需要。八是西藏自治区劳动保障部门尤其是地（市）一级劳动保障局办公设施和条件落后，亟待改善，西藏自治区劳动保障干部队伍的业务素质还不能适应劳动保障工作发展的需要。

（西藏自治区劳动和社会保障厅）

# 陕 西 省

2002年是我们党和国家历史上极不平凡的一年，也是陕西省劳动和社会保障工作取得较大成绩的一年。胜利召开的党的十六大，为我们提出了全面建设小康社会，开创中国特色社会主义事业新局面的奋斗目标，鼓舞人心，催人奋进。在省委、省政府的领导下，陕西省各级劳动保障部门认真实践“三个代表”重要思想，深入学习贯彻党的十六大精神，振奋精神，扎实工作，各项工作取得显著成绩，为促进全省经济结构调整和国有企业改革顺利推进发挥了重要作用，为维护全省改革发展稳定大局做出了积极的努力。

## 一、两个确保得到进一步巩固，基本养老金和基本生活费继续保持100%的社会化发放，为维护社会稳定发挥了重要作用

2002年，陕西省以解决突出问题为重点，坚持不懈地抓好两个确保工作。在确保企业离退休人员基本养老金按时足额社会化发放方面，一是与地税部门加强协作，不断加大养老保险费的收缴力度，以增收来缩小资金缺口。二是采取硬性措施，清理回收企业历年欠缴的基本养老保险费，以增加基金存量。对欠费大户，除了通报批评，还在媒体公开曝光，以督促其尽快补缴欠费。三是积极推进基本养老金市级直发工作，以减少发放环节，缩短发放周期。全省11个市（区）和原行业企业的57万多名企业离退休人员基本养老金，实现了省、市两级直发，占全省企业离退休人员总数的64.4%。四是及时落实国家和全省有关企业离退休人员待遇调整的各项政策。2002年是企业离退休人员待遇调整次数较多的一年。1月、3月和10月先后3次不同程度、不同范围地提高了企业离退休人员的待遇水平。春节前还按每人50元的标准一次性发放了企业退休人员生活补贴。虽然调整待遇的政策性强、业务量大，但经过艰苦细致地工作，都按国家和省委、省政府的时间要求，将增加后的基本养老金按时足额发到了广大企业离退休人员手中。经过这几次调整，全省企业离休、退休人员的月人均基本养老金已经分别达到1 224元和589元。据统计，截至2002年底，全省参加基本养老保险的企业2.1万户，参保职工261.25万人，离退休人员90.78万人（其中：离休人员2.92万人），发放基本养老金65.9亿元，并全部建立、记录了个人账户；收缴养老保险基金43.3亿元，其中清理回收企业历年欠费3.95亿元。在劳动保障部上半年养老保险经办工作情况通报中，陕西省的参保职工净增人数、缴费人员净增人数均居全国第3位。

在确保国有企业下岗失业人员基本生活费按时足额社会化发放工作中，省劳动保障厅积极与财政厅等部门协调配合，千方百计筹措资金，坚持总量控制、动态管理的原则，严格把关，以高度的政治责任心较好地完成了这项工作。截至12月底，全省保障26.73万人，其中：中央驻陕企业3.34万人，省属企业8.33万人，市属以下企业15.06万人，发放基本生活保障金11.62亿元。对于一些停产或进入破产程序的特殊困难企业职工，省劳动保障厅积极协调有关部门，按照一定标准给予了基本生

活保障，维护了社会稳定。元旦、春节期间，按照省委、省政府的要求和部署，安排1 000万元帮困资金，对军工、纺织、煤炭、森工等26个行业的200多户中央属、省属困难企业特困职工进行了救济。

2002年5月中旬，省委、省政府对全省两个确保政策落实情况进行了专项检查。从随机调查、走访职工和问卷调查结果来看，企业离退休人员和下岗失业人员对陕西省两个确保的满意率达99.8%。省委、省政府联合检查组也对两个确保工作给予了充分肯定。

**二、养老保险制度继续得到完善，覆盖面进一步扩大，一些影响稳定的突出问题得到解决**

2002年，陕西省按照省级统筹的要求，进一步健全和完善养老保险制度。一是妥善将国家3次调整企业离退休人员待遇政策与陕西省实际衔接起来，建立起了劳动保障、财政等部门参与的十分有效的待遇调整工作机制。二是对退休审批权限作了进一步规范，印发了《关于加强企业职工因病退休管理有关问题的通知》，提出了贯彻劳动保障部《关于完善城镇职工基本养老保险政策有关问题的通知》的意见，加强了对省级统筹和全省养老保险政策的统一管理，及时杜绝了一些地方在退休审批上把关不严的现象。三是认真研究养老保险“中人”新办法全覆盖思路，稳妥推进养老保险制度改革。到2002年底，全省新增退休人员83 544人中，“中人”按新办法计发养老金人数为30 076人，其覆盖率为36%，一些缴费工资较高的行业企业已完全过渡到了新办法，为2004年“中人”新办法全覆盖做了必要的准备，推进了社会统筹与个人账户相结合、权利与义务相对应、公平与效率相结合的养老保险制度的建立和完善。

**三、失业保险的保障作用明显增强**

2002年，陕西省先后颁布实施了陕西省人民政府《关于事业单位参加失业保险的通知》《关于建立失业保险个人缴费记录的通知》及《关于失业保险关系转迁有关问题的通知》等政策性文件，加上将要报省政府出台的《陕西省〈失业保险条例〉实施办法》，陕西省的失业保险政策已得到较大完善。这些初步建立起来的失业保险政策体系，已经能够保证陕西省下岗失业人员基本生活保障完全向失业保险制度并轨的需要。认真落实促进下岗失业人员再就业的扶持政策，通过经费支持，及时对下岗失业人员实行免费的职业培训和职业介绍。在西安、宝鸡、咸阳等市进行的失业保险补贴公益性就业岗位试点工作进展顺利。截至年底，全省参加失业保险315.72万人，比上年增加10.79万人，领取失业保险人员已达8.78万人，比2001年末增加了5.28万人；失业保险基金征缴4.06亿元，失业保险基金支出5.1亿元，其中发放失业保险金1.24亿元，登记失业人员都按月足额领取了失业保险金；支付职业培训和职业介绍补贴1 967.03万元，免费职业培训7万人，免费介绍职业2万人，为下岗失业人员基本生活保障调剂资金3.54亿元，有力地促进了两个确保和再就业工作的开展。

**四、城镇职工基本医疗保险制度改革稳步推进，医疗保险体系得到进一步完善，特殊人群的参保就医问题得到进一步解决**

2002年，陕西省为了进一步推进医疗保险改革，针对实际情况，着力解决了特殊人群的基本医疗保障问题。一是制定下发了《陕西省困难企业职工参加基本医疗保险试行办法》，解决了有部分缴费能力的困难企业职工参加基本医疗保险的问题。二是拟定了省直机关公务员医疗补助办法，已经省政府印发开始实施，基本解决了省直机关公务员就医个人负担过重的问题。三是出台了《陕西省城镇职工基本医疗保险定点医疗机构资格年度考核试行办法》和《陕西省城镇职工基本医疗保险定点零售药店资格年度考核试行办法》，完善了定点机构的考核管理措施。四是成立了陕西省城镇职工医疗保险社会监督委员会，办公室设在省劳动和社会保障厅。陕西省城镇职工医疗保险社会监督委员会的成立，是完善医疗保险监督机制的重要举措，是加强医疗保险监督的重要手段之一，是陕西省城镇职工医疗保险社会监督制度建立的重要标志。截至2002年底，全省医疗保险参保人数260万人，占全省应参保人数的68.33%，已超额完成年初省政府确定的医疗保险扩面任务，并提前超额达到了国家确定的医疗保险扩面占应参保人员60%的目标。另外，参加工伤保险和生育保险的职工增长较快。截至2002年底，全省参加工伤保险的职工达到了45.5万人，占应参加工伤保险职工总数220万人的20.61%。11个工伤保险统筹市、区中已有7个市、区的56个县区启动实施了工伤保险，占全省107个县区的52%。全省参加生育保险的职工19.8万人。11个生育保险统筹市、区中有7个市、区的43个县区启动实施了生育保险，占全省107个县区的43.27%。

### 五、积极推进新形势下的就业和再就业工作

2002年对就业工作而言，是具有特殊意义的一年。党中央、国务院和陕西省委、省政府都召开了再就业工作会议，对就业和再就业工作作出了重大部署，江泽民同志、胡锦涛同志、朱镕基同志等党和国家领导人都对就业和再就业工作作出了重要指示，广大群众也对这项工作极为关心。

2002年初，省委常委会把就业和再就业调研作为做好就业和再就业的基础工作，作了安排部署。上半年，在省委的具体领导下，省劳动和社会保障厅积极参与，并具体组织实施。经过3个多月的艰辛工作，摸清了全省劳动力就业的基本情况，并依此向省委、省政府提出了进一步扩大就业和再就业的意见。全国再就业工作会议后，省委、省政府于10月上旬召开了全省再就业工作会议，并下发了《关于进一步做好就业和再就业工作的意见》。春节前，按照国家有关部委出台的配套政策，由劳动和社会保障厅牵头，积极协调省级有关部门，在短短20多天的时间里，拟定出台了陕西省就业和再就业工作的配套政策文件。

为了适应新形势对就业和再就业工作提出的新要求，陕西省进一步加强了就业服务工作。首先，动员全省各类职业培训机构、职业介绍机构，积极参与职业培训和职业介绍。对按照规定免费为下岗失业人员提供培训和职业介绍的机构，都及时给予费用补贴。其次，全省各地为就业弱势群体中的“4050”人员提供公益性就业岗位，社会反响很大。第三，劳动力市场建设步伐加快，管理服务日趋规范，“三化”试点城市信息网络建设进展顺利，28.5万人通过劳动力市场实现了就业和再就业。积极组织实施第二期“三年四十万”再就业培训计划，培训下岗职工、失业人员16万人，其中再就业9.6万人，培训再就业率达到60%。2002年，陕西省12所高级技工学校升格为技术学院，引起了各行业、企业及全社会对技工教育的重视。进一步加大宣传指导力度，多形式、多层次扩大生源，全省技校招生再创新高，2002年共招收新生2.4万多名，较2000年增加9 000多人，为陕西省的经济发展储备了技能型人才。职业技能鉴定工作继续得到加强，有力地促进了就业准入和资格证书制度的稳步推进。2002年，全省15万人参加了鉴定考试，12万多人获得职业资格证书，其中，秘书资格鉴定人数位居全国第二。在国家组织的各类技能竞赛和技术能手评选中，陕西省选手均取得了较好成绩。劳务输出工作稳定发展，2002年，全省劳务输出185万人次，创经济收入56.45亿多元。

### 六、企业工资分配宏观调控工作逐步完善，劳动关系基本保持和谐稳定

2002年，陕西省已经形成了以工资指导线为主要调控手段，并与工效挂钩、工资总额包干等办法有机结合的工资宏观调控体系，企业正常的工资增长机制正在逐步建立和完善。企业经营者年薪制试点已扩大到190多户。

根据“全国贯彻实施《劳动法》《工会法》，推进集体合同和劳动合同制度经验交流会”精神，省劳动保障厅与省经贸委、省总工会、省企业管理协会积极筹备召开了全省劳动关系协调工作会议。安排和部署了陕西省劳动关系协调工作，建议省政府下发了《关于进一步加强我省劳动关系协调工作的意见》。为了进一步加强对劳动关系协调工作的领导，成立了以主管副省长为组长，劳动、经贸、工会等有关部门参加的省劳动关系协调工作领导小组，建立了陕西省协调劳动关系三方会议制度。继续推进和完善集体合同制度，出台了《关于进一步加强劳动合同管理有关问题的意见》，全面加强了劳动合同管理工作。

**七、基金监督工作成效显著**

截至2002年底，陕西省共清查挤占挪用各项社会保障金5 569.6万元，其中养老保险基金2 263.4万元，失业保险金2 110万元，回收1 196.19万元。一些历史遗留的挤占挪用社保基金案件得到处理，绝大部分都列出了还款计划，挤占挪用和违纪违规动用社会保障基金问题得到制止。已追缴陕西省渭河化肥厂拖欠社保基金利息2 900万元。发挥职工群众在基金监督工作中的作用，建立了社会保险基金监督举报制度，对群众举报的4起挤占挪用、截留职工社会保险金、培训费的案件进行了严肃查处。另外，2001年底，省政府批准成立省社会保障监督委员会后，又及时加强了委员会的建章立制工作，拟定了《陕西省社会保障监督委员会章程》和《陕西省社会保障监督委员会群众举报案件查处办法》，已颁布实施，使陕西省社会保障监督工作走上了制度化、规范化的轨道。

**八、劳动保障法制建设和仲裁信访工作得到加强，有力地促进了中心工作的顺利开展**

按照依法行政的要求，2002年，陕西省劳动保障厅对2001年12月以前的所有文件进行了一次全面清理，仅保留规范性文件197件，已向社会全面公布。劳动保障厅机关和厅属事业单位约350人参加了依法行政法律和专业知识培训考核，对考核合格者颁发行政执法证。以两个确保落实情况和企业恶意拖欠、克扣职工工资、妇女劳动权益保护为重点，组织开展了一系列专项检查活动，全年全省共查处侵犯劳动者合法权益案件9 692起，涉及90.65万人，取缔非法职业中介机构134户，清退童工155名，帮助4.68万打工者，追回工资829.62万元。

2002年是劳动仲裁办案质量年，陕西省以规范仲裁办案程序、提高仲裁员素质为突破点，提高办案质量，全年全省共受理案件2 450件，时效内结案率达90.3%，无一错案发生。为了确保社会稳定，对影响社会稳定因素和重点监控企业的情况进行了排查，对部分企业离休人员、原志愿军老战士、中石油等单位的群体性上访事件做了较好的政策解释和疏导工作，稳妥处理了多起集体上访，基本化解了矛盾，保证了党的十六大、省十次党代会和“两会”的顺利召开。

**九、劳动保障宣传工作成绩突出**

2002年，根据劳动保障部“宣传工作要大题大做”的指示，陕西省进一步加强了劳动保障宣传工作。一是从2001年11月至2002年7月，在全省范围内开展了一场声势浩大的劳动保障学习宣传活动。这次活动省劳动保障厅党组高度重视，厅长亲自挂帅担任劳动保障学习宣传活动领导小组组长，并抽调20多名同志参与这项活动。经过8个多月的努力，陕西省劳动保障学习宣传活动进展顺利，成绩喜人。全省征订“两本书”12 300套，超额完成了任务；在全国首届劳动保障知识电视大奖赛中，陕西省代表队荣获电视大奖赛二等奖，为全省劳动保障系统争得了荣誉。二是与省委宣传部联合，成功地拍摄了电视专题片《为了长治久安——陕西再就业工作纪实》。该片重点反映了省委、省政府贯彻全国再就业工作会议精神，做好全省再就业工作的重要部署，全景式地表现了就业和再就业工作在省委、省政府的领导下所取得的一系列成就，生动地刻画了劳动保障部门无私奉献、勤政为民的工作作风，突出地展现了一批再就业明星自强不息、自我创业的精神风貌。中央电视台和陕西电视台多次播放该片，反响强烈。三是2002年4月，省劳动保障厅配合中央电视台《半边天》栏目组来陕西省采访报道生育保险开展情况。《半边天》栏目组对安康市生育保险情况进行了实地拍摄采访，对陕西省生育保险工作开展情况在中央电视台进行了宣传。另外，还和陕西电视台联合摄制了医疗保险专题宣传片，并在陕西电视台滚动播出。《劳动者》编辑部继续扩大宣传范围，及时报道了劳动保障工作的政策法规和热点难点问题。这些宣传活动的开展，具有不可替代的积极作用，有力地推动了陕西省劳动保障工作的顺利开展。

**十、机关自身建设进一步加强，工作作风明显改善**

2002年是陕西省政府提出的“转变作风年”。为了切实加强机关自身建设，省劳动保障厅组织开展了劳动保障系统行风建设和“三优一满意”文明窗口创建活动，收到明显效果。不仅使窗口单位树立了良好的行业风气，也带动了全系统的作风得到明显好转。例如，厅涉外劳动管理处为了适应我国加入WTO的需要，创造良好的外商投资环境，组织召开了两次外商投资企业劳动保障政策信息发布会，还印制了大量的服务指南，为外商提供了良好的服务，受到企业的肯定。省社保局大力改进经办机构干部队伍作风，发动全省养老保险经办系统1 000多名干部，开展了离退休人员家访工作，全省共家访离退休人员81.92万人，做到了“人人见面，个个问到”，受到了广大离退休人员的高度赞扬。结合提醒教育和作风纪律整顿活动，开展了“四自查”（作风、党性、干劲、廉洁）和作风纪律建设教育检查活动，提高了广大党员干部廉洁自律的意识，改进了思想和工作作风。为了从源头上根治腐败，加大了对“权、钱、人、事”的管理，省社保局、职介中心等单位都进一步完善了“一厅式”办公，一条龙服务形式，提高了服务质量和工作效率。各行政处室都将工作职能、工作程序和工作标准等内容在办公场所显要位置上墙公布，便于群众监督。劳动保障厅人事处将厅机关行政处室和事业单位主要工作职能、办公地点、联系电话制作成公示牌，悬挂在办公楼的两个楼梯口，方便群众办事。厅财务规划处严格推行会计委派制度和增收节支奖罚办法，有效地防止了铺张浪费、腐败行为的发生。面对腐败问题，省劳动保障厅也毫不手软。2002年，厅监察室共查处违纪案件4起，有关责任人均受到了严肃处理。厅离退休干部管理所想方设法、尽职尽责为厅离退休人员服好务，受到一致好评。厅后勤管理所的工作人员，无论是酷暑严寒还是节假日，都能坚守工作岗位，兢兢业业地做好后勤保障工作。同时，他们还能够精打细算，开源节流，为厅里节约了一大笔经费支出。省劳动保障厅还按照省委要求继续做好扶贫帮扶工作，被评为“扶贫先进牵头单位”。在机关党委组织下，省劳动保障厅各处室事业单位继续坚持对877厂开展结对子活动，全年共救助困难职工89人，捐助粮食765千克，油460升，捐款25 700元。

（陕西省劳动和社会保障厅）

# 甘 肃 省

2002年，在省委、省政府的正确领导和劳动保障部的具体指导下，甘肃省各级劳动保障部门以党的十六大精神为指导，认真贯彻全国和全省再就业工作会议精神，紧紧抓住实施西部大开发和“工业强省”战略的良好机遇，全力巩固两个确保，切实加大就业和再就业工作力度，加快完善社会保障体系，全面推进劳动保障各项工作，较好地完成了全年的工作任务，为维护全省改革发展稳定大局做出了积极的贡献。

## 一、两个确保进一步巩固

2002年，按照省委、省政府的要求，甘肃省各地继续把两个确保摆在突出位置，加大资金筹集力度，加强保发放资金的调度，确保企业离退休人员基本养老金和国有企业下岗职工基本生活费按时足额发放。2002年，全省共为47.58万名企业离退休人员发放养老金40.84亿元，基本养老金综合保发放率为100%。截至年底，全省国有企业下岗职工15万人，进中心签协议的14.6万人，占97%，进中心的下岗职工全部足额领取基本生活费，并足额代缴社会保险费。

## 二、就业和再就业工作取得新进展

截至2002年底，甘肃省实有城镇登记失业人员8.7万人，城镇登记失业率为3.2%，实现了省政府下达的控制在4%以内的工作目标。全省共有10 784名国有企业下岗职工实现再就业，再就业率为6.9%。认真贯彻全国和全省再就业工作会议精神，积极做好下岗失业人员再就业工作，下半年，集中开展了再就业优惠政策大检查、再就业情况调查摸底、再就业援助和再就业政策宣传活动。在兰州、白银、金昌3个国家级社区就业联系城市和天水、嘉峪关、武威、崆峒区、玉门市、甘州区、肃州区7个省级社区就业联系城市，积极开展社区就业试点工作。加快劳动力市场建设步伐，在兰州、白银、金昌3个国家级和天水、嘉峪关、崆峒区、敦煌、凉州、甘州、西峰区7个省级劳动力市场“三化”建设试点城市，建成劳动力市场信息网络。进一步加大劳务输出工作力度，全年共输转城乡劳动力266.78万人次，创劳务收入40.02亿元。

## 三、养老保险工作进一步加强

截至2002年底，甘肃省养老保险参保人数139.99万人，覆盖率为96.53%；基本养老金社会化发放人数47万人，社会化发放率为98.76%。积极推进企业退休人员社会化管理服务，制定下发了《甘肃省企业离退休人员养老保险社会化管理服务暂行办法》，在兰州、天水、白银3个重点联系城市进行试点，已有7.5万名企业离退休人员实行社会化管理服务。如期完成了企业离退休人员基本养老金调整工作，其中离休人员月人均增加121.7元，退休人员月人均增加71元。认真贯彻落实省政府《关于认真解决当前城镇企业职工基本养老保险问题的意见》和电视电话会议精神，对养老保险工作中存在的政策执行不严、越权违规审批职工退休和参保人员流失等突出问题进行了认真整改。

## 四、失业保险制度逐步完善

2002 年，甘肃省以铁路、金融和非公有制经济单位为重点，积极扩大失业保险覆盖面，截至年底，全省失业保险参保人数 161.04 万人，占全年覆盖计划的 94.7%。进一步完善失业保险金申领发放办法，制定下发了《甘肃省失业保险缴费基数核定补充规定》《甘肃省失业保险省级调剂金管理使用办法》和《甘肃省有偿解除劳动关系人员领取失业保险金办法》。充分发挥失业保险金保障失业人员和下岗职工基本生活的作用，全年累计为 3.9 万失业人员发放失业保险金4 502.87万元，向再就业服务中心调剂下岗职工基本生活保障资金 1.39 亿元。

## 五、城镇职工基本医疗保险制度改革取得新的进展

截至 2002 年底，甘肃省基本医疗保险参保人数 124.14 万人，超额完成了全年参保人数 120 万人的目标任务。紧紧围绕方便就医、方便结算、减轻个人负担的目标，强化基础管理，全省共确定定点医疗机构1 649家，定点零售药店1 082家。在定点医疗机构严格执行“三个目录”，规定定点医疗机构基本医疗保险药品备药率和医疗保险用药使用率要达到 85%以上，个人自费药品负担率低于 10%，逐步完善公务员医疗补助、企业补充医疗保险和慢性病种的补助办法，切实减轻参保职工的经济负担。

## 六、企业工资收入分配制度改革不断深化

2002 年，甘肃省在兰州市进行工资指导线试点的基础上，拟订了《甘肃省企业工资指导线制度试点办法》。逐步推行劳动力市场工资指导价位制度，兰州、白银、金昌等 6 市共发布了 259 个工种（职位）的劳动力市场价格。认真组织开展工资集体协商试点和企业经营者年薪制试点，省劳动保障厅会同有关部门修订下发了《甘肃省国有及国有控股企业经营管理者年薪制试行办法》。积极指导企业开展内部分配制度改革。

## 七、劳动关系调整机制基本形成

截至 2002 年底，甘肃省订立劳动合同的企业职工达 143.4 万人，城镇国有企业和非国有经济组织职工签订劳动合同的比例分别达 97.4%和 86.9%；全省签订集体合同的企业已达2 333户，占已建立工会组织企业户数的 40%。积极建立劳动关系三方协调机制，建立了由劳动保障、经贸、工会等部门和组织为成员的劳动关系协调委员会，31 个县市区也建立了三方协调机制。切实加大劳动争议处理工作力度，各级劳动争议仲裁机构共受理劳动争议案件 1 182 件，结案 1 117 件，结案率达 94.5%。积极做好群众来信来访工作，省劳动保障厅共接待群众来信来访1 055件次。

## 八、职业技能培训工作得到进一步发展

2002 年，甘肃省切实加强职业技能鉴定质量管理，对全省 14 个市州地及 19 个省属和中央在甘单位的职业培训与鉴定工作进行专项治理整顿，撤销了 8 家不符合规定的鉴定所。全年对 16 个行业、147 个工种、41 932人进行了国家职业技能鉴定。2002 年，全省技工学校招生4 650人。成立了兰州电力技术学院，白银公司技工学校晋升为国家级重点技工学校。加强职业培训，全年共培训国有企业职工 28.6 万人，培训劳动预备制人员 3.31 万人，培训下岗职工 8.2 万人。

## 九、劳动保障法制建设不断推进

2002 年，甘肃省积极组织实施劳动保障“四五”普法规划，认真做好行政审批制度改革，省劳动保障厅原有的 143 项审批项目随机构改革划转 97 项，现保留 18 项。加大劳动保障执法监察力度，认真做好劳动保障年检工作，全年共检查各类用人单位1 560户。集中开展了民工权益保护、农民工工资支付专项检查及贯彻实施《禁止使用童工规定》大检查活

动，共检查用人单位1.61万户，涉及劳动者26 089人，清退童工280名，补签劳动合同36 905人，追发劳动者工资待遇等6 164万元。

### 十、社会保险基金监督工作进展顺利

2002年，甘肃省劳动保障厅认真贯彻落实劳动保障部等7部门关于加强社会保险基金监督管理工作的通知精神，建立健全社会保险基金监督制度，加大监管力度。配合省审计厅完成了2001年养老保险基金管理和使用情况年度审计，公布了社会保险基金监督举报电话，全年共清收挤占挪用社保基金245.75万元。

2002年，甘肃省劳动保障工作应对挑战、克服困难，取得了一定的成绩，主要做法和体会：

一是始终坚持把维护稳定摆在突出位置，正确处理改革发展稳定的关系。

2002年，甘肃省各级劳动保障部门自觉地把劳动保障工作摆到全省改革、发展、稳定的大局中去把握，一切围绕大局，一切服从大局。无论是各项政策的制定，还是各方面工作的推进，都充分考虑职工群众的承受能力，掌握好各项改革的节奏和力度；突出工作重点，全力做好两个确保、下岗失业人员再就业和维护劳动者合法权益等重点工作，并对重点地区、重点企业实行重点监控；每逢“两节”“两会”等重要时期，就维护稳定工作进行专门部署，对关系困难群众生产生活的有关问题进行专项检查，及时化解矛盾。

二是积极争取各级党政领导的高度重视和有关部门的协调配合，努力形成各方面关心支持劳动保障工作的良好局面。

甘肃省委、省政府始终把两个确保和社会保障体系建设列为“一把手工程”，认真落实一把手责任制，多次召开会议，开展专题调研，切实加强对劳动保障工作的领导。省政府建立协调会议制度，主管省长每季度召开一次协调会，劳动保障厅每月召开一次协商会，及时沟通情况，研究解决问题。各级劳动保障部门把争取党政领导的重视与支持作为做好劳动保障工作的重要保证，主动请示汇报工作，积极争取政策扶持，使劳动保障工作得到了各级党委、政府前所未有的重视和支持。同时，各级劳动保障部门主动加强与经贸、财政、地税、工会、审计等部门的协调配合，建立了劳动保障部门主管，各部门通力协作的工作格局。继续实行养老保险工作劳动保障、财政、地税3部门联合审核、联合月报制度，并多次组成联合工作组，开展调研和督查，形成了工作合力。

三是层层实行目标管理，确保劳动保障工作各项目标任务和政策落实。

2002年，甘肃省继续实行社会保障工作目标责任制，年初省政府与14个市、州、地签订了2002年《甘肃省社会保障工作目标管理责任书》，就两个确保，就业和再就业，养老、失业、医疗保险工作提出明确的责任目标。各地也都建立了目标管理责任制，层层分解任务，责任落实到人。切实加大督查工作力度，按照劳动保障部的安排，在全省范围内开展了社会保障政策落实情况大检查，并对两个确保、社会保险扩面征缴、劳动力市场建设等进行专项督查。同时，继续实行情况通报制度，定期在《甘肃日报》等新闻媒体通报重点工作情况，接受社会各界的监督。实践证明，实行目标管理，增强了各地做好劳动保障工作的紧迫感和责任感，有力地促进了各项工作任务的落实。

四是加大劳动保障宣传力度，积极创造良好的舆论氛围。

2002年，甘肃省各级劳动保障部门普遍加大了宣传工作力度，组织开展了一系列大型宣传活动。围绕《领导干部社会保障知识读本》和《新时期劳动和社会保障重要文献选编》两本书的出版发行，成功地举办了全省首届劳动保障知识电视大奖赛，各市州地和有关行业共92支代表队进行预赛，5月份集中进行了决赛，并通过电视进行转播。组织开展劳动保障知识竞赛，全省22.78万名职工参加。

配合中央12号文件的下发，集中开展了再就业政策宣传。通过劳动保障宣传，扩大了社会影响，增强了职工群众的社会保障意识，为劳动保障工作的顺利开展创造了良好的舆论氛围。

五是加强劳动保障队伍建设，为做好劳动保障工作提供组织保证。

2002年，甘肃省劳动保障系统的同志深入学习邓小平理论和“三个代表”重要思想，全面贯彻党的十六大精神，积极开展权力观教育活动，进一步增强了宗旨意识和服务意识。在全省劳动保障系统认真推行政务公开制度，积极开展创建“三优文明”窗口先进单位活动，推动了全系统精神文明建设，干部的精神面貌发生了深刻的变化，造就了一支特别能吃苦、特别能战斗的干部队伍，涌现出了一批先进集体和先进个人。在全国劳动保障系统先进集体先进个人表彰大会上，兰州市劳动保障局等3个单位被记集体一等功，省劳动保障厅养老保险处处长成宏毅等8位同志被记个人一等功。

（甘肃省劳动和社会保障厅）

# 青　海　省

2002年，是我们党和国家政治生活中具有特殊重要意义的一年。举世瞩目的党的十六大胜利召开，提出了全面建设小康社会，开创中国特色社会主义事业新局面的奋斗目标。这一年，也是劳动保障工作极不平凡的一年。党中央、国务院召开了全国再就业工作会议，出台了积极的就业政策，对劳动保障工作做出了新的部署。这一年，也是我国加入世贸组织的第一年，经济和社会生活各个方面都面临一些新情况、新问题。这些都对青海省劳动保障工作提出了很多重要的任务和要求。

一年来，青海省劳动和社会保障系统以党的十六大为指导，高举邓小平理论伟大旗帜，全面贯彻“三个代表”重要思想，认真贯彻落实省委、省政府和劳动保障部的工作部署，为维护全省改革发展稳定大局，按照稳定政策、消化矛盾、完善制度、稳步推进各项改革的工作思路，以两个确保、完善社会保障体系和扩大就业为重点，以努力创建“一个机制”（市场基础配置，政府积极促进，企业自主用工，个人竞争就业的市场导向就业机制）、“一个体系”（独立于企业事业单位之外、资金来源多元化、保障制度规范化、管理服务社会化的社会保障体系）、“一个制度”（市场机制调节，企业自主分配，职工民主参与，政府监控指导的与现代企业制度相适应的企业工资收入分配制度）为目标，发扬不怕困难、求真务实、锐意开拓、勇于创新的精神，全面完成了各项劳动和社会保障工作任务。

## 一、两个确保成果继续得到巩固

2002年，在面临多种困难的情况下，青海省确保了企业离退休人员养老金按时足额发放，为参加统筹的15.1万企业离退休人员按时足额发放基本养老金13.9亿元，社会化发放率继续保持在100%。确保了国有企业下岗职工基本生活，全省进入企业再就业服务中心的国有企业下岗职工，均按时足额享受了基本生活保障，共支付保障金2.79亿元。

实现两个确保，是落实“三个代表”重要思想的具体体现和转变工作作风的重要内容。青海省各地按照中央确定的两个确保工作目标、政策措施和工作要求“三个不变”的方针，加强领导，狠抓落实。按照“三家抬”的筹资原则，积极筹集下岗职工基本生活保障资金，加强养老保险基金省级统筹，提高了基金调剂能力。各级劳动保障部门积极配合地税部门征缴养老、失业保险费，认真做好缴费基数的核定、申报工作。对下岗、失业职工基本生活保障、养老金发放、社会保险基金征缴等重要工作每月都与有关部门积极协调，对重点地区和困难企业实行重点监控，按季度公布全省两个确保发放情况，发挥舆论监督和社会监督的作用，收到良好效果。

## 二、社会保障体系建设不断完善

1. 养老保险

2002年，青海省的养老保险以广覆盖、促收缴、保发放为重点，各项改革不断深化。全省参加城镇职工基本养老保险人数达到39.2万人，全年扩面新增参保1.8万人，接续养老保险关系3.4万人。工作中，一是稳步扩大养老保险覆盖面。各地按照省政府的安排部署，认真开展工作，狠抓落实，积极做好机关事业单位、群众团体临时聘用人员和民营企业从业人员、个体工商户的参保工作。配合国有企业结构调整，进一步简化养老保险关系接续手续，提高服务水平，做好期满出中心的下岗职工、国有破产企业一次性安置人员养老保险的接续工作，使参保人数逐步回升。二是加强基础管理工作。在全省开展了养老保险业务联动检查，健全完善了工作制度，对存在的不足落实了整改措施，进一步提高了全省养老保险基础管理水平。开展了社会保险验证工作，检查并及时纠正参保单位在登记、申报、缴费中存在的问题。三是调整完善了企业职工基本养老金计发办法，解决了养老保险工作历史遗留的突出矛盾，与全国完善社会保障体系试点方案顺利接轨。四是按照劳动保障部的部署，提高了企业退休人员基本养老金水平，并重点调整了建国初参加工作的老干部、建国前参加革命工作的老工人及转业干部、原工商业者等6类人员的养老金。提高后的养老金在10月25日前足额发放到位。五是认真落实省委、省政府的部署，给国有企业（含破产企业）退休人员补发了1998年5月底前企业历年拖欠的统筹项目内养老金。

2. 医疗保险

2002年，青海省的医疗保险制度改革稳步推进，各项政策逐步完善，基础信息网络等管理工作得到加强。全省参加基本医疗保险的职工达到51万人，比上年净增6万人，全省职工参保率达到75%。一年来，新制度运行平稳，全年收缴医疗保险费3.9亿元，基金支出2.53亿元，在保证参保人员基本医疗需求的同时，实现了基金收支平衡，统筹基金和个人账户都略有结余。继续完善医疗保险政策，出台了《青海省国家公务员医疗补助的指导意见》。制定了《青海省基本医疗保险定点医疗机构考核暂行办法》《青海省基本医疗保险定点零售药店考核暂行办法》。在有关部门的积极配合下，顺利启动了国家医疗保险制度“三项改革”西宁市的试点工作。进一步加强对各地区医疗保险制度改革的督促指导。组织调查了全省离休干部医疗保障情况，进一步完善了离休干部的医疗保障制度。通过推荐筛选，建立了青海省医保专家库。按照劳动保障部的部署，对全省定点医疗机构和定点零售药店备药率进行了检查，对达不到规定要求的提出了整改要求，规范和统一了基本医疗保险用药管理。积极协调落实资金，全省累计将227户国有破产企业的4.14万名离退休人员纳入了基本医疗保险范围；对省属国有破产企业因工负伤的1～4级人员继续按照属地管理、分级负责的原则实行托管，所需资金纳入了省财政预算；解决了38户省属国有破产企业726名5～10级工伤职工的一次性伤残就业补助金618万元。为进一步提高医疗保险管理水平，各级医保机构优化配置计算机信息系统，简化了报销手续，缩短了医院数据传输和参保人员结算时间，提高了效率，方便了群众。

2002年12月11～12日，省政府召开了全省医疗保险工作会议。会议以邓小平理论和“三个代表”重要思想为指导，落实省委十届二次全委会议的工作部署，全面总结青海省实施城镇职工基本医疗保险制度改革两年以来取得的成绩，深入分析医疗保险制度改革面临的形势，进一步明确了推进全省医疗保险制度改革的目标任务。会议要求，要加快医疗卫生体制和药品生产流通体制改革，为进一步推进基本医疗保险制度改革创造条件；落实政策，稳步扩面，积极解决医疗保险工作中的突出问题；加强基金征缴，保证合理支出，严格基金管理；逐步完善多层次医疗保险体系，逐步解决医疗费用个人负担较重的问题；加强对定点医疗机构和定点零售药店的监督管理；加强基础建设，提高医疗保险管理服务水平。

3. 失业保险

2002年，青海省的失业保险以抓扩面、促征缴、保发放为重点，保证了失业人员的基本生活。认真贯彻《青海省实施〈失业保险条例〉办法》，加强扩面和征缴工作，按时发放了失业保险金。全省参加失业保险的有32.5

万人；全年征缴失业保险费8 614万元，支出失业保险基金4 931万元，其中：拨付失业保险金2 680万元，下岗职工基本生活保障金1 740万元，培训费、职业介绍费 511 万元；全年有 2.2 万人享受了失业保险待遇。失业保险基本保障了下岗失业人员的基本生活，发挥了促进下岗失业人员再就业的重要作用。

4．加快推进社区劳动和社会保障管理平台建设

2002 年，青海省已有 28 个街道办事处、96 个社区建立了劳动保障管理所（站），在企业离退休人员社会化管理和促进社区就业方面发挥了重要作用。西宁市已将 4 万多名企业离退休人员实现了社会化管理，占全市退休人员总数的 50% 以上；开发了 244 个社区就业网点，社区累计安置下岗失业人员6 000多人。

5．进一步加强各项社保基金和下岗职工基本生活保障资金的管理和监督

2002 年，青海省认真落实社保基金收支两条线的管理规定，落实企业再就业服务中心专户专账管理基本生活保障资金制度，严格开展社保基金和下岗职工基本生活保障资金的稽核审计，研究制定基金监督管理办法，保证养老、医疗、失业等各项社保基金和下岗职工基本生活保障资金安全完整、管理规范、使用合理。

### 三、国有破产企业职工安置工作顺利推进

近年来，为了妥善解决国有破产企业职工的安置问题，最大限度地化解矛盾、减少社会震动，稳步推进经济结构调整，青海省委、省政府对国有破产企业职工实施了一次性安置，适时出台了涉及国有破产企业职工的养老、失业、医疗、工伤等社会保险的接续办法和促进再就业优惠政策一系列配套文件。按照省政府的部署，省劳动保障厅与省经贸委、省财政厅密切配合，2002 年继续稳妥推进国有破产企业职工一次性安置工作，全年安置国有破产企业职工 1.31 万人。从 2000 年 9 月开始，经过两年多的努力，全省累计安置国有破产企业职工 6.5 万人，其中安置省属国有破产企业职工 3.47 万人，保证了全省国有经济结构战略性调整工作的顺利进行。

### 四、就业和再就业工作不断推进

2002 年，青海省各地把就业工作作为劳动保障部门的一项重点工作进行部署，落实就业工作目标责任制，大力拓展就业渠道，广开就业门路，努力促进就业。经过全省上下不懈的努力，全年城镇各类失业人员实现就业 3.9 万人，国有企业下岗职工再就业 1.6 万人；年末城镇登记失业率为 3.6%，全省就业形势基本稳定。

2002 年 10 月 13 日，省委、省政府召开了全省再就业工作会议。在宁的省委书记、副书记、常委，省长、副省长，省人大一位副主任，省政协一位副主席出席了会议，省委书记苏荣，副书记、省长赵乐际作了重要讲话，省委常委、常务副省长蒋洁敏作了主题报告。会议以邓小平理论和“三个代表”重要思想为指导，认真贯彻落实全国再就业工作会议精神，明确了新时期促进再就业工作的指导思想、目标任务和政策措施，全面部署了当年和今后一个时期青海省就业和再就业工作。会议要求各级党委、政府要统一思想，提高认识，从实践“三个代表”重要思想的高度，充分认识做好下岗失业人员再就业工作的极端重要性。会议提出要坚持市场导向的就业机制，千方百计扩大再就业渠道，把开发就业岗位的重点放在发展非公有制经济、第三产业、中小企业、灵活就业、劳务输出等方面，并就实施税费减免、小额贷款、社保补贴、就业援助、主辅分离、就业服务、财政投入、社会保险、企业裁员、社区平台 10 个方面的优惠政策进行了部署。根据会议要求，各项配套政策陆续出台，并开展了政策实施前的干部培训和面向下岗失业人员的政策宣传工作，对各地落实再就业工作会议情况进行了专项检查，通过加大扶持力度，实施积极的就业政策，扎扎实实做好下岗失业人员再就业工作。

2002年，青海省实行就业工作目标责任制，将安置城镇失业人员就业、下岗职工再就业、城镇登记失业率目标层层分解，逐级落实，年终认真考核。两次组织开展全省就业状况调查，为政府决策提供了可靠依据。深入开展再就业援助行动。发放《再就业优惠证》7万余本，配合有关部门清理涉及下岗职工再就业的乱收费现象，落实优惠政策。积极运作再就业资金，推动下岗职工自谋职业、自主创业和组织起来就业。省劳动保障厅会同有关部门多次举办青海省再就业援助活动暨全省下岗失业人员就业供需洽谈会，为下岗失业人员再就业创造了机会。加大社区就业工作力度，西宁、格尔木两个试点城市建立社区就业服务机构、开发社区就业岗位、安排下岗失业人员就业初见成效。

2002年，青海省稳步推进劳动力市场建设。省劳动保障厅指导各地加强场地建设，积极运作世界银行“职业培训和劳动力市场建设”贷款余额项目，开办了网络管理人员培训班。整体规划建设了省级劳动力市场信息监测局域网及资源数据库，并投入试运行。通过多种渠道和形式按季度发布全省劳动力市场供求信息、劳动力市场工资指导价位信息和就业政策，经分类汇总，全年劳动力总需求12.8万人次，总求职人数14.9万人次，涉及16个行业、5大类计112个职业，为用人单位、下岗失业人员和各类求职人员提供了有效的信息服务。积极推动劳务派遣经济组织发展，加快外派劳务机构建设，继2001年驻藏劳务工作站成立后，2002年又积极筹建驻粤劳务管理处。进一步加大劳务输出工作力度，全年农村富余劳动力流动就业46万人次。大力协调青藏铁路劳务用工工作，全年累计向青藏铁路建设输出劳务工0.78万人。

2002年，青海省进一步加强职业培训和技能鉴定工作。继续实施劳动保障部第二期“三年千万”再就业培训计划，全年培训各类人员6.7万人，其中下岗失业人员4.3万人；积极推行职业资格证书制度，通过职业技能鉴定，有1.05万人取得了职业资格证书。

**五、企业工资收入分配制度改革、劳动仲裁、监察工作和劳动保障法制建设取得新的进展**

2002年，青海省企业工资收入分配制度改革不断深化，继续开展省属部分国有企业经营者年薪制的试点。进一步完善企业工资收入分配宏观调控体系，对工资指导线发布后的落实工作进行了检查指导。积极推进以岗位工资制为主的企业工资制度改革。对部分中央驻青和省属国有企业进行了工资内外收入监督检查，纠正违纪金额1 582.2万元。全省有60户企业开展了工资集体协商，涉及职工近5 000人。调查发布了西宁、海东、海北、德令哈地区劳动力市场工资指导价位信息，为劳动力供求双方协商确定工资奠定了基础。

2002年，青海省以劳动合同管理、集体合同签订和劳动争议处理为重点，建立了协调劳动关系三方会议制度，完善了劳动争议仲裁三方机制，推进了劳动关系和劳动争议仲裁工作的规范化建设。劳动合同管理工作不断加强，劳动争议仲裁部门深入用人单位开展劳动法规政策咨询服务，指导规范劳动合同，鉴证劳动合同5万余份。省劳动仲裁部门处理全省重大疑难劳动争议案件5件，对2001年各级劳动争议仲裁委员会审结的238件劳动争议案件进行了评查，进一步推进了全省劳动争议仲裁工作的深入开展。各级劳动争议仲裁委员会依法及时审结劳动争议案件278件，受案率比上年增长11.7%，结案率为85%，依法维护了用人单位和劳动者双方的合法权益。积极探索和改进劳动争议处理方式，在全省试行了劳动争议处理简易程序和分段审理程序。

2002年，青海省依法开展劳动保障监察工作，维护用人单位和劳动者双方的合法权益。省劳动保障厅会同有关部门，启动劳动用工年检制度，基本摸清了全省各类用人单位的用工、参加社会保险、兑现工资等情况，并开展了多次专项检查。对全省4 068户用人单位依法进行了劳动保障行政执法大检查，查处违反劳动保障法规案件127件，督促647户企业参加了社会保险登记，督促2.19万人补签了劳动合同。认真开展清理拖欠民工工资等维护民工权益的监察，全省清理回收用人单位拖欠、克扣民工工资2 179万元。开展《禁止使用童工规定》的执法检查，清退童工154名。取缔非法职业中介机构42家。开展了美容、美发、烹饪、小汽车修理等5个工种的职业资格证书和就业准入的专项检查，取得了良好开端。全年受理侵犯劳动者权益的举报和投诉1 173件，全部进行了查处。配合审计部门开展养老保险基金审计检查，并对社会保险基金征缴、发放、管理及运行环节实施全程监督。

**六、劳动保障宣传工作成效显著，信息系统建设和统计工作取得长足进展**

2002年，结合劳动保障重点工作，充分利用各级党委和政府高度重视劳动保障工作，社会各界十分关注劳动保障工作，新闻媒体积极报道劳动保障工作的有利时机，青海省各地劳动保障部门针对广大职工关注的劳动保障及再就业工作的热点、难点问题，有计划、有准备、有步骤地开展了劳动保障宣传工作。通过大量的宣传报道，使全社会进一步正确理解党和国家的劳动保障政策，起到了引导广大群众、化解社会矛盾、维护社会稳定、推动劳动保障工作的积极作用。

按照劳动保障部部署，2002年，省劳动保障厅在全省组织开展了学习《领导干部社会保障知识读本》《新时期劳动和社会保障重要文献选编》两本书活动，有力地宣传了劳动保障知识和重要政策，进一步提高了全省劳动保障系统干部职工的劳动保障政策水平。为配合学习活动，组织了全省劳动保障知识大奖赛，组队参加了劳动保障部举办的全国首届劳动保障知识电视大奖赛并获得团体三等奖的好成绩。

按照省政府的部署，2002年，青海省启动了全省劳动保障信息系统建设。已组建了工作机构，配备了工作人员，完成了综合调研，正抓紧修改完善建设方案和项目实施前的各项准备工作。统计工作按照劳动保障部的要求，及时上报了各类统计报表。编制上报了《青海省2003年劳动和社会保障事业发展计划》，制定了《青海省劳动和社会保障规划与统计工作管理办法》，按时完成了全省劳动保障综合统计任务。

**七、继续加强劳动保障系统干部队伍建设、党风廉政建设和行风建设，为全面完成劳动保障工作任务奠定了扎实的干部队伍基础**

2002年，青海省劳动保障系统深入学习邓小平理论，努力实践“三个代表”重要思想，进一步加强全系统的党风廉政建设和行风建设，面对艰苦繁重的劳动保障工作任务，做到了勤政廉政、锐意进取、勇于创新，造就了一支特别能吃苦、特别能战斗、特别能忍耐的干部队伍，为全面完成劳动保障工作任务奠定了扎实的干部队伍基础。2002年，劳动保障部对全国劳动保障工作中做出重大贡献的单位和个人进行了表彰，青海省有西宁市劳动保障局、海东地区劳动保障局被记集体一等功，陈兴中、何永雄、邵方明、邹小密、党周吉5名同志被记个人一等功。他们作为青海省劳动保障系统的先进代表，展现出劳动保障队伍的新形象、新风貌。

（青海省劳动和社会保障厅）

# 宁夏回族自治区

2002年，宁夏回族自治区各级劳动保障部门深入学习和实践“三个代表”重要思想，认真贯彻党的十五届六中全会和党的十六大精神，全面落实全国劳动保障工作会议的部署，以维护社会稳定和促进经济建设为主线，以做好两个确保、就业和再就业工作为重点，医疗保险制度改革稳步推进，下岗职工出中心工作平稳，劳动保障各项工作取得了新的成绩，为自治区改革发展稳定发挥了重要作用。

## 一、明确任务，突出重点，全力以赴做好下岗失业人员的再就业工作

针对宁夏回族自治区劳动力供需矛盾十分突出、现有经济增长方式和经济结构导致吸纳劳动力的能力减弱、人才培养机制及城市社会保障体系建设滞后的现状，自治区劳动保障厅在就业再就业工作中始终坚持“一手抓生活保障，一手抓就业促进”，通过建立“市场信息引导、社会各界支持、政策措施保障、培训促进就业”的新机制，全方位、多渠道开拓就业领域。特别是在全国再就业工作会议之后，自治区劳动保障厅一是积极筹备召开了全区再就业工作会议。二是提请自治区党委、政府颁布了《关于进一步做好下岗失业人员再就业工作的意见》。三是对全国、全自治区再就业工作会议精神的贯彻落实情况进行了督查调研。四是组织全自治区技工学校开展了以实现就业为目标的下岗失业人员的就业技能培训。五是启动实施了“万人再就业行动”，即在2003年元旦前力争安置1万名有劳动能力、有就业愿望的下岗失业人员再就业，确保在十六大召开前解决2 000名国有企业下岗职工出中心和失业时间较长人员的再就业问题。为了保证这项行动的落实，自治区劳动保障厅建立了再就业月报制度，逐月对工作进度进行通报。目前这项任务已经超额完成，共实现新增就业11 668人，其中下岗失业人员实现再就业7 078人。六是提出了把净增就业岗位、减少失业指数和扩大劳务输出等目标列入党政一把手负责制和领导责任追究制度考核体系的方案。七是会同有关部门根据国家出台的有关完善和促进再就业的扶持政策细化了宁夏回族自治区的配套政策并进行检查。全自治区就业局势基本稳定，城镇职工登记失业率控制在4.5%以内。

## 二、两个确保任务圆满完成

按照中央关于工作目标、政策措施、工作要求“三个不变”的方针，2002年，宁夏回族自治区千方百计筹措资金，与有关部门密切配合，对国有企业离退休人员养老金和下岗职工基本生活费按时足额发放、社会保险基金征缴等情况实行监控，按季度公布两个确保情况，充分发挥舆论监督和社会监督的作用。2002年末，全区共有国有企业下岗职工2.75万人，仍滞留在再就业服务中心的下岗职工有1.84万人。按时足额地为他们发放了基本生活费，并代缴了“三金”。为参加养老统筹的13.72万名离退休人员发放养老金10.6亿元，支付率达100%。养老金社会化发放率为95%，没有发生拖欠。

**三、充分发挥养老、失业保险的保障功能，保障了企业离退休人员的基本生活，为促进失业人员实现再就业发挥了积极作用**

2002年，宁夏回族自治区各级劳动保障系统认真贯彻《社会保险费征缴暂行条例》《失业保险条例》，通过采取行政、经济、法律等手段，不断加强养老、失业保险费的征缴工作，养老、失业保险覆盖面逐步扩大，企业缴费意识不断增强，基金征收又有新的增长。针对养老、失业保险工作中出现的新情况、新问题，及时颁发了《建立失业保险个人缴费记录实施办法》《关于进一步规范基本养老保险金社会化发放工作的通知》，开展了“失业保险条例执行情况检查”和“职工退休审批管理和养老保险待遇政策执行情况检查”，纠正了养老保险政策执行过程中的一些违规现象。2002年底，全自治区参加基本养老保险的职工为45.3万人，养老保险费当年征收9.12亿元，征缴率达到94.67%，追缴历年欠费0.91亿元；参加失业保险的人数为35.76万人，当年征缴失业保险费5 149.93万元，追缴历年欠费763.14万元。对符合规定、进入失业保险的人员按照《失业保险金申领办法》《宁夏回族自治区失业保险办法》及时支付失业保险金，保障了失业人员的基本生活，使失业人员失有所助。2002年，全自治区领取失业保险金的人数为13 837人，全年发放失业保险金2 105.05万元，支付率达100%。从失业保险金向再就业服务中心调剂生活保障金1 119.53万元。

**四、基本医疗保险制度改革稳步推进，保障了参保职工的基本医疗需求**

2002年，宁夏回族自治区加快了医疗保险制度改革进度，把工作重点放在抓启动实施，完善医疗保险费用结算、个人账户管理、医疗服务管理的政策措施等方面，使医疗保险制度改革稳步推进。已启动实施的市县，新制度运行平稳，保障了参保职工的基本医疗需求。自治区区属机关、事业单位和大部分企业、中央在宁企业事业单位都已参加了属地医疗保险。公务员医疗补助、大额医疗费用补助、离休人员医疗保障等制度正在顺利实施。至年底，全区20个统筹市县中18个已启动运行，启动率达90%，参保职工人数达41万人。在广泛听取社会各界意见建议的基础上，经过大量的调查研究，草拟了《关于妥善解决困难企业职工医疗保障问题的意见》《关于城镇从业人员个人参加医疗保险有关问题的意见》《关于建立社会医疗救助制度的建议》《关于对有特殊贡献人员实行医疗照顾的建议》，已上报自治区人民政府，待批准后贯彻实施。

工伤、生育保险制度改革在银川等地平稳推进。为规范整顿宁夏回族自治区工伤认定和劳动能力鉴定工作秩序，自治区劳动保障厅制定下发了《关于加强工伤认定和劳动能力鉴定工作管理的通知》，对全区工伤认定和劳动能力鉴定工作管理权限、管理程序、工作规则作出了明确规定。工伤保险参保人员达到15.97万人。生育保险参保人数达到15.01万人。

**五、加强劳动关系调整，大力推进劳动合同制度，及时妥善处理劳动争议案件，充分发挥劳动保障监察执法作用**

随着经济结构调整和国有企业改革的不断深入，劳动关系变得日趋多样化、复杂化，出现了很多新情况、新问题。自治区劳动保障厅在开展调研的同时，在全自治区范围内进行了不间断的劳动合同签约专项检查工作，全自治区各类企业应签劳动合同的职工为60.94万人，已签劳动合同职工55.95万人，签约率为91.9%。为了促进劳动关系的和谐稳定，维护劳动合同双方的合法权益，2002年6月25日成立了自治区协调劳动关系三方会议和三方会议领导小组，制定了宁夏劳动关系三方协调会议制度，就劳动关系的重大问题进行协商。自治区劳动保障厅结合劳动争议处理工作的新形势，通过对劳动争议处理立案、办案和结案程序进行严格规范，对办案人员工作标准、工作效率、工作责任心进行严格管理，及时妥善地处理了劳动争议案件。2002年，全自治区共受理劳动争议案件488起，其中集体劳动争议案件53起，结案率达到97.3%。根据国务院和国家劳动保障部有关通知精神，自治区劳动保障厅组织开展了“民工权益维护专项检查”“社会保障政策落实情况大检查”“贯彻实施《禁止使用童工规定》情况检查”等专项执法检查活动，对违反规定的企业、个体工商户进行了查处，从而有效地维护了劳动者及妇女儿童的合法权益。为贯彻2001年南京会议精神，总结1995年以来全面推行劳动合同制度的总体情况，研究当前复杂化、多元化的劳动关系，2002年12月18日自治区政府召开了“全区贯彻实施《劳动法》《工会法》，推进集体合同劳动合同工作经验交流电视电话会议”，对今后一个时期劳动关系的调整和劳动合同、集体合同的管理工作作出了安排部署。

**六、加强企业劳动工资宏观体系建设，继续深化和完善企业内部分配制度改革和劳动工资基础管理工作**

为了使企业工资增长符合经济和社会发展的要求，自治区劳动保障厅按照劳动和社会保障部的要求，在认真分析上一年度社会经济状况和预测本年度经济形势的基础上，通过大量的数据采集、资料收集和测算，制定了《宁夏回族自治区企业工资指导线制度办法（试行）》。同时对银川、石嘴山、吴忠和青铜峡等市劳动力市场工资指导价位制度落实情况进行了检查指导，解决制度落实过程中存在的问题。根据《关于贯彻劳动和社会保障部进一步深化企业内部分配制度改革指导意见的通知》精神，认真做好企业内部分配制度改革和工效挂钩的审批工作，全年共审批84户国有企业、集体企业工资总额同经济效益挂钩的方案，审核200余户企业工资总额使用手册，检查了1 938户企业最低工资标准的执行情况，涉及职工82 816人。

**七、劳动就业服务体系日趋完善，市场就业机制逐步形成**

一是加快劳动力市场“三化”建设，就业服务功能进一步增强。2002年，通过积极争取，将吴忠市列入全国劳动力市场“三化”建设的第二批试点城市，为进一步完善宁夏回族自治区劳动力市场信息网络体系建设打下了良好的基础。为拓宽自治区外就业领域，在原有4个驻外劳务管理机构的基础上，又增设了驻新疆、广东劳务输出管理处，拓展了新的职业介绍领域。为了加强劳动力市场管理，规范运作，建立和完善劳动力市场的各项规定，自治区人民政府转发了劳动和社会保障厅《关于加强劳动力市场建设开展就业服务的意见》，劳动力市场的服务功能得到进一步完善。通过举办大型人力资源洽谈会、周末人力资源需求洽谈会等形式，为13.09万人次提供了就业服务，介绍成功10.71万人次。二是围绕下岗再就业这一中心任务，开展了多层次、多形式的职业培训。为认真贯彻“先培训后就业，培训为就业服务”的方针，在提高全自治区职业指导员职业介绍服务水平的同时，对政府购买就业培训成果和再就业培训服务进社区工作进行了有效的尝试，为培训机构争取到政府补贴7万多元，对就业弱势群体开展了再就业培训援助。全自治区技工学校全年完成各类在职、下岗、失业、求职、转岗等短期培训12 000人。三是职业技能鉴定工作有了很大的进展。2002年，全自治区机关事业单位、各级各类学校、国企、社会从业人员、部队等共有102个职业（工种）26 665人参加了职业技能鉴定考核，取得职业资格人数为24 881人。其中：技师205人，高级工9 392人，中级工12 473人，初级工2 809人，有两人获高级技师资格，填补了宁夏回族自治区高级技师的空白。选拔选手分别参加了“第二届全国水利行业职业技能竞赛”“全国保健按摩技能邀请赛”，取得了优异成绩。积极会同有关部门开展了全自治区职业技能竞赛工作并参加了全国比赛，宁夏回族自治区有两人获“全国技术能手”称号，受到了国家表彰。

**八、劳动保障法制建设不断深入，宣传工作成绩突出，劳动保障信息化建设初见成效**

2002 年，自治区劳动保障厅积极配合政府办公厅、法制局对 2000 年底以前政府出台的有悖于 WTO 的法规性、政策性文件进行清理，共清理两类文件 137 份，其中，政府已明令废止 71 份，保留 59 份，修改完善 7 份。组织开展了《领导干部社会保障知识读本》《新时期劳动和社会保障重要文献选编》两本书的系列宣传、学习活动。在资金十分紧张的情况下，经多方努力，订购了2 800套书籍，实现劳动保障部门干部人手一套；组织全区 6.2 万名职工参加了全国首届劳动保障知识竞赛，参赛人员比例在全国名列前茅；成功举办了全国首届劳动保障知识电视大奖赛宁夏预选赛。制作了《就业之路》《再就业路上》电视专题片，完成了反映下岗职工创业的 20 集电视剧《婆家》拍摄前的准备工作。与《宁夏日报》《银川晚报》、宁夏电视台、宁夏教育电视台等新闻媒体联合开办了“真情关注再就业”“就业”栏目，刊播了许多做好就业和再就业工作及下岗失业人员自谋职业、自主创业的好经验、好做法，为宣传再就业，营造全社会都来关心和支持再就业的良好氛围做出了积极贡献。此外，还印制了失业保险知识问答 12 万份，在全区广泛发放、宣传。制订了《宁夏劳动和社会保险管理信息系统建设规划要点》《宁夏劳动保障厅实施“金保工程”建设计划》《宁夏劳动保障厅办公自动化网络建设方案》以及其他信息化建设方案。“宁夏劳动和社会保障信息网站”及时更新信息，增加信息9 M字节，保证了与上级领导部门通信网络的畅通。

**九、机关党建、党群工作内容丰富，廉政建设全方位实施**

2002 年，自治区劳动保障厅机关党委在认真抓好学习和党员思想教育的同时，充分发挥工会、共青团、妇委会的作用，开展了形式多样的文娱、体育活动，激发了广大干部职工的积极性。纪检监察加大从源头上预防和治理腐败工作的力度，紧密结合劳动保障各项业务工作，全方位实施监督。厅领导之间、厅领导与处室之间层层签订了党风廉政建设责任书，明确了各级领导在党风廉政建设方面的职责。在全区劳动保障系统开展了“三优一满意”文明窗口建设活动。

**十、人事教育工作灵活、主动，信访工作认真踏实、答复及时**

2002 年，自治区劳动保障厅适时举办了 WTO 知识讲座、“三个代表”学习辅导讲座、全自治区劳动保障局长业务培训班、社保局长业务培训班、医保工作人员业务培训班。积极、热情地关心离退休老同志的生活，帮助解决其生活上的困难，建立了独立的活动室并配备了活动用具。认真落实自治区“千村扶贫”计划和支教计划，制定了扶贫支教规划；解决了扶贫支教点的一些实际困难，经培训向上海输送了扶贫点的一批劳务人员；为支教点配备了电脑、课桌椅等硬件设施。办理人大代表建议、政协委员提案 15 件。认真接待群众来信来访，全年共收到人民群众来信、来访、来电7 837件（人次），其中来电4 003次，来信 229 件（其中上级交办 40 件，领导批示 18 件），接待群众来访3 705人次。按季度向上级有关部门报送信访信息，信息有内容、有分析，为领导决策提供了依据。

**十一、深入开展“学、查、改”活动和“创新经济环境大讨论”活动，为自治区的经济发展创造良好的环境**

根据自治区党委的要求，2002 年，自治区劳动保障厅在全厅范围内组织开展了“学、查、改”活动和“创新经济环境大讨论”活动，一是成立了活动领导小组，统一组织协调活动的开展；二是通过自我剖析、向企业发征求意见表、召集有关单位和企业开座谈会等形式查找工作中的不足；三是针对工作中的不足提出了10项措施。在工作中，注意处理好3个关系，即为基层服务与指导监督的关系，让基层满意与坚持原则、规范操作的关系，满足个人利益与满足广大人民群众利益的关系。

## 十二、深入调查研究，抓好信息报送工作

为了使年初的工作安排落到实处，全面了解和掌握基层各市县劳动保障工作的现状，调查和了解基层工作中存在的困难和问题，2002年，自治区劳动保障厅把督查调研作为落实工作的重要手段，大兴调查研究之风，厅领导以身作则，全厅各处室纷纷赴基层，就自治区劳动保障工作会议的贯彻落实情况，《失业保险条例》的贯彻落实情况，医疗保险工作的进展情况，开展社区就业、开发就业岗位的情况，贯彻落实自治区党委办公厅、政府办公厅《关于进一步做好就业和再就业工作的通知》（宁党办〔2001〕168号）精神等情况开展了督查和调研活动。对下岗职工协议即将期满和保障期满的16户自治区属企业和全自治区拖欠职工工资的企业进行了调查摸底。围绕当前下岗职工出中心面临的突出问题，向自治区人民政府上报了《关于国有企业下岗职工出中心工作有关问题的报告》，提出了具体设想和建议。自治区劳动保障厅撰写的《宁夏劳动就业形势分析及预测与对策》《宁夏社会保障制度改革形势分析及预测与对策》两篇调研报告受到了自治区党委、政府的高度重视，被收编进了《宁夏蓝皮书：2001—2002年宁夏经济社会形势分析与预测》。

政务信息是领导决策的参考和依据，为此，自治区劳动保障厅从抓信息质量入手，狠抓信息的针对性和时效性。2002年，共编发《劳动保障信息》49期，《情况通报》10期，《宁夏回族自治区劳动和社会保障厅专报信息》2期，《内情通报》1期，督查专报10期。其中被中办采用9条，国办采用1条，劳动保障部采用3条，自治区党办采用31条，政办采用11条，有3条信息被自治区党办评为好信息。

（宁夏回族自治区劳动和社会保障厅）

# 新疆维吾尔自治区

2002年，新疆维吾尔自治区各级劳动保障部门认真贯彻党中央、国务院确定的方针、政策，按照劳动和社会保障部及自治区党委、自治区人民政府的工作部署，以“三个代表”重要思想为指导，按照“一手抓改革发展，一手抓就业再就业”的工作要求，紧紧围绕改革发展稳定这个中心，继续巩固两个确保，全面组织实施再就业工程，落实再就业的各项优惠政策，进一步建立市场导向的就业机制和现代企业工资收入分配制度，不断完善社会保障体系，加强劳动保障法制建设，使自治区劳动和社会保障事业取得了新的发展，为促进全自治区国有企业改革和维护社会稳定发挥了重要作用。

## 一、两个确保继续得到巩固

2002年，自治区各级劳动保障部门，按照中央和自治区关于两个确保工作目标、政策措施和工作要求“三个不变”的方针，加大工作力度，按“三三制”的原则积极筹措资金，协调财政调整支出结构，加大失业保险调剂力度，加强监控督办，对重点地区和困难企业实行重点监控。建立了企业离退休人员养老金发放情况报告制度，将中央财政补助金与各地、州、市养老保险工作业绩挂钩，调动了地、州、市工作的积极性，全年共筹集下岗职工基本生活保障费51 600万元，为113 800名下岗职工发放基本生活保障费51 600万元，其中发放基本生活保障费29 384万元，代缴养老、失业、医疗保险费22 216万元。全自治区国有企业下岗职工基本生活保障继续实现三个100%的目标。为362 829名企业离退休人员发放养老金32.04亿元，连续5年实现养老金100%按时足额发放。

## 二、就业和再就业工作取得新成效

1．就业和再就业

2002年，自治区各级劳动保障部门通过各种途径实现就业和再就业32.28万人，完成全年就业预期计划的105%，比上年同期增长5.09%，城镇登记失业率为3.7%（不含兵团）。按就业人员类别划分，城镇新增长劳动力就业5.62万人；失业人员就业4.72万人；下岗职工再就业3.22万人；企业分流安置富余职工就业2.66万人；技校毕业生就业0.96万人；大中专毕业生和五大毕业生就业6.79万人；军队转业干部、复员退伍军人就业0.44万人；城镇闲散劳动力就业8.31万人。按所有制划分，国有单位就业2.99万人，占就业率的9%；集体单位就业5.47万人，占17%；个体、私营及三资企业就业15万人，占47%；其他就业8.8万人，占27%。按产业划分，第一产业安置就业2.53万人，占7.84%；第二产业安置就业7.04万人，占21.81%；第三产业安置就业22.71万人，占70.35%。第三产业已成为新疆下岗失业人员就业再就业的主渠道。2002年，全自治区农村劳动力外出就业人数为11万人，外来劳动力在新疆城镇就业人数约为28万人。

2．国有企业下岗职工再就业

2002年，自治区各级劳动保障部门通过落实优惠政策，加大就业投入、培训投入，开发就业岗位，实行再就业援助等措施，使国有企业下岗职工再就业工作取得了新的进展。一是安排贴息贷款，扶持就业和再就业项目。自治区劳动保障部门会同中国人民银行乌鲁木齐中心支行，组织各商业银行，对全区符合产业发展方向，有较好经济效益和安置效益的就业和再就业项目，通过安排专项政策性贴息贷款的方式予以重点扶持。全自治区共安排就业再就业项目贴息贷款 1.819 亿元，实际落实 1.2 亿元，为计划的 67%，累计扶持 80 多个就业和再就业项目，解决了 1.37 万人的就业和再就业。二是建立小额担保贷款，帮助下岗失业人员自谋职业。自治区劳动和社会保障厅会同自治区人民银行、农业银行制定出台了《自治区再就业小额担保贷款暂行办法》，从就业再就业经费中调剂2 000万元资金作为下岗失业人员小额贷款担保基金，在乌鲁木齐市进行试点。截至 12 月底，贷款金额 330 万元，使 125 名下岗失业人员通过此项贷款实现了自主创业和自谋职业。三是为下岗职工的就业和再就业提供专项服务。对进入再就业服务中心的下岗职工提供“131”专门服务，即 1 次以上职业指导服务，3 次以上就业信息服务，1 次免费培训服务；对已实行再就业的下岗职工，提供代办劳动关系转移，社会保险关系接续等服务。全自治区累计提供就业信息 20 万条，就业岗位 17 万个，政策咨询 30 万人次，培训信息 13 万条。为 25 万人次的下岗职工和失业人员举办了专场劳务洽谈及职业指导。四是对“4050”就业困难群体进行重点帮助。自治区通过组建公益性劳动组织，由政府出资购买公益性岗位，实行托底安置男 50 岁、女 40 岁的下岗失业人员。全年共安置“4050”人员 3 520人。2002 年，全自治区新增下岗职工 15 490人，出再就业服务中心的下岗职工 26 509人，实现再就业的有13 519人，占出中心再就业率的 51%。截至年底，全自治区地方国有企业再就业服务中心实有下岗职工 43 033人。

## 三、社会保障体系进一步完善

1. 基本养老保险扩面征缴成效显著

2002 年，自治区把以非公有制经济组织扩面征缴作为重点，统一了非公有制经济组织缴费比例，使非公有制经济组织参保率比上年提高了 5.7 个百分点。到 12 月底，全自治区养老保险实际参保人数为115.53万人。其中地方企业56.73万人，原中央行业统筹单位34.55万人，机关事业单位7.57万人，其他16.68万人。参保人数比上年净增3.19万人，增幅为 2.8%。参保缴费人数为11.02万人，占参保人员总数的 95.4%，比上年增长 1.7%。全年征缴基金（不含中央补贴）总收入 32.04 亿元，征缴率达 98.3%。个人账户的管理和记载取得一定的进展。在职职工个人账户建账率为 85.2%，比上年提高了 13.5 个百分点。基本养老金社会化发放人数达36.28万人，社会化发放率为 99.3%，比上年提高了 13 个百分点。为企业离退休人员调整了养老金，进一步提高了全自治区养老金水平。

2. 失业保险有了新进展

2002 年，自治区多数地州建立了失业保险个人缴费记录制度，基本完成了将自治区级事业单位失业保险业务移交单位所在地劳动保障部门的工作，对巴州、克州、喀什、和田等失业保险基金支付出现缺口的地州给予了补助，确保了参保失业人员及时领取失业金。强化了对失业保险金扩面、征缴、清欠工作。全自治区失业人员参保人数达到 131.29 万人，与上年相比净增 4.82 万人，增长率为 3.8%。参加失业保险的人员，企业占 65.3%，事业占 34.2%，其他单位占 0.5%；在企业参保人员中，国有企业占 80.2%，集体企业占 5.9%，外商投资企业占 1.2%，其他企业占 12.7%。全自治区实际征缴失业保险费 41 452.66万元，比上年增加5 114.84万元，增长 14.1%，失业基金收缴率达到 94.3%。全年补收历年欠费 2 033.13 万元，清欠率为 44%，高于上年 11 个百分点。全自治区失业保险基金总支出为26 693.99万元，占当年失业保险费收入的62.6%。为全自治区63 368名失业人员支出失业保险金8 947.85万元，失业人员月均领取保险金236.2元。

3．医疗保险制度改革进一步完善

2002年，自治区城镇职工基本医疗保险制度改革工作的重点是抓好医疗保险基础管理。调高了定点医疗机构基本医疗保险药品备药率、使用率比例，降低了自治区级单位职工基本医疗保险个人支付标准，提高了公务员医疗补助和大额医疗费用补助标准，增加了基本医疗保险诊疗项目16项，医疗服务设施项目3个，使参加基本医疗保险职工个人负担进一步降低。加强对各级劳动保障部门医疗保险基金管理的指导，开展了基本医疗保险药品的目录使用和基本医疗保险个人账户资金管理的检查，杜绝了违规案件的发生。为加快县以上医疗保险组织机构建设，自治区人民政府办公厅下发了《关于尽快建立健全县以上医疗保险行政管理机构和经办机构的通知》，至年底，全自治区都建立健全了医疗保险工作机构，配备人员近500名。以乌鲁木齐市、中央驻疆单位、自治区驻地单位属地参保为重点，积极稳妥地扩大医疗保险覆盖面，到年底，全自治区参加医疗保险的职工为148.04万人，占全自治区参保职工人数的75.16%，超额完成了劳动保障部、自治区人民政府下达的参保人数140万的目标任务。

4．工伤、生育保险稳中有进

2002年，自治区有7个地、州、市开展了工伤保险社会统筹，参保人数达29.5万人，征缴工伤保险费2 322万元，收缴率为96.9%。全年新增享受工伤待遇人数为545人，161人享受职业病待遇，供养直系亲属92人。截至年底，已有8个地、州、市开展了生育保险的社会统筹，全自治区参加生育保险社会统筹的职工为29.72万人。

## 四、职业培训工作上了一个新台阶

2002年，自治区按照“建立体系、完善制度、形成特色、抓好保障”的工作目标，通过加大宣传、推行就业准入制度和职业资格证书制度、优化资源配置、改革办学体制和管理体制、规范职工培训行为等，超额完成了全年培训的目标任务。全自治区通过各种途径培训各类人员75万人，培训合格率达90%以上，完成全年职业培训45万目标任务的166.7%。其中，在职培训30.22万人，占40.3%；就业和再就业培训33.3万人，占44.4%；其他人员（含农村、富余人员向城镇转移就业培训）培训11.48万人，占15.3%。就业和再就业培训后，有26.19万人实现了就业和再就业。培训后的就业再就业率达到78.6%。对技工学校进行了关、停、并、转等方式的资源整合和优化配置。全自治区技工学校由原来的72所减少到58所，技能培训工种231个。调整后，高新技术、三产、复合型等专业设置增大，技术含量低、技能单一的专业进一步弱化。技校招生下滑的情况基本得到遏制。2002年，58所技校招生8 000余人，招生率比上年同期增长了33.3%。在建设、服务等10个行业实行职业资格证书和就业准入制度，全年有44 363人取得了职业资格证书。举办职业技能竞赛9次，涉及工种38个，参赛人数9.1万人。对评出的自治区级技术能手4名和自治区残疾人技术能手18名分别给予了表彰和奖励。

## 五、劳动关系进一步规范

2002年8月，自治区劳动保障厅、自治区经贸委、自治区总工会成立了自治区劳动关系三方协调机构。截至年底，区、地、县三级劳动关系三方协调机构已经建立并开展工作。加强了对劳动合同、集体合同的管理，自治区的劳动关系基本处于和谐稳定状态。通过对全自治区15个地、州、市和33个自治区属单位、中央驻疆单位的劳动合同签订情况的调查，劳动合同签订率为88%，集体合同签订率为28%。被调查的14 162户各类企业全部制定了合同管理的规章制度，有12 630户还建立了劳动合同管理台账，1 900户企业实行了微机管理，3 554户建立了统计制度，2 274户建立了预警预报机制，950户采取其他方式规范了劳动合同管理。

2002年，自治区劳动争议案件总量呈上升趋势，与上年相比，上升率为29.3%；非国有企业劳动争议案件大幅上升，与上年相比，上升率为82.5%；43.3%的集体劳动争议发生在国有企业。自治区各级劳动争议仲裁委员会在劳动争议案件数量大幅上升，处理难度日益增大复杂的情况下，坚持合法、公正、及时处理的原则，确保办案质量，提高办案效率，不断加强仲裁员队伍建设，维护了劳动争议双方当事人的合法权益。全区各级劳动争议仲裁委员会共受理劳动争议案件3 413件，上年结转案件125件，合计3 538件，涉及劳动者6 886人。当年审理结案3 397件，结案率为95.8%。在审结的案件中，调解解决849件，占结案率的25%；仲裁裁决2 014件，占结案率的59.5%；其他方式解决527件，占结案率的15.5%。

## 六、企业工资分配制度改革继续深化

1. 继续推进企业工资收入宏观调控体系建设

自治区制定了2002年企业工资指导线，对指导企业进行工资集体协商，合理确定企业内部工资水平发挥了积极作用。

2. 进一步深化企业内部工资分配制度改革

2002年，自治区劳动保障厅会同财政厅、经贸委制定了《进一步深化国有企业工资分配制度改革有关问题的意见》，促进了企业内部工资分配结构向科学化、合理化的方向迈进。

3. 加强对企业工资内外收入的监督检查

2002年，自治区劳动保障厅通过对交通运输、建筑、旅游、粮油等行业企业的重点检查，有效地规范了企业工资的支付行为，对提高收入透明度，净化收入分配渠道，维护职工和企业的合法权益起到了促进作用。

## 七、劳动保障法制建设进一步加强

1. 进一步强化劳动保障立法工作

2002年，自治区劳动保障厅修订了《新疆维吾尔自治区劳动合同管理办法》，拟定了《新疆维吾尔自治区劳动力市场管理规定实施细则》。对劳动保障规范性文件进行了清理，废止了3个规章和2个规范性文件。对41项行政审批项目进行了清理，拟取消2项，改变管理方式3项。审核批复了20多户自治区属企业改制方案和破产企业职工安置方案。自治区劳动保障行政部门处理行政复议案件15件。

2. 继续加大劳动保障执法监察力度

2002年，自治区各级劳动保障监察机构，通过年审、专项大检查、群众举报监察、日常巡视监察等形式，依法对1.81万家各类用人单位进行检查，立案2 860件，结案2 725件，结案率为95.3%。追缴拖欠职工工资3 960万元，补签劳动合同4.3万余份。补缴养老、失业基金3 760万元。向2 697家用人单位提出整改意见6 500余条，查处年审不合格单位720家。对154家用人单位的违法行为进行了行政处理或行政处罚。妥善处理了由拖欠工资引发的突发事件16件。强化了劳动保障法律、法规的落实，维护了劳动者的合法权益。

3. 积极开展普法宣传工作

2002年初，自治区劳动保障厅印发了《2002年度全区劳动保障系统普法工作安排》，编发了《自治区劳动保障系统“四五”普法教材》和《2001年政策法规汇编》，截至年底，共发行5 000余册。组织全区8 119人参加2002年度劳动保障系统“四五”普法考核工作，合格率达99.8%。举办了自治区首届劳动保障知识电视大赛，组队参加了全国首届劳动保障知识电视大奖赛，获得了二等奖。

（新疆维吾尔自治区劳动和社会保障厅）

# 新疆生产建设兵团

2002年，新疆生产建设兵团的劳动保障工作在兵团党委的正确领导下，全体干部职工紧紧围绕兵团改革发展稳定的大局，团结奋战、扎实工作，在再就业、社会保险、就业培训、劳动关系调整、工资管理等方面获得了新的进展，为全面实现“十五”计划奠定了扎实的基础。

## 一、继续巩固了两个确保，对深化改革、维护社会稳定发挥了积极的促进作用

2002年，兵师两级劳动保障部门多方筹集资金，确保了兵团国有企业下岗职工基本生活费的足额发放和社会保险费的足额代缴。2002年，共筹集下岗职工基本生活保障资金2.82亿元（其中中央财政支持2.56亿元，社会筹集0.19亿元）；2001年结转下岗职工63 583人（其中城镇32 915人），截至年底，共有下岗职工42 695人（其中城镇25 884人），足额发放和足额代缴社会保险费均为100%。

加强了养老保险费的征缴工作，加大了清欠力度，逐步完善了管理制度，巩固了离退休人员养老金按时足额发放和社会化发放100%的成果。2002年，兵团离退休人数达43.05万人，应拨付养老金31.58亿元，实际拨付31.58亿元。

## 二、制定了积极的就业政策，大力促进下岗失业人员再就业，加强劳动力管理，就业与再就业工作取得进展

1. 认真贯彻全国及兵团再就业工作会议精神，全力以赴做好再就业工作

继兵团再就业工作会议后，兵团劳动保障局及时召开了各师劳动保障局局长座谈会，全面深入学习领会中央及兵团领导的讲话精神，进一步增强了做好就业与再就业工作的责任感和紧迫感；按照全国及兵团再就业工作会议确定的工作目标要求，结合兵团实际，制订了切实可行的工作方案；在分析研究兵团就业形势的基础上，下达了再就业目标计划；加强了与自治区和兵团各有关部门的协调配合，研究拟定了贯彻中发12号文件的实施方案及7个配套文件，为兵团开展再就业工作提供了政策依据；开展了再就业援助活动，加大了对下岗失业人员的培训力度，加强了劳动力市场建设，及时为下岗失业人员提供了就业服务。

2002年，全兵团共有15 298名下岗职工出中心再就业，占应出中心人数的48%，其中城镇下岗职工再就业4 173人；全兵团共需安置下岗失业人员13.4万人，现已安置6.4万人（其中下岗职工1.5万人，失业人员0.8万人，企业富余人员1.5万人，新增劳动力1万人，自治区大中专毕业生到兵团团场就业0.6万人，其他1万人）。2002年，登记失业人数为2.8万人，城镇登记失业率为3.1%。

2. 开展了大中专毕业生到兵团团场就业工作

自2002年7月新疆维吾尔自治区召开鼓励大中专毕业生到兵团工作的会议以来，按照自治区党委、自治区人民政府关于鼓励大中专毕业生到兵团工作的规定及兵团党委的要求，兵团劳动保障局建立了工作机构，明确了工作职责，制订了工作方案，有计划、有步骤地开

展工作。截至年底，共提供14 280个工作岗位，其中农业一线13 287个，专业技术岗位993个，报名到兵团工作的大中专毕业生24 454人，其中填写报名表的12 414人，共招收5 899人，现已有3 425人上岗。

3．外来劳动力管理逐步规范

2002年，兵团加强了省际间的劳务合作，从河南、四川、甘肃、陕西、江苏、青海等省共引进劳动力36.5万人，其中长期工4.1万人，季节拾花工30万人，其他季节工2.4万人。动员了1.14万名下岗失业人员参加拾花劳动，既支持了团场秋收，又增加了下岗失业人员的收入。

4．劳动力市场建设步伐逐步加快

2002年，兵、师劳动力市场已达10个。各劳动力市场建立了岗位职责制度，公开了服务内容、服务程序，公开接受群众监督，服务手段逐步规范，为更好地给下岗失业人员提供"一站式"服务打下了良好的基础。

**三、加大了基金收缴力度，逐步完善了社会保险网络，社会保险管理水平逐步提高**

1．基本养老保险

截至2002年底，兵团参加基本养老保险的在职职工66.95万人，实际缴费人数63.08万人。2002年，兵团基本养老保险基金征缴收入13.89亿元，收缴率达97.22%，比上年增加了2.2个百分点。

2001年底，兵团企业累计欠缴养老保险费1.36亿元，由于清欠力度的加大，补缴形势好于上年，补缴历年欠费7 335万元，补缴率为54.05%。农一师、五师、十师、十二师历年和当期均无欠费。

2．失业保险

截至2002年底，兵团参加失业保险的人数为53.88万人，领取失业金人数为11 194人，比2001年领取人数净增3 205人；全年完成失业保险基金收入1.01亿元（含补缴金额），比上年同期增加1 118万元，增长率为10%。

3．基本医疗保险

2002年，兵团14个统筹区已全部启动了基本医疗保险，已有13个统筹区启动大额医疗补助、公务员医疗补助和离休人员、二等乙级以上革命伤残军人医疗管理办法。有7个统筹区启动了特殊慢性病门诊医疗。加强了对定点医疗机构、定点药店的管理。兵团退休回沪定居人员基本医疗保险全面启动，参保人员11 958人，运作基本平稳，为解决易地安置退休人员医疗保险探索了一条路子。截至年底，基本医疗保险参保人数87.57万人，其中在职职工参保52.62万人，退休人员参保34.95万人，共收缴基本医疗保险费3.71亿元。

4．工伤、生育保险

截至2002年底，兵团工伤保险参保职工56.53万人，工伤保险基金总收入2 832万元（其中征缴收入2 507万元），基金支出1 183万元，享受工伤保险待遇907人；生育保险参保职工56.69万人，基金总收入2 915万元（其中征缴收入2 511万元），基金支出1 282万元，享受生育保险待遇人数为9 642人。

**四、加大了职工培训力度，初步形成了技工学校、职业学校、业余技校和各类职业培训机构为一体的职业教育网络，组织开展了职工培训，兵团职工队伍素质有所提高**

一是团场职工业余技校取得突破性进展，兵团有13个师建立了74所业余技校，学员人数达45 799人，通过在业余技校的学习，学员了解了兵团屯垦史、兵团精神、兵团基本情况、法律常识及农作物种植技术，并能运用到实践中，职工队伍素质有所提高，促进了团场经济的进一步发展。团场职工业余技校的建立和拓展，在兵团范围初步构建了职业教育网络，为加大职业培训奠定了组织基础。二是在各项技能培训的基础上，大力开展了职业技能鉴定工作，2002年，兵团考核鉴定取证人数首次突破2万人（取证人数23 816人），其中技师370人，高级工2 373人，取证总数比上年度增长32%。职业技能鉴定工作的加强，推动了就业准入制度的进展。三是加强了再就业培训工作，2002年，兵团培训下岗失业人员1.5万人，培训再就业率约为40%。

**五、企业工资收入分配制度改革进行了有益的探索，为形成以工资指导线、劳动力市场工资指导价位和人工成本预测预警制度为主要内容的企业工资收入分配宏观调控体系奠定了基础**

2002年，兵团制定了2002年度企业工资收入增长指导线，积极引导企业建立与市场经济相适应的企业收入分配制度，对企业搞活内部分配，建立企业人工成本管理进行了积极的探索。开展了股份制企业实行职工入股、持股等分配方式的试点工作。在农八师开展了劳动力市场指导价位试点工作。这些企业工资收入分配问题的探索，为推进工资分配制度改革做了必要的准备。

**六、加强了劳动合同管理，劳动关系调整和维护企业稳定工作不断加强**

截至2002年底，兵团国有企业、国有控股、集体企业签订劳动合同人数为63.27万人，签订率为96%，私营、个体经济组织签订劳动合同人数为4.7万人，签订率为27%；劳动合同电子化管理有所增强，已有9个师启用计算机管理劳动合同。为适应新时期劳动关系调整工作的新情况，兵团重视促进劳动关系三方协调机制的建立，为维护劳动关系双方的权益，促进劳动关系的和谐稳定发挥了积极的作用。2002年，兵师两级劳动争议仲裁委共受理各类劳动争议742件，涉及劳动者1 980人，分别比上年同期下降17%和50%，结案720件，结案率达97%；集体争议42件，涉及劳动者1 260人，分别比上年同期下降24%和59%。非立案处理劳动争议810件，比上年同期上升25%；加强了对群体性上访的事前预防，维护了社会稳定；研究制定了《关于进一步规范企业经济性裁员和处理违纪职工问题的通知》，规范了企业的管理行为；认真处理了劳动保障行政复议案件，保证了劳动保障行政部门依法行政；加强了日常监察和专项执法检查活动，“护法”“维权”工作力度不断加大。

（新疆生产建设兵团劳动和社会保障局）

# 劳动和社会
# 保障大事记

# 2002 年劳动和社会保障大事记

1月4日　劳动和社会保障部发出《关于印发〈劳动和社会保障部公文处理办法〉的通知》(劳社部发〔2002〕2号)。办法明确了公文处理规则及要求，共9章57条。

1月7日　张左己同志主持召开劳动和社会保障部第9次部务会议，审议2002年部立法计划、外事计划、会议计划、办班计划和《社会保障卡工程建设管理规定（送审稿)》。李其炎、林用三、王建伦、王东进、张小建、崔会烈同志出席，部属各单位主要负责同志参加。

1月9日　全国政协提案委员会副主任席德华率政协委员视察团来我部视察工作。张左己同志会见视察团一行。李其炎同志就近年来劳动保障部提案办理和劳动保障主要工作情况向委员们作汇报，张小建同志及有关司局负责同志参加汇报。委员们还在张小建同志陪同下到部技术指导中心参观。

1月11日至18日　应孟加拉人民共和国总理卡莉达·齐亚和印度共和国总理阿塔尔·比哈里·瓦杰帕伊的邀请，国务院总理朱镕基对孟加拉国和印度进行访问，张左己同志陪同。

1月12日至20日　国务院副总理吴邦国就妥善安置下岗职工，做好两个确保等工作在广东、贵州省考察。期间，走访了特困企业，代表党中央、国务院对特困职工表示亲切慰问。在贵州期间，还考察了贵阳市劳动保障局，看望了工作在劳动保障战线上的干部职工，发表了重要讲话。张小建同志陪同考察。

1月13日至22日　李其炎同志赴广西壮族自治区、云南省，林用三同志赴山西省，王东进同志赴湖南省，崔会烈同志赴黑龙江省就两个确保等有关工作进行调研，并走访慰问困难职工、失业人员和离退休人员家庭。

1月14日　李其炎同志会见应劳动保障部邀请来访的印度国家劳动委员会主席拉文达·瓦拉玛先生一行，向客人介绍我国劳动保障改革取得的成就及当前面临的形势，双方就共同关心的问题进行友好交流。部属有关单位负责同志陪同。

同日　劳动和社会保障部召开第三次专家咨询委员会全体会议，就未来5～10年劳动就业和社会保障的发展问题进行研讨。李其炎同志主持会议，林用三、王建伦、王东进同志出席。部属各单位负责同志参加会议。

同日　劳动和社会保障部、财政部联合发出《关于2001年调整企业退休人员基本养老金的通知》(劳社部发〔2002〕3号)，决定从2001年7月1日起，调整企业退休人员基本养老金。

1月15日　中国劳动学会成立20周年纪念大会在京召开。王东进同志出席会议并致辞，王建伦同志及部属有关单位负责同志和来自全国劳动学会系统的200余名代表参加会议。会议表彰了北京市劳动学会等22个“先进单位”和李春明等15名“先进个人”，《大连市劳动力需求预测及战略研究》等37篇论文被评为中国劳动学会系统优秀论文。

1月16日　江泽民总书记亲笔为劳动和社会保障部编写的《领导干部社会保障知识读本》题写书名。

1月22日　劳动和社会保障部发出《关

于切实做好2002年春运期间组织民工有序流动工作的通知》（劳社厅发明电〔2002〕2号），要求各级劳动保障部门要全面分析掌握民工流动趋势，及早做好疏导准备工作；加强用工执法检查，继续进行劳动力市场清理整顿工作；要切实加强领导，充实力量，明确责任，统筹安排，抓好落实。

1月29日　劳动和社会保障部发出《关于印发2002年劳动和社会保障工作要点的通知》（劳社部发〔2002〕1号），明确了2002年劳动和社会保障工作要继续做好两个确保，加快完善社会保障体系，大力促进就业和再就业，切实安排好困难群体的生产和生活，全力维护稳定大局等11个方面的重点工作。

1月31日　劳动和社会保障部发出《关于表彰2001年度全国技术能手的决定》（劳社部发〔2002〕4号），授予在全国首届计算机应用大赛等9项竞赛活动中取得优异成绩的瞿润平等41人"全国技术能手"荣誉称号，颁发"全国技术能手"奖章、证书和奖牌。

2月4日　中共中央政治局常务委员会召开会议，听取关于当前困难群众生产和生活情况汇报，研究进一步安排好困难群众生产和生活的工作。中共中央总书记江泽民主持会议并发表重要讲话。张左己同志列席会议并就劳动保障工作作汇报。

2月5日　国家主席江泽民主持我国与摩洛哥王国双边协定签字仪式和欢迎摩洛哥王国穆罕默德六世晚宴。张左己同志出席，并分别与摩洛哥王国就业、职业培训、社会发展和团结互助大臣签署了两国政府在社会发展、就业和职业培训领域的合作议定书。

同日　中共中央办公厅发出《中共中央办公厅国务院办公厅关于进一步安排好困难群众生产和生活的通知》（中办发电〔2002〕2号）。通知要求，全党、全国上下必须从全局和战略的高度，充分认识安排好困难群众生产和生活工作的重要性，下大力气落实两个确保和城市"低保"措施；千方百计地创造就业岗位；进一步加大执法监察和管理工作的力度。

2月6日　张左己同志主持召开劳动和社会保障部第93次部党组会议，研究《劳动保障部领导干部任期经济责任审计暂行规定》和《关于开展劳动保障部领导干部任期经济责任审计工作的意见》。李其炎、林用三、王东进、张小建、崔会烈同志出席，部属有关单位负责同志列席。

同日　劳动和社会保障部发出《关于劳动保障部门进一步安排好当前困难群众生产和生活的紧急通知》（劳社部发明电〔2002〕1号）。通知指出：为认真贯彻中央政治局常委会议精神，落实好两办通知要求，各级劳动保障部门要从全局和战略的高度，充分认识安排好困难群众生产和生活工作的重要性，坚持做好9个方面的工作。

同日　劳动和社会保障部与人事部、财政部、科技部、建设部联合发出《关于转制科研机构和工程勘察设计单位转制前离退休人员待遇调整等问题的通知》（劳社部发〔2002〕5号），对有关科研转制单位转制前离退休人员离退休待遇调整等问题作出规定。

2月9日　劳动和社会保障部发出《关于印发2002年农村养老保险工作安排的通知》（劳社厅函〔2002〕42号）。通知提出要继续做好2002年农村养老保险工作，并对理顺管理体制，稳定机构队伍，加强基金管理，确保基金安全及进一步搞好调研，做好规范农保工作等提出具体要求。

2月11日　国务院办公厅发出《关于做好国务院2002年立法工作的几点意见和国务院2002年立法工作安排的通知》（国办发〔2002〕14号）。其中，《工伤保险条例》被列入需要统筹兼顾的法律、行政法规中；《禁止使用童工规定》被列入需要抓紧研究，条件成熟时适时提请审议的法律和行政法规中。

2月11日至12日　国务院总理朱镕基代表中共中央、国务院和江泽民总书记到重庆市进行春节慰问。张左己同志陪同。

2月20日　国务院总理朱镕基主持召开国务院第123次总理办公会议，研究关于做好当前国有企业下岗职工基本生活保障和再就业工作有关问题。张左己同志作汇报，王建伦同志出席，办公厅负责同志随同参加。

2月26日　中国共产党中央委员会发出《关于步正发等4名同志职务任免的通知》(中委〔2002〕63号)。中央批准，步正发同志任劳动和社会保障部副部长（列王东进同志之后)、党组成员；刘永富同志任劳动和社会保障部副部长、党组成员；免去林用三、王建伦（女）同志的劳动和社会保障部副部长、党组成员职务。

2月28日　劳动和社会保障部召开“一岗双责”经验交流会，交流学习贯彻党的十五届六中全会精神及《关于加强劳动保障部党的建设的决定》的体会，总结各单位主要负责同志一手抓党建，一手抓业务工作的经验做法，研究新形势下如何搞好劳动保障部党建工作的思路。张左己同志出席会议并讲话。崔会烈同志及中央国家机关工委有关同志和部属各单位党组织主要负责同志参加会议。

2月28日至3月1日　全国医疗保险工作座谈会在广东省中山市召开，王东进同志出席会议并讲话。各省（自治区、直辖市）劳动保障厅局的主管厅局长、经办机构负责同志及广东省各地市劳动保障部门负责同志参加会议。

3月2日　劳动和社会保障部召开《领导干部社会保障知识读本》《新时期劳动和社会保障重要文献选编》出版发行座谈会暨劳动保障学习宣传活动组委会全体会议，张左己同志及人民日报社副总编江绍高同志讲话。李其炎同志主持会议，林用三、王建伦、张小建、崔会烈同志出席。有关单位负责同志、中共中央文献研究室及部分专家出席会议并先后发言。

同日　劳动和社会保障部召开全国劳动保障厅局长座谈会，张左己同志传达中央和国务院有关会议精神，并就贯彻落实会议精神发表了重要讲话。李其炎同志主持会议，林用三、王建伦、王东进、张小建、崔会烈同志出席，各省（自治区、直辖市）劳动保障厅局主要负责同志和部属各单位主要负责同志参加会议。

同日　国务院办公厅发出《国务院办公厅转发教育部等部门关于进一步深化普通高等学校毕业生就业制度改革有关问题意见的通知》(国办发〔2002〕19号)。通知要求，为进一步完善毕业生就业工作管理体制，在国务院领导下，教育部、人事部、国家计委、财政部、劳动保障部、公安部等有关部门密切配合，共同做好高校毕业生就业工作。认真研究分析未来几年高校毕业生的就业形势，把高校毕业生就业工作纳入当地经济和社会发展的整体规划，提出深化改革、妥善解决高校毕业生就业问题的具体措施。

3月11日　中央机构编制委员会办公室发出《关于劳动和社会保障部事业单位机构编制的批复》(中央编办复字〔2002〕46号)，对劳动保障部所属事业单位机构编制进行调整，天津职业技术师范学院下放地方管理，相应核销1 221名事业编制；中国人民大学劳动人事学院划转其他部门，相应核销92名事业编制。经过调整，劳动保障部共设立19个事业单位：劳动和社会保障部机关服务中心；劳动和社会保障部信息中心；中国劳动保障科学研究院；劳动和社会保障部劳动科学研究所；劳动和社会保障部劳动工资研究所；劳动和社会保障部国际劳工与信息研究所；劳动和社会保障部社会保险研究所；劳动和社会保障部职业技能鉴定中心；劳动和社会保障部教育培训中心；中国劳动保障报社；中国劳动社会保障出版社；劳动和社会保障部九江培训中心；劳动和社会保障部社会保险事业管理中心；中国就业培训技术指导中心；劳动和社会保障部招待所；劳动和社会保障部房屋管理修缮队；劳动和社会保障部宣传中心；劳动和社会保障部国际交流中心；职工教育研究会。事业编制854名，其中250名经费自理。

3月18日　劳动和社会保障部召开机关干部大会，传达贯彻九届全国人大五次会议和政协九届五次会议精神。张左己同志主持会议并对学习“两会”精神进行部署。全国人大常委会委员、法律委员会副主任委员李伯勇和全国政协委员林用三分别传达了九届全国人大五次会议和全国政协九届五次会议精神。李其炎、王建伦、王东进、张小建、崔会烈同志出席，部机关全体干部、部属事业单位司局级干部和离退休干部党支部书记、副书记参加会议。

3月21日　张左己同志主持召开劳动和社会保障部部属各单位党政主要负责同志会议，宣布中共中央关于步正发等4名同志职务任免的决定。李其炎、王建伦、王东进、步正发、张小建、刘永富、崔会烈同志出席，部属各单位主要负责同志参加会议。

同日　劳动和社会保障部发出《关于进一步加强劳动力市场建设完善就业服务体系的意见》（劳社部发〔2002〕7号），要求各地劳动保障部门按照国家“十五”计划《纲要》的有关要求，做好相关工作。

3月22日　劳动和社会保障部发出《关于实施中德社会保险协定的通知》（劳社厅发〔2002〕2号）。《中华人民共和国与德意志联邦共和国社会保险协定》是在确保中德双方驻外人员参加社会保险的前提下，避免同时承担缔约两国法律规定的参加社会保险的义务。这是建国以来我国政府与外国政府签署的第一部社会保险方面的双边协定。

3月23日至4月7日　应英国工作与养老金部和古巴劳动与社会保障部的邀请，李其炎同志率团对英国和古巴进行访问，并与古巴劳动与社会保障部签署了《合作谅解备忘录》。

3月29日　劳动和社会保障部发出《关于检查企业年金经办情况的通知》（劳社厅函〔2002〕135号），决定对2001年全国企业年金经办情况进行专项检查。要求各省（自治区、直辖市）劳动保障部门及原行业统筹部门按通知要求，制定具体实施方案，确保按时完成任务。

3月29日至4月2日　国务院总理朱镕基在山西省考察工作。张左己同志陪同。

3月30日至4月13日　应墨西哥国家社会保障委员会和巴西社会福利部邀请，王东进同志率代表团对两国进行工作访问，分别会见了墨西哥国家社会保障委员会主席加西亚先生和巴西社会福利部副部长皮涅罗先生，就进一步加强双边交流与合作交换了意见。

4月1日　劳动和社会保障部发出《关于开展民工权益保护专项检查活动的紧急通知》（劳社厅发明电〔2002〕5号），决定于2002年4月8日至5月7日在全国范围内组织开展一次民工合法权益保护专项检查活动。

4月3日　国务院总理朱镕基主持召开国务院第127次总理办公会，听取关于河北省高碑店市白沟镇民工苯中毒事件调查情况的汇报。张左己同志出席会议，步正发同志代表国务院调查工作组作汇报。

4月4日　江泽民总书记主持召开中央政治局常委会，研究《中共中央办公厅国务院办公厅关于切实做好企业和社会稳定工作的通知》。张左己同志列席。

同日　张左己同志会见欧盟外事委员会彭定康一行，双方就拟议中的中欧社会保障合作项目等问题交换意见。

4月7日　中共中央办公厅发出《中共中央办公厅国务院办公厅关于切实做好企业和社会稳定工作的通知》（中办发〔2002〕9号）。通知指出，推进国有企业改革要充分考虑各方面的承受能力，企业实施改制重组、关闭破产和分流安置富余人员，要按照党中央、国务院有关政策规定办理，确保本地区企业和社会的稳定。

4月9日至13日、4月17日至24日　国务院副总理吴邦国在重庆市、四川省、湖北省、湖南省进行再就业工作专题调研。期间，考察了部分社区和企业的再就业工作；考察了湖北省武汉市、湖南省长沙市劳动力市场及街道、企业和职业介绍中心；听取省委、市委、政府关于再就业工作情况汇报；分别召开下岗再就业职工代表座谈会；分专题与有关地区、部门和企业负责人进行座谈。张左己同志陪同。

4月10日　劳动和社会保障部发出《关

于切实做好劳动保障工作维护企业社会稳定的紧急通知》（劳社部发明电〔2002〕2号）。通知要求，要认真贯彻两办《通知》精神，进一步做好产业结构调整和企业改革发展中的劳动保障工作，切实维护企业和社会稳定。

4月12日至23日　李其炎同志赴广东省，张小建同志赴天津市，刘永富同志赴辽宁省就下岗职工再就业、社会保障试点工作进行专题调研。

4月16日至19日、6月3日至6日、7月4日至7日　劳动和社会保障部分别在北京市、杭州市、济南市举办三期“加入世贸组织与劳动保障工作专题研讨班”，张左己、李其炎、王东进、张小建同志出席研讨班开班仪式。张左己同志就劳动保障部门应对WTO切实做好企业和社会的稳定和再就业工作作了动员讲话。王东进同志为三期研讨班作专题报告。部属各单位负责同志和各省（自治区、直辖市）及计划单列市劳动保障部门负责同志参加。

4月17日　劳动和社会保障部发出《关于在全国劳动保障系统推行政务公开的意见》（劳社厅发〔2002〕3号），对劳动保障系统行政管理部门的政务公开范围和内容、形式及监督措施提出具体意见。

4月19日至28日　应加拿大枢密院的邀请，崔会烈同志率团对加拿大进行访问，重点考察加拿大养老保险基本制度及基金投资运作和监管情况，并与加拿大人力资源开发部助理副部长保罗·米格斯先生举行会谈。

4月25日　张左己、李其炎同志分别会见澳大利亚家庭和社区服务部部长万斯通女士一行，并举行工作会谈。

同日　王东进同志会见并宴请国际社会保障协会工伤保险委员会主席左格尔先生一行，双方就2004年在中国举行的第28届世界社会保障大会有关工伤保险的内容进行商谈。

4月25日至26日　张左己同志主持召开劳动保障部第一季度形势分析会暨再就业调研情况汇报会。会议传达了国务院副总理吴邦国在部分省市进行再就业工作调研时的指示精神；听取各调研组调研情况汇报；分析第一季度两个确保、下岗失业人员再就业等工作情况。李其炎、王东进、步正发、张小建、刘永富同志出席，部属各单位主要负责同志参加会议。

4月26日　劳动科学研究所召开建所20周年大会，张左己、李其炎、王东进、步正发、刘永富同志出席。

4月28日　劳动保障部召开第6次青年干部座谈会，22名青年同志结合工作实际，围绕大力开发劳动力市场，发展灵活多样的就业形式，促进失业人员再就业工作进言献策，各抒己见。张左己同志主持会议并讲话。李其炎、王东进、步正发、张小建、刘永富同志及部属各单位主要负责同志出席会议。

4月29日　《中国劳动和社会保障状况》白皮书对外发布。这是我国政府首次以白皮书的形式全面系统地向世界介绍中国的劳动和社会保障事业发展状况，包括就业形势总体保持稳定，新型劳动关系基本形成，社会保障体系初步建立和21世纪初期的发展等内容。

同日　劳动和社会保障部召开2002年第一季度新闻发布会，介绍第一季度劳动保障工作情况和第二季度的主要工作安排，发布第一季度劳动力市场供求状况。有关新闻单位记者参加会议。

4月29日至5月3日　崔会烈同志出席由世界银行和经济合作与发展组织在美国举办的契约型储蓄投资监管国际研讨会，并对美国养老保险基金监管方面的情况进行考察。

4月30日　劳动和社会保障部、统战部、财政部、民政部联合发出《关于进一步解决部分原工商业者生活困难问题的通知》（劳社部发〔2002〕9号）。要求各地按照通知要求，采取切实措施，帮助原工商业者解决生活保障问题。

5月7日至11日　应老挝人民民主共和国政府邀请，步正发同志率团赴老挝出席第十二次“东盟+中、日、韩劳工部长级会议”。会议的主题是加强东盟和东亚三国在劳动、社会保障、人力资源开发、国际劳工事务等领域的交流与合作，以应对地区和全球经济一体化带来的挑战。会上，步正发同志就加强我国与东盟和日本、韩国在劳动和社会保障领域的交流与合作发言。会议期间，步正发同志还会见了老挝劳动和社会福利部副部长、马来西亚人力资源部副部长、缅甸劳动部副部长等，就加强双边合作等有关事宜进行会谈。

5月9日　张左己、李其炎同志会见来访的南非劳工部副部长若马沙先生一行，向客人介绍了我国创造就业、职业培训和农村发展等方面的情况，并商讨两部签署谅解备忘录事宜。

5月14日　张左己、贾春旺、王众孚同志签署劳动和社会保障部、公安部、国家工商行政管理总局第15号令，联合发布《境外就业中介管理规定》，对在中国境内从事境外就业中介的活动作出规定。

同日　劳动和社会保障部发出《关于印发〈劳动和社会保障系统“三优”文明窗口工作标准（试行）的通知〉》（劳社部发〔2002〕11号）。

5月20日　劳动和社会保障部发出《关于开展贯彻实施〈妇女权益保障法〉情况自查活动的通知》（劳社厅发明电〔2002〕8号）。通知要求，各地劳动保障部门自2002年5月25日至6月10日，对贯彻实施《妇女权益保障法》情况进行自查，努力推进依法行政，切实保护妇女合法的劳动权益。

5月23日　劳动和社会保障部发出《关于进一步加强再就业宣传工作的通知》（劳社部发明电〔2002〕3号），明确了再就业工作宣传的主要内容，宣传的安排和要求。

5月24日　劳动和社会保障部发出《关于印发2002年劳动和社会保障事业发展计划的通知》（劳社部发〔2002〕10号），明确了2002年各级劳动保障部门重点做好的10项工作。

5月28日至31日　全国劳动保障依法行政工作座谈会在湖北省宜昌市召开，步正发同志出席会议并讲话。期间，考察了部分市劳动力市场、社会保险管理中心及社区，并同省领导交换了意见。

6月1日至22日　李其炎同志率中国三方代表团出席在日内瓦召开的第90届国际劳工大会并在会议上发言。会议期间，李其炎同志分别与国际劳工组织总干事、劳工局主要高级官员以及美国、俄罗斯、西班牙、印度等28位出席大会的劳工部长、副部长进行会谈，就加强双边合作和在我国举办“中国就业论坛”有关事宜交换意见。

6月5日至6日　国务院副总理吴邦国在河北省石家庄市主持召开部分省市和有关部门负责人参加的再就业工作座谈会，研究《关于进一步做好下岗失业人员再就业工作的通知》（稿）。张左己、张小建同志出席会议。河北等8省（自治区、直辖市）分管副省长（副主席、副市长）及劳动保障、经贸、财政、工会负责同志，国家经贸委、财政部、人民银行、税务总局、工商总局、国研室、全国总工会负责同志参加会议。

6月6日　张左己同志主持召开部分省市劳动保障厅（局）长座谈会，听取对再就业工作的意见和建议。张小建同志出席。河北、内蒙古、吉林、黑龙江、上海、安徽、山东、河南、贵州、陕西、甘肃省（自治区、直辖市）劳动保障厅（局）长参加会议。

6月6日至7日　中国社会保险学会第一届会员大会暨成立大会在北京召开。全国人大常委会副委员长成思危出席会议并讲话，步正发同志代表劳动和社会保障部党组致辞，国际劳工组织代表庄古先生、中国劳动学会夏积智同志及单位会员代表梁席民同志先后致辞。全国人大常委会常委阮崇武、全国社会保障基金理事会理事长刘仲藜、劳动和社会保障部崔会烈、林用三同志出席会议，王建伦同志主持会议。会议通过了中国社会保险学会章程，选举产生了学会理事会、常务理事会和学会领导机构。

6月7日至8日　国务院副总理吴邦国在河北省进行调研。张左己同志陪同。

6月11日至21日　全国政协副主席万国权率全国政协社会保障体系建设视察团视察四川省社会保障体系建设情况。王东进同志陪同。

6月21日至22日　全国人大常委会副委员长、民建中央主席成思危率民建中央社会保障问题调研组到辽宁省进行专题调研。刘永富同志陪同。

6月24日　全国人大常委会委员长李鹏主持召开九届全国人大常委会第二十八次会议，张左己同志列席会议并就《国务院关于提请审议批准〈禁止和立即行动消除最恶劣形式的童工劳动公约〉的议案》作说明。

同日　国务院总理朱镕基主持召开经济形势座谈会，邀请部分专家学者，就当前经济形势和财税、国企改革、就业等问题进行座谈。张左己、张小建同志出席。

同日　劳动和社会保障部发出《关于贯彻实施〈境外就业中介管理规定〉有关问题的通知》(劳社厅函〔2002〕207号)。通知要求地方劳动和社会保障厅（局）切实将《境外就业中介管理规定》的各项要求落到实处；加强市场监管，规范市场秩序；结合当地实际，开展多种形式的宣传活动。

6月26日至27日　全国劳动保障规划财务工作座谈会在山东省威海市召开，李其炎同志出席会议并讲话。会议总结了近几年的规划财务工作，分析面临的形势，听取有关部门和单位的意见和建议，研究部署当前和今后一段时间的任务。山东省副省长赵克志出席会议并致辞。国家计委、财政部、国家统计局、审计署驻部审计局，各省（自治区、直辖市）劳动保障厅（局）有关同志参加会议。

6月28日　劳动和社会保障部召开庆祝中国共产党成立81周年大会。张左己同志代表部党组讲话。会议由王东进同志主持，步正发同志宣读了关于表彰先进基层党组织和优秀共产党员、优秀党务工作者的决定，张小建同志出席。部机关全体党员干部、事业单位司局级党员干部和离退休老干部参加了大会。

7月4日　劳动和社会保障部发出《关于在全国开展基本医疗保险药品目录管理工作检查的通知》(劳社厅发明电〔2002〕14号)，对检查内容、检查方式和时间安排等提出了要求。

7月5日　国务院副总理吴邦国主持召开会议，听取全国安全生产大检查情况汇报。王东进同志出席会议并汇报了国务院安全生产检查组第13组在四川省的检查情况。

7月8日　国务院总理朱镕基主持召开国家科技教育领导小组第11次会议，听取并审议教育部《关于职业教育工作和筹备召开全国职业教育工作会议的汇报》《关于实施现代远程教育工程、推进中西部农村中小学教育跨越式发展的汇报》。张小建同志出席会议并作发言。

7月9日　张左己同志主持召开劳动和社会保障部第13次部务会议，研究《劳动和社会保障部科技项目管理办法》。李其炎、王东进、步正发、张小建、崔会烈同志出席，部属各有关单位负责同志参加。

7月15日　张左己、刘永富同志与辽宁省副省长刘克崮就辽宁省试点工作进行座谈。

同日　国务院完善城镇社会保障体系试点工作小组召开会议，听取辽宁省政府关于试点工作情况的汇报。会议由刘永富同志主持，辽宁省副省长刘克崮代表省政府作了汇报。试点工作小组成员及有关部门的同志出席。

同日　劳动和社会保障部、财政部、信息产业部、中国人民银行、审计署、国家税务总局、国家邮政局联合发出《关于加强社会保障基金监督管理工作的通知》(劳社部发〔2002〕12号)。通知要求，各级劳动保障、财政、审计、税务、邮政部门和人民银行分、支行要按照各自职能，加强对社会保障基金征缴、支付、管理和运营全过程的监督。各级劳动保障行政主管部门要切实负起基金监督责任，加强对社会保险费征收机构、社会保险金发放机构、社会保障基金管理和运营机构征缴、支付和管理运营基金情况的监督，定期不定期地对基金收入户、支出户及财政专户等各类社会保障基金银行账户进行监督检查。

7月12日至16日　环球磁卡杯全国首届劳动和社会保障知识电视大奖赛在中央电视台亚视中心举行。各省、自治区、直辖市（西藏除外）劳动和社会保障厅（局）的36支代表队参加决赛阶段的比赛。北京、山东、陕西、山西、青海、新疆6支代表队进入总决赛。北京、天津、河南、广东、云南、新疆6支代表队的节目获得风貌展示奖。在总决赛中，北京代表队获得一等奖，陕西、新疆代表队获得二等奖，山东、青海、山西代表队获得三等奖。张左己、李其炎、王东进、步正发、张小建、刘永富、崔会烈同志和人民日报社副总编江绍高、财政部副部长廖晓军、广电总局副局长胡占凡、中华全国总工会书记处书记董力，及天津环球磁卡集团公司总裁姜肃敌等领导和嘉宾出席总决赛并为获奖选手颁奖。组委会向北京、天津、河北、内蒙古、辽宁、黑龙江、上海、浙江、安徽、山东、河南、湖北、湖南、广西、四川、云南16个省（自治区、直辖市）的劳动和社会保障厅（局）颁发了组织奖。环球磁卡杯全国首届劳动和社会保障知识电视大奖赛组委会共收到各地劳动和社会保障知识竞赛答题卡1 049万张；共有582个队参加了各赛区的电视大赛预赛。

7月16日至20日　国务院副总理吴邦国在吉林省考察工作，要求妥善处理好改革发展稳定的关系，重视企业稳定和安全生产工作；切实把两个确保和“低保”政策落到实处，做到应保尽保；千方百计扩大就业门路，大力促进下岗职工再就业。张左己同志陪同。

7月22日至24日　国务院总理朱镕基在辽宁省进行社会保障体系试点和再就业工作考察。期间，先后在沈阳、抚顺等地考察了社区、职业技术培训中心等；主持召开了社会保障工作座谈会。指出，加快完善城镇社会保障体系，积极做好就业和再就业工作，事关改革发展稳定大局。实践证明，中央确定在辽宁全省进行完善城镇社会保障体系试点的决策，是完全正确的，一年多来试点工作取得了重要进展，要坚定不移地推进，务求取得成功，为在全国完善城镇社会保障体系积累和探索完整的经验。国务院副总理吴邦国参加考察。张左己同志陪同。

7月25日　劳动和社会保障部召开“第二季度新闻发布会”，介绍第二季度两个确保、下岗职工再就业、失业保险、医疗保险、劳动保障监察、社会保险基金监督、劳动保障学习宣传活动等工作情况；发布部分城市劳动力市场供求状况。中央有关新闻单位记者参加会议。

7月26日　王东进同志主持召开国家协调劳动关系三方会议第三次会议。会议总结了各地贯彻落实“全国贯彻实施《劳动法》《工会法》推进集体合同劳动合同工作交流会议”（简称南京会议）的情况，原则通过了《关于建立健全劳动关系三方协商机制的指导意见》，增补了国家协调劳动关系三方会议组成人员，通报了第90届国际劳工大会的有关情况，部署了三方联合开展检查落实南京会议精神的有关工作。全国总工会副主席孙宝树、中国企业联合会/中国企业家协会副会长陈兰通出席会议并讲话。

7月29至30日　全国职业教育工作会议在北京召开，国务院总理朱镕基，副总理李岚清、吴邦国出席会议并发表讲话。国务院秘书长王忠禹主持会议。张左己同志出席会议并宣读国家经贸委、教育部、劳动保障部三部委关于表彰全国职业教育工作先进单位和先进个人的决定。张小建同志出席会议。

7月30日至31日　劳动和社会保障部在北京召开贯彻全国职教会精神推进职业培训工作会议，传达全国职业教育工作会议精神，研究贯彻落实措施，部署下半年工作。张左己同志与出席会议的劳动保障厅（局）长进行座谈，对做好职业培训工作提出明确要求。张小建同志主持会议并讲话。各省、自治区、直辖市及计划单列市劳动保障厅（局）主管培训工作的厅（局）长参加会议。

7月31日　中国就业论坛组委会召开第一次全体会议，张左己同志出席会议并讲话，李其炎同志主持会议。会议通报了论坛筹备工作进展情况，讨论通过了论坛方案和论坛组委会组成人员名单：张左己同志任组委会主任，李其炎、张小建同志任常务副主任，外交部、国家计委、国家经贸委、公安部、安全部、财政部、海关总署、全国总工会、全国妇联、中国企业联合会、北京市政府等单位的有关负责同志任组委会副主任。组委会下设秘书处，张小建同志兼任秘书长。

8月1日　劳动和社会保障部发出《关于进一步做好劳动保障事业发展规划工作的意见》（劳社部发〔2002〕14号），要求充分认识做好新时期劳动保障规划工作的重要性；改革规划内容，科学编制劳动保障事业发展规划；加强对规划实施过程的监测评估。

8月1日至7日　劳动和社会保障部召开第二季度形势分析会，张左己同志主持会议并讲话。会议传达了中央领导同志关于就业和再就业工作的指示精神，通报有关情况。李其炎、王东进、步正发、张小建、刘永富、崔会烈同志出席，部机关司局级干部、事业单位主要负责同志参加。

8月5日　劳动和社会保障部、国家经贸委、公安部、国家工商行政管理总局、教育部、中华全国总工会、共青团中央、全国妇联联合发出《关于开展贯彻实施〈禁止使用童工规定〉情况检查活动的通知》（劳社部函〔2002〕137号），决定自2002年8月19日至9月6日，在全国范围内开展贯彻实施《禁止使用童工规定》情况检查活动。

8月9日　国务院办公厅发出《国务院办公厅关于开展社会保障政策落实情况大检查的通知》（国办发明电〔2002〕20号），要求各省、自治区、直辖市人民政府，国务院各有关部门在全国范围内开展一次社会保障政策落实情况大检查。通过检查，继续扎实有效地做好社会保障工作，保持社会稳定和企业稳定，为党的十六大召开创造良好的社会政治环境。

8月11日至26日　应肯尼亚劳动和人力资源部部长、南非劳工部部长的邀请，张左己同志率团对肯尼亚和南非进行工作访问。期间，拜会了肯尼亚总统莫伊，与肯尼亚劳动和人力资源部部长、肯尼亚中央工会总书记、肯尼亚全国雇主联合会主席分别进行工作会谈；与南非劳工部部长进行工作会谈并签署两部《合作谅解备忘录》。

8月12日　劳动和社会保障部发出《关于对在劳动保障工作中做出重大贡献的单位和个人进行记功表彰有关问题的通知》（劳社部发〔2002〕15号）。通知指出，劳动保障部决定，对近年来在劳动保障工作中做出重大贡献的单位和个人给予记一等功表彰。通知明确了评选范围、评选条件、表彰名额和奖励办法等。

8月12日至24日　李其炎同志赴湖南省，王东进同志赴宁夏、甘肃、青海省（自治区），步正发同志赴安徽省，崔会烈同志到北京市进行社区劳动保障机构、再就业工作、政务公开工作和扶贫工作调研。期间，实地考察了社区劳动保障站；分别听取当地政府工作汇报；并同省（自治区）负责同志交换意见。步正发同志在安徽省期间，先后出席金寨、霍山两县扶贫工作座谈会并讲话，同两县分别举行了捐赠仪式和协议签字仪式。

8月16日　中组部、财政部、人事部、劳动保障部联合发出《关于对1949年10月1日至所在地解放期间参加革命工作的退休干部在生活上给予适当照顾的通知》（中组发〔2002〕13号）。通知明确要求，对1949年10月1日至所在地解放期间参加中国共产党所领导的革命战争、脱产享受供给制待遇和从事地下革命工作的退休干部从2002年7月1日起，每月给予适当生活补助，补助后的实际收入水平不高于当地同职级的离休人员。

同日　人事部、中组部、民政部、劳动保障部、财政部、总政治部联合发出《关于认真解决部分在企业工作的军队转业干部生活困难问题的通知》（人发〔2002〕82号）。通知要求各级党委、政府和有关部门，在国家现有政策的基础上，进一步解决企业军转干部的困难，做好六个方面的工作。

同日，劳动和社会保障部、财政部联合发出《关于2002年调整企业退休人员基本养老金水平的通知》（劳社部发〔2002〕16号）。通知指出，经国务院批准，从2002年7月1日起，调整企业退休人员基本养老金水平。

8月17日　劳动和社会保障部发出《关于认真贯彻落实“三个通知”的通知》（劳社部发明电〔2002〕4号），对劳动保障部门做好劳动和社会保障部、中组部、民政部、财政部、人事部、总政治部于8月16日下发的《关于对1949年10月1日至所在地解放期间参加革命工作的退休干部在生活上给予适当照顾的通知》《关于认真解决部分在企业工作的军队转业干部生活困难问题的通知》和《关于2002年调整企业退休人员基本养老金水平的通知》的贯彻落实工作提出要求。

8月21日　劳动和社会保障部召开全国养老保险工作座谈会，刘永富同志出席会议并讲话。会议总结上半年工作，分析形势，交流经验，安排下半年工作并对企业退休人员基本养老金水平调整工作作出部署。各省、自治区、直辖市劳动保障厅（局）负责同志、社会保险经办机构负责同志参加会议。

8月22日　劳动和社会保障部发出《关于当前劳动保障工作形势分析和下半年工作安排的意见》（劳社部发〔2002〕17号），明确了当前劳动保障工作的形势仍然是继续巩固两个确保，积极促进再就业，加强社会保险扩面征缴和社会化管理，积极推进医疗保险制度改革。下半年劳动保障工作要做好五个方面的工作：继续巩固两个确保；贯彻全国再就业工作会议精神，切实加大再就业工作力度；努力扩大社会保险覆盖面，遏制参保人数下降势头；继续贯彻“三改并举”的方针，积极稳妥地推进医疗保险制度改革；进一步做好社会保险基金监督工作。

8月24日　国务院发出《国务院关于大力推进职业教育改革与发展的决定》（国发〔2002〕16号），对实施科教兴国战略，大力推进职业教育的改革与发展作出部署。

8月27日至9月4日　国务院副总理吴邦国赴新疆和青海考察工作。刘永富同志陪同。

8月27日　劳动和社会保障部圆满完成两会建议、提案办理工作。共办理全国人大代表建议和全国政协委员提案515件，比上年增加148件，增长40%。其中，人大代表建议323件，政协委员提案192件。

8月29日　劳动和社会保障部召开科学技术委员会全委会，李其炎同志出席会议并讲话。会议宣布新一届科学技术委员会委员名单，总结近几年科技管理工作，研究下一步科技管理工作的思路、措施。王东进同志主持会议，部属有关单位负责同志参加会议。

9月7日　劳动和社会保障部召开全国社会保障政策落实情况联合检查组行前动员会，张左己同志出席会议并讲话，张小建同志作行前动员。按照国务院的统一部署，全国社会保障政策落实情况联合检查组由劳动保障部、民政部、财政部、国家经贸委、全国总工会及有关新闻媒体选派人员组成，分为8个检查小组，从9月10日至9月20日，对16个省区进行检查。

9月7日至14日　刘永富同志率团赴加拿大出席国际社会保障协会在温哥华举行的倡议计划大会。会上，刘永富同志在“构建社会保障基础”单元作主旨发言，介绍了我国社会保障的改革现状。在大会闭幕式上，刘永富同志介绍了2004年将在北京召开的国际社会保障协会大会的筹备情况，并向与会代表发出邀请。

9月12至13日　中共中央、国务院在京召开全国再就业工作会议。12日上午，中共中央总书记、国家主席江泽民出席会议并作重要讲话。江泽民指出，扩大就业，促进再就业，关系改革发展稳定的大局，关系人民生活水平的提高，关系国家的长治久安，不仅是重大的经济问题，也是重大的政治问题。千方百计解决好群众的就业问题，就是为人民办实事，就是贯彻“三个代表”要求的重大实践。各级党委和政府一定要充分认识就业和再就业工作的极端重要性，把就业和再就业工作始终作为关系改革发展稳定的大事，务必抓紧抓好。江泽民说，就业是民生之本，就业工作历来受到党和政府的高度重视。我们在就业和再就业方面，取得了显著成绩。就业机制初步形成，就业方式发生了深刻变化。两个确保得到较好落实，社会保障体系建设取得重大进展。这些成绩，是在我国劳动力供求矛盾十分突出的情况下取得的，确实来之不易，是全党和全国上下共同努力的结果。中共中央政治局常委、国务院总理朱镕基主持会议。中共中央政治局常委李瑞环、胡锦涛、尉健行、李岚清出席会议。中共中央政治局委员、国务院副总理吴邦国在会上作了工作报告。13 日下午，中共中央政治局常委、国务院总理朱镕基出席全国再就业工作会议并作重要讲话。朱镕基指出，进一步做好下岗失业人员再就业工作，是党中央、国务院从当前改革发展稳定大局出发作出的重要决策。各地区、各部门一定要按照江泽民总书记重要讲话精神，提高认识，统一思想，明确任务，以对国家和对人民极端负责的态度，采取更加有力的措施，切实加大工作力度，千方百计促进就业和再就业；同时，继续加强社会保障体系建设。中共中央政治局常委、国家副主席胡涛锦主持会议，中共中央政治局常委尉建行、李岚清出席会议。胡锦涛在主持会议时指出，这次会议对于全面推进就业和再就业工作，具有十分重要的指导作用。要求各地区、各部门认真传达学习会议精神，切实把思想和行动统一到中央的决策和部署上来，抓好贯彻落实，尽快研究制定具体的工作方案和实施办法，真正把扩大就业和促进再就业的各项工作落到实处。各省、自治区、直辖市和计划单列市、新疆生产建设兵团主要负责同志，中央和国家机关有关部门主要负责同志出席会议。张左己、张小建同志出席，李其炎、王东进、步正发、崔会烈、林用三、王建伦同志出席 12 日上午和 13 日下午的会议。

9 月 14 日　劳动和社会保障部召开全国劳动保障厅局长会议，传达学习全国再就业工作会议精神，对贯彻落实工作作出部署。张左己同志出席会议并作重要讲话。会议还举行了“中国劳动力市场网站”开通仪式，张左己同志点击开通了网站。会议由李其炎同志主持，王东进、步正发、张小建、崔会烈、林用三、王建伦同志出席，各省、自治区、直辖市劳动保障厅（局）长、就业处长和部属各单位司局级干部、部机关处级干部参加会议。

9 月 16 日　张左己同志会见国际社会保障协会秘书长霍斯金先生一行。王建伦同志参加会见。

9 月 18 日　国务院总理朱镕基主持召开国务院第 63 次常务会议，审议《禁止使用童工规定（修订草案）》。张左己同志出席。

9 月 19 日至 20 日　王东进同志前往辽宁省鞍山市出席部分省市医疗保险工作座谈会并讲话。部分省市医疗保险主管厅（局）长、医疗保险处处长、省会城市医疗保险主管局长出席。

9 月 20 日至 10 月 2 日　崔会烈同志率团出席在墨西哥瓜达拉哈拉市召开的亚太经合组织第二次妇女问题部长级会议。崔会烈同志在会上介绍了中国在经济结构调整过程中促进下岗失业人员自主创业和为中小企业发展创造条件的政策措施，以及在促进妇女参与经济发展方面的做法和取得的经验。

9 月 23 日　李其炎同志会见来访的蒙古社会保障和劳动部部长巴特巴亚尔先生一行，向客人介绍了我国劳动和社会保障制度、现行政策和做法以及残疾人就业等有关情况，并就两部间合作事宜交换了意见。

同日　劳动和社会保障部发出《关于印发国家高技能人才培训工程暨机电高级技工培训项目的通知》（劳社部发〔2002〕18 号）。通知指出，结合经济结构调整需要和劳动力市场需求，在制造、加工等传统产业和信息通信、航空航天等新技术产业领域，选择一些重点工业城市，实施若干高级技工培训项目。力争通过3至5年的努力，使技术工人尤其是高级工、技师和高级技师的数量和比重有明显增加和提高，缓解高技能人才短缺状况。

9月27日　张左己同志在中央宣传部、中直机关工委、中央国家机关工委、解放军总政治部、中共北京市委联合举办的“党的十三届四中全会以来改革开放和现代化建设成就系列报告会”上作题为“我国就业和社会保障改革取得历史性成就”的报告。

9月30日　中共中央、国务院发出《中共中央国务院关于进一步做好下岗失业人员再就业工作的通知》(中发〔2002〕12号)。通知明确了促进下岗失业人员再就业工作的各项政策措施，是指导当前和今后一个时期再就业工作的纲领性文献。通知共分6个部分，23条。

10月1日　国务院总理朱镕基签署中华人民共和国国务院第364号令，发布《禁止使用童工规定》。明确规定国家机关、社会团体、企业事业单位、民办非企业单位或者个体工商户均不得招用不满16周岁的未成年人，禁止任何单位或者个人为不满16周岁的未成年人介绍就业，禁止不满16周岁的未成年人开业从事个体经营活动等，共14条。

10月9日　张左己同志主持召开学习江泽民总书记在全国再就业工作会议上的讲话精神座谈会并讲话，指出，江泽民总书记关于就业的主要矛盾、五个关系和四项重点的重要论述，是“三个代表”重要思想的组成部分，是我们搞好就业和再就业工作的行动指南。《中共中央国务院关于进一步做好下岗失业人员再就业工作的通知》是在党中央、国务院的领导下，广泛调研，反复研究，慎重决策形成的，是全党智慧的结晶，是集国内外促进就业成功经验之大成，是指导当前就业工作和再就业工作的纲领性文件。张左己同志要求劳动保障系统要深入学习全国再就业工作会议精神，深刻领会领导同志讲话和文件精神实质；紧密结合工作实际，研究提出贯彻落实工作的新思路；通过加强学习交流，进一步提高劳动保障系统干部理论水平。李其炎、王东进、张小建、刘永富同志出席并分别座谈了学习体会，部属有关单位负责同志参加。

10月15日　中央国家机关工委通知：张左己、张小建同志已被中央批准为党的十六大代表。

10月16日至25日　张左己同志赴上海市，李其炎同志赴四川省，王东进同志赴广东省、广西壮族自治区，就全国再就业工作会议贯彻落实情况、“三改并举”有关情况进行调研。期间，分别听取省（自治区、直辖市）劳动保障厅局工作汇报；同部分下岗职工进行座谈；并同省（自治区、直辖市）有关负责同志交换意见。

10月17日　劳动和社会保障部发出《关于深入学习全国再就业工作会议精神的通知》(劳社部发〔2002〕19号)。通知要求，各地区要充分认识全国再就业工作会议的重大意义，把思想进一步统一到会议精神上来，深刻领会和把握全国再就业工作会议精神，紧密结合工作实际，整体推进劳动保障各项工作。

同日　国务院办公厅发出《国务院办公厅关于下岗失业人员从事个体经营有关收费优惠政策的通知》(国办发〔2002〕57号)，对下岗失业人员从事个体经营有关收费优惠政策作出规定。

10月21日至26日　应瑞典劳动力市场管理署以及德国劳动和社会事务部的邀请，张小建同志率团对瑞典和德国进行工作访问。期间，双方就有关积极的劳动力市场政策以及职业教育、培训等方面情况进行交流，并实地考察了瑞典、德国职业介绍中心、就业服务展示中心等。

10月22日　全国政协召开政协第九届委员会优秀提案和先进承办单位表彰会，对5年来的先进承办单位和优秀提案进行表彰。全国政协主席李瑞环出席会议并为获奖人员和单位颁奖。劳动保障部被评选为九届全国政协提案先进承办单位，受到表彰。

10月23日 李其炎同志会见英国标准人寿保险公司海外业务首席执行官艾伦·福布斯先生一行，向客人介绍了我国在劳动和社会保障领域改革的最新进展情况。

10月26日 九届全国人大常委会举行第三十次会议。张左己同志受国务院委托向大会报告就业和再就业工作情况。

10月29日 中宣部、劳动保障部联合发出《关于印发〈进一步做好下岗失业人员再就业工作宣传提纲〉的通知》（中宣发〔2002〕9号）。通知要求，各地、各部门要充分认识就业和再就业工作的极端重要性，切实加强宣传教育工作，运用多种宣传手段，把有关政策精神原原本本地告诉广大群众，引导社会各有关方面认真执行好各项政策，为下岗失业人员再就业工作营造良好氛围。通知还对做好宣传工作提出了具体要求。

10月30日至31日 全国劳动保障信息化工作会议在沈阳市召开，李其炎、刘永富同志出席会议并分别讲话。会议总结了近几年全国劳动保障信息化建设工作，研究部署加快“金保工程”建设的工作任务，交流了各地劳动保障信息化建设的经验，介绍了辽宁省完善城镇社会保障体系试点工作情况。各省、自治区、直辖市劳动保障厅（局）负责同志、信息化综合管理机构、社会保险经办机构负责人参加会议。

11月1日 国务院发出《国务院关于取消第一批行政审批项目的决定》（国发〔2002〕24号）。国务院决定取消的第一批行政审批项目共789项。其中，涉及劳动保障部的有12项：职业技能竞赛活动审批，劳动就业服务企业股份合作制设立的审批，用人单位通过媒体发布招用人员广告审批，技工学校招生全国性计划审批，餐厅服务员、家政服务员、保育员就业准入，用人单位招用未成年人从事文体或特种工艺工作审批，企业缩短工时审批，国有企业改制为股份有限公司的初始工资水平核定，用人单位招用外省农村劳动力核批，非劳动部门职业介绍机构从事跨省流动就业中介服务审批，高级技工学校的审批，重点技工学校、重点就业训练中心审批。

11月8日 中国共产党第十六次全国代表大会在北京人民大会堂开幕，江泽民总书记代表第十五届中央委员会向大会作了题为《全面建设小康社会开创中国特色社会主义事业新局面》的报告，报告多处对劳动和社会保障工作进行阐述。张左己、步正发、张小建同志作为十六大代表出席了大会开幕式，崔会烈同志列席了大会开幕式。

11月11日 十六大新闻中心举行第二场记者招待会，劳动和社会保障部部长张左己、中华全国总工会副主席、书记处第一书记张俊九分别介绍了有关情况，并就如何处理再就业与完善社会保障体系的关系、完善社会保障体系的政策措施、政府为促进下岗失业人员再就业采取的扶持政策、农村社会保障等问题回答了中外记者的提问。

11月11日至23日 张左己同志到北京市，李其炎同志赴山东省，王东进同志赴海南省，张小建同志赴天津市就落实全国再就业工作会议、两个确保等情况进行调研。分别听取当地政府关于劳动保障工作的汇报；实地考察了劳动力市场、医保中心、信息中心及部分街道社区劳动保障机构建设和工作开展情况；同部分下岗职工进行座谈，了解下岗职工再就业、参加社会保险等情况。

11月14日 中国共产党第十六次全国代表大会在选出新一届中央委员会、中央纪律检查委员会，并通过关于十五届中央委员会报告等决议后，在人民大会堂胜利闭幕。江泽民同志主持大会并讲话。张左己、步正发、张小建同志出席大会，崔会烈同志列席大会。张左己同志当选为中央委员，崔会烈同志当选为中纪委委员。

11月15日 江泽民、胡锦涛等领导同志亲切会见出席党的十六大代表、特邀代表和列席人员并发表重要讲话。张左己、步正发、张小建、崔会烈同志出席。

同日　中国共产党第十六届中央委员会第一次全体会议在北京举行。胡锦涛同志主持会议并作重要讲话。全会产生了新一届中央领导机构。张左己同志出席，崔会烈同志列席。

11月16日　张左己同志主持召开劳动保障部党组扩大会议，传达党的十六大和十六届一中全会精神，座谈学习体会，一致表示坚决拥护党的十六大作出的各项决议，坚决拥护新的中央领导集体。张左己同志特别指出，劳动保障事业是中国特色社会主义的重要组成部分，是我党执政兴国、全面建设小康社会的重要组成部分，大会报告作了多处阐述，既是党中央关于劳动保障一系列重大方针政策的凝结和升华，也是重大创新，是指导劳动保障事业发展的行动纲领。劳动保障部门要结合就业、收入分配、社会保障工作实际，认真学习领会，并用于指导我们的工作。李其炎、王东进、步正发、张小建、刘永富、崔会烈及林用三、王建伦同志出席，部属各单位主要负责同志参加。

同日　张小建同志出席劳动和社会保障部第六届中华技能大奖和全国技术能手专家评审委员会会议并讲话。来自26个行业部门的专家代表对今年申报的大奖和技术能手候选人进行了评议，投票通过了10名大奖候选人，并评议产生了101名技术能手候选人。

11月18日　张左己同志主持召开劳动和社会保障部机关全体党员会议，学习传达党的十六大和十六届一中全会精神。张左己同志介绍了十六大和十六届一中全会概况，传达了江泽民同志在十六大报告中对劳动保障工作的重要论述；步正发同志传达了胡锦涛同志在十六届一中全会上的讲话；张小建同志传达了关于《中国共产党章程（修正案）》的说明；崔会烈同志传达了《中国共产党中央纪律检查委员会工作报告》。张左己同志对学习贯彻十六大精神提出了要求。李其炎、王东进、刘永富同志出席，部机关全体党员、部属事业单位司局级干部和离退休党支部正副书记参加。

11月19日　张左己同志主持劳动保障部党组理论学习中心组学习，深入学习十六大精神，交流座谈学习体会，听取部属单位学习情况汇报。李其炎、王东进、张小建、刘永富、崔会烈同志出席，部属各单位主要负责同志参加。

11月25日　劳动和社会保障部、国家计委等11部委联合发出《关于贯彻落实中共中央国务院关于进一步做好下岗失业人员再就业工作的通知若干问题的意见》（劳社部发〔2002〕20号），明确了享受再就业扶持政策对象的认定、管理及各项再就业扶持政策操作措施，确定了各部门在做好下岗失业人员再就业工作中的责任。要求各地劳动保障部门要加强对下岗失业人员的认定和管理，协调有关部门完善和落实各项再就业扶持政策，加快建立社区工作平台，大力推进“一站式”就业服务，组织开展再就业培训，搞好再就业援助；继续巩固两个确保，做好下岗失业人员社会保险关系接续工作；加强劳动监察，维护劳动者合法权益。意见共28条。

11月25日至27日　张左己同志主持召开劳动和社会保障部第三季度形势分析会，会议主题是：学习贯彻十六大精神，回顾劳动保障工作成就，研究明年工作发展思路。会议听取部领导调研情况汇报，进行就业与再就业专题形势分析、社会保险专题形势分析、收入分配专题形势分析。李其炎、王东进、张小建、刘永富、崔会烈同志出席，部机关司局级干部、部属事业单位主要负责同志参加。

11月26日　张左己同志与前来北京进行国事访问的芬兰总统哈洛宁进行会谈，并共同出席了国际劳工组织全球化社会影响世界委员会中国对话会并发表演讲。

同日　李其炎同志出席国际劳工组织全球化社会影响世界委员会中国对话会开幕式并致辞。

11月28日　劳动和社会保障部召开第7次青年干部座谈会，畅谈学习贯彻十六大报告体会，回顾劳动保障工作成就，为劳动保障事业进言献策。张左己同志主持座谈会并讲话。

座谈会上，来自部属22个单位共24名同志先后发言，大家紧紧围绕学习贯彻党的十六大精神，结合各自工作实际，认真回顾过去5年来劳动保障工作所取得的成就，对今后劳动保障事业的发展提出建议和意见。李其炎、王东进、张小建、刘永富、崔会烈同志出席，部属各单位主要负责同志参加。

11月29日　劳动和社会保障部、教育部、人事部联合发出《关于进一步推动职业学校实施职业资格证书制度的意见》（劳社部发〔2002〕21号）。意见要求，各地劳动保障、人事和教育行政部门要密切配合，进一步发挥职业学校在实施职业资格证书制度中的作用，切实做好职业学校毕业生职业资格考核鉴定工作，鼓励高等学校毕业生参加职业资格考核鉴定，进一步拓宽高等学校毕业生的就业渠道。

12月2日　张左己同志主持劳动保障部党组理论学习中心组学习，以十六大报告中关于党的建设、党章和中纪委报告为专题进行学习和讨论。李其炎、王东进、步正发、张小建、刘永富、崔会烈同志出席，部属各单位主要负责同志，离退休党支部书记、副书记参加。

12月3日　财政部、劳动和社会保障部联合发出《关于促进下岗失业人员再就业资金管理有关问题的通知》（财社〔2002〕107号）。通知对促进下岗失业人员再就业资金管理有关事宜作出规定。

同日　劳动和社会保障部发出《关于给在劳动保障工作中做出重大贡献的单位和个人记一等功的决定》（劳社部发〔2002〕23号）。决定对近两年来在劳动保障系统为深化改革、促进发展和维护稳定做出重要贡献的北京市宣武区劳动和社会保障局等105个单位记一等功；对北京市石景山区劳动和社会保障局劳动工资科科长方援明等260名同志记个人一等功。

12月5日至6日　劳动和社会保障部与世界公共就业服务协会共同举办终身学习国际研讨会，张小建同志出席开幕式并致辞。近20个国家的劳动部门和就业服务机构的代表参加会议。

12月9日　劳动和社会保障部发出《关于表彰第六届中华技能大奖获得者、全国技术能手及获国家技能人才培育突出贡献奖单位的决定》（劳社部发〔2002〕24号），授予鲁宏勋等10人“中华技能大奖”获得者荣誉称号，颁发“中华技能大奖”奖章、证书、奖杯和奖金；授予陈孟祥等190人“全国技术能手”荣誉称号，颁发“全国技术能手”奖章、证书、奖牌和奖金；授予中国空空导弹研究院等10家单位“国家技能人才教育突出贡献奖”，颁发奖牌和证书。

12月10日　劳动和社会保障部召开第六届中华技能大奖和全国技术能手表彰活动新闻发布会，向新闻单位通报表彰活动有关情况。张小建同志出席会议并讲话，中央有关新闻单位记者参加会议。

12月10日至21日　应韩国劳资政三方委员会和日本厚生劳动省的邀请，王东进同志率中国劳动关系三方机制代表团对韩国、日本劳动关系三方机制进行考察，建立了与日、韩两国三方机构的联系，增进了对日、韩两国三方机制的了解，为今后中、日、韩三国在劳动关系三方机制领域的进一步合作奠定了基础，也为扩大交流创造了有利的条件。

12月11日　张左己同志主持召开会议，传达中央经济工作会议精神。张左己同志对贯彻落实十六大和中央经济工作会议精神和做好当前工作提出了要求。李其炎、步正发、张小建、刘永富、崔会烈、林用三、王建伦同志出席，部属各单位司局级干部和离退休党支部书记参加。

12月12日　劳动和社会保障部召开全国劳动保障系统先进集体先进个人第六届中华技能大奖和全国技术能手表彰大会，中共中央政治局常委、国务院副总理吴邦国接见了出席表彰大会的代表并发表重要讲话。全国人大常委会副委员长许嘉璐、全国政协副主席经叔平出席大会并为获奖人员颁奖。张左己同志出席大会并讲话。李其炎同志主持会议，步正发同志宣读了《关于给在劳动保障工作中做出重大贡献的单位和个人记一等功的决定》，张小建同志宣读了《关于表彰第六届中华技能大奖获得者、全国技术能手及获国家技能人才培育突出贡献奖单位的决定》。大会对第六届10名中华技能大奖获得者、10名获奖企业代表和101名全国技术能手、全国劳动保障系统260名先进个人、105个先进集体进行了表彰。张左己、李其炎、步正发、张小建、刘永富、崔会烈、林用三、王建伦同志和国务院有关部门及部分行业负责同志出席表彰大会。各省、自治区、直辖市劳动保障厅（局）主要负责同志、劳动保障系统先进集体代表和先进个人、中华技能大奖获得者和全国技术能手、行业领队、大奖评审专家、部属各单位主要负责同志和部机关全体干部参加了表彰大会。

12月13日　劳动和社会保障部召开全国街道社区劳动保障工作座谈会，张左己同志出席会议并讲话。会议由张小建同志主持，步正发、刘永富同志出席会议。吉林省吉林市、湖南省常德市、广西壮族自治区南宁市、四川省攀枝花市政府领导同志交流了积极开展街道社区工作的经验和做法，部分劳动保障厅局长座谈了工作体会和下一步打算。各省、自治区、直辖市劳动保障厅（局）长参加会议。

12月16日　刘永富同志与铁道部副部长彭开宙就铁路企业职工养老保险有关问题进行座谈。

同日　劳动和社会保障部发出《关于做好2003年两节、两会期间劳动保障有关工作的通知》（劳社部密电〔2002〕8号）。通知要求，各级劳动保障部门要按照通知要求，集中时间和精力，组织专门力量开展一次以困难群众生产生活突出问题为重点的排查，检查各项劳动保障政策措施是否真正落实到基层，落实到困难群众。对排查出的问题，要认真研究，妥善解决。

12月20日　中共中央发出《中共中央国务院关于转发〈国务院办公厅关于当前解决困难群众生产生活问题的情况汇报〉的通知》（中发〔2002〕15号）。通知要求，各级党委和人民政府，要进一步加强对扶贫帮困工作的领导，深入扎实地做好各项社会保障工作，进一步巩固两个确保和低保工作的成果；采取多种措施解决因拖欠工资影响职工基本生活的问题；认真贯彻落实再就业各项政策措施；下大气力解决灾区和贫困地区农民面临的生产生活困难；切实调整地方财政支出结构，保证扶贫济困资金的投入；出台各项改革措施要考虑困难群众的承受能力；广泛动员社会力量，做好扶贫济困和送温暖、献爱心活动。

12月25日至26日　劳动和社会保障部在广东省南海市召开全国劳动和社会保障工作会议。张左己同志作了题为《深入学习贯彻党的十六大精神努力开创劳动保障工作新局面》的报告，李其炎同志作了会议总结。与会代表还考察了南海市信息化建设成果、南海市劳动保障服务中心和平洲镇、大沥镇劳动保障分局。王东进、步正发、刘永富、崔会烈、林用三、王建伦同志，各省、自治区、直辖市及计划单列市、新疆生产建设兵团劳动保障厅（局）主要负责同志，国务院有关部门的同志参加了会议。广东省副省长谢强华出席了开幕式。

12月28日　《中华人民共和国民办教育促进法》经九届全国人大常务委员会第三十一次会议通过，并将于2003年9月1日起施行。该法赋予了劳动保障部门负责民办职业培训工作的重要职责。

# 2002年劳动和社会保障十大新闻

**一、中国共产党第十六次全国代表大会将社会保障体系比较健全、社会就业比较充分作为全面建设小康社会的重要内容**

11月8日至14日，中国共产党第十六次全国代表大会在北京召开，江泽民同志作了《全面建设小康社会开创中国特色社会主义事业新局面》的报告。报告提出全面建设小康社会的奋斗目标，其中包括“社会保障体系比较健全，社会就业比较充分”。报告用大量篇幅对促进就业、深化分配制度改革和健全社会保障体系作出部署。报告强调，就业是民生之本，扩大就业是我国当前和今后长时期重大而艰巨的任务，国家实行促进就业的长期战略和政策，各级党委和政府必须把改善创业环境和增加就业岗位作为重要职责。

**二、全国再就业工作会议召开，积极的就业政策体系框架确立**

9月12日至13日，中共中央、国务院在北京召开全国再就业工作会议。此次会议对于在进一步巩固两个确保和完善社会保障体系的基础上，全面推进就业和再就业工作作出全面部署。会议首次提出“就业是民生之本”，提出做好就业和再就业工作要处理好的五大关系。会后下发的《中共中央国务院关于进一步做好下岗失业人员再就业工作的通知》及一系列配套政策，确定了有中国特色的积极就业政策的基本框架。

**三、《中国的劳动和社会保障状况》白皮书发表**

2002年4月29日，国务院新闻办公室发表题为《中国的劳动和社会保障状况》白皮书，回顾自20世纪70年代末以来，中国在建立和完善社会主义市场经济体制过程中为保障公民的劳动和社会保障权利所做的巨大努力和取得的成就。这是我国政府首次以白皮书的形式全面系统地向世界介绍中国的劳动和社会保障事业发展状况。

**四、全国职业教育工作会议召开，职业培训工作面临良好发展机遇**

7月28日至7月30日，国务院在北京召开全国职业教育工作会议。会议指出，要采取切实有效措施，大力推进职业教育的改革与发展，加大再就业培训和高技能人才培养工作力度，培养大批高素质劳动者和实用技术人才。会议对职业教育改革发展提出了系统的、全新的要求，将对推进我国职业培训事业的发展产生深远的影响。

**五、两本书出版发行，全国劳动保障学习宣传活动暨环球磁卡杯全国首届劳动和社会保障知识竞赛和全国首届劳动和社会保障知识电视大奖赛成功举行**

2月初，由江泽民同志亲笔题写书名，劳动和社会保障部编写的《领导干部社会保障知识读本》在全国正式出版发行。同月，劳动和社会保障部与中共中央文献研究室共同编辑的

《新时期劳动和社会保障重要文献选编》出版发行。为配合两本书的学习宣传，劳动和社会保障部与国家广电总局、人民日报社、中央电视台共同组织开展了一系列活动。4月至6月，环球磁卡杯全国首届劳动和社会保障知识竞赛举行，全国共有1 000多万人参赛，是同类竞赛中参赛人数最多的竞赛之一。7月，全国首届劳动和社会保障知识电视大奖赛在中央电视台举行，全国共有36个代表队参加了决赛。这些活动社会各界积极响应，广大职工踊跃参加，充分调动了各方面学习宣传劳动保障知识和政策的热情。

## 六、国务院修订颁布《禁止使用童工规定》

根据国务院第364号令，新修订的《禁止使用童工规定》从2002年12月1日开始实施，1991年发布的《禁止使用童工规定》同时废止。新规定对打击使用童工行为、保护未满16周岁的未成年人的合法权益将发挥重要作用。新规定明确地界定了我国禁止使用童工的范围，规定了对违法使用童工的处罚措施，操作性强，加大了对使用童工的打击力度。其中使用童工每人每月的罚款最高额度可达1万元。

## 七、十六大新闻中心举行劳动和社会保障工作专题记者招待会

11月11日，十六大新闻中心举行第二场记者招待会，介绍劳动和社会保障情况，劳动和社会保障部部长张左己出席，并回答了中外记者的提问。近300名中外记者参加了记者招待会。这是首次在党的全国代表大会记者招待会上向中外记者专题介绍我国劳动和社会保障情况。

## 八、全国劳动保障系统先进集体先进个人、第六届中华技能大奖和全国技术能手获表彰

12月12日，全国劳动保障系统先进集体先进个人、第六届中华技能大奖和全国技术能手表彰大会在北京举行。中共中央政治局常委、国务院副总理吴邦国亲切接见会议代表并发表了重要讲话。全国劳动保障系统105个先进单位和260名先进个人、10名“中华技能大奖”获得者和101名“全国技术能手”受到表彰和奖励。

## 九、全国社会保障政策落实情况大检查进行

8月至9月，按照国务院的部署，在全国范围内开展了一次社会保障政策落实情况大检查，推动两个确保和城市居民最低生活保障政策的贯彻落实。通过检查，对发现的问题进行了认真整改，对于促进地方和各有关部门继续扎实有效地做好各项社会保障工作，保持社会稳定和企业稳定发挥了重要作用。

## 十、金保工程全面启动，劳动保障信息化建设步入快车道

10月，金保工程在全国全面启动。这一工程是利用先进的信息技术手段，以部、省、市三级网络为依托，支持劳动和社会保障业务经办、公共服务、基金监管和决策支持等核心应用，覆盖全国的统一的劳动和社会保障电子政务工程。根据工作部署，到2004年底，将实现养老保险全国联网，其他领域信息化建设步伐将大大加快。

（劳动和社会保障部宣传中心）

# 劳动和社会保障统计资料

# 2002年度劳动和社会保障事业发展统计公报

劳动和社会保障部　国家统计局

2002年，在党中央、国务院的正确领导下，各级劳动保障部门认真贯彻落实中央的各项方针、政策，确保国有企业下岗职工基本生活，确保企业离退休人员养老金按时足额发放，实施完善社会保障体系试点，深化医疗保险制度改革，劳动保障各项工作全面推进，劳动保障事业取得了新的进展。

## 一、劳动就业

就业总量继续增长，就业结构进一步改善。年末全国城乡就业人员73 740万人，比上年末增加715万人。其中第一产业36 870万人，占50.0%；第二产业15 780万人，占21.4%；第三产业21 090万人，占28.6%。城镇就业人员24 780万人，比上年末增加840万人。其中城镇单位就业人员10 985万人，比上年末减少181万人；城镇私营和个体就业人员4 267万人，比上年末增加609万人。在城镇单位就业人员中，在岗职工10 558万人，比上年末减少234万人。年末全国城镇登记失业率为4.0%。

国有企业下岗职工基本生活继续得到保障。年末国有企业（含国有联营企业、国有独资公司）下岗职工410万人，比上年末减少105万人。绝大多数进入再就业服务中心的下岗职工基本生活得到保障。全年120万出中心的国有企业下岗职工实现再就业，再就业率为26.2%。

劳动力市场建设继续推进。劳动力市场信息网络初步建成，90个城市实现了市区内实时联网，并实现按季度发布职业供求分析报告。劳动力市场秩序逐步规范。年末全国各类职业介绍机构26 158所，全年介绍成功1 354万人次，比上年增加125万人次，增长10.2%。其中劳动保障部门办职业介绍机构18 010所，全年介绍成功978万人次。

职业培训工作取得明显成效。年末全国技工学校3 075所，在校学生153万人，比上年增加18万人，增长13.3%；面向社会开展培训和再培训208万人次，比上年增长27.6%。就业训练中心3 465所，社会培训机构17 350所，全年开展培训1 071万人次，比上年增长32.7%。技校和培训机构培训的人员中，518万失业人员和下岗职工参加了再就业培训，31万人参加了创业培训，110万城镇未能继续升学的初高中毕业生参加了劳动预备制培训。

职业技能鉴定工作有了新进展。年末全国职业技能鉴定机构8 517个，职业技能鉴定考评人员近18万人。全年662万人参加了职业技能鉴定，其中556万人获得职业资格证书，职业技能鉴定平均通过率为84%。

## 二、社会保险

### （一）养老保险

年末全国离退休人员4 223万人，比上年末增加205万人。其中离休人员153万人，退休人员4 070万人。全年人均离退休费8 849元，比上年增长13.7%。城镇基本养老保险的覆盖面继续扩大。年末全国11 128万职工和3 608

万离退休人员参加了基本养老保险，其中企业参保职工9 090万人，企业参保离退休人员3 333万人。绝大多数离退休人员按时足额领到基本养老金。全年基本养老保险基金收入3 171.5亿元（其中当年征缴收入2 551.4亿元，比上年增加459.6亿元，增长22.0%；当年中央财政补助408.2亿元），支出2 842.9亿元，年末基金滚存结余1 608.0亿元。养老金社会化发放的目标基本实现，年末企业离退休人员社会化发放率为99.4%。

农村社会养老保险整顿规范工作继续进行。年末全国参加农村养老保险人数5 462万人。

（二）医疗保险

城镇基本医疗保险覆盖面进一步扩大。年末全国绝大部分地级以上统筹地区组织实施了基本医疗保险，参保人数9 400万人，比上年末增加2 114万人，增长29.0%。其中参保职工6 926万人，参保退休人员2 474万人，分别比上年末增加1 455万人和659万人。全年基本医疗保险基金收入607.8亿元，支出409.4亿元，年末基金滚存结余450.7亿元。

（三）失业保险

失业保险的作用进一步增强。年末全国领取失业保险金人数440万人，比上年末增加128万人。全年失业保险基金收入215.6亿元，支出186.6亿元，分别比上年增长15.3%和18.9%。年末全国参加失业保险的人数10 182万人，比上年末减少173万人。

（四）工伤、生育保险

工伤、生育保险制度改革继续深化。年末全国参加工伤保险的职工4 406万人，比上年末增加60万人。全年工伤保险基金收入32.0亿元，支出19.9亿元，年末基金滚存结余81.1亿元。年末全国参加生育保险职工3 488万人，比上年末增加33万人。全年生育保险基金收入21.8亿元，支出12.8亿元，年末基金滚存结余29.7亿元。

（五）社会保险基金监督

社会保险基金行政监督体系和监督举报网络初步建立。全国239个地市设立了基金监督机构，13个省、自治区和直辖市建立了省级社会保障监督委员会，28个省级和205个地市劳动保障部门开通了社会保险基金监督举报电话。

## 三、工资分配

全年城镇单位在岗职工平均工资12 422元，比上年增长14.3%，扣除价格因素，实际增长15.5%。其中国有单位12 869元，城镇集体单位7 667元，其他单位13 212元。

企业工资收入分配制度改革积极推进。2.3万家企业进行了以岗位工资为主的内部分配制度改革，3万多家企业建立了工资集体协商制度，29个省、自治区和直辖市建立了工资指导线制度，118个大中城市发布了劳动力市场工资指导价位，18个大中城市发布了行业人工成本。

## 四、劳动关系

企业集体协商机制稳步推进。全年通过集体协商签订集体合同63.5万份，涉及职工8 000多万人。30个省、自治区和直辖市建立了省级劳动关系三方协调机制。下岗职工劳动关系进一步理顺。全年从再就业服务中心转出下岗职工191万人，其中解除或终止劳动合同的占47.0%。

劳动争议案件数量继续增加。全年各级劳动争议仲裁委员会立案受理劳动争议案件18.4万件，涉及劳动者61万人，分别比上年增长19.1%和30.2%。其中集体劳动争议案件1.1万件，比上年增长12%。全年各级劳动争议仲裁委员会审理结案17.9万件，结案率为91.0%。

## 五、劳动立法与监察

劳动保障立法取得新的进展。劳动和社会保障部颁布了《境外就业中介管理规定》，全年各地制定劳动保障方面的地方性法规和规章17件。

各地劳动保障监察机构加大维权力度，在全国范围内重点组织开展了农民工权益保护、女职工权益保护、贯彻实施《禁止使用童工规定》和农民工工资支付情况等专项检查活动。

全年各地劳动保障监察机构主动检查用人单位98万户次，立案调查处理劳动保障违法案件23万件，查处群众举报案件12万件，年检用人单位102万户。通过各项日常和专项监察执法活动，督促用人单位为劳动者补缴社会保险费35.8亿元，督促7万户用人单位办理了社会保险申报登记，责令用人单位补发劳动者工资14.2亿元，责令用人单位与731万名劳动者补签劳动合同，责令用人单位清退非法收取劳动者的风险抵押金9 000万元，取缔非法职业中介机构6 085户。

年末全国劳动保障监察机构3 196个。各地劳动保障部门配备劳动保障监察员3.7万人，其中专职监察员1.7万人，兼职监察员2万人。

注：1. 各项统计数据均未包括香港特别行政区、澳门特别行政区和台湾省。

2. 本公报中有关社会保障的数据系正式统计数据，故与《中华人民共和国2002年国民经济和社会发展统计公报》中的部分数据有所变化。

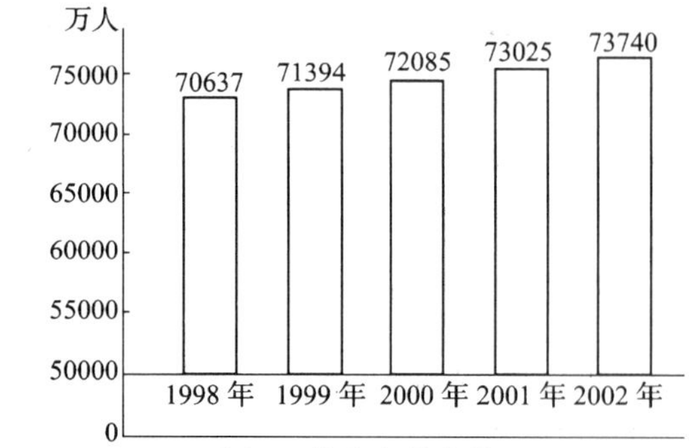


图 1　就业人数变化

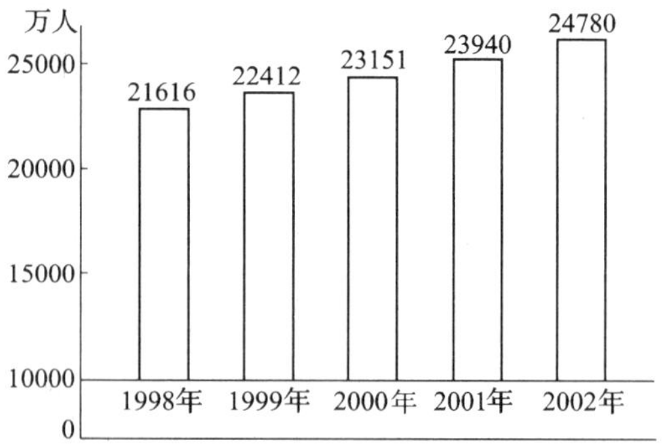


图 2　城镇就业人数变化

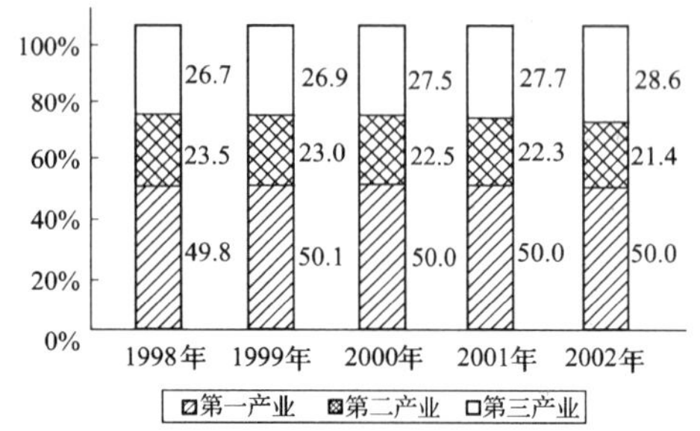


图 3　就业人员产业结构变化

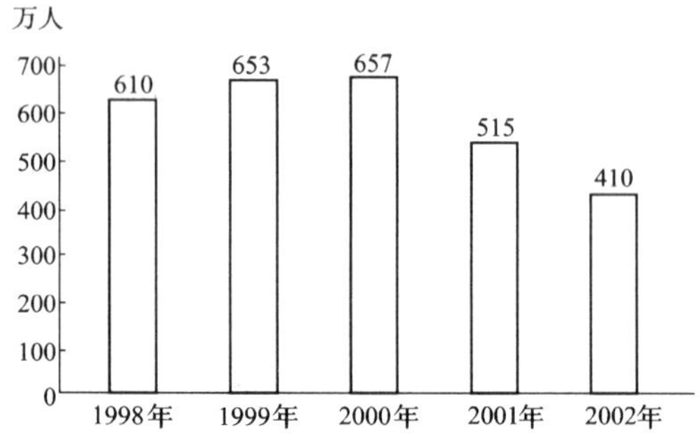


图 4　国有企业下岗职工人数变化

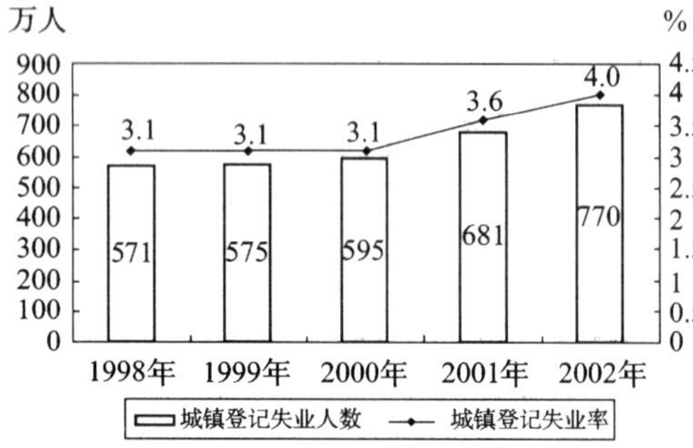


图 5　城镇登记失业人数和失业率变化

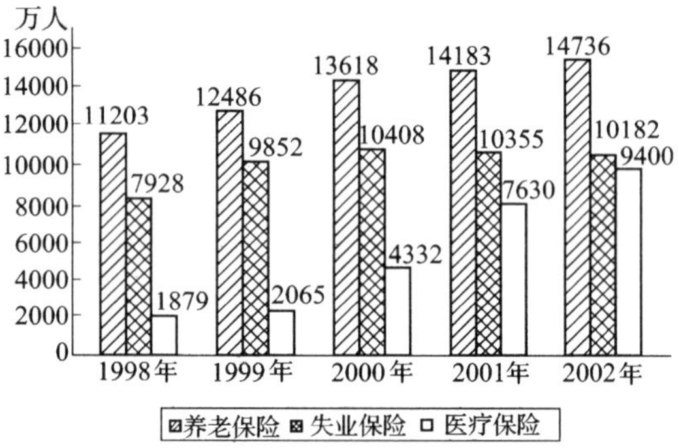


图 6　养老、失业、医疗保险参保人数变化

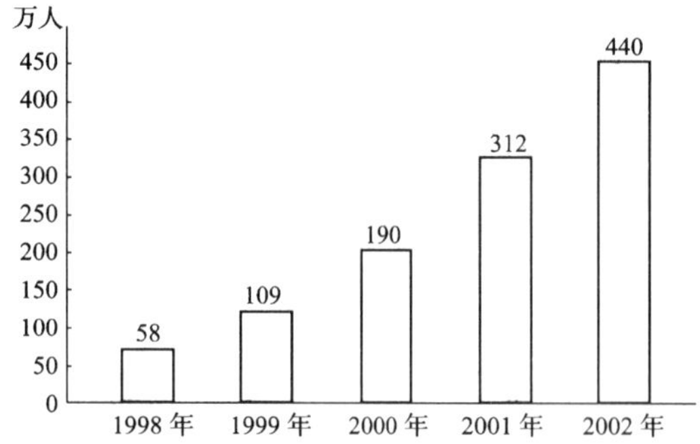


图 7　领取失业保险金人数变化

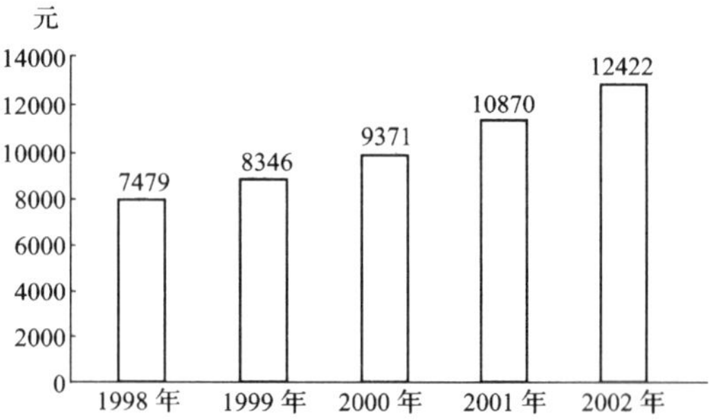


图 8　城镇单位职工年平均工资

# 一、综　　合

## 历年国内生产总值、增长及构成

| 年份 | 国内生产总值 | 第一产业 | 第二产业 | 第三产业 |
|---|---|---|---|---|
| **一、绝对数（亿元）** | | | | |
| 1997 | 74 462.6 | 14 211.2 | 37 222.7 | 23 028.7 |
| 1998 | 78 345.2 | 14 552.4 | 38 619.3 | 25 173.5 |
| 1999 | 82 067.5 | 14 472.0 | 40 557.8 | 27 037.7 |
| 2000 | 89 442.2 | 14 628.2 | 44 935.3 | 29 878.7 |
| 2001 | 95 933.3 | 14 609.9 | 49 069.1 | 32 254.3 |
| 2002 | 102 398.0 | 14 883.0 | 52 982.0 | 34 533.0 |
| **二、比上年增长（%）** | | | | |
| 1998 | 7.8 | 3.5 | 8.9 | 8.3 |
| 1999 | 7.1 | 2.8 | 8.1 | 7.5 |
| 2000 | 8.0 | 2.4 | 9.6 | 7.8 |
| 2001 | 7.3 | 2.8 | 8.7 | 7.4 |
| 2002 | 8.0 | 2.9 | 9.9 | 7.3 |
| **三、构成（%）** | | | | |
| 1997 | 100 | 19.1 | 50.0 | 30.9 |
| 1998 | 100 | 18.6 | 49.3 | 32.1 |
| 1999 | 100 | 17.6 | 49.4 | 32.9 |
| 2000 | 100 | 16.4 | 50.2 | 33.4 |
| 2001 | 100 | 15.2 | 51.1 | 33.6 |
| 2002 | 100 | 14.5 | 51.7 | 33.7 |

注：比上年增长（%）按可比价格计算。

## 历年分城乡就业人员年末人数

单位：万人

| 年份 | 合计 | 按城乡分 | |
|---|---|---|---|
| | | 城镇 | 乡村 |
| 1997 | 69 820 | 20 781 | 49 039 |
| 1998 | 70 637 | 21 616 | 49 021 |
| 1999 | 71 394 | 22 412 | 48 982 |
| 2000 | 72 085 | 23 151 | 48 934 |
| 2001 | 73 025 | 23 940 | 49 085 |
| 2002 | 73 740 | 24 780 | 48 960 |

注：1990 年以后从业人员数字根据 2000 年人口普查数进行了调整。

**历年分产业就业人员年末人数** 单位：万人，%

| 年份 | 合计 | 人数 | | |
|---|---|---|---|---|
| | | 第一产业 | 第二产业 | 第三产业 |
| 1997 | 69 820 | 34 840 | 16 547 | 18 432 |
| 1998 | 70 637 | 35 177 | 16 600 | 18 860 |
| 1999 | 71 394 | 35 768 | 16 421 | 19 205 |
| 2000 | 72 085 | 36 043 | 16 219 | 19 823 |
| 2001 | 73 025 | 36 513 | 16 284 | 20 228 |
| 2002 | 73 740 | 36 870 | 15 780 | 21 090 |

| 年份 | 构成（合计＝100） | | |
|---|---|---|---|
| | 第一产业 | 第二产业 | 第三产业 |
| 1997 | 49.9 | 23.7 | 26.4 |
| 1998 | 49.8 | 23.5 | 26.7 |
| 1999 | 50.1 | 23.0 | 26.9 |
| 2000 | 50.0 | 22.5 | 27.5 |
| 2001 | 50.0 | 22.3 | 27.7 |
| 2002 | 50.0 | 21.4 | 28.6 |

注：1990 年以后从业人员数字根据 2000 年人口普查数进行了调整。

**历年城镇就业人员构成** 单位：万人

| 年份 | 合计 | 单位就业人员 | 私营个体就业人员 | 其他 |
|---|---|---|---|---|
| 1997 | 20 781 | 15 036 | 2 669 | 3 076 |
| 1998 | 21 616 | 12 696 | 3 232 | 5 688 |
| 1999 | 22 412 | 12 130 | 3 467 | 6 815 |
| 2000 | 23 151 | 11 613 | 3 404 | 8 134 |
| 2001 | 23 940 | 11 166 | 3 658 | 9 116 |
| 2002 | 24 780 | 10 985 | 4 267 | 9 528 |

注：1. 城镇就业人员合计数由国家统计局根据人口抽样调查和劳动力抽样调查推算得出；
2. 其他为合计数与单位就业人员数和私营个体就业人员数之差，主要包括在城镇就业的农林牧渔人员、乡镇企业人员、自由职业者以及其他灵活就业人员。

## 历年城镇分经济类型单位就业人员构成

单位：万人

| 年份 | 合计 | 国有单位 | 集体单位 | 股份合作单位 |
|---|---|---|---|---|
| 1997 | 20 781 | 11 044 | 2 883 | |
| 1998 | 21 616 | 9 058 | 1 963 | 136 |
| 1999 | 22 412 | 8 572 | 1 712 | 144 |
| 2000 | 23 151 | 8 102 | 1 499 | 155 |
| 2001 | 23 940 | 7 640 | 1 291 | 153 |
| 2002 | 24 780 | 7 163 | 1 122 | 161 |
| 年份 | 联营单位 | 有限责任公司 | 股份有限公司 | 私营企业 |
| 1997 | 43 | | 468 | 750 |
| 1998 | 48 | 484 | 410 | 973 |
| 1999 | 46 | 603 | 420 | 1 053 |
| 2000 | 42 | 687 | 457 | 1 268 |
| 2001 | 45 | 841 | 483 | 1 527 |
| 2002 | 45 | 1 083 | 538 | 1 999 |
| 年份 | 港澳台商投资单位 | 外商投资单位 | 个体 | 其他 |
| 1997 | 281 | 300 | 1 919 | 3 093 |
| 1998 | 294 | 293 | 2 259 | 5 698 |
| 1999 | 306 | 306 | 2 414 | 6 837 |
| 2000 | 310 | 332 | 2 136 | 8 162 |
| 2001 | 326 | 345 | 2 131 | 9 159 |
| 2002 | 367 | 391 | 2 269 | 9 643 |

## 历年城镇新就业人数

单位：万人

| 年份 | 合计 | 就业人员主要来源 | | | |
|---|---|---|---|---|---|
| | | 城镇劳动力 | 农村劳动力 | 大学、中专、技校毕业生 | 其他 |
| 1997 | 710.0 | 260.0 | 190.0 | 225.0 | 35.0 |
| 1998 | 720.0 | 329.0 | 180.0 | 181.0 | 30.0 |
| 1999 | 710.0 | 342.0 | 171.0 | 167.0 | 30.0 |
| 2000 | 690.0 | 337.0 | 177.0 | 146.0 | 30.0 |
| 2001 | 780.0 | 419.7 | 194.1 | 140.6 | 25.6 |
| 2002 | 880.0 | 463.0 | 248.9 | 144.9 | 23.2 |

| 年份 | 就业人员安置去向 | | | |
|---|---|---|---|---|
| | 国有单位 | 城镇集体单位 | 其他单位 | 从事个体劳动 |
| 1997 | 226.0 | 128.0 | 192.0 | 164.0 |
| 1998 | 230.0 | 90.0 | 220.0 | 180.0 |
| 1999 | 280.0 | 87.0 | 193.0 | 150.0 |
| 2000 | 260.0 | 77.0 | 223.0 | 130.0 |
| 2001 | 314.0 | 75.0 | 268.0 | 123.0 |
| 2002 | 307.0 | 68.0 | 375.0 | 130.0 |

## 历年分登记注册类型职工年末人数及增长情况

单位：万人

| 年份 | 合计 | 在岗 | 国有单位 | 在岗 |
|---|---|---|---|---|
| 1997 | 14 668 | | 10 766 | |
| 1998 | 14 314 | 12 337 | 10 044 | 8 809 |
| 1999 | 13 928 | 11 773 | 9 675 | 8 336 |
| 2000 | 13 468 | 11 259 | 9 260 | 7 878 |
| 2001 | 12 892 | 10 792 | 8 710 | 7 409 |
| 2002 | 12 517 | 10 558 | 8 103 | 6 924 |

| 年份 | 城镇集体单位 | 在岗 | 其他单位 | 在岗 | 全部职工人数比上年增长（%） |
|---|---|---|---|---|---|
| 1997 | 2 817 | | 1 085 | | |
| 1998 | 2 458 | 1 900 | 1 812 | 1 628 | －2.5 |
| 1999 | 2 233 | 1 652 | 2 020 | 1 785 | －2.7 |
| 2000 | 2 008 | 1 447 | 2 200 | 1 935 | －3.3 |
| 2001 | 1 753 | 1 241 | 2 429 | 2 142 | －4.3 |
| 2002 | 1 527 | 1 071 | 2 887 | 2 563 | －2.9 |

注：1998、1999、2000、2001、2002 年职工年末人数包括在岗职工和离岗职工的人数。

## 历年企业、事业、机关单位职工人数

| 年份 | 年末职工人数（万人） | | | | | |
|---|---|---|---|---|---|---|
| | 企业 | | | | 事业 | |
| | 合计 | 国有 | 集体 | 其他 | 合计 | 国有 |
| 1997 | 10 887.3 | 7 131.1 | 2 672.5 | 1 083.7 | 2 731.6 | 2 592.0 |
| 1998 | 10 523.9 | 6 393.5 | 2 320.1 | 1 810.4 | 2 728.8 | 2 595.0 |
| 1999 | 10 111.8 | 5 997.9 | 2 095.3 | 2 018.6 | 2 745.4 | 2 611.2 |
| 2000 | 9 627.6 | 5 563.8 | 1 867.2 | 2 196.5 | 2 760.6 | 2 621.6 |
| 2001 | 9 054.4 | 5 017.3 | 1 611.7 | 2 425.4 | 2 758.3 | 2 617.0 |
| 2002 | 8 713.0 | 4 446.0 | 1 388.0 | 2 879.0 | 2 731.0 | 2 588.0 |

| 年份 | | | 机关 | | | |
|---|---|---|---|---|---|---|
| | 集体 | 其他 | 合计 | 国有 | 集体 | 其他 |
| 1997 | 137.8 | 1.8 | 1 049.4 | 1 042.8 | 6.6 | |
| 1998 | 131.9 | 1.8 | 1 061.2 | 1 055.2 | 6.0 | |
| 1999 | 132.5 | 1.7 | 1 070.8 | 1 065.7 | 5.1 | |
| 2000 | 136.0 | 3.0 | 1 079.4 | 1 074.5 | 4.9 | |
| 2001 | 137.1 | 4.2 | 1 079.6 | 1 075.4 | 4.2 | |
| 2002 | 136.0 | 7.0 | 1 073.0 | 1 069.0 | 4.0 | |

注：1998、1999、2000、2001、2002 年职工人数包括在岗职工和离岗职工的数字。

## 历年分行业职工年末人数

单位：万人

| 年份 | 合计 | 农、林、牧、渔业 | 采掘业 | 制造业 | 电力、煤气及水的生产和供应业 | 建筑业 | 地质勘查业、水利管理业 | 交通运输、仓储及邮电通信业 |
|---|---|---|---|---|---|---|---|---|
| 1996 | 14 845 | 617 | 886 | 5 293 | 272 | 1 035 | 128 | 830 |
| 1997 | 14 668 | 612 | 851 | 5 083 | 282 | 1 004 | 128 | 824 |
| 1998 | 14 314 | 588 | 819 | 4 826 | 292 | 974 | 127 | 798 |
| 1999 | 13 928 | 569 | 790 | 4 621 | 296 | 918 | 123 | 786 |
| 2000 | 13 468 | 549 | 736 | 4 357 | 298 | 893 | 124 | 771 |
| 2001 | 12 892 | 515 | 689 | 4 031 | 303 | 875 | 119 | 745 |
| 2002 | 12 517 | 489 | 665 | 3 820 | 307 | 895 | 111 | 732 |

| 年份 | 批发和零售贸易、餐饮业 | 金融、保险业 | 房地产业 | 社会服务业 | 卫生、体育和社会福利业 | 教育、文化艺术和广播电影电视业 | 科学研究和综合技术服务业 | 国家机关、政党机关和社会团体 | 其他 |
|---|---|---|---|---|---|---|---|---|---|
| 1997 | 1 774 | 298 | 84 | 480 | 464 | 1 403 | 179 | 1 080 | 125 |
| 1998 | 1 677 | 302 | 95 | 486 | 476 | 1 462 | 173 | 1 096 | 124 |
| 1999 | 1 569 | 302 | 97 | 494 | 481 | 1 481 | 171 | 1 104 | 112 |
| 2000 | 1 439 | 302 | 101 | 502 | 485 | 1 517 | 171 | 1 108 | 115 |
| 2001 | 1 274 | 307 | 109 | 510 | 492 | 1 532 | 160 | 1 109 | 122 |
| 2002 | 1 114 | 306 | 121 | 530 | 493 | 1 541 | 158 | 1 092 | 144 |

注：1998、1999、2000、2001 年职工年末人数包括在岗职工和离岗职工的人数。

## 历年分登记注册类型职工工资总额及增长情况

| 年份 | 工资总额（亿元） | | | |
|---|---|---|---|---|
| | 合计 | 在岗职工 | 国有单位 | 城镇集体单位 |
| 1997 | 9 405.3 | | 7 211.0 | 1 253.4 |
| 1998 | 9 535.4 | 9 296.5 | 6 812.5 | 1 021.6 |
| 1999 | 10 199.1 | 9 875.5 | 7 160.8 | 962.7 |
| 2000 | 11 056.0 | 10 656.2 | 7 612.9 | 919.0 |
| 2001 | 12 275.2 | 11 830.9 | 8 355.6 | 864.6 |
| 2002 | 13 667.5 | 13 161.1 | 8 948.6 | 828.1 |

| 年份 | | 全部工资总额比上年增长（%） | |
|---|---|---|---|
| | 其他单位 | 合计 | 在岗职工 |
| 1997 | 940.8 | 3.6 | |
| 1998 | 1 462.4 | 1.4 | 0.2 |
| 1999 | 1 752.0 | 7.0 | 6.2 |
| 2000 | 2 124.3 | 8.4 | 7.9 |
| 2001 | 2 610.7 | 11.0 | 11.0 |
| 2002 | 3 384.4 | 11.3 | 11.2 |

注：1998、1999、2000、2001、2002 年国有单位、城镇集体单位、其他单位只包括在岗职工的工资总额。

## 历年分登记注册类型职工平均工资及增长情况

| 年份 | 平均工资（元） | | | |
|---|---|---|---|---|
| | 合计 | 在岗职工 | 国有单位 | 城镇集体单位 |
| 1997 | 6 470 | | 6 747 | 4 512 |
| 1998 | 6 664 | 7 479 | 7 668 | 5 331 |
| 1999 | 7 328 | 8 346 | 8 543 | 5 774 |
| 2000 | 8 159 | 9 371 | 9 552 | 6 262 |
| 2001 | 9 439 | 10 870 | 11 178 | 6 867 |
| 2002 | 10 884 | 12 422 | 12 869 | 7 667 |

| 年份 | 其他单位 | 全部职工平均工资比上年增长（%） | | | |
|---|---|---|---|---|---|
| | | 货币工资 | | 实际工资 | |
| | | 合计 | 在岗职工 | 合计 | 在岗职工 |
| 1997 | 8 789 | 4.2 | | 1.1 | |
| 1998 | 8 972 | 4.1 | 6.6 | 4.7 | 7.2 |
| 1999 | 9 829 | 10.0 | 11.6 | 11.4 | 13.1 |
| 2000 | 10 984 | 11.3 | 12.3 | 10.4 | 11.4 |
| 2001 | 12 140 | 15.7 | 16.0 | 14.9 | 15.2 |
| 2002 | 13 212 | 15.3 | 14.3 | 16.5 | 15.2 |

注：1998、1999、2000、2001、2002 年国有单位、城镇集体单位、其他单位只包括在岗职工的平均工资。

## 历年企业、事业、机关单位职工平均工资

| 年份 | 职工平均工资（元） | | | | | | | | | | | |
|---|---|---|---|---|---|---|---|---|---|---|---|---|
| | 全部职工平均工资 | 企业 | | | | 事业 | | | | 机关 | | |
| | | 合计 | 国有 | 集体 | 其他 | 合计 | 国有 | 集体 | 其他 | 合计 | 国有 | 集体 |
| 1997 | 6 470 | 6 322 | 6 647 | 4 443 | 8 788 | 6 867 | 6 925 | 5 743 | 9 530 | 6 990 | 6 994 | 6 338 |
| 1998 | 7 479 | 7 405 | 7 644 | 5 264 | 8 970 | 7 620 | 7 689 | 6 206 | 10 858 | 7 740 | 7 746 | 6 675 |
| 1999 | 8 346 | 8 168 | 8 350 | 5 670 | 9 828 | 8 665 | 8 748 | 6 970 | 10 913 | 8 925 | 8 930 | 7 827 |
| 2000 | 9 371 | 9 189 | 9 324 | 6 144 | 10 985 | 9 634 | 9 749 | 7 388 | 10 560 | 10 020 | 10 025 | 8 718 |
| 2001 | 10 870 | 10 453 | 10 619 | 6 667 | 12 136 | 11 491 | 11 640 | 8 518 | 14 628 | 12 125 | 12 136 | 8 960 |
| 2002 | 12 422 | 11 873 | 12 109 | 7 426 | 13 206 | 13 246 | 13 438 | 9 399 | 15 568 | 14 005 | 14 020 | 9 302 |

注：1998、1999、2000、2001、2002 年只包括在岗职工的平均工资。

**历年分行业职工平均工资**　　单位：元

| 年份 | 合计 | 农、林、牧、渔业 | 采掘业 | 制造业 | 电力、煤气及水的生产和供应业 | 建筑业 | 地质勘查业、水利管理业 | 交通运输、仓储及邮电通信业 |
|---|---|---|---|---|---|---|---|---|
| 1997 | 6 470 | 4 311 | 6 833 | 5 933 | 9 649 | 6 655 | 7 160 | 8 600 |
| 1998 | 7 479 | 4 528 | 7 242 | 7 064 | 10 478 | 7 456 | 7 951 | 9 808 |
| 1999 | 8 346 | 4 832 | 7 521 | 7 794 | 11 513 | 7 982 | 8 821 | 10 991 |
| 2000 | 9 371 | 5 184 | 8 340 | 8 750 | 12 830 | 8 735 | 9 622 | 12 319 |
| 2001 | 10 870 | 5 741 | 9 586 | 9 774 | 14 590 | 9 484 | 10 957 | 14 167 |
| 2002 | 12 422 | 6 398 | 11 017 | 11 001 | 16 440 | 10 279 | 12 303 | 16 044 |

| 年份 | 批发和零售贸易、餐饮业 | 金融、保险业 | 房地产业 | 社会服务业 | 卫生、体育和社会福利业 | 教育、文化艺术和广播电影电视业 | 科学研究和综合技术服务业 | 国家机关、政党机关和社会团体 | 其他 |
|---|---|---|---|---|---|---|---|---|---|
| 1997 | 4 845 | 9 734 | 9 190 | 7 553 | 7 599 | 6 759 | 9 049 | 6 981 | 6 838 |
| 1998 | 5 865 | 10 633 | 10 302 | 8 333 | 8 493 | 7 474 | 10 241 | 7 773 | 8 481 |
| 1999 | 6 417 | 12 046 | 11 505 | 9 263 | 9 664 | 8 510 | 11 601 | 8 978 | 10 068 |
| 2000 | 7 190 | 13 478 | 12 616 | 10 339 | 10 930 | 9 482 | 13 620 | 10 043 | 11 098 |
| 2001 | 8 192 | 16 277 | 14 096 | 11 869 | 12 933 | 11 452 | 16 437 | 12 142 | 12 590 |
| 2002 | 9 398 | 19 135 | 15 501 | 13 499 | 14 795 | 13 290 | 19 113 | 13 975 | 14 215 |

注：1998、1999、2000、2001、2002 年只包括在岗职工的平均工资。

## 历年分行业职工平均工资

（国有单位）　　　　单位：元

| 年份 | 合计 | 农、林、牧、渔业 | 采掘业 | 制造业 | 电力、煤气及水的生产和供应业 | 建筑业 | 地质勘查业、水利管理业 | 交通运输、仓储及邮电通信业 |
|---|---|---|---|---|---|---|---|---|
| 1997 | 6 747 | 4 304 | 7 091 | 6 008 | 9 541 | 7 388 | 7 180 | 9 303 |
| 1998 | 7 668 | 4 522 | 7 499 | 6 981 | 10 324 | 8 171 | 7 968 | 10 302 |
| 1999 | 8 543 | 4 813 | 7 732 | 7 611 | 11 239 | 8 734 | 8 843 | 11 345 |
| 2000 | 9 552 | 5 132 | 8 283 | 8 554 | 12 458 | 9 512 | 9 651 | 12 613 |
| 2001 | 11 178 | 5 702 | 9 446 | 9 590 | 14 132 | 10 299 | 11 005 | 14 318 |
| 2002 | 12 869 | 6 326 | 10 601 | 10 876 | 15 799 | 11 231 | 12 296 | 16 030 |

| 年份 | 批发和零售贸易、餐饮业 | 金融、保险业 | 房地产业 | 社会服务业 | 卫生、体育和社会福利业 | 教育、文化艺术和广播电影电视业 | 科学研究和综合技术服务业 | 国家机关、政党机关和社会团体 | 其他 |
|---|---|---|---|---|---|---|---|---|---|
| 1997 | 5 134 | 10 012 | 8 570 | 7 425 | 7 794 | 6 810 | 8 974 | 6 985 | 6 891 |
| 1998 | 6 150 | 10 898 | 9 441 | 8 136 | 8 704 | 7 537 | 10 146 | 7 776 | 8 258 |
| 1999 | 6 678 | 12 249 | 10 475 | 9 054 | 9 899 | 8 590 | 11 543 | 8 982 | 9 762 |
| 2000 | 7 414 | 13 729 | 11 626 | 9 847 | 11 234 | 9 599 | 13 221 | 10 048 | 10 198 |
| 2001 | 8 220 | 16 605 | 13 111 | 11 254 | 13 340 | 11 591 | 16 218 | 12 152 | 11 488 |
| 2002 | 9 444 | 19 648 | 14 465 | 12 239 | 15 281 | 13 473 | 19 006 | 13 987 | 13 559 |

注：1998、1999、2000、2001、2002 年只包括在岗职工的平均工资。

## 历年分行业职工平均工资

（城镇集体单位）　　单位：元

| 年份 | 合计 | 农、林、牧、渔业 | 采掘业 | 制造业 | 电力、煤气及水的生产和供应业 | 建筑业 | 地质勘查业、水利管理业 | 交通运输、仓储及邮电通信业 |
|---|---|---|---|---|---|---|---|---|
| 1997 | 4 512 | 3 945 | 4 164 | 4 120 | 9 064 | 5 466 | 6 342 | 4 057 |
| 1998 | 5 331 | 4 358 | 4 567 | 5 016 | 9 470 | 5 941 | 7 017 | 5 163 |
| 1999 | 5 774 | 4 878 | 4 545 | 5 327 | 9 834 | 6 296 | 7 636 | 5 707 |
| 2000 | 6 262 | 5 536 | 4 857 | 5 722 | 10 707 | 6 873 | 7 509 | 5 816 |
| 2001 | 6 867 | 5 654 | 5 517 | 6 088 | 12 250 | 7 260 | 7 605 | 6 322 |
| 2002 | 7 667 | 6 415 | 6 067 | 6 749 | 13 051 | 7 745 | 9 599 | 6 940 |

| 年份 | 批发和零售贸易、餐饮业 | 金融、保险业 | 房地产业 | 社会服务业 | 卫生、体育和社会福利业 | 教育、文化艺术和广播电影电视业 | 科学研究和综合技术服务业 | 国家机关、政党机关和社会团体 | 其他 |
|---|---|---|---|---|---|---|---|---|---|
| 1997 | 3 873 | 7 634 | 7 687 | 5 663 | 6 294 | 4 955 | 7 749 | 6 244 | 5 780 |
| 1998 | 4 517 | 8 144 | 9 144 | 5 990 | 6 883 | 5 192 | 8 116 | 7 033 | 7 048 |
| 1999 | 4 802 | 9 088 | 10 516 | 6 621 | 7 826 | 5 750 | 8 771 | 7 985 | 8 135 |
| 2000 | 5 089 | 9 754 | 10 371 | 7 269 | 8 521 | 5 854 | 10 434 | 8 899 | 9 044 |
| 2001 | 5 428 | 10 914 | 10 658 | 7 950 | 9 638 | 7 304 | 12 137 | 9 487 | 9 621 |
| 2002 | 5 983 | 12 540 | 11 504 | 8 957 | 10 738 | 8 036 | 12 976 | 10 456 | 10 038 |

注：1998、1999、2000、2001、2002 年只包括在岗职工的平均工资。

## 历年分行业职工平均工资

(其他单位)　　单位：元

| 年份 | 合计 | 农、林、牧、渔业 | 采掘业 | 制造业 | 电力、煤气及水的生产和供应业 | 建筑业 | 地质勘查业、水利管理业 | 交通运输、仓储及邮电通信业 |
|---|---|---|---|---|---|---|---|---|
| 1997 | 8 789 | 7 061 | 5 385 | 8 367 | 12 127 | 7 517 | 5 770 | 13 734 |
| 1998 | 8 972 | 5 685 | 6 749 | 8 556 | 12 158 | 8 983 | 6 909 | 11 858 |
| 1999 | 9 829 | 6 740 | 7 651 | 9 316 | 13 856 | 9 540 | 8 439 | 14 241 |
| 2000 | 10 984 | 8 519 | 9 842 | 10 192 | 15 486 | 10 391 | 13 064 | 16 173 |
| 2001 | 12 140 | 8 473 | 11 246 | 11 074 | 17 256 | 11 139 | 11 892 | 18 737 |
| 2002 | 13 212 | 9 553 | 12 870 | 12 338 | 19 271 | 11 358 | 18 553 | 20 864 |

| 年份 | 批发和零售贸易、餐饮业 | 金融、保险业 | 房地产业 | 社会服务业 | 卫生、体育和社会福利业 | 教育、文化艺术和广播电影电视业 | 科学研究和综合技术服务业 | 国家机关、政党机关和社会团体 | 其他 |
|---|---|---|---|---|---|---|---|---|---|
| 1997 | 8 051 | 17 970 | 13 249 | 11 812 | 11 863 | 10 017 | 14 370 | | 16 423 |
| 1998 | 8 320 | 16 255 | 13 636 | 12 027 | 15 124 | 11 687 | 14 847 | | 20 393 |
| 1999 | 9 001 | 18 648 | 14 693 | 12 785 | 16 618 | 12 871 | 15 671 | | 20 548 |
| 2000 | 10 250 | 21 538 | 15 485 | 14 544 | 17 883 | 12 027 | 20 299 | | 26 677 |
| 2001 | 11 584 | 25 662 | 16 621 | 16 142 | 17 045 | 15 951 | 19 506 | | 28 156 |
| 2002 | 12 202 | 27 788 | 17 630 | 18 518 | 14 548 | 17 008 | 21 017 | | 27 741 |

注：1998、1999、2000、2001、2002 年只包括在岗职工的平均工资。

**分地区企业、事业、机关单位在岗职工平均工资** 单位：元

| 地区 | 全部职工 | | 企业单位 | |
| --- | --- | --- | --- | --- |
| | 2001 年 | 2002 年 | 2001 年 | 2002 年 |
| **全国** | **10 870** | **12 422** | **10 453** | **11 873** |
| 北京 | 19 155 | 21 852 | 18 298 | 20 570 |
| 天津 | 14 308 | 16 258 | 13 930 | 15 767 |
| 河北 | 8 730 | 10 032 | 8 440 | 9 599 |
| 山西 | 8 122 | 9 357 | 7 732 | 8 980 |
| 内蒙古 | 8 250 | 9 683 | 7 496 | 8 716 |
| 辽宁 | 10 145 | 11 659 | 9 857 | 11 245 |
| 吉林 | 8 771 | 9 990 | 8 425 | 9 522 |
| 黑龙江 | 8 910 | 9 926 | 8 443 | 9 245 |
| 上海 | 21 781 | 23 959 | 21 353 | 23 513 |
| 江苏 | 11 842 | 13 509 | 10 768 | 12 372 |
| 浙江 | 16 385 | 18 785 | 14 473 | 16 391 |
| 安徽 | 7 908 | 9 296 | 7 263 | 8 363 |
| 福建 | 12 013 | 13 306 | 11 468 | 12 641 |
| 江西 | 8 026 | 9 262 | 7 325 | 8 547 |
| 山东 | 10 008 | 11 374 | 9 376 | 10 608 |
| 河南 | 7 916 | 9 174 | 7 561 | 8 931 |
| 湖北 | 8 619 | 9 611 | 8 138 | 8 891 |
| 湖南 | 9 623 | 10 967 | 9 257 | 10 374 |
| 广东 | 15 682 | 17 814 | 15 301 | 17 005 |
| 广西 | 9 075 | 10 774 | 8 860 | 10 227 |
| 海南 | 8 321 | 9 480 | 7 086 | 7 901 |
| 重庆 | 9 523 | 10 960 | 9 112 | 10 388 |
| 四川 | 9 934 | 11 183 | 9 364 | 10 308 |
| 贵州 | 8 991 | 9 810 | 8 803 | 9 767 |
| 云南 | 10 537 | 11 987 | 10 191 | 11 310 |
| 西藏 | 19 144 | 24 766 | 14 487 | 17 690 |
| 陕西 | 9 120 | 10 351 | 8 878 | 10 081 |
| 甘肃 | 9 949 | 11 147 | 9 334 | 10 368 |
| 青海 | 12 906 | 14 472 | 12 086 | 13 748 |
| 宁夏 | 10 442 | 11 640 | 9 899 | 10 876 |
| 新疆 | 10 278 | 11 605 | 9 309 | 10 508 |

注：2001、2002 年只包括在岗职工的平均工资。

续表

| 地　　区 | 事业单位 | | 机关单位 | |
|---|---|---|---|---|
| | 2001 年 | 2002 年 | 2001 年 | 2002 年 |
| **全　　国** | **11 491** | **13 246** | **12 125** | **14 005** |
| 北　　京 | 21 520 | 26 295 | 22 477 | 26 600 |
| 天　　津 | 15 219 | 17 402 | 16 395 | 19 015 |
| 河　　北 | 8 964 | 10 497 | 9 798 | 11 282 |
| 山　　西 | 8 856 | 10 031 | 9 030 | 10 220 |
| 内 蒙 古 | 9 206 | 10 913 | 10 216 | 12 038 |
| 辽　　宁 | 10 446 | 12 247 | 12 156 | 13 908 |
| 吉　　林 | 9 295 | 10 698 | 10 173 | 11 727 |
| 黑 龙 江 | 9 936 | 11 678 | 11 103 | 12 540 |
| 上　　海 | 22 652 | 24 753 | 25 225 | 28 157 |
| 江　　苏 | 13 564 | 15 098 | 16 561 | 18 774 |
| 浙　　江 | 19 437 | 22 511 | 21 687 | 25 122 |
| 安　　徽 | 8 693 | 10 451 | 9 910 | 11 944 |
| 福　　建 | 13 000 | 14 614 | 13 794 | 15 251 |
| 江　　西 | 8 795 | 10 028 | 9 502 | 10 566 |
| 山　　东 | 11 338 | 12 898 | 11 252 | 12 901 |
| 河　　南 | 8 409 | 9 508 | 8 836 | 9 778 |
| 湖　　北 | 9 219 | 10 588 | 10 113 | 11 704 |
| 湖　　南 | 10 179 | 11 837 | 9 962 | 11 466 |
| 广　　东 | 15 874 | 18 776 | 18 143 | 21 796 |
| 广　　西 | 8 950 | 10 954 | 10 512 | 13 081 |
| 海　　南 | 10 710 | 12 342 | 11 575 | 14 111 |
| 重　　庆 | 10 032 | 11 815 | 11 131 | 12 842 |
| 四　　川 | 10 475 | 12 186 | 11 496 | 13 133 |
| 贵　　州 | 9 264 | 9 656 | 9 212 | 10 273 |
| 云　　南 | 10 932 | 12 785 | 11 044 | 12 757 |
| 西　　藏 | 21 035 | 27 609 | 21 997 | 28 135 |
| 陕　　西 | 9 601 | 10 888 | 9 254 | 10 475 |
| 甘　　肃 | 10 747 | 12 131 | 11 182 | 12 625 |
| 青　　海 | 13 714 | 15 133 | 14 452 | 15 752 |
| 宁　　夏 | 11 426 | 12 995 | 11 330 | 12 912 |
| 新　　疆 | 12 140 | 13 584 | 12 810 | 14 281 |

## 历年城镇居民消费价格指数和商品零售物价指数

| 年份 | 城镇居民消费价格指数 | 零售物价指数 |
|---|---|---|
| | 以上年为 100 | 以上年为 100 |
| 1998 | 99.4 | 97.4 |
| 1999 | 98.7 | 97.0 |
| 2000 | 100.8 | 98.5 |
| 2001 | 100.7 | 99.2 |
| 2002 | 99.0 | 98.7 |

## 历年城乡居民收入

| 年份 | 城镇居民人均可支配收入（元） | 农村居民人均纯收入（元） | 扣除物价因素比上年增长（%） | |
|---|---|---|---|---|
| | | | 城镇居民人均可支配收入 | 农村居民人均纯收入 |
| 1997 | 5 160 | 2 090 | 3.4 | 4.3 |
| 1998 | 5 425 | 2 162 | 5.8 | 4.3 |
| 1999 | 5 854 | 2 210 | 9.3 | 3.9 |
| 2000 | 6 280 | 2 253 | 6.4 | 2.0 |
| 2001 | 6 860 | 2 366 | 8.2 | 4.2 |
| 2002 | 7 703 | 2 476 | 13.4 | 4.8 |

# 二、就业与失业

## 分地区城镇单位就业人员年末人数

(2002)

单位：万人

| 地　　区 | 合计 | 企业 | 事业 | 机关 |
|---|---|---|---|---|
| **全　　国** | **10 985.0** | **7 207.5** | **2 723.5** | **1 054.2** |
| 北　　京 | 480.5 | 378.9 | 79.1 | 22.5 |
| 天　　津 | 185.5 | 140.4 | 33.4 | 11.7 |
| 河　　北 | 507.0 | 312.0 | 138.3 | 56.7 |
| 山　　西 | 362.0 | 238.8 | 84.0 | 39.1 |
| 内 蒙 古 | 247.3 | 152.5 | 67.4 | 27.4 |
| 辽　　宁 | 519.3 | 364.5 | 116.1 | 38.7 |
| 吉　　林 | 302.8 | 201.1 | 78.9 | 22.7 |
| 黑 龙 江 | 525.0 | 395.6 | 94.8 | 34.6 |
| 上　　海 | 350.9 | 273.7 | 62.2 | 14.9 |
| 江　　苏 | 615.7 | 416.1 | 156.5 | 43.1 |
| 浙　　江 | 368.7 | 241.2 | 93.2 | 34.3 |
| 安　　徽 | 370.2 | 230.5 | 103.2 | 36.5 |
| 福　　建 | 325.4 | 228.3 | 69.4 | 27.8 |
| 江　　西 | 270.8 | 152.9 | 83.9 | 34.0 |
| 山　　东 | 782.0 | 519.7 | 187.1 | 75.2 |
| 河　　南 | 710.3 | 450.8 | 176.8 | 82.6 |
| 湖　　北 | 497.3 | 318.5 | 128.6 | 50.2 |
| 湖　　南 | 410.6 | 233.7 | 121.8 | 55.1 |
| 广　　东 | 751.2 | 523.5 | 160.5 | 67.2 |
| 广　　西 | 274.8 | 155.1 | 91.8 | 27.8 |
| 海　　南 | 74.9 | 50.8 | 16.7 | 7.3 |
| 重　　庆 | 204.3 | 135.2 | 51.5 | 17.6 |
| 四　　川 | 496.9 | 294.5 | 146.3 | 56.1 |
| 贵　　州 | 196.8 | 112.8 | 55.3 | 28.7 |
| 云　　南 | 258.0 | 138.7 | 83.4 | 35.9 |
| 西　　藏 | 17.0 | 5.1 | 5.9 | 5.9 |
| 陕　　西 | 331.6 | 200.5 | 93.7 | 37.4 |
| 甘　　肃 | 196.0 | 116.4 | 56.0 | 23.7 |
| 青　　海 | 43.8 | 23.8 | 13.5 | 6.5 |
| 宁　　夏 | 60.9 | 38.4 | 16.0 | 6.5 |
| 新　　疆 | 248.0 | 163.4 | 58.4 | 26.3 |

## 分地区企业、事业、机关单位职工年末人数

（2002）

单位：万人

| 地区 | 全部职工 | | 企业单位 | |
|---|---|---|---|---|
| | 小计 | 在岗 | 小计 | 在岗 |
| **全国** | **12 517.0** | **10 558** | **8 713.0** | **6 876** |
| 北京 | 467.3 | 434.2 | 367.5 | 337.2 |
| 天津 | 222.3 | 177.0 | 177.8 | 133.6 |
| 河北 | 589.1 | 494.7 | 389.2 | 302.4 |
| 山西 | 420.6 | 351.6 | 297.5 | 231.4 |
| 内蒙古 | 272.4 | 243.2 | 175.6 | 149.5 |
| 辽宁 | 685.4 | 502.0 | 526.2 | 351.1 |
| 吉林 | 403.3 | 298.3 | 295.8 | 197.6 |
| 黑龙江 | 662.7 | 496.5 | 527.8 | 369.9 |
| 上海 | 373.4 | 290.6 | 301.3 | 221.3 |
| 江苏 | 696.6 | 590.3 | 498.6 | 396.4 |
| 浙江 | 372.3 | 350.6 | 246.7 | 227.8 |
| 安徽 | 423.2 | 358.7 | 283.6 | 221.9 |
| 福建 | 336.9 | 315.3 | 240.7 | 220.4 |
| 江西 | 345.5 | 261.9 | 223.8 | 146.8 |
| 山东 | 895.2 | 764.8 | 627.5 | 508.0 |
| 河南 | 809.6 | 693.9 | 547.6 | 437.8 |
| 湖北 | 600.4 | 483.4 | 416.3 | 309.0 |
| 湖南 | 525.3 | 393.5 | 341.0 | 219.7 |
| 广东 | 792.7 | 735.1 | 564.8 | 512.2 |
| 广西 | 292.5 | 259.3 | 176.7 | 146.2 |
| 海南 | 84.9 | 73.1 | 61.0 | 49.8 |
| 重庆 | 232.9 | 199.9 | 163.3 | 131.6 |
| 四川 | 545.5 | 481.2 | 342.6 | 283.4 |
| 贵州 | 212.3 | 188.5 | 130.3 | 107.6 |
| 云南 | 272.7 | 249.3 | 154.8 | 133.1 |
| 西藏 | 15.1 | 14.8 | 4.7 | 4.5 |
| 陕西 | 384.8 | 321.8 | 254.3 | 194.4 |
| 甘肃 | 214.8 | 190.2 | 136.5 | 113.0 |
| 青海 | 45.8 | 42.2 | 25.9 | 22.8 |
| 宁夏 | 63.6 | 59.6 | 41.2 | 37.4 |
| 新疆 | 257.8 | 242.3 | 173.1 | 158.3 |

注：2002 年职工年末人数包括在岗职工和离岗职工的人数。

续表

| 地　区 | 事业单位 | | 机关单位 | |
| --- | --- | --- | --- | --- |
| | 小计 | 在岗 | 小计 | 在岗 |
| **全　国** | **2 731.0** | **2 645.0** | **1 073.0** | **1 037.0** |
| 北　京 | 77.2 | 74.8 | 22.7 | 22.2 |
| 天　津 | 33.5 | 32.4 | 11.0 | 11.0 |
| 河　北 | 138.9 | 135.9 | 61.0 | 56.4 |
| 山　西 | 83.2 | 81.3 | 40.0 | 38.8 |
| 内 蒙 古 | 68.8 | 66.5 | 28.1 | 27.2 |
| 辽　宁 | 119.9 | 113.0 | 39.3 | 38.0 |
| 吉　林 | 83.5 | 78.2 | 24.0 | 22.5 |
| 黑 龙 江 | 97.8 | 92.5 | 37.1 | 34.1 |
| 上　海 | 58.6 | 56.1 | 13.5 | 13.1 |
| 江　苏 | 155.1 | 152.0 | 42.9 | 41.9 |
| 浙　江 | 91.6 | 89.6 | 34.0 | 33.2 |
| 安　徽 | 103.3 | 101.0 | 36.2 | 35.7 |
| 福　建 | 68.5 | 67.5 | 27.7 | 27.4 |
| 江　西 | 87.0 | 81.5 | 34.7 | 33.6 |
| 山　东 | 188.0 | 182.1 | 79.7 | 74.7 |
| 河　南 | 178.2 | 174.2 | 83.8 | 81.9 |
| 湖　北 | 132.5 | 124.7 | 51.7 | 49.7 |
| 湖　南 | 126.5 | 119.3 | 57.9 | 54.5 |
| 广　东 | 158.5 | 156.1 | 69.4 | 66.8 |
| 广　西 | 88.2 | 86.1 | 27.6 | 27.1 |
| 海　南 | 16.5 | 16.1 | 7.3 | 7.2 |
| 重　庆 | 51.8 | 50.9 | 17.8 | 17.4 |
| 四　川 | 146.8 | 142.7 | 56.0 | 55.2 |
| 贵　州 | 53.8 | 53.1 | 28.2 | 27.7 |
| 云　南 | 82.3 | 81.1 | 35.6 | 35.1 |
| 西　藏 | 5.1 | 5.1 | 5.2 | 5.2 |
| 陕　西 | 92.9 | 90.6 | 37.7 | 36.8 |
| 甘　肃 | 54.5 | 53.7 | 23.8 | 23.5 |
| 青　海 | 13.5 | 13.1 | 6.4 | 6.3 |
| 宁　夏 | 16.0 | 15.9 | 6.4 | 6.4 |
| 新　疆 | 58.5 | 57.8 | 26.3 | 26.2 |

## 分地区城镇私营个体就业人员年末人数

(2002)

单位：万人

| 地　区 | 合计 | 城镇私营企业 | | | 城镇个体从业人员 |
|---|---|---|---|---|---|
| | | 小计 | 投资者 | 雇工 | |
| **全　国** | **4 267** | **1 999** | **419** | **1 579** | **2 269** |
| 北　京 | 152.8 | 124.5 | 22.4 | 102.2 | 28.3 |
| 天　津 | 48.9 | 35.8 | 8.6 | 27.2 | 13.1 |
| 河　北 | 146.9 | 54.1 | 7.6 | 46.4 | 92.8 |
| 山　西 | 55.1 | 26.8 | 5.3 | 21.4 | 28.3 |
| 内蒙古 | 112.3 | 28.5 | 5.4 | 23.1 | 83.7 |
| 辽　宁 | 329.2 | 130.8 | 15.6 | 115.1 | 198.5 |
| 吉　林 | 136.6 | 26.6 | 6.3 | 20.3 | 110.0 |
| 黑龙江 | 172.2 | 52.6 | 9.6 | 43.0 | 119.6 |
| 上　海 | 138.4 | 119.0 | 25.2 | 93.8 | 19.4 |
| 江　苏 | 240.6 | 146.1 | 30.9 | 115.2 | 94.5 |
| 浙　江 | 280.5 | 165.4 | 29.8 | 135.6 | 115.1 |
| 安　徽 | 192.2 | 59.7 | 9.9 | 49.8 | 132.5 |
| 福　建 | 111.4 | 60.7 | 11.5 | 49.3 | 50.6 |
| 江　西 | 106.9 | 42.5 | 7.8 | 34.7 | 64.4 |
| 山　东 | 274.7 | 152.2 | 32.2 | 120.0 | 122.5 |
| 河　南 | 120.8 | 34.7 | 12.0 | 22.7 | 86.1 |
| 湖　北 | 172.6 | 53.3 | 11.2 | 42.1 | 119.3 |
| 湖　南 | 159.9 | 57.6 | 13.9 | 43.7 | 102.2 |
| 广　东 | 435.2 | 221.1 | 50.3 | 170.8 | 214.1 |
| 广　西 | 106.8 | 30.4 | 5.7 | 24.7 | 76.4 |
| 海　南 | 33.3 | 18.4 | 4.7 | 13.7 | 14.9 |
| 重　庆 | 93.7 | 52.2 | 9.8 | 42.4 | 41.5 |
| 四　川 | 149.6 | 63.4 | 13.7 | 49.7 | 86.3 |
| 贵　州 | 42.8 | 15.5 | 3.9 | 11.6 | 27.3 |
| 云　南 | 92.5 | 31.5 | 7.3 | 24.2 | 61.1 |
| 西　藏 | 8.3 | 2.1 | 0.3 | 1.8 | 6.3 |
| 陕　西 | 178.9 | 115.4 | 42.3 | 73.0 | 63.5 |
| 甘　肃 | 50.7 | 21.9 | 4.5 | 17.4 | 28.8 |
| 青　海 | 26.2 | 12.2 | 1.7 | 10.6 | 14.0 |
| 宁　夏 | 17.4 | 9.3 | 2.4 | 6.9 | 8.1 |
| 新　疆 | 80.0 | 34.4 | 7.6 | 26.9 | 45.6 |

## 历年城镇失业人数及失业率（年末登记数）

| 年份 | 城镇失业人数<br>（万人） | 失业率<br>（%） |
|---|---|---|
| 1997 | 577 | 3.1 |
| 1998 | 571 | 3.1 |
| 1999 | 575 | 3.1 |
| 2000 | 595 | 3.1 |
| 2001 | 681 | 3.6 |
| 2002 | 770 | 4.0 |

## 分城市城镇就业人员和登记失业人员情况

（2002）

| 城市名称 | 城镇从业人员年末人数（千人） | 年末尚有失业人员人数（千人） | 登记失业率（%） |
|---|---|---|---|
| 石 家 庄 | 89.5 | 2.6 | 2.9 |
| 太　　原 | 114.0 | 4.7 | 3.9 |
| 呼和浩特 | 43.9 | 1.8 | 4.0 |
| 沈　　阳 | 270.9 | 13.9 | 4.9 |
| 长　　春 | 153.0 | 4.5 | 2.9 |
| 南　　京 | 150.0 | 6.5 | 4.1 |
| 杭　　州 | 147.9 | 6.9 | 4.4 |
| 合　　肥 | 63.1 | 2.8 | 4.2 |
| 福　　州 | 78.0 | 2.5 | 3.0 |
| 南　　昌 | 95.4 | 3.1 | 3.1 |
| 济　　南 | 141.0 | 5.7 | 3.9 |
| 郑　　州 | 112.5 | 3.0 | 2.6 |
| 武　　汉 | 269.2 | 13.9 | 4.9 |
| 长　　沙 | 112.8 | 5.0 | 4.2 |
| 广　　州 | 251.1 | 8.4 | 3.2 |
| 南　　宁 | 41.9 | 1.5 | 3.4 |
| 贵　　阳 | 76.2 | 3.1 | 3.9 |
| 昆　　明 | 77.7 | 1.2 | 1.6 |
| 西　　安 | 13.7 | 4.6 | 3.3 |
| 兰　　州 | 65.9 | 1.6 | 2.4 |
| 西　　宁 | 42.9 | 1.7 | 3.7 |
| 银　　川 | 30.1 | 0.9 | 3.0 |
| 乌鲁木齐 | 60.4 | 2.3 | 3.7 |
| 宁　　波 | 96.4 | 4.0 | 3.9 |
| 厦　　门 | 48.7 | 2.1 | 4.1 |
| 青　　岛 | 173.5 | 6.9 | 3.8 |
| 深　　圳 | 78.4 | 2.0 | 2.5 |

## 分地区城镇登记失业人数和登记失业率

（2002）

| 地　　区 | 失业人数（万人） | 失业率（%） |
|---|---|---|
| 北　　京 | 6.0 | 1.4 |
| 天　　津 | 12.9 | 3.9 |
| 河　　北 | 22.2 | 3.6 |
| 山　　西 | 14.5 | 3.4 |
| 内 蒙 古 | 16.3 | 4.1 |
| 辽　　宁 | 75.6 | 6.5 |
| 吉　　林 | 23.8 | 3.6 |
| 黑 龙 江 | 41.6 | 4.9 |
| 上　　海 | 28.8 | 4.8 |
| 江　　苏 | 42.2 | 4.2 |
| 浙　　江 | 27.7 | 4.2 |
| 安　　徽 | 22.6 | 4.0 |
| 福　　建 | 15.0 | 4.2 |
| 江　　西 | 17.8 | 3.4 |
| 山　　东 | 39.7 | 3.6 |
| 河　　南 | 25.4 | 2.9 |
| 湖　　北 | 44.7 | 4.3 |
| 湖　　南 | 30.4 | 4.0 |
| 广　　东 | 36.5 | 3.1 |
| 广　　西 | 14.7 | 3.7 |
| 海　　南 | 4.0 | 3.1 |
| 重　　庆 | 16.2 | 4.1 |
| 四　　川 | 33.8 | 4.5 |
| 贵　　州 | 11.1 | 4.1 |
| 云　　南 | 9.8 | 4.0 |
| 西　　藏 | 1.3 | 4.9 |
| 陕　　西 | 13.5 | 3.3 |
| 甘　　肃 | 8.7 | 3.2 |
| 青　　海 | 2.9 | 3.6 |
| 宁　　夏 | 3.5 | 4.4 |
| 新　　疆 | 9.9 | 3.7 |
| 新疆生产建设兵团 | 2.8 | 3.1 |

## 分地区城镇登记失业人员情况

（2002）

单位：人

| 地　区 | 上年末结转登记失业人员 | 本年新登记的失业人数 | 女性 | 由就业转失业人数 | 本年失业人员就业人数 | 女性 |
|---|---|---|---|---|---|---|
| 北　京 | 51 911 | 169 430 | 80 924 | 118 773 | 154 975 | 69 785 |
| 天　津 | 113 980 | 110 161 | 61 253 | 87 553 | 95 148 | 51 310 |
| 河　北 | 195 355 | 164 236 | 79 164 | 58 147 | 131 182 | 59 111 |
| 山　西 | 122 313 | 110 481 | 47 641 | 22 222 | 87 551 | 29 150 |
| 内蒙古 | 144 689 | 200 814 | 83 913 | 103 701 | 174 349 | 74 561 |
| 辽　宁 | 554 712 | 890 624 | 474 289 | 679 286 | 659 992 | 313 892 |
| 吉　林 | 201 588 | 252 353 | 121 551 | 85 510 | 207 157 | 96 079 |
| 黑龙江 | 355 393 | 356 954 | 175 831 | 144 872 | 296 244 | 91 839 |
| 上　海 | 257 219 | 416 567 | 181 955 | 331 852 | 354 798 | 158 093 |
| 江　苏 | 361 420 | 509 000 | 252 117 | 361 890 | 399 566 | 189 292 |
| 浙　江 | 211 427 | 406 110 | 170 398 | 224 830 | 340 110 | 155 231 |
| 安　徽 | 191 657 | 238 480 | 126 361 | 127 632 | 203 029 | 97 631 |
| 福　建 | 132 268 | 225 874 | 102 515 | 99 314 | 191 605 | 90 364 |
| 江　西 | 172 831 | 281 514 | 146 034 | 37 680 | 266 031 | 129 132 |
| 山　东 | 354 390 | 408 178 | 190 785 | 187 141 | 358 484 | 162 850 |
| 河　南 | 230 867 | 315 456 | 162 106 | 124 449 | 277 469 | 124 672 |
| 湖　北 | 421 536 | 501 141 | 264 118 | 248 846 | 466 050 | 213 505 |
| 湖　南 | 303 432 | 269 882 | 135 573 | 109 269 | 252 283 | 114 967 |
| 广　东 | 345 478 | 795 521 | 366 692 | 420 550 | 715 490 | 337 564 |
| 广　西 | 141 566 | 170 609 | 81 815 | 62 759 | 162 516 | 82 916 |
| 海　南 | 38 441 | 55 893 | 23 377 | 12 014 | 33 087 | 16 849 |
| 重　庆 | 137 233 | 143 793 | 69 761 | 70 144 | 107 380 | 58 656 |
| 四　川 | 318 711 | 382 357 | 174 580 | 187 024 | 316 605 | 151 042 |
| 贵　州 | 111 481 | 108 162 | 46 932 | 24 535 | 104 136 | 49 597 |
| 云　南 | 79 957 | 107 485 | 49 524 | 56 394 | 89 163 | 37 790 |
| 西　藏 | 16 294 | 2 200 | 1 430 |  | 5 200 | 3 120 |
| 陕　西 | 140 082 | 88 714 | 45 119 | 49 504 | 93 702 | 37 037 |
| 甘　肃 | 74 414 | 109 332 | 56 150 | 53 204 | 96 969 | 44 410 |
| 青　海 | 24 477 | 44 726 | 18 154 | 13 703 | 39 776 | 12 725 |
| 宁　夏 | 36 593 | 35 333 | 17 827 | 14 011 | 36 518 | 15 125 |
| 新　疆 | 96 717 | 164 287 | 69 592 | 66 253 | 162 302 | 60 644 |
| 新疆生产建设兵团 | 24 004 | 12 014 | 6 056 | 9 344 | 8 129 | 4 163 |

续表

| 地　　区 | 本年末实有登记失业人数 | 女性 | 长期失业者 | 本年末从业人员总数 | 登记失业率（%） |
|---|---|---|---|---|---|
| 北　　京 | 60 152 | 26 732 | 33 862 | 4 393 910 | 1.4 |
| 天　　津 | 128 993 | 67 076 | 109 644 | 3 172 000 | 3.9 |
| 河　　北 | 221 642 | 100 531 | 91 663 | 6 007 136 | 3.6 |
| 山　　西 | 145 243 | 63 827 | 44 065 | 4 130 928 | 3.4 |
| 内 蒙 古 | 162 671 | 83 403 | 95 706 | 3 836 224 | 4.1 |
| 辽　　宁 | 755 715 | 390 735 | 451 920 | 10 918 000 | 6.5 |
| 吉　　林 | 238 160 | 121 494 | 117 061 | 6 300 537 | 3.6 |
| 黑 龙 江 | 416 103 | 127 926 | 81 708 | 8 128 300 | 4.9 |
| 上　　海 | 287 807 | 117 971 | 199 559 | 5 758 400 | 4.8 |
| 江　　苏 | 421 650 | 211 991 | 208 239 | 9 710 023 | 4.2 |
| 浙　　江 | 277 306 | 133 647 | 155 797 | 6 300 000 | 4.2 |
| 安　　徽 | 226 266 | 121 551 | 96 380 | 5 396 304 | 4.0 |
| 福　　建 | 149 647 | 72 895 | 68 901 | 3 400 000 | 4.2 |
| 江　　西 | 177 572 | 87 945 | 38 634 | 5 026 000 | 3.4 |
| 山　　东 | 397 434 | 187 770 | 201 231 | 10 750 000 | 3.6 |
| 河　　南 | 253 993 | 126 474 | 103 141 | 8 364 710 | 2.9 |
| 湖　　北 | 446 627 | 232 929 | 114 830 | 10 045 804 | 4.3 |
| 湖　　南 | 303 905 | 141 289 | 108 827 | 7 364 224 | 4.0 |
| 广　　东 | 364 946 | 177 447 | 137 894 | 11 531 745 | 3.1 |
| 广　　西 | 147 116 | 69 490 | 52 840 | 3 847 839 | 3.7 |
| 海　　南 | 39 959 | 11 224 | 11 915 | 1 264 009 | 3.1 |
| 重　　庆 | 161 775 | 76 966 | 77 878 | 3 765 100 | 4.1 |
| 四　　川 | 338 165 | 160 219 | 148 586 | 7 121 000 | 4.5 |
| 贵　　州 | 110 843 | 54 316 | 34 686 | 2 601 820 | 4.1 |
| 云　　南 | 98 035 | 40 431 | 47 873 | 2 347 682 | 4.0 |
| 西　　藏 | 13 294 | 6 245 | 11 094 | 256 500 | 4.9 |
| 陕　　西 | 135 094 | 58 419 | 36 485 | 3 914 972 | 3.3 |
| 甘　　肃 | 86 559 | 42 534 | 40 082 | 2 607 079 | 3.2 |
| 青　　海 | 28 534 | 14 591 | 14 796 | 769 583 | 3.6 |
| 宁　　夏 | 35 408 | 15 527 | 11 442 | 773 529 | 4.4 |
| 新　　疆 | 98 972 | 49 670 | 28 263 | 2 586 940 | 3.7 |
| 新疆生产建设兵团 | 27 876 | 15 796 | 14 437 | 859 362 | 3.1 |

## 历年国有企业下岗职工人数

单位：万人

| | 期末下岗职工人数 | 当年新增 | 当年减少 | |
|---|---|---|---|---|
| | | | | 再就业人数 |
| 1998 年初结余 | 691.8 | | | |
| 1998 年 | 594.8 | 562.2 | 659.3 | 609.9 |
| 1999 年 | 652.5 | 618.6 | 557.7 | 490.5 |
| 2000 年 | 657.2 | 445.5 | 440.8 | 360.5 |
| 2001 年 | 515.4 | 234.3 | 376.2 | 226.8 |
| 2002 年 | 409.9 | 162.1 | 267.6 | 120.2 |
| **合计** | | **2 022.7** | **2 301.6** | **1 807.9** |

注：1. 国有企业包括国有联营企业和国有独资公司；
2. 五年下岗职工总量为 2 714.5 万人，即 1998 年初结余数加上各年新增下岗职工数之和。

## 历年分地区国有企业下岗职工人数

单位：万人

| 地　区 | 1998年底 | 1999年底 | 2000年底 | 2001年底 | 2002年底 |
|---|---|---|---|---|---|
| **全　国** | **594.8** | **652.5** | **657.2** | **515.4** | **409.9** |
| 北　京 | 5.7 | 2.9 | 6.7 | 1.6 | |
| 天　津 | 6.0 | 14.8 | 12.1 | 7.1 | 8.0 |
| 河　北 | 18.3 | 20.7 | 20.8 | 23.6 | 26.8 |
| 山　西 | 18.0 | 20.9 | 22.3 | 18.0 | 19.2 |
| 内蒙古 | 14.9 | 13.1 | 10.0 | 7.9 | 2.5 |
| 辽　宁 | 58.9 | 70.8 | 67.2 | 37.0 | 7.4 |
| 吉　林 | 34.0 | 34.4 | 41.9 | 27.4 | 19.3 |
| 黑龙江 | 52.8 | 74.1 | 69.9 | 49.1 | 44.2 |
| 上　海 | 10.8 | 11.1 | 5.6 | 0.5 | |
| 江　苏 | 24.5 | 17.6 | 14.4 | 8.4 | 1.9 |
| 浙　江 | 11.4 | 6.5 | 3.6 | 1.3 | 0.3 |
| 安　徽 | 24.9 | 30.6 | 25.2 | 16.4 | 7.1 |
| 福　建 | 3.1 | 2.9 | 2.0 | 1.2 | |
| 江　西 | 24.7 | 26.2 | 32.4 | 34.4 | 30.1 |
| 山　东 | 18.4 | 14.9 | 13.2 | 4.9 | 1.7 |
| 河　南 | 25.5 | 28.8 | 30.1 | 25.9 | 25.0 |
| 湖　北 | 38.6 | 45.5 | 50.7 | 48.1 | 46.7 |
| 湖　南 | 48.1 | 52.5 | 50.0 | 49.1 | 42.1 |
| 广　东 | 23.4 | 16.8 | 10.1 | 4.3 | 0.5 |
| 广　西 | 7.1 | 12.8 | 15.7 | 10.9 | 5.3 |
| 海　南 | 7.1 | 3.9 | 2.5 | 2.0 | 0.8 |
| 重　庆 | 11.1 | 13.5 | 14.5 | 13.0 | 11.3 |
| 四　川 | 28.8 | 29.9 | 38.7 | 36.3 | 31.3 |
| 贵　州 | 10.6 | 11.0 | 12.0 | 9.1 | 9.6 |
| 云　南 | 5.5 | 5.9 | 5.6 | 5.4 | 3.6 |
| 西　藏 | | | | 0.1 | |
| 陕　西 | 30.6 | 32.5 | 28.8 | 29.8 | 29.2 |
| 甘　肃 | 13.7 | 15.7 | 18.2 | 16.6 | 15.0 |
| 青　海 | 3.8 | 6.1 | 9.5 | 6.6 | 5.3 |
| 宁　夏 | 3.4 | 4.0 | 4.3 | 4.0 | 2.7 |
| 新　疆 | 7.6 | 8.7 | 9.6 | 8.7 | 7.8 |
| 新疆生产建设兵团 | 3.6 | 3.4 | 9.4 | 6.4 | 5.2 |

注：国有企业包括国有联营企业和国有独资公司。

## 历年分地区国有企业下岗职工总量

单位：万人

| 地　　区 | 1998年初结余下岗职工人数 | 1998年新增 | 1999年新增 | 2000年新增 | 2001年新增 | 2002年新增 | 五年合计 |
|---|---|---|---|---|---|---|---|
| **全　　国** | **692.0** | **562.2** | **618.6** | **445.5** | **234.3** | **162.1** | **2 714.7** |
| 北　　京 | 2.4 | 10.3 | 2.4 | 9.7 | | | 24.8 |
| 天　　津 | 8.3 | 0.7 | 14.4 | 7.8 | 2.5 | 6.3 | 40.0 |
| 河　　北 | 21.1 | 16.9 | 19.9 | 21.9 | 22.2 | 13.7 | 115.7 |
| 山　　西 | 19.5 | 22.9 | 22.1 | 13.9 | 9.9 | 11.9 | 100.2 |
| 内 蒙 古 | 17.8 | 23.7 | 18.3 | 12.8 | 6.2 | 0.2 | 79.0 |
| 辽　　宁 | 68.7 | 44.5 | 65.2 | 36.3 | 23.5 | 5.5 | 243.7 |
| 吉　　林 | 46.6 | 23.8 | 24.5 | 19.6 | 3.4 | 0.2 | 118.0 |
| 黑 龙 江 | 56.6 | 62.2 | 74.5 | 42.4 | 31.1 | 53.2 | 319.9 |
| 上　　海 | 10.6 | 21.5 | 19.7 | 11.3 | 0.1 | | 63.2 |
| 江　　苏 | 34.1 | 31.4 | 15.0 | 7.7 | 2.5 | | 90.7 |
| 浙　　江 | 13.4 | 10.3 | 8.4 | 7.2 | | | 39.3 |
| 安　　徽 | 25.1 | 25.4 | 20.3 | 6.6 | 1.3 | | 78.7 |
| 福　　建 | 8.3 | 9.9 | 6.1 | 7.1 | 7.8 | 2.1 | 41.3 |
| 江　　西 | 22.4 | 21.5 | 21.3 | 15.7 | 19.4 | 12.4 | 112.8 |
| 山　　东 | 29.4 | 20.1 | 14.9 | 12.0 | 0.5 | | 76.9 |
| 河　　南 | 49.5 | 13.5 | 32.7 | 31.5 | 21.3 | 20.3 | 168.8 |
| 湖　　北 | 36.2 | 42.9 | 49.4 | 44.5 | 20.2 | 15.0 | 208.2 |
| 湖　　南 | 46.4 | 46.6 | 55.1 | 15.2 | 9.3 | | 172.6 |
| 广　　东 | 32.5 | 14.9 | 16.8 | 3.5 | | | 67.7 |
| 广　　西 | 10.1 | 13.7 | 19.8 | 12.0 | 2.5 | | 58.1 |
| 海　　南 | 7.1 | 1.9 | 1.4 | 1.1 | 0.1 | | 11.6 |
| 重　　庆 | 15.7 | 8.4 | 12.6 | 13.8 | 8.3 | 5.1 | 64.0 |
| 四　　川 | 32.3 | 29.5 | 33.9 | 37.8 | 23.3 | 8.3 | 165.1 |
| 贵　　州 | 11.2 | 5.7 | 5.0 | 6.5 | 0.6 | 2.5 | 31.5 |
| 云　　南 | 3.6 | 5.2 | 3.4 | 1.9 | 2.4 | | 16.5 |
| 西　　藏 | | | | | | | |
| 陕　　西 | 30.8 | 14.6 | 15.3 | 12.1 | 5.6 | | 78.4 |
| 甘　　肃 | 14.7 | 4.6 | 12.4 | 9.8 | 4.9 | 0.9 | 47.3 |
| 青　　海 | 3.9 | 3.2 | 4.4 | 7.0 | 0.7 | 0.2 | 19.4 |
| 宁　　夏 | 3.7 | 1.1 | 0.6 | 2.2 | 2.4 | 1.4 | 11.4 |
| 新　　疆 | 6.3 | 10.6 | 6.6 | 5.3 | 2.6 | 2.7 | 34.1 |
| 新疆生产建设兵团 | | 0.6 | 2.1 | 9.1 | | | 11.8 |

注：1. 国有企业包括国有联营企业和国有独资公司；

2. 五年合计系1998年初结余数加上各年新增下岗职工数之和。

## 历年分地区国有企业下岗职工进中心比例

单位：%

| 地　区 | 1998年底 | 1999年底 | 2000年底 | 2001年底 | 2002年底 |
|---|---|---|---|---|---|
| **全　国** | **98.0** | **95.5** | **93.5** | **90.0** | **82.6** |
| 北　京 | 100.0 | 100.0 | 100.0 | 100.0 | |
| 天　津 | 100.0 | 95.0 | 95.6 | 99.2 | 50.4 |
| 河　北 | 100.0 | 100.0 | 100.0 | 100.0 | 91.3 |
| 山　西 | 98.5 | 84.9 | 95.8 | 92.0 | 94.2 |
| 内蒙古 | 100.0 | 100.0 | 100.0 | 100.0 | 98.9 |
| 辽　宁 | 89.5 | 85.3 | 79.4 | 84.0 | 52.6 |
| 吉　林 | 100.0 | 79.9 | 87.1 | 81.4 | 77.7 |
| 黑龙江 | 100.0 | 98.8 | 83.0 | 65.0 | 45.6 |
| 上　海 | 100.0 | 100.0 | 100.0 | 100.0 | |
| 江　苏 | 100.0 | 100.0 | 100.0 | 100.0 | 100.0 |
| 浙　江 | 99.0 | 100.0 | 100.0 | 100.0 | 100.0 |
| 安　徽 | 96.8 | 99.9 | 100.0 | 100.0 | 100.0 |
| 福　建 | 100.0 | 100.0 | 100.0 | 40.4 | |
| 江　西 | 100.0 | 100.0 | 93.1 | 65.8 | 61.5 |
| 山　东 | 99.2 | 99.0 | 97.9 | 100.0 | 100.0 |
| 河　南 | 95.1 | 92.6 | 100.0 | 99.0 | 99.2 |
| 湖　北 | 100.0 | 100.0 | 88.0 | 86.3 | 72.3 |
| 湖　南 | 100.0 | 100.0 | 100.0 | 99.2 | 99.9 |
| 广　东 | 96.6 | 100.0 | 100.0 | 100.0 | 100.0 |
| 广　西 | 100.0 | 97.0 | 100.0 | 100.0 | 100.0 |
| 海　南 | 100.0 | 100.0 | 100.0 | 100.0 | 100.0 |
| 重　庆 | 100.0 | 100.0 | 100.0 | 100.0 | 100.0 |
| 四　川 | 100.0 | 98.4 | 98.6 | 96.9 | 86.6 |
| 贵　州 | 99.3 | 86.2 | 94.2 | 93.5 | 82.8 |
| 云　南 | 98.8 | 93.2 | 95.5 | 98.9 | 99.7 |
| 陕　西 | 100.0 | 100.0 | 100.0 | 100.0 | 100.0 |
| 甘　肃 | 85.0 | 90.8 | 99.2 | 99.6 | 97.3 |
| 青　海 | 100.0 | 99.0 | 99.6 | 99.9 | 100.0 |
| 宁　夏 | 99.0 | 86.4 | 81.9 | 88.5 | 67.0 |
| 新　疆 | 100.0 | 100.0 | 100.0 | 100.0 | 100.0 |
| 新疆生产建设兵团 | 90.6 | 100.0 | 100.0 | 100.0 | 100.0 |

注：国有企业包括国有联营企业和国有独资公司。

## 历年分地区国有企业下岗职工再就业人数

单位：万人

| 地区 | 1998年 | 1999年 | 2000年 | 2001年 | 2002年 | 五年合计 |
|---|---|---|---|---|---|---|
| **全国** | **609.2** | **490.5** | **360.5** | **226.8** | **120.2** | **1 807.2** |
| 北京 | 7.0 | 4.9 | 4.5 | 4.0 | 1.3 | 21.7 |
| 天津 | 2.9 | 4.6 | 5.4 | 5.1 | 2.6 | 20.6 |
| 河北 | 18.8 | 12.4 | 21.0 | 18.2 | 9.8 | 80.2 |
| 山西 | 23.5 | 12.9 | 9.1 | 8.0 | 6.3 | 59.9 |
| 内蒙古 | 26.0 | 20.0 | 15.8 | 8.2 | 4.7 | 74.7 |
| 辽宁 | 49.0 | 48.5 | 34.3 | 17.4 | 3.2 | 152.4 |
| 吉林 | 36.4 | 20.8 | 7.1 | 14.6 | 6.3 | 85.2 |
| 黑龙江 | 65.7 | 48.0 | 37.6 | 23.3 | 8.0 | 182.6 |
| 上海 | 17.2 | 17.9 | 13.4 | 3.6 | 0.5 | 52.6 |
| 江苏 | 29.2 | 18.8 | 9.0 | 7.1 | 4.1 | 68.2 |
| 浙江 | 12.0 | 10.4 | 8.6 | 1.8 | 0.5 | 33.3 |
| 安徽 | 22.8 | 13.0 | 6.2 | 7.2 | 5.9 | 55.1 |
| 福建 | 12.2 | 5.8 | 5.3 | 2.1 | 0.6 | 26.0 |
| 江西 | 17.4 | 11.2 | 7.2 | 2.4 | 4.8 | 43.0 |
| 山东 | 30.2 | 17.3 | 10.6 | 5.1 | 1.6 | 64.8 |
| 河南 | 34.8 | 27.5 | 28.1 | 23.4 | 20.1 | 133.9 |
| 湖北 | 40.2 | 35.3 | 32.1 | 9.9 | 5.7 | 123.2 |
| 湖南 | 43.7 | 48.7 | 15.9 | 9.5 | 5.5 | 123.4 |
| 广东 | 16.2 | 22.6 | 5.5 | 1.8 | 0.4 | 46.6 |
| 广西 | 14.6 | 12.7 | 7.3 | 3.8 | 3.5 | 41.9 |
| 海南 | 1.5 | 4.0 | 2.3 | 0.3 | 0.7 | 8.9 |
| 重庆 | 13.0 | 9.8 | 12.1 | 6.5 | 4.7 | 46.1 |
| 四川 | 32.2 | 26.1 | 25.7 | 23.0 | 10.8 | 117.9 |
| 贵州 | 6.3 | 5.1 | 4.4 | 1.8 | 1.0 | 18.6 |
| 云南 | 2.9 | 1.9 | 1.2 | 0.9 | 0.7 | 7.6 |
| 西藏 |  |  |  | 0.1 |  |  |
| 陕西 | 14.8 | 12.4 | 15.7 | 4.6 | 0.4 | 47.9 |
| 甘肃 | 5.1 | 9.0 | 4.1 | 3.9 | 1.1 | 23.1 |
| 青海 | 2.7 | 1.7 | 3.6 | 2.7 | 1.5 | 12.3 |
| 宁夏 | 1.4 | 0.3 | 0.8 | 1.5 | 1.2 | 5.1 |
| 新疆 | 9.4 | 5.3 | 4.4 | 2.6 | 1.8 | 23.5 |
| 新疆生产建设兵团 | 0.4 | 1.7 | 2.3 | 2.2 | 0.8 | 7.4 |

注：国有企业包括国有联营企业和国有独资公司。

## 企业下岗职工情况

（2002）　　单位：万人

| | 上年末结转下岗职工人数 | 本年新增下岗职工人数 | 进入再就业服务中心人数 | 本年减少下岗职工人数 | 从再就业服务中心转出人数 | 解除终止劳动关系人数 |
|---|---|---|---|---|---|---|
| **全国总计** | **741.6** | **210.6** | **64.1** | **334.5** | **200.6** | **95.7** |
| 一、国有企业、国有联营企业、国有独资公司 | 515.4 | 162.1 | 64.5 | 267.6 | 191.4 | 90.2 |
| #国有企业 | 496.2 | 150.0 | 59.1 | 248.0 | 179.1 | 86.8 |
| #中央直属企业 | 46.2 | 7.1 | 3.3 | 15.1 | 11.9 | 5.1 |
| #亏损企业 | 406.1 | 85.6 | 45.4 | 171.2 | 134.3 | 70.6 |
| 二、城镇集体企业 | 205.6 | 42.5 | | 61.2 | | |
| 三、其他企业 | 20.7 | 6.0 | | 5.7 | | |

| | 再就业人数 | 协议到期人数 | 再就业人数 | 登记失业人数 | 年末实有下岗职工人数 | 男性 |
|---|---|---|---|---|---|---|
| **全国总计** | **125.8** | **126.7** | **68.1** | **27.4** | **617.7** | **339.8** |
| 一、国有企业、国有联营企业、国有独资公司 | 120.2 | 121.8 | 65.0 | 26.5 | 409.9 | 227.1 |
| #国有企业 | 107.7 | 113.7 | 61.1 | 25.2 | 398.1 | 219.8 |
| #中央直属企业 | 7.5 | 6.7 | 3.4 | 1.3 | 38.2 | 21.8 |
| #亏损企业 | 83.1 | 83.5 | 43.9 | 21.0 | 320.5 | 179.8 |
| 二、城镇集体企业 | | | | | 186.9 | 100.9 |
| 三、其他企业 | | | | | 21.0 | 11.8 |

续表

| | | | | |
|---|---|---|---|---|
| | 50岁以上 | 女性 | 40岁以上 | 进入再就业服务中心人数 |
| **全国总计** | **98.1** | **277.9** | **105.5** | **348.2** |
| 一、国有企业、国有联营企业、国有独资公司 | 65.2 | 182.8 | 73.7 | 338.6 |
| #国有企业 | 62.1 | 178.3 | 69.9 | 326.6 |
| #中央直属企业 | 5.9 | 16.4 | 6.1 | 32.4 |
| #亏损企业 | 47.2 | 140.7 | 47.9 | 257.7 |
| 二、城镇集体企业 | 29.1 | 86.0 | 27.9 | |
| 三、其他企业 | 3.8 | 9.2 | 3.9 | |

| | | | |
|---|---|---|---|
| | 签协议人数 | 足额发生活费人数 | 足额代缴保险费人数 |
| **全国总计** | **343.4** | **343.4** | **343.4** |
| 一、国有企业、国有联营企业、国有独资公司 | 335.7 | 335.7 | 335.7 |
| #国有企业 | 324.9 | 324.9 | 324.9 |
| #中央直属企业 | 32.4 | 32.4 | 32.4 |
| #亏损企业 | 253.6 | 253.6 | 253.6 |
| 二、城镇集体企业 | | | |
| 三、其他企业 | | | |

## 分地区国有企业下岗职工情况

（2002）　　　　单位：万人

| 地区 | 上年末结转下岗职工人数 | 本年新增下岗职工人数 | | 本年减少下岗职工人数 | | | |
|---|---|---|---|---|---|---|---|
| | | | 进入再就业服务中心人数 | | 从再就业服务中心转出人数 | 解除终止劳动关系人数 | 再就业人数 |
| **全　国** | **515.4** | **162.1** | **64.5** | **267.6** | **191.4** | **90.2** | **120.2** |
| 北　京 | 1.6 | | | 1.6 | 1.6 | 1.6 | 1.3 |
| 天　津 | 7.1 | 6.3 | 0.1 | 5.4 | 3.3 | 2.8 | 2.6 |
| 河　北 | 23.6 | 13.7 | 11.4 | 10.5 | 10.5 | 0.8 | 9.8 |
| 山　西 | 18.0 | 11.9 | 5.6 | 10.8 | 6.6 | 0.8 | 6.3 |
| 内蒙古 | 7.9 | 0.2 | 0.2 | 5.6 | 5.6 | 3.4 | 4.7 |
| 辽　宁 | 37.0 | 5.5 | | 35.1 | 24.0 | 13.1 | 3.2 |
| 吉　林 | 27.4 | 0.2 | 0.2 | 8.2 | 7.4 | 5.3 | 6.3 |
| 黑龙江 | 49.1 | 53.2 | 7.6 | 58.0 | 19.4 | 4.8 | 8.0 |
| 上　海 | 0.5 | | | 0.5 | 0.5 | 0.5 | 0.5 |
| 江　苏 | 8.4 | | | 6.5 | 6.5 | 4.9 | 4.1 |
| 浙　江 | 1.3 | | | 1.1 | 1.1 | 0.8 | 0.5 |
| 安　徽 | 16.4 | | | 9.4 | 9.4 | 5.0 | 5.9 |
| 福　建 | 1.2 | 2.1 | | 3.3 | 1.2 | 0.9 | 0.6 |
| 江　西 | 34.4 | 12.4 | 4.4 | 16.8 | 8.6 | 2.2 | 4.8 |
| 山　东 | 4.9 | | | 3.3 | 3.3 | 1.8 | 1.6 |
| 河　南 | 25.9 | 20.3 | 20.1 | 21.3 | 21.0 | 2.9 | 20.1 |
| 湖　北 | 48.1 | 15.0 | 2.6 | 16.5 | 10.4 | 7.8 | 5.7 |
| 湖　南 | 49.1 | | | 7.0 | 7.0 | 1.1 | 5.5 |
| 广　东 | 4.3 | | | 3.8 | 3.8 | 1.8 | 0.4 |
| 广　西 | 10.9 | | | 5.6 | 5.6 | 3.8 | 3.5 |
| 海　南 | 2.0 | | | 1.3 | 1.3 | 0.5 | 0.7 |
| 重　庆 | 13.0 | 5.1 | 5.1 | 6.8 | 6.8 | 6.8 | 4.7 |
| 四　川 | 36.3 | 8.3 | 2.6 | 13.4 | 12.0 | 8.4 | 10.8 |
| 贵　州 | 9.1 | 2.5 | 1.0 | 2.0 | 1.6 | 0.5 | 1.0 |
| 云　南 | 5.4 | | | 1.7 | 1.7 | 0.4 | 0.7 |
| 西　藏 | 0.1 | | | | | | |
| 陕　西 | 29.8 | | | 0.6 | 0.6 | 0.1 | 0.4 |
| 甘　肃 | 16.6 | 0.9 | 0.6 | 2.5 | 2.5 | 1.1 | 1.1 |
| 青　海 | 6.6 | 0.2 | 0.2 | 1.6 | 1.6 | 0.9 | 1.5 |
| 宁　夏 | 4.0 | 1.4 | | 2.7 | 1.7 | 1.1 | 1.2 |
| 新　疆 | 8.7 | 2.7 | 2.7 | 3.5 | 3.5 | 3.5 | 1.8 |
| 新疆生产建设兵团 | 6.4 | | | 1.2 | 1.2 | 0.6 | 0.8 |

注：国有企业包括国有联营企业和国有独资公司。

续表 1

| 地区 | 协议到期人数 | 再就业人数 | 登记失业人数 | 年末实有下岗职工人数 | 男性 | 50岁以上 | 女性 | 40岁以上 |
|---|---|---|---|---|---|---|---|---|
| **全国** | **121.8** | **65.0** | **26.5** | **409.9** | **227.1** | **65.2** | **182.8** | **73.7** |
| 北京 | 0.4 | 0.2 | | | | | | |
| 天津 | 3.1 | 1.7 | 1.4 | 8.0 | 4.5 | | 3.5 | |
| 河北 | 2.8 | 2.1 | 0.2 | 26.8 | 16.8 | 4.5 | 10.1 | 3.8 |
| 山西 | 3.1 | 1.7 | 0.2 | 19.2 | 12.6 | 3.2 | 6.5 | 2.6 |
| 内蒙古 | 3.9 | 2.7 | 0.2 | 2.5 | 1.3 | 0.9 | 1.2 | 0.9 |
| 辽宁 | 8.9 | 0.6 | 5.1 | 7.4 | 3.6 | 0.6 | 3.7 | 0.5 |
| 吉林 | 6.5 | 4.6 | 1.9 | 19.3 | 11.1 | 2.7 | 8.2 | 3.5 |
| 黑龙江 | 19.4 | 8.0 | 1.1 | 44.2 | 24.4 | 5.8 | 19.9 | 10.3 |
| 上海 | 0.5 | 0.5 | | | | | | |
| 江苏 | 5.1 | 3.0 | 1.5 | 1.9 | 1.1 | 0.4 | 0.8 | 0.3 |
| 浙江 | 0.6 | 0.3 | 0.3 | 0.3 | 0.2 | | 0.1 | |
| 安徽 | 8.5 | 5.3 | 2.0 | 7.1 | 4.4 | 1.0 | 2.6 | 1.1 |
| 福建 | 1.2 | 0.6 | 0.2 | | | | | |
| 江西 | 6.0 | 2.5 | 0.6 | 30.1 | 17.0 | 5.3 | 13.1 | 5.2 |
| 山东 | 2.0 | 1.1 | 0.4 | 1.7 | 0.9 | 0.3 | 0.8 | 0.3 |
| 河南 | 12.8 | 11.4 | 0.7 | 25.0 | 13.9 | 3.9 | 11.1 | 3.9 |
| 湖北 | 10.4 | 5.0 | 3.1 | 46.7 | 20.2 | 9.1 | 26.5 | 12.7 |
| 湖南 | 4.0 | 2.9 | 0.6 | 42.1 | 23.2 | 8.6 | 18.9 | 8.6 |
| 广东 | 3.8 | 0.4 | 1.9 | 0.5 | 0.3 | 0.1 | 0.2 | 0.1 |
| 广西 | 3.2 | 1.6 | 1.2 | 5.3 | 3.2 | 1.1 | 2.1 | 1.0 |
| 海南 | 0.2 | 0.2 | 0.0 | 0.8 | 0.4 | 0.1 | 0.3 | 0.1 |
| 重庆 | 2.7 | 0.7 | 1.2 | 11.3 | 7.2 | 1.7 | 4.1 | 1.8 |
| 四川 | 5.9 | 4.1 | 1.0 | 31.3 | 17.4 | 4.9 | 13.8 | 4.8 |
| 贵州 | 0.5 | 0.3 | 0.1 | 9.6 | 5.6 | 1.4 | 4.0 | 1.4 |
| 云南 | 1.1 | 0.7 | 0.2 | 3.6 | 2.4 | 0.8 | 1.3 | 0.7 |
| 西藏 | | | | | | | | |
| 陕西 | 0.1 | | 0.1 | 29.2 | 16.4 | 5.0 | 12.9 | 5.7 |
| 甘肃 | 0.5 | 0.2 | 0.1 | 15.0 | 8.2 | 2.2 | 6.8 | 1.9 |
| 青海 | 1.0 | 1.0 | | 5.3 | 3.1 | 0.3 | 2.1 | 0.6 |
| 宁夏 | 0.6 | 0.3 | 0.3 | 2.7 | 1.4 | 0.3 | 1.4 | 0.5 |
| 新疆 | 2.1 | 0.9 | 0.8 | 7.8 | 3.8 | 0.5 | 4.0 | 0.6 |
| 新疆生产建设兵团 | 0.9 | 0.7 | 0.3 | 5.2 | 2.5 | 0.5 | 2.7 | 0.6 |

续表 2

| 地　区 | 进入再就业服务中心人数 | 签协议人数 | 足额发生活费人数 | 足额代缴保险费人数 |
|---|---|---|---|---|
| **全　国** | **338.6** | **335.7** | **335.7** | **335.7** |
| 北　京 | | | | |
| 天　津 | 4.0 | 4.0 | 4.0 | 4.0 |
| 河　北 | 24.5 | 24.5 | 24.5 | 24.5 |
| 山　西 | 18.0 | 17.1 | 17.1 | 17.1 |
| 内蒙古 | 2.5 | 2.5 | 2.5 | 2.5 |
| 辽　宁 | 3.9 | 3.9 | 3.9 | 3.9 |
| 吉　林 | 15.0 | 15.0 | 15.0 | 15.0 |
| 黑龙江 | 20.2 | 20.2 | 20.2 | 20.2 |
| 上　海 | | | | |
| 江　苏 | 1.9 | 1.9 | 1.9 | 1.9 |
| 浙　江 | 0.3 | 0.3 | 0.3 | 0.3 |
| 安　徽 | 7.1 | 7.1 | 7.1 | 7.1 |
| 福　建 | | 0.0 | 0.0 | 0.0 |
| 江　西 | 18.5 | 18.5 | 18.5 | 18.5 |
| 山　东 | 1.7 | 1.7 | 1.7 | 1.7 |
| 河　南 | 24.8 | 24.8 | 24.8 | 24.8 |
| 湖　北 | 33.7 | 33.7 | 33.7 | 33.7 |
| 湖　南 | 42.1 | 40.2 | 40.2 | 40.2 |
| 广　东 | 0.5 | 0.5 | 0.5 | 0.5 |
| 广　西 | 5.3 | 5.3 | 5.3 | 5.3 |
| 海　南 | 0.8 | 0.8 | 0.8 | 0.8 |
| 重　庆 | 11.3 | 11.3 | 11.3 | 11.3 |
| 四　川 | 27.1 | 27.0 | 27.0 | 27.0 |
| 贵　州 | 7.9 | 7.9 | 7.9 | 7.9 |
| 云　南 | 3.6 | 3.6 | 3.6 | 3.6 |
| 西　藏 | | | | |
| 陕　西 | 29.2 | 29.2 | 29.2 | 29.2 |
| 甘　肃 | 14.6 | 14.6 | 14.6 | 14.6 |
| 青　海 | 5.3 | 5.3 | 5.3 | 5.3 |
| 宁　夏 | 1.8 | 1.8 | 1.8 | 1.8 |
| 新　疆 | 7.8 | 7.8 | 7.8 | 7.8 |
| 新疆生产建设兵团 | 5.2 | 5.2 | 5.2 | 5.2 |

## 国有企业再就业服务中心资金筹集与使用情况

（2002）

单位：亿元

| | 上期末资金结转额 | 本期资金筹集额 | | | | |
|---|---|---|---|---|---|---|
| | | 合计 | 企业自筹 | 社会筹集 | 失业保险基金调剂 | 财政安排 |
| **总计** | **13.1** | **178.6** | **30.8** | **31.3** | **23.5** | **116.5** |
| #中央直属企业 | | 17.6 | 4.4 | 2.7 | 2.3 | 10.4 |
| #亏损企业 | 7.1 | 148.2 | 22.4 | 25.5 | 19.0 | 100.2 |

| | 本期资金使用额 | | | | | 本期资金 |
|---|---|---|---|---|---|---|
| | 合计 | 基本生活费 | 养老保险费 | 医疗保险费 | 失业保险 | |
| **总计** | **181.5** | **110.5** | **51.4** | **9.1** | **6.6** | **10.1** |
| #中央直属企业 | 17.5 | 10.9 | 4.8 | 1.0 | 0.6 | |
| #亏损企业 | 147.3 | 89.4 | 41.5 | 7.5 | 5.2 | 7.9 |

## 分地区国有企业再就业服务中心资金筹集与使用情况

（2002）

单位：亿元

| 地　　区 | 上期末资金结转额 | 本期资金筹集额 | | | | |
|---|---|---|---|---|---|---|
| | | 合计 | 企业自筹 | 社会筹集 | 失业保险基金调剂 | 财政安排 |
| **全　　国** | **13.1** | **178.6** | **30.8** | **31.3** | **23.5** | **116.5** |
| 北　　京 | | 1.6 | 0.6 | 0.6 | 0.6 | 0.5 |
| 天　　津 | | 4.8 | 0.3 | 1.3 | 1.3 | 3.3 |
| 河　　北 | | 9.8 | 2.3 | 1.1 | 0.8 | 6.4 |
| 山　　西 | 0.2 | 7.3 | 1.0 | 1.1 | 1.1 | 5.3 |
| 内 蒙 古 | -0.1 | 3.6 | 0.2 | 0.4 | 0.3 | 3.0 |
| 辽　　宁 | 0.3 | 0.5 | 0.2 | | | 0.3 |
| 吉　　林 | 1.3 | 6.6 | 0.3 | 0.8 | 0.8 | 5.5 |
| 黑 龙 江 | 0.6 | 15.8 | 1.0 | 0.9 | 0.8 | 13.9 |
| 上　　海 | 0.4 | 0.3 | 0.1 | 0.1 | | 0.1 |
| 江　　苏 | 0.6 | 6.3 | 1.3 | 2.2 | 1.5 | 2.8 |
| 浙　　江 | 0.5 | 0.6 | 0.3 | 0.2 | 0.1 | 0.1 |
| 安　　徽 | 0.3 | 5.7 | 1.2 | 1.7 | 1.5 | 2.7 |
| 福　　建 | 1.4 | 2.6 | 1.2 | 0.5 | 0.5 | 0.9 |
| 江　　西 | 0.2 | 7.3 | 1.3 | 1.0 | 0.7 | 5.0 |
| 山　　东 | 0.6 | 2.4 | 0.8 | 0.8 | 0.6 | 0.9 |
| 河　　南 | 1.2 | 9.5 | 1.9 | 2.3 | 2.0 | 5.3 |
| 湖　　北 | 0.4 | 14.7 | 3.3 | 2.3 | 1.1 | 9.1 |
| 湖　　南 | 1.9 | 18.4 | 4.2 | 3.7 | 1.1 | 10.6 |
| 广　　东 | 0.5 | 1.3 | 0.4 | 0.2 | 0.1 | 0.6 |
| 广　　西 | 0.1 | 2.8 | 0.2 | 0.7 | 0.4 | 1.9 |
| 海　　南 | | 0.5 | 0.1 | | | 0.3 |
| 重　　庆 | 1.7 | 9.5 | 1.5 | 1.1 | 1.1 | 6.9 |
| 四　　川 | 0.3 | 12.0 | 3.7 | 2.0 | 1.4 | 6.3 |
| 贵　　州 | 0.6 | 3.3 | 0.4 | 0.1 | 0.1 | 2.7 |
| 云　　南 | 0.1 | 2.9 | 0.4 | 0.9 | 0.8 | 1.6 |
| 陕　　西 | 0.3 | 11.6 | 0.3 | 1.9 | 1.3 | 9.4 |
| 甘　　肃 | 0.1 | 5.4 | 1.3 | 1.3 | 1.2 | 2.8 |
| 青　　海 | | 2.8 | 0.1 | 0.2 | 0.2 | 2.5 |
| 宁　　夏 | | 0.9 | 0.1 | 0.2 | 0.2 | 0.6 |
| 新　　疆 | | 5.2 | 0.5 | 1.6 | 1.6 | 3.0 |
| 新疆生产建设兵团 | -0.2 | 2.5 | | 0.3 | 0.3 | 2.2 |

续表

| 地区 | 本期资金使用额 | | | | | 本期资金结余数 |
|---|---|---|---|---|---|---|
| | 合计 | 基本生活费 | 养老保险费 | 医疗保险费 | 失业保险 | |
| **全　国** | **181.5** | **110.5** | **51.4** | **9.1** | **6.6** | **10.1** |
| 北　京 | 1.6 | 1.2 | 0.3 | 0.1 | | |
| 天　津 | 4.8 | 1.9 | 2.1 | 0.5 | 0.2 | |
| 河　北 | 9.8 | 6.7 | 2.4 | 0.3 | 0.3 | |
| 山　西 | 7.3 | 4.0 | 2.2 | 0.6 | 0.4 | 0.2 |
| 内蒙古 | 3.4 | 2.2 | 0.8 | 0.2 | 0.1 | 0.1 |
| 辽　宁 | 0.6 | 0.4 | 0.2 | | | 0.3 |
| 吉　林 | 6.4 | 3.7 | 2.0 | 0.4 | 0.2 | 1.6 |
| 黑龙江 | 16.0 | 11.0 | 3.5 | 1.0 | 0.5 | 0.4 |
| 上　海 | 0.5 | 0.1 | | | | 0.2 |
| 江　苏 | 6.4 | 4.2 | 1.5 | 0.4 | 0.2 | 0.6 |
| 浙　江 | 0.6 | 0.3 | 0.1 | | | 0.5 |
| 安　徽 | 5.6 | 3.4 | 1.6 | 0.2 | 0.2 | 0.3 |
| 福　建 | 2.6 | 0.1 | | | | 1.4 |
| 江　西 | 7.4 | 4.1 | 2.3 | 0.7 | 0.2 | 0.1 |
| 山　东 | 3.0 | 1.5 | 1.1 | 0.2 | 0.1 | 0.1 |
| 河　南 | 9.3 | 6.1 | 2.3 | 0.6 | 0.4 | 1.4 |
| 湖　北 | 14.2 | 10.0 | 3.4 | 0.3 | 0.4 | 0.9 |
| 湖　南 | 18.4 | 12.9 | 4.5 | 0.4 | 0.6 | 1.9 |
| 广　东 | 1.1 | 0.7 | 0.3 | | | 0.7 |
| 广　西 | 2.9 | 1.7 | 0.9 | 0.2 | 0.1 | 0.1 |
| 海　南 | 0.5 | 0.3 | 0.1 | | | |
| 重　庆 | 12.8 | 6.7 | 5.4 | | 0.7 | -1.6 |
| 四　川 | 11.9 | 6.2 | 4.3 | 0.6 | 0.5 | 0.4 |
| 贵　州 | 3.3 | 1.8 | 1.0 | 0.3 | 0.1 | 0.6 |
| 云　南 | 2.9 | 1.6 | 0.9 | 0.2 | 0.1 | 0.1 |
| 西　藏 | | | | | | |
| 陕　西 | 11.6 | 7.7 | 2.8 | 0.6 | 0.5 | 0.3 |
| 甘　肃 | 5.4 | 3.4 | 1.5 | 0.2 | 0.2 | 0.1 |
| 青　海 | 2.8 | 1.5 | 1.0 | 0.2 | 0.1 | |
| 宁　夏 | 0.9 | 0.6 | 0.2 | 0.1 | | |
| 新　疆 | 5.2 | 2.9 | 1.7 | 0.4 | 0.2 | |
| 新疆生产建设兵团 | 2.6 | 1.5 | 0.8 | 0.2 | 0.1 | -0.3 |

## 分地区职业介绍工作情况

（2002）

单位：万人

| 地　　区 | 本年末职业介绍机构个数（个） | 本年末职业介绍机构人数 | 本年登记招聘人数 | 本年登记求职人数 | 女性 |
|---|---|---|---|---|---|
| **全　　国** | **26 158** | **8.5** | **2 250.2** | **2 684.2** | **1 168.5** |
| 北　　京 | 413 | 0.3 | 58.2 | 87.8 | 42.2 |
| 天　　津 | 158 | 0.1 | 43.1 | 125.4 | 55.0 |
| 河　　北 | 1 331 | 0.4 | 102.2 | 109.2 | 58.5 |
| 山　　西 | 1 113 | 0.3 | 13.4 | 16.8 | 5.3 |
| 内 蒙 古 | 656 | 0.2 | 30.3 | 31.2 | 13.6 |
| 辽　　宁 | 1 357 | 0.4 | 123.3 | 162.5 | 86.0 |
| 吉　　林 | 1 089 | 0.2 | 34.8 | 39.6 | 20.2 |
| 黑 龙 江 | 869 | 0.2 | 45.7 | 91.4 | 41.9 |
| 上　　海 | 424 | 0.5 | 132.6 | 110.6 | 48.5 |
| 江　　苏 | 2 062 | 0.6 | 158.6 | 164.4 | 83.8 |
| 浙　　江 | 1 826 | 0.4 | 294.5 | 343.8 | 111.0 |
| 安　　徽 | 1 767 | 0.5 | 49.8 | 58.2 | 29.8 |
| 福　　建 | 847 | 0.2 | 111.3 | 119.4 | 57.7 |
| 江　　西 | 598 | 0.2 | 60.1 | 70.5 | 33.9 |
| 山　　东 | 1 209 | 0.4 | 127.0 | 141.9 | 68.9 |
| 河　　南 | 1 180 | 0.4 | 60.7 | 81.3 | 38.1 |
| 湖　　北 | 776 | 0.3 | 99.3 | 118.0 | 56.2 |
| 湖　　南 | 910 | 0.3 | 64.3 | 88.2 | 45.2 |
| 广　　东 | 1 723 | 0.8 | 295.9 | 300.7 | 96.5 |
| 广　　西 | 276 | 0.1 | 41.9 | 50.4 | 23.5 |
| 海　　南 | 43 | | 5.0 | 13.8 | 7.8 |
| 重　　庆 | 269 | 0.1 | 27.3 | 30.5 | 14.8 |
| 四　　川 | 1 323 | 0.4 | 88.0 | 90.9 | 47.1 |
| 贵　　州 | 555 | 0.1 | 16.6 | 19.7 | 8.8 |
| 云　　南 | 1 220 | 0.2 | 30.3 | 36.2 | 16.2 |
| 西　　藏 | 10 | | 0.3 | 0.9 | 0.6 |
| 陕　　西 | 798 | 0.2 | 44.7 | 71.9 | 20.2 |
| 甘　　肃 | 444 | 0.1 | 24.1 | 29.0 | 13.0 |
| 青　　海 | 267 | 0.1 | 26.8 | 29.4 | 7.4 |
| 宁　　夏 | 233 | 0.1 | 10.6 | 22.0 | 3.2 |
| 新　　疆 | 248 | 0.1 | 20.2 | 24.6 | 11.6 |
| 新疆生产建设兵团 | 164 | | 9.1 | 3.9 | 2.2 |

续表 1

| 地　　区 | 下岗职工 | 失业人员 | 获得职业资格人员 | 本年职业指导人数 |
|---|---|---|---|---|
| **全　　国** | **356.8** | **865.1** | **361.9** | **1 340.2** |
| 北　　京 | 2.4 | 22.7 | 9.0 | 35.1 |
| 天　　津 | 46.2 | 28.6 | 6.3 | 41.8 |
| 河　　北 | 8.4 | 27.8 | 36.2 | 72.2 |
| 山　　西 | 4.5 | 4.9 | 1.4 | 11.6 |
| 内 蒙 古 | 4.9 | 21.1 | 1.4 | 12.4 |
| 辽　　宁 | 31.9 | 81.4 | 17.0 | 88.2 |
| 吉　　林 | 11.5 | 21.6 | 9.6 | 31.1 |
| 黑 龙 江 | 40.9 | 22.5 | 5.1 | 23.8 |
| 上　　海 | 13.9 | 55.7 | 7.9 | 78.8 |
| 江　　苏 | 10.7 | 82.6 | 31.2 | 88.1 |
| 浙　　江 | 7.5 | 64.5 | 38.1 | 149.0 |
| 安　　徽 | 10.3 | 18.5 | 5.8 | 26.1 |
| 福　　建 | 5.6 | 23.5 | 6.7 | 48.7 |
| 江　　西 | 16.4 | 21.9 | 5.4 | 26.2 |
| 山　　东 | 8.7 | 47.4 | 13.8 | 68.7 |
| 河　　南 | 15.6 | 18.4 | 13.0 | 44.1 |
| 湖　　北 | 25.1 | 37.6 | 21.2 | 65.2 |
| 湖　　南 | 23.3 | 30.4 | 24.3 | 62.8 |
| 广　　东 | 14.0 | 82.7 | 57.0 | 104.0 |
| 广　　西 | 4.2 | 15.5 | 7.3 | 20.8 |
| 海　　南 | 0.9 | 1.0 | 0.4 | 7.4 |
|  | 0.0 | 0.0 | 0.0 | 0.0 |
| 重　　庆 | 4.4 | 20.6 | 5.7 | 15.3 |
| 四　　川 | 18.2 | 43.9 | 13.6 | 73.1 |
| 贵　　州 | 1.7 | 11.0 | 1.7 | 12.5 |
| 云　　南 | 3.3 | 12.8 | 3.9 | 23.5 |
| 西　　藏 | 0.0 | 0.4 | 0.0 | 0.6 |
| 陕　　西 | 8.2 | 15.7 | 9.4 | 36.1 |
| 甘　　肃 | 3.7 | 7.2 | 3.1 | 24.9 |
| 青　　海 | 1.9 | 4.2 | 2.3 | 18.2 |
| 宁　　夏 | 0.8 | 3.5 | 0.7 | 13.1 |
| 新　　疆 | 6.9 | 14.5 | 3.1 | 14.9 |
| 新疆生产建设兵团 | 1.0 | 0.8 | 0.4 | 2.0 |

续表 2

| 地　　区 | 本年介绍成功人数 | 女性 | 下岗职工 | 失业人员 | 获得职业资格人员 |
|---|---|---|---|---|---|
| **全　　国** | **1 354.3** | **618.9** | **168.0** | **454.8** | **221.0** |
| 北　　京 | 32.2 | 14.2 | 1.2 | 12.1 | 6.2 |
| 天　　津 | 64.9 | 25.3 | 12.1 | 16.5 | 3.3 |
| 河　　北 | 62.2 | 30.2 | 5.2 | 14.6 | 27.7 |
| 山　　西 | 11.0 | 3.4 | 2.8 | 3.8 | 1.2 |
| 内 蒙 古 | 20.0 | 8.8 | 3.1 | 13.1 | 1.1 |
| 辽　　宁 | 91.7 | 46.3 | 18.1 | 47.3 | 11.2 |
| 吉　　林 | 25.5 | 10.5 | 7.1 | 14.2 | 6.2 |
| 黑 龙 江 | 26.5 | 12.4 | 12.2 | 11.4 | 3.4 |
| 上　　海 | 38.7 | 18.5 | 6.7 | 20.3 | 7.5 |
| 江　　苏 | 90.9 | 45.8 | 5.9 | 43.4 | 20.2 |
| 浙　　江 | 168.2 | 64.5 | 2.7 | 28.5 | 14.3 |
| 安　　徽 | 33.6 | 17.0 | 6.3 | 11.5 | 4.0 |
| 福　　建 | 49.3 | 26.5 | 3.0 | 12.9 | 4.6 |
| 江　　西 | 44.6 | 21.0 | 7.3 | 10.7 | 3.5 |
| 山　　东 | 74.4 | 37.3 | 4.2 | 25.1 | 10.4 |
| 河　　南 | 42.5 | 19.2 | 9.8 | 12.3 | 7.7 |
| 湖　　北 | 67.1 | 30.9 | 14.5 | 21.9 | 13.2 |
| 湖　　南 | 29.4 | 16.5 | 12.4 | 13.0 | 14.7 |
| 广　　东 | 130.9 | 64.8 | 6.8 | 35.1 | 27.4 |
| 广　　西 | 27.5 | 14.6 | 2.4 | 8.9 | 4.3 |
| 海　　南 | 3.3 | 1.7 | 0.5 | 0.3 | 0.1 |
| 重　　庆 | 15.6 | 7.7 | 2.5 | 9.8 | 3.8 |
| 四　　川 | 57.2 | 26.0 | 9.0 | 29.7 | 8.4 |
| 贵　　州 | 10.2 | 5.4 | 0.6 | 5.5 | 1.1 |
| 云　　南 | 22.0 | 10.1 | 1.6 | 7.7 | 2.6 |
| 西　　藏 | 0.7 | 0.5 | 0.0 | 0.5 | 0.0 |
| 陕　　西 | 41.5 | 14.6 | 3.6 | 7.2 | 6.4 |
| 甘　　肃 | 19.3 | 8.1 | 1.9 | 4.3 | 2.0 |
| 青　　海 | 25.6 | 5.4 | 1.0 | 2.7 | 1.6 |
| 宁　　夏 | 10.7 | 4.5 | 0.7 | 2.4 | 0.7 |
| 新　　疆 | 14.6 | 5.9 | 2.5 | 7.9 | 2.1 |
| 新疆生产建设兵团 | 2.3 | 1.3 | 0.3 | 0.3 | 0.1 |

## 劳动就业服务企业、社区就业实体和生产自救基地综合情况

（2002）　　　　单位：万人，亿元

| | 年末实有实体数（个） | 本年新举办 | 上年结转从业人数 | 女性 | 本年新增从业人员 |
|---|---|---|---|---|---|
| **总计** | **211 932** | **59 999** | **588.3** | **249.4** | **132.2** |
| 一、按企业类型分组 | | | | | |
| 1．劳动就业服务企业 | 59 814 | 3 429 | 438.9 | 174.9 | 39.0 |
| #股份合作制企业 | 6 910 | 655 | 36.9 | 15.0 | 7.3 |
| 2．社区就业实体 | 140 947 | 52 542 | 115.1 | 58.2 | 78.5 |
| 3．生产自救基地 | 11 171 | 4 028 | 34.3 | 16.3 | 14.8 |
| 二、按产业分组 | | | | | |
| 1．第一产业 | 3 402 | 569 | 6.6 | 3.3 | 2.3 |
| 2．第二产业 | 30 136 | 3 821 | 224.9 | 89.1 | 23.1 |
| 3．第三产业 | 178 394 | 55 609 | 356.8 | 157.1 | 106.9 |

| | 女性 | 失业人员 | 下岗职工 | 富余人员 | 其他人员 |
|---|---|---|---|---|---|
| **总计** | **61.3** | **50.0** | **47.0** | **12.0** | **23.2** |
| 一、按企业类型分组 | | | | | |
| 1．劳动就业服务企业 | 15.9 | 13.8 | 10.2 | 6.7 | 8.3 |
| #股份合作制企业 | 2.6 | 2.7 | 1.7 | 1.2 | 1.7 |
| 2．社区就业实体 | 38.2 | 31.3 | 29.8 | 4.3 | 13.1 |
| 3．生产自救基地 | 7.2 | 4.9 | 7.0 | 1.0 | 1.8 |
| 二、按产业分组 | | | | | |
| 1．第一产业 | 0.7 | 0.8 | 1.0 | 0.1 | 0.4 |
| 2．第二产业 | 8.3 | 7.4 | 7.7 | 3.0 | 5.0 |
| 3．第三产业 | 52.3 | 41.8 | 38.4 | 8.9 | 17.8 |

| | 本年减少从业人数 | 年末实有从业人数 | 女性 | 残疾人 |
|---|---|---|---|---|
| **总计** | **104.3** | **616.2** | **272.0** | **6.9** |
| 一、按企业类型分组 | | | | |
| 1．劳动就业服务企业 | 75.7 | 402.1 | 167.8 | 3.2 |
| #股份合作制企业 | 4.7 | 39.5 | 16.2 | 0.2 |
| 2．社区就业实体 | 20.5 | 173.2 | 84.4 | 3.1 |
| 3．生产自救基地 | 8.2 | 40.9 | 19.8 | 0.7 |
| 二、按产业分组 | | | | |
| 1．第一产业 | 1.2 | 7.6 | 3.3 | 0.1 |
| 2．第二产业 | 34.8 | 213.2 | 84.8 | 1.7 |
| 3．第三产业 | 68.3 | 395.4 | 184.0 | 5.2 |

续表

| | 工资总额 | 增加值 | 上缴税金 | |
|---|---|---|---|---|
| | | | | 所得税 |
| **总计** | **362.1** | **418.0** | **107.0** | **26.4** |
| 一、按企业类型分组 | | | | |
| 1. 劳动就业服务企业 | 297.0 | 386.6 | 99.3 | 24.9 |
| #股份合作制企业 | 31.9 | 56.6 | 19.0 | 5.1 |
| 2. 社区就业实体 | 49.3 | 23.7 | 5.2 | 0.9 |
| 3. 生产自救基地 | 15.8 | 7.7 | 2.5 | 0.6 |
| 二、按产业分组 | | | | |
| 1. 第一产业 | 4.3 | 3.6 | 0.9 | 0.2 |
| 2. 第二产业 | 182.7 | 184.6 | 47.1 | 11.7 |
| 3. 第三产业 | 175.5 | 229.8 | 59.0 | 14.5 |

| | 利润 | 资产总计 | | |
|---|---|---|---|---|
| | | | 流动资产 | 固定资产净值 |
| **总计** | **79.8** | **2 700.2** | **1 643.9** | **735.6** |
| 一、按企业类型分组 | | | | |
| 1. 劳动就业服务企业 | 72.8 | 2 513.8 | 1 555.2 | 663.2 |
| #股份合作制企业 | 18.0 | 500.6 | 278.9 | 158.8 |
| 2. 社区就业实体 | 5.0 | 120.8 | 57.9 | 48.5 |
| 3. 生产自救基地 | 2.1 | 65.6 | 30.8 | 23.9 |
| 二、按产业分组 | | | | |
| 1. 第一产业 | 0.7 | 20.2 | 8.4 | 9.4 |
| 2. 第二产业 | 27.5 | 1 251.1 | 768.8 | 340.9 |
| 3. 第三产业 | 51.6 | 1 428.9 | 866.7 | 385.3 |

| | | 负债及所有者权益总计 | | |
|---|---|---|---|---|
| | 其他资产 | | 负债 | 所有者权益 |
| **总计** | **320.8** | **2 700.2** | **1 663.5** | **1 036.8** |
| 一、按企业类型分组 | | | | |
| 1. 劳动就业服务企业 | 295.5 | 2 513.8 | 1 561.7 | 952.1 |
| #股份合作制企业 | 62.9 | 500.6 | 285.1 | 215.5 |
| 2. 社区就业实体 | 14.4 | 120.8 | 68.1 | 52.8 |
| 3. 生产自救基地 | 10.9 | 65.6 | 33.7 | 31.9 |
| 二、按产业分组 | | | | |
| 1. 第一产业 | 2.4 | 20.2 | 11.9 | 8.3 |
| 2. 第二产业 | 141.5 | 1 251.1 | 808.3 | 442.8 |
| 3. 第三产业 | 176.9 | 1 428.9 | 843.3 | 585.6 |

# 三、职业培训与技能鉴定

**历年技工学校综合情况** 单位：万人，亿元

| | 技工学校个数（个） | 招生人数 | 在校学生人数 | 毕业生人数 | 在职教职工人数 | | | 兼职教师人数 |
|---|---|---|---|---|---|---|---|---|
| | | | | | | 文化技术理论课教师 | 生产实习指导教师 | |
| **一、绝对数** | | | | | | | | |
| 1997 | 4 395 | 73.4 | 193.2 | 69.9 | 32.8 | 11.6 | 3.9 | 2.6 |
| 1998 | 4 362 | 59.5 | 181.3 | 69.5 | 30.6 | 11.0 | 3.8 | 2.7 |
| 1999 | 4 098 | 51.5 | 156.1 | 66.2 | 26.9 | 11.2 | 3.8 | 2.9 |
| 2000 | 3 792 | 50.4 | 140.1 | 64.6 | 24.0 | 10.5 | 3.5 | 2.7 |
| 2001 | 3 470 | 55.1 | 134.7 | 47.7 | 22.0 | 10.0 | 3.4 | 2.6 |
| 2002 | 3 075 | 73.3 | 153.0 | 45.4 | 20.3 | 9.5 | 3.2 | 2.6 |
| **二、比上年增长（%）** | | | | | | | | |
| 1997 | -1.6 | 1.0 | 0.7 | 2.7 | -2.0 | 0.5 | 0.5 | 33.5 |
| 1998 | -0.8 | -19.0 | -6.1 | -0.7 | -6.9 | -4.6 | -4.0 | 0.8 |
| 1999 | -6.1 | -13.3 | -13.9 | -4.6 | -11.9 | 1.9 | -0.1 | 9.5 |
| 2000 | -7.5 | -2.3 | -10.2 | -2.5 | -11.0 | -6.9 | -6.7 | -6.3 |
| 2001 | -8.5 | 9.4 | -3.8 | -26.1 | -8.3 | -4.9 | -3.7 | -4.1 |
| 2002 | -11.4 | 33.0 | 13.6 | -4.8 | -7.4 | -5.0 | -6.8 | -2.4 |

| | 经费来源总计 | | | 经费支出总计 | | | 培训社会人员人次数 | 培训社会人员结业人数 |
|---|---|---|---|---|---|---|---|---|
| | | 事业经费 | 公司经费 | | 人员经费 | 教学经费 | | |
| **一、绝对数** | | | | | | | | |
| 1997 | 68.4 | 24.1 | 5.3 | 66.3 | 28.4 | 14.1 | 137.5 | 110.7 |
| 1998 | 64.9 | 24.1 | 4.7 | 66.4 | 29.9 | 14.7 | 165.1 | 129.0 |
| 1999 | 59.7 | 21.7 | 4.6 | 59.9 | 26.9 | 20.8 | 149.1 | 144.6 |
| 2000 | 56.9 | 21.9 | 3.2 | 59.4 | 27.5 | 19.5 | 158.5 | 156.7 |
| 2001 | 68.1 | 23.6 | 3.2 | 64.6 | 31.6 | 22.0 | 151.7 | 163.9 |
| 2002 | 67.4 | 28.2 | 2.8 | 67.1 | 33.5 | 24.1 | 208.6 | 196.9 |
| **二、比上年增长（%）** | | | | | | | | |
| 1997 | 14.7 | 51.7 | -2.3 | 36.3 | 21.9 | 30.9 | 21.2 | 19.1 |
| 1998 | -5.0 | | -11.2 | 0.1 | 5.5 | 3.9 | 20.0 | 16.5 |
| 1999 | -8.1 | -9.9 | -1.2 | -9.7 | -10.1 | 42.1 | -9.7 | 16.5 |
| 2000 | -4.6 | 0.8 | -30.1 | -0.9 | 2.3 | -6.2 | 6.3 | 8.4 |
| 2001 | 19.7 | 7.7 | 0.6 | 8.7 | 15.0 | 12.6 | -4.3 | 4.6 |
| 2002 | -1.1 | 19.4 | -13.6 | 3.8 | 5.8 | 9.4 | 37.6 | 20.2 |

## 分地区就业训练中心综合情况

（2002）

| 地区 | 就业训练中心个数（个） | 拥有实习场地 | 劳动预备制度定点培训机构数 | 在职教职工总人数（人） | 教师 | 兼职教师人数（人） | 经费来源总计（万元） |
|---|---|---|---|---|---|---|---|
| **全国** | **3 465** | **3 119** | **1 963** | **37 577** | **20 096** | **29 352** | **75 863.1** |
| 北京 | 19 | 19 | 15 | 1 489 | 899 | 896 | 6 186.4 |
| 天津 | 19 | 19 | 11 | 418 | 150 | 266 | 955.6 |
| 河北 | 249 | 242 | 187 | 2 193 | 1 339 | 1 505 | 3 482.2 |
| 山西 | 50 | 42 | 11 | 359 | 195 | 189 | 315.0 |
| 内蒙古 | 125 | 114 | 43 | 613 | 343 | 405 | 596.5 |
| 辽宁 | 117 | 117 | 117 | 1 536 | 808 | 1 329 | 407.5 |
| 吉林 | 67 | 67 | 61 | 513 | 272 | 351 | 763.8 |
| 黑龙江 | 169 | 116 | 125 | 1 110 | 721 | 443 | 1 222.2 |
| 上海 | | | | | | | |
| 江苏 | 121 | 106 | 61 | 1 276 | 688 | 6 588 | 6 418.1 |
| 浙江 | 90 | 82 | 53 | 463 | 184 | 728 | 3 593.4 |
| 安徽 | 89 | 89 | 34 | 693 | 392 | 546 | 1 542.5 |
| 福建 | 111 | 96 | 67 | 499 | 264 | 716 | 1 675.5 |
| 江西 | 116 | 116 | 82 | 1 159 | 489 | 869 | 1 168.2 |
| 山东 | 156 | 150 | 117 | 4 230 | 2 000 | 2 013 | 8 557.4 |
| 河南 | 135 | 127 | 73 | 1 206 | 638 | 1 329 | 2 602.2 |
| 湖北 | 152 | 147 | 96 | 1 950 | 887 | 1 096 | 3 108.7 |
| 湖南 | 561 | 550 | 266 | 8 285 | 4 494 | 2 703 | 7 111.2 |
| 广东 | 196 | 177 | 80 | 2 137 | 1 338 | 2 113 | 13 658.5 |
| 广西 | 109 | 92 | 59 | 665 | 280 | 598 | 1 925.8 |
| 海南 | 30 | 24 | 21 | 533 | 348 | 94 | 75.3 |
| 重庆 | 41 | 37 | 21 | 475 | 318 | 353 | 790.8 |
| 四川 | 150 | 138 | 73 | 1 043 | 578 | 984 | 1 780.2 |
| 贵州 | 74 | 44 | 15 | 239 | 107 | 226 | 319.1 |
| 云南 | 118 | 85 | 58 | 430 | 212 | 376 | 965.8 |
| 西藏 | 2 | | | 10 | 6 | 36 | 150.6 |
| 陕西 | 117 | 117 | 105 | 1 986 | 1 033 | 1 533 | 2 064.0 |
| 甘肃 | 90 | 74 | 44 | 485 | 285 | 362 | 858.2 |
| 青海 | 27 | 11 | 20 | 342 | 134 | 157 | 611.8 |
| 宁夏 | 26 | 25 | 5 | 108 | 51 | 193 | 167.5 |
| 新疆 | 139 | 96 | 43 | 1 132 | 643 | 355 | 2 789.1 |

续表 1

| 地　区 | | | | | 经费支出总计（万元） | | |
|---|---|---|---|---|---|---|---|
| | 财政补助费 | 职业培训补贴 | 有偿培训收入 | 其他收入 | | 教学经费 | 人员经费 |
| **全　国** | **18 606.0** | **20 641.3** | **29 818.2** | **6 797.6** | **76 655.6** | **40 169.5** | **27 332.2** |
| 北　京 | 20.1 | 1 919.6 | 3 680.0 | 566.7 | 4 842.0 | 2 710.6 | 1 872.8 |
| 天　津 | 70.9 | 521.1 | 350.1 | 13.5 | 922.5 | 514.8 | 377.3 |
| 河　北 | 1 582.5 | 536.9 | 1 273.0 | 89.8 | 3 525.9 | 1 848.3 | 1 649.9 |
| 山　西 | 123.5 | 36.6 | 142.1 | 12.8 | 340.3 | 178.0 | 159.6 |
| 内蒙古 | 200.5 | 226.9 | 143.9 | 25.2 | 578.1 | 353.1 | 224.6 |
| 辽　宁 | 70.0 | 239.4 | 61.3 | 36.8 | 427.4 | 268.5 | 158.5 |
| 吉　林 | 213.8 | 79.6 | 419.1 | 51.3 | 738.4 | 208.8 | 521.5 |
| 黑龙江 | 284.3 | 196.8 | 721.0 | 20.1 | 1 192.8 | 440.4 | 749.5 |
| 上　海 | | | | | | | |
| 江　苏 | 860.5 | 2 691.9 | 2 341.0 | 524.7 | 5 995.7 | 3 265.4 | 2 492.5 |
| 浙　江 | 729.4 | 1 045.0 | 1 623.1 | 195.8 | 2 949.1 | 1 973.3 | 975.8 |
| 安　徽 | 121.7 | 869.9 | 456.9 | 94.0 | 1 311.1 | 804.6 | 452.1 |
| 福　建 | 609.3 | 294.8 | 730.6 | 41.0 | 1 383.3 | 655.5 | 462.4 |
| 江　西 | 376.5 | 166.4 | 457.0 | 168.3 | 1 103.6 | 600.3 | 489.0 |
| 山　东 | 1 635.4 | 2 561.3 | 2 250.7 | 2 110.0 | 12 124.8 | 3 470.6 | 3 695.8 |
| 河　南 | 277.9 | 1 163.9 | 998.3 | 162.1 | 2 453.9 | 1 366.7 | 893.4 |
| 湖　北 | 419.2 | 1 717.7 | 793.4 | 178.4 | 2 814.5 | 1 584.3 | 1 198.3 |
| 湖　南 | 1 154.0 | 1 348.0 | 4 164.1 | 445.1 | 6 995.9 | 3 894.7 | 2 899.7 |
| 广　东 | 6 056.4 | 1 148.1 | 5 266.0 | 1 188.0 | 14 684.7 | 9 487.4 | 3 059.3 |
| 广　西 | 211.2 | 567.1 | 1 042.3 | 105.2 | 1 843.1 | 1 167.3 | 674.2 |
| 海　南 | 55.2 | 0.1 | 20.0 | | 0.3 | 0.3 | 0.1 |
| 重　庆 | 365.7 | 236.4 | 175.0 | 13.7 | 836.1 | 520.8 | 255.1 |
| 四　川 | 348.5 | 839.7 | 479.7 | 112.3 | 1 673.3 | 1 045.8 | 609.5 |
| 贵　州 | 152.4 | 62.7 | 56.7 | 47.4 | 298.5 | 196.4 | 93.2 |
| 云　南 | 181.3 | 541.8 | 203.3 | 39.3 | 690.8 | 445.0 | 158.4 |
| 西　藏 | 129.3 | | 8.0 | 13.3 | 150.6 | 120.6 | 30.0 |
| 陕　西 | 301.0 | 308.4 | 1 254.8 | 199.8 | 1 929.8 | 1 169.8 | 760.0 |
| 甘　肃 | 414.1 | 206.5 | 208.3 | 29.3 | 1 384.5 | 293.5 | 544.7 |
| 青　海 | 232.3 | 97.1 | 17.2 | 265.2 | 636.7 | 174.1 | 457.8 |
| 宁　夏 | 84.1 | 19.9 | 56.5 | 7.1 | 162.9 | 88.6 | 74.4 |
| 新　疆 | 1 325.2 | 997.8 | 424.7 | 41.4 | 2 665.0 | 1 322.1 | 1 342.9 |

续表 2

| 地　区 | 就业训练人数（人） | 女性 | 上年末结转人数 | 结业人数（人） | 按训练对象分组 | | | |
|---|---|---|---|---|---|---|---|---|
| | | | | | 劳动预备制学员 | 下岗职工 | 失业人员 | 其他人员 |
| **全　国** | **5 333 426** | **2 418 284** | **197 953** | **5 034 090** | **483 221** | **1 147 500** | **1 763 198** | **1 640 171** |
| 北　京 | 180 341 | 72 849 | 8 381 | 165 364 | 2 390 | 7 205 | 63 762 | 92 007 |
| 天　津 | 45 050 | 19 443 | 278 | 45 050 | 959 | 7 781 | 19 503 | 16 807 |
| 河　北 | 396 144 | 139 237 | 9 163 | 399 523 | 20 289 | 116 038 | 82 648 | 180 548 |
| 山　西 | 22 949 | 10 793 | 1 955 | 27 425 | 1 898 | 11 247 | 4 182 | 10 098 |
| 内蒙古 | 175 962 | 74 863 | 1 168 | 175 463 | 1 332 | 28 231 | 90 656 | 55 244 |
| 辽　宁 | 398 903 | 220 138 | 9 482 | 393 462 | 26 237 | 83 232 | 225 273 | 58 720 |
| 吉　林 | 43 276 | 21 362 | 2 286 | 42 587 | 2 609 | 23 167 | 13 123 | 3 688 |
| 黑龙江 | 302 619 | 125 742 | 10 889 | 296 219 | 61 811 | 167 279 | 60 764 | 6 365 |
| 上　海 | | | | | | | | |
| 江　苏 | 579 535 | 280 309 | 11 432 | 557 906 | 26 682 | 50 636 | 254 852 | 225 736 |
| 浙　江 | 194 216 | 91 840 | 2 186 | 192 113 | 5 223 | 15 855 | 116 407 | 54 628 |
| 安　徽 | 126 696 | 56 976 | 3 518 | 122 632 | 3 995 | 46 901 | 52 585 | 19 151 |
| 福　建 | 240 776 | 136 403 | 976 | 236 573 | 33 075 | 16 173 | 67 376 | 119 949 |
| 江　西 | 157 600 | 75 789 | 3 497 | 154 843 | 12 984 | 62 091 | 46 643 | 33 125 |
| 山　东 | 228 799 | 120 805 | 16 900 | 215 944 | 31 283 | 36 680 | 86 941 | 61 040 |
| 河　南 | 399 908 | 144 627 | 5 733 | 285 280 | 24 221 | 91 258 | 73 426 | 96 375 |
| 湖　北 | 516 651 | 229 314 | 18 708 | 486 571 | 69 830 | 110 505 | 131 043 | 175 193 |
| 湖　南 | 257 976 | 135 698 | 41 182 | 210 603 | 84 378 | 60 914 | 44 877 | 20 434 |
| 广　东 | 301 388 | 120 837 | 17 523 | 290 866 | 11 353 | 24 140 | 59 319 | 196 054 |
| 广　西 | 103 934 | 45 868 | 2 746 | 99 854 | 12 169 | 9 158 | 34 645 | 43 882 |
| 海　南 | 16 377 | 8 048 | 1 267 | 16 733 | 2 190 | 4 661 | 5 935 | 3 947 |
| 重　庆 | 68 357 | 30 986 | 593 | 67 468 | 2 104 | 21 443 | 37 284 | 6 637 |
| 四　川 | 144 330 | 67 065 | 4 510 | 141 831 | 6 343 | 40 453 | 65 766 | 29 269 |
| 贵　州 | 56 912 | 26 288 | 1 188 | 56 269 | 3 729 | 8 659 | 22 725 | 21 156 |
| 云　南 | 50 275 | 20 327 | 5 663 | 47 759 | 6 230 | 5 742 | 20 188 | 15 599 |
| 西　藏 | 3 105 | 967 | | 3 105 | | 439 | 1 791 | 875 |
| 陕　西 | 158 070 | 67 117 | 12 897 | 144 226 | 22 599 | 52 072 | 19 840 | 49 715 |
| 甘　肃 | 52 435 | 25 934 | 1 647 | 49 567 | 3 324 | 19 140 | 16 716 | 10 387 |
| 青　海 | 31 832 | 12 746 | 696 | 30 115 | 1 303 | 11 420 | 12 562 | 4 830 |
| 宁　夏 | 25 832 | 13 416 | 933 | 25 561 | 655 | 5 659 | 10 132 | 9 115 |
| 新　疆 | 53 178 | 22 497 | 556 | 53 178 | 2 026 | 9 321 | 22 234 | 19 597 |

续表 3

| 地　　区 | 按训练期限分组 | | | 按获取证书分组 | | | 就业人数（人） |
|---|---|---|---|---|---|---|---|
| | 六个月以下 | 六个月至一年 | 一年以上 | 初级职业资格 | 中级职业资格 | 高级职业资格 | |
| **全　　国** | **4 570 698** | **302 489** | **160 903** | **1 346 628** | **479 751** | **41 624** | **3 181 555** |
| 北　　京 | 162 179 | 916 | 2 269 | 40 097 | 27 711 | 2 614 | 121 690 |
| 天　　津 | 42 570 | 1 333 | 1 147 | 22 156 | 3 350 | 236 | 18 410 |
| 河　　北 | 370 483 | 21 633 | 7 407 | 139 703 | 18 343 | 1 105 | 243 915 |
| 山　　西 | 24 431 | 2 545 | 449 | 4 642 | 1 610 | 30 | 11 896 |
| 内 蒙 古 | 168 074 | 5 437 | 1 952 | 32 763 | 3 834 | 1 079 | 127 517 |
| 辽　　宁 | 383 683 | 8 087 | 1 692 | 43 676 | 3 784 | 370 | 253 475 |
| 吉　　林 | 41 479 | 1 108 | | 14 248 | 2 400 | 128 | 26 671 |
| 黑 龙 江 | 236 839 | 50 669 | 8 711 | 58 912 | 141 211 | 6 635 | 127 257 |
| 上　　海 | | | | | | | |
| 江　　苏 | 507 048 | 32 092 | 18 766 | 84 628 | 18 577 | 1 396 | 413 231 |
| 浙　　江 | 187 274 | 2 236 | 2 603 | 80 508 | 14 658 | 1 409 | 117 186 |
| 安　　徽 | 113 833 | 6 130 | 2 669 | 22 741 | 6 867 | 440 | 70 589 |
| 福　　建 | 209 316 | 10 922 | 16 335 | 46 490 | 10 289 | 904 | 178 125 |
| 江　　西 | 139 683 | 9 891 | 5 269 | 55 799 | 27 669 | 436 | 70 939 |
| 山　　东 | 182 799 | 22 096 | 11 049 | 88 989 | 15 431 | 2 374 | 148 175 |
| 河　　南 | 272 681 | 10 063 | 2 536 | 77 441 | 19 078 | 2 815 | 162 914 |
| 湖　　北 | 436 365 | 42 809 | 7 397 | 145 075 | 51 981 | 6 902 | 312 464 |
| 湖　　南 | 143 255 | 31 976 | 35 372 | 74 184 | 37 007 | 1 122 | 154 122 |
| 广　　东 | 269 841 | 8 245 | 12 780 | 145 597 | 29 496 | 2 913 | 157 882 |
| 广　　西 | 97 115 | 1 007 | 1 732 | 32 343 | 2 523 | 547 | 73 472 |
| 海　　南 | 14 033 | 166 | 2 534 | 5 204 | 426 | 85 | 6 539 |
| 重　　庆 | 66 719 | 304 | 445 | 6 511 | 2 108 | 211 | 36 021 |
| 四　　川 | 133 026 | 7 328 | 1 477 | 25 153 | 17 409 | 3 579 | 98 438 |
| 贵　　州 | 55 193 | 696 | 380 | 10 224 | 2 107 | 23 | 43 119 |
| 云　　南 | 40 918 | 4 763 | 2 078 | 18 260 | 1 987 | 1 270 | 31 806 |
| 西　　藏 | 3 105 | | | 569 | | | 1 835 |
| 陕　　西 | 120 151 | 13 547 | 10 528 | 37 680 | 8 510 | 2 457 | 89 521 |
| 甘　　肃 | 46 476 | 2 165 | 926 | 12 832 | 3 447 | 62 | 25 474 |
| 青　　海 | 27 801 | 1 814 | 500 | 6 897 | 60 | | 13 403 |
| 宁　　夏 | 24 524 | 735 | 302 | 3 056 | 3 258 | 371 | 17 794 |
| 新　　疆 | 49 804 | 1 776 | 1 598 | 10 250 | 4 620 | 111 | 27 675 |

## 分地区职业技能鉴定综合情况

（2002）

单位：人

| 地　　区 | 年末职业技能鉴定机构数（个） | 鉴定所数 | 鉴定站数 | 工考委数 | 年末考评人员人数 | 本年鉴定考核人数 |
|---|---|---|---|---|---|---|
| **全　　国** | **8 517** | **4 448** | **3 617** | **452** | **175 247** | **6 619 012** |
| 行业合计 | 1 776 | | 1 770 | 6 | 69 230 | 1 318 097 |
| 地方合计 | 6 741 | 4 448 | 1 847 | 446 | 106 017 | 5 300 915 |
| 北　　京 | 200 | 86 | | 114 | 1 943 | 260 157 |
| 天　　津 | 93 | 61 | 23 | 9 | 1 676 | 150 080 |
| 河　　北 | 554 | 271 | 243 | 40 | 3 506 | 162 778 |
| 山　　西 | 152 | 106 | 44 | 2 | 2 102 | 49 881 |
| 内 蒙 古 | 113 | 113 | | | 2 569 | 40 989 |
| 辽　　宁 | 189 | 174 | 15 | | 3 447 | 279 085 |
| 吉　　林 | 78 | 48 | 30 | | 7 528 | 89 854 |
| 黑 龙 江 | 49 | 40 | 9 | | 3 189 | 155 964 |
| 上　　海 | 144 | 120 | 24 | | 625 | 316 671 |
| 江　　苏 | 387 | 206 | 158 | 23 | 5 103 | 307 074 |
| 浙　　江 | 248 | 92 | 144 | 12 | 2 763 | 356 302 |
| 安　　徽 | 318 | 135 | 181 | 2 | 5 118 | 228 612 |
| 福　　建 | 346 | 344 | | 2 | 4 189 | 147 601 |
| 江　　西 | 400 | 228 | 105 | 67 | 2 918 | 201 235 |
| 山　　东 | 288 | 150 | 138 | | 4 623 | 244 435 |
| 河　　南 | 348 | 198 | 96 | 54 | 4 930 | 174 453 |
| 湖　　北 | 296 | 296 | | | 5 769 | 177 217 |
| 湖　　南 | 372 | 365 | 3 | 4 | 5 701 | 235 900 |
| 广　　东 | 397 | 397 | | | 11 506 | 647 996 |
| 广　　西 | 174 | 77 | 19 | 78 | 1 314 | 119 078 |
| 海　　南 | 44 | 44 | | | 538 | 10 352 |
| 重　　庆 | 143 | 143 | 413 | 19 | 2 109 | 133 351 |
| 四　　川 | 536 | 104 | | | 5 082 | 381 221 |
| 贵　　州 | 149 | 149 | | | 3 564 | 35 387 |
| 云　　南 | 147 | 147 | | | 3 473 | 157 104 |
| 西　　藏 | 21 | 21 | | | 24 | 1 391 |
| 陕　　西 | 182 | 88 | 94 | | 2 800 | 89 778 |
| 甘　　肃 | 55 | 55 | | | 2 040 | 34 588 |
| 青　　海 | 51 | 26 | 11 | 14 | 580 | 10 064 |
| 宁　　夏 | 52 | 37 | 9 | 6 | 661 | 26 665 |
| 新　　疆 | 172 | 84 | 88 | | 3 177 | 57 681 |
| 新疆生产建设兵团 | 43 | 43 | | | 1 450 | 17 971 |

续表 1

| 地　区 | 初级 | 中级 | 高级 | 技师 | 高级技师 |
|---|---|---|---|---|---|
| **全　国** | **2 373 190** | **3 204 580** | **965 404** | **69 379** | **6 459** |
| 行业合计 | 347 894 | 577 791 | 369 192 | 20 071 | 3 149 |
| 地方合计 | 2 025 296 | 2 626 789 | 596 212 | 49 308 | 3 310 |
| 北　京 | 76 983 | 146 763 | 34 537 | 1 690 | 184 |
| 天　津 | 103 595 | 37 961 | 8 458 | 66 | |
| 河　北 | 58 516 | 87 366 | 14 471 | 2 071 | 354 |
| 山　西 | 8 744 | 34 956 | 5 859 | 292 | 30 |
| 内蒙古 | 9 944 | 18 677 | 11 768 | 600 | |
| 辽　宁 | 133 855 | 91 242 | 50 463 | 3 363 | 162 |
| 吉　林 | 40 678 | 37 531 | 11 481 | 159 | 5 |
| 黑龙江 | 42 373 | 82 073 | 16 522 | 14 701 | 295 |
| 上　海 | 174 847 | 111 792 | 26 322 | 3 080 | 630 |
| 江　苏 | 118 297 | 166 873 | 20 204 | 1 552 | 148 |
| 浙　江 | 224 644 | 112 909 | 17 316 | 1 433 | |
| 安　徽 | 62 179 | 143 051 | 21 815 | 1 567 | |
| 福　建 | 59 041 | 79 844 | 8 496 | 212 | 8 |
| 江　西 | 18 088 | 146 880 | 36 267 | | |
| 山　东 | 94 290 | 125 452 | 23 484 | 1 185 | 24 |
| 河　南 | 53 891 | 98 638 | 20 950 | 959 | 15 |
| 湖　北 | 28 912 | 114 695 | 30 745 | 2 062 | 803 |
| 湖　南 | 65 041 | 139 694 | 27 193 | 3 874 | 98 |
| 广　东 | 309 425 | 306 738 | 28 372 | 3 235 | 226 |
| 广　西 | 58 529 | 51 257 | 8 328 | 878 | 86 |
| 海　南 | 7 428 | 1 987 | 928 | 9 | |
| 重　庆 | 41 907 | 69 873 | 21 012 | 502 | 57 |
| 四　川 | 126 024 | 185 939 | 67 183 | 1 899 | 176 |
| 贵　州 | 9 873 | 23 056 | 2 313 | 145 | |
| 云　南 | 40 098 | 82 845 | 32 572 | 1 589 | |
| 西　藏 | 244 | 624 | 523 | | |
| 陕　西 | 18 727 | 48 754 | 21 336 | 961 | |
| 甘　肃 | 8 463 | 20 115 | 6 010 | | |
| 青　海 | 913 | 5 906 | 3 245 | | |
| 宁　夏 | 3 190 | 13 409 | 9 773 | 291 | 2 |
| 新　疆 | 20 086 | 31 893 | 5 184 | 511 | 7 |
| 新疆生产建设兵团 | 6 471 | 7 996 | 3 082 | 422 | |

续表 2

| 地　　区 | 本年获取证书人数 | 初级 | 中级 | 高级 | 技师 | 高级技师 |
|---|---|---|---|---|---|---|
| **全　　国** | **5 562 607** | **2 036 748** | **2 712 382** | **761 195** | **48 852** | **3 430** |
| 行业合计 | 1 019 654 | 269 218 | 453 267 | 286 133 | 9 718 | 1 318 |
| 地方合计 | 4 542 953 | 1 767 530 | 2 259 115 | 475 062 | 39 134 | 2 112 |
| 北　　京 | 227 999 | 66 384 | 128 348 | 31 521 | 1 569 | 177 |
| 天　　津 | 139 786 | 97 065 | 34 793 | 7 862 | 66 | |
| 河　　北 | 151 327 | 54 156 | 81 685 | 13 312 | 1 865 | 309 |
| 山　　西 | 48 757 | 8 510 | 34 406 | 5 519 | 292 | 30 |
| 内 蒙 古 | 39 187 | 9 799 | 17 341 | 11 447 | 600 | |
| 辽　　宁 | 225 237 | 108 159 | 75 095 | 39 057 | 2 797 | 129 |
| 吉　　林 | 80 955 | 37 436 | 33 363 | 10 004 | 147 | 5 |
| 黑 龙 江 | 136 083 | 37 027 | 71 069 | 14 294 | 13 436 | 257 |
| 上　　海 | 248 266 | 143 361 | 87 067 | 15 798 | 1 692 | 248 |
| 江　　苏 | 281 468 | 111 970 | 150 499 | 17 503 | 1 352 | 144 |
| 浙　　江 | 326 734 | 206 608 | 103 675 | 15 046 | 1 405 | |
| 安　　徽 | 201 446 | 56 549 | 126 690 | 17 625 | 582 | |
| 福　　建 | 122 540 | 50 642 | 65 458 | 6 332 | 101 | 7 |
| 江　　西 | 165 449 | 15 059 | 122 898 | 27 492 | | |
| 山　　东 | 176 236 | 70 042 | 92 507 | 12 992 | 671 | 24 |
| 河　　南 | 155 684 | 49 244 | 87 642 | 17 966 | 823 | 9 |
| 湖　　北 | 156 012 | 28 704 | 102 079 | 23 237 | 1 652 | 340 |
| 湖　　南 | 203 314 | 62 056 | 118 450 | 20 626 | 2 128 | 54 |
| 广　　东 | 532 577 | 256 381 | 253 743 | 20 496 | 1 807 | 150 |
| 广　　西 | 102 222 | 51 387 | 43 050 | 7 363 | 367 | 55 |
| 海　　南 | 8 482 | 6 183 | 1 551 | 743 | 5 | 40 |
| 重　　庆 | 100 013 | 33 696 | 51 217 | 14 709 | 351 | 125 |
| 四　　川 | 325 780 | 106 963 | 164 414 | 52 605 | 1 673 | |
| 贵　　州 | 31 622 | 9 078 | 20 384 | 2 034 | 126 | |
| 云　　南 | 138 109 | 36 483 | 72 193 | 27 856 | 1 577 | |
| 西　　藏 | 1 304 | 234 | 586 | 484 | | |
| 陕　　西 | 79 026 | 17 194 | 45 332 | 15 562 | 938 | |
| 甘　　肃 | 30 219 | 7 888 | 17 389 | 4 942 | | |
| 青　　海 | 9 392 | 878 | 5 410 | 3 104 | | |
| 宁　　夏 | 24 881 | 2 809 | 12 473 | 9 392 | 205 | 2 |
| 新　　疆 | 54 977 | 19 168 | 30 259 | 5 058 | 485 | 7 |
| 新疆生产建设兵团 | 17 869 | 6 417 | 7 949 | 3 081 | 422 | |

# 四、劳动关系

## 历年劳动争议案件情况

单位：万件，万人

| 年份 | 全年受理劳动争议数量 | 集体劳动争议 | 涉及职工人数 | 集体劳动争议 |
|---|---|---|---|---|
| 1997 | 7.2 | 0.4 | 22 | 13 |
| 1998 | 9.4 | 0.7 | 36 | 25 |
| 1999 | 12.0 | 0.9 | 47 | 32 |
| 2000 | 13.5 | 0.8 | 42 | 26 |
| 2001 | 15.5 | 1.0 | 47 | 29 |
| 2002 | 18.4 | 1.1 | 61 | 38 |

## 劳动争议案件情况

（2002）

单位：件

| | 上期未结案数 | 案件受理情况 | | |
|---|---|---|---|---|
| | | 当期案件受理数 | 集体劳动争议案件数 | 用人单位申诉案件数 |
| **总计** | **12 472** | **184 116** | **11 024** | **11 863** |
| 1．国有企业 | 3 031 | 45 215 | 3 387 | 2 921 |
| 2．集体企业 | 1 854 | 27 253 | 1 911 | 1 718 |
| 3．港澳台及外资企业 | 1 716 | 22 930 | 1 196 | 1 460 |
| 4．股份制联营 | 1 404 | 19 809 | 1 095 | 1 368 |
| 5．有限责任公司 | 1 676 | 19 264 | 979 | 1 911 |
| 6．私营企业 | 1 715 | 30 618 | 1 818 | 2 095 |
| 7．个体工商户 | 474 | 6 564 | 261 | 234 |
| 8．机关社团事业 | 409 | 4 593 | 225 | 93 |
| 9．其他 | 193 | 7 870 | 152 | 63 |

| | 劳动者申诉案件数 | 劳动者当事人数（人） | 女性当事人人数（人） | 集体劳动争议劳动者当事人数（人） |
|---|---|---|---|---|
| **总计** | **172 253** | **608 396** | **139 690** | **374 956** |
| 1．国有企业 | 42 294 | 206 182 | 39 302 | 140 566 |
| 2．集体企业 | 25 535 | 91 656 | 19 649 | 59 643 |
| 3．港澳台及外资企业 | 21 470 | 78 604 | 22 414 | 50 135 |
| 4．股份制联营 | 18 441 | 46 748 | 10 839 | 24 376 |
| 5．有限责任公司 | 17 353 | 57 208 | 17 798 | 31 333 |
| 6．私营企业 | 28 523 | 88 913 | 18 283 | 51 608 |
| 7．个体工商户 | 6 330 | 18 588 | 3 087 | 9 589 |
| 8．机关社团事业 | 4 500 | 8 741 | 2 576 | 4 183 |
| 9．其他 | 7 807 | 11 756 | 5 742 | 3 523 |

续表 1

| | 争议原因 | | | | |
|---|---|---|---|---|---|
| | 履行劳动合同 | | | | 变更劳动合同 |
| | 劳动报酬 | 保险福利 | 工伤 | 职业培训 | |
| **总计** | **59 144** | **32 622** | **23 936** | **1 070** | **3 765** |
| 1. 国有企业 | 10 610 | 9 402 | 3 619 | 300 | 1 280 |
| 2. 集体企业 | 7 453 | 5 972 | 3 263 | 126 | 643 |
| 3. 港澳台及外资企业 | 8 304 | 3 257 | 2 876 | 275 | 290 |
| 4. 股份制联营 | 7 216 | 3 123 | 2 108 | 125 | 512 |
| 5. 有限责任公司 | 6 358 | 2 763 | 3 033 | 68 | 302 |
| 6. 私营企业 | 12 169 | 5 502 | 6 226 | 95 | 357 |
| 7. 个体工商户 | 3 008 | 860 | 1 465 | 10 | 66 |
| 8. 机关社团事业 | 1 050 | 1 045 | 266 | 51 | 91 |
| 9. 其他 | 2 976 | 698 | 1 080 | 20 | 224 |

| | | | | | 案件处理情况 |
|---|---|---|---|---|---|
| | 解除劳动合同 | 终止劳动合同 | 下岗 | 其他 | 结案数 |
| **总计** | **30 940** | **12 908** | **2 169** | **17 562** | **178 744** |
| 1. 国有企业 | 8 795 | 5 153 | 1 306 | 4 750 | 43 610 |
| 2. 集体企业 | 4 274 | 2 383 | 465 | 2 674 | 27 269 |
| 3. 港澳台及外资企业 | 4 193 | 1 310 | 13 | 2 412 | 22 008 |
| 4. 股份制联营 | 3 254 | 1 030 | 134 | 2 307 | 18 741 |
| 5. 有限责任公司 | 3 890 | 1 291 | 105 | 1 454 | 19 013 |
| 6. 私营企业 | 3 368 | 1 066 | 43 | 1 792 | 29 828 |
| 7. 个体工商户 | 766 | 146 | 19 | 224 | 6 489 |
| 8. 机关社团事业 | 1 081 | 346 | 47 | 616 | 4 546 |
| 9. 其他 | 1 319 | 183 | 37 | 1 333 | 7 240 |

续表 2

| | 处理方式 | | | 处理结果 |
|---|---|---|---|---|
| | 仲裁调解 | 仲裁裁决 | 其他方式 | 用人单位胜诉 |
| **总计** | **50 925** | **77 340** | **50 479** | **27 017** |
| 1. 国有企业 | 12 870 | 21 062 | 9 678 | 7 982 |
| 2. 集体企业 | 7 830 | 12 179 | 7 260 | 4 548 |
| 3. 港澳台及外资企业 | 5 963 | 10 677 | 5 368 | 3 267 |
| 4. 股份制联营 | 4 955 | 8 571 | 5 215 | 2 809 |
| 5. 有限责任公司 | 4 485 | 7 421 | 7 107 | 2 499 |
| 6. 私营企业 | 9 720 | 10 780 | 9 328 | 3 390 |
| 7. 个体工商户 | 2 238 | 2 503 | 1 748 | 561 |
| 8. 机关社团事业 | 1 160 | 2 026 | 1 360 | 892 |
| 9. 其他 | 1 704 | 2 121 | 3 415 | 1 069 |

| | | | 本期未结案数 | 案外调解争议数 |
|---|---|---|---|---|
| | 劳动者胜诉 | 双方部分胜诉 | | |
| **总计** | **84 432** | **67 295** | **17 844** | **77 342** |
| 1. 国有企业 | 21 167 | 14 461 | 4 636 | 16 656 |
| 2. 集体企业 | 14 437 | 8 284 | 1 838 | 13 843 |
| 3. 港澳台及外资企业 | 10 463 | 8 278 | 2 638 | 16 503 |
| 4. 股份制联营 | 9 081 | 6 851 | 2 472 | 4 285 |
| 5. 有限责任公司 | 7 224 | 9 290 | 1 927 | 10 182 |
| 6. 私营企业 | 14 208 | 12 230 | 2 505 | 11 221 |
| 7. 个体工商户 | 3 376 | 2 552 | 549 | 2 751 |
| 8. 机关社团事业 | 2 018 | 1 636 | 456 | 1 013 |
| 9. 其他 | 2 458 | 3 713 | 823 | 888 |

## 分地区劳动争议案件情况

（2002）

单位：件

| 地　　区 | 上期未结案件数 | 案件受理情况 | | | | | |
|---|---|---|---|---|---|---|---|
| | | 当期案件受理数 | 集体劳动争议案件数 | 用人单位申诉案件数 | 劳动者申诉案件数 | 劳动者当事人数（人） | 女性当事人人数 |
| **全　　国** | **12 472** | **184 116** | **11 024** | **11 863** | **172 253** | **608 396** | **139 690** |
| 北　　京 | | 13 856 | 548 | 91 | 13 765 | 20 939 | 7 362 |
| 天　　津 | 584 | 2 780 | 82 | 152 | 2 628 | 8 494 | |
| 河　　北 | 143 | 4 209 | 326 | 169 | 4 040 | 15 593 | |
| 山　　西 | 201 | 2 215 | 262 | 274 | 1 941 | 6 158 | |
| 内 蒙 古 | 30 | 1 173 | 165 | 150 | 1 023 | 5 012 | |
| 辽　　宁 | 516 | 6 594 | 121 | 48 | 6 546 | 21 772 | 5 119 |
| 吉　　林 | | 2 658 | 383 | 91 | 2 567 | 24 768 | 9 413 |
| 黑 龙 江 | 97 | 3 449 | 688 | 343 | 3 106 | 10 395 | 3 026 |
| 上　　海 | 1 687 | 14 467 | 400 | 294 | 14 173 | 20 719 | |
| 江　　苏 | 3 128 | 31 184 | 1 198 | 4 367 | 26 817 | 78 589 | 26 862 |
| 浙　　江 | 406 | 10 928 | 434 | 542 | 10 386 | 22 751 | |
| 安　　徽 | 82 | 2 250 | 214 | 63 | 2 187 | 11 308 | 4 450 |
| 福　　建 | 166 | 6 654 | 341 | 261 | 6 393 | 24 780 | 8 135 |
| 江　　西 | 98 | 1 200 | 121 | 73 | 1 127 | 4 759 | |
| 山　　东 | 1 766 | 15 003 | 1 291 | 1 833 | 13 170 | 75 835 | 21 670 |
| 河　　南 | 408 | 5 088 | 380 | 62 | 5 026 | 20 594 | 3 512 |
| 湖　　北 | 239 | 5 927 | 508 | 797 | 5 130 | 18 871 | |
| 湖　　南 | 129 | 3 216 | 215 | 290 | 2 926 | 8 047 | |
| 广　　东 | 1 332 | 24 061 | 1 768 | 220 | 23 841 | 133 010 | 39 002 |
| 广　　西 | 80 | 3 061 | 197 | 63 | 2 998 | 9 726 | 3 583 |
| 海　　南 | 30 | 640 | 53 | | 640 | 1 417 | 33 |
| 重　　庆 | 72 | 5 310 | 156 | 128 | 5 182 | 10 269 | 3 795 |
| 四　　川 | 618 | 6 110 | 241 | 1 232 | 4 878 | 12 138 | |
| 贵　　州 | 59 | 1 215 | 183 | 49 | 1 166 | 4 984 | |
| 云　　南 | 48 | 1 202 | 83 | 57 | 1 145 | 3 331 | |
| 西　　藏 | 37 | 272 | 110 | | 272 | 6 670 | |
| 陕　　西 | 253 | 2 450 | 100 | 32 | 2 418 | 3 916 | |
| 甘　　肃 | 62 | 1 120 | 101 | 15 | 1 105 | 4 228 | 758 |
| 青　　海 | 0 | 278 | 30 | 9 | 269 | 3 261 | 195 |
| 宁　　夏 | 23 | 488 | 53 | 79 | 409 | 4 186 | 1 732 |
| 新　　疆 | 125 | 4 316 | 230 | 70 | 4 246 | 9 896 | 1 043 |
| 新疆生产建设兵团 | 53 | 742 | 42 | 9 | 733 | 1 980 | |

续表 1

| 地区 | 集体劳动争议劳动者当事人人数（人） | 争议原因 | | | |
|---|---|---|---|---|---|
| | | 履行劳动合同 | | | |
| | | 劳动报酬 | 保险福利 | 工伤 | 职业培训 |
| **全　国** | **374 956** | **59 144** | **32 622** | **23 936** | **1 070** |
| 北　京 | 7 631 | 6 815 | 1 065 | 346 | |
| 天　津 | 5 773 | 690 | 632 | 483 | 9 |
| 河　北 | 9 613 | 2 021 | 132 | 983 | |
| 山　西 | 3 335 | 699 | 504 | 69 | 3 |
| 内蒙古 | 3 845 | 258 | 513 | 89 | |
| 辽　宁 | 17 889 | 1 595 | 1 172 | 922 | 1 |
| 吉　林 | 20 269 | 577 | 674 | 549 | 3 |
| 黑龙江 | 6 829 | 939 | 617 | 834 | 15 |
| 上　海 | 6 724 | 4 806 | 4 996 | 216 | 452 |
| 江　苏 | 31 582 | 8 981 | 2 745 | 5 362 | 46 |
| 浙　江 | 11 686 | 3 372 | 2 968 | 2 133 | 28 |
| 安　徽 | 7 564 | 500 | 610 | 452 | |
| 福　建 | 17 990 | 1 562 | 576 | 903 | 6 |
| 江　西 | 3 259 | 382 | 349 | 103 | 3 |
| 山　东 | 53 227 | 4 162 | 4 193 | 2 136 | 67 |
| 河　南 | 13 045 | 1 756 | 1 329 | 766 | |
| 湖　北 | 13 187 | 1 512 | 1 704 | 165 | 34 |
| 湖　南 | 4 411 | 485 | 457 | 563 | 32 |
| 广　东 | 93 349 | 9 811 | 1 393 | 4 012 | 99 |
| 广　西 | 6 498 | 715 | 1 089 | 253 | 5 |
| 海　南 | 777 | 362 | 6 | 7 | |
| 重　庆 | 5 061 | 1 563 | 613 | 993 | 136 |
| 四　川 | 3 488 | 1 822 | 1 171 | 367 | 90 |
| 贵　州 | 3 584 | 342 | 370 | 35 | |
| 云　南 | 2 188 | 305 | 289 | 83 | 4 |
| 西　藏 | 6 135 | 222 | 10 | 28 | |
| 陕　西 | 1 308 | 786 | 867 | 66 | 2 |
| 甘　肃 | 3 064 | 319 | 247 | 248 | 14 |
| 青　海 | 2 445 | 86 | 47 | 70 | |
| 宁　夏 | 3 752 | 116 | 163 | 65 | 1 |
| 新　疆 | 4 188 | 1 330 | 937 | 610 | 4 |
| 新疆生产建设兵团 | 1 260 | 253 | 184 | 25 | 16 |

续表 2

| 地区 | | | | | | 案件处理情况 | |
|---|---|---|---|---|---|---|---|
| | | | | | | 结案数 | 处理方式 |
| | 变更劳动合同 | 解除劳动合同 | 终止劳动合同 | 下岗 | 其他 | | 仲裁调解 |
| **全国** | **3 765** | **30 940** | **12 908** | **2 169** | **17 562** | **178 744** | **50 925** |
| 北京 | 206 | 407 | 211 | | 4 806 | 13 510 | 2 777 |
| 天津 | 60 | 518 | 208 | | 180 | 2 223 | 624 |
| 河北 | | 832 | 241 | | | 4 194 | 1 558 |
| 山西 | 244 | 328 | 288 | | 80 | 2 272 | 572 |
| 内蒙古 | 4 | 147 | 51 | | 111 | 1 153 | 421 |
| 辽宁 | 32 | 1 376 | 539 | 166 | 791 | 6 243 | 1 114 |
| 吉林 | 131 | 462 | 101 | | 161 | 2 526 | 522 |
| 黑龙江 | 101 | 230 | 247 | 367 | 99 | 3 365 | 1 232 |
| 上海 | 20 | 2 042 | 286 | | 1 649 | 14 644 | 4 506 |
| 江苏 | 911 | 7 164 | 3 073 | 137 | 2 765 | 31 395 | 6 534 |
| 浙江 | 56 | 1 333 | 469 | | 569 | 10 688 | 4 987 |
| 安徽 | 39 | 432 | 87 | 22 | 108 | 2 158 | 619 |
| 福建 | 92 | 1 241 | 245 | 75 | 1 954 | 6 516 | 2 126 |
| 江西 | 17 | 165 | 60 | | 121 | 1 158 | 422 |
| 山东 | 193 | 2 423 | 1 173 | 111 | 545 | 13 708 | 3 751 |
| 河南 | 320 | 293 | 39 | 498 | 87 | 5 034 | 1 341 |
| 湖北 | 34 | 106 | 1 074 | 359 | 939 | 5 767 | 1 669 |
| 湖南 | 132 | 802 | 184 | 144 | 417 | 3 125 | 1 021 |
| 广东 | 339 | 5 564 | 1 547 | 96 | 1 200 | 22 374 | 5 651 |
| 广西 | 49 | 589 | 161 | 9 | 191 | 2 992 | 574 |
| 海南 | | 265 | | | | 647 | 386 |
| 重庆 | 211 | 815 | 863 | 19 | 97 | 5 277 | 1 951 |
| 四川 | 375 | 1 252 | 896 | 90 | 47 | 5 890 | 2 981 |
| 贵州 | 89 | 132 | 97 | | 150 | 1 166 | 396 |
| 云南 | 10 | 260 | 75 | | 176 | 1 193 | 268 |
| 西藏 | | 10 | 2 | | | 254 | 92 |
| 陕西 | 34 | 463 | 120 | | 112 | 2 433 | 853 |
| 甘肃 | 11 | 171 | 39 | 17 | 54 | 1 117 | 469 |
| 青海 | 3 | 50 | 6 | | 16 | 237 | 88 |
| 宁夏 | | 67 | 13 | 8 | 55 | 475 | 141 |
| 新疆 | 40 | 890 | 377 | 51 | 77 | 4 290 | 1 149 |
| 新疆生产建设兵团 | 12 | 111 | 136 | | 5 | 720 | 130 |

续表 3

| 地　区 | 处理结果 | | | | | 本期未结案数 | 案外调解案件数 |
|---|---|---|---|---|---|---|---|
| | 仲裁裁决 | 其他方式 | 用人单位胜诉 | 劳动者胜诉 | 双方部分胜诉 | | |
| **全　国** | **77 340** | **50 479** | **27 017** | **84 432** | **67 295** | **17 844** | **77 342** |
| 北　京 | 7 040 | 3 693 | 3 578 | 6 993 | 2 939 | 346 | |
| 天　津 | 1 102 | 497 | 596 | 1 136 | 491 | 1 141 | |
| 河　北 | 2 144 | 492 | 212 | 3 008 | 974 | 158 | 4 865 |
| 山　西 | 1 149 | 551 | 113 | 1 886 | 273 | 144 | |
| 内蒙古 | 384 | 348 | 101 | 692 | 360 | 50 | |
| 辽　宁 | 4 503 | 626 | 1 171 | 3 721 | 1 351 | 867 | 658 |
| 吉　林 | 1 817 | 187 | 359 | 1 859 | 308 | 132 | |
| 黑龙江 | 1 581 | 552 | 339 | 2 348 | 678 | 181 | 1 267 |
| 上　海 | 5 088 | 5 050 | 2 505 | 6 621 | 5 518 | 1 510 | |
| 江　苏 | 7 128 | 17 733 | 4 123 | 7 734 | 19 538 | 2 917 | |
| 浙　江 | 3 513 | 2 188 | 1 135 | 5 652 | 3 901 | 646 | 3 963 |
| 安　徽 | 1 074 | 465 | 244 | 1 347 | 567 | 174 | 292 |
| 福　建 | 1 808 | 2 582 | 535 | 2 276 | 3 705 | 304 | 2 233 |
| 江　西 | 501 | 235 | 100 | 800 | 258 | 140 | 1 189 |
| 山　东 | 6 500 | 3 457 | 1 716 | 6 700 | 5 292 | 3 061 | 8 657 |
| 河　南 | 2 908 | 785 | 723 | 2 531 | 1 780 | 462 | 2 464 |
| 湖　北 | 3 141 | 957 | 837 | 2 765 | 2 165 | 399 | 651 |
| 湖　南 | 1 313 | 791 | 476 | 1 121 | 1 528 | 220 | 806 |
| 广　东 | 11 355 | 5 368 | 2 993 | 8 946 | 10 435 | 3 019 | 30 772 |
| 广　西 | 1 931 | 487 | 484 | 1 723 | 785 | 149 | 4 884 |
| 海　南 | 261 | | | 647 | | 23 | 118 |
| 重　庆 | 1 869 | 1 457 | 1 168 | 2 791 | 1 318 | 105 | 11 809 |
| 四　川 | 2 778 | 131 | 1 112 | 4 480 | 298 | 838 | 204 |
| 贵　州 | 611 | 159 | 147 | 654 | 365 | 108 | 30 |
| 云　南 | 428 | 497 | 180 | 596 | 417 | 57 | 244 |
| 西　藏 | 159 | 3 | 5 | 215 | 34 | 55 | |
| 陕　西 | 1 353 | 227 | 465 | 1 497 | 471 | 270 | 734 |
| 甘　肃 | 448 | 200 | 90 | 658 | 369 | 65 | 320 |
| 青　海 | 109 | 40 | 8 | 182 | 47 | 41 | 89 |
| 宁　夏 | 251 | 83 | 149 | 287 | 39 | 36 | 280 |
| 新　疆 | 2 614 | 527 | 1 311 | 2 280 | 699 | 151 | 813 |
| 新疆生产建设兵团 | 479 | 111 | 42 | 286 | 392 | 75 | |

# 五、劳动保障监察

## 劳动保障监察案件结案情况

（2002）　　单位：件

| | 结案数 | 案件分类 | | | |
|---|---|---|---|---|---|
| | | 养老保险费征缴 | 失业保险费征缴 | 医疗保险费征缴 | 职业中介 |
| 总计 | 233 747 | 37 984 | 13 169 | 3 748 | 6 716 |

| | 案件分类 | | | |
|---|---|---|---|---|
| | 女职工特殊劳动保护 | 劳动合同的订立和解除 | 收取风险抵押金 | 克扣、无故拖欠工资 |
| 总计 | 2 059 | 53 828 | 19 242 | 55 867 |

| | 案件分类 | | | | 案件处理情况 |
|---|---|---|---|---|---|
| | 最低工资支付 | 工作时间和休息、休假 | 职业资格与职业培训 | 其他 | 责令限期改正 |
| 总计 | 7 875 | 11 247 | 12 075 | 39 140 | 150 376 |

| | 案件处理情况 | | | | |
|---|---|---|---|---|---|
| | 行政处理决定 | 行政处罚决定 | 行政处罚分类 | | |
| | | | 警告 | 罚款 | 其他行政处罚 |
| 总计 | 6 805 | 19 914 | 5 040 | 15 919 | 830 |

## 劳动保障监察工作情况

（2002）

| | 主动监察 | | 群众举报专查结案数（万件） |
|---|---|---|---|
| | 检查单位数（万户） | 涉及劳动者人数（万人） | |
| 总计 | 98.4 | 7 171.5 | 12.0 |

| | 劳动保障年检单位数（万户） | 补签劳动合同（万人） | 追发劳动者工资等待遇 | |
|---|---|---|---|---|
| | | | 涉及劳动者人数（万人） | 金额（亿元） |
| 总计 | 101.9 | 730.9 | 480.8 | 14.2 |

| | 社会保险费征缴 | | |
|---|---|---|---|
| | 督促缴费 | | 督促登记单位数（万户） |
| | 单位数（万户） | 金额（亿元） | |
| 总计 | 12.8 | 35.6 | 7.0 |

| | 取缔非法职业中介机构（户） | 清退风险抵押金金额（万元） | 审查用人单位规章数（万件） | 纠正用人单位违法规章数（万件） |
|---|---|---|---|---|
| 总计 | 6 085 | 9 329.8 | 63.7 | 11.2 |

# 六、社会保障

## 历年离休、退休、退职人员年末人数

| 年份 | 合计 | 离休人员 | 退休人员 | 领取定期生活费的退职人员 | 离休、退休、退职人数与职工人数的比例（以离休、退休、退职人数为1） |
|---|---|---|---|---|---|
| **一、绝对数（万人）** | | | | | |
| 1997 | 3 350.7 | 185.3 | 3 075.9 | 89.5 | 1:4.4 |
| 1998 | 3 593.6 | 181.4 | 3 326.9 | 85.3 | 1:4.0 |
| 1999 | 3 726.9 | 175.9 | 3 468.7 | 82.3 | 1:3.7 |
| 2000 | 3 875.8 | 169.7 | 3 621.0 | 85.1 | 1:3.5 |
| 2001 | 4 017.7 | 158.7 | 3 777.8 | 81.2 | 1:3.2 |
| 2002 | 4 222.8 | 152.9 | 3 990.4 | 79.5 | 1:3.0 |
| **二、比上年增长（%）** | | | | | |
| 1997 | 4.3 | -3.5 | 4.8 | 6.8 | |
| 1998 | 7.2 | -2.1 | 8.2 | -4.7 | |
| 1999 | 3.7 | -3.0 | 4.3 | -3.5 | |
| 2000 | 4.0 | -3.5 | 4.4 | 3.4 | |
| 2001 | 3.7 | -6.5 | 4.3 | -4.4 | |
| 2002 | 5.1 | -3.7 | 5.6 | -2.1 | |

注：本表包括民政部门和总后勤部事业单位支付离休、退休、退职费的人数。

## 历年企业单位离休、退休、退职人员年末人数

| 年份 | 合计 | 离休人员 | 退休人员 | 领取定期生活费的退职人员 |
|---|---|---|---|---|
| **一、绝对数（万人）** | | | | |
| 1997 | 2 589.3 | 94.3 | 2 424.7 | 70.3 |
| 1998 | 2 767.8 | 92.3 | 2 608.4 | 67.1 |
| 1999 | 2 867.6 | 88.7 | 2 712.8 | 66.1 |
| 2000 | 2 977.9 | 86.6 | 2 821.6 | 69.7 |
| 2001 | 3 072.4 | 79.7 | 2 925.5 | 67.2 |
| 2002 | 3 261.4 | 79.7 | 3 116.0 | 65.7 |
| **二、比上年增长（%）** | | | | |
| 1997 | 4.7 | -2.9 | 4.9 | 8.7 |
| 1998 | 6.9 | -2.1 | 7.6 | -4.6 |
| 1999 | 3.6 | -3.9 | 4.0 | -1.5 |
| 2000 | 3.8 | -2.4 | 4.0 | 5.4 |
| 2001 | 3.2 | -8.0 | 3.7 | -3.6 |
| 2002 | 6.2 | | 6.5 | -2.2 |

注：本表不包括民政部门支付离休、退休、退职费的人数。

## 分地区离休、退休、退职人员年末人数（一）

（2002）

单位：人

| 地　　区 | 合计 | 离休人员 | 退休人员 | 领取定期生活费的退职人员 |
|---|---|---|---|---|
| **全　　国** | **42 227 674** | **1 529 030** | **39 903 636** | **795 008** |
| #民政部门 | 235 370 | 37 349 | 198 021 | |
| 总后事业单位 | 32 068 | 1 313 | 30 431 | 324 |
| 北　　京 | 1 828 814 | 96 116 | 1 686 786 | 45 912 |
| 天　　津 | 1 098 968 | 22 550 | 1 059 060 | 17 358 |
| 河　　北 | 1 815 445 | 96 551 | 1 688 136 | 30 758 |
| 山　　西 | 1 149 096 | 75 385 | 1 059 689 | 14 022 |
| 内 蒙 古 | 765 329 | 30 407 | 722 787 | 12 135 |
| 辽　　宁 | 3 211 364 | 123 307 | 3 025 125 | 62 932 |
| 吉　　林 | 1 247 098 | 55 903 | 1 166 766 | 24 429 |
| 黑 龙 江 | 2 017 792 | 93 715 | 1 880 373 | 43 704 |
| 上　　海 | 2 474 249 | 36 327 | 2 406 730 | 31 192 |
| 江　　苏 | 2 537 273 | 58 224 | 2 425 826 | 53 223 |
| 浙　　江 | 1 449 285 | 34 860 | 1 375 853 | 38 572 |
| 安　　徽 | 1 371 352 | 59 105 | 1 288 947 | 23 300 |
| 福　　建 | 777 642 | 21 369 | 742 567 | 13 706 |
| 江　　西 | 975 220 | 23 730 | 940 274 | 11 216 |
| 山　　东 | 2 022 004 | 134 939 | 1 842 976 | 44 089 |
| 河　　南 | 1 929 778 | 104 607 | 1 802 788 | 22 383 |
| 湖　　北 | 1 904 998 | 56 804 | 1 810 582 | 37 612 |
| 湖　　南 | 1 664 318 | 37 795 | 1 588 971 | 37 552 |
| 广　　东 | 2 154 889 | 63 828 | 2 058 690 | 32 371 |
| 广　　西 | 852 121 | 18 081 | 823 164 | 10 876 |
| 海　　南 | 326 036 | 6 338 | 301 470 | 18 228 |
| 重　　庆 | 1 044 645 | 13 820 | 1 012 645 | 18 180 |
| 四　　川 | 2 261 162 | 38 170 | 2 186 944 | 36 048 |
| 贵　　州 | 689 506 | 19 305 | 664 469 | 5 732 |
| 云　　南 | 1 019 940 | 34 874 | 974 028 | 11 038 |
| 西　　藏 | 47 969 | 762 | 47 034 | 173 |
| 陕　　西 | 1 033 480 | 45 805 | 963 909 | 23 766 |
| 甘　　肃 | 651 272 | 24 440 | 614 386 | 12 446 |
| 青　　海 | 222 199 | 8 130 | 207 761 | 6 308 |
| 宁　　夏 | 186 549 | 6 743 | 174 501 | 5 305 |
| 新　　疆 | 1 005 782 | 52 486 | 923 133 | 30 163 |
| 新疆生产建设兵团 | 460 031 | 33 241 | 406 835 | 19 955 |

注：本表包括民政部门和总后勤部支付离休、退休、退职费的人数。

## 分地区离休、退休、退职人员年末人数（二）

（2002）

单位：人

| 地区 | 合计 | 女性 | 离休人员 | 退休人员 | 领取定期生活费的退职人员 |
|---|---|---|---|---|---|
| **全国** | **41 960 236** | **17 745 226** | **1 490 368** | **39 675 184** | **794 684** |
| 北京 | 1 795 097 | 930 561 | 92 835 | 1 656 350 | 45 912 |
| 天津 | 1 093 070 | 590 419 | 21 668 | 1 054 044 | 17 358 |
| 河北 | 1 801 030 | 654 676 | 93 654 | 1 676 618 | 30 758 |
| 山西 | 1 145 311 | 387 812 | 74 654 | 1 056 635 | 14 022 |
| 内蒙古 | 761 969 | 237 339 | 29 716 | 720 118 | 12 135 |
| 辽宁 | 3 190 871 | 1 450 040 | 118 939 | 3 009 000 | 62 932 |
| 吉林 | 1 242 211 | 498 731 | 55 095 | 1 162 687 | 24 429 |
| 黑龙江 | 2 014 889 | 778 228 | 93 144 | 1 878 041 | 43 704 |
| 上海 | 2 469 153 | 1 358 035 | 35 465 | 2 402 496 | 31 192 |
| 江苏 | 2 521 149 | 1 162 250 | 55 487 | 2 412 439 | 53 223 |
| 浙江 | 1 441 109 | 642 509 | 33 785 | 1 368 752 | 38 572 |
| 安徽 | 1 366 461 | 508 036 | 57 799 | 1 285 362 | 23 300 |
| 福建 | 768 837 | 293 307 | 20 633 | 734 498 | 13 706 |
| 江西 | 969 443 | 385 037 | 23 116 | 935 111 | 11 216 |
| 山东 | 2 005 227 | 749 153 | 130 318 | 1 830 820 | 44 089 |
| 河南 | 1 921 523 | 733 989 | 102 729 | 1 796 411 | 22 383 |
| 湖北 | 1 895 976 | 951 260 | 5 5197 | 1 803 167 | 37 612 |
| 湖南 | 1 653 962 | 677 264 | 36 894 | 1 579 516 | 37 552 |
| 广东 | 2 146 823 | 950 143 | 62 922 | 2 051 530 | 32 371 |
| 广西 | 849 360 | 325 949 | 17 750 | 820 734 | 10 876 |
| 海南 | 324 660 | 151 288 | 6 216 | 300 216 | 18 228 |
| 重庆 | 1 040 294 | 415 895 | 13 495 | 1 008 619 | 18 180 |
| 四川 | 2 249 685 | 858 777 | 36 762 | 2 176 875 | 36 048 |
| 贵州 | 687 412 | 258 191 | 19 027 | 662 653 | 5 732 |
| 云南 | 1 013 278 | 400 315 | 33 924 | 968 316 | 11 038 |
| 西藏 | 47 083 | 17 442 | 762 | 46 148 | 173 |
| 陕西 | 1 026 170 | 415 246 | 44 197 | 958 207 | 23 766 |
| 甘肃 | 648 010 | 213 443 | 23 957 | 611 607 | 12 446 |
| 青海 | 221 220 | 68 728 | 8 073 | 206 839 | 6 308 |
| 宁夏 | 186 086 | 63 394 | 6 642 | 174 139 | 5 305 |
| 新疆 | 1 002 836 | 411 838 | 52 272 | 920 401 | 30 163 |
| 新疆生产建设兵团 | 460 031 | 205 931 | 33 241 | 406 835 | 19 955 |

注：本表不包括民政部门支付离休、退休、退职费的人数。

## 分地区企业单位离休、退休、退职人员年末人数

（2002）

单位：人

| 地区 | 总计 | | | | |
|---|---|---|---|---|---|
| | 合计 | 女性 | 离休人员 | 退休人员 | 领取定期生活费的退职人员 |
| **全　国** | **32 613 680** | **14 384 168** | **797 061** | **31 160 260** | **656 359** |
| 北　京 | 1 506 600 | 797 918 | 53 906 | 1 410 204 | 42 490 |
| 天　津 | 919 520 | 506 128 | 12 250 | 891 550 | 15 720 |
| 河　北 | 1 343 491 | 511 863 | 41 947 | 1 277 508 | 24 036 |
| 山　西 | 894 381 | 311 075 | 38 713 | 845 132 | 10 536 |
| 内蒙古 | 538 798 | 177 973 | 12 610 | 515 524 | 10 664 |
| 辽　宁 | 2 721 193 | 1 284 998 | 70 592 | 2 592 718 | 57 883 |
| 吉　林 | 975 908 | 386 270 | 28 839 | 928 300 | 18 769 |
| 黑龙江 | 1 642 481 | 646 951 | 55 338 | 1 550 682 | 36 461 |
| 上　海 | 2 138 452 | 1 176 149 | 20 242 | 2 088 936 | 29 274 |
| 江　苏 | 2 261 836 | 1 042 707 | 37 948 | 2 172 470 | 51 418 |
| 浙　江 | 1 107 571 | 514 727 | 13 982 | 1 061 914 | 31 675 |
| 安　徽 | 1 029 191 | 402 448 | 28 498 | 979 909 | 20 784 |
| 福　建 | 542 053 | 219 244 | 9 113 | 523 410 | 9 530 |
| 江　西 | 718 727 | 304 860 | 11 528 | 697 304 | 9 895 |
| 山　东 | 1 496 280 | 604 190 | 61 293 | 1 408 620 | 26 367 |
| 河　南 | 1 393 522 | 559 437 | 45 947 | 1 328 758 | 18 817 |
| 湖　北 | 1 474 810 | 736 436 | 30 873 | 1 413 491 | 30 446 |
| 湖　南 | 1 211 212 | 513 059 | 18 628 | 1 169 577 | 23 007 |
| 广　东 | 1 582 821 | 742 334 | 30 709 | 1 526 077 | 26 035 |
| 广　西 | 547 224 | 233 957 | 7 887 | 531 492 | 7 845 |
| 海　南 | 260 778 | 130 584 | 3 446 | 239 869 | 17 463 |
| 重　庆 | 804 061 | 333 996 | 7 144 | 780 681 | 16 236 |
| 四　川 | 1 618 290 | 635 884 | 19 113 | 1 570 561 | 28 616 |
| 贵　州 | 449 246 | 178 795 | 8 195 | 436 696 | 4 355 |
| 云　南 | 689 282 | 302 750 | 14 553 | 666 379 | 8 350 |
| 西　藏 | 21 912 | 9 014 | 144 | 21 705 | 63 |
| 陕　西 | 755 400 | 329 508 | 22 748 | 716 096 | 16 556 |
| 甘　肃 | 478 637 | 169 416 | 13 605 | 456 528 | 8 504 |
| 青　海 | 144 785 | 50 690 | 3 464 | 136 736 | 4 585 |
| 宁　夏 | 135 597 | 48 131 | 2 636 | 129 309 | 3 652 |
| 新　疆 | 772 561 | 327 019 | 40 029 | 705 933 | 26 599 |
| 新疆生产建设兵团 | 437 060 | 195 657 | 31 141 | 386 191 | 19 728 |

注：本表不包括民政部门支付离休、退休、退职费的人数。

续表 1

| 地区 | 其中：内资企业 | | | | |
|---|---|---|---|---|---|
| | 合计 | 女性 | 离休人员 | 退休人员 | 领取定期生活费的退职人员 |
| **全　国** | **32 175 995** | **14 165 916** | **789 272** | **30 736 940** | **649 783** |
| 北　京 | 1 473 930 | 782 468 | 53 710 | 1 378 423 | 41 797 |
| 天　津 | 861 895 | 470 315 | 11 872 | 835 182 | 14 841 |
| 河　北 | 1 334 273 | 507 742 | 41 745 | 1 268 643 | 23 885 |
| 山　西 | 893 296 | 310 531 | 38 695 | 844 068 | 10 533 |
| 内蒙古 | 537 768 | 177 709 | 12 599 | 514 507 | 10 662 |
| 辽　宁 | 2 701 978 | 1 274 865 | 70 283 | 2 574 015 | 57 680 |
| 吉　林 | 971 748 | 383 450 | 28 757 | 924 357 | 18 634 |
| 黑龙江 | 1 639 827 | 645 837 | 55 295 | 1 548 112 | 36 420 |
| 上　海 | 2 099 101 | 1 154 506 | 20 054 | 2 050 360 | 28 687 |
| 江　苏 | 2 111 753 | 973 518 | 32 751 | 2 029 068 | 49 934 |
| 浙　江 | 1 080 870 | 501 458 | 13 792 | 1 036 054 | 31 024 |
| 安　徽 | 1 013 193 | 395 894 | 28 339 | 964 471 | 20 383 |
| 福　建 | 528 180 | 212 302 | 9 060 | 509 863 | 9 257 |
| 江　西 | 718 341 | 304 670 | 11 528 | 696 945 | 9 868 |
| 山　东 | 1 480 623 | 596 810 | 60 992 | 1 393 465 | 26 166 |
| 河　南 | 1 388 495 | 557 140 | 45 835 | 1 323 864 | 18 796 |
| 湖　北 | 1 467 303 | 732 932 | 30 813 | 1 406 125 | 30 365 |
| 湖　南 | 1 208 993 | 511 826 | 18 617 | 1 167 590 | 22 786 |
| 广　东 | 1 560 978 | 731 143 | 30 601 | 1 504 572 | 25 805 |
| 广　西 | 545 015 | 233 090 | 7 857 | 529 447 | 7 711 |
| 海　南 | 260 751 | 130 581 | 3 446 | 239 842 | 17 463 |
| 重　庆 | 800 341 | 332 970 | 7 053 | 777 125 | 16 163 |
| 四　川 | 1 615 859 | 634 566 | 19 094 | 1 568 186 | 28 579 |
| 贵　州 | 449 179 | 178 752 | 8 195 | 436 630 | 4 354 |
| 云　南 | 688 534 | 302 319 | 14 541 | 665 643 | 8 350 |
| 西　藏 | 21 912 | 9 014 | 144 | 21 705 | 63 |
| 陕　西 | 754 633 | 329 182 | 22 742 | 715 357 | 16 534 |
| 甘　肃 | 478 448 | 169 330 | 13 601 | 456 343 | 8 504 |
| 青　海 | 144 785 | 50 690 | 3 464 | 136 736 | 4 585 |
| 宁　夏 | 134 604 | 47 722 | 2 636 | 128 316 | 3 652 |
| 新　疆 | 772 329 | 326 927 | 40 020 | 705 735 | 26 574 |
| 新疆生产建设兵团 | 437 060 | 195 657 | 31 141 | 386 191 | 19 728 |

续表 2

| 地　　区 | ①国有企业 | | | | |
|---|---|---|---|---|---|
| | 合计 | 女性 | 离休人员 | 退休人员 | 领取定期生活费的退职人员 |
| **全　　国** | **22 594 977** | **9 407 359** | **659 632** | **21 533 858** | **401 487** |
| 北　　京 | 1 156 277 | 567 515 | 48 807 | 1 087 426 | 20 044 |
| 天　　津 | 594 575 | 302 453 | 9 517 | 577 248 | 7 810 |
| 河　　北 | 947 468 | 335 113 | 31 298 | 901 379 | 14 791 |
| 山　　西 | 751 351 | 248 199 | 34 300 | 709 800 | 7 251 |
| 内 蒙 古 | 310 277 | 93 487 | 8 807 | 294 642 | 6 828 |
| 辽　　宁 | 1 793 004 | 789 330 | 54 580 | 1 706 326 | 32 098 |
| 吉　　林 | 780 933 | 272 651 | 26 112 | 743 320 | 11 501 |
| 黑 龙 江 | 1 369 432 | 486 724 | 50 562 | 1 287 786 | 31 084 |
| 上　　海 | 1 383 439 | 760 892 | 16 804 | 1 356 637 | 9 998 |
| 江　　苏 | 1 047 282 | 482 797 | 24 016 | 1 004 544 | 18 722 |
| 浙　　江 | 449 485 | 186 527 | 8 812 | 429 855 | 10 818 |
| 安　　徽 | 674 014 | 249 696 | 22 443 | 642 992 | 8 579 |
| 福　　建 | 361 897 | 135 721 | 7 487 | 348 045 | 6 365 |
| 江　　西 | 546 421 | 230 474 | 10 416 | 528 957 | 7 048 |
| 山　　东 | 816 330 | 304 263 | 40 167 | 763 510 | 12 653 |
| 河　　南 | 1 003 651 | 373 412 | 38 085 | 952 622 | 12 944 |
| 湖　　北 | 999 192 | 499 097 | 26 079 | 952 286 | 20 827 |
| 湖　　南 | 914 746 | 368 461 | 16 044 | 882 058 | 16 644 |
| 广　　东 | 962 590 | 431 152 | 24 655 | 926 880 | 11 055 |
| 广　　西 | 399 830 | 164 955 | 6 381 | 387 953 | 5 496 |
| 海　　南 | 237 891 | 119 489 | 2 993 | 217 666 | 17 232 |
| 重　　庆 | 581 045 | 223 370 | 5 881 | 564 347 | 10 817 |
| 四　　川 | 1 126 965 | 414 291 | 16 252 | 1 090 962 | 19 751 |
| 贵　　州 | 391 530 | 148 742 | 7 652 | 380 175 | 3 703 |
| 云　　南 | 554 206 | 231 271 | 12 315 | 535 134 | 6 757 |
| 西　　藏 | 21 568 | 8 814 | 142 | 21 365 | 61 |
| 陕　　西 | 596 129 | 246 256 | 20 132 | 565 160 | 10 837 |
| 甘　　肃 | 408 065 | 141 927 | 12 210 | 389 361 | 6 494 |
| 青　　海 | 126 435 | 43 275 | 3 384 | 118 641 | 4 410 |
| 宁　　夏 | 113 941 | 39 887 | 2 567 | 107 805 | 3 569 |
| 新　　疆 | 739 035 | 312 024 | 39 606 | 673 844 | 25 585 |
| 新疆生产建设兵团 | 435 973 | 195 094 | 31 126 | 385 132 | 19 715 |

续表 3

| 地　　区 | ②集体企业 | | | | |
|---|---|---|---|---|---|
| | 合计 | 女性 | 离休人员 | 退休人员 | 领取定期生活费的退职人员 |
| **全　　国** | **6 080 215** | **3 214 579** | **69 814** | **5 839 954** | **170 447** |
| 北　　京 | 203 539 | 139 821 | 3 009 | 183 213 | 17 317 |
| 天　　津 | 180 455 | 122 360 | 1 160 | 172 901 | 6 394 |
| 河　　北 | 193 725 | 97 176 | 5 587 | 182 176 | 5 962 |
| 山　　西 | 116 342 | 50 593 | 3 346 | 110 178 | 2 818 |
| 内 蒙 古 | 44 034 | 23 554 | 599 | 42 573 | 862 |
| 辽　　宁 | 608 789 | 403 181 | 8 731 | 578 639 | 21 419 |
| 吉　　林 | 150 347 | 87 933 | 1 765 | 142 601 | 5 981 |
| 黑 龙 江 | 198 758 | 115 810 | 2 819 | 191 677 | 4 262 |
| 上　　海 | 488 856 | 268 871 | 834 | 472 041 | 15 981 |
| 江　　苏 | 761 457 | 351 032 | 5 816 | 733 606 | 22 035 |
| 浙　　江 | 202 644 | 106 714 | 748 | 196 647 | 5 249 |
| 安　　徽 | 255 769 | 113 440 | 3 916 | 240 929 | 10 924 |
| 福　　建 | 136 689 | 63 681 | 1 189 | 133 037 | 2 463 |
| 江　　西 | 134 124 | 61 665 | 802 | 130 801 | 2 521 |
| 山　　东 | 335 779 | 161 496 | 10 514 | 317 198 | 8 067 |
| 河　　南 | 227 471 | 112 301 | 3 926 | 220 364 | 3 181 |
| 湖　　北 | 329 258 | 164 521 | 2 703 | 319 025 | 7 530 |
| 湖　　南 | 256 053 | 126 631 | 1 496 | 249 005 | 5 552 |
| 广　　东 | 415 561 | 220 945 | 4 355 | 408 718 | 2 488 |
| 广　　西 | 103 596 | 51 341 | 866 | 101 188 | 1 542 |
| 海　　南 | 19 936 | 9 672 | 414 | 19 379 | 143 |
| 重　　庆 | 117 166 | 64 349 | 491 | 113 273 | 3 402 |
| 四　　川 | 269 673 | 128 966 | 702 | 263 342 | 5 629 |
| 贵　　州 | 37 056 | 20 922 | 272 | 36 378 | 406 |
| 云　　南 | 73 364 | 39 479 | 763 | 71 802 | 799 |
| 西　　藏 | 52 | 19 | | 52 | |
| 陕　　西 | 114 251 | 63 700 | 1 632 | 107 746 | 4 873 |
| 甘　　肃 | 52 647 | 21 104 | 1 069 | 49 858 | 1 720 |
| 青　　海 | 17 144 | 6 945 | 76 | 16 901 | 167 |
| 宁　　夏 | 14 543 | 6 369 | 46 | 14 440 | 57 |
| 新　　疆 | 20 370 | 9 525 | 168 | 19 502 | 700 |
| 新疆生产建设兵团 | 767 | 463 | | 764 | 3 |

续表 4

| 地区 | ③其他企业 | | | | |
|---|---|---|---|---|---|
| | 合计 | 女性 | 离休人员 | 退休人员 | 领取定期生活费的退职人员 |
| **全　　国** | **3 500 803** | **1 543 978** | **59 826** | **3 363 128** | **77 849** |
| 北　　京 | 114 114 | 75 132 | 1 894 | 107 784 | 4 436 |
| 天　　津 | 86 865 | 45 502 | 1 195 | 85 033 | 637 |
| 河　　北 | 193 080 | 75 453 | 4 860 | 185 088 | 3 132 |
| 山　　西 | 25 603 | 11 739 | 1 049 | 24 090 | 464 |
| 内 蒙 古 | 183 457 | 60 668 | 3 193 | 177 292 | 2 972 |
| 辽　　宁 | 300 185 | 82 354 | 6 972 | 289 050 | 4 163 |
| 吉　　林 | 40 468 | 22 866 | 880 | 38 436 | 1 152 |
| 黑 龙 江 | 71 637 | 43 303 | 1 914 | 68 649 | 1 074 |
| 上　　海 | 226 806 | 124 743 | 2 416 | 221 682 | 2 708 |
| 江　　苏 | 303 014 | 139 689 | 2 919 | 290 918 | 9 177 |
| 浙　　江 | 428 741 | 208 217 | 4 232 | 409 552 | 14 957 |
| 安　　徽 | 83 410 | 32 758 | 1 980 | 80 550 | 880 |
| 福　　建 | 29 594 | 12 900 | 384 | 28 781 | 429 |
| 江　　西 | 37 796 | 12 531 | 310 | 37 187 | 299 |
| 山　　东 | 328 514 | 131 051 | 10 311 | 312 757 | 5 446 |
| 河　　南 | 157 373 | 71 427 | 3 824 | 150 878 | 2 671 |
| 湖　　北 | 138 853 | 69 314 | 2 031 | 134 814 | 2 008 |
| 湖　　南 | 38 194 | 16 734 | 1 077 | 36 527 | 590 |
| 广　　东 | 182 827 | 79 046 | 1 591 | 168 974 | 12 262 |
| 广　　西 | 41 589 | 16 794 | 610 | 40 306 | 673 |
| 海　　南 | 2 924 | 1 420 | 39 | 2 797 | 88 |
| 重　　庆 | 102 130 | 45 251 | 681 | 99 505 | 1 944 |
| 四　　川 | 219 221 | 91 309 | 2 140 | 213 882 | 3 199 |
| 贵　　州 | 20 593 | 9 088 | 271 | 20 077 | 245 |
| 云　　南 | 60 964 | 31 569 | 1 463 | 58 707 | 794 |
| 西　　藏 | 292 | 181 | 2 | 288 | 2 |
| 陕　　西 | 44 253 | 19 226 | 978 | 42 451 | 824 |
| 甘　　肃 | 17 736 | 6 299 | 322 | 17 124 | 290 |
| 青　　海 | 1 206 | 470 | 4 | 1 194 | 8 |
| 宁　　夏 | 6 120 | 1 466 | 23 | 6 071 | 26 |
| 新　　疆 | 12 924 | 5 378 | 246 | 12 389 | 289 |
| 新疆生产建设兵团 | 320 | 100 | 15 | 295 | 10 |

## 分地区事业单位离休、退休、退职人员年末人数

（2002）

单位：人

| 地区 | 总计 | | | | |
|---|---|---|---|---|---|
| | 合计 | 女性 | 离休人员 | 退休人员 | 领取定期生活费的退职人员 |
| **全国** | **6 610 522** | **2 571 037** | **354 386** | **6 170 998** | **85 138** |
| 北京 | 211 184 | 100 490 | 26 147 | 182 201 | 2 836 |
| 天津 | 116 869 | 63 455 | 4 781 | 111 174 | 914 |
| 河北 | 309 670 | 110 721 | 23 687 | 282 794 | 3 189 |
| 山西 | 165 084 | 55 015 | 15 245 | 147 356 | 2 483 |
| 内蒙古 | 148 436 | 41 901 | 7 169 | 140 316 | 951 |
| 辽宁 | 365 586 | 140 676 | 29 118 | 332 309 | 4 159 |
| 吉林 | 214 929 | 98 954 | 17 163 | 193 200 | 4 566 |
| 黑龙江 | 244 649 | 89 290 | 19 713 | 220 238 | 4 698 |
| 上海 | 288 259 | 158 543 | 9 107 | 277 279 | 1 873 |
| 江苏 | 241 206 | 111 196 | 13 384 | 226 075 | 1 747 |
| 浙江 | 250 116 | 108 025 | 9 292 | 236 107 | 4 717 |
| 安徽 | 229 556 | 77 563 | 12 496 | 215 503 | 1 557 |
| 福建 | 152 494 | 54 848 | 4 762 | 145 466 | 2 266 |
| 江西 | 177 899 | 59 611 | 4 981 | 171 991 | 927 |
| 山东 | 345 945 | 106 081 | 37 366 | 299 938 | 8 641 |
| 河南 | 357 576 | 123 527 | 29 901 | 325 640 | 2 035 |
| 湖北 | 289 771 | 149 514 | 12 701 | 272 013 | 5 057 |
| 湖南 | 319 470 | 124 212 | 9 446 | 303 083 | 6 941 |
| 广东 | 394 391 | 158 693 | 12 983 | 377 790 | 3 618 |
| 广西 | 213 224 | 69 545 | 4 225 | 206 777 | 2 222 |
| 海南 | 45 539 | 16 573 | 882 | 44 183 | 474 |
| 重庆 | 156 147 | 61 939 | 2 669 | 152 318 | 1 160 |
| 四川 | 424 083 | 160 028 | 8 097 | 411 032 | 4 954 |
| 贵州 | 150 798 | 55 674 | 3 823 | 146 252 | 723 |
| 云南 | 207 816 | 69 013 | 8 037 | 198 089 | 1 690 |
| 西藏 | 15 514 | 5 231 | 215 | 15 265 | 34 |
| 陕西 | 204 868 | 69 675 | 11 954 | 188 216 | 4 698 |
| 甘肃 | 119 868 | 33 641 | 4 927 | 112 809 | 2 132 |
| 青海 | 43 081 | 12 792 | 1 602 | 40 807 | 672 |
| 宁夏 | 37 423 | 12 006 | 1 838 | 34 725 | 860 |
| 新疆 | 151 480 | 63 944 | 5 383 | 143 953 | 2 144 |
| 新疆生产建设兵团 | 17 591 | 8 661 | 1 292 | 16 099 | 200 |

注：本表不包括民政部门支付离休、退休、退职费的人数。

## 分地区由民政部门支付离休、退休、退职费的人数

(2002)

单位：人

| 地　区 | 合计 | 本年接收 | 离休人员 | 退休、退职人员 | 本年接收 |
|---|---|---|---|---|---|
| **全　国** | **235 370** | **14 428** | **37 349** | **198 021** | **14 428** |
| 北　京 | 33 717 | 2 858 | 3 281 | 30 436 | 2 858 |
| 天　津 | 5 898 | 177 | 882 | 5 016 | 177 |
| 河　北 | 14 415 | 1 143 | 2 897 | 11 518 | 1 143 |
| 山　西 | 3 785 | 124 | 731 | 3 054 | 124 |
| 内蒙古 | 3 360 | 26 | 691 | 2 669 | 26 |
| 辽　宁 | 20 493 | 1 359 | 4 368 | 16 125 | 1 359 |
| 吉　林 | 4 887 | 333 | 808 | 4 079 | 333 |
| 黑龙江 | 2 903 | 347 | 571 | 2 332 | 347 |
| 上　海 | 5 096 | 573 | 862 | 4 234 | 573 |
| 江　苏 | 16 124 | 727 | 2 737 | 13 387 | 727 |
| 浙　江 | 8 176 | 559 | 1 075 | 7 101 | 559 |
| 安　徽 | 4 891 | 81 | 1 306 | 3 585 | 81 |
| 福　建 | 8 805 | 197 | 736 | 8 069 | 197 |
| 江　西 | 5 777 | 219 | 614 | 5 163 | 219 |
| 山　东 | 16 777 | 799 | 4 621 | 12 156 | 799 |
| 河　南 | 8 255 | 520 | 1 878 | 6 377 | 520 |
| 湖　北 | 9 022 | 107 | 1 607 | 7 415 | 107 |
| 湖　南 | 10 356 | 856 | 901 | 9 455 | 856 |
| 广　东 | 8 066 | 400 | 906 | 7 160 | 400 |
| 广　西 | 2 761 | 49 | 331 | 2 430 | 49 |
| 海　南 | 1 376 | 194 | 122 | 1 254 | 194 |
| 重　庆 | 4 351 | 168 | 325 | 4 026 | 168 |
| 四　川 | 11 477 | 215 | 1 408 | 10 069 | 215 |
| 贵　州 | 2 094 | 45 | 278 | 1 816 | 45 |
| 云　南 | 6 662 | 117 | 950 | 5 712 | 117 |
| 西　藏 | 886 | | | 886 | |
| 陕　西 | 7 310 | 529 | 1 608 | 5 702 | 529 |
| 甘　肃 | 3 262 | 868 | 483 | 2 779 | 868 |
| 青　海 | 979 | 275 | 57 | 922 | 275 |
| 宁　夏 | 463 | 76 | 101 | 362 | 76 |
| 新　疆 | 2 946 | 487 | 214 | 2 732 | 487 |

## 分地区机关单位离休、退休、退职人员年末人数

（2002）

单位：人

| 地区 | 总计 | | | | |
|---|---|---|---|---|---|
| | 合计 | 女性 | 离休人员 | 退休人员 | 领取定期生活费的退职人员 |
| **全国** | **2 736 034** | **790 021** | **338 921** | **2 343 926** | **53 187** |
| 北京 | 77 313 | 32 153 | 12 782 | 63 945 | 586 |
| 天津 | 56 681 | 20 836 | 4 637 | 51 320 | 724 |
| 河北 | 147 869 | 32 092 | 28 020 | 116 316 | 3 533 |
| 山西 | 85 846 | 21 722 | 20 696 | 64 147 | 1 003 |
| 内蒙古 | 74 735 | 17 465 | 9 937 | 64 278 | 520 |
| 辽宁 | 104 092 | 24 366 | 19 229 | 83 973 | 890 |
| 吉林 | 51 374 | 13 507 | 9 093 | 41 187 | 1 094 |
| 黑龙江 | 127 759 | 41 987 | 18 093 | 107 121 | 2 545 |
| 上海 | 42 442 | 23 343 | 6 116 | 36 281 | 45 |
| 江苏 | 18 107 | 8 347 | 4 155 | 13 894 | 58 |
| 浙江 | 83 422 | 19 757 | 10 511 | 70 731 | 2 180 |
| 安徽 | 107 714 | 28 025 | 16 805 | 89 950 | 959 |
| 福建 | 74 290 | 19 215 | 6 758 | 65 622 | 1 910 |
| 江西 | 72 817 | 20 566 | 6 607 | 65 816 | 394 |
| 山东 | 163 002 | 38 882 | 31 659 | 122 262 | 9 081 |
| 河南 | 170 425 | 51 025 | 26 881 | 142 013 | 1 531 |
| 湖北 | 131 395 | 65 310 | 11 623 | 117 663 | 2 109 |
| 湖南 | 123 280 | 39 993 | 8 820 | 106 856 | 7 604 |
| 广东 | 169 611 | 49 116 | 19 230 | 147 663 | 2 718 |
| 广西 | 88 912 | 22 447 | 5 638 | 82 465 | 809 |
| 海南 | 18 343 | 4 131 | 1 888 | 16 164 | 291 |
| 重庆 | 80 086 | 19 960 | 3 682 | 75 620 | 784 |
| 四川 | 207 312 | 62 865 | 9 552 | 195 282 | 2 478 |
| 贵州 | 87 368 | 23 722 | 7 009 | 79 705 | 654 |
| 云南 | 116 180 | 28 552 | 11 334 | 103 848 | 998 |
| 西藏 | 9 657 | 3 197 | 403 | 9 178 | 76 |
| 陕西 | 65 902 | 16 063 | 9 495 | 53 895 | 2 512 |
| 甘肃 | 49 505 | 10 386 | 5 425 | 42 270 | 1 810 |
| 青海 | 33 354 | 5 246 | 3 007 | 29 296 | 1 051 |
| 宁夏 | 13 066 | 3 257 | 2 168 | 10 105 | 793 |
| 新疆 | 78 795 | 20 875 | 6 860 | 70 515 | 1 420 |
| 新疆生产建设兵团 | 5 380 | 1 613 | 808 | 4 545 | 27 |

注：本表不包括民政部门支付离休、退休、退职费的人数。

## 历年离休、退休、退职费

| 年份 | 离休、退休、退职费用总额（亿元） | | | | | | 平均每人离休、退休、退职费用（元） |
|---|---|---|---|---|---|---|---|
| | 合计 | 民政部门支付 | 总后事业单位 | 国有单位 | 城镇集体单位 | 其他单位 | |
| **一、绝对数** | | | | | | | |
| 1997 | 1 790.8 | 22.7 | 1.9 | 1 517.6 | 225.2 | 48.0 | 5 458 |
| 1998 | 2 073.7 | 26.1 | 3.6 | 1 726.0 | 229.0 | 114.8 | 5 972 |
| 1999 | 2 420.9 | 29.6 | 3.1 | | | | 6 614 |
| 2000 | 2 733.3 | 36.4 | 3.4 | | | | 7 190 |
| 2001 | 3 072.0 | 44.3 | 3.4 | | | | 7 784 |
| 2002 | 3 659.4 | 51.0 | 3.6 | | | | 8 881 |
| **二、比上年增长（%）** | | | | | | | |
| 1997 | 15.4 | 12.9 | | 16.0 | 10.4 | 20.0 | 10.9 |
| 1998 | 15.8 | 15.0 | 89.5 | 13.7 | 1.7 | 139.2 | 9.4 |
| 1999 | 16.7 | 13.4 | －13.9 | | | | 10.8 |
| 2000 | 12.9 | 23.0 | 9.7 | | | | 8.7 |
| 2001 | 12.4 | 21.7 | | | | | 8.3 |
| 2002 | 19.1 | 15.1 | 5.9 | | | | 14.1 |

注：1. 本表数字不包括离休、退休、退职职工的医疗卫生费；

2. 本表 1985—1988 年的数字不包括据有关规定发给离休、退休、退职职工的肉类等价格补贴。

## 历年离休、退休、退职人员保险福利费用构成情况

| 年份 | 合计 | 离休金 | 退休金 | 退职生活费 | 医疗卫生费 | 其他 |
|---|---|---|---|---|---|---|
| **一、绝对数（亿元）** | | | | | | |
| 1997 | 2 043.8 | 162.6 | 1 423.9 | 23.5 | 277.6 | 156.2 |
| 1998 | 2 330.9 | 167.7 | 1 708.5 | 24.1 | 286.9 | 143.7 |
| 1999 | 2 708.3 | 186.1 | 2 035.2 | 27.2 | 320.1 | 139.7 |
| 2000 | 3 040.5 | 201.1 | 2 305.7 | 30.3 | 346.9 | 156.5 |
| 2001 | 3 337.2 | 223.4 | 2 618.7 | 27.8 | 312.9 | 154.4 |
| 2002 | 3 870.7 | 263.7 | 3 143.0 | 33.4 | 266.0 | 164.6 |
| **二、比上年增长（%）** | | | | | | |
| 1997 | 13.7 | 18.1 | 18.7 | 37.4 | 4.5 | －12.2 |
| 1998 | 14.0 | 3.1 | 20.0 | 2.6 | 3.4 | －8.0 |
| 1999 | 16.2 | 11.0 | 19.1 | 12.9 | 11.6 | －2.8 |
| 2000 | 12.3 | 8.1 | 13.3 | 11.4 | 8.4 | 12.0 |
| 2001 | 9.8 | 11.1 | 13.6 | －8.3 | －9.8 | －1.3 |
| 2002 | 16.0 | 18.0 | 20.0 | 20.1 | －15.0 | 6.6 |

注：本表不包括民政部门支付的离休、退休、退职费。

## 历年企业单位离休、退休、退职人员保险福利费用构成情况

| 年份 | 合计 | 离休金 | 退休金 | 退职生活费 | 医疗卫生费 | 其他 |
|---|---|---|---|---|---|---|
| 一、绝对数（亿元） | | | | | | |
| 1997 | 1 454.1 | 77.8 | 1 045.3 | 18.3 | 194.8 | 117.9 |
| 1998 | 1 661.6 | 84.3 | 1 255.2 | 19.2 | 199.4 | 103.5 |
| 1999 | 1 886.8 | 94.6 | 1 463.1 | 21.7 | 211.7 | 95.7 |
| 2000 | 2 071.1 | 99.4 | 1 618.8 | 24.0 | 224.5 | 104.4 |
| 2001 | 2 193.7 | 108.2 | 1 762.4 | 20.7 | 204.2 | 97.2 |
| 2002 | 2 596.6 | 137.7 | 2 152.2 | 25.5 | 179.5 | 101.7 |
| 二、比上年增长（%） | | | | | | |
| 1997 | 13.8 | 18.6 | 19.0 | 40.8 | 5.2 | -13.1 |
| 1998 | 14.3 | 8.4 | 20.1 | 4.9 | 2.4 | -12.2 |
| 1999 | 13.6 | 12.2 | 16.6 | 13.0 | 6.2 | -7.5 |
| 2000 | 9.8 | 5.1 | 10.6 | 10.6 | 6.0 | 9.1 |
| 2001 | 5.9 | 8.9 | 8.9 | -13.7 | -9.0 | -6.9 |
| 2002 | 18.4 | 27.3 | 22.1 | 23.2 | -12.1 | 4.6 |

注：本表不包括民政部门支付的离休、退休、退职费。

## 历年企业、事业、机关单位离休、退休、退职人数及人均离休、退休、退职费

| 年份 | 总计 | | | 企业 | | | | |
|---|---|---|---|---|---|---|---|---|
| | | | | 合计 | | | 离休人员 | |
| | 年末人数（万人） | 离休、退休、退职费（亿元） | 人均离休、退休、退职费（元） | 年末人数（万人） | 离休、退休、退职费（亿元） | 人均离休、退休、退职费（元） | 年末人数（万人） | 离休金（亿元） |
| 一、绝对数 | | | | | | | | |
| 1997 | 3 323.2 | 1 766.3 | 5 429 | 2 589.2 | 1 259.4 | 4 975 | 94.3 | 85.8 |
| 1998 | 3 563.8 | 2 043.6 | 5 934 | 2 767.8 | 1 462.2 | 5 459 | 92.3 | 90.7 |
| 1999 | 3 699.6 | 2 388.2 | 6 576 | 2 867.6 | 1 675.1 | 5 945 | 88.7 | 100.3 |
| 2000 | 3 848.0 | 2 693.6 | 7 137 | 2 978.0 | 1 846.6 | 6 318 | 86.7 | 105.3 |
| 2001 | 3 989.9 | 3 024.3 | 7 717 | 3 072.4 | 1 988.5 | 6 573 | 79.7 | 113.7 |
| 2002 | 4 196.0 | 3 604.8 | 8 807 | 3 261.4 | 2 417.2 | 7 633 | 79.7 | 143.7 |
| 二、比上年增长（%） | | | | | | | | |
| 1998 | 7.2 | 15.7 | 9.3 | 6.9 | 16.1 | 9.7 | -2.1 | 5.7 |
| 1999 | 3.8 | 16.9 | 10.8 | 3.6 | 14.6 | 8.9 | -3.9 | 10.6 |
| 2000 | 4.0 | 12.8 | 8.5 | 3.8 | 10.2 | 6.3 | -2.3 | 5.0 |
| 2001 | 3.7 | 3.9 | 8.1 | 3.2 | 7.7 | 4.0 | -8.1 | 8.0 |
| 2002 | 5.2 | 19.2 | 14.1 | 6.2 | 21.6 | 16.1 | | 26.4 |

注：1. 本表不包括民政部门和总后事业单位支付离休、退休、退职费的数字；
2. 退休人员中含退职人员。

续表 1

| 年份 | | | | | 事业 | | |
|---|---|---|---|---|---|---|---|
| | | | | | 合计 | | |
| | | 退休人员 | | | | | |
| | 人均离休金（元） | 年末人数（万人） | 退休金（亿元） | 人均退休金（元） | 年末人数（万人） | 离休、退休、退职费（亿元） | 人均离休、退休、退职费（元） |
| 一、绝对数 | | | | | | | |
| 1997 | 8 965 | 2 494.9 | 1 173.6 | 4 818 | 520.8 | 350.5 | 6 840 |
| 1998 | 9 721 | 2 675.5 | 1 371.5 | 5 305 | 568.4 | 407.9 | 7 490 |
| 1999 | 11 083 | 2 778.9 | 1 574.8 | 5 774 | 580.5 | 498.5 | 8 677 |
| 2000 | 12 007 | 2 891.3 | 1 741.3 | 6 142 | 619.3 | 595.4 | 9 923 |
| 2001 | 13 666 | 2 992.7 | 1 874.8 | 6 373 | 654.4 | 721.2 | 11 324 |
| 2002 | 18 032 | 3 181.6 | 2 273.4 | 7 364 | 661.1 | 818.4 | 12 442 |
| 二、比上年增长（%） | | | | | | | |
| 1997 | 18.3 | 5.0 | 15.3 | 9.9 | 3.3 | 13.3 | 10.6 |
| 1998 | 8.4 | 7.2 | 16.9 | 10.1 | 9.1 | 16.4 | 9.5 |
| 1999 | 14.0 | 3.9 | 14.8 | 8.8 | 2.1 | 22.2 | 15.9 |
| 2000 | 8.3 | 4.0 | 10.6 | 6.4 | 6.7 | 19.4 | 14.4 |
| 2001 | 13.8 | 3.5 | 7.7 | 3.8 | 5.7 | 21.1 | 14.1 |
| 2002 | 31.9 | 6.3 | 21.3 | 15.6 | 1.0 | 13.5 | 9.9 |

| 年份 | | | | | | | 机关 | |
|---|---|---|---|---|---|---|---|---|
| | | | | | | | 合计 | |
| | 离休人员 | | | 退休人员 | | | | |
| | 年末人数（万人） | 离休金（亿元） | 人均离休金（元） | 年末人数（万人） | 退休金（亿元） | 人均退休金（元） | 年末人数（万人） | 离休、退休、退职费（亿元） |
| 一、绝对数 | | | | | | | | |
| 1997 | 44.6 | 43.2 | 9 453 | 476.2 | 307.3 | 6 585 | 213.2 | 156.4 |
| 1998 | 42.8 | 45.2 | 10 343 | 525.6 | 362.7 | 7 241 | 227.6 | 173.5 |
| 1999 | 40.5 | 49.7 | 11 918 | 540.0 | 448.8 | 8 423 | 251.5 | 214.6 |
| 2000 | 39.7 | 54.8 | 13 666 | 579.6 | 540.6 | 9 655 | 250.7 | 251.6 |
| 2001 | 37.8 | 60.4 | 15 589 | 616.6 | 660.9 | 11 049 | 263.1 | 313.8 |
| 2002 | 35.4 | 66.2 | 18 072 | 625.6 | 752.2 | 12 110 | 273.6 | 369.2 |
| 二、比上年增长（%） | | | | | | | | |
| 1997 | -4.7 | 2.6 | 6.9 | 4.2 | 15.0 | 11.5 | 3.9 | 20.5 |
| 1998 | -4.0 | 4.6 | 9.4 | 10.4 | 18.0 | 10.0 | 6.8 | 10.9 |
| 1999 | -5.4 | 10.0 | 15.2 | 2.7 | 23.7 | 16.3 | 10.5 | 23.7 |
| 2000 | -2.0 | 10.3 | 14.7 | 7.3 | 20.5 | 14.6 | -0.3 | 17.2 |
| 2001 | -4.8 | 10.2 | 14.2 | 6.4 | 22.2 | 14.4 | 4.9 | 24.7 |
| 2002 | -6.3 | 9.6 | 15.9 | 1.5 | 13.8 | 9.6 | 4.0 | 17.7 |

续表 2

| 年份 | 人均离休、退休、退职费（元） | 离休人员 年末人数（万人） | 离休人员 离休金（亿元） | 离休人员 人均离休金（元） | 退休人员 年末人数（万人） | 退休人员 退休金（亿元） | 退休人员 人均退休金（元） |
|---|---|---|---|---|---|---|---|
| **一、绝对数** | | | | | | | |
| 1997 | 7 476 | 42.9 | 47.5 | 10 870 | 170.3 | 108.9 | 6 580 |
| 1998 | 7 868 | 42.6 | 44.3 | 10 350 | 185.0 | 129.2 | 7 271 |
| 1999 | 8 957 | 43.2 | 47.8 | 11 142 | 208.3 | 166.8 | 8 480 |
| 2000 | 10 020 | 40.0 | 53.6 | 12 885 | 210.7 | 198.0 | 9 451 |
| 2001 | 12 215 | 37.6 | 61.5 | 15 866 | 225.5 | 252.3 | 11 570 |
| 2002 | 13 759 | 33.9 | 66.9 | 18 711 | 239.7 | 302.3 | 12 988 |
| **二、比上年增长（%）** | | | | | | | |
| 1997 | 17.7 | -3.4 | 26.0 | 31.8 | 6.0 | 18.2 | 13.3 |
| 1998 | 5.2 | -0.7 | -6.7 | -4.8 | 8.6 | 18.6 | 10.5 |
| 1999 | 13.8 | 1.4 | 7.9 | 7.6 | 12.6 | 29.1 | 16.6 |
| 2000 | 11.9 | -7.4 | 12.1 | 15.6 | 1.2 | 18.7 | 11.5 |
| 2001 | 21.9 | -6.0 | 14.7 | 23.0 | 7.0 | 27.4 | 22.4 |
| 2002 | 12.6 | -9.8 | 8.8 | 17.9 | 6.3 | 19.8 | 12.3 |

## 分地区离休、退休、退职人员人数及人均离休、退休、退职费

| 地　区 | 2001 | | | | | |
|---|---|---|---|---|---|---|
| | 合计 | | 企业 | | | |
| | | | 离休人员 | | 退休人员 | |
| | 平均人数（千人） | 人均离休、退休、退职费（元） | 平均人数（千人） | 人均离休金（元） | 平均人数（千人） | 人均退休金（元） |
| **全　国** | **39 188.9** | **7 717** | **831.8** | **13 671** | **29 419.8** | **6 373** |
| 北　京 | 1 770.4 | 10 554 | 46.3 | 17 192 | 1 377.0 | 9 039 |
| 天　津 | 954.6 | 8 018 | 13.4 | 17 470 | 796.4 | 6 977 |
| 河　北 | 1 543.4 | 7 938 | 42.7 | 12 642 | 1 110.1 | 6 422 |
| 山　西 | 1 021.3 | 7 071 | 38.2 | 12 548 | 765.2 | 5 768 |
| 内蒙古 | 755.1 | 7 280 | 14.3 | 12 401 | 514.3 | 5 890 |
| 辽　宁 | 3 040.2 | 6 504 | 78.8 | 13 573 | 2 514.7 | 5 370 |
| 吉　林 | 1 157.9 | 7 446 | 33.2 | 12 201 | 879.0 | 6 490 |
| 黑龙江 | 1 925.7 | 7 117 | 58.7 | 14 731 | 1 577.2 | 6 343 |
| 上　海 | 2 370.5 | 7 213 | 20.6 | | 2 032.2 | |
| 江　苏 | 2 512.9 | 8 557 | 40.2 | 18 016 | 1 942.6 | 6 643 |
| 浙　江 | 1 369.6 | 10 161 | 16.2 | 18 581 | 1 043.4 | 8 660 |
| 安　徽 | 1 229.2 | 6 925 | 28.9 | 14 104 | 876.3 | 5 497 |
| 福　建 | 709.3 | 8 232 | 9.2 | 17 918 | 482.5 | 5 502 |
| 江　西 | 878.0 | 7 522 | 11.8 | 11 046 | 624.0 | 5 508 |
| 山　东 | 1 842.2 | 9 228 | 66.2 | 16 641 | 1 307.5 | 7 482 |
| 河　南 | 1 785.4 | 7 082 | 49.9 | 11 437 | 1 251.3 | 5 945 |
| 湖　北 | 1 785.6 | 7 075 | 31.1 | 12 645 | 1 362.7 | 6 084 |
| 湖　南 | 1 592.8 | 6 909 | 20.3 | 15 805 | 1 123.4 | 5 857 |
| 广　东 | 1 993.3 | 7 985 | 32.5 | 13 264 | 1 450.6 | 6 480 |
| 广　西 | 788.1 | 6 918 | 9.0 | 13 430 | 515.5 | 5 813 |
| 海　南 | 303.7 | 5 462 | 4.0 | 15 748 | 245.8 | 3 877 |
| 重　庆 | 1 005.8 | 6 432 | 7.8 | 12 455 | 781.4 | 5 475 |
| 四　川 | 2 067.9 | 6 560 | 24.1 | 11 644 | 1 491.5 | 5 356 |
| 贵　州 | 638.4 | 8 001 | 9.3 | 14 073 | 412.0 | 6 427 |
| 云　南 | 912.4 | 9 523 | 14.5 | 16 463 | 605.4 | 7 211 |
| 西　藏 | 42.0 | 17 089 | 0.2 | 13 791 | 19.2 | 10 601 |
| 陕　西 | 986.2 | 6 955 | 25.6 | 11 288 | 712.0 | 5 709 |
| 甘　肃 | 603.1 | 9 097 | 14.9 | 16 567 | 430.7 | 7 767 |
| 青　海 | 208.0 | 11 194 | 3.0 | 22 148 | 130.7 | 9 094 |
| 宁　夏 | 184.9 | 7 162 | 5.2 | 9 481 | 123.8 | 6 180 |
| 新　疆 | 773.0 | 7 167 | 29.8 | 4 943 | 536.8 | 5 336 |
| 新疆生产建设兵团 | 438.0 | 7 194 | 31.8 | 16 014 | 384.5 | 6 036 |

注：1. 本表不包括民政部门和总后事业单位支付离休、退休、退职费的数字；

2. 退休人员中含退职人员。

续表 1

| 地　　区 | 2001 | | | |
|---|---|---|---|---|
| | 事业 | | 机关 | |
| | 人均离休金（元） | 人均退休金（元） | 人均离休金（元） | 人均退休金（元） |
| **全　　国** | **15 589** | **11 049** | **15 866** | **11 570** |
| 北　　京 | 23 720 | 15 290 | 18 899 | 12 563 |
| 天　　津 | 19 204 | 12 406 | 19 083 | 12 425 |
| 河　　北 | 14 357 | 10 529 | 16 153 | 12 953 |
| 山　　西 | 14 294 | 10 446 | 13 218 | 9 360 |
| 内 蒙 古 | 14 310 | 9 565 | 14 837 | 10 075 |
| 辽　　宁 | 14 889 | 11 024 | 15 719 | 11 668 |
| 吉　　林 | 12 768 | 9 690 | 13 339 | 10 775 |
| 黑 龙 江 | 9 567 | 9 756 | 11 646 | 9 489 |
| 上　　海 | | | | |
| 江　　苏 | 20 958 | 14 250 | 20 793 | 14 362 |
| 浙　　江 | 21 316 | 14 166 | 21 248 | 14 749 |
| 安　　徽 | 13 697 | 9 494 | 14 788 | 10 054 |
| 福　　建 | 20 811 | 13 535 | 18 828 | 13 383 |
| 江　　西 | 14 762 | 10 994 | 17 823 | 15 603 |
| 山　　东 | 17 773 | 13 098 | 15 990 | 10 662 |
| 河　　南 | 12 153 | 9 278 | 11 806 | 9 107 |
| 湖　　北 | 15 850 | 9 467 | 16 201 | 10 227 |
| 湖　　南 | 14 130 | 9 168 | 13 562 | 8 301 |
| 广　　东 | 17 504 | 11 462 | 17 975 | 11 729 |
| 广　　西 | 16 395 | 8 603 | 13 236 | 8 637 |
| 海　　南 | 17 663 | 10 579 | 22 288 | 13 411 |
| 重　　庆 | 13 418 | 9 216 | 14 726 | 10 282 |
| 四　　川 | 14 858 | 9 115 | 14 713 | 10 069 |
| 贵　　州 | 16 686 | 10 469 | 16 447 | 10 254 |
| 云　　南 | 17 722 | 11 976 | 21 887 | 16 986 |
| 西　　藏 | 17 104 | 21 765 | 14 173 | 24 422 |
| 陕　　西 | 13 478 | 9 772 | 13 773 | 9 468 |
| 甘　　肃 | 17 789 | 11 615 | 16 685 | 11 582 |
| 青　　海 | 22 456 | 14 430 | 21 083 | 13 129 |
| 宁　　夏 | 12 431 | 9 023 | 10 969 | 8 373 |
| 新　　疆 | 13 578 | 10 867 | 17 915 | 13 535 |
| 新疆生产建设兵团 | 15 597 | 12 721 | 35 883 | 17 885 |

续表 2

| 地 区 | 2002 | | | | | | | |
|---|---|---|---|---|---|---|---|---|
| | 总计 | | 企业 | | | | | |
| | 离休、退休、退职费（亿元） | 人均离休、退休、退职费（元） | 企业小计 | | 离休人员 | | 退休人员 | |
| | | | 离退休金（亿元） | 人均离退休金（元） | 离休金（亿元） | 人均离休金（元） | 退休金（亿元） | 人均退休金（元） |
| **全 国** | **3 604.8** | **8 807** | **2 417.2** | **7 633** | **143.7** | **18 032** | **2 273.4** | **7 364** |
| 北 京 | 199.9 | 11 186 | 150.4 | 10 209 | 9.9 | 19 389 | 140.6 | 9 881 |
| 天 津 | 103.9 | 9 998 | 67.4 | 7 652 | 2.5 | 19 527 | 64.9 | 7 477 |
| 河 北 | 153.9 | 9 074 | 100.1 | 7 914 | 7.2 | 17 135 | 92.9 | 7 596 |
| 山 西 | 87.4 | 7 979 | 58.1 | 6 814 | 5.8 | 15 311 | 52.3 | 6 417 |
| 内蒙古 | 60.9 | 8 025 | 36.1 | 6 775 | 2.2 | 17 018 | 33.9 | 6 516 |
| 辽 宁 | 243.2 | 7 725 | 183.9 | 6 850 | 15.6 | 21 089 | 168.3 | 6 447 |
| 吉 林 | 98.5 | 8 115 | 68.6 | 7 192 | 4.4 | 14 139 | 64.2 | 6 959 |
| 黑龙江 | 147.3 | 7 362 | 109.6 | 6 551 | 10.6 | 18 967 | 99.0 | 6 123 |
| 上 海 | 269.9 | 11 089 | 216.3 | 10 257 | 6.0 | 29 408 | 210.2 | 10 068 |
| 江 苏 | 214.5 | 8 428 | 175.9 | 8 232 | 7.7 | 19 719 | 168.3 | 8 019 |
| 浙 江 | 163.1 | 11 363 | 102.6 | 9 224 | 2.9 | 19 496 | 99.7 | 9 083 |
| 安 徽 | 104.5 | 8 032 | 64.4 | 6 675 | 4.8 | 17 067 | 59.5 | 6 360 |
| 福 建 | 72.9 | 9 797 | 39.1 | 7 524 | 1.8 | 19 948 | 37.3 | 7 303 |
| 江 西 | 70.2 | 7 457 | 40.9 | 5 969 | 1.4 | 12 110 | 39.5 | 5 864 |
| 山 东 | 199.9 | 10 291 | 127.3 | 8 806 | 11.9 | 18 663 | 115.5 | 8 353 |
| 河 南 | 146.8 | 7 847 | 91.4 | 6 720 | 6.6 | 14 074 | 84.8 | 6 458 |
| 湖 北 | 137.2 | 7 369 | 97.5 | 6 729 | 4.3 | 14 044 | 93.2 | 6 570 |
| 湖 南 | 115.2 | 6 969 | 73.8 | 6 141 | 2.9 | 15 239 | 70.9 | 5 993 |
| 广 东 | 181.7 | 8 721 | 106.6 | 6 947 | 5.1 | 16 152 | 101.5 | 6 753 |
| 广 西 | 69.9 | 8 422 | 37.2 | 6 855 | 1.2 | 14 304 | 36.0 | 6 739 |
| 海 南 | 20.1 | 6 319 | 12.4 | 4 822 | 0.7 | 19 215 | 11.7 | 4 618 |
| 重 庆 | 71.0 | 6 679 | 45.6 | 5 484 | 1.1 | 15 094 | 44.5 | 5 397 |
| 四 川 | 168.7 | 7 714 | 100.6 | 6 325 | 3.3 | 16 778 | 97.3 | 6 194 |
| 贵 州 | 63.1 | 9 420 | 35.7 | 8 128 | 1.7 | 19 986 | 34.0 | 7 895 |
| 云 南 | 103.1 | 10 551 | 55.6 | 8 376 | 2.9 | 20 263 | 52.7 | 8 111 |
| 西 藏 | 9.5 | 21 037 | 2.7 | 12 815 | 0.0 | 11 652 | 2.7 | 12 827 |
| 陕 西 | 82.2 | 8 071 | 52.0 | 6 886 | 3.6 | 15 062 | 48.4 | 6 619 |
| 甘 肃 | 62.9 | 9 924 | 40.0 | 8 544 | 2.6 | 18 418 | 37.4 | 8 236 |
| 青 海 | 29.5 | 13 477 | 15.3 | 10 842 | 0.8 | 24 446 | 14.5 | 10 521 |
| 宁 夏 | 17.1 | 9 138 | 10.6 | 7 907 | 0.5 | 13 413 | 10.0 | 7 742 |
| 新 疆 | 99.1 | 12 818 | 65.6 | 11 785 | 6.5 | 25 933 | 59.1 | 11 114 |
| 新疆生产建设兵团 | 37.5 | 8 249 | 33.7 | 7 818 | 5.1 | 16 033 | 28.7 | 7 170 |

续表 3

| 地区 | 2002 | | | | | |
|---|---|---|---|---|---|---|
| | 其中：国有企业 | | | | | |
| | 离休人员 | | | 退休人员 | | |
| | 平均人数（万人） | 离休金（亿元） | 人均离休金（元） | 平均人数（万人） | 退休金（亿元） | 人均退休金（元） |
| **全　国** | **66.0** | **120.1** | **18 197** | **2 144.4** | **1 634.3** | **7 621** |
| 北　京 | 4.6 | 9.0 | 19 682 | 108.6 | 110.3 | 10 159 |
| 天　津 | 1.1 | 1.9 | 18 233 | 57.5 | 44.1 | 7 667 |
| 河　北 | 3.2 | 5.7 | 17 718 | 88.3 | 71.5 | 8 099 |
| 山　西 | 3.4 | 5.3 | 15 902 | 67.8 | 45.9 | 6 778 |
| 内蒙古 | 1.0 | 1.6 | 15 994 | 32.4 | 19.2 | 5 918 |
| 辽　宁 | 5.9 | 12.8 | 21 939 | 172.3 | 120.0 | 6 966 |
| 吉　林 | 2.8 | 4.0 | 14 350 | 73.1 | 54.1 | 7 395 |
| 黑龙江 | 4.9 | 10.0 | 20 298 | 136.1 | 84.6 | 6 213 |
| 上　海 | 1.7 | 5.1 | 29 566 | 136.4 | 140.9 | 10 331 |
| 江　苏 | 2.7 | 4.8 | 17 871 | 104.1 | 77.1 | 7 403 |
| 浙　江 | 1.0 | 1.8 | 18 078 | 46.9 | 43.2 | 9 193 |
| 安　徽 | 2.2 | 3.8 | 17 092 | 59.9 | 41.6 | 6 957 |
| 福　建 | 0.7 | 1.6 | 21 055 | 33.5 | 26.1 | 7 770 |
| 江　西 | 1.0 | 1.3 | 12 357 | 50.4 | 31.7 | 6 293 |
| 山　东 | 4.3 | 7.9 | 18 282 | 77.1 | 67.8 | 8 790 |
| 河　南 | 3.8 | 5.4 | 14 138 | 93.4 | 63.1 | 6 758 |
| 湖　北 | 2.6 | 3.6 | 13 864 | 96.5 | 65.7 | 6 809 |
| 湖　南 | 1.7 | 2.6 | 15 275 | 90.6 | 55.9 | 6 172 |
| 广　东 | 2.5 | 3.9 | 15 326 | 90.7 | 66.4 | 7 329 |
| 广　西 | 0.7 | 1.0 | 14 385 | 38.7 | 27.0 | 6 964 |
| 海　南 | 0.3 | 0.6 | 19 370 | 23.3 | 10.5 | 4 530 |
| 重　庆 | 0.6 | 1.0 | 15 519 | 58.4 | 33.9 | 5 800 |
| 四　川 | 1.6 | 2.9 | 17 688 | 107.2 | 74.6 | 6 962 |
| 贵　州 | 0.8 | 1.6 | 20 336 | 37.5 | 31.0 | 8 270 |
| 云　南 | 1.2 | 2.5 | 20 592 | 52.0 | 44.2 | 8 492 |
| 西　藏 | 0.0 | 0.0 | 11 964 | 2.0 | 2.6 | 12 856 |
| 陕　西 | 2.1 | 3.2 | 15 551 | 58.0 | 40.7 | 7 012 |
| 甘　肃 | 1.3 | 2.4 | 19 214 | 38.9 | 33.4 | 8 569 |
| 青　海 | 0.3 | 0.8 | 24 877 | 12.0 | 13.3 | 11 085 |
| 宁　夏 | 0.4 | 0.5 | 13 928 | 10.9 | 8.7 | 7 983 |
| 新　疆 | 2.5 | 6.5 | 26 360 | 50.1 | 56.8 | 11 337 |
| 新疆生产建设兵团 | 3.2 | 5.1 | 16 054 | 39.9 | 28.6 | 7 171 |

续表 4

| 地区 | 2002 | | | | | |
|---|---|---|---|---|---|---|
| | 事业 | | | | | |
| | 事业小计 | | 离休人员 | | 退休人员 | |
| | 离退休金（亿元） | 人均离退休金（元） | 离休金（亿元） | 人均离休金（元） | 退休金（亿元） | 人均退休金（元） |
| **全　国** | **818.4** | **12 442** | **66.2** | **18 072** | **752.2** | **12 110** |
| 北　京 | 34.7 | 14 461 | 5.8 | 19 639 | 28.9 | 13 730 |
| 天　津 | 17.3 | 14 702 | 1.2 | 24 800 | 16.0 | 14 258 |
| 河　北 | 35.4 | 11 951 | 4.1 | 16 890 | 31.3 | 11 508 |
| 山　西 | 18.7 | 11 685 | 2.3 | 15 463 | 16.3 | 11 289 |
| 内蒙古 | 15.7 | 10 384 | 1.1 | 15 175 | 14.6 | 10 142 |
| 辽　宁 | 44.7 | 12 428 | 5.0 | 16 451 | 39.8 | 12 060 |
| 吉　林 | 23.9 | 11 263 | 2.5 | 13 960 | 21.4 | 11 017 |
| 黑龙江 | 24.8 | 11 479 | 2.2 | 12 642 | 22.7 | 11 379 |
| 上　海 | 45.5 | 15 928 | 3.0 | 31 569 | 42.5 | 15 396 |
| 江　苏 | 35.6 | 10 912 | 2.0 | 11 022 | 33.7 | 10 905 |
| 浙　江 | 41.5 | 17 336 | 2.3 | 25 297 | 39.2 | 17 019 |
| 安　徽 | 28.0 | 12 329 | 2.3 | 16 846 | 25.7 | 12 044 |
| 福　建 | 23.0 | 15 028 | 1.3 | 25 926 | 21.7 | 14 661 |
| 江　西 | 19.2 | 10 621 | 0.7 | 13 637 | 18.5 | 10 527 |
| 山　东 | 50.9 | 15 246 | 7.6 | 20 054 | 43.3 | 14 633 |
| 河　南 | 37.3 | 10 678 | 4.5 | 14 902 | 32.8 | 10 280 |
| 湖　北 | 27.5 | 9 627 | 2.3 | 18 077 | 25.2 | 9 234 |
| 湖　南 | 30.3 | 9 326 | 1.6 | 16 841 | 28.6 | 9 094 |
| 广　东 | 52.4 | 13 607 | 3.1 | 23 807 | 49.3 | 13 248 |
| 广　西 | 22.6 | 10 882 | 0.8 | 17 303 | 21.9 | 10 742 |
| 海　南 | 5.2 | 12 266 | 0.2 | 22 649 | 5.0 | 12 051 |
| 重　庆 | 16.1 | 10 245 | 0.5 | 15 763 | 15.6 | 10 135 |
| 四　川 | 44.1 | 10 935 | 1.6 | 20 597 | 42.4 | 10 739 |
| 贵　州 | 17.0 | 11 716 | 0.8 | 19 393 | 16.2 | 11 498 |
| 云　南 | 26.7 | 13 033 | 1.7 | 20 781 | 25.0 | 12 701 |
| 西　藏 | 4.0 | 26 638 | 0.1 | 39 703 | 3.9 | 26 478 |
| 陕　西 | 23.0 | 11 517 | 2.1 | 17 187 | 20.9 | 11 155 |
| 甘　肃 | 15.9 | 13 616 | 1.2 | 23 598 | 14.7 | 13 157 |
| 青　海 | 8.5 | 19 079 | 0.4 | 25 009 | 8.1 | 18 850 |
| 宁　夏 | 4.6 | 12 332 | 0.3 | 16 696 | 4.3 | 12 075 |
| 新　疆 | 21.6 | 15 203 | 1.2 | 25 276 | 20.4 | 14 853 |
| 新疆生产建设兵团 | 2.7 | 15 325 | 0.3 | 24 525 | 2.3 | 14 537 |

续表 5

| 地区 | 2002 | | | | | |
|---|---|---|---|---|---|---|
| | 机关 | | | | | |
| | 机关小计 | | 离休人员 | | 退休人员 | |
| | 离退休金（亿元） | 人均离退休金（元） | 离休金（亿元） | 人均离休金（元） | 退休金（亿元） | 人均退休金（元） |
| **全　国** | **369.2** | **13 759** | **66.9** | **18 711** | **302.3** | **12 998** |
| 北　京 | 14.7 | 20 067 | 3.6 | 27 589 | 11.2 | 18 462 |
| 天　津 | 19.3 | 46 553 | 1.2 | 28 654 | 18.0 | 48 627 |
| 河　北 | 18.4 | 13 636 | 4.9 | 17 342 | 13.5 | 12 656 |
| 山　西 | 10.6 | 12 860 | 3.3 | 16 071 | 7.3 | 11 789 |
| 内蒙古 | 9.1 | 12 147 | 1.6 | 15 666 | 7.5 | 11 599 |
| 辽　宁 | 14.6 | 14 032 | 3.6 | 17 605 | 11.0 | 13 171 |
| 吉　林 | 6.1 | 12 482 | 1.4 | 15 088 | 4.7 | 11 859 |
| 黑龙江 | 12.9 | 11 537 | 4.1 | 23 950 | 8.8 | 9 276 |
| 上　海 | 8.2 | 20 437 | 2.0 | 32 231 | 6.2 | 18 324 |
| 江　苏 | 3.0 | 3 627 | 0.7 | 4 989 | 2.3 | 3 348 |
| 浙　江 | 18.9 | 22 844 | 3.4 | 31 150 | 15.5 | 21 580 |
| 安　徽 | 12.2 | 11 068 | 2.9 | 15 785 | 9.3 | 10 129 |
| 福　建 | 10.8 | 15 202 | 1.7 | 23 775 | 9.1 | 14 261 |
| 江　西 | 10.1 | 13 395 | 1.0 | 14 652 | 9.1 | 13 269 |
| 山　东 | 21.7 | 13 307 | 6.1 | 17 581 | 15.6 | 12 150 |
| 河　南 | 18.2 | 11 220 | 3.8 | 14 156 | 14.3 | 10 631 |
| 湖　北 | 12.1 | 9 607 | 1.8 | 15 171 | 10.4 | 9 039 |
| 湖　南 | 11.1 | 8 795 | 1.4 | 15 201 | 9.8 | 8 299 |
| 广　东 | 22.7 | 13 846 | 3.8 | 20 182 | 18.9 | 13 013 |
| 广　西 | 10.0 | 12 727 | 1.0 | 17 262 | 9.0 | 12 364 |
| 海　南 | 2.5 | 13 737 | 0.4 | 21 759 | 2.0 | 12 732 |
| 重　庆 | 9.2 | 12 584 | 0.7 | 19 449 | 8.5 | 12 220 |
| 四　川 | 24.1 | 12 404 | 1.9 | 19 491 | 22.2 | 12 030 |
| 贵　州 | 10.4 | 12 135 | 1.4 | 18 969 | 9.1 | 11 509 |
| 云　南 | 20.8 | 19 191 | 3.2 | 27 654 | 17.6 | 18 184 |
| 西　藏 | 2.9 | 30 350 | 0.2 | 59 357 | 2.7 | 29 460 |
| 陕　西 | 7.3 | 11 287 | 1.5 | 14 972 | 5.7 | 10 585 |
| 甘　肃 | 7.0 | 14 339 | 1.3 | 21 710 | 5.7 | 13 329 |
| 青　海 | 5.6 | 17 226 | 0.9 | 26 684 | 4.8 | 16 195 |
| 宁　夏 | 1.9 | 11 877 | 0.4 | 14 870 | 1.5 | 11 228 |
| 新　疆 | 11.8 | 16 017 | 1.6 | 24 248 | 10.3 | 15 228 |
| 新疆生产建设兵团 | 1.1 | 20 197 | 0.2 | 25 372 | 0.8 | 19 186 |

## 全部离休、退休、退职人员人数及保险福利费用构成情况
(2002)

| | 离休、退休、退职人员年末人数（万人） | | | | |
|---|---|---|---|---|---|
| | 合计 | 女性 | 离休人员 | 退休人员 | 领取定期生活费的退职人员 |
| **总计** | **4 196.0** | **1 774.5** | **149.0** | **3 967.5** | **79.5** |
| 一、企业 | 3 261.4 | 1 438.4 | 79.7 | 3 116.0 | 65.6 |
| 1. 内资企业 | 3 217.6 | 1 416.6 | 78.9 | 3 073.7 | 65.0 |
| (1) 国有企业 | 2 259.5 | 940.7 | 66.0 | 2 153.4 | 40.1 |
| (2) 集体企业 | 608.0 | 321.5 | 7.0 | 584.0 | 17.0 |
| (3) 其他企业 | 350.1 | 154.4 | 6.0 | 336.3 | 7.8 |
| 2. 港、澳、台商投资企业 | 18.5 | 9.3 | 0.1 | 18.0 | 0.4 |
| 3. 外商投资企业 | 25.2 | 12.5 | 0.6 | 24.4 | 0.3 |
| 二、事业 | 661.1 | 257.1 | 35.4 | 617.1 | 8.5 |
| 三、机关 | 273.6 | 79.0 | 33.9 | 234.4 | 5.3 |

| | 保险福利费用构成（亿元） | | | | | |
|---|---|---|---|---|---|---|
| | 合计 | 离休金 | 退休金 | 退职生活费 | 医疗卫生费 | 其他 |
| **总计** | **3 870.7** | **263.7** | **3 143.0** | **33.4** | **266.0** | **164.6** |
| 一、企业 | 2 596.6 | 137.7 | 2 152.2 | 25.5 | 179.5 | 101.7 |
| 1. 内资企业 | 2 554.8 | 136.3 | 2 115.8 | 25.2 | 177.3 | 100.3 |
| (1) 国有企业 | 1 896.0 | 114.7 | 1 544.4 | 16.2 | 141.6 | 79.2 |
| (2) 集体企业 | 374.5 | 10.7 | 334.2 | 6.0 | 15.6 | 8.0 |
| (3) 其他企业 | 284.3 | 10.8 | 237.2 | 3.1 | 20.1 | 13.1 |
| 2. 港、澳、台商投资企业 | 14.9 | 0.3 | 12.8 | 0.2 | 1.0 | 0.6 |
| 3. 外商投资企业 | 26.9 | 1.2 | 23.6 | 0.1 | 1.2 | 0.8 |
| 二、事业 | 874.9 | 62.7 | 707.6 | 5.0 | 56.6 | 43.1 |
| 三、机关 | 399.2 | 63.3 | 283.3 | 2.9 | 30.0 | 19.7 |

## 分地区全部离休、退休、退职人员保险福利费用构成情况

（2002）　　单位：万元

| 地区 | 合计 | 离休金 | 退休金 | 退职生活费 | 医疗卫生费 | 其他 |
|---|---|---|---|---|---|---|
| **全国** | **38 707 446.4** | **2 637 215.6** | **31 430 457.8** | **333 920.4** | **2 659 903.3** | **1 645 949.3** |
| 北京 | 2 225 667.4 | 176 675.8 | 1 603 798.6 | 24 970.3 | 227 000.7 | 193 222.0 |
| 天津 | 1 099 978.5 | 46 185.7 | 949 503.3 | 7 379.8 | 60 589.4 | 36 320.3 |
| 河北 | 1 657 668.0 | 158 155.4 | 1 308 033.3 | 16 458.6 | 118 456.9 | 56 563.8 |
| 山西 | 928 740.9 | 112 284.7 | 723 429.6 | 4 846.5 | 55 003.3 | 33 176.8 |
| 内蒙古 | 647 018.7 | 47 278.8 | 527 952.2 | 4 745.6 | 38 085.5 | 28 956.6 |
| 辽宁 | 2 542 852.5 | 232 948.7 | 2 069 207.7 | 18 675.5 | 111 254.6 | 110 766.0 |
| 吉林 | 1 046 988.9 | 80 716.3 | 868 328.2 | 7 339.7 | 61 683.7 | 28 921.1 |
| 黑龙江 | 1 625 310.5 | 160 154.7 | 1 170 659.4 | 25 175.6 | 152 321.7 | 116 999.1 |
| 上海 | 2 717 755.0 | 100 312.2 | 2 452 523.8 | 22 046.1 | 18 759.8 | 124 113.1 |
| 江苏 | 2 242 069.9 | 99 033.0 | 1 969 564.0 | 17 208.1 | 96 864.0 | 59 400.8 |
| 浙江 | 1 792 345.0 | 77 804.7 | 1 431 604.6 | 22 993.2 | 161 613.3 | 98 329.2 |
| 安徽 | 1 163 653.0 | 97 502.9 | 908 923.3 | 8 632.6 | 118 348.8 | 30 245.3 |
| 福建 | 765 326.8 | 44 997.7 | 643 546.0 | 8 577.1 | 36 601.3 | 31 604.7 |
| 江西 | 753 838.6 | 29 814.6 | 649 385.9 | 3 753.2 | 51 919.7 | 18 965.2 |
| 山东 | 2 123 826.9 | 250 465.6 | 1 664 029.5 | 14 428.5 | 124 372.6 | 70 530.7 |
| 河南 | 1 565 333.1 | 145 592.4 | 1 271 524.4 | 9 011.2 | 96 938.1 | 42 267.1 |
| 湖北 | 1 514 156.2 | 80 880.8 | 1 235 540.2 | 16 315.7 | 142 471.1 | 38 948.4 |
| 湖南 | 1 254 558.6 | 55 750.5 | 1 037 806.2 | 10 400.6 | 102 328.9 | 48 272.4 |
| 广东 | 2 092 554.8 | 108 817.7 | 1 560 076.8 | 11 967.2 | 275 421.9 | 136 271.2 |
| 广西 | 749 622.0 | 26 801.5 | 636 187.3 | 5 132.1 | 50 575.6 | 30 925.5 |
| 海南 | 211 528.1 | 12 883.0 | 179 748.7 | 4 628.0 | 10 510.7 | 3 757.7 |
| 重庆 | 786 684.6 | 20 816.0 | 654 013.8 | 6 259.2 | 76 936.0 | 28 659.6 |
| 四川 | 1 785 301.9 | 62 549.5 | 1 542 156.3 | 14 739.2 | 97 883.0 | 67 973.9 |
| 贵州 | 698 875.4 | 36 296.1 | 569 613.2 | 2 243.1 | 67 793.2 | 22 929.8 |
| 云南 | 1 121 020.9 | 75 324.7 | 907 804.2 | 4 368.0 | 89 919.4 | 43 604.5 |
| 西藏 | 100 208.8 | 2 216.0 | 89 440.5 | 131.5 | 4 757.1 | 3 663.7 |
| 陕西 | 895 915.6 | 69 315.5 | 712 509.6 | 7 212.7 | 73 709.0 | 33 168.8 |
| 甘肃 | 660 641.8 | 48 200.6 | 540 014.7 | 4 911.2 | 31 505.1 | 36 010.2 |
| 青海 | 305 521.1 | 19 501.5 | 255 058.5 | 4 582.0 | 10 510.6 | 15 868.5 |
| 宁夏 | 180 957.9 | 12 590.7 | 151 542.2 | 1 792.0 | 9 712.4 | 5 320.6 |
| 新疆 | 1 055 177.4 | 90 009.7 | 847 885.8 | 14 267.5 | 64 261.5 | 38 752.9 |
| 新疆生产建设兵团 | 396 347.5 | 55 338.6 | 299 045.9 | 8 728.7 | 21 794.5 | 11 439.8 |

## 分地区企业单位离休、退休、退职人员保险福利费用构成情况

（2002）

单位：万元

| 地　区 | 合计 | 离休金 | 退休金 | 退职生活费 | 医疗卫生费 | 其他 |
|---|---|---|---|---|---|---|
| **全　国** | **25 966 301.1** | **1 377 332.4** | **21 521 722.5** | **255 308.3** | **1 794 502.4** | **1 017 435.4** |
| 北　京 | 1 652 006.4 | 92 156.1 | 1 280 881.6 | 22 468.7 | 147 940.4 | 108 559.6 |
| 天　津 | 708 331.4 | 23 826.2 | 623 596.0 | 6 164.9 | 34 270.4 | 20 473.9 |
| 河　北 | 1 093 119.5 | 69 905.9 | 882 114.3 | 9 345.9 | 91 969.4 | 39 784.0 |
| 山　西 | 617 058.8 | 56 737.6 | 496 164.1 | 3 439.4 | 35 936.3 | 24 781.4 |
| 内蒙古 | 387 406.0 | 20 975.9 | 312 075.8 | 3 829.8 | 26 505.6 | 24 018.9 |
| 辽　宁 | 1 918 054.2 | 150 740.3 | 1 589 540.4 | 15 582.5 | 79 529.1 | 82 661.9 |
| 吉　林 | 720 715.9 | 42 508.4 | 615 662.0 | 5 721.8 | 34 853.5 | 21 970.2 |
| 黑龙江 | 1 201 756.2 | 100 468.5 | 891 401.6 | 14 148.8 | 105 847.9 | 89 889.5 |
| 上　海 | 2 177 908.1 | 55 720.3 | 2 007 682.6 | 20 678.1 | 15 287.6 | 78 539.5 |
| 江　苏 | 1 845 041.6 | 74 436.0 | 1 630 254.0 | 16 542.6 | 85 867.0 | 37 942.0 |
| 浙　江 | 1 127 805.3 | 26 634.1 | 934 374.0 | 18 116.9 | 101 413.7 | 47 266.6 |
| 安　徽 | 723 675.4 | 47 218.6 | 570 756.3 | 6 843.7 | 79 899.3 | 18 957.5 |
| 福　建 | 411 776.1 | 17 310.3 | 354 753.1 | 5 272.7 | 20 439.0 | 14 001.0 |
| 江　西 | 440 580.4 | 13 348.0 | 382 289.5 | 3 041.4 | 31 696.6 | 10 204.9 |
| 山　东 | 1 359 191.4 | 115 237.2 | 1 092 924.3 | 8 595.5 | 86 023.7 | 56 410.7 |
| 河　南 | 978 555.7 | 64 136.0 | 815 166.7 | 7 064.0 | 64 530.6 | 27 658.4 |
| 湖　北 | 1 065 443.1 | 42 079.8 | 899 895.1 | 12 421.5 | 90 056.8 | 20 989.9 |
| 湖　南 | 813 802.2 | 27 541.6 | 673 394.8 | 7 666.1 | 75 729.4 | 29 470.3 |
| 广　东 | 1 253 891.2 | 47 247.8 | 945 775.7 | 8 096.6 | 187 741.5 | 65 029.6 |
| 广　西 | 405 857.0 | 11 166.4 | 344 776.4 | 3 412.8 | 33 451.6 | 13 049.8 |
| 海　南 | 131 995.5 | 6 761.1 | 111 180.9 | 3 977.1 | 7 753.5 | 2 322.9 |
| 重　庆 | 507 105.6 | 10 381.5 | 424 973.4 | 4 907.3 | 50 824.9 | 16 018.5 |
| 四　川 | 1 069 155.3 | 30 917.6 | 929 644.8 | 9 730.4 | 63 377.9 | 35 484.5 |
| 贵　州 | 393 136.2 | 16 370.6 | 329 285.0 | 1 584.0 | 36 411.5 | 9 485.1 |
| 云　南 | 613 586.9 | 27 671.1 | 496 739.6 | 2 751.3 | 57 313.5 | 29 111.3 |
| 西　藏 | 28 507.0 | 193.7 | 25 701.2 | 44.9 | 1 693.0 | 874.2 |
| 陕　西 | 565 502.7 | 34 957.8 | 463 115.3 | 5 214.2 | 45 784.8 | 16 430.6 |
| 甘　肃 | 422 053.1 | 24 610.9 | 347 199.7 | 3 570.7 | 21 810.0 | 24 861.8 |
| 青　海 | 158 125.3 | 7 234.1 | 130 389.7 | 3 260.9 | 4 696.6 | 12 544.0 |
| 宁　夏 | 112 638.5 | 4 984.0 | 95 976.0 | 913.0 | 7 018.0 | 3 747.5 |
| 新　疆 | 706 143.1 | 63 834.1 | 554 766.9 | 12 380.3 | 49 717.8 | 25 444.0 |
| 新疆生产建设兵团 | 356 375.9 | 50 020.9 | 269 271.7 | 8 520.5 | 19 111.4 | 9 451.4 |

## 分地区事业单位离休、退休、退职人员保险福利费用构成情况

（2002）

单位：万元

| 地区 | 合计 | 离休金 | 退休金 | 退职生活费 | 医疗卫生费 | 其他 |
|---|---|---|---|---|---|---|
| **全国** | **8 749 496.8** | **626 586.9** | **7 076 099.0** | **49 696.6** | **565 866.7** | **431 247.6** |
| 北京 | 403 270.6 | 53 521.9 | 232 625.0 | 1 999.8 | 56 039.8 | 59 084.1 |
| 天津 | 187 253.1 | 11 739.3 | 153 840.7 | 500.2 | 14 747.8 | 6 425.1 |
| 河北 | 370 878.0 | 40 235.8 | 298 912.4 | 3 370.2 | 16 784.2 | 11 575.4 |
| 山西 | 199 369.9 | 23 051.1 | 157 613.9 | 970.9 | 12 506.8 | 5 227.2 |
| 内蒙古 | 164 372.5 | 10 829.3 | 142 687.5 | 595.4 | 7 045.4 | 3 214.9 |
| 辽宁 | 466 126.8 | 47 898.1 | 375 533.7 | 2 607.8 | 18 843.4 | 21 243.8 |
| 吉林 | 258 177.6 | 24 249.2 | 207 590.7 | 1 162.8 | 19 665.5 | 5 509.4 |
| 黑龙江 | 286 167.5 | 20 024.7 | 202 371.2 | 7 282.9 | 37 982.1 | 18 506.5 |
| 上海 | 457 694.6 | 26 733.9 | 390 503.2 | 1 334.0 | 2 932.9 | 36 190.6 |
| 江苏 | 362 018.8 | 18 064.0 | 318 511.0 | 645.0 | 5 683.0 | 19 115.8 |
| 浙江 | 455 633.6 | 20 578.6 | 359 455.6 | 3 345.8 | 40 339.5 | 31 914.1 |
| 安徽 | 301 670.3 | 22 133.2 | 249 092.5 | 1 079.1 | 22 040.6 | 7 324.9 |
| 福建 | 238 852.2 | 11 898.5 | 203 125.2 | 1 798.6 | 9 301.7 | 12 728.2 |
| 江西 | 204 585.2 | 7 053.5 | 179 224.0 | 495.6 | 12 540.1 | 5 272.0 |
| 山东 | 530 539.9 | 74 870.2 | 421 256.3 | 3 104.7 | 21 558.9 | 9 749.8 |
| 河南 | 393 141.8 | 43 977.1 | 317 472.9 | 1 124.5 | 20 339.6 | 10 227.8 |
| 湖北 | 307 333.2 | 21 913.4 | 237 113.3 | 2 806.6 | 32 409.0 | 13 090.9 |
| 湖南 | 320 360.5 | 15 167.6 | 271 556.0 | 1 611.4 | 17 623.0 | 14 402.4 |
| 广东 | 582 809.7 | 27 377.1 | 446 665.3 | 2 193.8 | 58 787.4 | 47 786.1 |
| 广西 | 238 853.2 | 6 764.1 | 206 891.9 | 1 318.8 | 12 644.7 | 11 233.7 |
| 海南 | 53 558.7 | 1 881.8 | 48 947.5 | 471.6 | 1 331.4 | 926.4 |
| 重庆 | 176 556.4 | 4 290.9 | 149 141.3 | 759.9 | 15 430.4 | 6 933.9 |
| 四川 | 462 713.4 | 14 839.9 | 402 409.3 | 3 175.9 | 21 827.9 | 20 460.4 |
| 贵州 | 188 759.3 | 7 087.5 | 153 844.5 | 350.1 | 18 896.3 | 8 580.9 |
| 云南 | 287 421.5 | 16 689.6 | 239 335.8 | 1 212.7 | 20 410.7 | 9 772.7 |
| 西藏 | 41 602.4 | 607.1 | 37 916.6 | 33.7 | 1 668.2 | 1 376.8 |
| 陕西 | 250 640.0 | 19 495.9 | 195 319.9 | 1 314.4 | 20 712.4 | 13 797.4 |
| 甘肃 | 166 203.8 | 11 508.0 | 139 388.5 | 663.7 | 7 129.7 | 7 513.9 |
| 青海 | 89 402.3 | 4 024.9 | 79 254.3 | 488.7 | 4 241.8 | 1 392.6 |
| 宁夏 | 48 369.0 | 3 405.1 | 41 374.0 | 513.6 | 1 942.1 | 1 134.2 |
| 新疆 | 226 524.2 | 11 411.8 | 195 208.9 | 1 166.4 | 10 524.9 | 8 212.2 |
| 新疆生产建设兵团 | 28 636.9 | 3 263.7 | 21 916.1 | 198.0 | 1 935.6 | 1 323.5 |

## 分地区机关单位离休、退休、退职人员保险福利费用构成情况

（2002）

单位：万元

| 地区 | 合计 | 离休金 | 退休金 | 退职生活费 | 医疗卫生费 | 其他 |
|---|---|---|---|---|---|---|
| **全国** | **3 991 648.4** | **633 296.3** | **2 832 636.3** | **28 915.5** | **299 534.2** | **197 266.2** |
| 北京 | 170 390.4 | 30 997.8 | 90 292.0 | 501.8 | 23 020.5 | 25 578.3 |
| 天津 | 204 394.0 | 10 620.2 | 172 066.6 | 714.7 | 11 571.2 | 9 421.3 |
| 河北 | 193 670.5 | 48 013.7 | 127 006.6 | 3 742.5 | 9 703.3 | 5 204.4 |
| 山西 | 112 312.2 | 32 496.0 | 69 651.6 | 436.2 | 6 560.2 | 3 168.2 |
| 内蒙古 | 95 240.2 | 15 473.6 | 73 188.9 | 320.4 | 4 534.5 | 1 722.8 |
| 辽宁 | 158 671.5 | 34 310.3 | 104 133.6 | 485.2 | 12 882.1 | 6 860.3 |
| 吉林 | 68 095.4 | 13 958.7 | 45 075.4 | 455.1 | 7 164.7 | 1 441.4 |
| 黑龙江 | 137 386.8 | 39 661.5 | 76 886.6 | 3 743.9 | 8 491.7 | 8 603.1 |
| 上海 | 82 152.3 | 17 858.0 | 54 338.0 | 34.0 | 539.3 | 9 383.0 |
| 江苏 | 35 009.5 | 6 533.0 | 20 799.0 | 20.5 | 5 314.0 | 2 343.0 |
| 浙江 | 208 906.1 | 30 592.0 | 137 775.0 | 1 530.5 | 19 860.1 | 19 148.5 |
| 安徽 | 138 307.3 | 28 151.0 | 89 074.6 | 709.8 | 16 408.9 | 3 963.0 |
| 福建 | 114 698.5 | 15 788.9 | 85 667.7 | 1 505.8 | 6 860.6 | 4 875.5 |
| 江西 | 108 673.0 | 9 413.1 | 87 872.4 | 216.2 | 7 683.0 | 3 488.3 |
| 山东 | 234 095.6 | 60 358.2 | 149 848.9 | 2 728.3 | 16 790.0 | 4 370.2 |
| 河南 | 193 635.6 | 37 479.3 | 138 884.8 | 822.7 | 12 067.8 | 4 380.9 |
| 湖北 | 141 379.9 | 16 887.6 | 98 531.8 | 1 087.6 | 20 005.3 | 4 867.6 |
| 湖南 | 120 395.9 | 13 041.3 | 92 855.4 | 1 123.1 | 8 976.5 | 4 399.7 |
| 广东 | 255 853.9 | 34 192.8 | 167 635.8 | 1 676.8 | 28 893.0 | 23 455.5 |
| 广西 | 104 911.8 | 8 871.0 | 84 519.0 | 400.5 | 4 479.3 | 6 642.0 |
| 海南 | 25 973.9 | 4 240.1 | 19 620.3 | 179.3 | 1 425.8 | 508.4 |
| 重庆 | 103 022.6 | 6 143.6 | 79 899.1 | 592.0 | 10 680.7 | 5 707.2 |
| 四川 | 253 433.2 | 16 792.0 | 210 102.2 | 1 832.9 | 12 677.2 | 12 029.0 |
| 贵州 | 116 979.9 | 12 838.0 | 86 483.7 | 309.0 | 12 485.4 | 4 863.8 |
| 云南 | 220 012.5 | 30 964.0 | 171 728.8 | 404.0 | 12 195.2 | 4 720.5 |
| 西藏 | 30 099.4 | 1 415.2 | 25 822.7 | 52.9 | 1 395.9 | 1 412.7 |
| 陕西 | 79 772.9 | 14 861.8 | 54 074.4 | 684.1 | 7 211.8 | 2 940.8 |
| 甘肃 | 72 384.9 | 12 081.7 | 53 426.5 | 676.8 | 2 565.4 | 3 634.5 |
| 青海 | 57 993.5 | 8 242.5 | 45 414.5 | 832.4 | 1 572.2 | 1 931.9 |
| 宁夏 | 19 950.4 | 4 201.6 | 14 192.2 | 365.4 | 752.3 | 438.9 |
| 新疆 | 122 510.1 | 14 763.8 | 97 910.0 | 720.8 | 4 018.8 | 5 096.7 |
| 新疆生产建设兵团 | 11 334.7 | 2 054.0 | 7 858.1 | 10.2 | 747.5 | 664.9 |

**历年社会保险基金收支及累计结余情况** 单位：亿元

| 年份 | 基本养老保险 | | | |
|---|---|---|---|---|
| | 基金收入 | #征缴收入 | 基金支出 | 累计结余 |
| 1998 | 1 485.3 | 1 353.0 | 1 500.9 | 518.1 |
| 1999 | 1 849.9 | 1 595.0 | 1 808.4 | 727.0 |
| 2000 | 2 278.5 | 1 869.0 | 2 115.5 | 947.1 |
| 2001 | 2 488.9 | 2 092.0 | 2 321.3 | 1 054.1 |
| 2002 | 3 171.5 | 2 551.4 | 2 842.9 | 1 608.0 |

| 年份 | 失业保险 | | | 医疗保险 | | |
|---|---|---|---|---|---|---|
| | 基金收入 | 基金支出 | 累计结余 | 基金收入 | 基金支出 | 累计结余 |
| 1998 | 68.4 | 51.9 | 133.5 | 60.6 | 53.3 | 20.0 |
| 1999 | 125.2 | 91.6 | 159.9 | 89.9 | 69.1 | 57.6 |
| 2000 | 160.4 | 123.4 | 195.9 | 170.0 | 124.5 | 109.8 |
| 2001 | 187.3 | 156.6 | 226.2 | 383.6 | 244.1 | 253.0 |
| 2002 | 215.6 | 186.6 | 253.8 | 607.8 | 409.4 | 450.7 |

| 年份 | 工伤保险 | | | 生育保险 | | |
|---|---|---|---|---|---|---|
| | 基金收入 | 基金支出 | 累计结余 | 基金收入 | 基金支出 | 累计结余 |
| 1998 | 21.2 | 9.0 | 39.5 | 9.8 | 6.8 | 10.3 |
| 1999 | 20.9 | 15.4 | 44.9 | 10.7 | 7.1 | 13.9 |
| 2000 | 24.8 | 13.8 | 57.9 | 11.2 | 8.3 | 16.8 |
| 2001 | 28.3 | 16.5 | 68.9 | 13.7 | 9.6 | 20.6 |
| 2002 | 32.0 | 19.9 | 81.1 | 21.8 | 12.8 | 29.7 |

## 历年基本养老保险基金收支及累计结余情况

单位：亿元

| 年份 | 合计 | 企业 | 事业、机关 |
|---|---|---|---|
| 一、基金收入 | | | |
| 1997 | 1 337.9 | 1 337.9 | |
| 1998 | 1 459.0 | 1 459.0 | |
| 1999 | 1 965.1 | 1 871.9 | 93.2 |
| 2000 | 2 278.1 | 2 088.3 | 189.8 |
| 2001 | 2 489.0 | 2 235.1 | 253.0 |
| 2002 | 3 171.5 | 2 783.6 | 387.8 |
| 二、基金支出 | | | |
| 1997 | 1 251.3 | 1 251.3 | |
| 1998 | 1 511.6 | 1 511.6 | |
| 1999 | 1 924.9 | 1 863.1 | 61.8 |
| 2000 | 2 115.5 | 1 970.0 | 145.4 |
| 2001 | 2 321.3 | 2 116.5 | 204.4 |
| 2002 | 2 842.9 | 2 502.8 | 340.1 |
| 三、累计结余 | | | |
| 1997 | 682.8 | 682.8 | |
| 1998 | 587.8 | 587.8 | |
| 1999 | 733.5 | 644.2 | 89.3 |
| 2000 | 947.1 | 761.0 | 186.1 |
| 2001 | 1 054.1 | 818.6 | 233.2 |
| 2002 | 1 608.0 | 1 243.5 | 364.5 |

## 历年参加基本养老保险职工人数及离休、退休、退职人员人数

单位：万人

| 年份 | 职工 | | | |
|---|---|---|---|---|
| | 合计 | 企业 | 事业、机关 | 其他 |
| 1997 | 8 671.0 | 8 671.0 | | |
| 1998 | 8 475.8 | 8 475.8 | | |
| 1999 | 9 501.8 | 8 655.3 | 642.6 | 203.8 |
| 2000 | 10 447.5 | 9 124.2 | 977.6 | 345.7 |
| 2001 | 10 801.9 | 9 198.4 | 1 047.1 | 534.6 |
| 2002 | 11 128.8 | 9 090.3 | 1 199.4 | 839.1 |

| 年份 | 离休、退休、退职人员 | | | |
|---|---|---|---|---|
| | 合计 | 企业 | 事业、机关 | 其他 |
| 1997 | 2 533.4 | 2 533.4 | | |
| 1998 | 2 727.3 | 2 727.3 | | |
| 1999 | 2 983.6 | 2 860.2 | 119.8 | 3.6 |
| 2000 | 3 169.9 | 3 011.2 | 153.4 | 5.3 |
| 2001 | 3 380.6 | 3 164.6 | 206.0 | 6.7 |
| 2002 | 3 607.8 | 3 333.4 | 258.6 | 15.8 |

## 分地区基本养老保险基本情况

（2002）

| 地区 | 参保职工（万人） |  | 离休、退休、退职人员年末人数（万人） | 基金收支情况（万元） |  |  |
|---|---|---|---|---|---|---|
|  | 年末数 | 企业 |  | 基金收入 | 基金支出 | 累计结余 |
| **全国** | **11 128.8** | **9 090.3** | **3 607.8** | **31 714 607** | **28 429 072** | **16 080 319** |
| 北京 | 303.0 | 290.9 | 133.2 | 1 278 470 | 1 312 101 | 184 261 |
| 天津 | 204.6 | 198.0 | 91.4 | 746 017 | 669 677 | 185 539 |
| 河北 | 489.5 | 393.9 | 154.0 | 1 324 275 | 1 220 129 | 615 139 |
| 山西 | 276.4 | 268.2 | 85.4 | 800 148 | 630 288 | 470 407 |
| 内蒙古 | 222.1 | 167.0 | 70.8 | 535 912 | 501 573 | 198 787 |
| 辽宁 | 737.0 | 534.7 | 302.2 | 2 496 543 | 2 006 909 | 1 099 545 |
| 吉林 | 292.8 | 261.0 | 104.9 | 865 013 | 797 687 | 146 698 |
| 黑龙江 | 502.4 | 427.8 | 187.4 | 1 351 301 | 1 258 814 | 541 018 |
| 上海 | 452.9 | 364.8 | 246.9 | 2 415 406 | 2 649 531 | 697 057 |
| 江苏 | 810.6 | 653.1 | 252.9 | 2 230 069 | 2 192 785 | 898 356 |
| 浙江 | 568.4 | 375.7 | 132.6 | 1 737 580 | 1 371 801 | 1 326 268 |
| 安徽 | 329.5 | 293.8 | 102.8 | 717 365 | 672 922 | 194 327 |
| 福建 | 223.5 | 202.2 | 61.6 | 671 991 | 629 175 | 367 177 |
| 江西 | 257.1 | 226.9 | 82.6 | 521 758 | 484 841 | 253 017 |
| 山东 | 837.7 | 620.8 | 205.3 | 2 222 037 | 2 020 825 | 1 411 656 |
| 河南 | 596.3 | 519.9 | 161.5 | 1 348 112 | 1 129 078 | 549 355 |
| 湖北 | 481.5 | 405.5 | 147.2 | 1 050 487 | 1 052 449 | 411 764 |
| 湖南 | 458.8 | 303.8 | 157.7 | 1 209 728 | 1 037 192 | 583 691 |
| 广东 | 1 211.9 | 1 032.7 | 193.5 | 2 437 723 | 1 620 084 | 3 474 105 |
| 广西 | 193.7 | 180.0 | 63.5 | 472 946 | 438 302 | 285 420 |
| 海南 | 79.3 | 58.6 | 31.9 | 207 660 | 188 078 | 88 288 |
| 重庆 | 192.5 | 163.5 | 87.8 | 540 739 | 506 385 | 116 505 |
| 四川 | 411.2 | 296.7 | 178.1 | 1 291 605 | 1 132 404 | 681 789 |
| 贵州 | 124.0 | 98.3 | 44.9 | 376 246 | 325 987 | 253 067 |
| 云南 | 178.0 | 148.6 | 74.1 | 686 356 | 595 278 | 337 392 |
| 西藏 | 4.4 | 3.4 | 2.6 | 42 089 | 42 237 | －72 |
| 陕西 | 261.3 | 247.1 | 90.8 | 681 794 | 647 734 | 150 370 |
| 甘肃 | 139.9 | 127.8 | 48.1 | 442 974 | 406 797 | 119 366 |
| 青海 | 39.2 | 32.5 | 15.0 | 138 618 | 139 751 | 6 953 |
| 宁夏 | 45.3 | 39.7 | 13.7 | 138 335 | 106 691 | 106 439 |
| 新疆 | 115.5 | 91.3 | 36.5 | 439 586 | 352 293 | 246 421 |
| 新疆生产建设兵团 | 67.0 | 62.0 | 43.1 | 285 405 | 284 872 | 51 630 |
| 中国人民银行 | 16.5 |  | 3.3 |  |  |  |
| 中国农业发展银行 | 5.2 |  | 0.3 | 10 319 | 4 402 | 28 584 |

## 分地区养老金社会化发放人数情况

| 地　　区 | 截至 2002 年 12 月 | | |
|---|---|---|---|
| | 养老金实发人数（人） | 社会化发放人数（人） | 社会化发放率（%） |
| **全　　国** | **33 704 994** | **33 516 149** | **99.4** |
| 北　　京 | 1 331 797 | 1 331 797 | 100.0 |
| 天　　津 | 894 871 | 894 871 | 100.0 |
| 河　　北 | 1 337 906 | 1 337 906 | 100.0 |
| 山　　西 | 854 276 | 854 276 | 100.0 |
| 内 蒙 古 | 670 452 | 670 452 | 100.0 |
| 辽　　宁 | 2 810 829 | 2 810 829 | 100.0 |
| 吉　　林 | 1 049 322 | 1 020 508 | 97.3 |
| 黑 龙 江 | 1 761 329 | 1 750 002 | 99.4 |
| 上　　海 | 2 273 915 | 2 273 915 | 100.0 |
| 江　　苏 | 2 265 911 | 2 261 835 | 99.8 |
| 浙　　江 | 1 197 199 | 1 195 903 | 99.9 |
| 安　　徽 | 998 844 | 998 690 | 100.0 |
| 福　　建 | 616 198 | 616 198 | 100.0 |
| 江　　西 | 802 101 | 800 202 | 99.8 |
| 山　　东 | 1 631 303 | 1 631 303 | 100.0 |
| 河　　南 | 1 490 117 | 1 490 117 | 100.0 |
| 湖　　北 | 1 469 258 | 1 469 258 | 100.0 |
| 湖　　南 | 1 237 393 | 1 237 393 | 100.0 |
| 广　　东 | 1 864 440 | 1 860 243 | 99.8 |
| 广　　西 | 637 794 | 625 922 | 98.1 |
| 海　　南 | 276 498 | 186 146 | 67.3 |
| 重　　庆 | 871 801 | 871 406 | 100.0 |
| 四　　川 | 1 742 067 | 1 733 772 | 99.5 |
| 贵　　州 | 441 582 | 441 559 | 100.0 |
| 云　　南 | 687 915 | 677 596 | 98.5 |
| 西　　藏 | 26 317 | 22 798 | 86.6 |
| 陕　　西 | 905 997 | 905 997 | 100.0 |
| 甘　　肃 | 475 836 | 475 836 | 100.0 |
| 青　　海 | 150 305 | 150 305 | 100.0 |
| 宁　　夏 | 137 046 | 130 109 | 94.9 |
| 新　　疆 | 370 275 | 364 905 | 98.5 |
| 新疆生产建设兵团 | 424 100 | 424 100 | 100.0 |

注：养老金实发人数和社会化发放人数指企业、企业化管理的事业单位及其他参保人员中的离退休人员。

## 历年失业保险基本情况

| 年份 | 年末参保职工人数（万人） | 全年发放失业保险金人数（万人） | 全年发放失业保险金（万元） |
|---|---|---|---|
| **一、绝对数** | | | |
| 1997 | 7 961.4 | 319.0 | 186 780 |
| 1998 | 7 927.9 | 158.1 | 203 907 |
| 1999 | 9 852.0 | 271.4 | 318 722 |
| 2000 | 10 408.4 | 329.7 | 561 984 |
| 2001 | 10 354.6 | 468.5 | 832 563 |
| 2002 | 10 181.6 | 657.0 | 1 167 736 |
| **二、比上年增长（%）** | | | |
| 1997 | -4.5 | 3.6 | 34.7 |
| 1998 | 0.4 | -50.4 | 9.2 |
| 1999 | 24.3 | 71.7 | 56.3 |
| 2000 | 4.8 | 21.5 | 76.3 |
| 2001 | -0.6 | 42.1 | 48.1 |
| 2002 | -1.7 | 40.2 | 40.2 |

## 分地区失业保险基本情况

（2002）

单位：万人

| 地区 | 年末参保人数 | | | | | |
|---|---|---|---|---|---|---|
| | 合计 | 企业 | 国有企业 | 集体企业 | 其他企业 | 外商投资企业 |
| **全国** | **10 181.6** | **7 991.2** | **5 159.6** | **1 210.1** | **1 621.5** | **576.3** |
| 北京 | 299.6 | 217.7 | 114.6 | 15.4 | 87.7 | 24.2 |
| 天津 | 196.3 | 164.1 | 107.5 | 23.1 | 33.5 | 29.1 |
| 河北 | 488.6 | 369.3 | 268.6 | 52.6 | 48.2 | 8.2 |
| 山西 | 278.9 | 232.1 | 207.2 | 23.6 | 1.2 | 1.1 |
| 内蒙古 | 219.7 | 157.9 | 102.2 | 19.4 | 36.3 | 3.7 |
| 辽宁 | 591.2 | 517.2 | 315.7 | 128.4 | 73.1 | 35.4 |
| 吉林 | 284.0 | 241.8 | 199.9 | 26.0 | 15.9 | 3.6 |
| 黑龙江 | 466.0 | 414.6 | 312.5 | 70.8 | 31.3 | 13.5 |
| 上海 | 436.0 | 317.6 | 128.8 | 45.1 | 143.7 | 60.3 |
| 江苏 | 735.6 | 589.3 | 288.6 | 145.1 | 155.6 | 60.2 |
| 浙江 | 390.0 | 292.6 | 91.9 | 47.5 | 153.2 | 25.6 |
| 安徽 | 378.8 | 293.5 | 190.7 | 65.5 | 37.3 | 4.8 |
| 福建 | 249.5 | 195.1 | 74.9 | 23.1 | 97.1 | 50.9 |
| 江西 | 226.7 | 172.2 | 151.9 | 14.9 | 5.5 | 1.5 |
| 山东 | 701.2 | 557.1 | 390.4 | 109.6 | 57.2 | 17.9 |
| 河南 | 670.4 | 502.6 | 339.0 | 95.0 | 68.5 | 8.8 |
| 湖北 | 416.1 | 318.0 | 259.5 | 40.9 | 17.7 | 7.8 |
| 湖南 | 326.6 | 213.8 | 185.1 | 20.0 | 8.7 | 3.2 |
| 广东 | 890.2 | 792.6 | 271.8 | 88.5 | 432.2 | 197.3 |
| 广西 | 215.5 | 142.7 | 116.7 | 13.3 | 12.7 | 3.0 |
| 海南 | 60.2 | 50.8 | 44.0 | 3.8 | 3.0 | 2.0 |
| 重庆 | 205.3 | 166.2 | 127.0 | 30.8 | 8.4 | 4.0 |
| 四川 | 402.9 | 286.8 | 231.6 | 29.2 | 26.0 | 3.0 |
| 贵州 | 132.2 | 93.4 | 82.4 | 5.7 | 5.3 | 0.8 |
| 云南 | 183.2 | 125.5 | 86.5 | 20.0 | 18.9 | 1.5 |
| 西藏 | 7.1 | 3.5 | 3.5 | 0.0 | 0.0 | 0.0 |
| 陕西 | 315.7 | 254.6 | 211.9 | 31.1 | 11.5 | 3.4 |
| 甘肃 | 161.0 | 123.5 | 94.4 | 13.5 | 15.5 | 0.5 |
| 青海 | 32.2 | 21.0 | 19.6 | 1.0 | 0.4 | 0.0 |
| 宁夏 | 35.7 | 27.4 | 21.3 | 1.8 | 4.3 | 0.0 |
| 新疆（含兵团） | 185.2 | 137.0 | 120.0 | 5.2 | 11.8 | 1.0 |

续表

| 地　　区 | 事业单位 | 其他单位 | 本年领取失业保险金人月数（万人月） | 领取失业保险金人数 | 下岗转失业人数 | 当年再就业人数 |
|---|---|---|---|---|---|---|
| **全　　国** | **2 053.1** | **137.3** | **4 848.4** | **657.0** | **115.9** | **78.4** |
| 北　　京 | 72.2 | 9.7 | 167.9 | 14.2 | 0.1 | 4.5 |
| 天　　津 | 32.0 | 0.1 | 144.5 | 17.8 | 5.8 | 0.7 |
| 河　　北 | 119.0 | 0.3 | 96.4 | 14.2 | 0.3 | 1.4 |
| 山　　西 | 46.4 | 0.5 | 36.7 | 5.1 | 0.3 | 0.2 |
| 内 蒙 古 | 59.9 | 1.9 | 84.7 | 17.9 | 1.9 | 1.3 |
| 辽　　宁 | 73.9 | 0.1 | 568.1 | 101.1 | 58.7 | 5.9 |
| 吉　　林 | 42.1 | 0.1 | 178.7 | 24.3 | 3.2 | 0.2 |
| 黑 龙 江 | 50.4 | 0.9 | 206.7 | 26.2 | 3.2 | 0.5 |
| 上　　海 | 68.8 | 49.7 | 201.1 | 34.6 | 0.9 | 2.1 |
| 江　　苏 | 140.8 | 5.5 | 633.7 | 76.7 | 8.7 | 19.5 |
| 浙　　江 | 84.9 | 12.5 | 397.5 | 47.9 | 0.4 | 2.8 |
| 安　　徽 | 84.5 | 0.7 | 180.9 | 22.3 | 4.7 | 1.0 |
| 福　　建 | 51.9 | 2.4 | 125.9 | 17.7 | 0.9 | 2.9 |
| 江　　西 | 54.3 | 0.2 | 36.2 | 5.2 | 1.8 | 1.0 |
| 山　　东 | 142.9 | 1.2 | 360.4 | 38.4 | 2.6 | 6.3 |
| 河　　南 | 155.6 | 12.2 | 172.1 | 22.5 | 2.8 | 4.5 |
| 湖　　北 | 96.9 | 1.1 | 278.7 | 33.7 | 4.8 | 5.1 |
| 湖　　南 | 112.6 | 0.2 | 75.8 | 14.1 | 2.6 | 2.8 |
| 广　　东 | 70.3 | 27.3 | 284.9 | 41.6 | 0.2 | 4.6 |
| 广　　西 | 72.5 | 0.3 | 78.2 | 10.2 | 2.2 | 1.5 |
| 海　　南 | 8.5 | 0.9 | 18.5 | 2.5 | 0.7 | 0.3 |
| 重　　庆 | 36.4 | 2.7 | 104.8 | 12.9 | 1.2 | 0.7 |
| 四　　川 | 114.9 | 1.2 | 154.6 | 21.6 | 4.0 | 4.4 |
| 贵　　州 | 37.2 | 1.6 | 16.6 | 2.3 | 0.1 | 0.0 |
| 云　　南 | 56.8 | 1.0 | 75.5 | 8.6 | 0.7 | 2.0 |
| 西　　藏 | 3.6 | 0.0 | 0.0 | 0.0 | 0.0 | 0.0 |
| 陕　　西 | 59.4 | 1.8 | 67.5 | 8.8 | 0.5 | 0.3 |
| 甘　　肃 | 37.2 | 0.3 | 25.5 | 3.9 | 0.4 | 0.2 |
| 青　　海 | 10.7 | 0.5 | 13.9 | 2.2 | 0.2 | 0.1 |
| 宁　　夏 | 8.2 | 0.1 | 9.7 | 1.4 | 0.2 | 0.5 |
| 新　　疆（含兵团） | 48.0 | 0.2 | 52.6 | 7.2 | 1.6 | 1.0 |

## 分地区失业保险基金收支情况

(2002)

单位：万元

| 地区 | 本年基金收入 | | | | |
|---|---|---|---|---|---|
| | | 失业保险费 | | | |
| | 合计 | 单位缴费 | 企业 | 国有企业 | 集体企业 |
| **全国** | **2 155 740.0** | **1 406 129.8** | **1 122 728.2** | **794 480.4** | **108 088.7** |
| 北京 | 118 013.8 | 89 906.1 | 61 497.4 | 29 759.8 | 3 404.7 |
| 天津 | 53 486.5 | 35 497.7 | 28 274.7 | 21 658.9 | 2 563.5 |
| 河北 | 74 534.4 | 49 923.0 | 42 439.5 | 35 084.1 | 2 491.3 |
| 山西 | 33 468.7 | 23 356.8 | 20 551.6 | 19 426.7 | 972.1 |
| 内蒙古 | 32 980.5 | 19 644.4 | 14 148.9 | 9 103.3 | 901.9 |
| 辽宁 | 130 901.1 | 89 138.0 | 77 513.0 | 57 342.0 | 7 706.0 |
| 吉林 | 43 270.0 | 29 520.0 | 27 048.0 | 24 183.0 | 2 379.0 |
| 黑龙江 | 65 100.9 | 38 875.7 | 34 507.8 | 31 234.1 | 2 704.2 |
| 上海 | 234 685.6 | 160 331.4 | 122 556.3 | 53 867.3 | 12 341.1 |
| 江苏 | 201 715.7 | 133 799.5 | 105 457.2 | 56 575.8 | 19 185.5 |
| 浙江 | 128 316.1 | 70 550.0 | 47 969.6 | 21 619.9 | 6 787.8 |
| 安徽 | 62 768.3 | 37 596.2 | 29 164.6 | 21 093.2 | 3 610.7 |
| 福建 | 51 338.6 | 30 942.0 | 24 942.8 | 11 515.2 | 3 370.1 |
| 江西 | 25 662.1 | 16 511.5 | 12 316.4 | 11 635.4 | 399.3 |
| 山东 | 144 225.5 | 98 910.8 | 73 802.2 | 57 945.9 | 9 384.9 |
| 河南 | 77 075.0 | 49 783.0 | 38 503.8 | 31 894.5 | 3 887.7 |
| 湖北 | 81 805.6 | 38 094.8 | 31 258.1 | 27 207.7 | 2 102.2 |
| 湖南 | 50 703.2 | 32 054.3 | 24 842.9 | 22 273.6 | 1 725.7 |
| 广东 | 187 117.0 | 129 796.0 | 120 056.0 | 90 613.0 | 10 557.0 |
| 广西 | 41 237.7 | 26 475.3 | 20 639.8 | 18 392.7 | 1 068.9 |
| 海南 | 11 565.3 | 7 349.7 | 4 540.0 | 3 321.7 | 726.9 |
| 重庆 | 26 130.6 | 17 629.3 | 15 864.9 | 12 674.6 | 1 978.3 |
| 四川 | 73 989.4 | 45 883.7 | 32 817.6 | 26 677.5 | 2 488.0 |
| 贵州 | 27 072.3 | 16 561.8 | 14 155.2 | 13 199.3 | 512.1 |
| 云南 | 40 691.7 | 26 052.5 | 19 106.2 | 15 777.3 | 1 303.3 |
| 西藏 | 3 575.2 | 2 348.3 | 778.1 | 778.1 | 0.0 |
| 陕西 | 41 125.2 | 29 223.8 | 27 284.7 | 24 448.4 | 1 685.1 |
| 甘肃 | 26 902.3 | 17 242.5 | 15 207.1 | 13 195.5 | 685.7 |
| 青海 | 8 715.0 | 5 185.4 | 4 516.8 | 4 426.0 | 52.2 |
| 宁夏 | 6 046.9 | 3 745.8 | 3 187.8 | 2 528.1 | 154.7 |
| 新疆(含兵团) | 51 520.1 | 34 200.6 | 27 779.6 | 25 028.0 | 958.9 |

续表 1

| 地　　区 | 外商投资企业 | 其他企业 | 事业单位 | 其他单位 | 职工个人缴费 | 利息收入 | 财政补贴收入 |
|---|---|---|---|---|---|---|---|
| **全　　国** | **88 880.4** | **131 278.8** | **270 162.2** | **13 239.4** | **617 804.6** | **38 155.0** | **75 080.9** |
| 北　　京 | 9 038.5 | 19 294.3 | 27 951.2 | 457.6 | 26 375.9 | 1 721.2 | 10.6 |
| 天　　津 | 3 172.3 | 880.0 | 7 210.6 | 12.5 | 17 748.9 | 239.9 | |
| 河　　北 | 1 716.7 | 3 147.4 | 7 341.6 | 141.9 | 22 242.0 | 2 138.6 | 188.1 |
| 山　　西 | 151.5 | 1.3 | 2 803.9 | 1.4 | 8 347.4 | 1 620.8 | 47.0 |
| 内 蒙 古 | 258.7 | 3 885.1 | 5 436.2 | 59.3 | 10 495.6 | 452.7 | 1 740.6 |
| 辽　　宁 | 6571.0 | 5 894.0 | 11 576.0 | 49.0 | 37 889.0 | 921.1 | 2 465.0 |
| 吉　　林 | 407.0 | 79.0 | 2 220.0 | 252.0 | 12 308.0 | 651.0 | 404.0 |
| 黑 龙 江 | 515.6 | 53.9 | 2 824.1 | 1 543.8 | 19 517.6 | 1 666.2 | 1 908.1 |
| 上　　海 | 29 027.1 | 27 320.9 | 32 416.8 | 5 358.3 | 73 206.2 | 1 148.0 | |
| 江　　苏 | 11 525.4 | 18 170.4 | 27 448.4 | 893.9 | 57 197.0 | 2 831.6 | 5 911.0 |
| 浙　　江 | 4 875.0 | 14 686.9 | 20 743.8 | 1 836.6 | 31 086.7 | 3 051.7 | 22 914.2 |
| 安　　徽 | 813.6 | 3 647.0 | 8 198.2 | 233.4 | 16 906.9 | 523.1 | 7 251.5 |
| 福　　建 | 5 363.8 | 4 693.6 | 5 810.1 | 189.1 | 14 107.3 | 494.6 | 5 787.4 |
| 江　　西 | 73.7 | 208.0 | 4 154.6 | 40.6 | 7 782.5 | 1 125.2 | 234.2 |
| 山　　东 | 2 246.2 | 4 225.3 | 24 993.7 | 115.0 | 39 329.9 | 3 217.3 | 700.0 |
| 河　　南 | 467.7 | 2 254.0 | 11 168.7 | 110.5 | 23 029.8 | 1 844.9 | 804.3 |
| 湖　　北 | 938.5 | 1 009.7 | 6 823.5 | 13.1 | 18 093.6 | 1 683.6 | 20 615.0 |
| 湖　　南 | 489.5 | 354.1 | 7 033.0 | 178.4 | 16 116.9 | 1 625.1 | 766.5 |
| 广　　东 | 8 534.0 | 10 352.0 | 9 134.0 | 606.0 | 53 340.0 | 2 551.0 | 915.0 |
| 广　　西 | 337.1 | 841.1 | 5 698.4 | 137.2 | 13 092.9 | 1 272.2 | 349.9 |
| 海　　南 | 303.2 | 188.1 | 2 599.8 | 209.9 | 3 240.4 | 204.4 | 766.7 |
| 重　　庆 | 592.9 | 619.0 | 1 672.2 | 92.2 | 7 559.0 | 323.1 | 452.5 |
| 四　　川 | 606.9 | 3 045.3 | 12 659.0 | 407.1 | 2 3951.0 | 1 551.1 | 415.8 |
| 贵　　州 | 85.0 | 358.8 | 2 394.3 | 12.3 | 9 302.6 | 958.5 | 57.2 |
| 云　　南 | 293.7 | 1 731.9 | 6 814.5 | 131.8 | 13 306.9 | 1 293.4 | |
| 西　　藏 | | | 1 570.2 | | 1 166.1 | 60.8 | |
| 陕　　西 | 192.4 | 958.8 | 1 858.0 | 81.2 | 11 053.9 | 810.3 | 6.4 |
| 甘　　肃 | 75.7 | 1 250.2 | 2 015.3 | 20.1 | 8 683.8 | 574.8 | 369.9 |
| 青　　海 | 3.0 | 35.6 | 660.8 | 7.8 | 3 428.7 | 100.9 | |
| 宁　　夏 | 5.8 | 499.3 | 549.0 | 9.0 | 2 167.2 | 133.5 | |
| 新　　疆（含兵团） | 198.9 | 1 593.8 | 6 382.5 | 38.5 | 15 731.1 | 1 364.6 | |

续表 2

| 地区 | 其他收入 | 滞纳金收入 | 本年基金支出 合计 | 失业保险金 | 医疗补助金 | 丧葬补助金和抚恤金 | 职业培训补贴 |
|---|---|---|---|---|---|---|---|
| **全国** | **18 564.8** | **1 265.0** | **1 865 653.5** | **1 167 736.4** | **79 720.4** | **2 225.4** | **79 860.0** |
| 北京 | | | 113 476.0 | 65 138.9 | 7 153.3 | 21.6 | 4 991.6 |
| 天津 | | | 55 818.4 | 41 644.7 | 3 293.6 | 55.3 | 1 246.8 |
| 河北 | 42.7 | 16.8 | 45 925.6 | 25 526.2 | 3 014.2 | 58.7 | 2 268.8 |
| 山西 | 96.6 | 0.0 | 20 934.0 | 10 545.6 | 550.3 | 2.4 | 401.2 |
| 内蒙古 | 647.2 | 33.6 | 29 212.3 | 18 677.0 | 484.5 | 33.2 | 1 251.8 |
| 辽宁 | 488.0 | 118.0 | 153 482.6 | 128 916.6 | 3 000.0 | 443.0 | 5 007.0 |
| 吉林 | 387.0 | 7.0 | 44 961.0 | 29 791.0 | 138.0 | 33.0 | 125.0 |
| 黑龙江 | 3 133.4 | 78.2 | 51 588.3 | 40 190.5 | 3 295.4 | 148.5 | 617.1 |
| 上海 | | | 208 082.9 | 68 856.2 | 9 714.4 | 77.7 | 18 253.4 |
| 江苏 | 1 976.5 | 216.2 | 200 861.1 | 130 069.5 | 10 713.8 | 146.4 | 5 453.7 |
| 浙江 | 713.4 | 340.1 | 122 388.1 | 110 016.9 | 5 267.7 | 85.3 | 1 801.3 |
| 安徽 | 490.7 | 17.0 | 65 738.6 | 36 421.4 | 2 566.5 | 86.4 | 2 420.8 |
| 福建 | 7.4 | | 42 471.1 | 32 881.2 | 1 885.8 | 51.3 | 660.1 |
| 江西 | 8.7 | 0.3 | 19 058.2 | 5 768.9 | 526.8 | 6.4 | 406.7 |
| 山东 | 2 067.5 | 95.4 | 143 609.4 | 101 828.7 | 3 363.0 | 160.8 | 12 046.2 |
| 河南 | 1 612.9 | 21.9 | 60 116.7 | 30 749.0 | 2 891.0 | 33.0 | 3 204.1 |
| 湖北 | 3 318.8 | | 73 963.3 | 53 974.7 | 3 288.4 | 108.7 | 3 618.4 |
| 湖南 | 140.5 | 8.0 | 33 279.2 | 17 185.1 | 755.8 | 20.6 | 2 757.5 |
| 广东 | 515.0 | 197.0 | 118 501.0 | 99 474.0 | 10 355.0 | 488.0 | 2 077.0 |
| 广西 | 47.4 | 43.1 | 24 519.5 | 18 416.2 | 860.0 | 16.3 | 1 946.1 |
| 海南 | 4.0 | | 5 556.6 | 4 847.8 | 32.2 | 3.1 | 306.6 |
| 重庆 | 166.8 | | 32 112.6 | 19 740.4 | 203.8 | 32.7 | 1 313.5 |
| 四川 | 2 187.9 | 12.5 | 54 003.4 | 25 386.1 | 2 590.9 | 40.7 | 1 522.2 |
| 贵州 | 192.2 | 4.2 | 6 786.4 | 3 570.8 | 170.2 | 6.3 | 141.4 |
| 云南 | 39.0 | 4.8 | 27 247.2 | 16 093.0 | 1 273.4 | 22.6 | 975.7 |
| 西藏 | | | 267.0 | 6.3 | 0.2 | | 120.3 |
| 陕西 | 30.7 | | 50 103.3 | 11 919.7 | 576.1 | 17.3 | 2 065.1 |
| 甘肃 | 31.3 | 12.0 | 19 283.1 | 4 549.7 | 245.2 | 4.2 | 379.1 |
| 青海 | 0.0 | | 4 930.4 | 2 623.6 | 52.3 | 3.3 | 434.2 |
| 宁夏 | 0.4 | 0.4 | 3 532.9 | 2 105.1 | 7.6 | 2.6 | 179.6 |
| 新疆(含兵团) | 218.8 | 38.5 | 33 843.6 | 10 821.8 | 1 451.3 | 16.3 | 1 867.7 |

续表 3

| 地区 | 职业介绍补贴 | 调剂用于再就业服务中心资金 | 农民合同制工人一次性生活补助 | 其他支出 | 银行手续费 | 年终滚存结余 |
|---|---|---|---|---|---|---|
| **全国** | **108 572.7** | **344 754.9** | **18 687.8** | **64 096.0** | **228.5** | **2 538 417.9** |
| 北京 | 430.0 | 5 000.0 | 491.7 | 30 249.0 | | 79 519.7 |
| 天津 | 961.6 | 8 500.0 | 116.3 | | | 21 091.5 |
| 河北 | 471.6 | 12 383.7 | 1 316.7 | 885.7 | 0.6 | 137 308.5 |
| 山西 | 62.5 | 8 127.0 | 1 153.1 | 91.7 | 1.7 | 83 618.7 |
| 内蒙古 | 170.8 | 7 794.8 | 598.2 | 202.0 | 0.5 | 37 786.5 |
| 辽宁 | 1 785.0 | 13 807.0 | 458.0 | 66.0 | 3.0 | 38 764.0 |
| 吉林 | 58.0 | 14 809.0 | | 7.0 | | 32 439.0 |
| 黑龙江 | 81.8 | 6 769.3 | | 485.8 | 85.0 | 101 410.6 |
| 上海 | 88 321.5 | | 1 632.6 | 21 227.2 | 1.2 | 88 845.2 |
| 江苏 | 9 256.0 | 39 268.6 | 5 292.2 | 661.0 | 25.8 | 183 656.8 |
| 浙江 | 469.1 | 1 785.5 | 2 138.6 | 823.8 | 18.0 | 102 301.7 |
| 安徽 | 675.1 | 22 045.1 | 245.0 | 1 278.4 | 10.8 | 35 016.9 |
| 福建 | 55.6 | 6 323.9 | 600.7 | 12.5 | 1.4 | 60 378.7 |
| 江西 | 392.9 | 7 326.6 | 5.1 | 4 624.8 | 2.8 | 65 308.3 |
| 山东 | 1 279.1 | 22 273.4 | 2 538.7 | 119.6 | 2.5 | 194 356.9 |
| 河南 | 357.7 | 21 940.4 | 849.0 | 92.5 | 4.8 | 161 287.1 |
| 湖北 | 853.9 | 11 262.8 | 134.2 | 722.3 | 14.8 | 49 784.8 |
| 湖南 | 548.8 | 11 852.7 | 77.0 | 81.7 | 4.3 | 111 259.8 |
| 广东 | 168.0 | 4 560.0 | 451.0 | 928.0 | | 294 713.0 |
| 广西 | 263.3 | 2 891.4 | 59.6 | 66.6 | 2.6 | 92 705.7 |
| 海南 | 9.5 | 353.0 | | 4.4 | 0.1 | 22 415.9 |
| 重庆 | 652.0 | 10 078.1 | 40.9 | 51.2 | 0.3 | 15 176.7 |
| 四川 | 587.7 | 23 709.6 | 55.1 | 111.1 | 36.3 | 112 021.8 |
| 贵州 | 159.4 | 2 637.0 | 8.8 | 92.4 | 0.2 | 84 391.9 |
| 云南 | 37.5 | 8 173.4 | 100.6 | 571.1 | | 88 871.8 |
| 西藏 | 58.3 | 75.9 | | 6.1 | 1.4 | 10 316.6 |
| 陕西 | 38.5 | 35 391.0 | 79.3 | 16.3 | 4.3 | 55 023.5 |
| 甘肃 | 6.3 | 14 082.7 | 14.1 | 1.7 | 1.7 | 57 826.1 |
| 青海 | 76.7 | 1 739.8 | | 0.4 | 0.0 | 11 367.9 |
| 宁夏 | 105.1 | 1 119.5 | | 13.5 | 1.3 | 12 406.5 |
| 新疆(含兵团) | 179.4 | 18 673.5 | 231.4 | 602.2 | 3.1 | 97 046.0 |

## 历年基本医疗保险、工伤保险、生育保险基本情况

| 年份 | 基本医疗保险 年末参保人数（万人） 合计 | 职工 | 离休、退休、退职人员 |
|---|---|---|---|
| **一、绝对数** | | | |
| 1997 | 1 762.0 | 1 588.9 | 173.1 |
| 1998 | 1 877.6 | 1 508.7 | 369.0 |
| 1999 | 2 065.3 | 1 509.4 | 555.9 |
| 2000 | 3 786.9 | 2 862.8 | 924.2 |
| 2001 | 7 285.9 | 5 470.7 | 1 815.2 |
| 2002 | 9 401.2 | 6 925.8 | 2 475.4 |
| **二、比上年增长（%）** | | | |
| 1998 | 6.6 | -5.1 | 113.2 |
| 1999 | 10.0 | 0.05 | 50.7 |
| 2000 | 83.4 | 89.7 | 66.2 |
| 2001 | 92.4 | 91.1 | 96.4 |
| 2002 | 29.0 | 26.6 | 36.4 |

| 年份 | 工伤保险 年末参保职工人数（万人） | 工伤保险 年末享受工伤待遇的人数（万人） | 生育保险 年末参保职工人数（万人） |
|---|---|---|---|
| **一、绝对数** | | | |
| 1997 | 3 507.8 | 12.5 | 2 485.9 |
| 1998 | 3 781.3 | 15.3 | 2 776.7 |
| 1999 | 3 912.3 | 15.1 | 2 929.8 |
| 2000 | 4 350.3 | 18.8 | 3 001.6 |
| 2001 | 4 345.3 | 18.7 | 3 455.1 |
| 2002 | 4 405.6 | 26.5 | 3 488.2 |
| **二、比上年增长（%）** | | | |
| 1998 | 7.8 | 22.9 | 11.7 |
| 1999 | 3.5 | -1.9 | 5.5 |
| 2000 | 9.8 | 25.0 | 2.5 |
| 2001 | -0.1 | -0.6 | 15.1 |
| 2002 | 1.4 | 41.7 | 1.0 |

## 分地区基本医疗保险基本情况

（2002）

| 地区 | 年末参保人数（万人） | | 基金收支情况（万元） | | |
|---|---|---|---|---|---|
| | 职工 | 离休、退休、退职人员 | 基金收入 | 基金支出 | 累计结余 |
| **全国** | **6 925.8** | **2 475.5** | **6 077 830** | **4 093 566** | **4 507 138** |
| 北京 | 207.9 | 113.2 | 410 472 | 364 570 | 108 838 |
| 天津 | 146.5 | 103.8 | 172 146 | 124 529 | 67 243 |
| 河北 | 257.4 | 73.0 | 162 830 | 102 833 | 116 789 |
| 山西 | 167.2 | 49.5 | 41 627 | 15 540 | 34 331 |
| 内蒙古 | 167.5 | 54.2 | 80 699 | 53 322 | 64 329 |
| 辽宁 | 430.3 | 188.7 | 270 782 | 155 091 | 196 557 |
| 吉林 | 137.1 | 39.8 | 63 892 | 31 640 | 50 453 |
| 黑龙江 | 284.6 | 108.2 | 99 778 | 63 249 | 72 839 |
| 上海 | 449.0 | 245.9 | 904 147 | 723 731 | 606 818 |
| 江苏 | 507.7 | 183.2 | 512 700 | 354 164 | 342 230 |
| 浙江 | 306.4 | 117.0 | 373 852 | 204 150 | 361 111 |
| 安徽 | 207.8 | 65.6 | 106 176 | 66 335 | 81 437 |
| 福建 | 175.3 | 54.7 | 208 279 | 124 982 | 192 013 |
| 江西 | 83.9 | 22.7 | 53 990 | 39 766 | 33 041 |
| 山东 | 506.1 | 119.5 | 347 328 | 271 986 | 197 057 |
| 河南 | 422.3 | 115.2 | 226 205 | 131 702 | 173 891 |
| 湖北 | 257.5 | 80.6 | 156 087 | 80 910 | 107 630 |
| 湖南 | 289.8 | 108.3 | 179 613 | 126 446 | 119 592 |
| 广东 | 598.9 | 118.8 | 650 240 | 356 784 | 819 906 |
| 广西 | 147.7 | 54.1 | 93 261 | 53 048 | 63 077 |
| 海南 | 41.0 | 11.5 | 32 570 | 24 875 | 18 488 |
| 重庆 | 40.7 | 18.0 | 29 605 | 20 474 | 19 008 |
| 四川 | 330.5 | 150.1 | 279 492 | 182 654 | 257 537 |
| 贵州 | 68.0 | 26.6 | 37 375 | 18 064 | 24 281 |
| 云南 | 173.4 | 65.0 | 214 699 | 150 483 | 138 951 |
| 西藏 | | | 9 894 | 2 226 | 7 668 |
| 陕西 | 196.7 | 65.1 | 65 415 | 43 930 | 52 903 |
| 甘肃 | 98.1 | 26.0 | 62 343 | 45 717 | 29 681 |
| 青海 | 34.8 | 16.3 | 39 193 | 25 120 | 37 616 |
| 宁夏 | 26.6 | 10.1 | 18 339 | 11 410 | 10 322 |
| 新疆 | 112.5 | 35.6 | 137 769 | 96 875 | 85 235 |
| 新疆生产建设兵团 | 52.7 | 35.0 | 37 032 | 26 960 | 16 266 |

## 分地区工伤保险基本情况

（2002）

| 地　　区 | 参保职工人数（人） | 基金收入（万元） | 基金支出（万元） | 累计结余（万元） | 享受工伤待遇的人数（人） | |
|---|---|---|---|---|---|---|
| | | | | | 合计 | 一至四级 |
| **全　　国** | **44 056 394** | **320 315** | **198 919** | **810 812** | **265 069** | **41 472** |
| 北　　京 | 2 210 814 | 25 890 | 20 073 | 25 150 | 7 227 | 1 690 |
| 天　　津 | | | | | | |
| 河　　北 | 1 467 338 | 4 103 | 3 686 | 7 571 | 3 957 | 527 |
| 山　　西 | 463 086 | 741 | 542 | 3 142 | 582 | 37 |
| 内 蒙 古 | 238 403 | 762 | 722 | 785 | 2 431 | 391 |
| 辽　　宁 | 3 905 379 | 21 579 | 18 548 | 39 989 | 59 638 | 14 497 |
| 吉　　林 | 365 921 | 1 882 | 908 | 2 588 | 15 438 | 4 140 |
| 黑 龙 江 | 1 189 600 | 4 050 | 2 566 | 6 832 | 9 014 | 1 179 |
| 上　　海 | | | | | | |
| 江　　苏 | 4 799 950 | 26 696 | 16 783 | 70 694 | 12 842 | 4 038 |
| 浙　　江 | 2 260 040 | 17 158 | 8 086 | 59 022 | 9 787 | 445 |
| 安　　徽 | 698 037 | 3 863 | 2 788 | 4 425 | 3 059 | 78 |
| 福　　建 | 1 706 913 | 16 316 | 6 364 | 49 000 | 2 952 | 211 |
| 江　　西 | 1 292 539 | 6 547 | 3 558 | 23 845 | 1 934 | 388 |
| 山　　东 | 2 777 033 | 15 809 | 9 716 | 31 975 | 10 796 | 2 270 |
| 河　　南 | 2 187 900 | 9 936 | 6 132 | 14 784 | 6 890 | 1 546 |
| 湖　　北 | 1 831 567 | 3 334 | 1 897 | 14 037 | 17 124 | 4 078 |
| 湖　　南 | | 2 932 | 1 365 | 13 923 | | |
| 广　　东 | 10 499 142 | 112 062 | 65 606 | 330 879 | 80 367 | 846 |
| 广　　西 | 1 172 636 | 6 542 | 3 915 | 24 566 | 2 163 | 571 |
| 海　　南 | 688 606 | 3 344 | 1 497 | 13 334 | 619 | 26 |
| 重　　庆 | 296 539 | 1 971 | 1 904 | 4 757 | 733 | 164 |
| 四　　川 | 1 673 945 | 13 411 | 9 171 | 34 136 | 6 065 | 2 633 |
| 贵　　州 | 13 464 | 164 | 13 | 337 | 17 | 2 |
| 云　　南 | 889 603 | 11 674 | 6 757 | 18 729 | 8 639 | 609 |
| 西　　藏 | | | | | | |
| 陕　　西 | 255 671 | 1 286 | 697 | 2 216 | 421 | 195 |
| 甘　　肃 | 87 342 | 252 | 187 | 928 | 149 | 40 |
| 青　　海 | 65 518 | 1 609 | 1 972 | 923 | 302 | 298 |
| 宁　　夏 | 159 667 | 1 158 | 1 232 | 1 177 | 471 | 206 |
| 新　　疆 | 294 482 | 2 411 | 1 051 | 5 493 | 545 | 122 |
| 新疆生产建设兵团 | 565 259 | 2 833 | 1 183 | 5 575 | 907 | 245 |

续表

| 地区 | | | | 享受职业病待遇的人数（人） | | | | |
|---|---|---|---|---|---|---|---|---|
| | 五至六级 | 七至十级 | 其他 | 合计 | 一至四级 | 五至六级 | 七至十级 | 其他 |
| **全国** | **27 431** | **109 445** | **86 721** | **23 519** | **14 104** | **2 694** | **2 447** | **4 274** |
| 北京 | 1 070 | 4 467 | | 1 066 | 607 | 114 | 345 | |
| 天津 | | | | | | | | |
| 河北 | 487 | 1 968 | 975 | 119 | 87 | 15 | 16 | 1 |
| 山西 | 441 | 87 | 17 | 2 | 2 | | | |
| 内蒙古 | 799 | 1 139 | 102 | 246 | 48 | 88 | 110 | |
| 辽宁 | 9 409 | 35 010 | 722 | 6 376 | 5 665 | 379 | 332 | |
| 吉林 | 2 674 | 8 604 | 20 | 505 | 191 | 159 | 155 | |
| 黑龙江 | 1 049 | 4 635 | 2 151 | 1 172 | 500 | 70 | 96 | 506 |
| 上海 | | | | | | | | |
| 江苏 | 1 205 | 5 524 | 2 075 | 1 607 | 1 051 | 174 | 213 | 169 |
| 浙江 | 350 | 2 185 | 6 807 | 123 | 23 | 34 | 14 | 52 |
| 安徽 | 147 | 1 014 | 1 820 | 197 | 13 | 17 | 167 | |
| 福建 | 146 | 1 044 | 1 551 | 3 072 | 1 933 | 666 | 297 | 176 |
| 江西 | 226 | 825 | 495 | 283 | 191 | 21 | 24 | 47 |
| 山东 | 943 | 3 023 | 4 560 | 1 501 | 1 000 | 255 | 135 | 111 |
| 河南 | 1 081 | 2 586 | 1 677 | 179 | 55 | 5 | 1 | 118 |
| 湖北 | 4 064 | 8 148 | 834 | 601 | 204 | 167 | 193 | 37 |
| 湖南 | | | | | | | | |
| 广东 | 1 234 | 23 428 | 54 859 | 45 | 24 | 4 | 8 | 9 |
| 广西 | 187 | 555 | 850 | 44 | 20 | 1 | 3 | 20 |
| 海南 | 17 | 29 | 547 | 1 603 | 2 | 40 | | 1 561 |
| 重庆 | 132 | 363 | 74 | 755 | 510 | 83 | 147 | 15 |
| 四川 | 912 | 1 837 | 683 | 1 473 | 1 087 | 266 | 74 | 46 |
| 贵州 | | 1 | 14 | 4 | | | | 4 |
| 云南 | 545 | 2 312 | 5 173 | 1 581 | 504 | 116 | 111 | 850 |
| 西藏 | | | | | | | | |
| 陕西 | 154 | 50 | 22 | 35 | 33 | | | 2 |
| 甘肃 | 4 | 42 | 63 | 4 | 2 | 1 | | 1 |
| 青海 | | | 4 | 98 | 98 | | | |
| 宁夏 | 18 | 50 | 197 | 536 | 2 | | | 534 |
| 新疆 | 36 | 305 | 82 | 161 | 142 | 9 | 2 | 8 |
| 新疆生产建设兵团 | 101 | 214 | 347 | 131 | 110 | 10 | 4 | 7 |

## 分地区生育保险基本情况

（2002）

| 地　区 | 参保职工人数（人） | 享受待遇人数（人） | 基金收入（万元） | 基金支出（万元） | 累计结余（万元） |
|---|---|---|---|---|---|
| **全　国** | **34 882 321** | **283 105** | **218 135** | **127 784** | **297 316** |
| 北　京 | | | | | |
| 天　津 | | | | | |
| 河　北 | 953 849 | 6 895 | 3 592 | 1 106 | 3 880 |
| 山　西 | 843 197 | 3 042 | 1 358 | 1 319 | 2 921 |
| 内蒙古 | 233 676 | 1 052 | 578 | 447 | 973 |
| 辽　宁 | 2 160 980 | 12 486 | 8 773 | 7 401 | 12 990 |
| 吉　林 | 326 821 | 1 383 | 1 985 | 288 | 3 505 |
| 黑龙江 | 1 532 309 | 12 084 | 3 467 | 2 283 | 2 425 |
| 上　海 | 4 528 525 | 36 516 | 61 706 | 28 335 | 42 152 |
| 江　苏 | 4 860 631 | 40 730 | 33 029 | 19 236 | 59 657 |
| 浙　江 | 1 936 864 | 18 562 | 12 855 | 7 704 | 34 346 |
| 安　徽 | 236 497 | 1 550 | 927 | 549 | 715 |
| 福　建 | 1 237 079 | 9 639 | 6 649 | 4 999 | 6 465 |
| 江　西 | 1 094 188 | 6 772 | 3 067 | 2 035 | 9 163 |
| 山　东 | 3 227 504 | 38 441 | 17 957 | 13 077 | 20 187 |
| 河　南 | 2 059 339 | 11 311 | 4 406 | 3 253 | 5 007 |
| 湖　北 | 1 827 436 | 7 778 | 2 813 | 1 732 | 6 748 |
| 湖　南 | 33 675 | 470 | 382 | 292 | 375 |
| 广　东 | 2 586 749 | 24 796 | 21 465 | 13 337 | 38 041 |
| 广　西 | 1 067 871 | 10 642 | 5 927 | 3 364 | 9 602 |
| 海　南 | 231 543 | 2 197 | 1 366 | 404 | 1 181 |
| 重　庆 | 198 767 | 1 415 | 981 | 398 | 1 653 |
| 四　川 | 1 664 450 | 11 884 | 8 366 | 5 607 | 15 914 |
| 贵　州 | 8 869 | 55 | 29 | 12 | 57 |
| 云　南 | 868 783 | 10 222 | 9 769 | 6 372 | 11 934 |
| 西　藏 | | | | | |
| 陕　西 | 54 034 | 724 | 323 | 253 | 419 |
| 甘　肃 | 51 307 | 351 | 183 | 88 | 319 |
| 青　海 | 43 237 | 460 | 292 | 273 | 303 |
| 宁　夏 | 150 055 | 1 749 | 572 | 531 | – 10 |
| 新　疆 | 297 154 | 3 745 | 2 372 | 1 807 | 1 317 |
| 新疆生产建设兵团 | 566 932 | 6 154 | 2 946 | 1 282 | 5 077 |

## 分地区农村社会养老保险基本情况

（2002）

| 地区 | 开展工作的地区和单位（个） | | | | | 年末参保人数（万人） | |
|---|---|---|---|---|---|---|---|
| | 地级 | 县级 | 乡镇 | 村 | 乡镇企业 | 合计 | 本年参保人数 |
| **全国** | **260** | **1 955** | **27 566** | **371 662** | **84 530** | **5 461.8** | **412.8** |
| 北京 | 1 | 14 | 194 | 3 534 | 2 083 | 32.0 | 2.1 |
| 天津 | | | | | | | |
| 河北 | 11 | 159 | 1 589 | 31 891 | 656 | 231.2 | 0.3 |
| 山西 | 11 | 116 | 1 497 | 10 896 | 6 582 | 200.0 | 0.8 |
| 内蒙古 | 10 | 59 | 904 | 7 726 | 7 | 97.5 | 75.0 |
| 辽宁 | 13 | 64 | 950 | 11 124 | 4 695 | 213.0 | 18.0 |
| 吉林 | 6 | 34 | 277 | 1 024 | 30 | 9.4 | 0.8 |
| 黑龙江 | 13 | 97 | 864 | | | 185.0 | 0.1 |
| 上海 | | 10 | 146 | 2 359 | 13 539 | 124.0 | 124.0 |
| 江苏 | 13 | 94 | 1 341 | 20 662 | 22 649 | 737.4 | 22.7 |
| 浙江 | 5 | 70 | 1 189 | 25 609 | 6 427 | 535.0 | 4.3 |
| 安徽 | 16 | 91 | 1 702 | 21 265 | 5 321 | 194.4 | 2.2 |
| 福建 | 9 | 79 | 1 008 | 4 046 | 0 | 154.6 | 1.5 |
| 江西 | 11 | 96 | 1 582 | 18 413 | 7 661 | 232.3 | 0.2 |
| 山东 | 17 | 149 | 1 806 | 83 180 | 4 700 | 992.5 | 99.0 |
| 河南 | 14 | 93 | 1 087 | 18 847 | 834 | 162.6 | 1.6 |
| 湖北 | 13 | 95 | 1 067 | 21 652 | 2 991 | 307.5 | 4.4 |
| 湖南 | 13 | 97 | 1 626 | 20 386 | 621 | 175.0 | 0.2 |
| 广西 | 14 | 87 | 1 120 | 9 309 | 830 | 184.3 | 0.1 |
| 海南 | 2 | 20 | 312 | 3 697 | 1 121 | 32.7 | 0.4 |
| 重庆 | | 23 | 600 | 4 957 | 288 | 39.9 | |
| 四川 | 19 | 101 | 3 028 | 23 619 | 1 544 | 326.0 | 28.8 |
| 贵州 | | 1 | 26 | | 1 | 5.9 | 0.0 |
| 云南 | 14 | 104 | 1 183 | 8 314 | 1 536 | 136.8 | 0.3 |
| 西藏 | 4 | 10 | 67 | 77 | | 3.1 | |
| 陕西 | 10 | 99 | 1 613 | 14 145 | 356 | 89.7 | 15.3 |
| 甘肃 | 1 | 9 | 194 | 1 345 | 54 | 9.8 | 0.0 |
| 青海 | 7 | 23 | 193 | 2 000 | | 13.8 | |
| 宁夏 | | 15 | 140 | | | 13.0 | |
| 新疆 | 12 | 44 | 242 | 1 366 | 4 | 12.6 | |
| 深圳 | 1 | 2 | 19 | 219 | | 11.0 | 10.8 |

注：1. 职工人数合计栏指省、地、县三级工作人员的合计；

2. 西藏、青海、宁夏等3个省、市没有报送报表，暂用上年数字代替。

续表 1

| 地区 | | 年末领取人数（万人） | | 农村社会养老保险工作机构（个） | | | | | | |
|---|---|---|---|---|---|---|---|---|---|---|
| | | | | 省级 | | 地级 | | 县级 | | 乡镇 |
| | 本年乡企参保 | 本年领取养老金人数 | 本年退保转移死亡人数 | 行政 | 事业 | 行政 | 事业 | 行政 | 事业 | |
| **全　国** | **66.7** | **123.4** | **71.6** | **20** | **13** | **70** | **140** | **101** | **1 731** | **12 996** |
| 北　京 | 0.3 | 1.0 | 0.1 | 1 | 1 | | | | 14 | 151 |
| 天　津 | | | | 1 | | | | | | |
| 河　北 | 0.2 | 3.6 | 4.8 | 1 | | 6 | 4 | 2 | 152 | 288 |
| 山　西 | 0.2 | 0.6 | 0.0 | 1 | 1 | 11 | 11 | | 110 | 1 028 |
| 内蒙古 | | 0.3 | 0.1 | | | 1 | 2 | 2 | 46 | 641 |
| 辽　宁 | 0.1 | 1.0 | 9.5 | | | | 10 | | 64 | 681 |
| 吉　林 | 0.1 | 0.1 | 0.5 | 1 | 1 | 4 | 3 | 14 | 36 | 26 |
| 黑龙江 | | 1.4 | 0.2 | 1 | 1 | 3 | 10 | 8 | 51 | |
| 上　海 | 48.4 | 38.0 | 3.2 | 1 | 1 | | | 9 | 10 | 146 |
| 江　苏 | 6.5 | 12.3 | 5.0 | 1 | 1 | 6 | 9 | 3 | 93 | 1 241 |
| 浙　江 | 1.4 | 4.5 | 7.3 | 1 | | | 5 | | 70 | 24 |
| 安　徽 | 0.3 | 1.1 | 0.8 | | | 7 | 7 | 3 | 80 | 859 |
| 福　建 | 0.0 | 1.1 | 0.2 | | 1 | 3 | 9 | | 79 | |
| 江　西 | 0.0 | 3.8 | 0.3 | 1 | | 3 | 7 | 5 | 93 | 1 213 |
| 山　东 | 1.3 | 29.5 | 6.0 | 1 | | 4 | 14 | 7 | 137 | 1 529 |
| 河　南 | 0.0 | 2.6 | 5.2 | 1 | | 3 | 6 | 2 | 75 | 602 |
| 湖　北 | 0.6 | 2.2 | 1.7 | 1 | | 5 | 3 | 7 | 82 | 603 |
| 湖　南 | | 2.8 | 4.7 | | | 3 | 5 | 2 | 93 | 466 |
| 广　西 | 6.0 | 1.9 | 0.4 | 1 | 1 | 1 | 6 | 5 | 76 | 734 |
| 海　南 | | 0.1 | 0.0 | 1 | | | 2 | | 20 | 256 |
| 重　庆 | | 0.6 | | 1 | | | 1 | | 19 | 136 |
| 四　川 | 1.2 | 9.7 | 19.2 | | | 4 | 4 | 6 | 81 | 1 363 |
| 贵　州 | | 0.0 | 0.2 | 1 | | | | | | |
| 云　南 | 0.1 | 3.6 | 0.4 | 1 | 1 | 5 | 8 | 12 | 78 | 328 |
| 西　藏 | | | | | | | | | | |
| 陕　西 | 0.0 | 0.4 | 1.4 | | 1 | 1 | 6 | 3 | 95 | 427 |
| 甘　肃 | | 0.0 | 0.1 | | | | 2 | 2 | 14 | 145 |
| 青　海 | | 0.0 | 0.1 | 1 | 1 | | 2 | | 19 | |
| 宁　夏 | | | | | 1 | | | | 18 | |
| 新　疆 | | 0.2 | 0.1 | 1 | 1 | | 3 | 9 | 24 | 90 |
| 深　圳 | | 1.1 | 0.2 | | | | 1 | | 2 | 19 |

续表 2

| 地区 | 职工人数（人） | | | | | | |
|---|---|---|---|---|---|---|---|
| | 合计 | 省级 | | | 地级 | | |
| | | 行政 | 事业 | 自收自支 | 行政 | 事业 | 自收自支 |
| **全国** | **10 387** | **67** | **105** | **34** | **141** | **670** | **286** |
| 北京 | 3 723 | 4 | 6 | | | | |
| 天津 | | | | | | | |
| 河北 | 1 283 | 4 | 1 | | 24 | 15 | 7 |
| 山西 | | 4 | 11 | | 6 | 29 | 5 |
| 内蒙古 | 3 795 | | | | 1 | 5 | |
| 辽宁 | 7 595 | | 4 | | | 85 | 72 |
| 吉林 | 115 | 5 | 5 | | 10 | 4 | |
| 黑龙江 | 202 | 3 | 4 | | 5 | 25 | 5 |
| 上海 | 10 103 | 4 | 7 | 7 | | | |
| 江苏 | 14 798 | 5 | 8 | | 9 | 58 | 30 |
| 浙江 | | 4 | | | | 19 | |
| 安徽 | 3 768 | | | | 10 | 19 | 10 |
| 福建 | 517 | | 17 | 17 | 3 | 45 | 45 |
| 江西 | 9 771 | | 5 | | 3 | 51 | 38 |
| 山东 | 3 856 | 4 | 1 | | 7 | 89 | 9 |
| 河南 | 2 915 | 2 | | | 7 | 50 | 7 |
| 湖北 | 1 259 | 5 | | | 9 | 7 | 10 |
| 湖南 | 2 938 | | | | 4 | 21 | 2 |
| 广西 | 2 087 | 3 | 4 | 4 | 2 | 24 | 16 |
| 海南 | 352 | 1 | | | | 17 | |
| 重庆 | 814 | 3 | | | | 17 | 17 |
| 四川 | 2 447 | | 2 | | 19 | 38 | 13 |
| 贵州 | 465 | | | | | | |
| 云南 | 2 621 | 2 | 7 | | 9 | 19 | |
| 西藏 | | | | | | | |
| 陕西 | 3 088 | | 5 | | 1 | 14 | |
| 甘肃 | 1 405 | | | | 1 | 9 | |
| 青海 | 11 | 4 | 2 | | | 5 | |
| 宁夏 | 10 | | 10 | | | | |
| 新疆 | | 10 | 6 | 6 | 8 | 5 | |
| 深圳 | 268 | | | | 3 | | |

续表 3

| 地区 | 县级 | | | 乡镇 | | 村或乡企代办人员 |
|---|---|---|---|---|---|---|
| | 行政 | 事业 | 自收自支 | 专职 | 兼职 | |
| **全　国** | **318** | **9 086** | **5 079** | **5 098** | **16 873** | **117 960** |
| 北　京 | 3 | 59 | 8 | 60 | 172 | 3 429 |
| 天　津 | | | | | | |
| 河　北 | 5 | 541 | 232 | 28 | 670 | |
| 山　西 | | 425 | 260 | 56 | 920 | 12 025 |
| 内蒙古 | 11 | 196 | 67 | 227 | 557 | 3 537 |
| 辽　宁 | 2 | 451 | 410 | 196 | 669 | 6 191 |
| 吉　林 | 20 | 53 | | | 28 | |
| 黑龙江 | 18 | 147 | 143 | | | |
| 上　海 | 23 | 102 | 86 | 523 | 135 | 9 320 |
| 江　苏 | 16 | 678 | 539 | 153 | 554 | 11 937 |
| 浙　江 | 1 | 262 | 160 | 14 | 582 | 4 725 |
| 安　徽 | 21 | 383 | 321 | 131 | 1 228 | 1 695 |
| 福　建 | | 452 | 452 | 351 | 746 | 3 555 |
| 江　西 | 31 | 515 | 325 | 171 | 1 422 | 7 578 |
| 山　东 | 20 | 1 075 | 367 | 1 310 | 1 350 | 34 666 |
| 河　南 | 18 | 650 | 557 | 425 | 1 763 | 4 277 |
| 湖　北 | 27 | 646 | 196 | 359 | 437 | 2 317 |
| 湖　南 | 8 | 437 | 283 | 107 | 967 | 2 869 |
| 广　西 | 7 | 324 | 153 | 77 | 981 | 665 |
| 海　南 | | 67 | 28 | 53 | 214 | |
| 重　庆 | | 107 | 49 | | | |
| 四　川 | 17 | 400 | 215 | 202 | 1 144 | 2 388 |
| 贵　州 | | 8 | | 39 | 41 | 377 |
| 云　南 | 30 | 254 | 47 | 333 | 694 | 1 273 |
| 西　藏 | | | | | | 77 |
| 陕　西 | 14 | 566 | 107 | 120 | 1 081 | 1 287 |
| 甘　肃 | 9 | 32 | 9 | 40 | 146 | 1 159 |
| 青　海 | | 60 | | | 193 | 2 000 |
| 宁　夏 | | 62 | | | 159 | |
| 新　疆 | 17 | 126 | 65 | 85 | 20 | 394 |
| 深　圳 | | 8 | | 38 | | 219 |